GRE 词汇精选

俞敏洪 ◎ 著

群言出版社
Qunyan Press

图书在版编目(CIP)数据

GRE 词汇精选 / 俞敏洪著. —8 版. —北京：
群言出版社，2005（2010.4 重印）
ISBN 978-7-80080-490-8

Ⅰ. G… Ⅱ. 俞… Ⅲ. 英语—词汇—研究生—入学考试—美国—自学参考资料 Ⅳ. H313

中国版本图书馆 CIP 数据核字(2005)第 043171 号

GRE 词汇精选

出 版 人 范 芳
责任编辑 王荣彬 窦中川
封面设计 王 琳
出版发行 群言出版社(Qunyan Press)
地 址 北京东城区东厂胡同北巷 1 号
邮政编码 100006
网 站 www.qypublish.com
读者信箱 bj62605588@163.com
总 编 办 010－65265404 65138815
编 辑 部 010－65276609 65262436
发 行 部 010－65263345 65220236

经 销 新华书店
读者服务 010－65220236 65265404 65263345
法律顾问 中济律师事务所
印 刷 北京朝阳新艺印刷有限公司

版 次 2008 年 9 月第 8 版 2010 年 4 月第 19 次印刷
开 本 787mm×1092mm 1/16
印 张 37.5
字 数 1024 千
书 号 ISBN 978-7-80080-490-8
定 价 58.00 元

美丽的鞭策（代 序）

我做任何事情都不太容易抢占先机，因为天性有点与世无争，反映到学习和追求上就是不够上进，或者说没有进取心。1985年大学毕业后被留在北大当了老师，不是因为成绩优秀，而是因为当时北大公共英语迅速发展，严重缺老师，结果把我这个中英文水平都残缺不全的人留了下来。尽管当时我的教学水平不怎么样，但是却很喜欢北大宁静的生活，准备把一辈子托付给北大，在北大分给我的一间八平米的地下室里自得其乐，天天在见不到一丝阳光的房间里读着马尔克斯的《百年孤独》。整个楼房的下水管刚好从我房间旁边通过，二十四小时的哗哗水声传进耳朵，我把它听成美丽的瀑布而不去想像里面的内容。后来北大可怜我，把我从地下室拯救出来，搬到了北大十六楼同样八平米的宿舍里。每天早上打开窗户就能见到阳光，我感激得涕泗横流，决定把一辈子献给北大。

我是一个对周围事情的发展很不敏感的人。到今天为止，我对国内国际的政治形势和变化依然反应迟钝，认为这是大人物的事情，和我这样的草民没有太多关系。我对周围的人在做些什么反应也很迟钝，认为这是人家的私事，我没有知道的权利。在这种迟钝中，我周围的世界和人物都在悄悄地发生变化。中国已经向世界开放，出国的热潮在中国悄然兴起。我周围的朋友们都是奔走在风口浪尖上的人物，迅速嗅到了从遥远的国度飘过来的鱼腥味，偷偷地顺着味道飘来的方向前进（当时大家联系出国都不会让单位知道，甚至不愿意让朋友知道）。过了一段时间，我发现周围的朋友们都失踪了，最后接到他们从海外发来的明信片，才知道他们已经登上了北美大陆。

我依然没有生出太多的羡慕。我能从农村到北大就已经登天了，出国留学对于我来说是一件奢侈得不敢想的事情，还是顺手拿本《三国演义》读一读更加轻松。但不幸的是，我这时候已经结了婚，我不和别人比，我老婆会把我和别人比。她能嫁给我就够为难她的了，几乎是一朵鲜花插在了牛粪上，如果我太落后，这脸面往哪里搁呀？突然有一天我听到一声大吼：如果你不走出国门，就永远别进家门！我一哆嗦后立刻明白我的命运将从此改变。后来我发现，一个女人结婚以后最大的能力是自己不再进步，却能把一个男人弄得很进步或很失败。

老婆的一声吼远远超过了马克思主义的力量。从1988年开始我被迫为了出国而努力。每次我挑灯夜战TOEFL和GRE的时候，她就高兴地为我煮汤倒水；每次看到我夜读三国，她就杏眼圆睁，把我一脚从床上踹下。我化压力为动力，终于考过了TOEFL，又战胜了GRE，尽管分数不算很高，但毕竟可以联系美国大学了。于是开始选专业。但我的学习虽然是涉猎甚广，却对任何专业都没有真正的爱好和研究。病急乱投医，我几乎把美国所有的大学都联系了个遍。美国教授个个鹰眼犀利，一下就看出来我是个滥竽充数的草包，连在太平洋一个小小岛屿上的夏威夷大学都对我不屑一顾。挣扎了三年，倾家荡产以后，我出国读书的梦想终于彻底破灭。

出国不成，活下去变成了我的第一选择，于是每天晚上出去授课赚取生活费用。三年多联系出国的经历，使我对出国考试有了很深的了解。而此时的中国已经进入了九十年代，大家已经开始明目张胆地为出国而拼命。北京的TOEFL、GRE班遍地开花。北大里面有TOEFL、GRE班，北大外面有很多培训机构也有TOEFL、GRE班。北大里面的班轮不到我去教，老资格的人把职位全占了，于是我就只能到外面去教，结果就影响了北大的生源，就得罪了北大，就被不明不白地给了一个行政记过处分。偷鸡不成反蚀一把米，出国没弄成，教书没挣到钱，反而连北大都待不下去了。我尽管不好胜，但也要脸，不像今天已经练就了死皮赖脸的本领，被处分了还怎么在学生面前露面啊？只能一狠心从北大辞了职。

于是就一心一意地搞英语培训。先是为别人教书，后来就发现自己干能挣更多的钱，就承包了一个民办学校的外语培训中心，先是搞TOEFL培训，后来又发现开GRE班比开TOEFL班更受欢迎，于是就开始搞GRE班。招来了几十个学生才发现没有任何老师能够教GRE的词汇，只能自己日夜备课，拼命翻各种英语大辞典，每天备课达十个小时，但上课时依然捉襟见肘，常常被学生的问题难倒，弄得张口结舌。为维护自己的尊严，我只能收起懒散的性情，开始拼命背英语词汇，家里的每一个角落都贴满了英语单词，最后居然弄破两本朗文现代英汉双解词典。男子汉不发奋则已，一发奋则几万单词尽入麾下。结果我老婆从此对我敬畏恩爱，如滔滔江水，绵绵不绝。

后来呢？后来就有了新东方学校，就有了《GRE 词汇精选》这本书。最早写这本书时，中国还没有普及电脑，我就用一张卡片写一个单词和解释，在写完几千张卡片以后，再按照字母顺序整理出来送到出版社，结果出版社不收卡片，我只能又把几千张卡片抱回家，我老婆就在家里把一张张卡片上的内容抄在稿子上，每天都到深夜不辍。书终于出版了，由于用了红色封面被学生戏称“红宝书”。后来为了不断跟上时代，又几经改版。由于有了电脑，修改起来也变得容易，不再需要任何人伏案抄写。但对我来说，这本书惟一的意义，就是直到永远都留在我感动中的——我老婆在灯光下帮我抄写手稿时的美丽背影。

新东方教育科技集团董事长兼总裁

1993年初版序言

GRE考生最头疼的事情就是背单词。要在两三个月内熟记大量的GRE词汇，并且还要了解这些单词的精确含义，真让人恨不得生出三头六臂来。本书的目的就是为了减轻考生背单词的负担，加快背单词的速度，让考生将更多的时间用在考题本身的学习上。下面我先谈一下本书的特色：

一、本书收词量是目前GRE词汇书中最多的一本，所选单词几乎全部来自GRE全真题，并且对一些将来可能会考到的新单词进行了预测。所以只要背完本书，考试中的词汇量问题就能基本解决。

二、本书对大部分单词的记忆方法进行了说明，使考生记单词的速度至少提高一倍，有些单词甚至可以做到过目不忘。同时，部分单词配有例句或词组，使考生对单词的使用方法一目了然。

下面我再谈一下本书所提到的记忆方法。

一、词根词缀记忆法　大部分英语单词都可以分成几个部分来记，它们通常的形式是：前缀+词根+后缀，如auto(自己)+bio(生命)+graph(写)+y(后缀)，autobiography（写自己的生命→自传），这样就可以避免一个字母一个字母地死记硬背。英语中的基本词根、词缀不超过500个，只要了解了它们，就可以通过它们轻而易举地记上几千个单词。本书对反复出现的词根进行了详细解释和说明，并列举同根词进行参考，使记单词达到举一反三的效果。

二、分割联想记忆法　对于没有词根的单词或词根难以记住的单词，本书采用了分割联想记忆法。所谓分割联想记忆法就是把一个单词分割成几个单词或几个部分，并用联想的方法记住。如：charisma（领导人的超凡魅力）可以这样记：cha看作China，ris看作rise，ma看作Mao，连起来为China rises Mao(中国升起了毛泽东)→超凡魅力。再如：adamant(坚定的)可以看作两个单词的组合：adam(亚当)+ant（蚂蚁），亚当和蚂蚁是坚定的人和动物。这样，“坚定的”一词就记住了。有一点需要说明的是，这种方法是极不科学的，甚至是荒谬的，但为了记住单词，可以用尽一切手段。

三、寻根探源记忆法　有些英文单词是外来词或因为某个人、物或社会事件所产生的单词，对于这一类的单词，只要了解其来源，一下子就能记住。如chauvinism（极度爱国主义），即来自一剧中主角Chauvin，他是拿破仑的士兵，狂热崇拜拿破仑及鼓吹以武力征服其他民族。再如，tantalize(惹弄,逗引)即来自希腊神话人物Tantalus，他因泄露天机，被罚立在齐下巴深的水中，头上有果树。口渴欲饮时，水即流失，腹饥欲食时，果子就被风吹去。本书对这一类单词的来源都作了说明，使大家一看到该单词即过目不忘。

四、比较记忆法　有些英文单词拼写极为相似，这类单词如果并列在一起，就可以进行比较，并加强记忆。如：minnow(鲦鱼)和winnow(吹去杂质)；taunt

(嘲弄)和daunt(恐吓)。如果将这些单词以比较的方式呈现，考生就能够一次记几个单词。本书把词形相同的单词都放到一起，使大家可以达到一箭数雕的目的。

五、单词举例记忆法 对有些很短的单词和用法很特殊的单词，本书把它们放入具体的例句或词组中，使大家对于这些单词的用法十分清楚，以增强记忆，如shoal（浅滩；一群），例：strike on a shoal（搁浅）/ a shoal of tourists（大批游客），两组短语便把shoal的两个含义清楚地表达了出来。又如table一词，GRE中考的意义为"搁置，不加考虑"，是所谓熟悉的单词不熟悉的意义，本书对这一类单词都进行了强调，并附例句说明(table a suggestion)。通过阅读本书，GRE中的常考多义词便能全部掌握。

本书的记忆方法讲完了，我还想再谈一下记GRE单词要注意的几个问题。

一、记GRE单词讲究的是迅速，只要你眼睛看到英文单词，能想起其中文意思，这个单词就算记住了，所以是"认"单词而不是"背单词"。如看到dilettante知道是"外行，业余爱好者"，看到emancipation知道是"解放"，这就够了，至于这些单词怎么拼写可以先不管，以后再说。本书把英文单词和释义部分分开，目的就是为了让你能够单独思考单词的含义。你在背完一页单词后，可以盖住右边的解释，再看一遍单词，边看边想这些单词的含义，能想起来就算过了关。

二、记单词讲究反复性。不管运用了什么样的记忆方法，说到底反复记忆是最好的方法，比如你今天背了100个单词用了30分钟，明天复习一下只要5分钟，再过几天复习一下仍只要5分钟，再过一星期复习一下还是5分钟，复习的间隔时间不断延长，记得就会越来越牢固。如果你记了100个单词10天都不看，一定会全部忘光，还得从头来，这就不合算了。请记住：学而时习之，不亦乐乎?

三、每天要给自己规定一定的任务量，或100个单词，或200个单词，不背完绝不罢休。可以采取自我奖惩的方式，如果完成了任务，就奖励一下自己，或美餐一顿，或看一场电影，或交朋会友。如果完不成则惩罚自己一下，惩罚方式当然由自己选择。另外，也可以采取互相监督的方式，找一个GRE的考伴，一起背单词，看谁能把规定的任务先完成，事实证明这种方法能激发起很高的积极性。

总之，记GRE单词不是件轻松的事情。本书只不过希望起到抛砖引玉的作用。如果你有更好的记忆方法，请主动运用到记单词中去，也希望你能告诉我，以进一步提高本书的质量。由于本书写作时间很短，所以中间一定会有大量的错误和不到之处，甚至会有很可笑的地方，希望得到大家的谅解和批评指正。对于在本书写作过程中给予我极大鼓励和帮助的各位朋友，以及给予我督促和动力的广大GRE学员，我在此表示衷心的感谢。

俞敏洪谨识
1993年12月15日深夜两点，于北京

本书特点

特点〈1〉 《GRE词汇精选》被广大G族亲切地称为“红宝书”，自1993年首版以来一直深受广大考生青睐，迄今为止已改版八次，是一本久经考验的GRE词汇精品书。本书影响了几十万的GRE考生，凡是认真背过本书的学生，都在GRE考试中取得了优异的成绩。

特点〈2〉 最新《GRE词汇精选》与以往版本相比有了重大的调整：单词数量有所减少。凡是在考试中出现的重要单词都一一收录，删去了在历年考试中从未出现过的单词，给学生减负。同时增加了近几年考试中新出现过的单词，做到紧扣时代脉搏。

特点〈3〉 本书分三个部分：第一部分“GRE考试核心词汇”收录了所有重点单词；第二部分“GRE考试最新词汇”收录了近年来考试中出现的最新词汇；此外，通过对历年试题以及GRE考试形势的分析，在本书第三部分列出了200余个“GRE考试预测词汇”，为备考学生提供参考。新的分类编排使本书当之无愧地成为迄今为止惟一一本涵盖此前GRE考试中出现的所有重点词汇并具有前瞻性的词汇宝典。

特点〈4〉 《GRE词汇精选》为每一个重要单词配出了贴切、精练的记忆方法，正文中以“【记】”标出。其中包括：词根词缀记忆法、分割联想记忆法和发音记忆法等。本书所倡导的记忆方法已经成为中国学生记忆单词的主流方法，其中联想记忆和发音记忆都是本书的独创。这些方法使英语单词记忆由枯燥的劳役变成了生动的游戏，极大地克服了学生对背单词的恐惧心理，增强了记忆单词的趣味性，提高了学习效率。此次改版对书中的记忆方法做出了一定程度的调整，修改后的记忆方法更加贴切、接近生活。此外，本书还在每页的底部设置了“返记菜单”，考生在结束每页的学习后可以及时进行复习和自测，有助于巩固对单词的掌握。为了做到与真实考试的形式一致，“返记菜单”中的单词全部采用大写形式。

特点〈5〉 《GRE 词汇精选》给大量的重要单词配上了同根词(【同】)、派生词(【派】)、形近词(【形】)、反义词(【反】)和参考词汇(【参】)，扩大横向词汇量，达到了记单词举一反三的效果，使记单词的自然重复率达到三倍以上。

特点〈6〉《GRE词汇精选》对单词进行了分类处理，凡是标上＊号的单词都是GRE类比、反义词中已经考过的重点单词；凡是没有标上＊号的都是GRE常考的填空单词或阅读单词。这样，学生可以先背标上＊号的单词，而且必须背熟，然后再背没有标上*号的单词，留下对这些单词较为深刻的记忆，以应对填空、阅读或新的类比、反义词试题。词条下的派生词、同根词等项也请认真背诵。学生考试成绩的统计数据表明，只背标上＊号的单词是很难得到GRE词汇高分的。对于预测单词，学生不必对其做过多的分析，临考之前多看即可。

特点〈7〉《GRE词汇精选》给单词配上了简单明了的英文注解。英文注解所使用的参考词典为ETS出题常用的Merriam-Webster、New World Thesaurus、NTC等词典；同时，在英文注解后也加上了GRE常考的同义词，达到了单词联合记忆的目的。

特点〈8〉《GRE词汇精选》没有把类比题的考试题型放在单词后面，因为这样会严重影响学生在真实考试中的判断力。请学生在背完单词后，以实际做题的方式来达到做类比题的真正境界，充分提高做题的判断分析能力。

特点〈9〉为了增加学习的趣味性，加深对单词的记忆，本书为一些单词配上了生动有趣的漫画插图。这使得记单词由枯燥的劳役变成了生动的游戏，极大地克服了学生对背单词的恐惧心理，提高了学习效率。

特点〈10〉本书配有700分钟MP3光盘一张，对书中所有英文单词（美式发音）及其中文释义进行了朗读。录音文件支持字幕功能，读者在听单词发音的同时可以看到该单词的拼写，视、听两种感官的结合能有效提高对单词的理解能力和记忆效果。

祝每位在备考中的考生都能痛并快乐着，在考试中超越自我，取得理想的成绩，做到“无愧我心”！

如何使用本书

联想记忆通过单词的分拆、谐音和词与词之间的联系将难词化简、联词成串，轻松高效地记忆单词。

本书对反复出现的词根进行了详细解释和说明，并列举同根词进行参考，使记单词达到举一反三的效果。

幽默有趣的插图在解释单词含义、帮助考生记忆的同时，增加了学习的趣味性。

accost [ə'kɔst] *v.* 搭话 (to approach and speak to a person boldly)
【记】分拆联想：ac + cost（花费）→ 和人认识后要花钱 → 搭话
【例】She was *accosted* by a complete stranger.（有个陌生人上前和她说话。）

accountability [əˌkautə'biliti] *n.* 负有责任 (responsibility)
【记】分拆联想：account（解释）+ ability → 对事情应做解释 → 负有责任

accrete* [æ'kriːt] *v.* 逐渐增长 (to grow or increase by means of gradual additions); 连生 (to grow together)
【记】词根记忆：ac（加强）+ cre（增长）+ te → 逐渐增长
【同】concrete (*adj.* 具体的；*n.* 混凝土); discrete (*adj.* 分开的)

accrue [ə'kruː] *v.* (利息等)增大 (to increase the interest on money); 增多 (to accumulate)
【记】词根记忆：ac + crue（增加）→ 增大；增多
【例】The interest on my bank account *accrued* over the years.（我的银行利息逐年增加。）

accumulate* [ə'kjuːmjuleit] *v.* 积聚，积累 (to pile up collect)
【记】词根记忆：ac + cumul（堆积）+ ate → 不断堆积 → 积累
【同】cumulative (*adj.* 积累的); cumulus (*n.* 积云)
【派】accumulation (*n.* 积累，堆积物)
【反】dissipate (*v.* 使消散，浪费)

accurate* ['ækjurit] *adj.* 精确的，准确的 (free from error)

accuse* [ə'kjuːz] *v.* 谴责，指责 (to blame)
【记】词根记忆：ac + cuse（理由）→ 有理由说别人 → 指责
【同】excuse (*n.* 借口)
【派】accusation (*n.* 指控，指责); accused (*adj.* 被控告的；*n.* 被告)

acerbic* [ə'səːbik] *adj.* 苦涩的 (bitter); 刻薄的 (sharp; harsh)
【记】词根记忆：acerb（尖，酸）+ ic → 尖酸的，刻薄的
【同】exacerbate (*v.* 恶化，加剧)
【派】acerbity (*n.* 苦涩；刻薄)

acknowledge* [ək'nɔlidʒ] *v.* 承认 (to recognize as genuine or valid); 致谢 (to express gratitude)
【记】分拆联想：ac + knowledge（知识，知道）→ 大家都知道了，所以不得不承认 → 承认

ACCOST	ACCOUNTABILITY	ACCRETE	ACCRUE	ACCUMULATE
ACCURATE	ACCUSE	ACERBIC	ACKNOWLEDGE	

本书为重要单词提供了同根词、派生词、形近词、反义词和参考词汇，扩大了横向词汇量。

凡是标上 * 的单词都是 GRE 类比、反义词中已经考过的重点单词；凡是没有标 * 的单词都是 GRE 常考的填空单词或阅读单词。

每页底部设有返记菜单，考生结束每页的学习后可以及时进行复习和自测，有助于巩固对单词的掌握。

英文注解简单明了，帮助考生精确了解词义。同时，英文注解后也加上了常考的同义词，达到了单词联合记忆的目的。

单词寻根探源记忆法提供了有趣的词源故事，增长了考生的英语知识，同时加深了对单词的记忆。

【记】来自 galvanic（电流的）+ ize → 电镀
【反】lull（v. 使麻痹）

gamble* [ˈgæmbl] v. / n. 赌博（to play a game for money or property）；孤注一掷（to bet on an uncertain outcome）
【记】分拆联想：gamb（看作 game，游戏）+ le（小）→ 赌博可不只是小小的游戏 → 赌博

gambol* [ˈgæmbəl] n. / v. 雀跃；嬉戏（a jumping and skipping about in play; frolic）
【记】来自 gamb（腿）+ ol → 腿跳跃 → 雀跃；注意不要和 gamble（赌博）相混
【反】plod（v. 沉重地走）

gangway* [ˈgæŋwei] n.（上下船的）跳板（gangplank）
【记】组合词：gang（帮派；路）+ way（路）→ 通向路的路 → 跳板

gape* [geip] v. 裂开（to come apart）；目瞪口呆地凝视（to look hard in surprise or wonder）

garble* [ˈgɑːbl] v. 曲解，篡改（to so alter or distort as to create a wrong impression or change the meaning）
【记】联想记忆：美国女影星嘉宝（Garbo）
【反】elucidate（v. 阐明）

garbled* [ˈgɑːbld] adj. 引起误解的（misleading）；篡改的（falsifying）

gardenia [gɑːˈdiːni] n. 栀子花
【记】分拆联想：garden（花园）+ ia → 花园之花 → 栀子花

gargantuan* [gɑːˈgæntjuən] adj. 巨大的，庞大的（of tremendous size or volume）
【记】来自法国作家拉伯雷《巨人传》中的巨人，名叫 Gargantua
【反】minuscule（adj. 极小的）

Man errs so long as he strives.
人只要奋斗就会犯错误。

——德国诗人、剧作家 歌德
（Johann Wolfgang Goethe, German poet and dramatist）

收录的名人名言在激励考生奋发向上的同时，还能成为 GRE 写作中的引用素材。笔记区可供考生记录学习过程中的心得。

配有 700 分钟录音 MP3 光盘一张，对所有英文单词及其中文释义进行了朗读。录音文件支持字幕功能，视、听两种感官的结合能有效提高对单词的理解能力和记忆效果。

目录

GRE考试核心词汇

GRE考试核心词汇 Word List 1

abandon* [ə'bændən] v. / n. 放弃 (to give up completely; forsake); 放纵 (to give (oneself) over unrestrainedly)
【记】分拆联想: a + band (乐队) + on → 一个乐队在演出 → 放纵

abash* [ə'bæʃ] v. 使羞愧, 使尴尬(tomake embarrassed)
【记】分拆联想: ab + ash (灰) → 中间有灰, 灰头灰脸 → 尴尬
【反】embolden (v. 使…大胆)

abate* [ə'beit] v. 减轻, 减少 (to make less in amount or value; wane)
【记】词根记忆: a (加强) + bate (减弱, 减少) → 减轻
【参】rebate (v. / n. 减少, 打折); debate (v. / n. 辩论)

abbreviate* [ə'briːvieit] v. 缩短 (to reduce to a shorter form intended to stand for the whole); 缩写 (to shorten a word or phrase)
【记】词根记忆: ab (加强) + brev (短) + iate → 缩短
【同】brevity (n. 简短)
【派】abbreviation (n. 缩短; 缩写)

abdicate* ['æbdikeit] v. 退位 (to give up a throne or authority); 辞职, 放弃 (to cast off)
【记】词根记忆: ab (相反) + dic (说话, 命令) + ate → 不再命令 → 退位, 辞职
【同】dictator (n. 命令者, 独裁者); indicate (v. 表示, 暗示)
【派】abdication (n. 退位); abdicator (n. 退位者)

aberrant* [æ'berənt] adj. 越轨的 (turning away from what is right); 异常的 (deviating from what is normal)
【记】词根记忆: ab + err (错误) + ant → 走向错误 → 越轨的
【同】errant (adj. 错误的, 离正道的); erratic (adj. 古怪的)
【派】aberrance (n. 越轨); aberration (n. 失常)
【反】typical (adj. 典型的); normal (adj. 正常的)

abet* [ə'bet] v. 教唆 (to assist or support in the achievement of a purpose); 鼓励, 帮助 (to incite, encourage, urge and help on)

ABANDON	ABASH	ABATE	ABBREVIATE	ABDICATE
ABERRANT	ABET			

abeyance* [ə'beiəns] *n.* 中止，搁置 (temporary suspension of an activity)
【记】发音记忆："又被摁死"→(事情)因搁置而死→中止，搁置

abhor* [əb'hɔː] *v.* 憎恨，嫌恶 (to detest; hate)
【记】词根记忆：ab + hor (恨，怕) → 憎恨，厌恶
【同】horrible (*adj.* 可怕的); horrid (*adj.* 可怕的)

abide [ə'baid] *v.* 容忍，忍受 (to put up with, to endure)
【记】注意：abide=tolerate，和词组 abide by (遵守) 意义不同
【例】I cannot *abide* rude people. (我无法容忍粗鲁的人。)

abject* ['æbdʒekt] *adj.* 极可怜的 (miserable; wretched); 卑下的 (degraded; base)
【记】词根记忆：ab + ject (抛，扔) → 被人抛弃 → 极可怜的
【同】reject (*v.* 抛弃，拒绝); projectile (*n.* 投射物)

abjure* [əb'dʒuə] *v.* 发誓放弃 (to give up on oath; renounce); 弃绝 (to recant)
【记】词根记忆：ab (离去) + jur (发誓) + e → 发誓去掉，弃绝
【同】perjury (*n.* 伪誓，伪证); jury (*n.* 陪审团)
【反】espouse (*v.* 支持，拥护); affirm (*v.* 坚决肯定); embrace (*v.* 拥护)

ablution [ə'bluːʃən] *n.* (宗教的) 净礼，沐浴 (a washing of the body as a religious ceremony)
【记】词根记忆：ab + lut (冲，洗) + ion → 沐浴，净礼
【同】dilute (*v.* 冲淡，稀释); antediluvian (*adj.* 史前的)，注意词根 luv=lut

abnegate* ['æbnigeit] *v.* 否认 (to deny, renounce); 放弃 (to surrender)
【记】词根记忆：ab + neg (反对，否认) + ate → 否认；放弃
【同】negative (*adj.* 消极的，否认的); renege (*v.* 背信弃义)
【派】abnegation (*n.* 放弃权利)

abolish [ə'bɔliʃ] *v.* 废止，废除 (法律、制度、习俗等) (to end the observance or effect of)
【记】分拆联想：ab (相反) + (p) olish (抛光，优雅) → 不优雅的东西就应该废除 → 废止，废除
【记】abolition (废除，革除); abolitionist (废奴主义者)

ABEYANCE	ABHOR	ABIDE	ABJECT	ABJURE
ABLUTION	ABNEGATE	ABOLISH		

abominate* [ə'bɔmineit] *v.* 痛恨；厌恶 (to feel hatred and disgust for; loathe)
【记】词根记忆：ab + omin (=omen 凶兆) + ate → 凶兆人人都痛恨、厌恶 → 痛恨，厌恶
【同】ominous (*adj.* 坏兆头的，不吉利的); omen (*n.* 预兆)
【反】esteem (*v.* / *n.* 尊敬); adore (*v.* 爱慕)

aboveboard* [ə'bʌvˌbɔːd] *adj.* / *adv.* 光明正大的（地）(honest and open / honestly and openly)
【记】分拆联想：above (在…上) + board (会议桌) → 可以放到桌面上谈 → 光明正大的（地）
【反】surreptitious (*adj.* 秘密的)

abrade* [ə'breid] *v.* 磨损，刮除 (to scrape or rub off)
【记】词根记忆：ab (离去) + rade (摩擦) → 摩擦掉 → 磨损
【派】abraded (*adj.* 磨损的); abrasion (*n.* 磨损); abrasive (*adj.* 有研磨作用的；生硬粗暴的)
【反】augment (*v.* 增加，增大)

abreast [ə'brest] *adv.* 并列地，并排地 (side by side)
【记】分拆联想：a + breast (胸) → 胸和胸并排 → 并排地
【例】keep *abreast* of current affairs (紧跟时事)

abridge* [ə'bridʒ] *v.* 删减 (to reduce in scope or extent); 缩短 (to shorten by using fewer words without sacrifice of sense; condense)
【记】分拆联想：a + bridge → 一座桥把路缩短了 → 删减

abrogate* ['æbrəugeit] *v.* 废止，废除 (to repeal by authority; abolish)
【记】词根记忆：ab (离去) + rog (要求) + ate → 要求离开 → 废除
【同】interrogative (*adj.* 审问的); arrogant (*adj.* 傲慢的)
【反】embrace (*v.* 拥护); institute (*v.* 创立); uphold (*v.* 支持)

abscission* [æb'siʒən] *n.* 〔医〕切除，截去 (removal); 〔植〕脱离 (the natural separation of flowers, fruit, or leaves from plants at a special separation layer)
【记】词根记忆：ab (离去) + sciss (切，割) + ion → 切除，截去
【同】scissors (*n.* 剪刀)

abscond* [əb'skɔnd] *v.* 潜逃，逃亡 (to leave quickly and secretly and hide oneself)
【记】词根记忆：abs (离去) + cond (藏起来) → 离开并藏起来 → 潜逃
【同】condiment (*n.* 调味品); recondite (*adj.* 深奥的)

absenteeism [ˌæbsən'tiːiz(ə)m] *n.* 旷课，旷工 (frequent absence from school or work)
【记】词根记忆：absent (缺席) + ee (人) + ism → 旷课，旷工

absolute* [ˈæbsəluːt] *adj.* 绝对的，完全的（complete; total）；无（条件）限制的（unlimited, having no restriction, exception, or qualification）

【反】qualified（*adj.* 受限制的）

absolve* [əbˈzɔlv] *v.* 赦免，免除（to set free from guilt or obligation; forgive）

【记】词根记忆：ab + solve（解决）→ 不再解决 → 赦免，免除

【同】solvent（*adj.* 溶解的）；dissolution（*n.* 溶解，分解）；resolute（*adj.* 坚决的），注意词根 solv=solu

【派】absolution（*n.* 赦免，免罪）

【反】inculpate（*v.* 控告）

absorb* [əbˈsɔːb] *v.* 吸收（to suck up or take up）；同化（to take in and make part of an existent whole）；吸引…的注意（to hold the attention or interest of sb. fully）

【记】词根记忆：ab（离去）+ sorb（吸收）→ 吸收掉

【派】absorbed（*adj.* 精神集中的）；absorption（*n.* 吸收；全神贯注）

【反】emit（*v.* 发射，喷出）；radiate（*v.* 发射，辐射）；reflect（*v.* 反射）；exude（*v.* 渗出）

abstain* [əbˈstein] *v.* 禁绝，放弃（to refrain deliberately and often with an effort of self-denial from an action or practice）

【记】词根记忆：abs（不）+ tain（拿住）→ 不拿住 → 放弃

【同】retain（*v.* 保留）；attain（*v.* 获得）

【派】abstinence（*n.* 戒绝，节制）；abstention（*n.* 节制）；abstentious（*adj.* 节制的）

abstemious* [æbˈstiːmjəs] *adj.* 有节制的，节俭的（moderate in eating and drinking; temperate）

【记】词根记忆：abs（不）+ tem（酒）+ ious → 不喝酒 → 节制的

注意：tem 来自拉丁文 temetum（=mead 蜜酒）

abstract* [ˈæbstrækt] *n.* 摘要（a brief statement; summary）*adj.* 抽象的（disassociated from any specific instance）

【记】词根记忆：abs + tract（拉）→（将文章大意）从文章中拉出 → 摘要

【同】intractable（*adj.* 倔强的）；contract（*v.* 收缩）

【派】abstracted（*adj.* 心不在焉的）

abstruse* [æbˈstruːs] *adj.* 难懂的，深奥的（hard to understand; recondite）

【记】词根记忆：abs + trus（走，推）+ e → 走不进去 → 难懂的

【同】intrusion（*n.* 闯入）；protrusion（*n.* 突出，隆起）

【反】accessible（*adj.* 可理解的）；patent（*adj.* 明白的）

absurd* [əbˈsəːd] *adj.* 荒谬的，可笑的（ridiculously unreasonable; ludicrous）

【记】词根记忆：ab + surd（不合理的）→ 不合理的 → 荒谬的

【派】absurdity（*n.* 荒谬）

ABSOLUTE	ABSOLVE	ABSORB	ABSTAIN	ABSTEMIOUS
ABSTRACT	ABSTRUSE	ABSURD		

abundant* [əˈbʌndənt] *adj.* 丰富的，盛产的(marked by great plenty)

abuse* [əˈbjuːz] *v.* / *n.* 辱骂；粗话(to use insulting language; insulting language)；滥用(to use wrongly and excessively; misuse)

【记】词根记忆：ab(变坏)+use(用)→用不好→滥用

【参】disabuse(*v.* 纠正，打消…的错误念头)

abusive* [əˈbjuːsiv] *adj.* 谩骂的，毁谤的 (using harsh insulting language)；虐待的(physically injurious)

abut* [əˈbʌt] *v.* 接界，毗连(to border upon)

【记】about 去掉 o；注意不要和 abet(*v.* 教唆)相混

abysmal* [əˈbizməl] *adj.* 无底的，深不可测的(bottomless; unfathomable)；糟透的，极坏的(wretched; immeasurably bad)

【记】来自 abyss(*n.* 深渊，深坑)，a+byss(深)→极深的

academic* [ˌækəˈdemik] *adj.* 学院的，学术的 (of, relating to, or associated with an academy or school)；理论的(theoretical)

【记】来自 academy(*n.* 学院，学术团体)

accede* [ækˈsiːd] *v.* 同意(to give assent; consent)

【记】词根记忆：ac+cede(走)→走到一起→同意

【同】concede(*v.* 让步)；recede(*v.* 后退，撤退)

【反】demur(*v.* 反对)

【例】He *acceded* to our request.(他同意了我们的要求。)

accelerate* [ækˈseləreit] *v.* 加速 (to increase the speed)；促进 (to develop more quickly)

【记】词根记忆：ac(加强)+celer(速度)+ate→加速

【同】celerity(*n.* 敏捷，迅速)；decelerate(*v.* 减速)

【派】acceleration(*n.* 加速)；accelerating(*adj.* 加速的)

【反】retard(*v.* 减速；推迟)

accentuate* [ækˈsentjueit] *v.* 重读 (to pronounce with an accent or stress)；强调(to emphasize)

【记】词根记忆：ac(加强)+cent(=cant 唱，说)+uate→不断说→强调

【同】accent(*n.* 重音)；cantata(*n.* 清唱剧)

access* [ˈækses] *n.* 通路(a way or means of access)；途径(approach)

【记】词根记忆：ac+cess(走)→走过去→通路

【词】have access to(接近，到达)

【同】excess(*n.* 过度，过剩)；procession(*n.* 行列，队伍)；success(*n.* 成功)

accessible* [əkˈsesəbl] *adj.* 易达到的 (easy to approach)；易受影响的(open to the influence of)

【反】abstruse(*adj.* 深奥的)

ABUNDANT	ABUSE	ABUSIVE	ABUT	ABYSMAL
ACADEMIC	ACCEDE	ACCELERATE	ACCENTUATE	ACCESS
ACCESSIBLE				

accessory* [ækˈsesəri] *adj.* 附属的,次要的 (additional; supplementary; subsidiary)
【反】primary (*adj.* 主要的,首要的)

acclaim* [əˈkleim] *v.* 欢呼,称赞 (to greet with loud applause; hail)
【记】词根记忆: ac + claim (叫喊) → 不断叫喊 → 欢呼
【同】claim (*v.* / *n.* 要求; 声称); proclaim (*v.* 声明); exclaim (*v.* 惊叫,呼喊)
【派】acclaimed (*adj.* 受欢呼的,受称赞的)

acclimate [əˈklaimit] *v.* 使服水土 (to adjust to climate); 使适应 (to adapt)
【记】词根记忆: ac + climate (气候,水土) → 服水土

accolade* [ˈækəleid] *n.* 推崇 (approval; appreciation); 赞扬 (words of praise)
【记】词根记忆: ac + col (脖子) + ade → 把奖牌挂在脖子上 → 嘉奖,赞美
【同】collar (*n.* 领口,项圈)
【反】derogation (*n.* 诋毁); denouncement (*n.* 谴责)
【例】His new book received *accolades* from the papers. (他的新书受到报纸的推崇。)

accommodate* [əˈkɔmədeit] *v.* 与…一致 (to make fit, suitable, or congruous); 提供食宿 (to make room for)
【记】词根记忆: ac + commod (方便) + ate → 给人提供方便 → 提供食宿
【同】commodity (*n.* 日用品); commodious (*adj.* 宽敞的)
【派】accommodation (*n.* 住宿)

accommodating [əˈkɔmədeitiŋ] *adj.* 乐于助人的 (ready to help; obliging)

accompany [əˈkʌmpəni] *v.* 伴随,陪伴 (to walk with sb. as a companion)
【记】ac + company (陪伴)
【派】accompaniment (*n.* 伴随物,与之俱来的事物; [音]伴奏); accompanist (*n.* 伴奏者)

accomplice* [əˈkɔmplis] *n.* 同谋者,帮凶 (partner in a crime)
【记】词根记忆: ac + com (共同) + plic (重叠) + e → 重叠一起干 → 同谋者
【同】duplicity (*n.* 口是心非); complicated (*adj.* 复杂的)

accomplish* [əˈkɔmpliʃ] *v.* 完成,做成功 (to succeed in doing sth.)
【记】词根记忆: ac + compl (满) + ish → 圆满 → 完成

accord [əˈkɔːd] *v.* / *n.* 同意 (to make agree; reconcile); 一致 (to make agree, reconcile; agreement)
【记】词根记忆: ac + cord (心) → 心心相印 → 一致,同意
【同】discord (*n.* 不和,不一致); concord (*n.* 和谐,协调)
【派】accordance (*n.* 一致,相应)
【例】He was *accorded* permission to use the library. (他获准使用图书馆。)

ACCESSORY ACCLAIM ACCLIMATE ACCOLADE ACCOMMODATE
ACCOMMODATING ACCOMPANY ACCOMPLICE ACCOMPLISH ACCORD

accost [ə'kɔst] *v.* **搭话**（to approach and speak to a person boldly）

【记】分拆联想：ac + cost（花费）→ 和人认识后要花钱 → 搭话

【例】She was *accosted* by a complete stranger.（有个陌生人上前和她说话。）

accountability [əˌkautə'biliti] *n.* **负有责任**（responsibility）

【记】分拆联想：account（解释）+ ability → 对事情应做解释 → 负有责任

accrete* [æ'kriːt] *v.* **逐渐增长**（to grow or increase by means of gradual additions）；**连生**（to grow together）

【记】词根记忆：ac（加强）+ cre（增长）+ te → 逐渐增长

【同】concrete（*adj.* 具体的；*n.* 混凝土）；discrete（*adj.* 分开的）

accrue [ə'kruː] *v.* **（利息等）增大**（to increase the interest on money）；**增多**（to accumulate）

【记】词根记忆：ac + crue（增加）→ 增大；增多

【例】The interest on my bank account *accrued* over the years.（我的银行利息逐年增加。）

accumulate* [ə'kjuːmjuleit] *v.* **积聚，积累**（to pile up collect）

【记】词根记忆：ac + cumul（堆积）+ ate → 不断堆积 → 积累

【同】cumulative（*adj.* 积累的）；cumulus（*n.* 积云）

【派】accumulation（*n.* 积累，堆积物）

【反】dissipate（*v.* 使消散，浪费）

accurate* ['ækjurit] *adj.* **精确的，准确的**（free from error）

accuse* [ə'kjuːz] *v.* **谴责，指责**（to blame）

【记】词根记忆：ac + cuse（理由）→ 有理由说别人 → 指责

【同】excuse（*n.* 借口）

【派】accusation（*n.* 指控，指责）；accused（*adj.* 被控告的；*n.* 被告）

acerbic* [ə'səːbik] *adj.* **苦涩的**（bitter）；**刻薄的**（sharp；harsh）

【记】词根记忆：acerb（尖，酸）+ ic → 尖酸的，刻薄的

【同】exacerbate（*v.* 恶化，加剧）

【派】acerbity（*n.* 苦涩；刻薄）

acknowledge* [ək'nɔlidʒ] *v.* **承认**（to recognize as genuine or valid）；**致谢**（to express gratitude）

【记】分拆联想：ac + knowledge（知识，知道）→ 大家都知道了，所以不得不承认 → 承认

acme [ˈækmi] *n.* 顶点，极点 (the highest point, peak, summit)
【例】the *acme* of perfection (尽善尽美)

acolyte [ˈækəlait] *n.* (教士的)助手，侍僧 (one who assists the celebrant in the performance of liturgical rites)
【记】发音记忆："爱过来的"→爱过来帮忙的人→助手

acorn* [ˈeikɔːn] *n.* 橡子，橡果 (an oak nut)
【记】分拆联想：a + corn (谷物)→一个谷物→橡子

acoustic [əˈkuːstik] *adj.* 听觉的，有关声音的 (having to do with hearing or sound)
【派】acoustics (*n.* 声学)

acquaint* [əˈkweint] *v.* 使…熟知 (to make sb. familiar with or aware of sth.); 通知 (to cause to know personally)
【记】词根记忆：ac + quaint (知道)→使…熟知；通知
【派】acquainted (熟悉的); acquaintance (相熟，熟人)

acquiesce* [ˌækwiˈes] *v.* 勉强同意，默许 (to agree or consent quietly without protest, consent)
【记】词根记忆：ac + quiesce (安静)→安静→保持沉默→默许
【同】quiescent (*adj.* 静止的); quietude (*n.* 安静)
【派】acquiescent (*adj.* 默认的，顺从的); acquiescence (*n.* 默许)
【反】defy (*v.* / *n.* 反抗); resist (*v.* 拒绝)

acquired* [əˈkwaiəd] *adj.* 后天习得的 (gained through one's own efforts or actions)
【记】词根记忆：ac + quir (寻求) + ed→靠后天努力寻求到的→后天习得的
【反】indigenous (*adj.* 天生的)

acquisitive* [əˈkwizitiv] *adj.* 渴望得到的，贪婪的 (eager to acquire, greedy)
【记】词根记忆：ac + quisit (得到) + ive→一再想得到→贪婪的
【同】requisite (*n.* 必需品); prerequisite (*n.* 先决条件)

acquit* [əˈkwit] *v.* 宣告无罪 (to declare sb. to be not guilty); 脱卸义务和责任 (to free or clear sb. of blame, responsibility, etc.); 还清 (债务) (to pay off)
【记】词根记忆：ac + quit (放弃)→放弃指控→宣告无罪
【同】requite (*v.* 报答，报应); ubiquitous (*adj.* 无处不在的)

acquittal* [əˈkwit(ə)l] *n.* 宣告无罪，开释 (a setting free from the charge of an offense by verdict, or other legal process)

acrid [ˈækrid] *adj.* 辛辣的，刻薄的 (bitterly pungent; bitter; sharp)
【反】gentle (*adj.* 温和的)

acrimony* [ˈækriməni] *n.* 尖刻，刻薄 (bitterness or harshness of temper; asperity)
【记】词根记忆：acri (尖，酸) + mony (表名词)→尖刻

acrobat* [ˈækrəbæt] *n.* 特技演员，杂技演员 (one that performs gymnastic feats requiring skillful control of the body)

□ ACME	□ ACOLYTE	□ ACORN	□ ACOUSTIC	□ ACQUAINT
□ ACQUIESCE	□ ACQUIRED	□ ACQUISITIVE	□ ACQUIT	□ ACQUITTAL
□ ACRID	□ ACRIMONY	□ ACROBAT		

【记】词根记忆：acro（高）+ bat（走）→ 高空走的人 → 杂技演员
【同】acronym（*n.* 首字母缩写词）

acrophobia [ˌækrəuˈfəubjə] *n.* 恐高症（fear of heights）
【记】词根记忆：acro（高）+ phob（憎恨）+ ia（病）→ 憎恨高的病 → 恐高症

acuity* [əˈkjuiti] *n.*（尤指思想或感官）敏锐（sharpness; acuteness）
【记】词根记忆：acu（尖，酸，锐利）+ ity（表性质）→ 锐利 → 敏锐，尖锐
【同】acupuncture（*n.* 针灸）

acumen* [əˈkjuːmən] *n.* 敏锐，精明（keenness and depth of perception）
【记】词根记忆：acu（尖，酸，锐利）+ men（表示名词）→ 敏锐，精明
【例】His business *acumen* has made him very successful.（他在商业上的精明使他极为成功。）

acute* [əˈkjuːt] *adj.* 敏锐的，灵敏的（keen; shrewd; sensitive）；〔病〕急性的（severe but of short duration; not chronic）
【反】mild（*adj.* 和缓的，不严重的）

adage [ˈædidʒ] *n.* 格言，谚语（an old saying accepted as a truth）
【记】分拆联想：ad（看作 add 增加）+ age（年龄）→ 随着年龄的增长才能参透的东西 → 格言，谚语

adamant [ˈædəmənt] *adj.* 强硬的（too hard to be broken）；坚决的，固执的（unyielding; inflexible）
【记】分拆联想：adam（亚当）+ ant（蚂蚁）→ 亚当和蚂蚁都很固执 → 固执的
【反】vacillatory（*adj.* 犹豫不决的）；moved（*adj.* 被打动的）

adaptable [əˈdæptəbl] *adj.* 有适应能力的（able to adjust oneself to new circumstances）；可改编的（capable of being adapted）
【记】词根记忆：ad + apt（能力）+ able（能…的）→ 有适应能力的
【同】aptitude（*n.* 能力）；ineptitude（*n.* 无能）
【反】unchangeable（*adj.* 不可改变的）
【参】adaptor（*n.* 变压器）

addendum [əˈdendəm] *n.* 补充（a thing added）；附录（addition; appendix to a book）
【记】词根记忆：add（增加）+ end（结尾）+ um（表名词 → 补充）

addict* [əˈdikt] *v.* / *n.* 沉溺；上瘾（者）（to be an addict; to devote oneself to sth. habitually）
【记】词根记忆：ad（一再）+ dict（说，要求）→ 一再要求 → 上瘾
【同】dictator（*n.* 独裁者）；contradict（*v.* 反驳）
【派】addictive（*adj.* 使人上瘾的）；addiction（*n.* 上瘾，沉溺）

additive* [ˈæditiv] *n.* 添加剂（substance added in small amounts to sth. esp. to food or medicine）

ACROPHOBIA	ACUITY	ACUMEN	ACUTE	ADAGE
ADAMANT	ADAPTABLE	ADDENDUM	ADDICT	ADDITIVE

address* [ə'dres] *v.* 处理，对付，着手解决 (to tackle sth.)；致辞 (to deliver a formal speech to)

adept* ['ædept] *adj.* 老练的，精通的 (highly skilled; expert)
【记】词根记忆：ad + ept (能力) → 有能力 → 老练的，精通的
【形】adopt (*v.* 采纳；收养)；adapt (*v.* 适应)；inept (*adj.* 无能的)
【参】aptitude (*n.* 天资，资质)

adequate* ['ædikwit] *adj.* 足够的 (sufficient)
【记】词根记忆：ad + equ (平等) + ate → 比平等的多 → 足够的
【同】equable (*adj.* 平静的，温和的)；equation (*n.* 等式，方程式)
【派】adequacy (*n.* 足够，充分)

adhere* [əd'hiə] *v.* 黏着，坚持 (to stick fast; stay attached)
【记】词根记忆：ad + here (黏连) → 黏着
【同】inherent (*adj.* 与生俱来的)
【派】adhesion (*n.* 坚持，忠于)
【反】detach (*v.* 分离)

adherent* [əd'hiərənt] *n.* 拥护者，信徒 (one that adheres as a follower or a believer)
【记】词根记忆：来自 adher(e) (黏着) + ent → 黏在身后的人 → 拥护者

adhesive* [əd'hi:siv] *adj.* 带黏性的，胶黏的 (tending to adhere or cause adherence) *n.* 胶合剂 (an adhesive substance)

adjacent* [ə'dʒeisənt] *adj.* 接近的，毗连的 (adjoining; contiguous; neighboring)
【记】分拆联想：ad + jacent (躺) → 躺在附近 → 接近的

adjourn* [ə'dʒə:n] *v.* 使延期，推迟 (to suspend indefinitely)；休会 (to suspend a session indefinitely or to another time or place)
【记】词根记忆：ad + journ (走路) → 再走一次路 → 推迟
【同】journey (*n.* 旅行)；journal (*n.* 期刊)
【反】convoke (*v.* 召集会议)

adjunct* ['ædʒʌŋkt] *n.* 附加物，附件 (sth. joined or added to another thing but not essentially a part of it)
【记】词根记忆：ad + junct (结合，连接) → 连在上面的东西 → 附加物
【同】junction (*n.* 交汇点)；disjunction (*n.* 分离，折断)

adjust* [ə'dʒʌst] *v.* 调整，整理 (to put into order)；使适合，适应 (to become suited)
【记】词根记忆：ad + just (正确) → 使变正确 → 整顿
【同】justify (*v.* 证明…是正当的)
【派】adjustment (*n.* 调节，调整)

admire* [əd'maiə] *v.* 钦佩，赞赏 (to regard with respect and satisfaction)
【记】词根记忆：ad (一再) + mir (惊奇；看) + e → 一再惊奇，一再看 → 钦佩

ADDRESS	ADEPT	ADEQUATE	ADHERE	ADHERENT
ADHESIVE	ADJACENT	ADJOURN	ADJUNCT	ADJUST
ADMIRE				

【同】mirage（*n.* 海市蜃楼）；miraculous（*adj.* 奇迹般的）
【派】admirer（*n.* 赞赏者，羡慕者）；admirable（*adj.* 令人钦佩的，极好的）；admiration（*n.* 钦佩，赞赏）
【反】abhor（*v.* 憎恶）

admission [əd'miʃən] *n.* 许可（the state or privilege of being admitted）；入场费（a fee paid at or for admission）；承认，坦白（acknowledgment that a fact or statement is true）
【记】来自 admit（容许，接纳）

admonish* [əd'mɔniʃ] *v.* 训诫（to reprove mildly）；警告（to warn；advise）
【记】词根记忆：ad + mon（警告）+ ish → 警告，训诫
【同】monitor（*v.* 监控；*n.* 监视器）
【派】admonitory（*adj.* 警告的）

adobe [ə'dəubi] *n.* 泥砖，土坯（a sun-dried brick）
【记】不要和 abode（住处）相混

adolescent [ˌædəu'lesnt] *adj.* 青春期的（of or typical of adolescence）；*n.* 青少年（young person between childhood and adulthood）
【记】词根记忆：ado（看作 adult 成人）+ lescent（看作 licence 许可证）→ 青少年即将拿到成年的许可证 → 青春期

adore* [ə'dɔː] *v.* 崇拜，敬仰（to worship as divine；revere）；热爱（to love greatly）
【记】词根记忆：ad + ore（讲话）→ 不断想对某人讲话 → 热爱（某人）
【同】oration（*n.* 演讲）；inexorable（*adj.* 说不动的；无情的），注意词根 ore=ora
【派】adoration（*n.* 爱慕，崇拜）；adorable（*adj.* 迷人的，可爱的）

adorn* [ə'dɔːn] *v.* 装饰（to decorate；beautify）
【记】词根记忆：ad + orn（装饰）→ 装饰
【同】suborn（*v.* 唆使）；ornate（*adj.* 华丽的）
【派】adornment（*n.* 装饰，装饰品）

adroit* [ə'drɔit] *adj.* 熟练的，灵巧的（skillful；expert；dexterous）
【记】词根记忆：a（…的）+ droit（灵巧）→ 灵巧的
【派】adroitly（*adv.* 熟练地，机敏地）
【反】ungainly（*adj.* 笨拙的）；fumble（*v.* 笨拙地处理）；ham-handed（*adj.* 笨手笨脚的）
【参】maladroit（*adj.* 笨拙的）

adulate* ['ædjuleit] *v.* 谄媚，奉承（to praise or flatter excessively）
【记】联想记忆：和 adulterate

(掺假)一起记，都可以看作是成人(adult)做的坏事

【派】adulation (*n.* 谄媚，恭维)

【反】scorn (*v.* 轻蔑拒绝，鄙视); disdain (*v.* 轻蔑，不屑做某事)

adumbrate* [ˌædʌmˈbreit] *v.* (对将来事件)预示；预告 (to foreshadow in a vague way)

【记】词根记忆：ad + umbr (影子) + ate → 影子提前来到 → 预示

【同】umbrella (*n.* 雨伞); umbrage (*n.* 树阴；不快)

【派】adumbration (*n.* 预兆)

advent [ˈædvənt] *n.* 到来，来临 (coming or arrival)

【记】词根记忆：ad + vent (到来) → 到来，来临

【同】intervention (*n.* 干涉); convention (*n.* 大会；习俗)

【词】with the advent of (随着…的来临)

adventitious [ˌædvenˈtiʃəs] *adj.* 偶然的 (accidental; casual)

【记】来自 advent (到来) + itious → (突然)到来的 → 偶然的

adverse* [ˈædvəːs] *adj.* 不利的 (causing harm)；相反的 (acting in a contrary direction; contrary)；敌对的 (hostile)

【记】词根记忆：ad (坏) + verse (转) → 转过去 → 相反的

advertise* [ˈædvətaiz] *v.* 做广告 (to call public attention to arouse a desire to buy or patronize)；通知 (to make publicly and generally known)

advisable [ədˈvaizəbl] *adj.* 适当的，可行的 (proper to be advised or recommended)

【记】来自 advise (*v.* 建议)；注意区别 advisory (劝告的)

advocate* [ˈædvəkit] *v.* 拥护，支持，鼓吹 (to speak publicly in favor)；*n.* 支持者，拥护者 (person who supports)

【记】词根记忆：ad + voc (叫喊，声音) + ate → 为其摇旗呐喊 → 拥护

【同】equivocal (*adj.* 说话含糊的); revocable (*adj.* 可废除的)

【反】denounce (*v.* 谴责)

aegis [ˈiːdʒis] *n.* 盾 (shield)；保护，庇护 (protection)

【记】分拆联想：a (远离) + eg (看作 ego 自己) + is → 让(危险)远离自己 → 保护

aerate* [ˈeiəreit] *v.* 充气，让空气进入 (to cause air to circulate through)

【记】词根记忆：aer (气) + ate → 充气

aerial [ˈeəriəl] *adj.* 空中的，空气中的 (of, relating to, or occurring in the air or atmosphere)

aesthete* [ˈiːsθiːt] *n.* 审美家 (connoisseur; virtuoso)

【记】词根记忆：a + esthete (感觉) → 感觉美的人 → 审美家

【派】aesthetically (*adv.* 审美地，悦目地); aesthetics (*n.* 美学)

【反】philistine (*n.* 俗气的人)

aesthetic* [iːsˈθetik] *adj.* 美学的，有审美感的 (relating to aesthetics or the beautiful)

【参】anesthetic (*n.* 麻醉剂)

☐ ADUMBRATE	☐ ADVENT	☐ ADVENTITIOUS	☐ ADVERSE	☐ ADVERTISE
☐ ADVISABLE	☐ ADVOCATE	☐ AEGIS	☐ AERATE	☐ AERIAL
☐ AESTHETE	☐ AESTHETIC			

affable* [ˈæfəbl] *adj.* 易于交谈的 (pleasant and easy to approach or talk to); 和蔼的 (gentle; amiable)

【记】词根记忆: af + fable (说, 讲) → 可以说话的 → 易于交谈的

【同】ineffable (*adj.* 无法表达的); fabulous (*adj.* 像传说一样的)

【派】affability (*n.* 和蔼可亲)

【反】irascible (*adj.* 暴躁的)

affectation* [ˌæfekˈteiʃən] *n.* 做作, 假装 (artificial behavior meant to impress others)

【记】词根记忆: af (加强) + fect (做, 制作) + ation → 做过头了 → 做作

【参】affection (*n.* 友爱); affecting (*adj.* 感人的)

Today is the first day of the rest of my life, I wake as a child to see the world begin. On monarch wings and birthday wonderings, want to put on faces, walk in the wet and cold. And look forward to my growing old, to grow is to change, to change is to be new, to be new is to be young again, I barely remember when.

——美国乡村歌手约翰·丹佛(John Denver)

Word List 2

affected* [ə'fektid] *adj.* 不自然的 (behaving in an artificial way); 假装的 (assumed)

【记】注意: affecting (*adj.* 感人的)

【例】Jane is annoyed with her date because he had such *affected* table manners. (简对她的约会对象感到恼火, 因为他在席间的举止太做作。)

【反】natural (*adj.* 自然的)

affidavit [ˌæfi'deivit] *n.* 宣誓书 (a written statement made under oath)

【记】词根记忆: af (加强) + fid (相信) + avit (表名词) → 让人相信的东西 → 宣誓书

【同】perfidy (*n.* 不忠, 背叛); confidence (*n.* 自信)

affiliate* [ə'filieit] *v.* 加入 (to join); 联合 (to connect or associate)

【记】词根记忆: af + fili (儿子) + ate → 成为儿子 → 加入

【同】filial (*adj.* 子女的)

【反】dissociate (*v.* 分裂)

affinity* [ə'finiti] *n.* 密切关系 (close relationship); 吸引力 (a mutual attraction between a man and a woman)

【记】词根记忆: af + fin (范围) + ity → 在范围内 → 密切关系

【同】infinite (*adj.* 无限的); confine (*v.* 限制, 监禁)

【反】aversion (*n.* 厌恶)

affirm* [ə'fəːm] *v.* 确认 (to confirm); 肯定 (to be confident in asserting)

【记】词根记忆: af + firm (坚定) → 一再坚定 → 肯定

【同】infirmary (*n.* 医务室); confirmed (*adj.* 确认的)

【派】affirmative (*adj.* 赞成的, 肯定的)

【反】recant (*v.* 放弃信仰或主张); abjure (*v.* 放弃意见); gainsay (*v.* 否定, 否认)

affix* [ə'fiks] *v.* 粘上, 贴上 (to stick; attach); (在末尾) 添写某事物 (to add sth. in writing); ['æfiks] *n.* 词缀 (prefix or suffix)

AFFECTED	AFFIDAVIT	AFFILIATE	AFFINITY	AFFIRM
AFFIX				

【记】词根记忆：af + fix（固定）→ 固定上去 → 粘上，贴上

afflict* [əˈflikt] *v.* 使痛苦，折磨（to cause persistent pain or suffering）
【记】词根记忆：af + flict（打击）→ 一再打击 → 使痛苦，折磨
【同】conflict（*v.* / *n.* 冲突）；infliction（*n.* 施加的痛苦）

affluent [ˈæfluənt] *adj.* 富裕的，丰富的（rich）
【同】confluence（*n.* 汇流）；superfluous（*adj.* 多余的）
【反】needy（*adj.* 贫困的）；impecunious（*adj.* 身无分文的）；indigent（*adj.* 贫乏的）

affordable [əˈfɔːdəbl] *adj.* 能够支付的（being able to buy sth.）
【记】来自 afford（买得起），af + ford（拿出）+ able → 拿得出的→能付得起的

affront* [əˈfrʌnt] *v.* 侮辱，冒犯（to confront defiantly；offend）
【记】词根记忆：af + front（前面，脸面）→ 冲着别人的脸 → 冒犯
【同】effrontery（*n.* 厚颜无耻）；confront（*v.* 当面对抗）

agenda* [əˈdʒendə] *n.* 议程（program of things to be done）
【记】词根记忆：ag（做）+ enda（表示名词多数）→ 做的事情 → 议程
【同】agility（*n.* 灵活，敏捷）；agitate（*v.* 鼓动）

agglomerate [əˈglɔməreit] *v.* 凝聚，结块（to gather into a cluster, mass, or ball）
【记】词根记忆：ag + glomer（球）+ ate → 滚成球 → 凝聚
【同】conglomerate（*v.* 凝聚成团）

aggrandize* [əˈgrændaiz] *v.* 增大，扩张（to make greater or more powerful）；吹捧（to praise highly）
【记】词根记忆：ag（加强）+ grand（大）+ ize → 增大
【同】grandeur（*n.* 宏伟）；grandiloquent（*adj.* 说大话的）
【反】disparage（*v.* 贬损）

aggravate* [ˈægrəveit] *v.* 加重，恶化（to make worse；intensify）
【记】词根记忆：ag（加强）+ grav（重）+ ate → 加重
【同】gravity（*n.* 庄重；地球引力）；gravitation（*n.* 引力作用）
【派】aggravation（*n.* 恶化，激怒；恼人的事物）
【反】succor（*v.* 援助）；ameliorate（*v.* 改进）

aggregate* [ˈægrigeit] *v.* 集合（to gather into a whole）；合计（to total；sum）
【记】词根记忆：ag + greg（团体）+ ate → 成为团体 → 集合
【同】gregarious（*adj.* 喜社交的）；egregious（*adj.* 过分的，极坏的）
【派】aggregation（*n.* 聚集；总计）

aggression* [əˈgreʃən] *n.* 侵略（the practice of attacks）；敌对的情绪或行为（hostile feelings or behavior）
【记】词根记忆：ag + gress（走）+ ion → 走到别的国家 → 侵略
【同】egress（*n.* 出口）；progress（*n.* 进步）；transgress（*v.* 违背）

aggressive* [əˈgresiv] *adj.* 好斗的（militant；assertive）；进取的（full of enterprise and initiative）

AFFLICT	AFFLUENT	AFFORDABLE	AFFRONT	AGENDA
AGGLOMERATE	AGGRANDIZE	AGGRAVATE	AGGREGATE	AGGRESSION
AGGRESSIVE				

aggressor [ə'gresə(r)] *n.* 侵略者，攻击者 (one that commits or practises aggression)

aggrieve* [ə'griːv] *v.* 使受委屈，使痛苦 (to give pain or trouble to)
【记】词根记忆：ag + griev (悲伤) + e → 使悲伤，使痛苦
【同】grievous (*adj.* 令人悲痛的，伤害严重的)
【反】gratify (*v.* 使满足)

• **agile*** ['ædʒail] *adj.* 敏捷的，灵活的 (able to move quickly and easily)
【记】词根记忆：ag (做) + ile (易…) → 动作容易的 → 敏捷的
【派】agility (敏捷)

agitate* ['ædʒiteit] *v.* 搅动，煽动 (to argue publicly or campaign for / against sth.)；使不安，使焦虑 (to cause anxiety)
【记】词根记忆：ag (做) + itate (表示不断的动作) → 不断地做 → 鼓动，煽动
【派】agitation (*n.* 鼓动；焦虑)

agnostic* [æg'nɔstik] *adj.* 不可知论的 (of, relating to, or being an agnostic or the beliefs of agnositics) *n.* 不可知论者
【记】词根记忆：a (不) + gnost (知道) + ic → 不知道 → 不可知论的；不可知论者
【同】diagnostic (*adj.* 诊断的)；ignorance (*n.* 无知)

agog* [ə'gɔg] *adj.* 兴奋的，有强烈兴趣的 (in a state of eager anticipation or excitement)
【记】agog 可以作词根，意为"引导"，如：demagog (*n.* 煽动者)

agony* ['ægəni] *n.* 极大的痛苦 (very great mental or physical pain)
【记】词根记忆：agon (挣扎) + y → 拼命挣扎 → 痛苦；发音记忆："爱过你"
【同】agonizing (*adj.* 引起极大痛苦的)；antagonistic (*adj.* 对抗性的，敌对的)

agrarian* [ə'greəriən] *adj.* 土地的 (of land)
【记】词根记忆：agr (田地，农业) + arian (表形容词) → 土地的
【同】agriculture (*n.* 农业)

agreeable* [ə'griəbl] *adj.* 令人喜悦的，宜人的 (pleasing)；欣然同意的 (ready to agree)
【记】来自 agree (同意) + able → 欣然同意的
【反】irritable (*adj.* 坏脾气的)

agronomy* [əg'rɔnəmi] *n.* 农学，农艺学 (science of controlling the soil to produce crops)
【记】词根记忆：agro (田地；农业) + nomy (学科) → 农学
【派】agronomist (*n.* 农学家)

ail [eil] *v.* 生病 (to have physical or emotional pain, discomfort, or trouble, esp. to suffer ill health)
【记】联想记忆：和 air (空气) 一起记，多呼吸空气 (air) 就会少生病 (ail)

AGGRESSOR	AGGRIEVE	AGILE	AGITATE	AGNOSTIC
AGOG	AGONY	AGRARIAN	AGREEABLE	AGRONOMY
AIL				

airborne [ˈeəbɔːn] *adj.* 空气传播的；空运的（transported or carried by the air）
【例】*airborne* bacteria（经空气传播的细菌）；*airborne* troops（空降部队）

• **airtight*** [ˈeətait] *adj.* 密闭的，不透气的（too tight for air or gas to enter or escape）
【记】组合词：air+tight（紧的，不透气的）→密闭的，不透气的

alabaster [ˈæləbɑːstə] *adj.* 雪白润滑的（translucent, smooth and white）
【记】原指透明的雪花石膏，引申为"雪白润滑的"

alacrity* [əˈlækriti] *n.* 乐意，欣然（cheerful readiness）；敏捷，活泼（promptness in response）
【例】He accepted her offer with *alacrity*.（他欣然接受了她提出的条件。）
【反】hesitance（*n.* 犹豫）；reluctance（*n.* 不情愿）；recalcitrance（*n.* 不顺从）；dilatoriness（*n.* 拖延）

albeit [ɔːlˈbiːit] *conj.* 虽然，尽管（although）
【例】I tried, *albeit* unsuccessfully, to contact him.（尽管没成功，但我努力和他联系了。）

• **alchemy*** [ˈælkimi] *n.* 炼金术（medieval form of chemistry concerned with finding a way to turn ordinary metals into gold）
【记】词根记忆：al + chemy（化学）→炼金术
【参】chemistry（*n.* 化学）

alcove* [ˈælkəuv] *n.* 凹室（a recessed section of a room）
【记】词根记忆：al + cove（山凹）→凹入；注意常考的同义词有recess（壁凹），niche（壁龛）

• **alert*** [əˈləːt] *adj.* 警惕的，机警的（watchful and prompt to meet danger or emergency）；*n.* 警报（warning）
【派】alertness（*n.* 警戒，戒备）

alias* [ˈeiliəs] *n.* 化名，别名（an assumed name；pseudonym）
【记】词根记忆：ali（其他）+ as →其他的名字→别名，化名

alibi* [ˈælibai] *n.* 某人当时不在犯罪现场的申辩或证明（formal statement that a person was in another place at the time of a crime）；借口（excuse of any kind）
【记】词根记忆：ali（其他）+ bi（看作be=being［存在］）→其他存在→不在现场
注意：alibi 拉丁文意为elsewhere（其他地方）

alienate* [ˈeiljəneit] *v.* 疏远，离间某人（to estrange；cause to become unfriendly or indifferent）
【记】词根记忆：alien（外国的）+ ate →把别人当外国人→疏远
【派】alienated（*adj.* 疏远的，被隔开的）；alienation（*n.* 疏远，离间，疏离感）

AIRBORNE	AIRTIGHT	ALABASTER	ALACRITY	ALBEIT
ALCHEMY	ALCOVE	ALERT	ALIAS	ALIBI
ALIENATE				

【反】reunite（*v.* 使再结合）

align* ［ə'lain］*v.* **将某物排列在一条直线上**（to get or fall into line）；**与某人结盟**（to join as an ally）

【记】词根记忆：a + lign（木头）→（放）在（直的）木头旁边 → 在一条直线上

【派】aligned（*adj.* 有序的）

【反】irregular（*adj.* 不规则的）；curved（*adj.* 弯曲的）；askew（*adj.* 歪斜的）

alimentary ［ˌæli'mentəri］*adj.* **饮食的，营养的**（of or relating to nourishment or nutrition）

【记】和 ailment（病）一起记：吃没有营养的（alimentary）食品，人就会得病（ailment）

alkali ［'ælkəlai］*n.* **碱**

【派】alkaline（*adj.* 碱性的）

allay* ［ə'lei］*v.* **减轻，缓和**（to relieve；reduce the intensity）

【形】alley（*n.* 胡同）；alloy（*n.* 合金）；ally（*n.* 盟国）

【反】aggravate（*v.* 加重）；intensify（*v.* 强化）

allege* ［ə'ledʒ］*v.*（无证据）**陈述，宣称**（to state without proof）

【记】词根记忆：al（加强）+ leg（指定，任命）+ e → 大声任命 → 宣称

【派】alleged（*adj.* 宣称的）；allegation（*n.* 断言；无证据的指控）

allegiance* ［ə'liːdʒəns］*n.* **忠诚，拥护**（loyalty or devotion to a cause or a person）

【记】词根记忆：al（加强）+ leg（法律）+ iance → 拥护法律 → 拥护

allegory* ［'æligəri］*n.* **寓言**（fable）

【记】分拆联想：all + ego（自己）+ ry → 全部关于自己的寓言 → 寓言

allergic* ［ə'ləːdʒik］*adj.* **过敏的**（of allergy）；**对…讨厌的**（averse or disinclined）

【派】allergy（过敏）

alleviate* ［ə'liːvieit］*v.* **缓和，减轻**（to lighten or relieve）

【记】词根记忆：al + lev（轻）+ iate → 减轻

【同】levity（*n.* 轻率）；elevate（*v.* 举起，升高）

【反】exacerbate（*v.* 使恶化）

allocate* ［'æləukeit］*v.* **配给，分配**（to assign sth. for a special purpose；distribute）

【记】词根记忆：al + loc（地方）+ ate → 不断送给地方 → 配给，分配

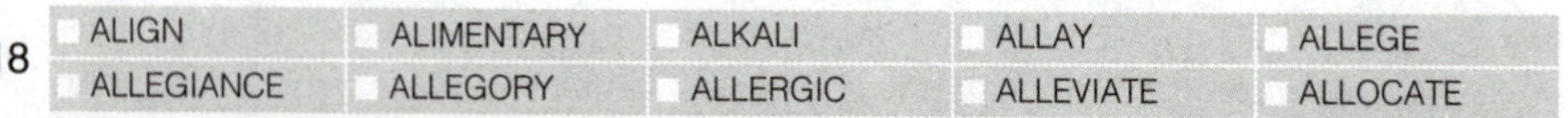

ALIGN	ALIMENTARY	ALKALI	ALLAY	ALLEGE
ALLEGIANCE	ALLEGORY	ALLERGIC	ALLEVIATE	ALLOCATE

【同】location (*n.* 地理位置); locomotive (*n.* 机车, 火车头)
【派】allocation (*n.* 配给, 分配)

allowance [ə'lauəns] *n.* **津贴, 补助** (amount of money allowed or given regularly); **承认, 允许** (permission)
【记】分拆联想: allow (允许) + ance → 允许自由支配的钱 → 津贴

allude* [ə'ljuːd] *v.* **间接提到, 暗指** (to refer in an indirect way)
【记】词根记忆: al + lud (嬉笑) + e → 在嬉笑中说 → 间接提到, 暗指
【同】ludicrous (*adj.* 嬉弄的, 可笑的); elude (*v.* 躲避, 使…困惑)
【派】allusive (*adj.* 含暗示的, 暗指的); allusion (暗示)
【反】mention explicitly (明确提出)

alluring* [ə'ljuəriŋ] *adj.* **吸引人的, 迷人的** (attractive; charming)
【记】来自 allure (引诱), al + lure (吸引力, 魅力), lure 本身是一个单词

aloft* [ə'lɔft] *adv.* **在空中** (in the air)
【记】词根记忆: a + loft (阁楼, 鸽房)
【反】grounded (*adj.* 接地的)

aloof* [ə'luːf] *adj.* **冷淡的, 孤零的** (cool and distant in manner)
【派】aloofness (*n.* 孤零零, 冷淡)
【反】gregarious (*adj.* 合群的)

alphabetical* [ˌælfə'betikəl] *adj.* **按字母表顺序的** (in the order of the alphabet)
【记】由字母 α, β 的发音而来

alter* ['ɔːltə] *v.* **改变, 更改** (to change)
【记】alter 本身就是一个词根, 意为"改变"
【同】alternative (*adj.* 二者择一的)
【派】alteration (*n.* 改变, 变更)
【形】altercation (*n.* 争吵)

alternate* [ɔːl'təːnit, 'ɔltəːˌneit] *adj.* **轮流的, 交替的** (occurring or succeeding by turns); *v.* **轮流, 交替** (to perform by turns or in succession); *n.* **候选人, 替代性选择** (one that substitutes for or alternates with another)
【记】词根记忆: alter (改变) + nate → 来回改变 → 轮流的, 交替的
【派】alternative (*adj.* 二者取一的; *n.* 二者取一的替代物)

altruism* ['æltruizəm] *n.* **利他主义; 无私** (unselfish regard for the welfare of others; selflessness)
【记】词根记忆: altru (其他) + ism (主义) → 利他主义
【派】altruist (*n.* 无私的人); altruistic (无私的, 为他人着想的)
【反】egoism (*n.* 自我主义); egocentric (*n.* 利己主义者)

aluminium [ˌæljuː'minjəm] *n.* **铝**

amalgam* [ə'mælgəm] *n.* **混合物** (a combination or mixture)
【记】分拆联想: am + alg + am → 前后两个"am"结合 → 混合物

ALLOWANCE	ALLUDE	ALLURING	ALOFT	ALOOF
ALPHABETICAL	ALTER	ALTERNATE	ALTRUISM	ALUMINIUM
AMALGAM				

amalgamate* [əˈmælɡəmeit] *v.* **合并**（to unite; combine）; **混合**（to mix）
【反】separate（*v.* / *adj.* 分离〔的〕）; isolate（*v.* 隔离）
【例】Our school will *amalgamate* with another school.（我们学校将与另外一所学校合并。）

amass* [əˈmæs] *v.* **积聚**（to collect to gether; accumulate）
【记】词根记忆：a + mass（一团）→ 变成一团 → 积聚
【同】massive（*adj.* 巨大的）; massacre（*n.* 大屠杀）

amateur* [ˈæmətə(ː)] *n.* **业余爱好者**（one who engages in sth. as a pastime rather than as a profession）
【记】词根记忆：amat（=amor 爱）+ eur（人）→ 爱好的人 → 业余爱好者
【同】amorous（*adj.* 多情的）; enamored（*adj.* 迷恋的）

ambidextrous* [ˌæmbiˈdekstrəs] *adj.* **十分灵巧的**（very skillful or versatile）
【记】词根记忆：ambi（二）+ dextr（右的）+ ous → 两只手都像右手一样灵巧 → 十分灵巧的
【同】dextrous（*adj.* 灵巧的）

ambiguous* [ˌæmˈbiɡjuəs] *adj.* **含糊的**（not clear; uncertain; vague）
【记】词根记忆：ambi（二）+ guous（做…的）→ 两件事都想做的 → 含糊的
【派】ambiguity（*n.* 含糊不清）
【反】ambiguity（*n.* 含糊不清）〈〉 watershed（*n.* 分水岭）

ambivalent* [æmˈbivələnt] *adj.*（对人或物）**有矛盾看法的**（having simultaneous and contradictory attitudes or feelings toward sb. or sth.）
【同】valiant（*adj.* 勇敢的）; valor（*n.* 勇气）
【反】commitment（*n.* 一心一意；许诺）

amble* [ˈæmbl] *n.* / *v.* **漫步，缓行**（to saunter; a leisurely walk）
【记】amble 本身就是一个词根 =ambul（走路）
【同】ambulance（*n.* 救护车）; preamble（*n.* 前言，序言）
【形】ample（*adj.* 丰富的）; ramble（*v.* 漫步，闲逛）

ambush* [ˈæmbuʃ] *n.* / *v.* **埋伏**（the act of lying in wait to attack by surprise; to waylay）; **伏击**（a sudden attack made from a concealed position）
【记】分拆联想：am + bush（矮树丛）→ 埋伏在矮树丛里 → 埋伏

ameliorate* [əˈmiːljəreit] *v.* **改善，改良**（to improve）
【记】词根记忆：a + melior（=better 更好）+ ate → 变

AMALGAMATE AMASS AMATEUR AMBIDEXTROUS AMBIGUOUS
AMBIVALENT AMBLE AMBUSH AMELIORATE

得更好 → 改良，改善

【派】amelioration（*n.* 改善，改良）

【反】aggravate / deteriorate（*v.* 恶化）

amenable* [əˌmiːnəbl] *adj.* **愿服从的，通情达理的**（willing; submissive）

【记】分拆联想：a + men + able → 一个人能共事 → 通情达理的

【反】inimical（*adj.* 敌意的）；recalcitrant（*adj.* 不顺从的）；obdurate（*adj.* 顽固的）；ossified（*adj.* 僵化的）

amend* [əˈmend] *v.* **修正**（to put right）；（通常向更好的方向）**变化**（to change or modify for the better）

【记】词根记忆：a（加强）+ mend（修理）→ 修正

amenity* [əˈmiːniti] *n.* **礼仪；使人感到舒适的事物**（sth. that conduces to comfort, convenience, or enjoyment）

【记】和 amenable（顺从的，服帖的）一起记，都是以 amen 开头

amiable* [ˈeimjəbl] *adj.* **和蔼的，亲切的**（good natured; affable; genial）

【记】分拆联想：am（爱）+ iable → 可爱的，亲切的

【派】amiability（*n.* 友好，和蔼可亲）

【反】inimical（*adj.* 敌意的）

amicable* [ˈæmikəbl] *adj.* **友好的**（friendly in feeling; showing good will）

【记】分拆联想：am + i + cable → 我是电缆 → 友好地通向别人 → 友好的

比较：amiable 强调人自身的性格和蔼；amicable 强调对外界人物的态度友好

amity* [ˈæməti] *n.* （人或国之间的）**友好关系**（friendly relationship between people or countries）

【记】词根记忆：am（爱，情爱）+ ity → 友爱关系

amnesia* [æmˈniːzjə] *n.* **健忘症**（loss of memory due usu. to brain injury, illness, etc.）

【记】词根记忆：a（无）+ mnes（记忆）+ ia（病）→ 没有记忆的病 → 健忘症

amnesty* [ˈæmnesti] *n.* **大赦，特赦**（the act of an authority by which pardon is granted to a large group of individuals）

【记】词根记忆：a + mnes（记忆）+ ty → 不再记仇 → 赦免

amorphous* [əˈmɔːfəs] *adj.* **无定形的**（without definite form; shapeless）

【记】词根记忆：a + morph（形状）+ ous → 无形状的

【同】metamorphose（*v.* 变形）；morphology（*n.* 形态学）

【派】amorphousness（*n.* 无定形）

amortize* [əˈmɔːtaiz] *v.* **分期偿还**（to put money for gradual payment of a debt）

【记】词根记忆：a + mort（死亡）+ ize → 使（贷款）死亡 → 偿还，分期偿还

【同】immortal（*adj.* 不朽的）；mortality（*n.* 死亡率）；mortgage（*n.* 抵押）

AMENABLE	AMEND	AMENITY	AMIABLE	AMICABLE
AMITY	AMNESIA	AMNESTY	AMORPHOUS	AMORTIZE

amphibian* [æmˈfibiən] *n.* 两栖动物 (any of a class of animals that live in water and on land); 水陆两用飞行器 (an amphibious vehicle)

【记】词根记忆: amphi (两个, 两种) + bi (生命) + an → 两栖动物

【同】biology (*n.* 生物学); antibiotic (*n.* 抗生素)

【派】amphibious (*adj.* 两栖的, 水陆两用的)

ample [ˈæmpl] *adj.* 充足的, 丰富的 (enough; adequate)

【同】amplify (*v.* 放大)

【形】amble (*v.* 缓行)

amplify* [ˈæmplifai] *v.* 放大 (to make larger; extend); 详述 (to develop with details)

【记】词根记忆: ampl (大) + ify → 使大, 放大

【派】amplification (*n.* 扩大, 充实); amplified (*adj.* 扩大的, 充实的); amplifier (*n.* 扩音器)

amplitude [ˈæmplitjuːd] *n.* 广大, 广阔 (the quality of being ample)

【记】词根记忆: ampl (大) + itude → 广大, 广阔

【反】meagerness (*n.* 稀少)

amulet* [ˈæmjulit] *n.* 护身符 (piece of jewelry worn as a charm against evil)

【记】分拆联想: am (爱) + u + let (让) → 让某物来爱护你 → 护身符

amuse* [əˈmjuːz] *v.* 使愉快, 逗某人笑 (to make sb. smile)

【记】词根记忆: a + muse (缪斯, 古希腊文艺女神)

【派】amused (*adj.* 被逗乐的); amusement (*n.* 娱乐品, 消遣); amusing (*adj.* 好笑的, 有趣的)

anachronistic* [əˌnækrəˈnistik] *adj.* 时代错误的 (an error in chronology)

【记】词根记忆: ana (错) + chron (时间) + istic → 时代错误的

anaerobic [ˌæneiəˈrəubik] *adj.* 厌氧的 (of, relating to, or being activity in which the body incurs an oxygen debt); *n.* 厌氧微生物

【记】词根记忆: an (不, 无) + aero (空气) + bic → 不要空气的 → 厌氧的

【反】living in oxygen (生活在氧气中)

anagram* [ˈænəgræm] *n.* 变形词 (word made by rearranging the letters of another word)

【记】词根记忆: ana (错误, 分开) + gram (写, 图) → 写错的词 → 变形词, 如: silver 写成 sliver

analgesia* [ˌænælˈdʒiːzjə] *n.* 无痛觉, 痛觉丧失 (insensibility to pain without loss of consciousness)

【记】词根记忆: an (不, 无) + alg (痛) + esia → 无痛觉

【反】sensitivity to pain (对痛敏感)

analgesic* [ænælˈdʒiːsik] *n.* 镇痛剂 (a drug that takes pain away); *adj.* 止痛的 (relieving pain)

【同】nostalgia (*n.* 怀旧); neuralgia (*n.* 神经痛)

AMPHIBIAN	AMPLE	AMPLIFY	AMPLITUDE	AMULET
AMUSE	ANACHRONISTIC	ANAEROBIC	ANAGRAM	ANALGESIA
ANALGESIC				

analogy [əˈnælədʒi] *n.* **相似** (partial resemblance); **类比** (the likening of one thing to another)

【记】词根记忆：ana(并列)+log(说话)+y→放在一起说→类比

【同】prologue (*n.* 序言); epilogue (*n.* 尾声，后记); analogue (*n.* 类似物，相似体)

【反】lacking similarity (缺乏相似性)

analyze* [ˈænəlaiz] *v.* **分析，分解** (to study or determine the nature and relationship of the parts of by analysis)

【记】词根记忆：ana(分开)+lyze(放)→分开放→分析

anarchy* [ˈænəki] *n.* **无政府** (absence of government); **政治上的混乱** (political disorder)

【记】词根记忆：an(不，无)+archy(统治)→无统治→无政府

【同】hierarchy (*n.* 层次，等级)

【派】anarchic (*adj.* 无政府的)

【反】order (*n.* 有序)

anathema* [əˈnæθimə] *n.* **被诅咒的人** (one that is cursed); **宗教意义的诅咒** (a formal ecclesiastical ban; curse)

【记】分拆联想：ana(错误)+them(他们)+a→他们做错了所以被诅咒→被诅咒的人

【反】panegyric (*n.* 颂词)

anatomical [ˌænəˈtɔmikəl] *adj.* **解剖学的** (of or relating to anatomy)

【记】来自anatomy(*n.* 解剖学)，ana(分开)+tomy(切)→切开→解剖

ancestor [ˈænsistə] *n.* **祖先，祖宗** (one from whom a person is descended)

【记】词根记忆：ance(看作ante先)+stor→祖先，祖宗

ancestry [ˈænsistri] *n.* **家系** (person comprising a line of descent)

anchor [ˈæŋkə] *v.* **稳固** (to secure firmly); **固定** (to become fixed); *n.* **锚**

【记】发音记忆："安客"→船安全到岸抛锚，客人便安心了→稳固；锚

ancillary [ænˈsiləri] *adj.* **辅助的** (subordinate; auxiliary); *n.* **助手** (aid)

【记】分拆联想：an(一个)+cillary(音似"希拉里")→希拉里相当于克林顿的助手→助手

anecdote* [ˈænikdəut] *n.* **短故事** (a short and entertaining account); **轶事** (entertaining facts of history)

【记】分拆联想：a+nec(看作neck"脖子")+dote(溺爱)→一个人伸着脖子爱听的轶事、趣闻→轶事

【派】anecdotal (*adj.* 轶事的，趣闻的)

anemia* [əˈniːmiə] *n.* **贫血，贫血症** (a lack of red blood cells)

【记】词根记忆：a(无)+nem(血)+ia(病)→无血病→贫血症

【派】anemic (*adj.* 贫血的)

ANALOGY	ANALYZE	ANARCHY	ANATHEMA	ANATOMICAL
ANCESTOR	ANCESTRY	ANCHOR	ANCILLARY	ANECDOTE
ANEMIA				

anguish* [ˈæŋgwiʃ] *n.* 极大的痛苦 (great suffering; distress)
【记】词根记忆: angu (痛苦) + ish → 极大的痛苦
【参】anger (*n.* 愤怒)

angular* [ˈæŋgjulə] *adj.* 有角的 (having angles); (指人) 瘦削的 (thin and bony)
【派】angularity (*n.* 有角性, 多角)

anhydrous* [ænˈhaidrəs] *adj.* 无水的 (free from water)
【记】词根记忆: an + hydr (水) + ous → 无水的
【同】dehydrate (*v.* 脱水); carbohydrate (*n.* 碳水化合物)
【反】wet (*adj.* 湿的); humid (*adj.* 潮湿的)

animate* [ˈænimeit] *adj.* 活的, 有生命的 (alive; having life); *v.* 赋予生命 (to give life to)
【记】词根记忆: anim (生命, 精神) + ate → 有生命的; 赋予生命
【同】magnanimous (*adj.* 大度的); unanimous (*adj.* 意见一致的)
【派】animated (*adj.* 活泼的); animation (*n.* 活泼, 有生气)

笨蛋! 你杀了活恐龙!!
annoy
啊!
annotate
animate
恐龙: 一种主要生活在中生代时期的陆栖庞大的食肉或食草爬行类动物, 已绝种。

animosity* [ˌæniˈmɔsiti] *n.* 憎恶, 仇恨 (a feeling of strong dislike or hatred)
【记】词根记忆: anim (生命) + osity → 用整个生命去恨 → 仇恨

animus [ˈæniməs] *n.* 敌意, 憎恨 (animosity)

annals* [ˈænəlz] *n.* 编年史 (a record of events arranged in yearly sequence)
【记】词根记忆: ann (年) + als → 编年史
【同】anniversary (*n.* 周年纪念日); annuity (*n.* 年金)

annexation [ˌænekˈseiʃən] *n.* 吞并, 合并 (act of combining)
【记】来自 annex (*v.* 吞并, 附加), an + nex (连接) → 吞并

annihilate* [əˈnaiəleit] *v.* 消灭 (to destroy completely; demolish)
【记】词根记忆: an + nihil (无) + ate → 消灭
【同】nihilism (*n.* 虚无主义); nihil (*n.* 虚无)
【派】annihilation (*n.* 灭绝, 消灭)

annotate* [ˈænəuteit] *v.* 注解 (to provide critical or explanatory notes)
【记】词根记忆: an + not (标示) + ate → 注解
【同】connotation (*n.* 含蓄, 内涵); notorious (*adj.* 臭名昭彰的)
【派】annotated (*adj.* 注释过的, 评注的); annotation (*n.* 注解)

announce* [əˈnauns] *v.* 宣布, 发表 (to proclaim); 通报…的到来 (to give notice of the arrival)

ANGUISH	ANGULAR	ANHYDROUS	ANIMATE	ANIMOSITY
ANIMUS	ANNALS	ANNEXATION	ANNIHILATE	ANNOTATE
ANNOUNCE				

【记】词根记忆：an + nounce（讲话，说出）→ 一再讲 → 宣布
【同】pronounce（*v.* 发音；宣告）；denounce（*v.* 指责，谴责）
【派】announced（*adj.* 公开宣称的）；announcement（*n.* 宣布，通告）

annoy* [əˈnɔi] *v.* **惹恼**（to cause slight anger）；**打搅，骚扰**（to cause trouble to sb.）
【派】annoyance（*n.* 烦恼；烦恼的事物）；annoyed（*adj.* 颇为生气的）；annoying（*adj.* 使人生气或烦恼的）

annul [əˈnʌl] *v.* **宣告无效**（to invalidate）；**取消**（to cancel; abolish）
【记】词根记忆：an + nul（消除）→ 取消
【同】nullify（*v.* 取消）

anomaly* [əˈnɔməli] *n.* **异常，反常**（deviation from common rule）；**异常事物**（sth. anomalous）
【记】词根记忆：a + nomal（看作 normal 正常的）+ y → 不正常
【反】anomaly（*n.* 反常）〈〉 conformity to norms（合乎规范）；anomaly（*n.* 异常）〈〉 predicted occurrence（被预见的发生）
【派】anomalous（反常的，不规则的）

anonymity* [ˌænəˈnimiti] *n.* **无名，匿名**（the quality or state of being anonymous）
【记】词根记忆：an + onym（名称）+ ity → 无名，匿名
【派】anonymous（匿名的）

anorexia* [ˌænə(u)ˈreksiə] *n.* **厌食症**（an eating disorder or aversion to food）
【记】词根记忆：an + orex（胃口）+ ia → 无胃口的病 → 厌食症

antagonize* [ænˈtægənaiz] *v.* **使对抗**（to arouse hostility）；**与…对抗**（hostility; show opposition）
【记】词根记忆：ant（反）+ agon（打斗，比赛）+ ize → 对着打 → 对抗
【派】antagonist（*n.* 敌手，对手）；antagonistic（*adj.* 对抗的，敌对的）；antagonism（反抗，敌意）
【反】placate（*v.* 安抚）；propitiate（*v.* 劝解）；mollify（*v.* 平息）

Antarctic [ænˈtɑːktik] *adj.* **南极的**（of the regions around the South Pole）
【参】Arctic（*adj.* 北极的）

antecedent* [ˌæntiˈsiːdənt] *n.* **前事**（a preceding event, condition, or cause）；**前辈**（a person's ancestors）；*adj.* **先行的**（preceding in time and order）

antediluvian [ˌæntidiˈluːviən] *adj.* **史前的**（of the time before the Biblical Flood）；**陈旧的**（old fashioned, or primitive）
【记】词根记忆：ante + diluv（洪水）+ ian → 洪水以前 → 史前的

antenna* [ænˈtenə] *n.* **触角**（a sensitive feeler）；**天线**（a device that collects or receives electromagnetic signals）
【记】词根记忆：ante（前面）+ nna（表名词）→ 前面的东西 → 触角；注意：复数形式为 antennae

anterior* [ænˈtiəriə] *adj.* **较早的**（earlier）；**以前的**（previous）
【参】superior（*adj.* 较高的）；inferior（*adj.* 下等的）；interior（*adj.*

ANNOY	ANNUL	ANOMALY	ANONYMITY	ANOREXIA
ANTAGONIZE	ANTARCTIC	ANTECEDENT	ANTEDILUVIAN	ANTENNA
ANTERIOR				

内部的)；exterior (*adj.* 外部的)

【反】ensuing (*adj.* 跟着发生的)

anthem* [ˈænθəm] *n.* **圣歌** (a religious choral song)；**赞美歌** (a song of praise)；**国歌**

【记】分拆联想：an + them → 一首他们一起唱的歌 → 圣歌，国歌

Every day I remind myself that my inner and outer life are based on the labors of other men, living and dead, and that I must exert myself in order to give in the same measure as I have received and am still receiving.

每天我都提醒着自己：我的精神生活和物质生活都是以别人的劳动为基础的，我必须尽力以同样的分量来报偿我所获得的和至今仍在接受着的东西。

——美国科学家 爱因斯坦(Albert Einstein, American scientist)

Word List 3

anthology* [æn'θɔlədʒi] *n.* 选集 (a collection of poems, stories or songs)

【记】词根记忆: anth (花) + ology → 像花一样的文章 → 选集, 文选

【同】anthesis (*n.* 开花期); chrysanthemum (*n.* 菊花)

anthropologist* [ˌænθrə'pɔlədʒist] *n.* 人类学家 (experts who deal with the origin, nature and destiny of human beings)

【记】词根记忆: anthrop (人) + ologist (学家) → 人类学家

antibiotic* [ˌæntibai'ɔtik] *n.* 抗生素 (substance that can destroy or prevent the growth of bacteria); *adj.* 抗菌的

【记】词根记忆: anti (反) + bio (生命) + ic → 抗生素

antibody [ˌænti'bɔdi] *n.* 抗体 (身体中的抗病物质)

【反】antigen (*n.* 抗原)

antic* ['æntik] *adj.* 古怪的 (fantastic and queer)

【记】和 antique (古董) 来自同一词源

注意: antics (*n.* 古怪滑稽的动作)

【形】attic (*n.* 阁楼)

anticipate* [æn'tisipeit] *v.* 预期, 期待 (to look forward to; expect)

【记】词根记忆: anti (前) + cip (落下) + ate → 提前落下 → 先占, 预期

【同】incipient (*adj.* 开始的); emancipate (*v.* 解放)

【派】anticipation (*n.* 预料); anticipatory (预想的, 预期的)

【反】retrospect (*v.* 回顾)

antidote* ['æntidəut] *n.* 解毒药 (a remedy to counteract a poison)

【记】词根记忆: anti (反) + dote (药剂) → 反毒的药 → 解毒药; 注意: dote=dose (药剂), 如: overdose (用药过量)

【形】anecdote (*n.* 轶事, 奇闻)

antihistamine* [ˌænti'histəmi(ː)n] *n.* (治疗过敏的) 抗组胺剂 (any of various compounds that counteract histamine in the body and that are used for

treating allergic reactions and cold symptoms）
【记】词根记忆：anti（抗）+ histam（组织）+ ine → 抗组胺剂

antipathy* [æn'tipəθi] *n.* **反感，厌恶**（strong dislike）
【记】词根记忆：anti + pathy（感情）→ 反感
【同】apathy（*n.* 冷漠）；sympathy（*n.* 同情）；pathetic（*adj.* 可怜的）
【反】affection（*n.* 友爱）；benevolence（*n.* 善意）；propensity（*n.* 偏好）

antique* [æn'tiːk] *adj.* **古时的，古老的**（existing since or belonging to ealier times）；*n.* **古物，古董**（a relic or object of ancient times）
【记】词根记忆：anti（前）+ que → 以前的 → 古时的
【派】antiquated（陈旧的）；antiquity（古旧，古迹，古人）

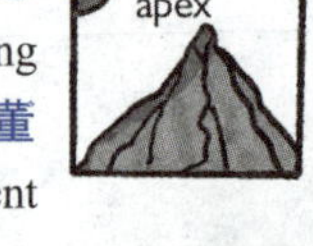

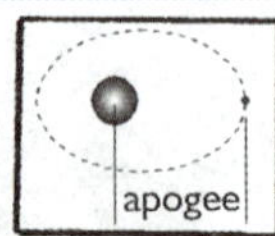

antique

antiseptic* [ˌænti'septik] *n.* **杀菌剂**（any substance that inhibit the action of microorganisms）；*adj.* **防腐的**（preventing infection or decay）
【记】词根记忆：anti（反）+ sept（菌）+ ic → 杀菌剂
【同】septic（*adj.* 有菌的，感染的）

antithesis [æn'tiθisis] *n.* **对立，相对**（a contrast or opposition）
【记】词根记忆：anti + thesis（放）→ 反着放 → 对立
【同】thesis（*n.* 论文）；hypothesis（*n.* 假设）
【派】antithetic（*adj.* 对立的）

anvil* ['ænvil] *n.* **铁砧**（a steel block）

aorta* [ei'ɔːtə] *n.* **主动脉**（the main artery of the body）
【记】联想记忆：把 r 置于前面，单词变成 raota（拼音："绕它"）→ 主动脉在身体中弯曲盘缠 → 主动脉

apex* ['eipeks] *n.* **顶点，最高点**（the highest point；peak；vertex）

aphorism* ['æfərizm] *n.* **格言**（maxim；adage）
【记】词根记忆：a + phor（带来）+ ism → 带来智慧的话 → 格言
【派】aphoristic（*adj.* 格言似的，简短的）

aplomb* ['æplɔːm] *n.* **沉着，镇静**（complete and confident composure）
【记】分拆联想：apl + omb（看作 tomb）→ 坟墓当中静悄悄 → 很静

apocalyptic [əpɔkə'liptik] *adj.* **预示世界末日的；启示的**（prophetic）
【记】来自 apocalypse（*n.* 天启，启示），apo（离开）+ calyps（盖上）+ e → 揭开 → 启示
【反】inconsequential（*adj.* 不重要）

apocrypha* [ə'pɔkrifə] *n.* 伪经，伪书 (writings or statements of dubious authenticity)
【记】词根记忆：apo (远) + cryph (隐藏) + a → 非珍藏之物 → 伪经
【反】canon (*n.* 真作；法规) 65

apocryphal* [ə'pɔkrif(ə)l] *adj.* 假冒的，虚假的 (of doubtful authenticity)
【反】authenticated (*adj.* 经鉴定的)

apogee ['æpəudʒiː] *n.* 远地点 (太阳等距离地球最远的点) (the point in the orbit of an object [as a satellite] orbiting the earth that is at the greatest distance from the center of the earth)
【记】词根记忆：apo (远) + gee (=geo 地球) → 远地点
【同】geology (*n.* 地质学)
【反】perigee (*n.* 近地点)

apologize* [ə'pɔlədʒaiz] *v.* 道歉 (to say one is sorry)；辩解 (to make a formal defence)

apoplectic [ˌæpəu'plektik] *adj.* 中风的 (of, relating to, or causing stroke)；愤怒的 (furious)
【记】来自 apoplexy (中风)
【反】calm (*adj.* 平静的)

apostasy* [ə'pɔstəsi] *n.* 背教，脱党，变节 (an abandoning of what one has believed in)
【记】词根记忆：apo (远) + stas (站) + y → 站到远处 → 脱党，背教，变节
【同】status (*n.* 社会地位)；statute (*n.* 法令，法规)
【反】fidelity (*n.* 忠诚)

apostate* [ə'pɔstit] *n.* 背教者；变节者 (a person guilty of apostasy; renegade)

apostrophe* [ə'pɔstrəfi] *n.* 撇号 (') (表示省略或所有格)
【记】词根记忆：apo + strophe (转) → 用撇号 (') 把词语省略
【同】strophe (*n.* 诗节，轮流唱的诗)；catastrophe (*n.* 大灾难) 68

apothecary [ə'pɔθikəri] *n.* 药剂师 (one who prepares and sells drugs)

appall [ə'pɔːl] *v.* 使惊骇，使恐怖 (to fill with horror or dismay; shock)
【记】词根记忆：ap + pal (=pale 苍白) + l → 脸色变白 → 惊骇
【反】embolden (*v.* 使勇敢)；nerve (*v.* 激励)；encourage (*v.* 鼓励)

apparatus* [ˌæpə'reitəs] *n.* 仪器，设备 (set of instruments in scientific experiments)

apparel [ə'pærəl] *n.* (精致的) 衣服 (clothing; garments; attire)
【记】词根记忆：appar (=appear 出现) + el → 穿出来的东西 → 衣服
【参】apparent (*adj.* 明显的)

APOCRYPHA	APOCRYPHAL	APOGEE	APOLOGIZE	APOPLECTIC
APOSTASY	APOSTATE	APOSTROPHE	APOTHECARY	APPALL
APPARATUS	APPAREL			

apparition [ˌæpəˈriʃən] *n.* **幽灵** (a strange figure appearing suddenly and thought to be a ghost); **神奇的现象** (an unusual or unexpected sight)
【记】词根记忆：appar（出现）+ ition → 出现的幽灵，和appearance（出现，外貌）来自同一词源

appeal* [əˈpiːl] *v.* **恳求** (to supplicate); **吸引** (to be attractive or interesting); **上诉** (to take a lower court's decision to a higher court for review)
【记】词根记忆：ap + peal (=pull 拉) → 拉过去 → 吸引

appease* [əˈpiːz] *v.* **使平静，安抚** (to pacify or quiet)
【记】词根记忆：ap + pease（和平）→ 使平静
【派】appeasement (*n.* 平息，满足)
【反】roil (*v.* 煽动); vex (*v.* 烦恼); rile (*v.* 激怒)

appellation [ˌæpeˈleiʃən] *n.* **名称，称呼** (a name or title; designation)
【记】来自 appeal (*v.* 恳求)，转化为 appellant（上诉人），再成为appellation

appetite* [ˈæpitait] *n.* **欲望，食欲** (physical desires, esp. for food or pleasure); **爱好** (an inherent craving)
【记】源自拉丁语 appetere, ap + peter（寻找，尝试）+ e → 寻找、尝试是因为欲望 → 欲望

appetizer* [ˈæpitaizə(r)] *n.* **开胃品** (thing eaten to stimulate the appetite)

appetizing* [ˈæpitaiziŋ] *adj.* **美味可口的，促进食欲的** (stimulating the appetite)

applaud* [əˈplɔːd] *v.* **鼓掌表示欢迎或赞赏** (to show approval by clapping the hands)
【记】词根记忆：ap + plaud（鼓掌）→ 鼓掌表示欢迎或赞赏
【同】plaudit (*n.* 喝彩)

applause* [əˈplɔːz] *n.* **鼓掌，喝彩** (approval publicly expressed by clapping the hands); **赞许** (acclaim)

applicable* [ˈæplikəbl] *adj.* **可应用的，适合的** (capable of being applied; appropriate)
【记】来自 apply (*v.* 应用) 一词
【派】applicability (*n.* 适用性)

applicant* [ˈæplikənt] *n.* **申请人** (person who applies, esp. for a job)

appoint* [əˈpɔint] *v.* **任命，指定** (to name for an office or position); **约会**
【记】ap + point（指）→ 指定
【派】appointment (*n.* 指定，约会)

apposite* [ˈæpəzit] *adj.* **适当的，恰当的，相关的** (appropriate; apt; relevant)
【记】词根记忆：ap + pos（放）+ ite → 放一起 → 适当的；注意不要和 opposite (*adj.* 相反的) 相混淆
【反】irrelevant (*adj.* 不相关的); extraneous (*adj.* 无关的)

APPARITION	APPEAL	APPEASE	APPELLATION	APPETITE
APPETIZER	APPETIZING	APPLAUD	APPLAUSE	APPLICABLE
APPLICANT	APPOINT	APPOSITE		

appraise* [ə'preiz] *v.* **评价，鉴定**（to assess the value or quality）
【记】词根记忆：ap（加强）+ praise（价值，赞扬）→ 给以价值 → 评价
【派】appraisal（*n.* 评价，估价）

appreciable* [ə'priːʃiəbl] *adj.* **明显的**（noticeable; perceptible）
【记】词根记忆：ap + preci（赞扬）+ able → 值得赞扬的 → 明显的
【反】imperceptible（*adj.* 感觉不到的）

appreciate* [ə'priːʃieit] *v.* **欣赏**（to understand and enjoy）；**感激**（to recognize with gratitude）
【记】词根记忆：ap + preci（价值）+ ate → 给以价值 → 评价，欣赏
【派】appreciation（*n.* 欣赏，感激）；appreciative（*adj.* 感谢的，赞赏的）

apprehend* [ˌæpri'hend] *v.* **逮捕**（to capture or arrest）；**恐惧**（to anticipate with anxiety; dread）
【记】词根记忆：ap + prehend（抓住）→ 抓住，逮捕
【同】prehensile（*adj.* 能抓住的）；comprehensive（*adj.* 综合性的）
【派】apprehension（*n.* 焦虑，担忧）；apprehensive（害怕的）

apprentice* [ə'prentis] *n.* **学徒**（one who is learning by practical experience under skilled workers）
【记】词根记忆：ap + prent（=prehend 抓住）+ ice → 抓住技术的人 → 学徒

apprise* [ə'praiz] *v.* **通知，告诉**（to inform, or notify）
【记】分拆联想：app（看作 appear）+ rise → 出现 + 升起 → 通知

approach* [ə'prəutʃ] *v.* **接近，靠近**（to come nearer）；**着手处理**（to begin to handle）；*n.* **方法**（method）
【记】词根记忆：ap + proach（接近）→ 靠近
【同】reproach（*v.* / *n.* 指责）
【派】approachable（*adj.* 可接近的，随和的）

approbation* [ˌæprə'beiʃən] *n.* **称赞**（commendation）；**认可**（official approval）
【记】词根记忆：ap + prob（=prove 证实）+ ation → 证实是好的 → 称赞，认可
【反】opprobrium（*n.* 谴责，恶名声）；condemnation（*n.* 谴责）；castigation（*n.* 斥责）

appropriate* [ə'prəuprieit] *v.* **拨款**（to set money aside for a specific use）；**盗用，挪用**（to take improperly）；[ə'prəupriət] *adj.* **恰当的**（fitting）
【记】词根记忆：ap + propr（拥有）+ iate → 自己拥有 → 挪用
【同】property（*n.* 财产）；propriety（*n.* 适当）
【派】appropriateness（*n.* 适当，适合）；appropriation（*n.* 拨款；挪用公款）
【反】surrender（*v.* 交出）；appropriateness 〈〉 infelicity（*n.* 不适当，不得体）

APPRAISE	APPRECIABLE	APPRECIATE	APPREHEND	APPRENTICE
APPRISE	APPROACH	APPROBATION	APPROPRIATE	

approximate* [ə'prɔksimeit] *adj.* 大约的，估计的 (much like; nearly correct or exact)
【记】词根记忆：ap + proxim (接近) + ate → 接近的，大约的
【同】proximity (*n.* 接近)
【派】approximately (*adv.* 大约地); approximation (*n.* 近似值)

apron ['eiprən] *n.* 围裙 (a protective skirt worn over one's clothing)
【记】分拆联想：apr (看作 april) + on → 在四月穿上围裙去干活 → 围裙

apropos ['æprəpəu] *adj.* / *adv.* 适宜的（地）(seasonable[y]); 有关 (with reference to; regarding)
【记】分拆联想：a + prop (看作 proper 适当的) + os → 适宜的（地）
【例】I thought her remarks were very *apropos*. (我认为她的话很恰当。)

apt* [æpt] *adj.* 易于…的，恰当的
【反】inappropriate (*adj.* 不合适的); unlikely (*adj.* 不可能的)

aptitude ['æptitjuːd] *n.* 适宜 (general suitability); 才能，资质 (a natural ability to do sth.)
【记】词根记忆：apt (能力) + itude (状态) → 才能，资质

aquatic* [ə'kwætik] *adj.* 水生的，水中的 (growing or living in or upon water)
【记】词根记忆：aqua (水) + tic → 水中的
【同】aqueous (*adj.* 水的); aquarium (*n.* 水族馆); aquifer (*n.* 含水土层); aqueduct (*n.* 引水渠)

arabesque* [ˌærə'besk] *n.* 蔓藤图饰
【记】词根记忆：arab (阿拉伯) + esque → 有阿拉伯风格的图案 → 蔓藤图饰

arable ['ærəbl] *adj.* 可耕的，适合种植的 (suitable for plowing and planting)
【记】分拆联想：ar (看作 are) + able → 是能够耕种的

arbiter ['ɑːbitə] *n.* 权威人士，泰斗 (arbitrator; a person fully qualified to judge or decide)
【记】词根记忆：arbit (判断，裁决) + er → 判断之人 → 泰斗，权威

arbitrary* ['ɑːbitrəri] *adj.* 专横的，不理智的 (discretionary; despotic; dictatorial)
【记】词根记忆：arbitr (判断) + ary → 自己做判断 → 武断的
【派】arbitrarily (*adv.* 随心所欲地，霸道地)

arbitrate* ['ɑːbitreit] *v.* 仲裁，公断 (to decide [a dispute] as an arbitrator)
【派】arbitration (*n.* 仲裁，公断); arbitrator (*n.* 公断人)

APPROXIMATE	APRON	APROPOS	APT	APTITUDE
AQUATIC	ARABESQUE	ARABLE	ARBITER	ARBITRARY
ARBITRATE				

arboreal* [ɑːˈbɔːriəl] *adj.* **树木的**（of or like a tree）

【记】词根记忆：arbor（树）+ eal → 树的

arboretum* [ˌɑːbəˈriːtəm] *n.* **植物园**（a place where trees, shrubs and herbaceous plants are cultivated for scientific and educational purposes）

【记】词根记忆：arbor（树）+ et + um（地点）→ 植物园

arcane* [ɑːˈkein] *adj.* **神秘的，秘密的**（mysterious; hidden or secret）

【记】词根记忆：arcan（秘密）+ e → 神秘的

【同】arcanum（*n.* 秘传知识，秘药）

【反】well-known（*adj.* 众所周知的）

arch* [ɑːtʃ] *n.* **拱门，拱形**（a typically curved structural member spanning an opening and serving as a support）；*v.* **使…成弓形**（to have the curved shape of such a structure）

archaeology [ˌɑːkiˈɔlədʒi] *n.* **考古学**（the scientific study of material remains of past human life and activities）

【记】词根记忆：archae（古）+ ology（学科）→ 考古学

【同】archaic（*adj.* 古代的）；archaism（*n.* 古词，古语）

【派】archaeological（*adj.* 考古学的）

archetype* [ˈɑːkitaip] *n.* **原型**（the original pattern; prototype）；**典型例子**（a perfect example）

【记】词根记忆：arche（原来）+ type（形状）→ 原型

【派】archetypally（*adv.* 原型地）

archipelago [ˌɑːkiˈpeligəu] *n.* **群岛**（a group or chain of many islands）

【记】词根记忆：archi（多）+ pelago（海）→ 群岛

architect* [ˈɑːkitekt] *n.* **建筑师**（person who designs buildings and supervises their construction）

【记】词根记忆：archi（统治者，主要的）+ tect（做）→ 统治造房的人 → 建筑师

【派】architecture（*n.* 建筑学）

archive* [ˈɑːkaiv] *n.* **档案室**（a place where public record or document are kept）

【派】archives（*n.* 档案）；archivist（*n.* 档案保管员）

arctic [ˈɑːktik] *adj.* **北极的；极寒的**（bitterly cold）

【反】torrid（*adj.* 酷热的）

ardent* [ˈɑːdənt] *adj.* **热心的，热烈的**（intensely enthusiastic or devoted; passionate）

【记】词根记忆：ard（热）+ ent → 热心的，热烈的

【同】arduous（*adj.* 费力的）；ardor（*n.* 热心）

arena* [əˈriːnə] *n.* （角斗的）**竞技场**（a Roman amphitheater where gladiatorial contests took place）

ARBOREAL	ARBORETUM	ARCANE	ARCH	ARCHAEOLOGY
ARCHETYPE	ARCHIPELAGO	ARCHITECT	ARCHIVE	ARCTIC
ARDENT	ARENA			

【记】分拆联想：are + na → 想像成看角斗时的叫声“啊—呐”→竞技场

argot [ˈɑːgəu] *n.* 隐语，黑话（slang；speech spoken by only a small group of people）

【反】standard language（标准语言）；common verbalism（一般用语）

aria* [ˈɑːriə] *n.* 独唱曲，咏叹调（a melody in an opera, cantata, or oratorio for solo voice with instrumental accompaniment）

arid* [ˈærid] *adj.* 干旱的（dry）；枯燥的（dull；uninteresting）

【派】aridness（*n.* 干燥）

【反】damp（*adj.* 潮湿的）

aristocracy* [ˌærisˈtɔkrəsi] *n.* 贵族（the people of the highest social class esp. from noble families）；贵族政府，贵族统治（government in which power is held by the nobility）

【记】词根记忆：aristo（最好）+ cracy（统治）→ 最好的统治 → 贵族政府

armada* [ɑːˈmɑːdə] *n.* 舰队（a fleet of warships）

【记】词根记忆：arm（武装）+ ada（舰队）→ 舰队

【同】armor（*n.* 装甲，盔甲）；armory（*n.* 军械库）；armistice（*n.* 休战，停战）

armistice [ˈɑːmistis] *n.* 休战，停战（a temporary stopping of warfare；a truce）

【记】词根记忆：armi（武器）+ stice（停止）→ 停止使用武器 → 休战，停战

armory* [ˈɑːməri] *n.* 军械库（place where arms and armor are kept）

aroma* [əˈrəumə] *n.* 芳香，香气（a pleasant, often spicy odor；fragrance）

【记】分析联想：a + roma（nce）→ 浪漫史 → 芳香

array* [əˈrei] *v.* 部署（to place armed forces in battle order）；*n.* 陈列（impressive display）；大批

【记】分拆联想：ar + ray（光线）→ 像一束光一样排成一列 → 大批人马排列

arrest* [əˈrest] *v.* 逮捕；拘留（seize, capture）；阻止，抑制（to stop or check）

【反】vitalize（*v.* 激发）

arresting* [əˈrestiŋ] *adj.* 显著的，引人注意的（catching the attention）

【反】banal（*adj.* 陈腐的）

arrhythmic* [əˈriðmik] *adj.* 无节奏的；不规则的（lacking rhythm or regularity）

【记】词根记忆：ar（无）+ rhythm（节奏）+ ic → 无节奏的

【反】regular（*adj.* 规则的）

arrogant* [ˈærəgənt] *adj.* 傲慢的，自大的（overbearing；haughty；proud）

【同】abrogate（*v.* 废除）；interrogate（*v.* 审问）

ARGOT	ARIA	ARID	ARISTOCRACY	ARMADA
ARMISTICE	ARMORY	AROMA	ARRAY	ARREST
ARRESTING	ARRHYTHMIC	ARROGANT		

arrogate ['ærəugeit] *v.* 冒称，霸占（to claim or seize without justification）
【记】词根记忆：ar（一再）+ rog（要求）+ ate → 一再要求 → 霸占
【例】presidents who have *arrogated* the power of Congress to declare war（僭取国会权力宣布战争的总统们）

arsenal* ['ɑːsinl] *n.* 军械库（place where weapons and ammunition are stored）
【记】词根记忆：arsen（热，火）+ al → 带火的东西 → 军械库（也是英超阿森纳足球队的名字）

arson* ['ɑːsn] *n.* 纵火，放火（the crime of purposely setting fire）
【记】词根记忆：ars（=ard 热）+ on → 火在燃烧 → 放火

artery* ['ɑːtəri] *n.* 动脉，命脉（a vessel that carries blood from the heart to the rest of the body）
【记】词根记忆：arter（管道）+ y →（体内的）管道 → 动脉

arthritis [ɑː'θraitis] *n.* 关节炎（an inflammation of the joints）
【记】词根记忆：arthr（连结；关节）+ itis（炎症）→ 关节炎
【同】arthropod（*n.* 节肢动物）

articulate* [ɑː'tikjulit] *v.* 清楚说话（to express clearly）；接合（to put together by joints）
【记】词根记忆：articul（接合）+ ate → 接合
【派】articulation（*n.* 发音；连接；关节）

artifact* ['ɑːtifækt] *n.* 人工制品（object made by human beings）
【记】词根记忆：arti（技巧）+ fact（制作）→ 用技巧制作出的东西 → 人工制品
【派】artifacts（*n.* 史前古器物）

artifice* ['ɑːtifis] *n.* 巧办法（skill or ingenuity）；诡计（a sly trick）
【记】词根记忆：arti（技巧）+ fice（做）→ 做的技巧 → 巧办法
【反】candor（*n.* 坦白）

artificial* [ˌɑːti'fiʃəl] *adj.* 人造的，假的（unnatural）

artistry* ['ɑːtistri] *n.* 艺术技巧（skill of an artist）
【记】artist（艺术家）+ ry → 艺术技巧

artless* ['ɑːtlis] *adj.* 粗俗的（uncultured；ignorant）；自然的（without artificiality）
【反】cunning（*adj.* 狡猾的）；disingenuous（*adj.* 无诚意的）
【例】an *artless* village girl（淳朴的村姑）

ascendancy* [ə'sendənsi] *n.* 统治权，支配力量（supremacy；domination）

ascetic* [ə'setik] *adj.* 禁欲的（self-denying）；*n.* 苦行者（anyone who lives with strict self-discipline）
【记】源自希腊文，原意是"刻苦锻炼并隐居的人"
【派】asceticism（*n.* 禁欲主义）
【反】sybarite（*n.* 纵情享乐者）；voluptuary（*n.* 酒色之徒）；indulgence（*n.* 放荡）；libertine（*n.* 放荡不羁者）

ARROGATE	ARSENAL	ARSON	ARTERY	ARTHRITIS
ARTICULATE	ARTIFACT	ARTIFICE	ARTIFICIAL	ARTISTRY
ARTLESS	ASCENDANCY	ASCETIC		

ascribe* [əs'kraib] *v.* 归功于，归咎于（to consider sth. to be caused by）
【记】词根记忆：a + scribe（写）→ 把…写上去 → 归因于，归咎于
【同】scripture（*n.* 权威性著作；〔S-大写〕圣经）；conscribe（*v.* 招募）

aseptic* [æ'septik] *adj.* 洁净的（not contaminated）；无菌的（not septic）
【记】词根记忆：a + sept（菌）+ ic → 无菌的
【参】antiseptic（*n.* 杀菌剂）
【反】contaminated（*adj.* 被污染的）

aspect ['æspekt] *n.*（问题等的）方面（a particular status or phase in which sth. appears or may be regarded）；面貌，外表（appearence）
【记】词根记忆：a+spect（看）→ 看向的地方 →（问题等的）方面

aspen ['æspən] *n.* 白杨
【记】分拆联想：as + pen（笔）→ 像笔一样直的树木

asperity* [æs'periti] *n.* 严酷（rigor, severity）；粗鲁（harshness）
【记】词根记忆：asper（粗暴）+ ity → 粗暴，粗鲁
【同】exasperate（*v.* 激怒）
【反】mildness（*n.* 温和）

aspersion* [əs'pəːʃən] *n.* 诽谤，中伤（disparaging remark；slander）
【记】词根记忆：a + spers（散开）+ ion → 散布坏东西 → 诽谤
【同】intersperse（*v.* 点缀）；disperse（*v.* 散布，分散）
【反】tout（*n.* 极力赞扬）；flattery（*n.* 奉承）；glowing tribute（热情的赞词）

asphyxiate [æs'fiksieit] *v.*（使）无法呼吸，窒息而死（to suffocate）
【记】词根记忆：a + sphyx（跳动）+ iate → 脉搏不再跳动 → 窒息而死
【例】The smoke *asphyxiated* the victim.（受害者因烟窒息而死。）

aspiration* [ˌæspə'reiʃən] *n.* 抱负，热望（strong desire or ambition）
【记】来自 aspire（*v.* 向往，有志于）
【同】respiration（*n.* 呼吸）；conspire（*v.* 同谋）；aspirant（*n.* 有抱负者）

aspire [əs'paiə] *v.* 向往，有志于（to direct one's hopes and efforts to some important aim）
【记】词根记忆：a + spir（呼吸）+ e → 因为太渴望得到，所以不停地呼吸 → 向往

assail [ə'seil] *v.* 抨击（to attack with arguments）；猛攻（to assault）
【记】词根记忆：as + sail（跳上去）→ 跳上去打 → 猛攻；联想记忆：as + sail（帆）→ 扬帆起航向前攻 → 猛攻

assault* [ə'sɔːlt] *n.* 突然袭击（a sudden attack）；猛袭（a violent attack）
【记】词根记忆：as + sault（=to leap）→ 突然跳出来进攻 → 突然袭击）；分拆记忆：ass（驴子）+ ault（看作 aunt 姑妈）→ 驴子进攻姑妈
【参】assail（*v.* 攻击）

ASCRIBE	ASEPTIC	ASPECT	ASPEN	ASPERITY
ASPERSION	ASPHYXIATE	ASPIRATION	ASPIRE	ASSAIL
ASSAULT				

assay* [ə'sei] *v.* / *n.* 试验，测定 (to analyze for one or more specific components; testing for quality)

【形】essay (*n.* 文章，散文); array (*n.* 排列)

assemble [ə'sembl] *v.* 集合，聚集，收集 (to come together, collect); 装配，安装 (to fit together the parts)

【记】词根记忆：as (不断) + semble (和…相像) → 不断使东西相同 → 组装(东西)，装配

【同】resemble (*v.* 和…相像); dissemble (*v.* 掩盖，假装)

assent* [ə'sent] *v.* 同意，赞成 (to express acceptance; concur; consent)

【记】词根记忆：as + sent (感觉) → 感觉一致 → 同意

【同】dissent (*v.* 反对); resent (*v.* 怨恨)

【反】buck (*v.* 反对)

assert* [ə'səːt] *v.* 断言，主张 (to state positively; declare; affirm)

【记】词根记忆：as + sert (参与) → 一再参与(讨论) → 主张

【同】insert (*v.* 插入); desert (*v.* 抛弃)

【派】assertion (*n.* 坚决断言)

assertive [ə'səːtiv] *adj.* 过分自信的；有进取心的 (expressing or tending to express strong opinions or claims)

assess* [ə'ses] *v.* 评价，评定 (to evaluate); 估算，估定 (to estimate the quality)

assessment* [ə'sesmənt] *n.* 估计，评价 (the action or an instance of assessing)

asset* ['æset] *n.* 资产，财产 (anything owned); 有价值的人或物，可取之处 (a desirable thing)

【记】发音记忆："爱财的" → 财产

【反】liability (*n.* 负债)

assiduous* [ə'sidjuəs] *adj.* 勤勉的 (diligent; persevering); 专心的 (attentive)

【记】词根记忆：as + sid (坐) + uous → 对着桌子坐 → 勤勉的

【同】preside (*v.* 主持); insidious (*adj.* 阴险的)

【派】assiduity (*n.* 勤勉)

【反】remiss (*adj.* 玩忽职守的); desultory (*adj.* 散漫的)

assimilate* [ə'simileit] *v.* 同化；吸收 (to absorb and incorporate)

【记】词根记忆：as + simil (相同) + ate → 使相同 → 同化

【同】simulate (*v.* 伪装，模仿); similarity (*n.* 相似性)

associate* [ə'səuʃieit] *adj.* 联合的 (joined); *n.* 合伙人 (partner; colleague); *v.* 将人或事物联系起来 (to join people or things together)

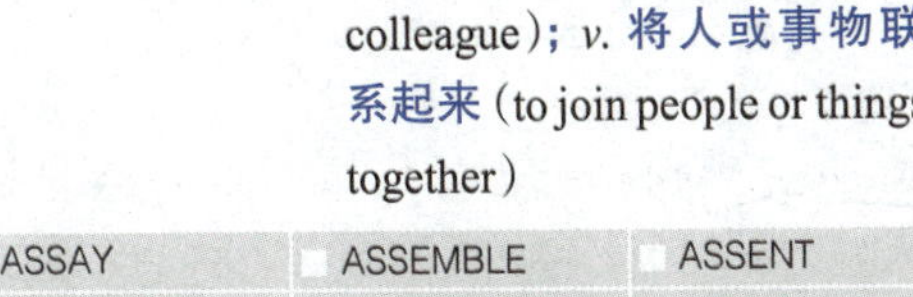

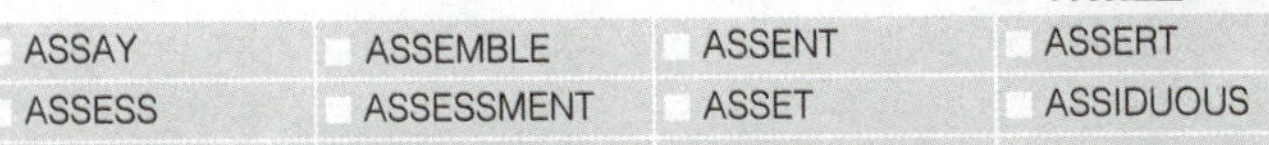

ASSAY	ASSEMBLE	ASSENT	ASSERT	ASSERTIVE
ASSESS	ASSESSMENT	ASSET	ASSIDUOUS	ASSIMILATE
ASSOCIATE				

【记】词根记忆：as（加强）+ soci（同伴，引申为“社会”）+ ate → 成为社团 → 联合，联系

【派】association（*n.* 联合，联盟，协会）

assorted [əˈsɔːtid] *adj.* 混杂的（mixed）

【记】词根记忆：as + sort（种类）+ ed → 把各种东西放到一起 → 混杂的

assuage* [əˈsweidʒ] *v.* 缓和，减轻（to lessen; relieve） alleviate

【记】词根记忆：as + suage（甜）→ 变甜 → 缓和；分拆记忆：ass（驴子）+ u + age（年龄）→ 驴子上了年纪，你应该为它减轻负担 → 减轻

【同】suave（*adj.* 温和的，讨好人的）

【反】intensify（*v.* 强化）；inflame（*v.* 激怒）；harrow（*v.* 使痛苦）

assume* [əˈsjuːm] *v.* 假定（to accept sth. as true before there is proof）；承担，担任（to take on duties or responsibilities）

【记】词根记忆：as（加强）+ sume（拿，取）→ 拿住 → 承担（责任）

【同】resume（*v.* 重新开始）；consume（*v.* 消费，吃光）

【反】abdicate（*v.* 放弃）；refuse（*v.* 拒绝）

assumption* [əˈsʌmpʃən] *n.* 设想（an assuming that sth. is true）；夺取（the act of taking possession of sth.）

assure [əˈʃuə] *v.* 向某人保证（to tell sb. positively）；使确信（convince）

【记】词根记忆：as（一再）+ sure（肯定）→ 一再肯定 → 确信

【派】assurance（*n.* 确信；保证）；assured（自信的，确定的）

asterisk* [ˈæstərisk] *n.* 星号（a mark like a star used to draw attention）

【记】词根记忆：aster（星星）+ isk → 星号

asteroid [ˈæstərɔid] *n.* 小行星（a small planet）

【记】词根记忆：aster（星星）+ oid（像…一样）→ 小行星

【参】disaster（*n.* 灾难）

asthma* [ˈæsmə] *n.* 哮喘症（an illness involving difficulty in breathing）

【记】分拆联想：as + th（看作 the）+ ma（拼音：妈）→ 像大妈，有哮喘病 → 哮喘症

astound* [əsˈtaund] *v.* 使震惊（to overcome sb. with surprise）

【记】分拆联想：as + tound（看作 sound）→ 像被大声所吓倒 → 震惊

astray [əsˈtrei] *adj.* 迷路的，误入歧途的（off the right path or way）

【记】a + stray（走离）→ 迷路的

astringent* [əsˈtrindʒənt] *adj.* 止血的（styptic）；收缩的（puckery）；*n.* 收缩剂，止血剂（an astringent substance）

【记】词根记忆：a + string（绑紧）+ ent → 绑紧的 → 收缩的

【同】stringent（*adj.* 严格的）；string（*n.* 细绳，线）

astrolabe* [ˈæstrəleib] *n.* 星盘（古代星位观测仪）

【记】词根记忆：astro（星）+ labe（结构成分，表示名词）→ 星盘

ASSORTED	ASSUAGE	ASSUME	ASSUMPTION	ASSURE
ASTERISK	ASTEROID	ASTHMA	ASTOUND	ASTRAY
ASTRINGENT	ASTROLABE			

astrology* [əˈstrɔlədʒi] *n.* 占星术；占星学（primitive astronomy）
【记】词根记忆：astro（星）+（o）logy → 占星学
【参】astronomy（*n.* 天文学）

astronomical [æstrəˈnɔmik（ə）l] *adj.* 天文学的（of astronomy）；庞大的（enormously or inconceivably large or great）
【记】词根记忆：astro（星星）+ nomical → 星星的，星体的 → 天文学的；庞大的

astute* [əˈstjuːt] *adj.* 机敏的，精明的（showing clever or shrewd mind; cunning; crafty）
【记】来自拉丁文 astus（灵活）

asunder [əˈsʌndə(r)] *adj.* / *adv.* 分离的（地）（apart or separate）；化为碎片（into pieces）
【记】分拆联想：a + sun +（un）der → 在太阳底下被晒得粉碎 → 化为碎片

asylum* [əˈsailəm] *n.* 避难所，庇护所（refuge; shelter）
【记】发音记忆："安息了" → 到庇护所安息 → 庇护所

asymmetric* [æsiˈmetrik] *adj.* 不对称的（having sides that are not alike）
【记】词根记忆：a（不）+ sym（相同）+ metr（测量）+ ic → 测量不同 → 不对称的

athletics* [æθˈletiks] *n.* 运动，体育（exercises, sports, or games engaged in by athletes）
【记】词根记忆：athlet（竞赛）+ ics → 竞赛之事 → 体育
【同】athlete（*n.* 运动员）

atonal* [eiˈtəunl] *adj.*（音乐）无调的（marked by avoidance of traditional musical tonality）
【记】词根记忆：a + ton（声音）+ al → 无声的 → 无调的
【同】monotone（*n.* 单调）；tonetics（*n.* 声调学）

atrocious* [əˈtrəuʃəs] *adj.* 残忍的，凶恶的（very cruel; brutal; outrageous）
【记】词根记忆：atroc（阴沉，凶残）+ ious → 残忍的
【派】atrocity（残暴）

atrophy* [ˈætrəfi] *n.* 萎缩，衰退（decrease in size or wasting away of a body part or tissue）
【记】词根记忆：a（无）+ troph（营养）+ y → 无营养会萎缩 → 萎缩
【同】trophy（*n.* 奖品，战利品）

attach* [əˈtætʃ] *v.* 将某物附在（另一物）上（to fasten sth. to sth.）
【记】词根记忆：at + tach（接触）→ 将某物附在（另一物）上
【同】attaché（*n.* 使馆随员）；detach（*v.* 分开，派遣）
【派】attachment（*n.* 附着，附带）

attain [əˈtein] *v.* 达到，实现（to achieve）
【记】词根记忆：at（加强）+ tain（拿住）→ 一再拿住 → 达到，实现
【同】abstain（*v.* 戒除）；detain（*v.* 拘留）
【派】attainment（*n.* 成就）

ASTROLOGY	ASTRONOMICAL	ASTUTE	ASUNDER	ASYLUM
ASYMMETRIC	ATHLETICS	ATONAL	ATROCIOUS	ATROPHY
ATTACH	ATTAIN			

Word List 4

attenuate* [ə'tenjueit] *v.* **变薄** (to make slender); **变弱** (to lessen; weaken)
【记】词根记忆: at + ten (拉) + uate → 一再拉 → 变弱
【同】tenable (*adj.* 可维持的); tenacity (*n.* 顽固, 固执)
【派】attenuation (*n.* 稀薄, 稀释; 减弱)
【反】strengthen (*v.* 加强)

attest [ə'test] (to) *v.* **证明为真** (to declare to be true or genuine)
【记】词根记忆: at + test (证明) → 证明

attic* ['ætik] *n.* **阁楼, 顶楼** (garret)
【形】antic (*adj.* 古怪的)

attorney* [ə'tə:ni] *n.* **律师** (lawyer)
【记】词根记忆: at + torn (转) + ey → 脑子转得快 → 能说会道的人 → 律师
【同】tornado (*n.* 龙卷风)

attribute* [ə'tribju(:)t] *n.* **属性, 品质** (a characteristic or quality); *v.* **把…归于** (to assign or ascribe to)
【记】词根记忆: at + tribute (给予) → 把…归于
【同】distribute (*v.* 分发); tribute (*n.* 赞扬; 贡品); contribute (*v.* 贡献)
【派】attribution (*n.* 归属)

attune* [ə'tju:n] (to) *v.* **使调和** (to put into correct and harmonious tune)
【记】词根记汇: at + tune (调子) → 使调子一致 → 使调和

auction ['ɔ:kʃən] *n.* **拍卖** (a sale of property to the highest bidder)
【记】词根记忆: auct (提高) + ion → 提高价格 → 拍卖
【同】augment (*v.* 提高); august (*adj.* 威严的, 高贵的)
注意: auct=aug (提高)

audacious* [ɔ:'deiʃəs] *adj.* **大胆的; 无畏的** (daring; fearless; brave); **愚勇的** (recklessly bold)
【记】词根记忆: aud (大胆) + acious (多…的) → 大胆的

ATTENUATE	ATTEST	ATTIC	ATTORNEY	ATTRIBUTE
ATTUNE	AUCTION	AUDACIOUS		

【派】audacity (*n.* 大胆，鲁莽)
【反】circumspect (*adj.* 慎重的); timid (*adj.* 胆小的)

audible* [ˈɔːdəbl] *adj.* **听得见的** (capable of being heard clearly)
【记】词根记忆：audi (听) + ble → 能听到的
【同】auditory (*adj.* 听觉的); audition (*n.* 试唱，试演); auditorium (*n.* 大讲堂); audit (*v.* 旁听)

augment* [ɔːgˈment] *v.* **增大，增值** (to become greater; increase)
【记】词根记忆：aug (提高) + ment → 提高 → 增大
【派】augmentation (*n.* 增加)
【反】abate (*v.* 减少); abrade (*v.* 磨损); decrease (*v.* 降低)

augur [ˈɔːgə] *n.* **占卜师** (soothsayer); *v.* **占卜** (to foretell esp. from omens)
【参】augury (*n.* 预言，预兆，占卜)

august [ɔːˈgʌst] *adj.* **威严的，高贵的** (impressive; majestic)
【记】联想记忆：8 月 (August) 丰收大地金黄，金黄色是威严高贵的帝王象征 → 威严的

auspices [ˈɔːspisiz] *n.* **资助，赞助** (approval and support)
【记】词根记忆：au + spic (看) + es → 看到 (好事) → 得到资助
【同】conspicuous (*adj.* 明显的); suspicious (*adj.* 怀疑的)

auspicious* [ɔːsˈpiʃəs] *adj.* **吉兆的** (propitious)
【记】词根记忆：au + spic (看) + ious → 看到 (好事) 的 → 吉兆的
【反】boding (*adj.* 凶兆的); ill-omened (*adj.* 凶兆的)

austere* [ɔsˈtiə] *adj.* **朴素的** (very plain; lacking ornament)
【记】词根记忆：au + stere (冷) → 冷面孔 → 朴素的
【同】stern (*adj.* 严厉的)
【反】baroque (*adj.* 装饰得过分华丽和俗气的)

authentic* [ɔːˈθentik] *adj.* **真正的** (genuine; real); **法律证实的** (legally attested)
【记】词根记忆：authent (=author 作家) + ic → 自己就是作家 → 真正的
【派】authenticate (*v.* 证明某物为真)
【反】bogus (*adj.* 虚假的); apocryphal (*adj.* 伪造的)

authoritarian* [ɔːˌθɔriˈteəriən] *n.* **独裁主义者；极权主义者** (person who believes in complete obedience to authority)
【记】来自 authority (*n.* 权威，权力)
【参】authoritative (*adj.* 权威性的); authorize (*v.* 授权，批准)

autobiography* [ˌɔːtəbaiˈɔgrəfi] *n.* **自传** (story of a person's life written by that person)
【记】词根记忆：auto (自己) + bio (生命) + graphy (写) → 写自己的一生 → 自传
【派】autobiographical (*adj.* 自传的；有关自传的)

autocrat* [ˈɔːtəukræt] *n.* 独裁者 (a ruler with absolute power; dictator)
【记】词根记忆：auto (自己) + crat (统治者) → 独裁者
【同】democracy (*n.* 民主统治); aristocracy (*n.* 贵族统治)
【派】autocracy (*n.* 独裁政体)

autonomy* [ɔːˈtɔnəmi] *n.* 自治，独立 (self government; independent function)
【记】词根记忆：auto (自己) + nomy (治理) + → 自治
【反】dependence (*n.* 依赖)

auxiliary* [ɔːgˈziljəri] *adj.* 辅助的，协助的，附加的 (subordinate; additional; supplementary)
【记】词根记忆：aux (=aug 提高) + iliary (形容词后缀) → 促进提高的 → 辅助的
【同】auxin (*n.* 生长素)

available* [əˈveiləbl] *adj.* 可用的，可得到的 (capable of being used or obtained)
【记】来自 avail (效用) + able → 可用的
【派】availability (*n.* 利用的可能性；可以利用的人或物)

avalanche* [ˈævəˌlɑːnʃ] *n.* 雪崩 (a mass of loosen snow swiftly sliding down a mountain)
【记】联想记忆：三个 a 像滚下的雪球 → 雪崩

avarice [ˈævəris] *n.* 贪财，贪婪 (too great a desire to have wealth; cupidity)
【记】词根记忆：avar (渴望) + ice → 渴求，贪婪
【参】avid (*adj.* 渴望的)

avenge* [əˈvendʒ] *v.* 为…复仇，为…报仇 (to get revenge for)
【记】词根记忆：a + venge (报复) → 为…复仇，为…报仇
【同】vengeance (*n.* 复仇); revenge (*v.* 复仇)

aver* [əˌvəː] *v.* 极力声明；断言；确证 (to state positively; affirm)
【记】词根记忆：a + ver (真实的) → 说出真相 → 确证
【同】verity (*n.* 真实); veracious (*adj.* 诚实的，真实的)
【反】deny (*v.* 否认); belie (*v.* 证明…为假)

averse [əˈvəːs] *adj.* 不愿的，反对的 (not willing or inclined; opposed)
【记】词根记忆：a + verse (转) → 转开 → 不愿的，反对的
【同】adverse (*adj.* 不利的); controversy (*n.* 争论，辩论)

aversion* [əˈvəːʃən] *n.* 嫌恶，憎恨 (an intense dislike; loathing)
【反】affinity (*n.* 密切关系); court (*n.* 奉承); penchant (*n.* 偏好); propensity (*n.* 偏好)

avert* [əˈvəːt] *v.* 避免，防止 (to ward off; prevent); 避开 (to turn away)
【记】词根记忆：a + vert (转) → 转开 → 避免
【同】divert (*v.* 转向); introvert (*n.* 内向者)

aviary* [ˈeivjəri] *n.* 大鸟笼，鸟舍 (a large cage to keep many birds)
【记】词根记忆：avi (鸟) + ary (场所) → 大鸟笼，鸟舍

AUTOCRAT	AUTONOMY	AUXILIARY	AVAILABLE	AVALANCHE
AVARICE	AVENGE	AVER	AVERSE	AVERSION
AVERT	AVIARY			

【同】aviation（*n.* 航空）；aviatrix（*n.* 女飞行员）
【派】apiary（养蜂场，蜂房）

avid* [ˈævid] *adj.* **渴望的**（having an intense craving）；**热心的**（eager）
【派】avidity（*n.* 热望，贪婪）
【反】indifferent（*adj.* 不关心的）

avoid* [əˈvɔid] *v.* **避开，躲避**（to keep oneself away from）
【记】词根记忆：a + void（空）→ 使落空 → 避开
【同】void（*adj.* 空的，空虚的）；devoid（*adj.* 缺乏的）
【派】avoidable（*adj.* 可避免的）；avoidance（*n.* 回避，躲避）

avow* [əˈvau] *v.* **承认**（to acknowledge or claim）；**公开宣称**（to declare openly）
【记】词根记忆：a + vow（誓言）→ 发誓 → 承认；注意 vow（誓言）本身是个单词
【派】avowal（*n.* 公开承认）

awe* [ɔː] *n.* / *v.* **敬畏**（to cause a mixed feeling of reverence and fear）
【记】发音记忆："噢" → 表示敬畏的声音
【反】irreverence（*n.* 不尊敬）

awe-inspiring [ˌɔːinˈspaiəriŋ] *adj.* **令人敬畏的**（inspiring awe from others）

awkward* [ˈɔːkwəd] *adj.* **笨拙的**（ungainly）；**难用的**（difficult to use）；**造成不便的**（causing inconvenience）
【记】发音记忆："拗口的" → 难用的，不便的
【反】svelte（*adj.* 娇美的）；lithe（*adj.* 柔软的）；glib（*adj.* 伶牙俐齿的）；deft（*adj.* 灵巧的）

awl* [ɔːl] *n.*（钻皮革的）**尖钻**（a pointed tool for marking surfaces or piercing small holes）
【记】和 owl（猫头鹰）一起记

awning [ˈɔːniŋ] *n.* **遮阳篷，雨篷**（a rooflike structure）
【记】发音记忆："屋宁" → 有遮篷屋就安宁 → 雨篷

awry [əˈrai] *adj.* **扭曲的，走样的**（not straight；askew）
【记】词根记忆：a + wry（歪的）→ 扭曲的
【参】askew（*adj.* 歪斜的）
【反】orderly（*adj.* 有序的）；aligned（*adj.* 排成一行的）

axiom [ˈæksiəm] *n.* **公理**（maxim）；**定理**（an established principle）
【记】分拆联想：ax（斧子）+ iom → 斧子之下出公理
【派】axiomatic（*adj.* 不需证明的，不言自明的）

axis* [ˈæksis] *n.* **轴**（常为虚构之线，如地球轴）（a real or imaginary straight line on which an object rotates）
【记】联想记忆：axis 的"i"像虚线 → 虚构的轴

axle* [ˈæksl] *n.* **轮轴**（连接两个车轮的轴）（a bar connecting two opposite wheels）
【记】联想记忆：axle 的"l"像一根车轮的轴

AVID	AVOID	AVOW	AWE	AWE-INSPIRING
AWKWARD	AWL	AWNING	AWRY	AXIOM
AXIS	AXLE			

babble* [ˈbæbl] *v.* **胡言乱语** (to talk foolishly); **牙牙学语** (to make incoherent sounds); **喋喋不休** (to chatter)
【记】发音记忆："叭啦叭啦"，像是在胡言乱语 → 胡言乱语
【反】express succinctly (简洁表达)

backdrop* [ˈbækdrɔp] *n.* (事情的) **背景，背景幕布** (printed cloth hung at the back of a theatre)
【记】组合词：back + drop → 后面挂下的幕布 → 背景幕布

backhanded [bækˈhændid] *adj.* **间接的** (indirect; roundabout); **反手击球的** (using or made with a backhand)

bacterium* [bækˈtiəriəm; bacteria (*pl.*)] *n.* **细菌** (any of a domain of prokaryotic round, spiral, or rod shaped single celled microorganisms)

badge* [bædʒ] *n.* **徽章** (如校徽等) (a distinctive token, emblem, or sign)
【形】budge (*v.* 移动); barge (*n.* 驳船); cadge (*v.* 乞讨)

badger* [ˈbædʒə] *n.* **獾**; *v.* **一再烦扰，一再要求** (to torment; nag)

badinage* [ˈbædinɑːʒ] *n.* **开玩笑，打趣** (playful teasing)
【记】分拆联想：bad + inage (看作 image 形象) → 破坏形象 → 打趣

bail* [beil] *n.* **保释金** (security given for the release of a prisoner on bail); *v.* **保释** (to release under bail)
【记】和 jail (监狱) 一起记，不拿保释金就不让你出狱
【例】The magistrate granted him *bail*. (地方法官允许他保释。)

bait* [beit] *n.* **诱饵** (lure; enticement); *v.* **逗弄** (to tease); **激怒** (provoke a reaction)
【反】disarm (*v.* 缓和，消除敌意)

bait

bale* [beil] *n.* **大包裹** (a large bundle); **灾祸** (disaster); **不幸** (evil)
【记】来自 ball (*n.* 球) → 大包裹

baleful* [ˈbeilful] *adj.* **有害的，邪恶的，恶意的** (harmful; deadly; sinister)
【反】beneficent (*adj.* 仁慈的)

balk* [bɔːlk] *n.* **大方木料** (thick, roughly squared wooden beam); *v.* **妨碍**; (因困难等) **不愿前进或从事某事** (be reluctant to tackle sth. because it is difficult)
【反】move ahead willingly (自愿前进)

ballad* [ˈbæləd] *n.* **歌谣，小曲** (a song or poem that tells a story in short stanzas)
【记】分拆联想：ball (球) + ad → 像球一样一代代滚下来 → 歌谣

ballast* [ˈbæləst] *n.* (船等) **压舱物** (any thing heavy carried in a ship to give stability)
【记】分拆联想：ball + (l) ast → 最后的球 → 压舱物

ballerina [ˌbæləˈriːnə] *n.* **芭蕾舞女演员** (a woman who is a ballet dancer)
【记】词根记忆：balle (=ballet 芭蕾) + rina (女) → 芭蕾舞女演员

BABBLE	BACKDROP	BACKHANDED	BACTERIUM	BADGE
BADGER	BADINAGE	BAIL	BAIT	BALE
BALEFUL	BALK	BALLAD	BALLAST	BALLERINA

balloon* [bə'luːn] *n.* 气球；*v.* 快速增加 (to increase rapidly)
【记】来自 ball (球) + oon → 像滚雪球一样增加 → 快速增加
【反】decrease slowly (慢慢减少)

ballot* ['bælət] *n.* / *v.* 投票 (the act, process, or method of voting)
【记】分拆联想：ball (球) + (l) ot (签) → 用球抽签投票

balm* [bɑːm] *n.* 香油，药膏 (any fragrant ointment or aromatic oil)；镇痛剂，安慰物 (sth. that soothes the mind)
【记】来自 balsam (*n.* 凤仙花；香脂)
【反】irritant (*n.* 刺激物)

balmy* ['bɑːmi] *adj.* (气候) 温和的 (mild; pleasant)；芳香的，能止痛的 (fragrant and soothing)
【反】inclement (*adj.* 恶劣的)；piquant (*adj.* 辛辣的)

ban [bæn] *n.* 禁令 (an order banning sth.) *v.* 明令禁止 (officially forbid)
【记】发音记忆："颁" → (颁布) 禁令

banal* [bə'nɑːl] *adj.* 乏味的，陈腐的 (dull or stale; commonplace; insipid)
【记】分拆联想：ban (禁止) + al → 应该禁止的 → 陈腐的
【反】arresting (*adj.* 引人注意的)；novel (*adj.* 新奇的)

band* [bænd] *n.* 带子 (thin flat strip)；收音机波段 (a more or less well defined range of wavelengths, or frequencies)

bandage* ['bændidʒ] *n.* 绷带 (strip of material used for binding wound)；*v.* 用绷带包扎 (to bind, dress, or cover with a bandage)

bane* [bein] *n.* 祸根 (the cause of distress, death, or ruin)
【记】发音记忆："背运" → 因为有祸根而背运 → 祸根

banish ['bæniʃ] *v.* 放逐某人 (to send sb. out of the country as a punishment)
【记】发音记忆："把你死" → 通过放逐把你弄死 → 放逐某人
【例】He was *banished* for life. (他被终生放逐。)

banister* ['bænistə] *n.* (楼梯的) 栏杆 (a handrail with its supporting posts)
【记】词根记忆：ban (挡住) + ister (东西) → 用来挡住东西 → 栏杆

bankrupt ['bæŋkrʌpt] *adj.* 破产的 (unable to pay debts; insolvent)
【记】词根记忆：bank (银行) + rupt (断) → 破产的
【同】corruption (*n.* 腐败)；interrupt (*v.* 打断)
【派】bankruptcy (*n.* 破产)
【反】bankruptcy 〈〉 solvency (*n.* 偿债能力)

BALLOON	BALLOT	BALM	BALMY	BAN
BANAL	BAND	BANDAGE	BANE	BANISH
BANISTER	BANKRUPT			

banquet* [ˈbæŋkwit] *n.* 宴会，盛宴（elaborate formal meal）

banter* [ˈbæntə] *n.* 打趣，玩笑（playful, good-humoured joking）
【记】词根记忆：ban（禁令）+ ter → 拿禁令当玩笑 → 玩笑；发音记忆："绊他" → 打趣，玩笑
【形】barter（*v./n.* 易货贸易）；batter（*v.* 猛击）

bar [bɑː(r)] *v.* 禁止，阻挡（to prevent, forbid）；*n.* 条，棒（a straight piece of material that is longer than it is wide）

barb [bɑːb] *n.* （鱼钩的）倒钩；批评的话（a biting or pointedly critical remark or comment）
【记】barb 原也指倒翘的胡子，后来胡子一词变为 beard
【派】barbed（*adj.* 有倒钩的；讽刺的）

barbarous [ˈbɑːbərəs] *adj.* 野蛮的，粗俗的（uncultured; crude）；残暴的（cruel; brutal）
【记】词根记忆：barbar（愚昧）+ ous → 愚昧的 → 野蛮的
【派】barbarity（*n.* 残忍，残暴）

barbecue [ˈbɑːbikjuː] *n.* 烤肉架；烤肉
【记】词根记忆：barb（倒钩）+ ecue → 用倒钩挂上肉烤 → 烤肉架

bard [bɑːd] *n.* 吟游诗人（a tribal poet-singer）
【记】分拆联想：bar（酒吧）+ d → 常在酒吧里泡 → 吟游诗人

bare* [beə] *v.* 暴露（to make or lay bare; uncover）；*adj.* 赤裸的（without clothing）
【反】occult（*v./n.* 隐藏）

barefaced [beəˈfeist] *adj.* 厚颜无耻的，公然的（shameless; blatant）
【记】词根记忆：bare（空的，没有的）+ face（脸）+ d → 不要脸的 → 无耻的
【反】surreptitious（*adj.* 秘密的）

bargain [ˈbɑːgin] *n.* 交易（an agreement made between two people or groups to do sth. in return for sth. else）；物美价廉的东西；*v.* 讨价还价（to negotiate the terms and conditions of a transaction）
【记】分拆联想：bar（看作 barter 交易）+ gain（获得）→ 交易获得好价钱 →（需要）讨价还价

barge* [bɑːdʒ] *n.* 平底货船，驳船（a large boat, usu. flat bottomed）
【记】发音记忆："扒鸡" → 坐着平底船吃扒鸡 → 平底货船

bark* [bɑːk] *v./n.* 犬吠（cry of a dog）；*n.* 树皮（the outside covering of trees）

barn [bɑːn] *n.* 谷仓（a farm building for sheltering harvested crops）
【记】和 bar（酒吧）一起记，酒吧加了个门（n），就变成了谷仓

barometer [bəˈrɔmitə] *n.* 气压计；晴雨表
【记】词根记忆：baro（重压）+ meter（仪表）→ 气压计
【同】baritone（*n.* 男中音）

baroque [bəˈrəuk] *n./adj.*（艺术、建筑等）过分雕琢（的）（gaudily ornate）
【记】由 17 世纪"巴洛克"艺术而来，以古怪精巧为特色
【反】austere（*adj.* 简朴的）

BANQUET	BANTER	BAR	BARB	BARBAROUS
BARBECUE	BARD	BARE	BAREFACED	BARGAIN
BARGE	BARK	BARN	BAROMETER	BAROQUE

barrage* [ˈbærɑːʒ] *n.* **弹幕** (a curtain of artillery fire)
【记】词根记忆：barr(阻挡)+age→阻挡的东西→弹幕

barren* [ˈbærən] *adj.* **贫瘠的；不育的，不结果实的** (sterile; bare)
【记】词根记忆：bar (=bare 光光的)+ren→不育的，贫瘠的；发音记忆："拔了"→拔了所有植物→贫瘠的

barricade* [ˌbæriˈkeid] *v.* **设栅阻挡** (to obstruct; shut in); *n.* **栅栏** (any barrier or obstruction)
【记】词根记忆：barr(阻挡)+ic+ade→阻止物→栅栏
【反】permit passage (允许通过)

barrier [ˈbæriə] *n.* **路障；障碍** (obstruction as of a fence, wall; obstacle)

barter* [ˈbɑːtə] *v.* **易货贸易** (to give goods in return for other goods)
【参】banter (*v.* 打趣)

base* [beis] *adj.* **卑鄙的** (devoid of high values or ethics)
【派】baseness (*n.* 卑鄙)
【反】sublime (*adj.* 高尚的); virtuous (*adj.* 贞洁的); noble (*adj.* 高尚的)

bask* [bɑːsk] *v.* **晒太阳，取暖** (to warm oneself pleasantly in the sunlight)
【例】I like to lie on the sand, *basking* in the sunshine. (我喜欢躺在沙滩上晒太阳。)

baste* [beist] *v.* **倒油脂于** (烤肉上，以防烤干) (to moisten [meat] with melted butter)
【形】taste (*n.* 味道); paste (*n.* 糨糊，粘贴); caste (*n.* 种姓制度)

batch [bætʃ] *n.* **一批，一炉** (a quantity of material produced in or prepared for one operation)
【记】分拆联想：bat (蝙蝠)+ch→蝙蝠都是成群生活→一群，一批

bathetic [bəˈθetik] *adj.* **假作悲伤的；陈腐的** (characterized by bathos)
【记】可能是 bathos (假悲伤)+pathetic (可怜的)的混合词

baton* [ˈbætən] *n.* **指挥棒** (指挥家用)；**警棍** (truncheon)
【记】词根记忆：bat(打)+on→打的东西→警棍

battalion [bəˈtæljən] *n.* **军营，军队** (a considerable body of troops organized to act together)
【记】分拆联想：battal (看作是 battle 战争)+ion→军营，军队

bauxite [ˈbɔːksait] *n.* **铝土岩** (产铝的矿土、石)
【记】源自法国地名 Baux，因产铝而知名

bawdy* [ˈbɔːdi] *adj.* **淫猥的，好色的** (indecent; obscene)
【记】来自 bawd (鸨母)
【反】decorous (*adj.* 端庄的)

bazaar* [bəˈzɑː] *n.* **集市，商店集中区** (a market or street of shops)
【记】外来词，原指东方国家的大集市，今天的中国新疆一带仍把集市叫"巴扎"

BARRAGE	BARREN	BARRICADE	BARRIER	BARTER
BASE	BASK	BASTE	BATCH	BATHETIC
BATON	BATTALION	BAUXITE	BAWDY	BAZAAR

beacon* [ˈbiːkən] *n.* 烽火；灯塔（a signal light for warning or guiding）
【记】分拆联想：beac（=beach 海岸）+ on → 岸上的灯塔

beam* [biːm] *n.*（房屋等）大梁；光线（a shaft or stream of light）

bearing [ˈbeəriŋ] *n.* 关系，意义 （connection with or influence on sth.）；方位 （the situation or horizontal direction of one point with respect to another）

beat* [biːt] *v.* 心跳（to pulsate；vibrate）；搅拌（to mix by stirring；whip）
【派】beater（*n.* 搅拌器）

bedeck [biˈdek] *v.* 装饰，修饰（to adorn）
【记】分拆联想：bed（床）+（d）eck（甲板）→ 床和甲板都需要装饰 → 装饰
【反】strip（*v.* 剥去）

bedlam [ˈbedləm] *n.* 混乱，骚乱（a situation of noisy uproar and confusion）
【记】分拆联想：bed（床）+ lam（音似"乱"）→ 没叠被子床上乱 → 混乱
【反】serenity（*n.* 平静）

befuddlement [biˈfʌdəlmənt] *n.* 迷惑不解（state of being confused）
【记】be（使…成为）+ fuddle（使错乱）+ ment → 使错乱 → 迷惑不解

begrudge* [biˈgrʌdʒ] *v.* 吝啬，勉强给（to give with ill-will or reluctance）
【记】be + grudge（吝啬）→ 吝啬
【参】grudge（*v.* 吝啬；怨恨）

beholder [biˈhəuldə（r）] *n.* 目睹者，旁观者（people who look at or gaze at sth.）
【记】来自 behold（*v.* 看见）

behoove [biˈhuːv] *v.* 理应，有义务（to be right or necessary to）

belabor* [biˈleibə] *v.* 过分冗长地做或说 （to spend too much time or effort on）；痛打（to beat severely）
【记】be + labor（劳动）→ 不断劳动 → 过分做或说

belated [biˈleitid] *adj.* 来得太迟的（delayed）
【记】be（使…成为）+ late（迟）+ d → 来得太迟的

beleaguer [biˈliːgə] *v.* 围攻（to besiege by encircling）；骚扰（to harass）
【记】be + leaguer（围攻的部队或兵营）→ 围攻
【反】delight（*v.* 使高兴）

belie* [biˈlai] *v.* 掩饰 （to disguise or misrepresent）；证明为假（to prove false）
【记】be + lie（谎言）→ 使…成谎言 → 证明为假
【反】aver（*v.* 断言）；affirm（*v.* 肯定）

belittle

belittle* [biˈlitl] *v.* 轻视，贬抑 （to speak slightingly of）

BEACON	BEAM	BEARING	BEAT	BEDECK
BEDLAM	BEFUDDLEMENT	BEGRUDGE	BEHOLDER	BEHOOVE
BELABOR	BELATED	BELEAGUER	BELIE	BELITTLE

【记】be + little（小）→ 把（人）看小 → 轻视
【例】The reporter's comments *belittled* the candidate.（记者的评论贬低了候选人。）

bellicose* [ˌbeləˈkəus] *adj.* 好战的，好斗的（eager to fight; warlike; belligerent）
【记】词根记忆：bell（战争）+ icose（形容词后缀）→ 好斗的
【同】rebel（*v.* 反叛）；rebellion（*n.* 叛乱）；belligerent（*adj.* 好战的，交战的）
【派】bellicosity（*n.* 好斗）
【反】pacific（*adj.* 爱好和平的）

belligerence* [biˈlidʒərəns] *n.* 交战（the state of being at war）；好战性，斗争性（an aggressive attitude, atmosphere, etc.）
【记】词根记忆：bell（战斗）+ iger + ence → 交战，好战性

bellwether [ˈbelˌweðə] *n.* 领导者，领头羊（one that serves as a leader or as a leading indicator of future trends）
【记】组合词：bell（铃）+ wether（公羊）→ 系铃的公羊 → 领头羊

bench* [bentʃ] *n.* 法官席（the seat where a judge sits in court）；长凳（a long seat for two or more persons）

bend* [bend] *v.* 弯曲（to force into a curve or angle）；屈服（to make submissive）

benediction* [beniˈdikʃən] *n.* 祝福（blessing）；祈祷（an invocation of divine blessing）
【记】词根记忆：bene（好）+ dict（说话）+ ion → 说好话 → 祝福
【同】valediction（*n.* 告别演说）；malediction（*n.* 坏话）
【反】curse（*n.* / *v.* 诅咒）

benefactor* [ˈbenifæktə] *n.* 行善者，捐助者（a person who has given financial help; patron）
【记】词根记忆：bene（好）+ fact（做）+ or → 做好事的人
【参】beneficent（*adj.* 行善的）；beneficial（*adj.* 有益的，有用的）；beneficiary（*n.* 受惠者）；benison（*n.* 祝福，赐福）

benevolent* [biˈnevələnt] *adj.* 善心的，仁心的（kindly; charitable）
【记】词根记忆：bene（好）+ vol（意志）+ ent → 好意的 → 善心的，仁心的
【同】volition（*n.* 意志，决心）；malevolent（*adj.* 恶意的）
【派】benevolence（*n.* 善心，仁心）
【反】antipathy（*n.* 厌恶）；truculence（*n.* 凶残）

benign [biˈnain] *adj.* 慈祥的（good natured; kindly）
【记】词根记忆：ben（好）+ ign（形容词后缀）→ 好的 → 仁慈的
【参】以 ign 结尾的词：deign（*v.* 屈尊）；feign（*v.* 假装）
【反】malign（*adj.* 邪恶的）

benison [ˌbenizn] *n.* 祝福，赐福（blessing; benediction）

BELLICOSE	BELLIGERENCE	BELLWETHER	BENCH	BEND
BENEDICTION	BENEFACTOR	BENEVOLENT	BENIGN	BENISON

bent* [bent] *n.* 特长，爱好 (natural skill at sth.)；*adj.* 弯曲的 (changed by bending out of an originally straight or even condition)
【反】ineptitude (*n.* 不熟练，不适宜；不当的言行)

bequeath [bi'kwiːð] *v.* 遗赠 (to leave property to another person by last will)
【记】词根记忆：be + queath (说) → 说出来把东西留给谁 → 遗赠
【例】They *bequeathed* him a lot of money. (他们遗赠他很多钱。)

bequest [bi'kwest] *n.* 遗产，遗赠物 (sth. bequeathed)

berate [bi'reit] *v.* 猛烈责骂 (to scold or rebuke severely)
【记】词根记忆：be + rate (责骂，rate 本身是一个单词) → 猛烈责骂
【例】The teacher *berated* the students for being late. (那位老师因为迟到的原因怒斥学生。)

bereft* [bi'reft] *adj.* 被剥夺的，丧失的 (deprived or robbed of the possession or use of sth.)；缺少的 (lacking sth. needed or expected)
【记】词根记忆：be + reft (夺走) → 丧失的，被剥夺了的

beset [bi'set] *v.* 镶嵌 (to set or stud with or as if with ornaments)；困扰 (to harass from all directions)
【例】The voyage was *beset* with dangers. (航程充满危险。)

besiege* [bi'siːdʒ] *v.* 围攻，困扰 (to overwhelm, harass, or beset)
【记】词根记忆：be + siege (围攻，siege 本身是一个单词) → 围攻
【例】He was *besieged* by doubts. (他被疑惑所困扰。)

besmirch [bi'sməːtʃ] *v.* 诽谤 (sully, soil)
【记】be + smirch (污点，弄脏) → 诽谤
【反】honor (*v.* 给以荣誉)

bestial* ['bestjəl] *adj.* 野兽的，残忍的 (beastlike; brutal)
【记】来自 beast (*n.* 野兽)

bestow* [bi'stəu] *v.* 给予，赐赠 (to give or present)
【记】be + stow (收藏) → 给予以便收藏 → 给予

betray* [bi'trei] *v.* 背叛 (to deliver to an enemy by treachery)；暴露 (to reveal)
【记】词根记忆：be + tray (背叛) → 背叛；分拆记忆：bet (打赌) + ray (光线) → 打赌打到了光线下 → 暴露
【参】traitor (*n.* 叛徒)
【例】Her red face *betrayed* her nervousness. (通红的脸暴露了她的不安。)

betroth [bi'trəuð] *v.* 许配，和…订婚 (to become engaged to marry)
【记】be + troth (誓言；订婚) → 和…订婚
【参】trothless (*adj.* 背信弃义的)
【例】Her father *betrothed* her to him at an early age. (她的父亲在她很小的时候就把她许配给了他。)

beverage ['bevəridʒ] *n.* 饮料 (any type of drink except water)
【记】词根记忆：bever (=drink，喝) + age → 饮料

BENT	BEQUEATH	BEQUEST	BERATE	BEREFT
BESET	BESIEGE	BESMIRCH	BESTIAL	BESTOW
BETRAY	BETROTH	BEVERAGE		

Word List 5

bewilder* [bi'wildə] *v.* 使迷惑，混乱 (to confuse)
【记】be (使…成为) + wilder (迷惑) → 使…迷惑，混乱
【参】wilderness (*n.* 荒野)

bewildering* [bi'wildəriŋ] *adj.* 令人迷惑的；费解的 (puzzling)

bibliography* [ˌbibli'ɔgrəfi] *n.* 文献学；参考书目 (a list of the books or articles refered to in a text)
【记】词根记忆：biblio (书) + graphy (写) → 写书时用的书 → 参考书目
【同】bibliophile (*n.* 珍爱书籍者)；bibliographer (*n.* 书目编制者)

bibliophile* ['bibliəufail] *n.* 爱书者，藏书家 (a person who loves books)
【记】词根记忆：biblio (书) + phil (爱) + e → 爱书者，藏书家

bicker* ['bikə] *v.* 为小事争吵 (to quarrel about unimportant things)
【形】mocker (*n.* 模仿者)；pucker (*n.* 皱纹)；hacker (*n.* 电脑黑客)
【例】The children are always *bickering*. (孩子们总是在吵闹。)

bid [bid] *v.* 命令 (to command)；出价，投标 (to offer a price)

bifurcate* ['baifə:keit] *v.* 分为两支，分叉 (to divide into two parts or branches)
【记】词根记忆：bi (两个) + furc (音似：fork 叉) + ate → 分为两叉
【参】trifurcate (*v.* 分成三叉)
【反】coalesce (*v.* 接合)

bigot* ['bigət] *n.* (宗教、政治等的) 顽固盲从者 (a person who holds blindly to a particular creed)；偏执者 (a narrow minded person)
【记】分拆记忆：big + (g) ot → 得到大东西不放的人 → 偏执者
【参】bigotry (*n.* 顽固，褊狭)

bile* [bail] *n.* 胆汁 (gall)；愤怒 (bitterness of temper)

bilingual* [bai'liŋgwəl] *adj.* (说) 两种语言的 (of two languages)
【记】词根记忆：bi (两个) + lingu (语言) + al → (说) 两种语言的
【同】linguistics (*n.* 语言学)

BEWILDER	BEWILDERING	BIBLIOGRAPHY	BIBLIOPHILE	BICKER
BID	BIFURCATE	BIGOT	BILE	BILINGUAL

bilk* [bilk] *v.* 躲债（to avoid paying money borrowed from others）；骗取（to cheat sb. out of sth.）
【例】He *bilked* us of all our money.（他把我们的钱都骗走了。）

billowy [ˈbiləui] *adj.* 如波浪般翻滚的（surging）

bin* [bin] *n.* 大箱子（a large container）
【参】dustbin（*n.* 垃圾箱）

biosphere [ˈbaiəsfiə] *n.* 生命层，生物圈（the part of the world in which life can exist）
【记】词根记忆：bio（生命）+ sphere（球，圈）→ 生物圈
【同】atmosphere（*n.* 大气层）；hemisphere（*n.* 半球）

biped* [ˈbaiped] *n.* 两足动物（animal with two feet）
【记】词根记忆：bi（两个，二）+ ped（足，脚）→ 两足动物
【同】centipede（*n.* 蜈蚣）；podiatrist（*n.* 足病医生）

bit* [bit] *n.* 钻头（the sharp part of a tool for cutting or making holes）

bizarre* [biˈzɑː] *adj.* 奇异的，古怪的（grotesque；fantastic）
【记】和 bazaar（*n.* 集市）一起记，集市上有各种古怪的东西

blade* [bleid] *n.* 刀锋，刀口（the cutting part of a tool）
【形】blare（*v.* 鸣喇叭）；blaze（*v.* 燃烧；*n.* 火焰）

blanch [blɑːntʃ] *v.* 使变白（to make white）；使（脸色）变苍白（to turn pale）
【记】词根记忆：blanc（白）+ h → 变白
【同】blank（*adj.* / *n.* 空白的；空白处）；bleach（*v.* / *n.* 漂白）
【形】brunch（*n.* 早午餐）

bland* [blænd] *adj.*（人）情绪平稳的（pleasantly smooth）；（食物）无味的（insipid）
【反】pungency（*n.* 刺激）〈〉blandness（*n.* 平淡）；tangy（*adj.* 刺激性的）

blandishment* [ˈblændiʃmənt] *n.* 奉承，甜言蜜语
【记】来自 blandish（*v.* 讨好）

blasphemy* [ˈblæsfimi] *n.* 亵渎，渎神（profane or contemptuous speech；cursing）
【记】词根记忆：blas（=blame 责备）+ phem（出现）+ y → 受责备的事出现 → 渎神
【同】phenomenon（*n.* 现象；奇迹）
【派】blasphemous（*adj.* 亵渎神明的）

blast [blɑːst] *n.* 一阵（大风）；冲击波；*v.* 爆破；枯萎（to wither）
【例】The *blast* from the bomb blew out all the windows in the area.（炸弹爆炸的冲击波震碎了这个地区的所有窗户。）

blatant* [ˈbleitənt] *adj.* 厚颜无耻的（brazen）；显眼的（completely obvious；conspicuous）；炫耀的（showy）
【记】词根记忆：blat（闲聊）+ ant → 侃大山 → 炫耀的

BILK	BILLOWY	BIN	BIOSPHERE	BIPED
BIT	BIZARRE	BLADE	BLANCH	BLAND
BLANDISHMENT	BLASPHEMY	BLAST	BLATANT	

【同】blatter（v. 大声快说；n. 一连串的话）
【反】unobtrusive （adj. 谦虚的）；inconspicuous （adj. 不显眼的）；unimpressive（adj. 无印象的）；subtle（adj. 微妙的；不十分明显的）

blazon [ˈbleizn] n. 纹章，装饰；v. 精确描绘 （to paint or depict with accurate details）；宣扬，夸示（to proclaim widely）
【反】efface（v. 抹掉）

bleach* [bliːtʃ] v. 漂白，使无色（to cause sth. to become white）n. 漂白剂；漂白的行为

bleak* [bliːk] adj. 寒冷的；阴沉的 （cold；frigid）；阴郁的，暗淡的（depressing）
【例】The future looks *bleak*.（前途看似暗淡。）

blemish* [ˈblemiʃ] v. 损害；玷污（to mar；spoil the perfection of）；n. 瑕疵，缺点（defect）
【记】词根记忆：blem（弄伤）+ ish → 把…弄伤 → 损害，玷污

blight [blait] n. 植物枯萎病 （any of several plant diseases）；v. 使…枯萎（to wither）
【记】分拆记忆：b + light → 植物无光便枯萎 → 植物枯萎病
【例】A *blight* spread across the field of grain.（田里的庄稼都枯萎了。）

bliss* [blis] n. 狂喜，极大的幸福（great joy）；福佑，天赐的福（complete happiness）
【记】联想记忆：得到祝福（bless）是有福气（bliss）的

blithe* [blaið] adj. 快乐的，无忧无虑的（cheerful；carefree）
【反】grave（adj. 严肃的）
【例】a *blithe* spirit（快乐的精灵）

blizzard* [ˈblizəd] n. 暴风雪（a severe snowstorm）
【形】lizard（n. 蜥蜴）

blockade* [blɔˈkeid] v. / n. 封锁（shutting off a port or region）
【记】block（阻碍）+ ade → 阻碍物 → 封锁

blockage* [ˈblɔkidʒ] n. 障碍物（thing that blocks）
【例】a *blockage* in an artery（动脉阻塞）

blooming [ˈbluːmiŋ] adj. 有花的 （having flowers）；精力旺盛的 （full of energy）
【记】来自 bloom（n. / v. 花；开花）

blotch* [blɔtʃ] n.（皮肤上的）红斑点（patch or blemish on the skin）；（墨水等）大斑点（large blot or stain）
【记】分拆联想：b + lot + ch → 有很多的红斑点 → 红斑点
【形】botch（v. 弄坏，做事拙劣）

blowhard* [ˈbləuhɑːd] n. 自吹自擂者（a loudly boastful person；braggart）
【记】组合词：blow（吹）+ hard（拼命）→ 使劲吹 → 吹牛者

blue [bluː] adj. 忧伤的，沮丧的（depressed；melancholy）

BLAZON	BLEACH	BLEAK	BLEMISH	BLIGHT
BLISS	BLITHE	BLIZZARD	BLOCKADE	BLOCKAGE
BLOOMING	BLOTCH	BLOWHARD	BLUE	

blueprint* [ˈbluːˌprint] *n.* 蓝图 (photographic print of building plans); 方案 (detailed plan)
【记】组合词: blue (蓝) + print (印刷的图) → 蓝图

blunder* [ˈblʌndə] *v.* 犯大错 (to make a stupid mistake); 笨拙地做 (to do clumsily); *n.* 愚蠢之举 (a foolish or stupid mistake)
【记】分拆联想: bl (看作 blow) + under → 被打倒在下面 → 犯了大错

blunt* [blʌnt] *adj.* 钝的 (without a sharp edge); 直率的 (frank and straightforward); *v.* 变钝 (to become blunt)
【反】hone (*v.* 磨锋利); whet (*v.* 磨快)

blur [bləː] *n.* 模糊不清的事物 (anything indistinct or hazy); *v.* 使…模糊 (to make or become hazy or indistinct)
【记】比较记忆: slur (*v.* 含糊不清地说)
【例】a very *blurred* photograph (一张非常模糊的照片)

blurb [bləːb] *n.* 简介; 印在书籍封套上的推荐广告 (a brief publicity notice, as on a book jacket)

blurt [bləːt] *v.* 脱口而出 (to utter abruptly and impulsively)
【例】He *blurted* out the bad news before I could stop him. (我还没来得及制止, 他脱口就说出了这个坏消息。)

blush* [blʌʃ] *v.* 因某事物脸红 (to become red in the face esp. from shame); *n.* 因羞愧等脸上泛出的红晕 (a reddening of the face esp. from shame, modesty, or confusion)
【形】brush (*n.* 画笔); flush (*v.* 冲洗; *n.* 脸红); lush (*adj.* 青翠繁茂的)

bluster* [ˈblʌstə] *v.* (指风) 猛刮 ([of the wind] to blow fiercely)
【例】The gale *blustered* all night. (大风猛刮了一夜。)

blustering* [ˈblʌstəriŋ] *adj.* 大吵大闹的 (talking or acting with noisy swaggering threats)
【记】来自 bluster (*v.* 咆哮)

boast* [bəust] *v.* / *n.* 自夸 (to speak of or assert with excessive pride; the act of boasting)

bodyguard* [ˈbɔdigɑːd] *n.* 保镖, 侍卫 (someone who guards and protect someone else)
【记】组合词: body (身体) + guard (保卫) → 保镖, 侍卫

BLUEPRINT	BLUNDER	BLUNT	BLUR	BLURB
BLURT	BLUSH	BLUSTER	BLUSTERING	BOAST
BODYGUARD				

bog [bɔg] *n.* 沼泽 (soft wet land); *v.* 使…陷入泥沼 (to cause to sink into a bog)

【例】The tank got *bogged* down in the mud. (坦克陷入泥沼不能自拔。)

boggle* [ˈbɔgl] *v.* 畏缩不前 (to hesitate); 使退缩 (to overwhelm with wonder or bewilderment)

【记】分拆联想: bog (使…陷入泥沼) + gle → 陷入泥沼 → 会使人退缩

【形】goggle (*n.* 游泳护目镜)

【反】embolden (*v.* 使大胆)

bogus* [ˈbəugəs] *adj.* 假的 (not genuine; spurious)

【记】来自一种叫"Bogus"的机器, 用来造伪钞

【反】authentic (*adj.* 真实的)

【例】The museum quickly discovered that the painting was *bogus*. (博物馆很快发现那幅画是赝品。)

boisterous* [ˈbɔistərəs] *adj.* 喧闹的 (noisy and unruly); 猛烈的 (violent)

【记】词根记忆: boister (喧闹) + ous → 喧闹的

【形】bolster (*v.* 支持); preposterous (*adj.* 荒谬的)

【反】quiet (*adj.* 安静的)

bolster* [ˈbəulstə] *n.* 枕垫 (cushion or pillow); *v.* 支持, 鼓励 (to support, strengthen, or reinforce)

【记】分拆联想: bol (颠倒过来 lob) + ster → lobster (龙虾), 拿龙虾当枕垫 → 枕垫

【反】undermine (*v.* 削弱); decrease support of (减少支持); sap (*v.* 削弱)

【例】Dave *bolstered* his courage to ask for a raise. (戴夫鼓起勇气要求涨工资。)

bolt* [bəult] *v.* 急逃 (to dash out; dart); *n.* 螺栓, 门闩

【例】The cat *bolted* when it saw the dog coming. (猫看见狗过来急忙逃走了。)

bombast* [ˈbɔmbæst] *n.* 高调, 夸大之辞 (pompous language)

【记】分拆联想: bomb (空洞的声音; 炸弹) + ast → 放空炮 → 唱高调

【反】understatement (*n.* 保守说法); unpretentiousness (*n.* 谦逊)

bondage* [ˈbɔndidʒ] *n.* 奴役, 束缚 (slavery, captivity)

【记】词根记忆: bond (绑) + age → 束缚

bonnet [ˈbɔnit] *n.* 圆帽, 扁平软帽 (a hat of cloth or straw)

【记】词根记忆: bon (好) + net (网) → 在没有渔网的时候帽子是可以替代的 → 圆帽

【同】bonny (*adj.* 吸引人的); bonus (*n.* 奖金)

boom [bu:m] *n.* 繁荣昌盛时期 (period of prosperity); *v.* 发出深沉有回响的声音 (to make a deep hollow sound)

BOG	BOGGLE	BOGUS	BOISTEROUS	BOLSTER
BOLT	BOMBAST	BONDAGE	BONNET	BOOM

【记】原来是象声词"嘣"的一声

【例】The oil market is enjoying a *boom*.(石油市场很繁荣。)

boon* [buːn] *n.* 恩惠，天赐福利 (a timely blessing or benefit)

【记】联想记忆：从月亮（moon）得到恩惠（boon）→ 天赐福利

【反】misfortune (*n.* 不幸，灾祸)

boor* [buə] *n.* 举止粗野的人 (a rude, awkward person); 乡下人 (a peasant)

【记】和 poor 一起记，boor 通常 poor

【反】civil person (有礼貌的人)

boost* [buːst] *v.* 往上推 (to raise by a push); 增加，提高 (to make higher)

【记】分拆联想：boo (看作 boot 靴子) + st → 穿上靴子往高处走 → 提高

【派】booster (*n.* 支持者)

bootless* [ˈbuːtlis] *adj.* 无益处的 (without advantage or benefit); 无用的 (useless)

bore* [bɔː] *v.* 钻孔 (to make a hole); 使厌烦 (to cause to feel boredom); *n.* 孔 (a hole); 令人厌烦的人 (a tiresome, dull person)

boredom* [ˈbɔːdəm] *n.* 厌烦 (the state of being weary); 令人厌烦的事物 (sth. boring)

【记】词根记忆：bore (厌烦) + dom (表名词，参考 kingdom) → 厌烦

botany* [ˈbɔtəni] *n.* 植物学 (a branch of biology dealing with plant life)

【记】分拆联想：bot (看作 about) + any → 关于任何 (植物) → 植物学

【派】botanical (*adj.* 植物学的)

boulder* [ˈbəuldə] *n.* 巨砾 (large rock worn by water or the weather)

【记】联想记忆：和 shoulder 一起记，用 shoulder 扛着 boulder

bouquet* [bu (ː) ˈkei] *n.* 花束 (a bunch of cut flowers); 芳香 (fragrance)

【形】banquet (*n.* 宴会); coquet (*v.* 卖弄风情)

bouquet

bourgeois [burˈʒwɑː] *adj.* 中产阶级的 (belonging to or typical of the middle class); 自私拜物的 (too interested in material possessions and social position)

【记】源自古法语 burgeis (市民)

bout* [baut] *n.* 一回合，一阵 (a spell of activity)

【记】原指农夫来回犁地，现在指带有反复性的活动 (bouts of activity 几番活动)

【参】boutique (*n.* 妇女时装精品店)

boycott* [ˈbɔikət] *v.* 抵制 (贸易) (to refuse to buy, sell, or use)

【记】来自人名"Boycott"，1897 年英国驻爱尔兰官员，因拒绝降低

BOON	BOOR	BOOST	BOOTLESS	BORE
BOREDOM	BOTANY	BOULDER	BOUQUET	BOURGEOIS
BOUT	BOYCOTT			

房租（地租）而被爱尔兰人抵制及驱逐

【反】patronize（*v.* 资助）

brace* [breis] *v.* 使稳固，架稳 （to strengthen; prop up）；*n.* 支撑物（fastener）

【记】brace 原指两条手臂，用手支撑 → 稳固

【同】embrace（*v.* 拥抱）；bracelet（*n.* 手镯）

bracelet* [ˈbreislit] *n.* 手镯，臂镯（an ornamental band or chain worn around the wrist）

【记】词根记忆：brace（两臂）+ let（小东西）→ 戴在手上的小东西 → 手镯

bracing [ˈbreisiŋ] *adj.* 令人振奋的（invigorating）

【反】vapid（*adj.* 索然无味的）

bracket* [ˈbrækit] *n.* 托架，支架（wooden or metal angle shaped support）

【形】racket（*n.* 球拍），packet（*n.* 包裹），jacket（*n.* 夹克）

brag* [bræg] *v.* 吹嘘（to boast）

【记】联想记忆：bag（口袋）中间加个 r，"r"像一张嘴在吹 → 吹嘘

braggadocio [ˌbrægəˈdəuʃiəu] *n.* 吹牛大王；大吹大擂（boasting）

braggart* [ˈbrægət] *n.* 吹牛者（person who brags）

braid* [breid] *n.* 穗子；发辫（plait）；*v.* 编成辫子

【记】分拆联想：br（看作 bring）+ aid（帮助）→ 带来帮助 → 编成辫子帮助人整洁

brake* [breik] *n.* 刹车；*v.* 减速 （to slow down or stop with a brake）；阻止（to retard as if by a brake）

【记】是 break（打破，违反）的古典形式

brandish [ˈbrændiʃ] *v.*（威胁性地）挥舞（to wave around menacingly）

【记】分拆联想：br （看作 bring）+ an + dish → 带来一个碟子 →（用碟子）挥舞

【例】The demonstrators *brandished* banners and shouted slogans.（示威者挥舞着旗帜，嘴里喊着口号。）

brash [bræʃ] *adj.* 性急的；无礼的（hasty and unthinking）

【记】分拆联想：b + rash（皮疹）→ 得了皮疹 → 又急又痒的 → 性急的

brassy [ˈbrɑːsi] *adj.* 厚脸皮的，无礼的（brazen; insolent）

【记】brass（黄铜）+ y → 脸皮像黄铜一样厚 → 厚脸皮的

【反】diffident（*adj.* 缺乏自信的）；humble（*adj.* 谦虚的）

brat* [bræt] *n.* 孩子；顽童（a badly behaved child）

【记】分拆联想：b + rat （耗子）→ 像耗子一样到处乱窜的小孩 → 顽童

【派】brattish（*adj.* 讨厌的，惯坏的）

bravado* [brəˈvɑːdəu] *n.* 故作勇敢，虚张声势（pretended courage）

【记】来自 bravo（欢呼；好极了）；词根记忆：brav（勇敢）+ ado（状

BRACE	BRACELET	BRACING	BRACKET	BRAG
BRAGGADOCIO	BRAGGART	BRAID	BRAKE	BRANDISH
BRASH	BRASSY	BRAT	BRAVADO	

态）→ 故作勇敢

【同】bravura（*n.* 演出等精彩、热烈）

bravura* [brəˈvjuərə] *n.* 华美乐段（singing or performance requiring brilliant technique and style）；*adj.* 华美的（ornate, showy）；显示技巧的（marked by a dazzling display or skill）

brawl* [brɔːl] *v.* / *n.* 争吵，打架（a rough, noisy quarrel or fight）

【记】和 brawny（*adj.* 强壮的）一起记，强壮的人容易吵架（someone who is brawny is easy to brawl）

【形】crawl（*v.* 爬行）；awl（*n.* 尖钻）

brazen* [ˈbreizn] *adj.* 厚脸皮的（showing no shame；impudent）

【记】词根记忆：braz（=brass 黄铜）+ en → 像黄铜一样 → 厚颜的

【同】brazier（*n.* 炭火盆）

【反】modest（*adj.* 谦虚的）

breach* [briːtʃ] *n.* 裂缝，缺口（a broken or torn place）；*v.* 打破，裂开（to make a breach in）；违背（to break, violate）

【记】来自 break

【形】bleach（*v.* 漂白）

【反】solder（*v.* 焊接）

【例】Tom *breached* his contract with the company.（汤姆违反了他和公司的合同。）

breadth* [bredθ] *n.* 宽度（distance from side to side）

breed [briːd] *v.* 繁殖（to produce offspring by hatching or gestation）；教养（to bring up）；*n.* 品种，种类（class, kind）

bribe [braib] *v.* 贿赂（to induce or influence by bribery）

bricklayer* [ˈbrikleiə(r)] *n.* 砌砖盖房者，泥瓦匠（a person who lays brick）

【记】brick（砖）+ lay（铺设）+ er → 铺砖的人 → 泥瓦匠

bridle* [ˈbraidl] *n.* 马笼头（a head harness）；*v.* 抑制，控制（to curb or control）

【记】比较 bride（新娘），在婚后生活中，新娘可能给新郎上笼头（The bride puts a bridle on the bridegroom.）

【反】not to restrain（没有控制）

brink [briŋk] *n.*（峭壁的）边沿，边缘（the edge of a steep place；verge；border）

【记】比较记忆：blink（*v.* 眨眼睛）

【例】blink at the *brink* of a cliff（在峭壁的边缘吓得直眨眼睛）

brisk* [brisk] *adj.* 快的，敏捷的，活泼的（quick）；清新健康的（giving a healthy feeling）

【记】分拆联想：b + risk（冒险）→ 喜欢冒险的人 → 敏捷的，活泼的

【反】ponderous（*adj.* 沉重的）

bristle* [ˈbrisl] *n.* 短而硬的毛发（short stiff hair）；*v.*（毛）竖起（to raise the bristles as in anger）；发怒（to take on an aggressively defensive

BRAVURA	BRAWL	BRAZEN	BREACH	BREADTH
BREED	BRIBE	BRICKLAYER	BRIDLE	BRINK
BRISK	BRISTLE			

attitude)

【形】brittle (*adj.* 易碎的); gristle (*n.* 软骨); castle (*n.* 城堡)

【反】cower (*v.* 畏缩)

brittle* ['britl] *adj.* **易碎的，脆弱的** (hard but easily broken)

【记】分拆联想：br (看作 break) + ittle (看作 little) → 打破成小块 → 易碎的

【派】brittleness (*n.* 脆弱)

broach* [brəutʃ] *v.* **开 (瓶)；提出 (讨论)** (to start a discussion; bring up)

【形】breach (*n.* 缺口); cockroach (*n.* 蟑螂)

【反】close off (关闭，结束)

【例】At last he *broached* the subject of their marriage to her. (最后他提出了结婚的问题。)

brochure* [brəu'ʃjuə] *n.* **小册子，说明书** (a small thin book with a paper cover)

broker* ['brəukə] *n.* **经纪人** (one who acts as an intermediary)

【参】pawnbroker (*n.* 典当商); stockbroker (*n.* 股票经纪人)

bromide* ['brəumaid] *n.* **平庸的人或话** (a trite saying; platitude)；**镇静剂，安眠药** (medicine as a sedative)

【记】分拆联想：可以拆解为 bring old mind (带来旧思想)

brood* [bruːd] *n.* **一窝幼鸟**；*v.* **孵蛋** (to sit on and hatch)；**冥想** (to keep thinking in a distressed way)

【记】分拆联想：br (看作 bring) + ood (看作 good) → 带来好的生命 → 孵出一窝小鸟

【例】She *brooded* over the plan, trying to find some mistakes in it. (她仔细考虑该计划，试图发现其中的错误。)

brook* [bruk] *n.* **小河** (a small stream)

browbeat* ['braubiːt] *v.* **欺侮；吓唬** (to bully)

【记】组合词：brow (眉毛) + beat (打) → 用眉毛来打人 → 吓唬人

【例】They *browbeat* him into signing the document. (他们连蒙带吓让他签了文件。)

bruise* [bruːz] *v.* **受伤，擦伤** (to injure the skin)

【记】和 cruise (坐游船旅游) 一起记，旅游时容易受伤

bruit* [bruːt] *v.* **散布 (谣言)** (to spread a rumor)

【记】分拆联想：br (看作 bring) + u (看作 you) + it → 把它带给你 → 散布谣言

【反】keep secret (保守秘密)

brunt [brʌnt] *n.* **主要冲击力或影响** (main impact or shock)

【记】分拆联想：br (看作 bring) + unt (看作 aunt) → 带来姑奶奶 → 带来影响

【例】I had to bear the *brunt* of his anger. (我不得不忍受他的怒火。)

BRITTLE	BROACH	BROCHURE	BROKER	BROMIDE
BROOD	BROOK	BROWBEAT	BRUISE	BRUIT
BRUNT				

brusque* [brʌsk] *adj.* 唐突的，鲁莽的（rough or abrupt; blunt）
【记】发音记忆："不如屎壳（郎）"→鲁莽的

brutal ['bruːtl] *adj.* 残忍的 （savage; violent）；严酷的 （very harsh and rigorous）
【记】来自 brute（*adj.* 残忍的）
【派】brutality（*n.* 残酷，兽行）

buck* [bʌk] *v.* 反对（to oppose; resist）；*n.* 雄鹿；雄兔（male deer or rabbit）
【记】美国口语一美元叫 one buck
【反】assent to（同意）

bucket* ['bʌkit] *n.* 圆桶（round open container）

bucolic* [bjuː'kɔlik] *adj.* 乡村的（of country life; rural）；牧羊的（pastoral）
【记】词根记忆：buc（牛）+ olic（养…的）→养牛的→乡村的
【反】urban（*adj.* 城市的）

bud* [bʌd] *n.* 芽；花蕾（small knob from a flower）
【例】*Buds* appear on the trees in spring.（春天树发嫩芽。）

budge* [bʌdʒ] *v.* 移动一点儿 （to move a little）；改变立场 （to give way; yield）
【记】分拆联想：bud（发芽）+ ge → 慢慢地发芽，移动一点；联想记忆：预算（budget）问题上没有让步（budge）
【例】I bargained hard, but the shop owner did not *budge* a bit. （我拼命地讨价还价，可店主丝毫不妥协。）

budget* ['bʌdʒit] *n.* 预算（plan of how money will be spent over a period of time）
【记】分拆联想：bud（花蕾）+ get（得到）→得到花蕾→用钱买花→做预算

buffoon [bʌ'fuːn] *n.* 演出时的丑角（clown）；粗俗而愚蠢的人（fool）
【记】分拆联想：buf（看作 but）+ foon（看作 fool）→ but a fool → 只是个笨蛋→粗俗愚蠢的人

bulb* [bʌlb] *n.* 植物的球茎（an underground bud as in a lily, onion）；灯泡
【记】light bulb （灯泡），bulb 首先是圆的意思，如：bulbous（*adj.* 又胖又圆的）

bulge* [bʌldʒ] *n.* / *v.* 膨胀，鼓起（to swell; protrude or project）
【形】budge（*v.* 让步）；bilge（*n.* 舱底）；bugle（*n.* 军号）
【反】depressed region（凹陷的地方）
【例】The population *bulge* after the war made more schools necessary.（战后的人口膨胀使人们有必要建更多的学校。）

bulk [bʌlk] *n.* 体积；数量（size; quantity）；大多数（magnitude）；大身躯
【例】He eased his *bulk* into a chair.（他挪动肥胖的身体，坐进椅子。）

BRUSQUE	BRUTAL	BUCK	BUCKET	BUCOLIC
BUD	BUDGE	BUDGET	BUFFOON	BULB
BULGE	BULK			

bully* [ˈbuli] *v.* 以强欺弱，威胁（to hurt, frighten, or tyrannize）；*n.* 欺负别人者

【记】bully 古意为“情人”，在争夺情人的斗争中总是强的打败弱的，所以有“以强欺弱”之意

【反】underdog（*n.* 受压迫者）

bumptious [ˈbʌmpʃəs] *adj.* 傲慢的，自夸的（crudely or loudly assertive）

【记】分拆联想：bump（碰撞）+ tious → 傲慢地顶撞人 → 傲慢的

【反】humble（*adj.* 谦逊的）

bungle* [ˈbʌŋgl] *v.* 笨拙地做（to act or work clumsily and awkwardly）

【形】jungle（*n.* 丛林）；tangle（*n.* 纠缠）

【反】bring off（顺利完成）

buoy* [bɔi] *n.* 浮标 （a floating object）；救生圈；*v.* 支持，鼓励（to encourage）

【例】*buoy* up one's spirits（振作精神）

【反】buoyed（*adj.* 支持的）〈〉unsupported（*adj.* 无支持的）

buoyant* [ˈbɔiənt] *adj.* 有浮力的（showing buoyancy）；快乐的（cheerful）

【派】buoyancy（*n.* 浮动，快乐）

bureaucracy* [bjuəˈrɔkrəsi] *n.* 官僚政治（administration of a government chiefly through bureaus or departments staffed with nonelected officials）

【记】词根记忆：bureau（政府的局、处等）+ cracy（统治）→ 官僚政治

【派】bureaucratic（*adj.* 官僚的）；bureaucratization（*n.* 官僚政治化）

burgeon* [ˈbəːdʒ(ə)n] *v.* 迅速成长，发展（to grow rapidly; proliferate）

【记】词根记忆：burg （=bud 花蕾）+ eon → 成长，burg 本身是单词，意为“城，镇”→ 成长的地方

【反】subside（*v.* 下沉，平息，减退）；wither（*v.* 衰弱）；subdue（*v.* 征服，使缓和）

burial* [ˈberiəl] *n.* 埋葬，埋藏 （the act or ceremony of putting a dead body into a grave）

【记】来自 bury（*v.* 埋葬，掩埋）

burlesque* [bəːˈlesk] *n.* 讽刺或滑稽的戏剧（derisive caricature; parody）

【记】发音记忆：“不如乐死去”→ 玩笑话，滑稽戏

【参】burly（*adj.* 粗壮的）

burnish* [ˈbəːniʃ] *v.* 擦亮，磨光（to become shine by rubbing; polish）

【记】分拆联想：burn（烧）+ ish → 烧得发亮 → 擦亮

【形】tarnish（*v.* 使…失去光泽）；furnish（*v.* 提供，装修）

bust* [bʌst] *n.* 半身（雕）像

【形】robust（*adj.* 精力充沛的）；bustle（*v.* 匆忙）

butt [bʌt] *v.* 用头抵撞，顶撞（to strike with the head）；*n.* 粗大的一端；烟蒂

BULLY	BUMPTIOUS	BUNGLE	BUOY	BUOYANT
BUREAUCRACY	BURGEON	BURIAL	BURLESQUE	BURNISH
BUST	BUTT			

buttress* [ˈbʌtris] *n.* 拱墙，拱壁（a projecting structure built against a wall to support or reinforce it）; *v.* 支持（to prop up; bolster）
【形】mattress（*n.* 床垫）; butt（*n.* 粗大的一端）
【反】contravene（*v.* 反驳；违反）

byline* [ˈbailain] *n.*（列作者名字的）报刊文章首行（a line identifying the writer）
【记】分拆联想：by + line（字行）→ 第二行 → 大标题下面写着作家姓名的一行

byproduct* [ˈbaiˌprɔdʌkt] *n.* 副产品；副作用（side effect）
【记】分拆记忆：by（在旁边；副的）+ product（产品）→ 副产品

bystander [ˈbaistændə(r)] *n.* 旁观者（one present but not taking part in a situation or event）
【记】分拆记忆：by（在旁边；副的）+ stander（站立者）→ 站在旁边的人 → 旁观者

byzantine* [biˈzæntain] *adj.* 像迷宫似的（complicated）；难变更的（difficult to change）
【记】来自拜占庭（Byzantine）帝国，其政治以错综复杂而著名
【反】straightforward（*adj.* / *adv.* 直接的 / 地）

cabal [kəˈbæl] *n.* 政治阴谋小集团（a conspiratorial group of plotters）
【记】发音记忆："叩拜儿" → 在一起叩拜搞阴谋的小集团 → 政治阴谋小集团

cabinet* [ˈkæbinit] *n.* 橱柜（a case or cupboard usu. having doors and shelves）；内阁（group of the most important government ministers）

cache [kæʃ] *n.* 贮藏处（hiding place）; *v.* 将…藏于（to place sth. in a cache）
【记】分拆联想：c + ache（痛）→ 将痛藏于心 → 将…藏于；发音和 cash（现金）一样，把现金藏起来

cacophony* [kæˈkɔfəni] *n.* 难听的声音（harsh, jarring sound）
【记】词根记忆：caco（坏）+ phony（声音）→ 声音不好 → 难听的声音
【同】symphony（*n.* 交响乐）
【反】mellifluous（*adj.* 声音甜美的）; dulcet（*adj.* 美妙的）; euphonious（*adj.* 悦耳的）

cadet* [kəˈdet] *n.* 军校或警官学校的学生（a student at a military school）

cadge* [kædʒ] *v.* 乞讨（to get sth. from sb. by asking）；占便宜（sponge）
【形】badge（*n.* 徽章）; budge（*v.* 移动，退让）
【反】earn（*v.* 挣钱谋生）

cajole* [kəˈdʒəul] *v.*（以甜言蜜语）哄骗（to coax with flattery; wheedle）
【记】分拆联想：cai（=cage 笼子）+ ole → 把（鸟）诱入笼子 → 哄骗
【参】blandishment（*n.* 甜言蜜语诱惑；奉承；逢迎）
【派】cajolery（*n.* 劝诱，蒙骗）

BUTTRESS	BYLINE	BYPRODUCT	BYSTANDER	BYZANTINE
CABAL	CABINET	CACHE	CACOPHONY	CADET
CADGE	CAJOLE			

Word List 6

calamity [kəˈlæmiti] *n.* 大灾祸，不幸之事 (any extreme misfortune)
【记】词根记忆：calam (=destruction 破坏) + ity → 大灾祸
【派】calamitous (*adj.* 造成灾祸的)

calcium* [ˈkælsiəm] *n.* 钙
【记】词根记忆：calc (石头) + ium → 像石头一样硬 → 钙

calculated* [ˈkælkjuleitid] *adj.* 蓄意的 (intentional)
【记】来自 calculate (*v.* 计算)
【例】a *calculated* insult (故意的侮辱)

calculating* [ˈkælkjuleitiŋ] *adj.* 深谋远虑的，精明的 (shrewd or cunning; scheming)

calculus [ˈkælkjuləs] *n.* 微积分学；结石

caldron [ˈkɔːdrən] *n.* (煮汤用的) 大锅 (a large pot)
【例】The witch stirred her *caldron*. (巫婆搅拌她的大锅。)

calibrate* [ˈkælibreit] *v.* 量…口径 (to determine the calibre of)；校准 (to adjust precisely)
【记】来自 calibre (口径) + ate → 量…口径

calipers* [ˈkælipəz] *n.* 测径器，双脚规 (instrument for measuring the diameter of tubes or round objects)

calligraphy* [kəˈligrəfi] *n.* 书法 (handwriting)
【记】词根记忆：call (美丽) + i + graphy (写) → 写美丽的字 → 书法
【派】calligrapher (*n.* 书法家)

callous* [ˈkæləs] *adj.* 结硬块的 (thick and hardened)；无情的 (lacking pity; unfeeling)
【记】来自 callus (*n.* 老茧)

callow* [ˈkæləu] *adj.* (鸟) 未生羽毛的 (unfledged)；(人) 未成熟的 (immature)
【记】分拆联想：call + (1) ow → 叫做低的东西 → 未成熟的；

CALAMITY	CALCIUM	CALCULATED	CALCULATING	CALCULUS
CALDRON	CALIBRATE	CALIPERS	CALLIGRAPHY	CALLOUS
CALLOW				

callow 来自中古英文 call，意为 bald（秃的）
【反】behaving with adult sophistication（做事成熟老练的）

calorie* [ˈkæləri] *n.* 卡路里；卡（热量单位）
【派】calorific（*adj.* 生热的）

calumniate* [kəˈlʌmnieit] *v.* 诽谤，中伤（to make maliciously false statements）
【反】vindicate（*v.* 辩护）；approbate（*v.* 许可）

calumny [ˈkæləmni] *n.* 诽谤，中伤（a false and malicious statement）
【记】词根记忆：calumn（=beguile 欺诈）+ y → 欺诈性的话 → 诽谤
【派】calumnious（*adj.* 诽谤的）
【形】column（*n.* 柱子；专栏）
【反】flattering（*adj.* 奉承的）

cameo* [ˈkæmiəu] *n.* 浮雕宝石（jewel carved in relief）；生动刻画；（演员）出演
【记】分拆联想：came（来）+ o → 来哦 → 演员来哦 → 演员出演

camouflage* [ˈkæmuflɑːʒ] *n.* / *v.* 掩饰，伪装（to disguise in order to conceal）
【记】分拆联想：cam（看作 came）+ ou（看作 out）+ flag（旗帜）+ e → 扛着旗帜出来 → 伪装成革命战士 → 伪装
【例】Many animals have a natural *camouflage* which hides them from their enemies.（许多动物都有使它们不被敌人发现的自然伪装。）

campaign* [kæmˈpein] *n.* 战役；竞选活动
【记】camp（田野；营地）+ aign（名词后缀）→ 营地 → 战役

canary [kəˈneəri] *n.* 金丝雀；女歌星
【记】分拆联想：can（能够）+ ary → 有能耐，能歌善舞的人 → 女歌星

candid* [ˈkændid] *adj.* 率直的（not hiding one's thoughts）
【记】词根记忆：cand（白，发光）+ id → 白的 → 坦白的
【同】candle（*n.* 蜡烛）；candidate（*n.* 候选人）
【反】dissembling（*adj.* 掩饰的）

candidacy* [ˈkændidəsi] *n.* 候选人的资格（the state of being a candidate）

candor* [ˈkændə] *n.* 坦白，率直（frankness）
【记】词根记忆：cand（白）+ or（表状态）→ 坦白
【反】artifice（*n.* 狡诈）

cane [kein] *n.* 拐杖 (a stick used as an aid in walking)

canine [ˈkeinain] *adj.* 犬的，似犬的 (of or like a dog)

【记】词根记忆：can (犬) + ine → 犬的

canny* [ˈkæni] *adj.* 精明仔细的 (shrewd and careful)

【记】分拆联想：can (能) + ny → 能干的 → 精明仔细的

canon* [ˈkænən] *n.* 经典，真作 (the works that are genuine)

【记】分拆联想：can (能) + on (在…上) → 能放在桌面上的真家伙 → 经典，真作

【形】cannon (*n.* 大炮)

【反】apocrypha (*n.* 伪经)

canonical* [kəˈnɔnikəl] *adj.* 按照教规的 (according to, or ordered by church canon)；见于宗教经典的

【反】heterodox (*adj.* 异端的)；nontraditional (*adj.* 非传统的)

canopy* [ˈkænəpi] *n.* 蚊帐 (a cloth covering suspended over a bed)；华盖 (a drapery, awning, or other rooflike covering)

【记】分拆联想：can (能) + opy (看作 copy 复制) → 能被复制的蚊帐 → 蚊帐

cant* [kænt] *n.* 斜坡，斜面 (a sloping or slanting surface)；隐语，术语，黑话 (jargon)；*v.* 使倾斜 (to bevel)

【记】把 can't 的"'"拿掉就是 cant

cantankerous* [kənˈtæŋkərəs] *adj.* 脾气坏的，好争吵的 (bad tempered; quarrelsome)

【记】分拆联想：cant (黑话) + anker (看作 anger) + ous → 用黑话愤怒地争吵 → 好争吵的

canto [ˈkæntəu] *n.* (长诗的) 篇 (division of a long poem)

【记】分拆联想：can (能) + to (到) → 能拿到舞台上朗诵的 → (长诗的) 篇

canvas* [ˈkænvəs] *n.* 画布 (a piece of cloth backed or framed as a surface for a painting)；帆布

canvass* [ˈkænvəs] *v.* 细查 (to scrutinize)；拉选票 (to go around an area asking people for political support)

【记】分拆联想：can (能) + v (胜利的标志) + ass (驴子) → 能让驴子得胜 → 拉选票

canyon [ˈkænjən] *n.* 峡谷 (a long, narrow valley between cliffs)

【记】分拆联想：can (能) + y (像峡谷的形状) + on (在…上) → 能站在峡谷上 → 峡谷，记住表示峡谷的其他一些单词：gorge (*n.* 山谷，峡谷)；gully (*n.* 溪谷，冲沟)；ravine (*n.* 峡谷，溪谷)；valley (*n.* 山谷)

cape [keip] *n.* 披肩，短斗篷 (a cloak)；海角

【记】来自词根 cap (头)

CANE	CANINE	CANNY	CANON	CANONICAL
CANOPY	CANT	CANTANKEROUS	CANTO	CANVAS
CANVASS	CANYON	CAPE		

capillary* [kəˈpiləri] n. 毛细血管 (any of the very narrow blood vessels)
【记】词根记忆：capill (毛发) + ary → 像毛发般细的东西 → 毛细血管

capitulate* [kəˈpitjuleit] v. (有条件地) 投降 (to surrender conditionally)
【记】词根记忆：capit (头) + ulate → 低头 → 投降
【派】capitulation (n. 投降)
【反】resist (v. 抵抗)

caprice* [kəˈpriːs] n. 奇思怪想，变化无常，任性 (sudden change in attitude or behavior)
【记】分拆联想：cap (帽子) + rice (米饭) → 戴上帽子吃米饭 → 任性

capricious* [kəˈpriʃəs] adj. 变化无常的，任性的 (erratic; flighty)
【参】capriccio (n. 随想曲)
【派】capriciousness (n. 反复无常)
【反】resolute (adj. 坚决的); steadfast (adj. 不变的)

capsule [ˈkæpsjuːl] n. 荚 (seed case of a plant); 胶囊 (small soluble case containing a dose of medicine)

caption* [ˈkæpʃən] n. 标题 (short title of an article)
【记】词根记忆：capt (拿，抓) + ion → 抓住主要内容 → 标题

captious* [ˈkæpʃəs] adj. 吹毛求疵的 (quick to find fault; carping)
【记】词根记忆：capt (拿) + ious → 拿 (别人的缺点) → 吹毛求疵的
【同】caption (n. 标题); capture (v. 俘获; n. 战利品)
【派】captiously (adv. 好吹毛求疵地)

captivate* [ˈkæptiveit] v. 迷惑，吸引 (to fascinate; charm; attract)
【记】来自 captive (俘虏) + ate → 成了美的俘虏 → 用美丽迷惑
【派】captivation (n. 吸引力，魅力)
【反】repulse (v. 拒绝; 憎恶)

capture* [ˈkæptʃə] v. 俘获 (to take as a prisoner); 夺取或赢得 (to take or win); n. 战利品
【记】词根记忆：capt (抓) + ure → 抓住 → 俘获

carafe [kəˈrɑːf] n. 玻璃瓶 (a glass water bottle)
【记】分拆联想：car (汽车) + afe (看作 café 咖啡) → 汽车里喝咖啡 → 用玻璃瓶装 → 玻璃瓶

carapace* [ˈkærəpeis] n. (蟹或龟等的) 甲壳
【记】分拆联想：car (汽车) + a + pace (步伐) → 汽车一步一停，慢得像乌龟 → 乌龟壳

carbohydrate* [ˈkɑːbəuˈhaidreit] n. 碳水化合物 (a natural class of food that provides energy to the body)
【记】词根记忆：carbo (碳) + hydr (水) + ate → 碳水化合物

CAPILLARY	CAPITULATE	CAPRICE	CAPRICIOUS	CAPSULE
CAPTION	CAPTIOUS	CAPTIVATE	CAPTURE	CARAFE
CARAPACE	CARBOHYDRATE			

carcinogen [kɑːˈsinədʒən] *n.* 致癌物 (substance that produces cancer)
【记】来自 carcinoma (癌) + gen (产生) → 致癌物

cardinal* [ˈkɑːdinəl] *adj.* 最重要的 (most important); *n.* 红衣主教
【记】词根记忆: card (心脏的) + inal → 心一样的 → 首要的, 最重要的
【反】minor (*adj.* 次要的)

cardiologist* [ˌkɑːdiˈɔlədʒist] *n.* 心脏病专家 (an expert of the heart disease)
【记】词根记忆: cardi (=card 心) + olog (=ology 学科) + ist (人) → 研究心脏的人 → 心脏病专家

caress* [kəˈres] *n.* 爱抚, 抚摸 (loving touch); *v.* 爱抚或抚摸某人 (to touch or stroke lightly in a loving or endearing manner)

careworn [ˈkeəwɔːn] *adj.* 受忧虑折磨的, 饱经风霜的 (showing the effects of worry, anxiety, or burdensome responsibility)
【反】lighthearted (*adj.* 心情愉快的)

cargo* [ˈkɑːgəu] *n.* (船、飞机等装载的) 货物 (load of goods carried in a ship or aircraft)
【记】分拆联想: car (汽车) + go (走) → 汽车运走的东西 → 货物

caricature* [ˌkærikəˈtjuə] *n.* 讽刺画; 滑稽模仿
【记】分拆联想: car (汽车) + i (我) + cat (猫) + ure → 我在汽车和猫之间 → 很滑稽的样子

carnivorous [kɑːˈnivərəs] *adj.* 肉食动物的 (flesh-eating)
【记】词根记忆: carn (肉) + i + vor (吃) + ous → 肉食动物的

carol [ˈkærəl] *n.* 颂歌 (a song of joy or praise); *v.* 欢唱 (to sing esp. in a cheerful manner)
【例】The company's salesmen have been *caroling* its glories for many years. (公司的推销员多少年来都在歌颂公司的辉煌成就。)

carouse [kəˈrauz] *n.* 狂饮寻乐 (a noisy, merry drinking party)
【记】原意为干杯, 分拆记忆: car + (r) ouse (唤起) → 开着汽车欢闹 → 寻欢作乐

carp* [kɑːp] *n.* 鲤鱼; *v.* 吹毛求疵 (to complain continually)

carpenter* [ˈkɑːpintə] *n.* 木匠 (worker who builds or repairs wooden structures)
【记】发音记忆: "卡朋特", 美国 20 世纪六七十年代风靡一时的歌手

carrion* [ˈkæriən] *n.* 腐肉 (the decaying flesh of a dead body)
【记】词根记忆: carr (=carn 肉) + ion → 腐肉

cartographer* [kɑːˈtɔgrəfə] *n.* 绘制地图者 (one that makes maps)
【记】词根记忆: carto (=card 纸, 图) + graph (写) + er → 绘制地图者
【同】carton (*n.* 纸板箱); cartoon (*n.* 漫画)

carve* [kɑːv] *v.* 雕刻 (to shape by cutting, chipping and hewing); (把肉等) 切成片 (to slice)

CARCINOGEN	CARDINAL	CARDIOLOGIST	CARESS	CAREWORN
CARGO	CARICATURE	CARNIVOROUS	CAROL	CAROUSE
CARP	CARPENTER	CARRION	CARTOGRAPHER	CARVE

cast* [kɑːst] *n.* 演员阵容；剧团 （troupe）；*v.* 扔 （to throw）；铸造（to give a shape to [a substance] by pouring in liquid form into a mold）

caste [kɑːst] *n.* 社会等级，等级（class distinction）

【记】原指印度教的种姓制度；发音记忆："卡死他"→在一个等级上卡死他，不让他上来

castigate* [ˈkæstigeit] *v.* 惩治，严责（to punish or rebuke severely）

【记】分拆联想：cast（扔）+i（我）+gate（门）→向我的门扔东西→惩治，责骂

casual* [ˈkæʒuəl] *adj.* 偶然的（occurring by chance）

【反】inveterate（*adj.* 积习成癖的）

casualty [ˈkæʒjuəlti] *n.* 伤亡事故 （a serious or fatal accident）；伤亡者（a person killed or wounded in an accident or battle）

【记】casual（偶然事件的）+ty→伤亡事故

cataclysm* [ˈkætəklizəm] *n.* 剧变，灾难 （常指大洪水或地震）（any great upheaval；disaster）

【记】词根记忆：cata（向下）+clysm（洗）→洗掉→大洪水

【同】catacomb（*n.* 地下墓穴）；catalog（*n.* 分类目录）

catalyst* [ˈkætəlist] *n.* 催化剂；促使事情发展的因素 （an agent that provokes or speeds significant change or action）

【记】词根记忆：cata（下面）+lyst（分开，分解）→起分解作用→催化剂

【同】analyst（*n.* 分析家）

【派】catalytic（*adj.* 催化作用的）；catalyze（*v.* 催化，促进，刺激）；catalysis（*n.* 催化作用）

【反】inhibitor（*n.* 抑制剂）

catastrophe* [kəˈtæstrəfi] *n.* 突如其来的大灾难（sudden great disaster）

【记】词根记忆：cata（向下）+strophe（转）→天地向下转→大灾难

【同】apostrophe（*n.* 省略符号）

【例】The earthquake was a terrible *catastrophe*.（地震是可怕的灾难。）

categorical [ˌkætiˈgɔrikəl] *adj.* 无条件的，绝对的 （without qualifications or conditions；absolute）；分类的（of category）

【记】来自 category（种类，范畴）+ical→分类的

【反】qualified（*adj.* 受限制的）；conditional（*adj.* 有条件的）

cater [ˈkeitə] *v.* 迎合 （to cater to）；提供饮食及服务 （to provide food and services）

【记】caterpillar（毛毛虫）的前半部分为 cater，原意为"猫"，引申为"迎合"

【例】The legislation *catered* to various special interest groups. （立法兼顾了各种特殊利益群体。）

caterpillar* [ˈkætəpilə] *n.* 毛毛虫，蝴蝶的幼虫 (the elongated wormlike larva of a butterfly or moth)
【记】来自中古英语：cater（猫）+ pillar（毛）→ 原意为有毛的猫
注意：caterpillar（*n.* 毛毛虫）→ chrysalis（*n.* 蛹）→ butterfly（*n.* 蝴蝶）

catharsis* [kæˈθɑːsis] *n.* 宣泄，净化（the purifying of the emotions by art）
【记】词根记忆：cathar（清洁）+ sis → 净化
【参】cathartic（*n.* 泻药）

cathedral [kəˈθiːdrəl] *n.* 总教堂，主教堂 (main church of a district under the care of a bishop)
【记】来自拉丁文 cathedra，指主教坐的椅子

catholic* [ˈkæθəlik] *adj.* 普遍的；广泛的（all inclusive; universal）；（人）宽厚的（broad in understanding; liberal）
【记】和天主教"Catholic"一样拼写，但第一个字母不大写
【反】narrow（*adj.* 狭隘的）

caucus* [ˈkɔːkəs] *n.* 政党高层会议 (a private meeting of leaders of a political party)
【形】cactus（*n.* 仙人掌）；cause（*n.* 原因，事业）

caulk* [kɔːk] *v.* 填塞（缝隙使不漏水）（to stop up the cracks, seams, etc.）
【形】baulk（*v.* 阻碍，阻止）；bulk（*n.* 大小，大部分）

causal [ˈkɔːzəl] *adj.* 原因的，因果关系的 (implying a cause and effect relationship)
【派】causality（*n.* 因果关系）
【形】casual（*adj.* 偶然的）

caustic* [ˈkɔːstik] *adj.* 腐蚀性的（corrosive）；刻薄的（biting; sarcastic）；*n.* 腐蚀剂
【记】词根记忆：caus（烧灼）+ tic → 腐蚀性的
【同】holocaust（*n.* 大火灾，大灾难）；causalgia（*n.* 灼痛）
【反】innocuous（*adj.* 无意冒犯的）；palliating（*adj.* 缓和的）；genial（*adj.* 亲切的）

cauterize* [ˈkɔːtəraiz] *v.*（用腐蚀性物质或烙铁）烧灼（表皮组织）以消毒或止血（to sear with a cautery or caustic）

cavalier [ˌkævəˈliə] *n.* 骑士，武士 (a gentleman trained in arms and horsemanship)

cavalry* [ˈkævəlri] *n.* 骑兵部队，装甲部队

caveat [ˈkeiviæt] *n.* 警告，告诫（a warning or caution）
【记】分拆联想：cave（岩洞）+（e）at（吃）→ 因为在岩洞偷吃东西被警告

cavern* [ˈkævən] *n.* 大洞穴（a large cave）
【记】来自 cave（洞）+ rn → 大洞穴

cavil* [ˈkævil] *v.* 挑毛病，吹毛求疵 (to object when there is little reason to do so; quibble)
【形】civil（*adj.* 市民的；有礼貌的）；devil（*n.* 魔鬼）

CATERPILLAR	CATHARSIS	CATHEDRAL	CATHOLIC	CAUCUS
CAULK	CAUSAL	CAUSTIC	CAUTERIZE	CAVALIER
CAVALRY	CAVEAT	CAVERN	CAVIL	

cavity [ˈkæviti] *n.* (牙齿等的)**洞，腔**(a hollow place in a tooth)

cavort [kəˈvɔːt] *v.* **腾越，欢跃**(to prance; gambol)

【记】发音记忆："渴望他"→兴奋得跳跃

【反】trudge (*v.* 艰苦跋涉)

cede [siːd] *v.* **割让**(土地权利)，**放弃**(to transfer the title or ownership of)

【例】The Qing government *ceded* China's Hong Kong to Britain. (清政府把中国的香港割让给了英国。)

celebrated [ˈselibreitid] *adj.* **有名的，知名的**(famous; renowned)

【记】来自 celebrate (*v.* 庆祝，赞扬)，celebr (=famous 著名) + ated

celebrity* [siˈlebriti] *n.* **名声**(wide recognition)；**知名人士**(a famous or well publicized person)

【记】词根记忆：celebr (著名) + ity → 知名人士

【反】obscurity (*n.* 身份低微)

celestial [siˈlestjəl] *adj.* **天体的，天上的**(of or in the sky or universe)

【记】词根记忆：celest (天空) + ial → 天上的

【同】celeste (*n.* / *adj.* 天蓝色[的])

cellar* [ˈselə] *n.* **地下室**(basement)；**酒窖**

【记】分拆联想：cell (细胞；小屋) + ar → 地下室；酒窖

【形】cellular (*adj.* 细胞的；多孔的)

cello* [ˈtʃeləu] *n.* **大提琴**

【参】violin (*n.* 小提琴)；viola (*n.* 中提琴)

cement* [siˈment] *n.* **水泥；胶粘剂**；*v.* **粘合，巩固** (to unite or make firm by or as if by cement)

【形】foment (*v.* 煽动，鼓动)；lament (*v.* 哀悼，悲伤)

【反】fracture (*v.* 破裂；挫伤；*n.* 骨折)

censor [ˈsensə] *v.* **审查，检查**(书报)(to examine and expurgate)

【记】词根记忆：cens (评估) + or → 审查，检查(书报)

【同】censure (*v.* / *n.* 指责，非难)；censorious (*adj.* 吹毛求疵的)；censorship (*n.* 书报内容检查[制度])

census* [ˈsensəs] *n.* **人口统计**(official counting of a country's population)

【记】词根记忆：cens (评估) + us → 评估我们 → 人口统计

centaur [ˈsentɔː] *n.* **人头马怪物**(mythical figure, half man and half horse)

【记】有一种名酒叫人头马，其商标就是人头马身；发音记忆："神驼"→骆驼和马差不多→人头马身的怪物

centigrade [ˈsentigreid] *adj.* **百分度的，摄氏温度计的** (of or using a temperature scale with the freezing-point of water at 0° and the boiling-point at 100°)

【记】分拆联想：cent (百) + i + grade (等级，级别) → 百分度的

centralization [ˌsentrəlaiˈzeiʃən] *n.* **集中；集权化**(concentration)

【记】来自 centralize (*v.* 集中)，central (中心的) + ize → 集中

CAVITY	CAVORT	CEDE	CELEBRATED	CELEBRITY
CELESTIAL	CELLAR	CELLO	CEMENT	CENSOR
CENSUS	CENTAUR	CENTIGRADE	CENTRALIZATION	

centurion* [sen'tjuəriən] *n.* 古罗马的百人队长 (ancient Roman officer commanding a unit of 100 soldiers)
【形】century (*n.* 世纪)

ceramic* [si'ræmik] *n.* 陶瓷制品 (the making of pots or tiles by shaping pieces of clay and baking them); *adj.* 陶器的 (made of clay and permanently hardened by heat)
【记】词根记忆: ceram (陶瓷) + ic → 陶瓷的

cereal ['siəriəl] *n.* 谷类 (any grain used for food); 谷类食品 (food made from grain)
【记】分拆联想: ce + real (真正的) → 真正的好东西 → 谷类食品

cerebral ['seribrəl] *adj.* 大脑的 (of the brain); 深思的 (of the intellect rather than the emotions)
【记】词根记忆: cerebr (脑) + al → 大脑的
【同】cerebrum (*n.* 大脑); cerebration (*n.* 用脑, 思考)
【形】celebrated (*adj.* 著名的)

ceremonious* [ˌseri'məunjəs] *adj.* 仪式隆重的 (very formal)
【例】He unveiled the picture with a *ceremonious* gesture. (他以隆重的姿态为那幅画揭幕。)

ceremony* ['seriməni] *n.* 典礼, 仪式 (formal acts performed on a religious or public occasion)
【形】hegemony (*n.* 霸权, 领导权)

certainty* ['səːtənti] *n.* 确定的事情 (thing that is certain)
【记】来自 certain (*adj.* 确定的, 必然的)
【反】quandary (*n.* 困惑); supposition (*n.* 推测); misgiving (*n.* 疑虑); indecision (*n.* 犹豫不决)

certification* [ˌsəːtifi'keiʃən] *n.* 证明 (action of certifying)
【记】来自 certify (*v.* 证明, 保证), cert (搞清) + ify (…化) → 搞清楚 → 证明
【同】certificate (*n.* 证书); ascertain (*v.* 确证)

certitude ['səːtitjuːd] *n.* 确定无疑 (certainty of act or event)
【记】词根记忆: cert (搞清) + itude (状态) → 搞清楚了 → 确定无疑

cessation* [sə'seiʃən] *n.* 中止, (短暂的) 停止 (a short pause or a stop)
【记】词根记忆: cess (走) + ation → 不走的状态 → 中止
【形】concession (*n.* 让步)
【反】perseverance (*n.* 坚定不移); commencement (*n.* 开始)

cession ['seʃən] *n.* 割让, 转让
【记】来自 cede (*v.* 割让)

chafe [tʃeif] *v.* 擦热 (to warm by rubbing); 擦痛; 激怒 (to annoy)
【记】联想记忆: 在 cafe 中加了一个 h (看作 hot) → 热咖啡 → 擦热
【形】chase (*v.* / *n.* 追逐)

CENTURION	CERAMIC	CEREAL	CEREBRAL	CEREMONIOUS
CEREMONY	CERTAINTY	CERTIFICATION	CERTITUDE	CESSATION
CESSION	CHAFE			

chaff* [tʃɑːf] n. 谷壳，米糠(the husks separated in threshing or winnowing)
【记】发音记忆："擦麸"→擦下来的麸糠

chagrin* ['ʃægrin] v./n. 失望，懊恼(to vex by disappointing or humiliating; a feeling of annoyance because one has been disappointed)
【记】分拆联想：cha(拼音：茶)+grin(苦笑)→喝茶苦笑→失望，懊恼

chalice ['tʃælis] n. 大酒杯(goblet)；圣餐杯(consecrated cup)
【记】分拆联想：cha(拼音：茶)+lice(虱子)→茶里有酒，酒中生虱→大酒杯

chameleon [kə'miːljən] n. 变色龙，蜥蜴；善变之人(someone who is very changeable)

champion* ['tʃæmpjən] n. 冠军(a winner of first prize or first place in competition)；斗士；拥护者；v. 拥护(to support or advocate)
【反】impugn(v. 抨击，责难)；disparage(v. 贬低)

championship ['tʃæmpjənʃip] n. 冠军地位(position of being a champion)；锦标赛(a contest held to find the champion)

chancellor ['tʃɑːnsələ] n. 大臣；总理；首席法官；大学校长
【记】分拆联想：chance(运气)+llor→运气好，当了总理→总理

chandelier* [ˌʃændi'liə] n. 枝形吊灯(烛台)(a lighting fixture)
【记】词根记忆：chandel(=candle 蜡烛)+ier→烛台
【同】chandler(n. 蜡烛商人)

chant* [tʃɑːnt] n. 圣歌；v. 歌唱或背诵(to sing or recite)
【记】发音记忆："唱"

chaos* ['keiɔs] n. 混乱(extreme confusion or disorder)
【记】按汉语发音记忆："吵死"→混乱
【派】chaotic(adj. 混乱的)

chapel ['tʃæpəl] n. (附属于教堂或监狱等的)小教堂(a small building used for Christian worship)
【形】chapter(n.[书的一]章)

char [tʃɑː] v. 烧焦(to make or become black by burning)；使…燃烧成焦炭
【记】联想记忆：椅子(chair)的一个腿(i)被烧焦(char)了

characteristic* [ˌkæriktə'ristik] adj. 有特色的；典型性的；n. 与众不同的特征
【例】What *characteristics* distinguish the Americans from the Canadians?(区别美国人和加拿大人的典型特征是什么?)

characterization* [ˌkæriktərai'zeiʃən] n. 描绘，刻画(the delineation of character)
【例】His *characterization* of me as untrustworthy is totally false. (他把我描述成不诚实的人是完全错误的。)

characterize ['kæriktəraiz] v. 描述或刻画…的特点(to describe the character or quality of)

□ CHAFF	□ CHAGRIN	□ CHALICE	□ CHAMELEON	□ CHAMPION
□ CHAMPIONSHIP	□ CHANCELLOR	□ CHANDELIER	□ CHANT	□ CHAOS
□ CHAPEL	□ CHAR	□ CHARACTERISTIC	□ CHARACTERIZATION	□ CHARACTERIZE

【记】以上三词都来自 character（*n.* 人或事物的特点、特征）

【例】He *characterized* her as ruthless.（他把她描述得很残忍。）

charade* [ʃəˈrɑːd] *n.* 用动作等表演文字意义的字谜游戏（a game in which some of the players try to guess word or phase from the actions of another player who may not speak）

charisma* [kəˈrizmə] *n.* （大众爱戴的）领袖气质（a special quality of leadership）；魅力（a special charm or allure that inspires devotion）

【记】分拆联想：cha（看作 china）+ ris（看作 rise）+ ma（看作 mao，引申为毛泽东）→ 中国升起毛（泽东）→ 个人魅力，气质

【派】charismatic（*adj.* 有魅力的）

charity* [ˈtʃæriti] *n.* 仁慈（benevolence）；施舍（a voluntary giving of money）

【记】分拆联想：cha（英国口语"茶"，中国字音译）+ rity → 请喝茶 → 施舍，仁慈

charlatan* [ˈʃɑːlətən] *n.* 江湖郎中，骗子（fake; mountebank; quack）

【记】意大利有个地方叫"Charlat"，专卖假药并出江湖郎中，所以"江湖郎中"就叫 charlatan

charm* [tʃɑːm] *n.* 魅力（a physical grace or attraction）；咒语，咒符（incantation; amulet）；*v.* 吸引，迷住（to delight, attract or influence by charm）

charter [ˈtʃɑːtə] *n.* 特权或豁免权（Special privilege or immunity）

chary* [ˈtʃeəri] *adj.* 小心的，审慎的（careful; cautious）

【例】be *chary* of strangers（要小心陌生人）

【反】bold（*adj.* 鲁莽的）

chase* [tʃeis] *v.* 雕镂（to make a groove in）；追捕（to follow rapidly）

【例】a nicely *chased* plate（雕镂精美的盘子）

chasm [ˈkæzəm] *n.* 深渊，大沟（abyss; gorge）；大差别（a pronounced difference）

chaste* [tʃeist] *adj.* 贞洁的（virtuous）；朴实的（restrained and simple）

【记】分拆联想：贞洁的（chaste）姑娘被追逐（chase）

【派】chastity（*n.* 贞节，纯洁）

【形】caste（*n.* 等级制度）

chastise* [tʃæsˈtaiz] *v.* 严厉惩罚（to punish by beating）；谴责（to scold or condemn）

【记】来自 chaste（*adj.* 有道德的，朴素的）；发音像"掐死打死"

【例】Parents don't *chastise* their children as much as they used to do.（父母不像原来那样总是体罚他们的孩子了。）

chauvinistic* [ˌʃəuviˈnistik] *adj.* 沙文主义的，过分爱国主义的（excessive or blind patriotism）

【记】来自一剧中人名：Chauvin，因其过分的爱国主义和对拿破仑的忠诚而闻名

□ CHARADE	□ CHARISMA	□ CHARITY	□ CHARLATAN	□ CHARM
□ CHARTER	□ CHARY	□ CHASE	□ CHASM	□ CHASTE
□ CHASTISE	□ CHAUVINISTIC			

check* [tʃek] *v.* 使突然停止，阻止 (to restrain or diminish the action or force of)
【反】prompt (*v.* 促使)

chef* [ʃef] *n.* 厨师 (a skilled cook who manages the kitchen)

cherubic* [tʃe'ruːbik] *adj.* (尤指孩子)胖乎乎而天真无邪的 (angelic; innocent-looking)
【记】来自 cherub (小天使) + ic → 天真的小孩像天使一样胖乎乎天真无邪的
【反】somber (*adj.* 忧郁的；阴森的)

chicanery* [ʃi'keinəri] *n.* 诡计，狡诈 (deception by artful sophistry; trickery)
【记】词根记忆：chic (chic 本身是一个单词，意为"优雅的") + anery → 耍聪明 → 诡计
【反】aboveboard action(光明正大的行为)；honest dealing(诚实对待)

chide [tʃaid] *v.* 叱责，指责 (to scold; reprove mildly)
【记】和 child (孩子) 一起记，chide a child (叱责孩子)

chide

笨!笨!笨蛋!

chimera* [kai'miərə] *n.* 神话怪物 (fabulous monster); 梦幻 (an impossible or foolish fancy)
【记】原指希腊神话中一种狮头羊身蛇尾的、会喷火的女妖怪
【派】chimerical (*adj.* 荒诞不经的)

chip [tʃip] *n.* 薄片，碎片 (shard; fragment); 集成电路片

chipmunk* ['tʃipmʌŋk] *n.* 花栗鼠 (像松鼠的美洲小动物)
【记】分拆联想：chip (一片) + munk (看作 monk 和尚) → 和尚吃片肉，变成小松鼠 → 花栗鼠

chisel* ['tʃizl] *n.* 凿子；*v.* 凿 (to obtain by deception; swindle)

chivalrous ['ʃivəlrəs] *adj.* 武士精神的 (of, relating to, or characteristic of chivalry and knight-errantry); 对女人彬彬有礼的 (gallant; courteous)
【记】词根记忆：chival (=caval 骑马) + rous → 骑马的 → 勇武的
【例】I appreciate *chivalrous* acts such as holding doors open. (我赞赏为人开门等彬彬有礼的行为。)

choice* [tʃɔis] *adj.* 上等的 (of high quality); 精选的 (selected with care)

choir* ['kwaiə] *n.* (教堂的)唱诗班 (a group of singers in a church)

choke* [tʃəuk] *v.* (使)窒息，阻塞 (to have great difficulty in breathing)

choleric ['kɔlərik] *adj.* 易怒的，暴躁的 (having irascible nature; irritable)
【记】词根记忆：choler (胆汁) + ic → 胆汁质的 → 易怒的，choler 本身是一个单词，意为"暴怒"

CHECK	CHEF	CHERUBIC	CHICANERY	CHIDE
CHIMERA	CHIP	CHIPMUNK	CHISEL	CHIVALROUS
CHOICE	CHOIR	CHOKE	CHOLERIC	

【同】cholecystitis（n. 胆囊炎）
【反】difficult to provoke（难被激怒的）

chord* [kɔːd] n. 和弦，和音 (a combination of three or more usu. concordant tones sounded simultaneously)

choreography* [ˌkɔ(ː)riˈɔgrəfi] n. 舞蹈 (dancing)；舞蹈编排 (the arrangement of the movements of a dance)
【记】词根记忆：chore（歌舞）+ o + graphy（写）→ 为歌舞编排动作，舞蹈编排
【同】chorus（n. 合唱队，歌舞团）

chorus* [ˈkɔːrəs] n. 合唱队，歌舞团 (a group of dancers and singers)

A man is not old as long as he is seeking something. A man is not old until regrets take the place of dreams.
只要一个人还有所追求，他就没有老。直到后悔取代了梦想，一个人才算老。
——美国演员 巴里穆尔(J. Barrymore, American actor)

Word List 7

chromatic [krəˈmætik] *adj.* 彩色的，五彩的（having colour or colours）
【记】词根记忆：chrom（颜色）+ atic → 彩色的
【参】somatic（*adj.* 身体的）
【同】chromatron（*n.* 彩电显像管）；chromosome（*n.* 染色体）
【反】colorless（*adj.* 无色的）

chromosome* [ˈkrəuməsəum] *n.* 染色体
【记】词根记忆：chrom（颜色）+ o + some（体）→ 染色体

chronic* [ˈkrɔnik] *adj.* 慢性的，长期的（marked by long duration or frequent recurrence）
【记】词根记忆：chron（时间）+ ic → 长期的
【同】chronology（*n.* 年代学）；synchronous（*adj.* 同步的，同时的）；chronicle（*n.* 编年史）；chronological（*adj.* 按时间顺序的）
【反】sporadic（*adj.* 零星的）；acute（*adj.* 急性的）

chrysanthemum* [kriˈsænθˌəməm] *n.* 菊，菊花
【记】词根记忆：chrys（金黄色）+ anth（花）+ emum（名词后缀）→ 金黄色的花 → 菊花
【同】anthology（*n.* 文集）；chrysalis（*n.* 蛹，蚕）

chuckle* [ˈtʃʌkl] *v.* 轻声地笑（to laugh softly in a low tone）
【参】chortle（*v.* 高兴地笑）

churl* [tʃəːl] *n.* 粗鄙之人（a surly, illbred person）
【记】和 church（教堂）一起记：A churl does not fit in a church.（粗鄙之人不宜进教堂。）
【派】churlish（*adj.* 脾气暴躁的）；churlishness（*n.* 粗野）
【反】churlishness 〈〉 complaisance（*n.* 彬彬有礼，殷勤）

cinder* [ˈsində] *n.* 余烬，煤渣（slag from the reduction of metallicores）

cipher [ˈsaifə] *n.* 零（zero）；无影响力的人（nonentity）；密码（a system of secret writing）
【参】decipher（*v.* 破译）；encipher（*v.* 译成密码）

CHROMATIC CHROMOSOME CHRONIC CHRYSANTHEMUM CHUCKLE
CHURL CINDER CIPHER

circuit [ˈsəːkit] *n.* 环行，环行道；线路 (a curving path that forms a complete circle round an area)；电路 (complete path along which an electric current flows)

circuitous* [sə(ː)ˈkju(ː)itəs] *adj.* 迂回的，绕圈子的 (roundabout; indirect; devious)

【记】词根记忆：circu (绕圈) + it (走) + ous → 迂回的，circuit 本身是个单词，意为"圆，电路"

【同】circus (*n.* 马戏团)；circular (*adj.* 圆形的；*n.* 公告)

circulate* [ˈsəːkjuleit] *v.* 循环；流通 (to move around)；发行 (distribute)

【记】词根记忆：circ (圆，环) + ulate → 绕圈走 → 循环

circumference* [səˈkʌmfərəns] *n.* 周围；圆周 (line that marks out a circle)；周长 (the perimeter of a circle)

【记】词根记忆：circum (环绕，周围) + fer (带来) + ence → 带来一圈 → 周长

【同】circumspect (*adj.* 慎重的，仔细的)；circumstance (*n.* 环境，情况)；circumstantial (*adj.* 不重要的；偶然的)

circumlocution* [ˌsəːkəmləˈkjuːʃən] *n.* 迂回累赘的陈述 (a roundabout, lengthy way of expressing sth.)

【记】词根记忆：circum (绕圈) + locu (说话) + tion → 说话绕圈子

【同】loquacious (*adj.* 多话的)；locution (*n.* 说话方式)

【派】circumlocutory (*adj.* 迂回累赘的)

【反】succinctness (*n.* 简洁)

circumscribe [ˈsəːkəmskraib] *v.* 限制 (to restrict; restrain; limit)

【记】词根记忆：circum (绕圈) + scribe (画) → 画地为牢 → 限制

【同】describe (*v.* 描述)；prescribe (*v.* 开处方，规定)

【例】The rules set down by her parents *circumscribed* her activities. (她父母定下的规矩限制了她的行动。)

circumstantial [ˌsəːkəmˈstænʃəl] *adj.* 不重要的，偶然的 (incidental)；描述详细的 (marked by careful attention to detail)

【记】词根记忆：circum (绕圈) + stant (站，立) + ial → 处于周围 → 不重要的

【派】circumstantiality (*n.* 详尽细节；偶然性)

circumvent [ˌsəːkəmˈvent] *v.* 回避 (to bypass)；用计谋战胜或规避 (to get the better of or prevent from happening by craft or ingenuity)

【记】词根记忆：circum (绕圈) + vent (来) → 绕着圈过来 → 回避

【反】confront (*v.* 面临)；direct encounter (直接遭遇)

cistern [ˈsistən] *n.* 贮水池 (a receptacle for holding water)

【记】和 sister (姐妹) 一起记

cite* [sait] *v.* 引用，引述 (to speak or write words taken from a passage)

【记】来自词根：cit (引用；唤起)；如：incite (*v.* 刺激，激励)

【派】citation (*n.* 引用)

CIRCUIT	CIRCUITOUS	CIRCULATE	CIRCUMFERENCE	CIRCUMLOCUTION
CIRCUMSCRIBE	CIRCUMSTANTIAL	CIRCUMVENT	CISTERN	CITE

civil* [ˈsivl] *adj.* 国内的 (relating to the state); 公民的 (relating to the citizens of a country); 文明的 (adequate in courtesy and politeness)

civilian* [siˈviljən] *n.* 平民 (any person not an active member of the armed forces or police)
【记】词根记忆: civil (市民的) + ian → 市民, 平民
【同】civilization (*n.* 文明, 教化)

civility* [siˈviliti] *n.* 彬彬有礼, 斯文 (politeness)
【记】词根记忆: civil (文明的, 市民的) + ity → 彬彬有礼
【反】rudeness (*n.* 无礼)

claim* [kleim] *v.* 要求或索要 (to request sth.); *n.* 声称拥有的权利
【记】claim 作为词根是"叫喊"的意思, 如: exclaim (*v.* 叫喊); reclaim (*v.* 开垦荒地); acclaim (*v.* / *n.* 欢呼)
【反】renounce (*v.* 放弃)

clairvoyance* [kleəˈvɔiəns] *n.* 超人的洞察力 (keen perception or insight)
【记】词根记忆: clair (看作 clear 清楚) + voy (看) + ance → 看清楚 → 洞察力
【同】clairaudience (*n.* 超人的听力); voyage (*n.* 航行, 航海)

clam* [klæm] *n.* 蛤蜊, 蛤肉; 守秘密之人 (a stolid or closemouthed person)

clamor* [ˈklæmə] *n.* 吵闹, 喧哗 (a loud, sustained noise)
【记】词根记忆: clam (喊) + or → 吵闹, 喧哗
【同】proclamation (*n.* 宣言); reclamation (*n.* 回收; 开垦)

clamp [klæmp] *n.* 钳子 (a device for clasping things together); *v.* 钳紧 (to grip, fasten, or brace with a clamp)
【记】和 clam (蛤蜥) 一起记, clamp the clam with a clamp (用钳子夹紧蛤蜥)

clandestine [klænˈdestin] *adj.* 秘密的, 暗中从事的 (surreptitious; furtive; secret)
【记】分拆联想: clan (宗派) + destine (命中注定) → "宗派"和"命定"都有一些"秘密"色彩
【反】open (*adj.* 公开的)
【例】a *clandestine* plan to overthrow the leader (推翻领导的秘密计划)

clannish [ˈklæniʃ] *adj.* 排他的, 门户之见的 (tending to associate closely with one's own group and to avoid others)
【记】词根记忆: clan (宗派, 家族) + nish → 有家族观点的 → 门户之见的

clarify* [ˈklærifai] *v.* 澄清 (to cause sth. to become clear to understand)
【记】词根记忆: clar (清楚, 明白) + ify (…化) → 清楚化, 澄清
【同】clarity (*n.* 清楚); clarion (*adj.* 音高而清晰的)
【派】clarification (*n.* 解释, 澄清)
【反】roil (*v.* 搅浑); obfuscate (*v.* 使模糊)

CIVIL	CIVILIAN	CIVILITY	CLAIM	CLAIRVOYANCE
CLAM	CLAMOR	CLAMP	CLANDESTINE	CLANNISH
CLARIFY				

clash* [klæʃ] *v.* **冲突，撞击** (to collide or strike together with aloud, harsh and metallic noise)
【形】crush (*v.* 压坏，压碎); trash (*n.* 垃圾); crass (*adj.* 愚钝的，粗糙的)

clasp* [klɑːsp] *n.* **钩子，扣子** (device for fastening things); **紧握** (firm hold)

classify* [ˈklæsifai] *v.* **分类，归类** (to arrange or group in classes)
【记】词根记忆：class (种类) + ify → 分出级别 → 分类
【派】classification (*n.* 分类，分类法)

clause* [klɔːz] *n.* **从句；(法律等)条款** (a stipulation in a document)
【记】cause (原因，事业) 中加"l"，有事业必有条款加以限制

clay* [klei] *n.* **黏土** (stiff sticky earth, used of making pottery)

cleft [kleft] *n.* **裂缝** (an opening; crack; crevice); *adj.* **劈开的** (partially split or divided)
【记】分拆联想：c + left (左) → 左边的裂缝像 c 的形状 → 裂缝
【形】theft (*n.* 偷窃); bereft (*adj.* 失去的)

clemency* [ˈklemənsi] *n.* **温和** (mildness, esp. of weather); **仁慈，宽厚** (mercy)
【记】和 cement (*n.* 水泥) 一起记

clement* [ˈklemənt] *adj.* **仁慈的** (lenient; merciful); **温和的** (mild)
【反】ruthlessness (*n.* 无情)

climax* [ˈklaimæks] *n.* **顶点，高潮** (most significant event or point in time; summit, orgasm)
【记】分拆联想：clim (看作 climb) + (m) ax (最大) → 爬到最大值 → 顶点
【派】climactic (*adj.* 高潮的)

clinch* [klintʃ] *v.* **钉牢** (to secure a nail, bolt, etc.); **最后确定** (to settle an argument definitely)
【记】分拆联想：cl + inch (英寸) → 一英寸一英寸地钉牢 → 钉牢
【例】*clinch* a bargin (达成交易); The experiment *clinched* her suspicions. (实验结果证明她的怀疑是对的。)

cling* [kliŋ] *v.* **紧抓住** (to hold on tightly); **舍不得放弃** (to be unwilling to abandon)

clinical [ˈklinikəl] *adj.* **临床的；冷静客观的** (coldly objective)
【记】clinic (医疗诊所) + al → 临床的
【例】He watched her suffering with *clinical* detachment. (他以客观超然的态度观察她的病痛。)

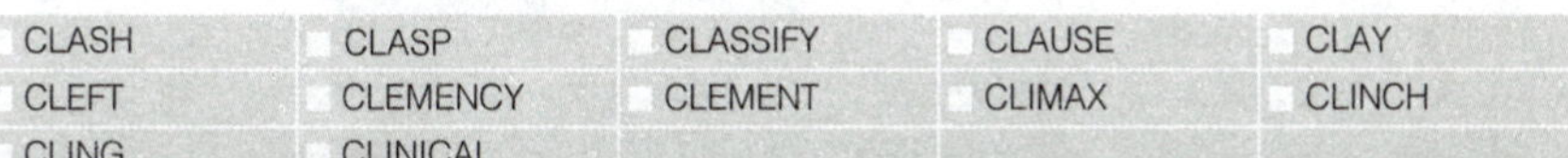

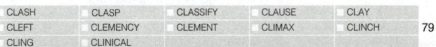

CLASH	CLASP	CLASSIFY	CLAUSE	CLAY
CLEFT	CLEMENCY	CLEMENT	CLIMAX	CLINCH
CLING	CLINICAL			

clip* [klip] *n.* 夹子，别针 (metal devices for holding things together); *v.* 修剪 (to cut sth. with scissors or shears)

clipper [ˈklipə] *n.* 大剪刀；快速帆船 (sailing vessel built for great speed)

clique [kliːk] *n.* 朋党派系，小集团 (snobbish or narrow coterie)

clog [klɔg] *n.* 障碍 (an obstruction); *v.* 阻塞 (to obstruct)
【记】分拆联想：c + log (木头) → 放上木头 → 障碍

cloister* [ˈklɔistə] *n.* 修道院 (monastery or convent; nunnery)
【记】词根记忆：cloist (=close) + er → 幽闭之地 → 修道院
【派】cloistered (*adj.* 隐居的)

closet [ˈklɔzit] *n.* 壁橱 (a small room where clothing and personal objects are kept); *adj.* 秘密的 (closely private)

clot* [klɔt] *n.* 凝块 (a thickened lump formed within a liquid); *v.* 使凝结成块 (to thicken into a clot)
【形】cloy (*v.* 甜得发腻); colt (*n.* 小马；抽打); plot (*n.* 情节；阴谋); slot (*n.* 狭缝；投币口)

cloture* [ˈkləutʃə] *n.* 辩论的终结 (the closing or limitation of debate in a legislative body esp. by calling for a vote)
【记】closure (*n.* 关闭) 的变体

cloudburst* [ˈklaudbəːst] *n.* 大暴雨，豪雨 (a sudden, very heavy rain)
【记】组合词：cloud (云) + burst (爆裂) → 乌云爆裂，要下暴雨

clout* [klaut] *n.* 用手猛击 (heavy blow with the hand); 权力，影响力 (power; influence)
【记】和 cloud 一起记，像云遮住太阳 → 有影响力
【反】impuissance (*n.* 无权力，无能)

clown [klaun] *n.* 小丑 (comic entertainer); *v.* 扮小丑 (to act stupidly; play the fool)

cloying* [ˈklɔiiŋ] *adj.* 甜得发腻的 (too much of sweetness)

clumsy* [ˈklʌmzi] *adj.* 笨拙的 (lacking grace; awkward); 拙劣的 (ill-constructed)

cluster [ˈklʌstə] *n.* 串，束，群；*v.* 成群，成串 (to gather or grow in a cluster or clusters)
【记】词根记忆：clust (=clot 凝成块) + er → 凝块 → 成群

coagulant* [kəuˈægjulənt] *n.* 凝结剂；凝血剂 (sth. that produces coagulation)

coagulate [kəuˈægjuleit] *v.* 使凝结 (to curdle; clot)
【记】词根记忆：co (一起) + ag (做) + ulate → 做到一起 → 凝结，合并
【同】coagent (*n.* 合作者)

coalesce* [ˌkəuəˈles] *v.* 联合，合并 (to unite or merge into a single body; mix)
【记】词根记忆：co + al (=ally 联盟) + esce → 一起联盟 → 联合
【反】disaggregate (*v.* 分散); bifurcate (*v.* 分叉); fragment (*v.* 分裂)

CLIP	CLIPPER	CLIQUE	CLOG	CLOISTER	CLOSET
CLOT	CLOTURE	CLOUDBURST	CLOUT	CLOWN	CLOYING
CLUMSY	CLUSTER	COAGULANT	COAGULATE	COALESCE	

【例】The three old parties *coalesced* to form a new one.（三个旧党合并成一个新党。）

coalition [ˌkəuəˈliʃən] *n.* 结合，联合（a combination; union; alliance）

coarse* [kɔːs] *adj.* 粗糙的；低劣的（of low quality）；粗俗的（not refined）

【形】hoarse（*adj.* 嗓子沙哑的）；course（*n.* 课程，道路）

【反】fastidious（*adj.* 过分讲究的）

coarsen* [ˈkɔːsn] *v.* 使某物变粗糙（to cause sth. to become coarse）

coax* [kəuks] *v.* 哄诱，巧言劝诱（to induce; persuade by soothing words; wheedle）

【记】分拆联想：co（看作 coal 煤）+ ax（斧子）→ 送你煤和斧子让你上当 → 哄诱

【形】hoax（*v.* 欺骗）；coaxal（*adj.* 同轴的）

cob* [kɔb] *n.* 玉米棒子；雄天鹅（male swan）

【记】和 job 一起记，to have a job in order to get a cob（为得到玉米［粮食］而工作）；发音记忆："考博" → 考上博士，一飞上天，成为天鹅

cobbler [ˈkɔblə] *n.* 补鞋匠（someone who repairs shoes）

【形】cobble（*n.* 圆石块，鹅卵石）；coddle（*v.* 娇养，溺爱）

cocoon* [kəˈkuːn] *n.* 茧（silky covering made by an insect larva）

【记】分拆联想：coco（椰子树）+ on → 椰子和茧一个形状 → 茧

【参】其他一些以 oon 结尾的单词：cartoon（*n.* 漫画）；lampoon（*v.* 讽刺）；balloon（*n.* 气球）

coda* [ˈkəudə] *n.* 乐曲的尾声（final passage of a piece of music）

【反】prelude（*n.* 序曲）

coddle* [ˈkɔdl] *v.* 溺爱（pamper）；悉心照料（to treat with great care and tenderness）

【例】He'll need to be *coddled* after his illness.（病后他需要悉心照料。）

code* [kəud] *n.* 密码；法典；*v.* 将某事物编写成密码（to put in or into the form or symbols of a code）

codify* [ˈkɔdifai] *v.* 将法律、规则等编成法典（to arrange laws, rules systematically into a code）

【派】codification（*n.* 编纂，整理）

coerce* [kəuˈəːs] *v.* 强迫（to force or compel to do sth.）；压制（to restrain or constrain by force）

【记】发音记忆："可扼死" → 可以扼死 → 压制

coercion* [kəuˈəːʃən] *n.* 强制，高压统治（the act, process, or power of coercing）

coeval* [kəuˈiːvəl] *adj.* 同年代的（existing at the same time）

【记】词根记忆：co（共同）+ ev（时代）+ al → 同年代的

【同】medieval（*adj.* 中世纪的）；longevity（*n.* 长寿）

COALITION	COARSE	COARSEN	COAX	COB
COBBLER	COCOON	CODA	CODDLE	CODE
CODIFY	COERCE	COERCION	COEVAL	

cogent* [ˈkəudʒənt] *adj.* 有说服力的（compelling; convincing; valid）
【记】分拆联想：cog（齿轮牙）+ ent → 像齿轮咬合一样严谨 → 有说服力的
【派】cogency（*n.* 说服力，中肯）
【形】coagent（*n.* 合作者）
【例】The defense attorney's *cogent* argument was persuasive.（辩护律师的有力论据很有说服力。）

cogitate* [ˈkɔdʒiteit] *v.* 慎重思考，思索（to think seriously and deeply; ponder; meditate）
【记】和 cogent（*adj.* 有说服力的）一起记，Something which is cogent must be cogitated.（有说服力的东西总是经过慎重思考的。）
【派】cogitation（*n.* 思考，苦思）

cognizance [ˈkɔgnizəns] *n.* 认识，察识（notice, acknowledgement）；知识（knowledge, awareness）
【记】词根记忆：cogn（知道）+ izance → 认识

cognizant [ˈkɔgnizənt] *adj.* 知道的，认识的（having knowledge of sth.）
【反】oblivious（*adj.* 遗忘的）

cohabit* [kəuˈhæbit] *v.* 共栖（to live together）
【记】词根记忆：co（共同）+ habit（居住）→ 共栖
【同】habitat（*n.* 动物栖息地）；inhabitant（*n.* 居民）

coherent* [kəuˈhiərənt] *adj.* 连贯的，一致的（consistent; clearly articulated）
【记】词根记忆：co + her（粘连）+ ent → 粘连在一起 → 连贯的，一致的

cohesion [kəuˈhiːʒən] *n.* 内聚力；凝聚力（tendency to stick together）

cohesive [kəuˈhiːsiv] *adj.* 凝聚的（sticking together）
【记】词根记忆：co + hes（粘着）+ ive → 有粘合力的 → 凝聚的

coincide* [ˌkəuinˈsaid] *v.* 巧合（to occur at the same time）；一致（to correspond exactly）
【记】词根记忆：co + in + cide（落下）→ 共同落下 → 巧合
【派】coincidence（*n.* 巧合之事）；coincident（*adj.* 巧合的）

colander* [ˈkʌləndə(r)] *n.* 滤器，漏勺（a perforated pan）
【形】calendar（*n.* 历法，日历）；cylinder（*n.* 圆筒）

cold-blooded* [ˈkəuldˈblʌdid] *adj.* [生]冷血的；残酷的（without pity）

collaborate [kəˈlæbəreit] *v.* 合作，协作（to work together with sb.）；通敌（to help enemy occupying one's country）
【记】词根记忆：col（共同）+ labor（劳动）+ ate → 共同劳动 → 合作
【派】collaboration（*n.* 合作；通敌）；collaborative（*adj.* 合作的，协作的）；collaborator（*n.* 合作者）

collage* [kəˈlɑːʒ] *n.* 拼贴画（an artistic composition made of various materials）
【形】college（*n.* 学院）；collate（*v.* 校对）

COGENT	COGITATE	COGNIZANCE	COGNIZANT	COHABIT
COHERENT	COHESION	COHESIVE	COINCIDE	COLANDER
COLD-BLOODED	COLLABORATE	COLLAGE		

collapse* [kəˈlæps] *v.* 坍塌，塌陷 (to break into pieces and fall down suddenly)；虚脱，晕倒 (to become unconscious)

【记】词根记忆：col + lapse (滑倒) → 全部滑倒 → 倒塌

【同】elapse (*v.* 时间流逝)；lapse (*v.* / *n.* 失误)；relapse (*v.* 旧病复发)

collar* [ˈkɔlə] *n.* 衣领 (band round the neck of a shirt)；戴在动物颈部的项圈

【形】dollar (*n.* 美元)；cellar (*n.* 地窖)

collate* [kɔˈleit] *v.* 对照，核对 (to compare critically in order to consolidate)

【记】词根记忆：col (共同) + late (放) → 放到一起 → 核对

【同】translate (*v.* 翻译)

【派】collation (*n.* 校勘，整理)

collateral* [kəˈlætərəl] *adj.* 平行的 (side by side; parallel)；旁系的 (subordinate)；*n.* 担保品 (property [as securities] pledged by a borrower to protect the interests of the lender)

【记】词根记忆：col + later (边缘) + al → 共同的边 → 平行的

【同】bilateral (*adj.* 双边的)；equilateral (*adj.* 等边的)

collected [kəˈlektid] *adj.* 泰然自若的 (composed; calm; self-possessed)

【例】She always stays cool, calm and *collected* in a crisis. (面对危机，她总是冷静而沉着。)

collection* [kəˈlekʃən] *n.* 收藏品 (group of objects that have been collected)

【记】来自 collect (*v.* 收集)

collision* [kəˈliʒən] *n.* 碰撞，冲突 (an act or instance of colliding)

【形】collusion (*n.* 串通，勾结)

colloquial* [kəˈləukwiəl] *adj.* 口语的，口头的 (conversational)

【记】词根记忆：col + loqu (说) + ial → 两人一起说 → 口语会话的

【同】loquacious (*adj.* 饶舌的)；soliloquy (*n.* 独白)

colloquium [kəˈləukwiəm] *n.* 学术讨论会 (an organized conference or seminar on some subject)

【记】词根记忆：col + loqu (说) + ium → 大家一起说 → 学术讨论会

collude [kəˈluːd] *v.* 串通，共谋 (to act in conspire)

【记】词根记忆：col + lude (玩弄) → 共同玩弄 → 串通

【同】ludicrous (*adj.* 荒谬可笑的)

COLLAPSE	COLLAR	COLLATE	COLLATERAL	COLLECTED
COLLECTION	COLLISION	COLLOQUIAL	COLLOQUIUM	COLLUDE

colon* [kəu'lən] *n.* 冒号(punctuation mark〔:〕)

colonize* ['kɔlənaiz] *v.* 建立殖民地(to establish a colony in an area)
【派】colonization(*n.* 殖民地化)

colonnade [ˌkɔlə'neid] *n.* 柱廊(a series of columns supporting a roof structure)

colony* ['kɔləni] *n.* 菌群 (a group of the same kind of one-celled organisms living or growing together); 殖民地

coloration* [ˌkʌlə'reiʃən] *n.* 着色法，染色法(the method of dying); 颜色，色泽(color)
【反】uniform coloration(上单色)〈〉variegation(*n.* 上杂色)

colossal [kə'lɔsl] *adj.* 巨大的，庞大的 (like a colossus in size; huge; gigantic)

colossus* [kə'lɔsəs] *n.* 巨人 (any important person or thing); 巨型雕像(a gigantic statue)

coltish* ['kəultiʃ] *adj.* 似小马的; 不受拘束的(frisky; frolicsome)
【记】词根记忆: colt(小马)+ish→似小马的

coma* ['kəumə] *n.* 昏迷状态(deep, prolonged unconsciousness)

comatose ['kəumətəus] *adj.* 昏迷的(unconscious; torpid)
【例】Eventually, the *comatose* patient revived. (昏迷的病人最终醒了过来。)

combat ['kɔmbət] *n.* / *v.* 格斗，搏斗(to fight between two people, armies)
【记】词根记忆: com(共同)+bat(打，击)→共同打→战斗
【同】baton(*n.* 警棍); acrobat(*n.* 杂技演员)
【派】combatant(*n.* 参战者，战士); combative(*adj.* 斗志旺盛的)

combustible* [kəm'bʌstəbl] *adj.* 易燃的 (flammable); 易激动的 (easily aroused)
【记】词根记忆: com+bust(燃烧)+ible→易燃的
【同】blockbuster(*n.* 巨型炸弹)

comedienne* [kəˌmiːdi'en] *n.* 说笑话、演滑稽剧等的女演员(a woman who is a comedian)
【记】来自 comedy(喜剧)+enne(女人)→说笑话的女演员

comely* ['kʌmli] *adj.* 动人的，美丽的(pleasant to look at; attractive)
【记】分拆联想: come(来)+ly→可来到身边之人→动人的
【派】comeliness(*n.* 美丽动人)
【反】unattractive(*adj.* 没有吸引力的)
【例】a *comely* young woman(动人的年轻女郎)

comic* ['kɔmik] *adj.* 可笑的; 喜剧的 (using comedy); *n.* 喜剧演员(comedian)
【记】词根记忆: com(宴会)+ic→喜剧的

comity ['kɔmiti] *n.* 礼让，礼仪(courtesy; civility)
【记】分拆联想: com(看作come)+ity→来的都是客→礼让，礼仪

COLON	COLONIZE	COLONNADE	COLONY	COLORATION	COLOSSAL
COLOSSUS	COLTISH	COMA	COMATOSE	COMBAT	COMBUSTIBLE
COMEDIENNE	COMELY	COMIC	COMITY		

comma* [ˈkɔmə] *n.* 逗号 (punctuation mark〔,〕to indicate a light pause)

commemorate* [kəˈmeməreit] *v.* 纪念(伟人、大事件等) (to call to remembrance)
【记】词根记忆：com(共同)+memor(记住)+ate → 大家一起记住 → 纪念
【同】memory (*n.* 记忆); immemorial (*adj.* 远古的)

commence* [kəˈmens] *v.* 开始，着手 (to begin; start; originate)
【记】词根记忆：com (共同)+mence (说，做) → 一起说，做 → 开始，倡导

commencement* [kəˈmensmənt] *n.* 开始；(大学的)毕业典礼 (the ceremony at which degrees or diplomas are conferred at a school or college)
【反】cessation (*n.* 停止); matriculation (*n.* 录取入学)

commensurate* [kəˈmenʃərit] *adj.* 同样大小的 (equal in measure); 相称的 (proportionate)
【记】词根记忆：com+mensur(测量)+ate → 测量相同 → 相称的
【例】What you receive will be *commensurate* with what you give. (你付出多少就能得到多少。)
【反】preponderant (*adj.* 占优势的)

commentary [ˈkɔməntəri] *n.* 实况报道 (spoken description of an event as it happens); (对书等的)集注 (set of explanatory notes on a book)
【记】来自 comment(评论)+ary → 集注

commingle* [kɔˈmiŋgl] *v.* 掺和，混合 (to mix up)
【记】词根记忆：com (共同)+mingle (结合，混合) → 掺和，混合；注意 mingle 本身是一个单词

commission [kəˈmiʃən] *n.* 委托 (piece of work given to sb. to do); 佣金 (payment to sb. for selling goods)
【记】词根记忆：com+miss(送，放出)+ion → 共同送出 → 委托
【同】mission (*n.* 使命); remission (*n.* 免除)

commit [kəˈmit] *v.* 托付 (to consign); 承诺 (to bind or obligate); 犯罪 (to perpetrate)
【记】词根记忆：com+mit(送) → 一起送给 → 把…交托给，托付
【例】to *commit* a child to the care of a nursery (把孩子托付给托儿所照料)

committed* [kəˈmitid] *adj.* (对事业、本职工作等)尽忠的 (devoted to a cause)
【反】ambivalent (*adj.* 不定的)

commodious* [kəˈməudiəs] *adj.* 宽敞的 (offering plenty of room; spacious; roomy)
【记】词根记忆：com+mod (=code 方式，范围)+ious → 大的范围 → 宽敞的
【形】commodity (*n.* 商品); accommodation (*n.* 适应，膳食)
【反】cramped/constricted (*adj.* 狭窄的)

commodious

COMMA	COMMEMORATE	COMMENCE	COMMENCEMENT	COMMENSURATE
COMMENTARY	COMMINGLE	COMMISSION	COMMIT	COMMITTED
COMMODIOUS				

commodity [kəˈmɔditi] *n.* 商品 (any article of commerce)
【记】词根记忆: com + mod (方式, 范围) + ity → 各种各样的东西 → 商品

commonplace* [ˈkɔmənpleis] *adj.* 平常的 (ordinary; not interesting)
【记】组合词: common (普通) + place (地方) → 普通地方 → 平常的
【例】He's not at all exciting, in fact he's really rather *commonplace*. (他一点儿都不让人激动, 事实上他相当平庸。)
【反】inimitable (*adj.* 独特的)

commonwealth [ˈkɔmənwelθ] *n.* 共和国, 联邦 (an organization of independent states)
【记】组合词: common (共同的) + wealth (财产) → 共和国

commotion* [kəˈməuʃən] *n.* 骚动, 动乱 (violent motion; turbulence)
【记】词根记忆: com (共同) + mot (动) + ion → 大家动 → 动乱
【同】motivation (*n.* 动机); promotion (*n.* 提升, 增加)
【反】tranquillity (*n.* 宁静)

communal [ˈkɔmjunl] *adj.* 全体共用的, 共享的 (held in common)
【记】词根记忆: com + mun (公共) + al → 公共的 → 全体共用的, 共享的

commune [kəˈmjuːn] *n.* 公社 (a group of people who work as a team); *v.* 与某人亲密地交谈 (to communicate intimately)
【记】词根记忆: com + mun (公共) + e → 公社

communicate* [kəˈmjuːnikeit] *v.* 传送信息, 沟通 (to make sth. known)
【记】词根记忆: com + mun (公共) + ic + ate → 说共同的话题 → 交流, 沟通
【派】communication (*n.* 传递, 传播)

commute* [kəˈmjuːt] *v.* 交换 (to change or exchange); 坐公交车上下班 (to travel from home to work and back in a bus)
【记】词根记忆: com (共同) + mut (改变) + e → 一起改变 → 交换
【同】mutation (*n.* 突变); immutable (*adj.* 不可变的)

compact* [ˈkɔmpækt] *adj.* 结实的 (dense; solid); 简洁的 (not diffuse or wordy); *n.* 合同, 协议 (an agreement or covenant between two or more parties)
【记】词根记忆: com + pact (打包, 压紧) → 一起压紧 → 结实的, 注意 pact 本身是一个单词

companion [kəmˈpænjən] *n.* 同伴, 同伙 (comrade; mate); 受雇的陪伴人
【记】来自 company (*n.* 一群朋友, 公司)

comparison* [kəmˈpærisn] *n.* 比较, 对照; 比喻 (act of comparing)
【记】来自 compare (*v.* 比较)

COMMODITY	COMMONPLACE	COMMONWEALTH	COMMOTION	COMMUNAL
COMMUNE	COMMUNICATE	COMMUTE	COMPACT	COMPANION
COMPARISON				

compartment [kəm'pɑːtmənt] *n.* 隔间 (one of the parts into which an enclosed space is divided); 车厢 (one of the parts into which an enclosed space is divided)

【记】词根记忆: com + part (部分) + ment → 一个空间分成几个部分 → 隔间

compass* ['kʌmpəs] *n.* 指南针, 罗盘; 界限, 范围 (scope; range)

【记】词根记忆: com (共同) + pass (通过) → 共同通过的地方 → 边界, 界限

compassion* [kəm'pæʃən] *n.* 同情, 怜悯 (sorrow for the sufferings or trouble of others)

【记】词根记忆: com + pass (感情) + ion → 共同的感情 → 同情

【同】dispassionate (*adj.* 心平气和的); impassive (*adj.* 冷淡的)

【反】indifference (*n.* 不关心)

compatible* [kəm'pætəbl] *adj.* 和谐共处的, 相容的 (capable of living together harmoniously)

【记】词根记忆: com + pat (=path 感情) + ible → 有共同感情的 → 相容的

【派】compatibility (*n.* 和谐共处, 不矛盾)

compatriot [kəm'pætriət] *n.* 同胞, 同国人 (person who was born in the same country)

【记】词根记忆: com (共同) + patriot (爱国者) → 共同热爱祖国的人 → 同胞

compel* [kəm'pel] *v.* 强迫 (to force or constrain)

【记】词根记忆: com + pel (推) → 一再推 → 强迫

【同】repel (*v.* 打退); expel (*v.* 开除)

compelling* [kəm'peliŋ] *adj.* 引起兴趣的 (keenly interesting; captivating)

【例】a *compelling* story (引人入胜的故事)

compendium* [kəm'pendiəm] *n.* 简要, 概略 (a summary or abstract)

【记】词根记忆: com + pend (挂) + ium → 挂在一起 → 概要

【同】append (*v.* 附加); depend (*v.* 依靠); compendious (*adj.* 简洁的, 简要的)

compensate* ['kɔmpənseit] *v.* 补偿, 赔偿 (to make equivalent return to; recompense)

【记】词根记忆: com + pens (挂; 花费) + ate → 全部给予花费 → 赔偿

【同】expense (*n.* 支出); dispense (*v.* 分发, 分配)

【派】compensation (*n.* 补偿, 报偿)

competence* ['kɔmpətəns] *n.* 胜任, 能力 (the quality or state of being competent)

【记】compete (竞争) + nce → 竞争需要能力 → 能力

【派】competent (*adj.* 能干的)

compile* [kəm'pail] *v.* 汇集 (to gather and put together); 编辑 (to compose of materials gathered from various sources)

【记】词根记忆: com + pile (堆) → 堆积一起 → 汇集

If you would go up high, then use your own legs! Do not let yourselves carried aloft; do not seat yourselves on other people's backs and heads.

如果你想要走到高处,就要使用自己的两条腿! 不要让别人把你抬到高处;不要坐在别人的背上和头上。

——德国哲学家 尼采(F. W. Nietzsche, German philosopher)

Word List 8

complacency* [kəmˈpleisənsi] n. 满足，安心 (self-satisfaction)
【记】词根记忆：com + plac (平静，满足) + ency → 满足，安心
【反】anxiety (n. 焦虑)

complaisance* [kəmˈpleizəns] n. 彬彬有礼，殷勤，柔顺 (willingness to do what pleases others)
【记】分拆联想：com (共同) + plais (看作是 please 使喜欢) + ance → 彬彬有礼才能使大家喜欢 → 彬彬有礼

complaisant* [kəmˈpleizənt] adj. 顺从的，讨好的 (affably agreeable; obliging)
【反】churlish (adj. 粗野的); obdurate (adj. 固执的)

complementary [kɔmpləˈmentəri] adj. 互补的 (combining well to form a whole)
【记】来自 complement (n. 补充物)

compliant* [kəmˈplaiənt] adj. 服从的，顺从的 (complying; yielding; submissive)
【记】词根记忆：来自 comply (v. 顺从)
【同】pliant (adj. 柔顺的); suppliant (adj. 恳求的)

complicate* [ˈkɔmplikeit] v. 使某事复杂化 (to make sth. more difficult to do)
【记】词根记忆：com (全部) + plic (重叠) + ate → 全部重叠起来 → 弄复杂
【派】complicated (adj. 复杂的); complication (n. 复杂的情况)

compliment* [ˈkɔmplimənt] n. / v. 恭维，称赞 (praise; flattery)
【派】complimentary (adj. 赞赏的)
【形】complement (v. 补充); implement (n. 工具; v. 实现)
【反】complimentary → scathing (adj. 尖刻的); vituperative (adj. 辱骂的)

component* [kəmˈpəunənt] n. 成分，零部件 (any of the parts of which sth. is made)
【记】词根记忆：com (共同) + pon (放) + ent → 放到一起 (的东西) → 成分
【反】disconnected components (不相关的元素) 〈〉 nexus (n. 连接)

COMPLACENCY	COMPLAISANCE	COMPLAISANT	COMPLEMENTARY	COMPLIANT
COMPLICATE	COMPLIMENT	COMPONENT		

compose* [kəm'pəuz] v. 写，创作 （to write 〔music opera, etc.〕）；组成（to form a whole）

【记】词根记忆：com（一起）+ pose（放）→ 放到一起 → 组成

【派】composition（n. 作品）；composite（adj. 混合成的；n. 合成物）

composed* [kəm'pəuzd] adj. 镇定的，沉着的（tranquil；self-possessed）

【反】distraught（adj. 发狂的）

compost ['kɔmpɔst] n. 混合肥料（mixture of decayed organic matter）

composure* [kəm'pəuʒə] n. 镇静，沉着；自若（tranquillity；equanimity）

【记】词根记忆：com + pos（放）+ ure（状态）→ 放着不动 → 沉着

compound* ['kɔmpaund] n. 复合物（thing made up of separate things）；v. 掺和（to mix sth. together）

【记】词根记忆：com + pound（放）→ 放到一起 → 掺和

【反】separate（v. 分开）

comprehend* [ˌkɔmpri'hend] v. 理解 （to understand sth. fully）；包括（to include）

【记】词根记忆：com（全部）+ prehend（抓住）→ 全部抓住 → 包括；理解

comprehensible* [ˌkɔmpri'hensəbl] adj. 能充分理解的 （that can be understood fully）

【反】hermetic（adj. 深奥的）

comprehensive* [ˌkɔmpri'hensiv] adj. 全面的，综合的 （dealing with all of the relevant details；inclusive）

【记】来自 comprehend （包括，理解）+ sive → 包罗万象 → 综合的，全面的

【同】prehensile（adj. 适于抓住的）；apprehensive（adj. 担忧的）

compress* [kəm'pres] v. 压缩，浓缩（to press together；contract）

【记】词根记忆：com + press（压）→ 全部压 → 压缩

【同】depression（n. 压抑；萧条）；suppress（v. 镇压）

【派】compression（n. 压缩）

【反】compression → distention（n. 膨胀）；increase in volume（增大体积）

compromise* ['kɔmprəmaiz] v. 妥协 （to settle by concessions）；危害 （to lay open to danger or disrepute）

【记】词根记忆：com + promise（保证）→ 相互保证 → 妥协；尤其要注意"危害"一意

【例】Their conclusion was different so they *compromised*.（他们得出的结论不同，所以他们折中了一下。）

【反】open to compromise（寻求和解的）〈〉intransigent（adj. 不妥协的）

compulsion [kəm'pʌlʃ（ə）n] n. 强迫（that which compels）；难以抗拒的冲动（an irresistible, irrational impulse to perform some act）

COMPOSE	COMPOSED	COMPOST	COMPOSURE	COMPOUND
COMPREHEND	COMPREHENSIBLE	COMPREHENSIVE	COMPRESS	COMPROMISE
COMPULSION				

【记】词根记忆：com＋puls（推，冲）＋ion→一起推→冲动，压力

【同】repulse（*v.* 反击，击退）；repulsive（*adj.* 排斥的）

compunction [kəm'pʌŋkʃ(ə)n] *n.* **懊悔，良心不安**（a sense of guilt；remorse；penitence）

【记】词根记忆：com＋punct（刺，点）＋ion→（心）不断被刺→良心不安

【同】punctual（*adj.* 准时的）；acupuncture（*n.* 针灸）

【反】absence of misgiving（没有疑惧）

concatenate* [kɔn'kætineit] *v.* **连结；连锁**（to link together）

【记】词根记忆：con＋caten（铁链）＋ate→由一根铁链穿着→连锁

【派】concatenation（*n.* 连结，一连串）

【反】separate（*v.* 分开）

concave* [kɔn'keiv] *adj.* **凹的**（hollow and curved like the inside of a bowl）

【记】词根记忆：con＋cave（空；洞）→洞是凹进去的→凹的

【反】convex（*adj.* 凸出的）

conceal* [kən'siːl] *v.* **隐藏，隐瞒**（to hide；keep from being seen）

【反】evince（*v.* 表明）；unearth（*v.* 发现）

concede* [kən'siːd] *v.* **承认（为正确）**（to admit as true or valid）；**让步**（to make a concession）

【记】词根记忆：con＋cede（割让）→让出去→让步

【参】cede（*v.* 割让，放弃）

【派】concession（*n.* 让步；特许权）

【反】refuse to grant（拒绝承认）

conceit* [kən'siːt] *n.* **自负，自大**（an exaggerated opinion of oneself；vanity）

【记】词根记忆：con＋ceit（=ceive 拿）→拿架子→自负

【形】deceit（*n.* 欺骗）

【派】conceited（*adj.* 自负的，自高自大的）

conceive* [kən'siːv] *v.* **想象，构想**（to imagine）；**怀孕**（to become pregnant）

【记】词根记忆：con（共同）＋ceive（抓）→一起抓（思想）→构想

【同】perceive（*v.* 知觉）；receive（*v.* 收到）

【派】conceivable（*adj.* 想象得出的；可信的）

concentrate* ['kɔnsəntreit] *v.* **聚集，浓缩**（to bring into one main body）

【记】词根记忆：con＋centr（中心）＋ate→集中，聚集

【反】deploy（*v.* 散开）；dilute（*v.* 稀释）；rarefy（*v.* 稀释）

conception [kən'sepʃən] *n.* **概念**（a general idea）

【记】词根记忆：concept（概念）＋ion→概念，构思

concerto* [kən'tʃəːtəu] *n.* **协奏曲**（a musical composition）

【记】分拆联想：concert（音乐会）＋o→协奏曲

COMPUNCTION	CONCATENATE	CONCAVE	CONCEAL	CONCEDE
CONCEIT	CONCEIVE	CONCENTRATE	CONCEPTION	CONCERTO

concession* [kən'seʃən] *n.* 让步 (the act of conceding)
【记】来自 concede (*v.* 让步)

conciliate* [kən'silieit] *v.* 安抚，驯服 (to soothe the anger of; placate); 调和 (to reconcile; pacify)
【记】词根记忆：concil (=council 协商) + iate → 协商 (解决) → 调和
【派】conciliation (*n.* 安慰，安抚)
【反】vex (*v.* 使烦恼)

conciliatory [kən'siliətəri] *adj.* 抚慰的，调和的 (intended or likely to conciliate)
【记】来自 conciliate (*v.* 调和，安慰)
【反】polemical (*adj.* 争论的)

concise* [kən'sais] *adj.* 简洁的 (brief)
【记】词根记忆：con + cise (切掉) → 把 (多余的) 全部切掉 → 简洁的
【派】concision (*n.* 简明，简洁); conciseness (*n.* 简明)
【反】conciseness 〈〉 prolixity (*n.* 冗长)

conclave ['kɔŋkleiv] *n.* 秘密会议 (private secret meeting)
【记】分拆联想：con (共同) + clave (把 l 去掉变成 cave 洞) → 大家进洞开会，把 l 留在门外把守 → 秘密会议

conclusive [kən'klu:siv] *adj.* 最后的，结论的 (of, relating to, or being a conclusion); 确凿的，消除怀疑的 (convincing)
【记】来自 conclude (*v.* 结束), con + clud (关闭) + e → 闭幕，结束

concomitant [kən'kɔmitənt] *adj.* 伴随而来的 (accompanying; attendant)
【记】分拆联想：con (共同) + com (看作 come) + itant → 一起来 → 伴随而来的
【参】comity (*n.* 礼貌，礼节); comely (*adj.* 标致的，秀丽的)

concord* ['kɔŋkɔ:d] *n.* 公约 (agreement); 和睦 (friendly and peaceful relations)
【记】词根记忆：con + cord (心，一致) → 同心 → 和睦
【同】discordant (*adj.* 不和谐的); accord (*v.* 一致，调和)
【反】dissonance (*n.* 不和谐); dissension (*n.* 分歧)

concrete* ['kɔnkri:t] *adj.* 具体存在的 (existing in material form); *n.* 混凝土 (a hard strong building material)
【记】词根记忆：con (共同) + cre (产生) + te → 共同产生 → 具体存在的
【反】conceptual (*adj.* 概念的)

concur* [kən'kə:] *v.* 意见相同，一致 (to agree; to have the same opinion)
【记】词根记忆：con (共同) + cur (跑) → 一起跑 → 同意，一致

CONCESSION	CONCILIATE	CONCILIATORY	CONCISE	CONCLAVE
CONCLUSIVE	CONCOMITANT	CONCORD	CONCRETE	CONCUR

concussion [kən'kʌʃən] *n.* 脑震荡；强烈震动 (a violent shaking)
【记】词根记忆：con+cuss (震动) + ion → 震荡
【同】percussion (*n.* 撞击，震动)；discussion (*n.* 讨论)

condemn* [kən'dem] *v.* 极力谴责 (to disapprove of strongly)；判刑 (to inflict a penalty upon)
【记】词根记忆：con + demn (=damn 诅咒) → 一再诅咒 → 极力谴责
【同】damnify (*v.* 损害)；indemnify (*v.* 赔偿，补偿)
【派】condemnation (*n.* 谴责，定罪)
【反】countenance (*n.* 支持)；condemnation 〈〉 approbation (*n.* 认可)

condense* [kən'dens] *v.* 浓缩 (to cause sth. to become thicker)
【记】词根记忆：con + dense (浓密) → 浓缩
【派】condensation (*n.* 浓缩，凝结)
【反】rarefy (*v.* 稀释)；rarefaction (*n.* 稀薄) → condensation (*n.* 浓缩)

condescend* [ˌkɔndi'send] *v.* 轻慢，怀着优越态度对待人 (to deal with people in a patronizingly superior manner)
【记】词根记忆：con + de + scend (爬) → 向下爬 → 俯就
【同】descend (*v.* 下降)；ascend (*v.* 上升)
【派】condescension (*n.* 屈尊，贬低)；condescending (*adj.* 高傲的，带着很强优越感的)

condone* [kən'dəun] *v.* 宽恕，原谅 (to treat an offence as if it were not serious)
【记】词根记忆：con (共同) + done (给予) → 全部给予 → 大度，宽容 → 宽恕
【同】donate (*v.* 捐赠)；pardon (*v.* 原谅)
【反】denounce (*v.* 谴责)

conducive [kən'djuːsiv] *adj.* 有助于…的 (that contributes or leading to)
【例】Plenty of exercise is *conducive* to good health. (锻炼有助于健康。)

conduct* ['kɔndʌkt] *n.* 品德，行为 (a person's behavior)；[kən'dʌkt] *v.* 领导，引导 (to lead or guide)
【记】词根记忆：con + duct (引导，带来) → 领导，引导

conduit ['kɔndit] *n.* 渠道，引水道；水管 (a large pipe for fluids)
【记】词根记忆：con + duit (=duce 引导) → 引水道

cone* [kəun] *n.* 松果；圆锥体 (solid body that narrows to a point from a circular flat base)
【参】conifer (*n.* 松类树木)

confection* [kən'fekʃən] *n.* 甜食，糖果 (any kind of candy or other sweet preparation)
【记】词根记忆：con + fect (做) + ion → 大家一起做的 (食品) → 甜食
【形】infection (*n.* 感染)；affection (*n.* 感情)；perfection (*n.* 完美)

CONCUSSION	CONDEMN	CONDENSE	CONDESCEND	CONDONE
CONDUCIVE	CONDUCT	CONDUIT	CONE	CONFECTION

confederacy* [kən'fedərəsi] *n.* 联盟或同盟 (alliance)
【记】词根记忆：con + feder (联盟) + acy → 联盟
【同】federal (*adj.* 联邦的)

confer* [kən'fəː] *v.* 讨论，商谈 (to have discussions)；赠与 (to reward to)
【记】词根记忆：con (共同) + fer (带来，拿来) → 共同带来观点 → 协商

conference ['kɔnfərəns] *n.* 讨论会，协商会 (meeting for exchange of views)

confess* [kən'fes] *v.* 承认，供认 (to admit that one has done wrong)
【记】词根记忆：con (全部) + fess (说) → 全部说出 → 坦白
【同】profess (*v.* 声称，讲授)；professor (*n.* 教授)
【派】confession (*n.* 自白，招供)

confide* [kən'faid] *v.* 吐露；倾诉 (to show confidence by imparting secrets)
【记】词根记忆：con + fide (相信) → 相信别人 → 吐露
【同】fidelity (*n.* 忠实，忠贞)；perfidy (*n.* 背信)

confidence* ['kɔnfidəns] *n.* 信任，自信，信心 (a feeling or consciousness of one's powers or of reliance on one's circumstances)

confidential* [kɔnfi'denʃəl] *adj.* 机密的 (kept secret)
【记】confident (相信) + ial → 亲信才知道 → 机密的
【派】confidentiality (*n.* 机密)

configuration [kənˌfigju'reiʃən] *n.* 结构，配置 (arrangement of parts; form)；轮廓 (contour; outline)
【记】来自 configure (*v.* 配置，使成型)，con + figure (形状) → 使成型
【同】figurative (*adj.* 比喻的)；figurehead (*n.* 傀儡领袖)

confine* [kən'fain] *v.* 限制，禁闭 (to keep a person or an animal in a restricted space; restrain)
【记】词根记忆：con (加强) + fine (限制) → 限制，禁闭
【派】confined (*adj.* 狭窄的，受限制的)；confinement (*n.* 限制，监禁)

confirm* [kən'fəːm] *v.* 证实，证明 (to provide evidence for; substantiate)
【记】词根记忆：con (加强) + firm (坚定) → 十分坚定 → 证实，证明
【派】confirmation (*n.* 证实，批准)；confirmed (*adj.* 根深蒂固的)

confiscate* ['kɔnfiskeit] *v.* 没收；充公 (to seize private property for the public treasury)
【记】词根记忆：con + fisc (钱财) + ate → 钱财归大家 → 充公
【同】fiscal (*adj.* 财政的，国库的)；confiscation (*n.* 没收)

conflagration [ˌkɔnflə'greiʃən] *n.* 建筑物或森林大火 (a big, destructive fire)
【记】词根记忆：con + flagr (烧) + ation → 大火
【同】flagrant (*adj.* 臭名远扬的)；deflagrate (*v.* 使突然燃烧)

CONFEDERACY	CONFER	CONFERENCE	CONFESS	CONFIDE
CONFIDENCE	CONFIDENTIAL	CONFIGURATION	CONFINE	CONFIRM
CONFISCATE	CONFLAGRATION			

conflate* [kən'fleit] *v.* 合并 (to combine or mix)
【记】词根记忆：con + flat (吹气) + e → 吹到一起 → 合并
【同】inflate (*v.* 充气；使通货膨胀)；deflate (*v.* 放气；缩小)

conflict* ['kɔnflikt, kən'flikt] *v.* / *n.* 斗争，战斗 (fight)；冲突，抵触 (a clash between ideas; opposition)
【记】词根记忆：con (共同) + flict (打击) → 共同打 → 冲突 → 斗争
【反】jibe (*v.* 使…一致)

conformist* [kən'fɔːmist] *n.* 遵奉传统者，遵守习俗者 (person who conforms to accepted behaviour, the established religion, etc.)

confound* [kən'faund] *v.* 使迷惑，搞混 (to puzzle and surprise sb.)
【记】词根记忆：con + found (基础) → 把基础放到一起了 → 搞混
【反】discriminate between (区分)

confront* [kən'frʌnt] *v.* 面临 (to face)；对抗 (to face or oppose defiantly or antagonistically)
【记】词根记忆：con + front (面，前面) → 面对面 → 对抗
【同】affront (*v.* / *n.* 冒犯)；effrontery (*n.* 厚颜无耻)
【派】confrontation (*n.* 对抗)；confrontational (*adj.* 对抗的；抵触的)
【反】sidestep (*v.* 回避)；cower (*v.* 畏缩)；circumvent (*v.* 回避)

congeal* [kən'dʒiːl] *v.* 冻结，凝固 (to solidify or thicken by cooling or freezing)
【记】词根记忆：con + geal (冻结) → 冻结到一起 → 凝结
【反】melt (*v.* 融化)；disintegrate (*v.* 分解)；fail to solidify (不能凝固)

congenial [kən'dʒiːnjəl] *adj.* 意气相投的 (having the same tastes and temperament; companionable)；性情好的 (amiable; agreeable)
【记】词根记忆：con + geni (=genius 才能) + al → 有共同才能 → 情趣相投的
【反】dour (*adj.* 阴沉的；严厉的)

congest [kən'dʒest] *v.* 使拥挤 (to overcrowd)；充血 (to cause too much blood to accumulate in the vessels)
【记】词根记忆：con + gest (管道，带来) → 进入一个管道 → 拥挤
【同】digestion (*n.* 消化，领悟)；ingest (*v.* 吞咽)
【派】congestion (*n.* 充血；拥挤)

conglomerate* [kən'glɔməreit] *v.* 集聚成团 (to form into a rounded compact mass)
【记】词根记忆：con + glomer (球) + ate → 成为一个球 → 集聚成团
【同】agglomerate (*v.* 使凝聚)

congregate* ['kɔŋgrigeit] *v.* 聚集，集合 (to gather into a crowd; assemble)
【记】词根记忆：con + greg (群体) + ate → 聚成群体 → 集合
【同】aggregate (*v.* 聚集，合计)；gregarious (*adj.* 喜社交的，爱合群的)
【派】congregation (*n.* 集合，会合)

CONFLATE	CONFLICT	CONFORMIST	CONFOUND	CONFRONT
CONGEAL	CONGENIAL	CONGEST	CONGLOMERATE	CONGREGATE

congruent* [ˈkɔŋgruənt] *adj.* 全等的，一致的 (having identical shape and size)

【记】词根记忆：con + gru (=gree 一致) + ent → 一致的，全等的

【派】congruity (*n.* 全等；一致)

congruous* [ˈkɔŋgruəs] *adj.* 一致的，符合的 (being in agreement, harmony, or correspondence)；〔数〕全等的

conifer* [ˈkəunifə] *n.* 针叶树 (a tree that has leaves like needles)

【记】词根记忆：con (=cone 圆锥，松果) + i + fer (带来) → 带来松果的树 → 针叶树

【同】coniform (*adj.* 圆锥形的)

conjecture* [kənˈdʒektʃə] *v.* / *n.* 推测，臆测 (prediction based on guesswork)

【记】词根记忆：con + ject (推，扔) + ure → 全部是推出来的 → 臆测

【同】reject (*v.* 拒绝)；projectile (*n.* 抛射体)

【反】restrain from speculation (不准猜测)；fact (*n.* 事实)

conjoin* [kənˈdʒɔin] *v.* 使结合 (to cause people or things to join together)

【记】词根记忆：con + join (结合，连接) → 使结合

conjunction* [kənˈdʒʌŋkʃən] *n.* 联合；连词 (word that joins phrases or sentences)

【记】词根记忆：con (共同) + junct (结合，连接) + ion → 共同连上 → 结合

【同】junction (*n.* 连接，交叉点)；injunction (*n.* 命令，指令)

conjure* [ˈkʌndʒə] *v.* 召唤，想起 (call or bring to mind; evoke)；变魔术，变戏法 (to practise magic or legerdemain)

【记】词根记忆：con + jure (发誓) → 一再发誓 → 祈求

【同】abjure (*v.* 誓绝)；perjury (*n.* 假誓，伪证)

connive [kəˈnaiv] *v.* 默许；纵容 (to feign ignorance of sth. One ought to oppose)；共谋 (to conspire)

【记】词根记忆：con＋nive (眨眼睛) → 互相眨眼睛 → 共谋

【派】connivance (*n.* 共谋，纵容)；conniving (*adj.* 搞阴谋的)

connoisseur* [ˌkɔniˈsəː] *n.* 鉴赏家，行家 (a person who has expert knowledge and keen discrimination in some field in the fine arts or in matters of taste)

【记】词根记忆：con + nois (知道) + s + eur (人) → 什么都知道的人 → 行家

【参】agnostic (*adj.* 不可知论的)

connotation [ˌkɔnəuˈteiʃən] *n.* 言外之意，内涵 (idea or notion suggested in addition to its explicit meaning or denotation)

【记】词根记忆：con + not (注意) + ation → 一心注意的内容 → 含义

【同】annotation (*n.* 注解)；denotation (*n.* 表示，表面意义)

【派】connotative (*adj.* 有内涵的，暗示的)

□ CONGRUENT	□ CONGRUOUS	□ CONIFER	□ CONJECTURE	□ CONJOIN
□ CONJUNCTION	□ CONJURE	□ CONNIVE	□ CONNOISSEUR	□ CONNOTATION

conquer* [ˈkɔŋkə] *v.* 以武力征服 (to take possession of sth. by force)
【记】词根记忆：con (全部) + quer (寻求；询问) → 全部寻求到 → 征服
【派】conqueror (*n.* 征服者)

conquest* [ˈkɔŋkwest] *n.* 征服 (the act or process of conquering)；战利品 (something conquered)

conscience [ˈkɔnʃəns] *n.* 良心，是非感 (a person's awareness of right and wrong)
【记】词根记忆：con (全部) + sci (知道) + ence → 全部知道 → 良知

conscientious* [ˌkɔnʃiˈenʃəs] *adj.* 尽责的 (careful to do what one ought to do)；小心谨慎的 (scrupulous)
【记】词根记忆：con + sci (知道) + entious (多…的) → 懂得多的 → 懂事的，尽责的

conscript* [ˈkɔnskript] *v.* 强行征兵，征召 (to enroll for compulsory service in the armed forces；draft)
【记】词根记忆：con + script (写) → 把 (名字) 写入名单 → 征兵
【同】prescription (*n.* 处方，命令)；scripture (*n.* 手稿)

consensus* [kənˈsensəs] *n.* 意见一致 (agreement in opinion)
【记】词根记忆：con (共同) + sens (感觉) + us → 感觉相同，意见一致

consent* [kənˈsent] *v.* 同意，允许 (to give agreement)
【记】词根记忆：con (共同) + sent (感觉) → 有共同的感觉 → 同意

consequence* [ˈkɔnsikwəns] *n.* 结果；后果 (a conclusion derived through logic)；重要性 (importance)；价值 (importance with respect to power to produce an effect)
【记】词根记忆：con + sequ (跟随) + ence → 跟随其后 → 结果

consequential* [ˌkɔnsiˈkwenʃəl] *adj.* 傲慢的，自以为是的 (thinking oneself very important；self-important)

conservative [kənˈsəːvətiv] *adj.* 保守的，守旧的 (opposed to great or sudden change)

conservatory* [kənˈsəːvətri] *n.* 温室 (noncommercial greenhouse)；音乐学院 (academy of music, art)
【记】来自 conserve (保存，保养) + atory (地方) → 保存植物、文化之地
【参】observatory (*n.* 天文台)

conserve* [kənˈsəːv] *v.* 保全，保存 (to keep in a safe or sound state)
【记】词根记忆：con (全部) + serve (服务，保持) → 保全，保存
【反】squander (*v.* 浪费)；exhaust (*v.* 消耗)

CONQUER	CONQUEST	CONSCIENCE	CONSCIENTIOUS	CONSCRIPT
CONSENSUS	CONSENT	CONSEQUENCE	CONSEQUENTIAL	CONSERVATIVE
CONSERVATORY	CONSERVE			

considerable [kən'sidərəbl] *adj.* **相当多的**（great in amount or size）；**值得考虑的**（worth consideration）
【记】来自 consider（考虑）+ able → 值得考虑的
【参】considerate（*adj.* 考虑周到的）

consign* [kən'sain] *v.* **托运**（to another's care）；**托人看管**（to give over to another's care）
【记】词根记忆：con + sign（签名）→ 签完名后交托运 → 托运
【同】resign（*v.* 辞职）；assignment（*n.* 作业，委派）
【例】*consign* sb.'s name to oblivion（使某人默默无闻）

consistent* [kən'sistənt] *adj.* **前后一致的**（always keeping to the same pattern or style）
【记】词根记忆：con（共同）+ sist（站立）+ ent → 站到一起 → 一致的

console* [kən'səul] *v.* **安慰，抚慰**（to make feel less sad；comfort）
【记】词根记忆：con（共同）+ sole（孤单）→ 大家孤单 → 同病相怜 → 安慰
【同】solitude（*n.* 孤独）；solo（*n.* 独唱，独奏）
【派】consolation（*n.* 安慰，慰藉之事）
【反】aggravate grief（加重悲伤）

consolidate [kən'sɔlideit] *v.* **巩固**（to make stable and firmly established）；**（使）坚强**（to strengthen）；**合并**（the process of uniting）
【记】词根记忆：con（加强）+ solid（结实）+ ate → 巩固
【同】solidity（*n.* 团结，凝固）；solidify（*v.* 使团结）

consolidation* [kənˌsɔli'deiʃən] *n.* **合并，巩固**（the process of uniting）
【反】fragmentation（*n.* 分裂）

consonant* ['kɔnsənənt] *adj.* **调和的，一致的**（being in agreement or accord）
【记】词根记忆：con（共同）+ son（声音）+ ant → 同声的 → 一致的
【反】discrepant（*adj.* 不一致的）

conspicuous* [kən'spikjuəs] *adj.* **显著的，显而易见的**（easy to perceive；obvious）
【记】词根记忆：con + spic（看）+ uous → 大家都能看到的 → 显著的
【同】perspicacious（*adj.* 有洞察力的）；suspicious（*adj.* 怀疑的）

conspire* [kən'spaiə] *v.* **阴谋，共谋**（to act together secretly in order to commit a crime）
【记】词根记忆：con + spire（呼吸）→ 共同呼吸 → 搞阴谋
【同】perspire（*v.* 出汗）；inspiration（*n.* 灵感）
【派】conspirator（*n.* 阴谋者，谋叛者）；conspiracy（*n.* 共谋）

constant* ['kɔnstənt] *adj.* **稳定的，不变的**（unchanging）；*n.* **常数**（a figure, quality, or measurement that stays the same）

CONSIDERABLE	CONSIGN	CONSISTENT	CONSOLE	CONSOLIDATE
CONSOLIDATION	CONSONANT	CONSPICUOUS	CONSPIRE	CONSTANT

【记】词根记忆：con（始终）+ stant（站，立）→ 始终站立 → 不变的
【派】constancy（*n.* 恒定不变）；constantly（*adv.* 不断地）
【反】mercurial（*adj.* 易变的）；intermittent（*adj.* 间断的）

constellation [ˌkɔnstəˈleiʃən] *n.* **星座，星群**（an arbitrary configuration of stars）
【记】词根记忆：con + stell（星星）+ ation → 星星在一起 → 星座，星群
【同】stellar（*adj.* 星的，恒星的）；interstellar（*adj.* 星际的）

consternation* [ˌkɔnstə(ː)ˈneiʃən] *n.* **大为吃惊，惊骇**（great fear or shock）
【记】词根记忆：con + stern（僵硬）+ ation → 全身僵硬 → 惊骇
【参】stern（*adj.* 严厉的）

constituent [kənˈstitjuənt] *n.* **成分**（component；element）；**选区内的选民**（a member of a constituency）
【记】词根记忆：con + stit（=stat 站）+ uent → 站在一起 → 成分
【同】institute（*v.* / *n.* 创立；学院）

constitute [ˈkɔnstitjuːt] *v.* **组成，构成**（to form a whole）；**建立**（to establish）
【记】词根记忆：con + stitute（建立，放）→ 建立；组成
【反】abdicate（*v.* 放弃）

constitution* [ˌkɔnstiˈtjuːʃən] *n.* **宪法**（system of laws and principles according to which a state is governed）；**体质**（physical makeup of a person）
【记】词根记忆：con + stitut（建立，放）+ ion → 国无法不立 → 宪法

constitutional [ˌkɔnstiˈtjuːʃənəl] *adj.* **章程的，法规的**（of, or relating to a constitution）；**素质上的，本质的**（essential）

constrain* [kənˈstrein] *v.* **束缚，强迫**（to make sb. do sth. by strong moral persuasion or by force）；**限制**（to inhibit）
【记】词根记忆：con + strain（拉紧）→ 拉到一起 → 束缚；限制
【同】strain（*n.* 紧张，尽力）；restrain（*v.* 抑制，束缚）
【反】release（*v.* 解放，放松）

constraint* [kənˈstreint] *n.* **强制，强迫；对感情的压抑**（something that limits one's freedom of action or feelings）

constrict* [kənˈstrikt] *v.* **压缩，收缩**（to make sth. tight, smaller or narrower）
【记】词根记忆：con + strict（拉紧）→ 拉到一起 → 收缩
【同】restriction（*n.* 限制）；stricture（*n.* 狭窄；指责）
【反】dilate（*v.* 膨胀）；distend（*v.* 膨胀）

construct* [kənˈstrʌkt] *v.* **建造，构成**（to build sth.）
【记】词根记忆：con + struct（建立）→ 建造
【同】destruction（*n.* 破坏）；

obstruct（*v.* 妨碍，阻塞）

【派】construction（*n.* 建筑，施工）；constructive（*adj.* 建设性的）

construe [kən'struː] *v.* 解释 （to explain or interpret）；翻译 （to translate orally）

【记】词根记忆：con + strue（=struct 结构）→ 弄清结构 → 解释

consul* ['kɔnsəl] *n.* 领事 （official appointed by a state to live in a foreign country）

【形】council（*n.* 理事会，委员会）；consult（*v.* 请教）

consummate* [kən'sʌmit] *adj.* 完全的，完善的（complete or perfect）；['kɔnsəmeit] *v.* 完成（to finish；accomplish）

【记】词根记忆：con + sum（总数）+ mate → 总数的，全数的 → 完全的

【同】summary（*n.* 概要）；summon（*v.* 召集，召唤）

【派】consummation（*n.* 达到极点，完成）

contact* ['kɔntækt] *v.* 接触 （touch）；互通信息 （to get in communication with）

【记】词根记忆：con + tact（接触）→ 接触

【同】intact（*adj.* 原封不动的）；tactile（*adj.* 触觉的）

contagious* [kən'teidʒəs] *adj.* 传染的 （communicable by contact）；有感染力的（likely to spread to and affect others）

【记】来自 contagion（*n.* 传染病），con + tag（接触）+ ion → 接触传染的病 → 传染病

【形】contiguous（*adj.* 邻近的）

【反】incommunicable（*adj.* 不能传达的）

contain* [kən'tein] *v.* 包含，含有（to hold sth. within itself）；控制（to keep sth. under control）；阻止，遏制（to restrain, check）

【记】词根记忆：con + tain（拿住）→ 全部拿住 → 包容

【同】retain（*v.* 保留，记住）；detain（*v.* 拘留，扣留）

【派】container（*n.* 容器）

containment* [kən'teinmənt] *n.* 阻止，遏制（keeping sth. within limits）

contaminate* [kən'tæmineit] *v.* 使…受污染（to make impure；pollute；smudge）

【记】词根记忆：con + tamin（接触）+ ate → 接触脏东西 →使…受污染

【派】contamination（*n.* 污染）

【反】purify（*v.* 净化）；sterilize（*v.* 杀菌）

contemplate ['kɔntempleit] *v.* 深思（to think about intently）

【记】词根记忆：con + templ（看作 temple 庙）+ ate → 像庙中人一样 → 深思

【同】temple（*n.* 太阳穴；庙宇）

【派】contemplation（*n.* 沉思，思考）；contemplative（*adj.* 爱思考的）

CONSTRUE	CONSUL	CONSUMMATE	CONTACT	CONTAGIOUS
CONTAIN	CONTAINMENT	CONTAMINATE	CONTEMPLATE	

contempt* [kən'tempt] *n.* / *v.* **轻视，鄙视** (to look down on sb. / sth. as being mean or unworthy; scorn)

【记】词根记忆：con + tempt （尝试）→ 大家都能试 → 小意思 → 轻视

【同】temptation (*n.* 引诱，诱惑)；attempt (*v.* 尝试，努力)

【反】deference (*n.* 尊敬)

contemptible* [kən'temptəbl] *adj.* **令人轻视的** (despicable)

【反】estimable (*adj.* 可敬的)

contemptuous* [kən'temptjuəs] *adj.* **鄙视的，表示轻蔑的** (showing contempt)

【记】注意都来自 contempt; contemptible 是指做的事令人轻视，contemptuous 是指人表示轻视的态度

contend* [kən'tend] *v.* **竞争，争夺** (to struggle in order to overcome a rival)；**据理力争，主张** (to strive in controversy)

【记】词根记忆：con + tend (伸展) → 你拉我夺 → 竞争

【同】distend (*v.* 扩展)；extend (*v.* 延伸)

When an end is lawful and obligatory, the indispensable means to it are also lawful and obligatory.

如果一个目的是正当而必须做的，则达到这个目的的必要手段也是正当而必须采取的。

——美国政治家 林肯(Abraham Lincoln, American statesman)

Word List 9

content* [kən'tent] *adj.* 知足的，满意的(satisfied)；['kɔntent] *n.* 内容(what is contained)；满意(state of being content)

【记】词根记忆：con + tent(拉)→全部拉开→全身舒展→满意的

【派】contentment(*n.* 顺从，满足)

【反】disaffected (*adj.* 不满的)；contentment (*n.* 顺从)〈〉restiveness(*n.* 不合作)

contented* [kən'tentid] *adj.* 心满意足的(showing content and satisfied)

contention [kən'tenʃən] *n.* 争论 (the act of dispute; discord)；论点(a statement one argues for as valid)

【记】词根记忆：con + tent(拉) + ion→你拉我夺→争论

【同】abstention(*n.* 节制)；attentive(*adj.* 关心的)

contentious* [kən'tenʃəs] *adj.* 好辩的，善争吵的(quarrelsome; belligerent)

【反】conciliatory(*adj.* 安抚的)

contest* [kən'test] *v.* 竞争(to compete)；对…表示怀疑(to claim that sth. is not proper)

【记】词根记忆：con(共同) + test(测试，证据)→共同测试→比赛

【同】detest(*v.* 厌恶)；testify(*v.* 证明，作证)

context ['kɔntekst] *n.* (语句等的)上下文 (words that come before and after a word, phrase, statement)

【记】词根记忆：con(共同) + text(编织)→共同编织在一起的→上下文

【同】textile(*n.* 纺织品)；texture(*n.* 质地，结构)

contiguous* [kən'tigjuəs] *adj.* 接壤的，接近的(near, adjacent)

【记】词根记忆：con + tig(接触) + uous→共同接触→接近的

【派】contiguity(*n.* 邻近，接壤)

continent ['kɔntinənt] *adj.* 自制的(self-restrained; temperate)；*n.* 大陆

【记】词根记忆：con + tin(拿住) + ent→把持得住→自制的

【派】continence(*n.* 节制，克制力)

CONTENT	CONTENTED	CONTENTION	CONTENTIOUS	CONTEST
CONTEXT	CONTIGUOUS	CONTINENT		

contingent [kən'tindʒənt] *adj.* 意外的 (accidental; fortuitous); 视情况或条件而定的 (conditional)

【记】词根记忆: con + ting (=tig 接触) + ent → 接触情况 → 视情况而定

【例】Whether or not we arrive on time is *contingent* on the weather. (我们能否准时到达要视天气而定。)

contort* [kən'tɔːt] *v.* (使)扭曲 (deform); 歪曲 (to twist or wrench into grotesque form)

【记】词根记忆: con + tort (弯曲) → 扭曲

【同】distort (*v.* 歪曲); tortuous (*adj.* 弯弯曲曲的); torture (*n.* / *v.* 折磨)

【派】contortion (*n.* 扭曲, 弯曲)

contraband ['kɔntrəˌbænd] *n.* 违禁品, 走私货 (illegal trade; smuggled goods)

【记】词根记忆: contra (反) + band (规矩) → 违禁品

contract* ['kɔntrækt] *n.* 合同 (a formal agreement); [kən'trækt] *v.* 订合同 (to make a contract); 收缩 (to shrink; condense; compress)

【记】词根记忆: con + tract (拉) → 拉到一起 → 收缩

【派】contraction (*n.* 收缩)

contradict* [ˌkɔntrə'dikt] *v.* 反驳, 驳斥 (to affirm the contrary of a statement, etc.)

【记】词根记忆: contra (反) + dict (说话, 断言) → 反说 → 反驳

【同】dictator (*n.* 独裁者); benediction (*n.* 祝福)

【派】contradiction (*n.* 反驳, 矛盾)

contrast ['kɔntræst] *n.* 对比 (a comparison showing striking differences); [kən'træst] *v.* 对比, 对照 (to compare two things in order to show the differences)

【记】词根记忆: contra (反) + st (=stand 站) → 反站 → 对比

contravene* [ˌkɔntrə'viːn] *v.* 违背 (法规、习俗等) (to conflict with; violate)

【记】词根记忆: contra (反) + vene (走) → 反着走 → 违背

【同】intervene (*v.* 干涉); reconvene (*v.* 重新召集)

【反】support (*v.* 支持); buttress (*v.* 支持)

contrite* ['kɔntrait] *adj.* 悔罪的, 痛悔的 (feeling contrition; repentant)

【记】词根记忆: con + trite (摩擦) → (心灵)摩擦 → 痛悔的

【同】attrition (*n.* 磨损); triturate (*v.* 磨碎, 捣碎)

contrive [kən'traiv] *v.* 计划, 设计 (to think up; devise; scheme; plan)

【记】词根记忆: contri (反) + ve (=vene 走) → (和普通人)反着走 → 设计(新东西)

contrived [kən'traivd] *adj.* 不自然的, 做作的 (not spontaneous or natural)

【例】The tardy girl's excuse seemed very *contrived*. (那位迟钝女孩的借口非常勉强。)

control* [kən'trəul] *n.* 实验对照组 (sth. used as a standard against which the results of a study can be measured)

【反】group experimented on (用于实验的一组)

controversial* [ˌkɔntrə'vəːʃəl] *adj.* 引起或可能引起争论的 (causing controversy)

【记】词根记忆：contro (相反) + vers (转) + ial → 反着转 → 引起争论的

【同】anniversary (*n.* 周年纪念日); adversary (*n.* 敌手)

【反】axiomatic (*adj.* 不言自明的)

controvert* ['kɔntrəvəːt] *v.* 反驳，驳斥 (to argue or reason against; contradict; disprove)

【记】词根记忆：contro (反) + vert (转) → 反转 → 反驳

【同】introvert (*n.* 内向的人); avert (*v.* 转移，避开)

【反】corroborate (*v.* 证实); substantiate (*v.* 证实)

contumacious* [ˌkɔntjuː'meiʃəs] *adj.* 违抗的，不服从的 (unreasonably disobedient, esp. to an order made by a court)

【记】词根记忆：con + tum (肿胀；骄傲) + acious → 违抗的，不服从的

conundrum* [kə'nʌndrəm] *n.* (答案有双关意义的) 谜语 (a riddle whose answer is or involves a pun); 难题

【记】分拆联想：con + und (看作是 under) + (d)rum (鼓) → 全部蒙在鼓里 → 谜语

convalesce [ˌkɔnvə'les] *v.* (病) 康复，复原 (to regain strength and health)

【记】词根记忆：con + val (强壮) + esce (开始…的) → 开始强壮 → 康复

【同】valorous (*adj.* 勇猛的); valid (*adj.* 有效的)

convalescent* [ˌkɔnvə'lesnt] *adj.* / *n.* 康复中的(病人) ([a person who is] recovering from illness)

convenience* [kən'viːnjəns] *n.* 便利 (quality of being convenient or suitable), 有益；方便 (的用具、机械等) (sth. conducive to comfort or ease)

conventional* [kən'venʃənl] *adj.* 因循守旧的，传统的 (based on convention)

【记】来自 convention (*n.* 习俗，惯例)

【反】outlandish (*adj.* 奇异的); offbeat (*adj.* 不规则的)

converge* [kən'vəːdʒ] *v.* 会聚，集中于一点 (to come together at a point)

【记】词根记忆：con + verge (转) → 转到一起 → 会聚

【同】diverge (*v.* 分歧；离题); verge (*n.* 边缘)

convergent* [kən'vəːdʒənt] *adj.* 会聚的 (tending to move toward one point or to approach each other)

【反】moving apart (移开的)

conversant [kən'vəːsənt] *adj.* 精通的，熟知的 (familiar or acquainted; versed)

【记】词根记忆：con + vers (转) + ant → 全方位转 → 精通的；注

CONTROL	CONTROVERSIAL	CONTROVERT	CONTUMACIOUS	CONUNDRUM
CONVALESCE	CONVALESCENT	CONVENIENCE	CONVENTIONAL	CONVERGE
CONVERGENT	CONVERSANT			

意不要和 conversation（对话）相混

【派】conversance / conversancy（*n.* 精通）

converse [kən'vəːs] *v.* 谈话；['kɔnvəːs] *adj.* 逆向的（opposite）；*n.* 相反的事物（an opposite）

【记】conversation（对话）大家都很熟悉，请记住其相应的形容词和名词形式

convert* [kən'vəːt] *v.* 使改变（信仰等）（to change; transform）；['kɔnvəːt] *n.* 改变信仰的人（a person converted, as to a religion）

【记】词根记忆：con + vert（转）→ 一起转入（新的信仰）→ 改变信仰的

convertible* [kən'vəːtəbl] *adj.* 可转换的（capable of being converted）；*n.* 敞篷车（an automobile with a canvas top that can be folded back or removed）

【记】词根记忆：con + vert（转）+ ible → 能够转上转下的 → 可转换的

convey* [kən'vei] *v.* 运载，运送（to carry sb. / sth.）；表达（to make known to another person）

【记】词根记忆：con（共同）+ vey（道路）→ 共同用路 → 运载

【同】purvey（*v.* 供给，供应）；survey（*v.* 测量，调查）

【派】conveyance（*n.* 运输工具）

convict* [kən'vikt] *v.* 定罪（to find guilty of an offence）；['kɔnvikt] *n.* 罪犯（a person found guilty of a crime and sentenced by a court）

【记】词根记忆：con + vict（征服，胜利）→ 征服罪犯 → 定罪

【同】evict（*v.* 驱逐出门）；victorious（*adj.* 胜利的）

conviction* [kən'vikʃən] *n.* 判罪（the act of convicting someone who is guilty of a crime）；坚信（a strong belief; certainty of opinion）

【反】skepticism（*n.* 怀疑）

convince* [kən'vins] *v.* 使某人确信（to make sb. feel certain）；说服（to persuade）

【记】词根记忆：con（全部）+ vince（征服，克服）→ 彻底征服对方 → 使某人确信

【同】invincible（*adj.* 无敌的）

convivial [kən'viviəl] *adj.* 欢乐的，狂欢的（having sth. to do with a feast or festive activity）

【记】词根记忆：con + viv（活）+ ial → 一起活跃 → 欢乐的

【同】vivid（*adj.* 生动的）；revive（*v.* 复活）

conviviality* [kənˌvivi'æliti] *n.* 欢乐；爱交际的性格（cheerfulness; sociability）

convoke* [kən'vəuk] *v.* 召集（会议等）（to summon to assemble; convene）

【记】词根记忆：con + voke（喊）→ 喊到一起 → 召集

【同】revoke（*v.* 废除，撤消）；provoke（*v.* 激怒，挑拨）；invoke（*v.* 唤起）

【反】adjourn（*v.* 休会）

CONVERSE	CONVERT	CONVERTIBLE	CONVEY	CONVICT
CONVICTION	CONVINCE	CONVIVIAL	CONVIVIALITY	CONVOKE

convoluted* [ˈkɔnvəljuːtid] *adj.* **旋绕的**(coiled; spiraled); **费解的**(extremely involved; intricate; complicated)
【记】词根记忆: con + volut(转) + ed → 全部转 → 旋绕的
【同】revolutionary(*adj.* 革命的); evolution(*n.* 进化, 发展)
【反】straightforward(*adj.* 直接的)

convulse* [kənˈvʌls] *v.* **使震动, 震惊**(to shake or disturb violently; agitate)
【记】词根记忆: con + vulse(拉) → 一再拉 → 使震动

convulsion* [kənˈvʌlʃən] *n.* **骚动** (any violent disturbance); **痉挛** (a violent, involuntary contraction or spasm of the muscles)

coop* [kuːp] *n.*(鸡)**笼, 栏**(a small cage, pen, or building for poultry)

cooperate* [kəuˈɔpəreit] *v.* **与他人合作** (to work or act together with another or others)
【记】词根记忆: co(共同) + operate(操作) → 共同操作 → 合作
【反】stonewall(*v.* 阻碍)

coordinate* [kəuˈɔːdinit] *n.* **同等物, 坐标**; [kəuˈɔːdineit] *v.* **使各部分协调** (to cause different parts, limbs to function together efficiently) *adj.* **同等的**(of equal importance, rank, or degree)
【记】词根记忆: co + ordin(顺序) + ate → 顺序一样 → 同等的; 引申为协调

copious* [ˈkəupjəs] *adj.* **丰富的, 多产的**(very plentiful; abundant)
【记】分拆联想: copi(看作 copy) + ous → 能拷贝很多 → 丰富的
【参】opulent(*adj.* 丰富的, 富饶的), 两个单词都来自"ops", 意为"财富"
【反】sparse(*adj.* 稀少的)

cord* [kɔːd] *n.* **考得** (木材堆的体积单位, 等于 128 立方英尺, 3.6246 立方米); **绳索**
【参】cordon(*n.* 警戒线)

core* [kɔː] *n.* **果心**(centre of fruits); **核心**(most important part); *v.* **去掉某物的中心部分**(to take out the core of sth.)

cornucopia* [ˌkɔːnjuˈkəupjə] *n.* **象征丰收的羊角**(羊角装饰器内装满花、果、谷物等以示富饶)
【记】词根记忆: corn(角) + u + copia(丰富) → 丰饶之角 → 象征丰收的羊角
【参】copious(*adj.* 丰富的)

coronation [kɔrəˈneiʃ(ə)n] *n.* **加冕** (the act or ceremony of crowning a sovereign or the sovereign's consort)

corporate [ˈkɔːpərit] *adj.* **团体的** (having the nature of a corporation); **共同的**(shared by all members of a unified group)

corporeal* [kɔːˈpɔːriəl] *adj.* **肉体的, 身体的**(of the body); **物质的**(material, rather than spiritual)
【记】词根记忆: corpor(身体, 团体) + eal(由 real 变体) → 真身

CONVOLUTED	CONVULSE	CONVULSION	COOP	COOPERATE
COORDINATE	COPIOUS	CORD	CORE	CORNUCOPIA
CORONATION	CORPORATE	CORPOREAL		

→肉体的

【反】spiritual（*adj.* 精神的）；intangible（*adj.* 无形的）；disembodied（*adj.* 无实体的）；immaterial（*adj.* 非物质的）

corpuscle [ˈkɔːpʌs(ə)l] *n.* **血球，细胞**（a living cell）

【记】词根记忆：corp（躯体）+ uscle（小东西）→躯体内的小东西→细胞

corral* [kɔˈrɑːl] *n.* （牛、马等）**畜栏**（an enclosure for holding horses, cattle, or other animals；pen）

【记】词根记忆：corr（=curr 跑）+ al →（不让）动物跑掉→畜栏

【形】coral（*n.* 珊瑚）

correspondent* [ˌkɔrisˈpɔndənt] *adj.* **符合的**（agreeing；matching）；*n.* **记者**（a person who writes for a magazine or newspaper）

【记】词根记忆：cor + respond（反应）+ ent →有共同反应→符合的

【同】responsive（*adj.* 积极反应的）；responsible（*adj.* 有责任的）

corroborate* [kəˈrɔbəreit] *v.* **支持或证实**（to bolster；make more certain）；**强化**（to strengthen）

【记】词根记忆：cor + robor（力量）+ ate →加强力量→支持

【同】corroborant（*n.* 健身药）；roborant（*n.* 强壮剂）

【反】controvert（*v.* 反驳）；deny（*v.* 否认）

corrode* [kəˈrəud] *v.* **腐蚀，侵蚀**（to destroy slowly by chemical action）

【记】词根记忆：cor（全部）+ rode（咬）→全部咬掉→腐蚀

【同】rodent（*n.* 啮齿动物）；erode（*v.* 侵蚀）

corrosive [kəˈrəusiv] *adj.* **腐蚀性的，蚀坏的**（tending or having the power to corrode）

corrugate [ˈkɔrugeit] *v.* （使）**起波浪形，起皱纹**（to shape into folds or parallel and alternating ridges and grooves）

【记】词根记忆：cor + rug（=wrinkle 皱）+ ate →起皱，起波浪形

【同】ruga（*n.* 皱纹）；rugose（*adj.* 多皱的）

【派】corrugation（*n.* 波浪形状，起皱纹）

corrupt* [kəˈrʌpt] *adj.* **堕落的，腐败的**（venal；immoral）；**文体有错误的**（[of language, text, etc.] containing errors or changes）

【记】词根记忆：cor（全部）+ rupt（断）→全断了→腐败的

【同】bankrupt（*adj.* 破产了的）；disruption（*n.* 中断，分裂）

【反】pristine（*adj.* 朴实的）

cosmic* [ˈkɔzmik] *adj.* **宇宙的**（of or relating to the cosmos）

【记】词根记忆：cosm（宇宙）+ ic →宇宙的

cosmopolitan [ˌkɔzməˈpɔlitən] *n.* **世界主义者，四海为家的人**（a person who has traveled widely and feels equally at home everywhere）

cosmopolitanism* [ˌkɔzməˈpɔlitənizəm] *n.* **世界性，世界主义**

【记】来自 cosmopolis（*n.* 国际都市），cosmo（世界，宇宙）+ polis

CORPUSCLE	CORRAL	CORRESPONDENT	CORROBORATE	CORRODE
CORROSIVE	CORRUGATE	CORRUPT	COSMIC	COSMOPOLITAN
COSMOPOLITANISM				

（城市）→ 世界城 → 国际都市

【反】insularity（*n.* 岛国性格）

cosmos [ˈkɔzmɔs] *n.* 宇宙 （the universe considered as a harmonious and orderly system）

【记】词根记忆：cosm（宇宙）+ os → 宇宙

【同】cosmopolis（*n.* 国际都市）

cosset* [ˈkɔsit] *v.* 宠爱，溺爱（to protect too carefully）

【记】分拆联想：cos（看作 cost 花费）+ set（固定）→ 固定一笔花费来宠爱 → 宠爱，溺爱

【反】cosseted（*adj.* 被宠坏的）〈〉unspoiled（*adj.* 不受溺爱的）

• **costume*** [ˈkɔstjuːm] *n.* 服装 （dress including accessories）；剧装 （a set of clothes worn in a play or at a masquerade）

【记】来自 custom（*n.* 习俗），按习俗要求穿的服装 （to put on costume according to custom）；分拆联想：cost（花费）+ ume → 花钱的东西 → 服装

coterie* [ˈkəutəri] *n.*（有共同兴趣的）小团体（a close circle of friends who share a common interest or background；clique）

【记】来自 cote（小屋，笼）+ rie → 一个屋子的人 → 小团体

【参】cottage（*n.* 小屋，小别墅）

coterminous [kəuˈtəːminəs] *adj.* 毗连的，有共同边界的（having a boundary in common；contiguous）

【记】也写作 conterminous，con + term（边界，结束）+ ious → 有共同边界的

【同】terminate（*v.* 结束）；terminal（*n.* 终点站）

cougar [ˈkuːgə] *n.* 美洲豹

【记】发音记忆："酷哥" → 美洲豹很漂亮，像酷哥一样；类似的词汇还有 puma（美洲狮），panther（黑豹）。

• **countenance*** [ˈkauntinəns] *v.* 支持，赞成 （to sanction）；容忍 （to tolerate）；*n.* 表情（the look on a person's face）

【记】来自 continent（*adj.* 自制的）→ 自制的状态 → 表情；尤其要记住"支持"一意

【反】regard with disfavor （*v.* 不赞成）；forbid （*v.* 禁止）；condemn（*v.* 谴责）

• **counteract** [ˌkauntəˈrækt] *v.* 消除，抵消（to act directly against；neutralize, or undo the effect of opposing action）

【记】词根记忆：counter（反）+ act（动作）→ 起反作用 → 消除，抵消

counterbalance [ˌkauntəˈbæləns] *v.* 起平衡作用（to act as a balance to sb. / sth.）

【记】词根记忆：counter（反对，相反）+ balance（平衡）→（使）相反的两边保持平衡 → 起平衡作用

□ COSMOS	□ COSSET	□ COSTUME	□ COTERIE	□ COTERMINOUS
□ COUGAR	□ COUNTENANCE	□ COUNTERACT	□ COUNTERBALANCE	

counterfeit* [ˈkauntəfit] *v.* 伪造，仿造（to make an imitation of money, picture, etc. usu. in order to deceive or defraud）

【记】词根记忆：counter（反）+ feit（=fact 做）→ 和真的对着干 → 伪造

countermand* [ˌkauntəˈmɑːnd] *v.* 撤回（命令），取消（订货）（to cancel or revoke）

【记】词根记忆：counter + mand（命令）→ 反命令 → 撤回命令

【同】demand（*v.* 强求）；command（*v.* 命令）

counterpart [ˈkauntəpɑːt] *n.* 相对应或具有相同功能的人或物（a person or thing that corresponds to or has the same function as）

counterproductive [ˌkauntəprəˈdʌktiv] *adj.* 事与愿违的（having the opposite effect to that intended）

【记】counter + productive（有成效的）→ 与想像有相反效果的

coup [kuː] *n.* 意外而成功的行动（surprising and successful action）

【记】发音记忆："酷"→ 一夜暴富真的挺酷 → 意外而成功的行动

court* [kɔːt] *n.* 法庭，法院；宫廷，朝廷；*v.* 献殷勤（to seek the affections of）；追求（to seek to gain or achieve）

【反】repel intentionally（故意排斥）；repulse intentionally（故意拒绝）；snub（*v.* / *n.* 故意怠慢）；spurn（*v.* / *n.* 弃绝）

covenant* [ˈkʌvinənt] *n.* 契约（a binding and solemn agreement）；*v.* 立书保证（to promise by a covenant）

【记】词根记忆：co + ven（来）+ ant → 来到一起立约 → 契约

covert* [ˈkʌvət] *adj.* 秘密的，隐秘的（concealed；hidden）

【记】分拆联想：cover（遮盖）+ t → 盖住的 → 秘密的

【反】open（*adj.* 公开的）；overt（*adj.* 公开的）

covet* [ˈkʌvit] *v.* 贪求，妄想（to desire inordinately or culpably）

【记】联想记忆：covert 去掉一个 r 变成 covet，由秘密变成公开的贪求

cow* [kau] *v.* 威胁（to threat）

【反】embolden（*v.* 使有胆量）；cowed（*adj.* 吓坏了的）〈〉undaunted（*adj.* 勇敢的）

coward* [ˈkauəd] *n.* 胆小鬼（a person who lacks courage）

【记】分拆联想：cow（母牛）+ ward（守卫）→ 母牛一样的守卫 → 胆小鬼

cower* [ˈkauə] *v.* 畏缩，蜷缩（to crouch or huddle up from fear or cold）

【反】brazenly confront（悍然面对）；bristle（*v.* 怒发冲冠）

coy* [kɔi] *adj.* 腼腆的，忸怩的（shrinking from contact with others；shy）

【记】和 boy 及 toy 一起记：a coy boy plays toys（害羞男孩玩玩具）

cozen* [ˈkʌzn] *v.* 欺骗，哄骗（to coax；deceive）

【记】联想记忆：编了一打（dozen）的谎话来欺骗（cozen）她

【反】deal with forthrightly（直率对待）

COUNTERFEIT	COUNTERMAND	COUNTERPART	COUNTERPRODUCTIVE	COUP
COURT	COVENANT	COVERT	COVET	COW
COWARD	COWER	COY	COZEN	

crab* [kræb] *n.* 蟹，螃蟹 (ten-legged shellfish); *v.* 抱怨，发脾气 (to complain; grumble)

crabbed [ˈkræbid] *adj.* 暴躁的 (peevish; ill-tempered; cross)

crack* [kræk] *n.* 爆裂声；裂缝 (line along which sth. has broken); *v.* 裂开；破解，破译

【参】组词：crackdown (*n.* 镇压); firecracker (*n.* 爆竹)

craft* [krɑːft] *n.* 行业；手艺 (occupation, esp. one that needs skill)

【参】craftsman (*n.* 手艺人)

cram [kræm] *v.* 填塞，塞满 (to fill beyond normal capacity); 临时抱佛脚，为考试而学习

【例】Don't *cram* for your examination. (不要为考试而临时抱佛脚。)

cramp* [kræmp] *n.* 铁箍，夹子；*v.* 把…箍紧 (to fasten or hold with a cramp)

cranky* [ˈkræŋki] *adj.* 怪癖的，任性的 (queer; eccentric); 不稳的 (unsteady)

【记】来自 crank (*n.* 曲柄；古怪的人)

crass* [kræs] *adj.* 愚钝的；粗糙的 (crude and unrefined)

【记】和 class 一起记；注意：cross (*adj.* 怪脾气的)

【反】refined (*adj.* 文雅的)

crate* [kreit] *n.* 篓，板条箱 (a slatted wooden case)

【形】crater (*n.* 火山口); curate (*n.* 牧师助理); curator (*n.* 博物馆长)

crater [ˈkreitə] *n.* 火山口 (a bowl-shaped cavity at the mouth of a volcano); 弹坑 (a pit made by an exploding bomb)

cravat* [krəˈvæt] *n.* 领巾，领结 (a neckerchief or scarf)

【记】源自克罗地亚人 (Croatian) 所戴的一种绕脖子的领带

craven* [ˈkreivən] *adj.* 懦弱的，畏缩的 (lacking the least bit of courage; cowardly)

【记】分拆联想：c + raven (乌鸦) → 像乌鸦一样胆小 → 懦弱的

【反】valorous (*adj.* 勇敢的)

craving* [ˈkreiviŋ] *n.* 强烈的愿望 (strong desire)

【反】spurn (*n.* 轻视的拒绝)

crayon [ˈkreiən] *n.* 彩色蜡笔 (粉笔) 或其绘画

【记】和 canyon (峡谷) 一起记

crease [kriːs] *n.* 折缝，皱痕 (a line, mark, or ridge made by folding and pressing)

【记】和 create (创造，引起) 一起记；引起折缝 (create a crease)

【形】grease (*n.* 油脂)

credence* [ˈkriːdəns] *n.* 相信，信任 (belief in the reports or testimony of another)

【记】词根记忆：cred (相信) + ence → 相信

【同】credibility (*n.* 可信，可靠); accredit (*v.* 信任，授权于)

CRAB	CRABBED	CRACK	CRAFT	CRAM	CRAMP
CRANKY	CRASS	CRATE	CRATER	CRAVAT	CRAVEN
CRAVING	CRAYON	CREASE	CREDENCE		

credible* [ˈkredəbl] *adj.* 可信的，可靠的 (offering reasonable grounds for being believed)
【记】词根记忆：cred(相信)+ible(能…的)→可靠的

credit* [ˈkredit] *n.* 赊购 (permission to delay payment)；信任 (trust)；(电影)片头字幕

credulous* [ˈkredjuləs] *adj.* 轻信的，易信的 (tending to believe too readily; easily convinced)
【记】词根记忆：cred+ulous(多…的)→太过信任别人的→轻信的

creek* [kriːk] *n.* 小湾，小溪 (a small stream, somewhat larger than a brook)
【形】creep (*v.* 爬行)；creel (*n.* 鱼篮)

creep [kriːp] *v.* 匍匐前进 (to move with body close to the ground)；悄悄地移动 (to move stealthily or slowly)

crescendo* [kriˈʃendəu] *n.* (音乐)渐强 (a gradual increase in loudness)；高潮
【记】词根记忆：crescend(成长；上升)+o→(音乐)渐强
【同】crescent (*n.* 新月)

crest [krest] *n.* 山顶，浪尖 (top of a hill or wave)；羽冠 (showy feathers on the head of a bird)

crestfallen [ˈkrestfɔːlən] *adj.* 挫败的，失望的 (dejected, disheartened, or humbled)
【记】词根记忆：crest(鸡冠)+fallen→鸡冠下垂→斗败了→挫败的

cringe* [krindʒ] *v.* 畏缩 (to shrink from sth. dangerous or painful)；谄媚 (to act in a timid, servile manner; fawn)
【记】分拆联想：c+ring(响铃)+e→一响铃就退→畏缩

cringing* [ˈkrindʒiŋ] *n.* / *adj.* 谄媚(的)，奉承(的)

criteria [kraiˈtiəriə] *n.* 评判标准 (standard on which a judgment or decision may be based)

criterion [kraiˈtiəriən] *n.* 评判的标准，尺度 (standard by which sth. is judged)
【记】词根记忆：crit(判断)+er(看作err错误)+ion→判断对错的标准；注意：复数形式criteria

critic* [ˈkritik] *n.* 批评者 (one who expresses a reasoned opinion on any matter esp. involving a judgment of its value, truth, etc.)
【反】apologist (*n.* 辩护者)

critical* [ˈkritikəl] *adj.* 挑毛病的 (looking for faults)；关键的；危急的 (of or at a crisis)

critique* [kriˈtiːk] *n.* 批评性的分析 (critical analysis)

croak* [krəuk] *n.* 蛙鸣声 (a croaking sound)；*v.* 发牢骚，抱怨 (to grumble)
【记】象声词，来自青蛙或乌鸦的叫声

CREDIBLE	CREDIT	CREDULOUS	CREEK	CREEP	CRESCENDO
CREST	CRESTFALLEN	CRINGE	CRINGING	CRITERIA	CRITERION
CRITIC	CRITICAL	CRITIQUE	CROAK		

crochet* [ˈkrəuʃei] *n.* 钩针织物 (needlework) *v.* 用钩针编织 (to make sth. out of yarn using a hooked needle)

【记】和 rocket (火箭) 一起记

crockery* [ˈkrɔkəri] *n.* 陶器，瓦器 (cups, plates, dishes made of baked clay)

【记】分拆联想：c + rocker (摇摆的东西) + y → 摇摇摆摆的陶器 → 陶器

cronyism* [ˈkrəuniizəm] *n.* 任人唯亲；对好朋友的偏袒 (favoritism shown to cronies as in political appointments to office)

【记】来自 crony (*n.* 密友，亲密的伙伴)

crook [kruk] *v.* 使弯曲 (to bend or curve)；*n.* 钩状物

【记】注意不要和 creek (小河) 相混

【参】crooked (*adj.* 弯曲的；不诚实的)

cross* [krɔs] *adj.* 生气的 (bad-tempered; showing ill humor; angry)

crouch* [ˈkrautʃ] *v.* 蹲伏，弯腰 (to stoop or bend low)

【记】注意不要和 couch (长沙发) 相混

crucial* [ˈkruːʃəl] *adj.* 决定性的 (very important; decisive)

【记】词根记忆：cruc (十字形) + ial → 十字路口 → 关键的，决定性的

【反】inconsequential (*adj.* 不重要的)

crudity* [ˈkruːditi] *n.* 粗糙，生硬 (the quality or state of being crude)

【反】delicacy (*n.* 精美)

crumb* [krʌm] *n.* 饼屑，面包屑 (small particles of bread or cake)；碎裂的东西 (any bit or scrap)

【记】和 crumble (弄碎) 一起记：把面包弄碎 (crumble the bread into crumbs)

crumble* [ˈkrʌmbl] *v.* 弄碎 (to break into crumbs or small pieces)；崩毁 (to fall to pieces; disintegrate)

【反】not easily crumbled (不易破碎的) 〈〉 friable (*adj.* 易碎的)

crumple [ˈkrʌmpl] *v.* 弄皱 (to crush together into creases or wrinkles)；破裂 (to fall apart)

【例】Take care not to *crumple* your dress by packing it carelessly. (小心打包，不要弄皱你的衣服。)

crusade* [kruːˈseid] *n.* 维护理想、原则而进行的运动或斗争 (vigorous, concerted action for some cause or idea, or against some abuse)

【记】词根记忆：crus (十字) + ade → 原指十字军东征 → 维护理想而进行的斗争

【同】cruciform (*n.* 十字形)

crust [krʌst] *n.* 硬的表面 (a hard or brittle external coat or covering)；(一片) 面包片 (slice of bread)；地壳 (the outer part of a planet)

【记】词根记忆：c+rust (铁锈) → 长锈的那一面 → 硬的表面

crutch [krʌtʃ] *n.* 拐杖；*v.* 支撑 (to support on crutches)

CROCHET	CROCKERY	CRONYISM	CROOK	CROSS
CROUCH	CRUCIAL	CRUDITY	CRUMB	CRUMBLE
CRUMPLE	CRUSADE	CRUST	CRUTCH	

crux [krʌks] *n.* 关键，症结所在（essential or main point）
【反】peripheral element（外围要素）

cryptic* [ˈkriptik] *adj.* 秘密的，神秘的（mysterious; baffling）
【记】词根记忆：crypt（秘密）+ ic → 秘密的
【同】apocrypha（*n.* 真实性可疑的著作）；cryptogram（*n.* 密码，暗号）
【反】self-explanatory（*adj.* 自明的）

cub* [kʌb] *n.* 幼兽（one of the young of certain animals）；年轻无经验的人（an inexperienced and awkward youth）
【记】和 cube（立方体）一起记；cub 作为词根是"睡觉"之意，如：incubation（*n.* 潜伏期）

cubicle* [ˈkjuːbikl] *n.* 大房间中隔出的小室（small compartment made by separation off part of a larger room）
【记】词根记忆：cub（躺）+ icle（小东西）→ 供人躺着休息的小室 → 隔出的小室

cue* [kjuː] *v.* 暗示，提示（to give a sign to sb.）；*n.* 暗示，提示（thing said or done to signal sb.'s turn to say or do sth.）

cuisine [kwi(ː)ˈziːn] *n.* 烹饪（style of cooking; manner of preparing food）
【记】发音记忆："口味新" → 烹饪出新口味 → 烹饪

culinary* [ˈkʌlinəri] *adj.* 厨房的（of the kitchen）；烹调的（of cooking）
【记】发音记忆："家里努力" → 在厨房里的努力 → 厨房的
【参】cullender=colander（*n.* 滤器）

culmination [kʌlmiˈneiʃ(ə)n] *n.* 顶点；结果（eventual conclusion or result）
【例】the successful *culmination* of a long campaign（长期战役的胜利结束）

culpable* [ˈkʌlpəbl] *adj.* 有罪的，该受谴责的（deserving blame; blameworthy）
【记】词根记忆：culp（罪行）+ able → 有罪的
【同】culprit（*n.* 犯法者）；exculpate（*v.* 无罪释放）
【反】innocent（*adj.* 无罪的）

cult [kʌlt] *n.* 宗派（a system of religious beliefs and ritual）；崇拜（worship）
【记】联想记忆：culture（文化）去掉 ure → 没文化，搞崇拜 → 崇拜

cultivate* [ˈkʌltiveit] *v.* 种植（to grow from seeds）；向…讨好（to seek to develop familiarity with）
【记】词根记忆：cult（培养，种植）+ ivate（表示动作）→ 种植
【同】cultivable（*adj.* 可培养的）；cultured（*adj.* 有教养的）

cultivated* [ˈkʌltiveitid] *adj.* 耕种的，栽植的（planted）；有修养的（[of people, manner, etc.] having or showing good taste and refinement）

CRUX	CRYPTIC	CUB	CUBICLE	CUE
CUISINE	CULINARY	CULMINATION	CULPABLE	CULT
CULTIVATE	CULTIVATED			

Word List 10

cumbersome* [ˈkʌmbəsəm] *adj.* 笨重的 (hard to handle or deal with; clumsy; heavy)
【记】来自 cumber (*v.* 拖累，妨碍)
【反】easy to handle (易于处理的)

cumulus* [ˈkjuːmjuləs] *n.* 积云 (cloud formed of, rounded, massed, heaped on a flat base)
【记】词根记忆：cumul (堆积) + us → 积云

cunning* [ˈkʌniŋ] *adj.* 善于骗人的 (clever at deceiving people); 灵巧的 (ingenious); *n.* 欺诈行为 (cunning behavior or quality)

cupidity* [kju(ː)ˈpiditi] *n.* 贪婪 (strong desire for wealth; avarice; greed)
【记】联想记忆：Cupid (丘比特) 是罗马神话中的爱神，爱神引起人们对爱情的"贪婪"

curator* [kjuəˈreitə] *n.* (博物馆等) 馆长 (a person in charge of a museum, library, etc.)
【记】词根记忆：cur (关心) + ator → 照看 (艺术品) 之人 → 馆长
【同】curable (*adj.* 可治疗的); curate (*n.* 助理牧师)

curb* [kəːb] *n.* 路缘，(街道的) 镶边石 (an edging built along a street to form part of a gutter); 马勒 (a bit that exerts severe pressure on a horse's jaws); *v.* 控制 (to restrain; check; control)
【参】curd (*n.* 凝乳); curt (*adj.* 无礼的)
【反】goad (*v.* 刺激)

curdle [ˈkəːdl] *v.* 使凝结，变稠 (to form into curd; coagulate; congeal)

curmudgeon* [kəːˈmʌdʒən] *n.* 脾气暴躁之人 (a surly, bad-tempered person)
【记】分拆联想：cur (跑) + mud (泥) + geon → 跑到泥巴里去发脾气 → 脾气暴躁的人
【反】agreeable person (随和的人)

curriculum [kəˈrikjuləm] *n.* (全部的) 课程 (the courses offered by an educational institution)

CUMBERSOME	CUMULUS	CUNNING	CUPIDITY	CURATOR
CURB	CURDLE	CURMUDGEON	CURRICULUM	

【记】词根记忆：curr（跑，发生）+ iculum（表名词）→ 学生跑来跑去上课 → 课程

cursory* [ˈkəːsəri] *adj.* 粗略的，草率的（hasty; superficial）
【记】词根记忆：curs（跑）+ ory → 跑过去 → 草率的
【同】excursion（*n.* 远足，旅游）
【反】painstakingly thorough（仔细彻底的）; slow and thorough（慢而彻底的）; fastidious（*adj.* 苛求的）

curt* [kəːt] *adj.*（言词、行为）简略而草率的（brief, esp. to the point of rudeness; terse）

curtail* [kəːˈteil] *v.* 削减，缩短（to make sth. shorter or less）
【记】分拆联想：cur（看作 curt 短）+ tail（尾巴）→ 短尾巴 → 缩短
【反】prolong（*v.* 延长）; protract（*v.* 延长）

cushion [ˈkuʃən] *n.* 坐垫（a pillow or soft pad for sitting or kneeling on）; *v.* 缓冲（to check gradually so as to minimize shock of moving parts）
【例】Nothing can *cushion* the severity of the electoral defeat.（没有任何东西能减少选举失败的严重性。）

custodian* [kʌsˈtəudjən] *n.* 管理员，监护人（a person who has the custody or care of sth.; caretaker）
【记】发音记忆："卡死偷电" → 管理比较严，卡死偷电的 → 管理员

custody [ˈkʌstədi] *n.* 监管，保管（protection; guardianship）
【记】分拆联想：custo（看作 custom 习惯）+ dy （看作 lady 女人）→ 习惯被女人看护→ 监管

customary [ˈkʌstəməri] *adj.* 合乎习俗的（according to custom）
【记】词根记忆：custom（习俗）+ ary → 合乎习俗的

cuticle [ˈkjuːtikl] *n.* 表皮（the outer layer of the skin; epidermis）
【记】分拆联想：cut（割）+ icle（看作 article 物品）→ 割下的物品 → 表皮

cutlery* [ˈkʌtləri] *n.* （刀、叉、匙等）餐具 （knives, forks and spoons used for eating and serving food）
【记】分拆联想：cut（割）+ lery（看作 celery 芹菜）→ 割芹菜的东西 → 餐具

cyclical* [ˈsiklik（ə）l] *adj.* 循环的（recurring in cycles）
【例】the *cyclical* nature of economic activity（经济活动的循环本质）

cyclical

cyclone* [ˈsaikləun] *n.* 气旋，飓风 （a windstorm with violent, whirling movement; tornado or hurricane）
【记】词根记忆：cycl （圆；转）+ one → 转的东西 → 飓风
【同】cyclamate（*n.* 糖精）; cyclopedic（*adj.* 百科全书的，广泛的）

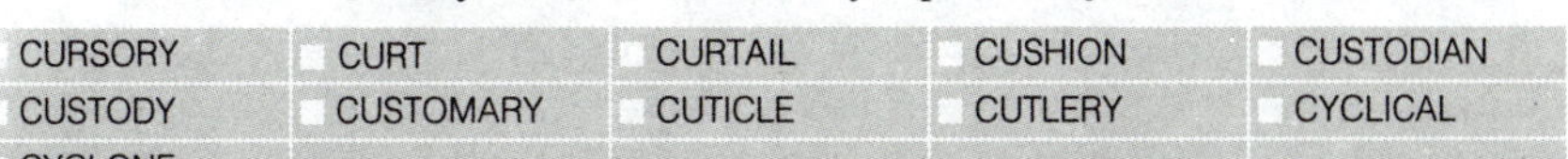

cylinder* [ˈsilində] *n.* 圆柱 (solid or hollow curved body with circular ends and straight sides)

cynic* [ˈsinik] *n.* 犬儒主义者，愤世嫉俗者 (one who believes that human conduct is motivated wholly by self-interest)
【记】词根记忆：cyn(狗)+ic→犬儒主义者
【派】cynical (*adj.* 愤世嫉俗的); cynicism (*n.* 犬儒主义)

cypress [ˈsaipris] *n.* 柏树 (a coniferous tree)
【记】发音记忆："杉柏立世"→像杉树柏树一样挺拔立在世界上→柏树

cytology [saiˈtɔlədʒi] *n.*【生】细胞学 (the branch of biology dealing with the structure, function and life history of cells)
【记】词根记忆：cyt(细胞)+ology(学科)→细胞学
【派】cytogenous (*adj.* 细胞生成的)

dabble [ˈdæbl] *v.* 涉足，浅尝 (to do sth. superficially, not seriously)
【记】注意：不要和 babble(说蠢话)相混
【反】dedicate (*v.* 致力); devote (*v.* 投身于)

daft [dɑːft] *adj.* 傻的 (silly; foolish)
【反】judicious (*adj.* 明智的)

dagger* [ˈdægə] *n.* 短剑，匕首 (a short pointed two-edged knife used as a weapon)

daguerreotype* [dəˈgeriəutaip] *n.* (早期)银版照相 (a photograph made by an early method on a plate of chemically treated metal)
【记】来自摄影术发明人之一的"Daguerre"

dainty* [ˈdeinti] *n.* [常 *pl.*] 量少而味美的食物 (small tasty piece of food, esp. a small cake); *adj.* 娇美的 (delicately pretty); 挑剔的 (fastidious; particular)
【记】词根记忆：dain (=dign 高贵)+ty→高级食品→量少而味美的食物

dally* [ˈdæli] *v.* 闲荡，嬉戏 (to waste time; loiter; trifle)
【记】可以和 daily(每日的)一起记
【例】*dally* time away (蹉跎光阴)

damp* [dæmp] *v.* 减弱，抑制 (make sth. less strong); *adj.* 潮湿的 (moist)

damped* [dæmpt] *adj.* 减震的；压低(声音)的

dampen* [ˈdæmpən] *v.* (使)潮湿 (to make damp; moisten); 使沮丧，泼凉水 (to deaden, depress)
【记】来自 damp(潮湿的)+en→(使)潮湿

dandy [ˈdændi] *n.* 花花公子，好打扮的人 (a man who pays too much attention to his clothes and appearance; fop)
【记】可能来自一种比较漂亮的叫做"Dandie"的狗
【派】dandified (*adj.* 打扮得像花花公子的)

CYLINDER	CYNIC	CYPRESS	CYTOLOGY	DABBLE
DAFT	DAGGER	DAGUERREOTYPE	DAINTY	DALLY
DAMP	DAMPED	DAMPEN	DANDY	

dapper [ˈdæpə(r)] *adj.* 整洁漂亮的（neat and trim）；动作敏捷的（quick in movements）

【反】frowsy（*adj.* 不整洁的）；unkempt（*adj.* 蓬乱的）

dapplled [ˈdæpl(ə)d] *adj.* 有斑点的，斑驳的（covered with spots of a different color）

【记】分拆联想：d + apple + d → 苹果上有时有斑点 → 有斑点的

daredevil* [ˈdeəˌdevl] *adj.* / *n.* 胆大的（人），冒失的（人）（people who are bold and reckless）

【记】组合词：dare（大胆）+ devil（鬼）→ 比鬼还大胆 → 胆大的

dart* [dɑːt] *n.* 飞镖（a small, pointed missile）；*v.* 急驰（to move suddenly and fast）；投射（to throw with a sudden movement）

daunt* [dɔːnt] *v.* 使胆怯，使畏缩（to dishearten; dismay）

【记】分拆联想：d（看作 devil 魔鬼）+ aunt（姑奶奶）→ 像鬼一样的姑奶奶 → 使人胆怯

【形】flaunt（*v.* 炫耀）；gaunt（*adj.* 憔悴的）；taunt（*v.* 嘲弄）；vaunt（*v.* 自夸）

【反】embolden（*v.* 使大胆）；make resolute（使坚决）

dawdle* [ˈdɔːdl] *v.* 闲荡，虚度（to waste time in trifling; idle; loiter）

【派】dawdler（*n.* 闲逛者）

【反】hie（*v.* 催促，急忙）

deaden* [ˈdedn] *v.* 减低某物的力量或强度（to lessen the power or intensity of sth.）

【记】分拆联想：dead（死）+ en → 死掉 → 减轻

【参】以 en 结尾的动词：loosen（*v.* 松开）；broaden（*v.* 加宽）；strengthen（*v.* 加强）

deadlock* [ˈdedlɔk] *n.* 相持不下，僵局（standstill; stalemate）

【记】组合词：dead（死）+ lock（锁）→ 僵局

deadpan* [ˈdedpæn] *adj.* / *n.* 无表情的（脸）（wooden; impassive; with no show of feeling）

【记】分拆联想：dead（死）+ pan（锅）→ 死锅脸 → 无表情的（脸）

dealing* [ˈdiːliŋ] *n.* 生意行为（way of behaving in business）；作风（manner of conduct）

【例】Our company is proud of its reputation for fair *dealing*.（我们的公司以其公平交易的声誉为荣。）

【反】honest dealing（以诚相待）〈〉chicanery（*n.* 狡诈）

dearth* [dəːθ] *n.* 缺乏，短缺（scarcity）

【记】分拆联想：dear（珍贵的）+ th → 物以稀为贵 → 缺乏，短缺

【反】glut（*n.* 充斥）；plethora（*n.* 过剩）；plenitude（*n.* 充分）

debacle* [deiˈbɑːkl] *n.* 解冻（a breakup of ice in a river）；崩溃（a total collapse or failure）

DAPPER	DAPPLED	DAREDEVIL	DART	DAUNT
DAWDLE	DEADEN	DEADLOCK	DEADPAN	DEALING
DEARTH	DEBACLE			

【记】来自法语：de + bacle（阻挡）→ 阻挡不住 → 崩溃
【反】complete success（完全成功）

debark [di'bɑːk] *v.* 下船，下飞机，下车；卸载（disembark）
【记】词根记忆：de（下）+ bark（船）→ 下船
【参】embark（*v.* 上船，上飞机）

debase [di'beis] *v.* 贬低，贬损（to make lower in value, quality, dignity）
【记】词根记忆：de + base（低）→ 使低下去 → 贬低
【同】basement（*n.* 地下室）；basis（*n.* 基础）

debate* [di'beit] *n.* 正式的辩论，讨论（formal argument of a question）
【记】词根记忆：de（加强）+ bate（打，击）→ 加强打击 → 辩论
【同】rebate（*n.* 回扣）；abate（*v.* 减轻）

debilitate* [di'biliteit] *v.* 使衰弱（to make weak or feeble；weaken）
【反】invigorate（*v.* 使有活力）；fortify（*v.* 加强）

debouch [di'bautʃ] *v.* 流出，进入（开阔地区）（to come forth from a narrow place into open country；emerge）
【记】词根记忆：de + bouch（看作 mouth 嘴）→ 从嘴中流出 → 流出
【形】debauch（*v.* 放荡）
【例】The river *debouches* into a wide plain.（这条河流入一片广阔的平原。）

debrief* [di'briːf] *v.* 向…询问情况，听取汇报（to question someone who has returned from a mission）
【记】词根记忆：de + brief（简述）→ 听取汇报

debris ['deibriː] *n.* 废墟，残骸（the remains of sth. broken down or destroyed）
【记】发音记忆："堆玻璃" → 一堆碎玻璃 → 废墟

debunk [diː'bʌŋk] *v.* 揭穿真相，暴露（to expose the false or exaggerated claims）
【记】分拆联想：de + bunk（看作 bank 岸）→ 离开河岸 → 暴露

debut* ['deibjuː] *n.* 初次登台，初次露面（a first appearance before the public, as of an actor）
【反】farewell performance（告别演出）

decadence* ['dekədəns] *n.* 衰落，颓废（the process of becoming decadent）
【反】wholesomeness（*n.* 健全）

deceit* [di'siːt] *n.* 欺骗，欺诈（a dishonest action or trick；fraud or lie）
【记】词根记忆：de + ceit（拿）→ 在（底下）拿 → 欺骗
【参】deceive（*v.* 欺骗）
【同】conceit（*n.* 自负）；conceive（*v.* 设想）

decency* ['diːsnsi] *n.* 正派，端庄（the quality or state of being decent）

deception* [di'sepʃən] *n.* 欺骗手段（a ruse；trick）
【记】词根记忆：de（坏）+ cept（拿，抓）+ ion → 拿坏的东西来 → 欺骗手段

DEBARK	DEBASE	DEBATE	DEBILITATE	DEBOUCH
DEBRIEF	DEBRIS	DEBUNK	DEBUT	DECADENCE
DECEIT	DECENCY	DECEPTION		

decibel* [ˈdesibel] *n.* 分贝（音量的单位）(unit for or degree of loudness)

deciduous [diˈsidʒuəs] *adj.* 非永久的；短暂的 (not lasting; ephemeral)；脱落的(falling off or out)；每年落叶的(shedding leaves annually)

【记】词根记忆：de + cid（落下）+ uous → 脱落的

decimate [ˈdesimeit] *v.* 毁掉大部分；大量杀死(to destroy or kill a large part of)

【记】词根记忆：decim（十分之一）+ ate → 杀…的十分之一 → 大量杀死

【同】decimal (*adj.* 十进法的)

【例】Disease *decimated* the population.（疾病使人口大为减少。）

decipher* [diˈsaifə] *v.* 解开（疑团）(to make out the meaning of)；破译（密码）(to decode)

【记】词根记忆：de（去掉）+ cipher（密码）→ 破译密码

declaim [diˈkleim] *v.* 高谈阔论(to speak in a pompous way)

【记】词根记忆：de（向下）+ claim（喊）→ 向下喊 → 高谈阔论

【同】proclaim (*v.* 宣传)；acclaim (*v.* 欢呼)

declamation* [ˌdekləˈmeiʃən] *n.* 雄辩，高调 (speech in a dramatic, pompous, or blustering way)

decline* [diˈklain] *v.* 拒绝 (to refuse sth. offered politely)；变弱，变小(to become smaller, weaker, fewer)；*n.* 消减 (gradual and continuous loss of strength, power or numbers)

【记】词根记忆：de（向下）+ cline（倾斜，斜坡）→ 向下斜 → 消减

decode* [ˌdiːˈkəud] *v.* 译解（密码）(to translate a coded message)

【记】词根记忆：de（去掉）+ code（密码）→ 译解密码

decompose [ˌdiːkəmˈpəuz] *v.*（使）腐烂(to rot; decay)

【记】词根记忆：de（否定）+ compose（组成）→ 腐烂

【参】compose (*v.* 组合)

decomposition* [ˌdiːkɔmpəˈziʃən] *n.* 分解，腐烂；崩溃

decorate* [ˈdekəreit] *v.* 装饰某事物(to furnish with sth. ornamental; adorn)

【记】词根记忆：decor（装饰）+ ate → 装饰某事物

【派】decoration (*n.* 装饰)

decorum* [diˈkɔːrəm] *n.* 礼节，礼貌 (propriety and good taste in behavior, dress; etiquette)

【记】词根记忆：decor（美，装饰）+ um → 美的行为 → 礼节

【派】decorous (*adj.* 符合礼节的)

【反】effrontery (*n.* 厚颜无耻)；impropriety (*n.* 不得体)

decrepit* [diˈkrepit] *adj.* 衰老的；破旧的 (broken down or worn out by old age, illness, or long use)

【记】词根记忆：de + crepit（破裂声）→ 破裂掉 → 破旧的

【参】decrepitate (*v.*［矿石等］烧爆)

【派】decrepitude (*n.* 衰老，破旧)

【反】sturdy (*adj.* 强健的)；vigorous (*adj.* 健壮的)

DECIBEL	DECIDUOUS	DECIMATE	DECIPHER	DECLAIM
DECLAMATION	DECLINE	DECODE	DECOMPOSE	DECOMPOSITION
DECORATE	DECORUM	DECREPIT		

decry [di'krai] *v.* 责难 (to speak out against strongly and openly; denounce); 贬低(价值)(to depreciate officially; disparage)
【记】词根记忆: de + cry (喊) → 向下喊 → 贬低; 注意不要和descry(看见, 望到)相混

dedication* [ˌdedi'keiʃən] *n.* 对某事业或目的的忠诚 (devotion to a cause or an aim)
【反】dedicate (*v.* 全力以赴, 奉献) 〈〉 dabble (*v.* 浅尝辄止, 涉足)

deduce* [di'djuːs] *v.* 演绎, 推断 (to arrive at a conclusion by reasoning)
【记】词根记忆: de (向下) + duce (引导) → 向下引 → 推断

deduct* [di'dʌkt] *v.* 减去, 扣除 (to take away an amount or a part); 演绎 (to deduce; infer)

deductive* [di'dʌktiv] *adj.* 推理的, 演绎的 (reasoning by deduction)

deed* [diːd] *n.* 行为 (action); (土地或建筑物的)转让契约、证书 (a document which transfers a present interest in property)

deface* [di'feis] *v.* 损坏 (to mar the appearance of; destroy)
【记】词根记忆: de (变坏) + face (脸面) → 把脸面弄坏 → 损坏
【同】efface (*v.* 抹掉); boldfaced (*adj.* 厚颜的)

default* [di'fɔːlt] *n.* 拖债 (failure to pay money required by due); 未履行的责任 (failure to do sth. required by duty or law)
【记】分拆联想: de + fault (错误) → 错下去 → 拖债
【反】pay one's debts (偿还); fulfill an obligation (偿还债务)

defeatist* [di'fiːtist] *n.* 失败主义者 (person who shows defeatism)
【记】词根记忆: defeat (失败) + ist → 失败主义者
【参】feat (*n.* 功绩)

defect* [di'fekt] *n.* 缺点, 瑕疵 (fault; flaw); *v.* 变节, 脱党 (to forsake a cause or party)
【记】词根记忆: de + fect (做) → 没做好 → 缺点

defendant* [di'fendənt] *n.* 被告 (a person required to make answer in a legal action or suit)
【记】词根记忆: defend (辩护) + ant → 保护的一方 → 被告
【参】plaintiff (*n.* 原告)

defense [di'fens] *n.* 防御, 防护 (action of fighting against attack)

defer* [di'fəː] *v.* 推延 (to put off to a future time; delay); 听从 (to yield with courtesy)
【记】有两个名词形式: deferment (*n.* 延期, 暂缓); deference (*n.* 敬重)

deference* ['defərəns] *n.* 敬意, 尊重 (courteous regard or respect)
【记】注意: 它的动词为 defer (拖延; 听从)
【反】effrontery (*n.* 厚颜无耻); contempt (*n.* 蔑视)

deferential [ˌdefə'renʃəl] *adj.* 顺从的, 恭顺的 (showing deference)

DECRY	DEDICATION	DEDUCE	DEDUCT	DEDUCTIVE
DEED	DEFACE	DEFAULT	DEFEATIST	DEFECT
DEFENDANT	DEFENSE	DEFER	DEFERENCE	DEFERENTIAL

defiance* [di'faiəns] *n.* 挑战；违抗，反抗（open disobedience）
【记】来自 defy（*v.* 公然反抗）
【反】veneration（*n.* 尊敬）

deficiency* [di'fiʃənsi] *n.* 缺陷（absence of sth. essential; incompleteness）；不足（shortage）
【记】词根记忆：de + fic（做）+ iency → 没做好 → 缺陷
【反】surfeit（*n.* 过度；充足）

deficit ['defisit] *n.* 不足（insufficiency; shortage）；赤字
【例】a *deficit* of rain（缺乏雨水）

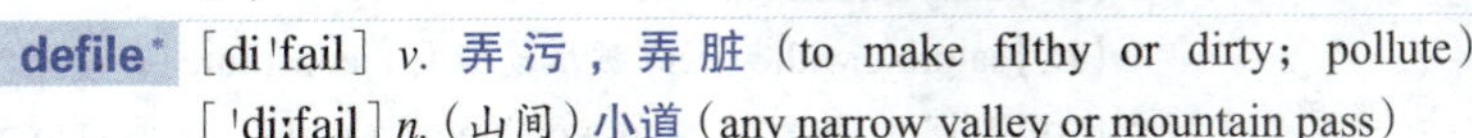

defile* [di'fail] *v.* 弄污，弄脏（to make filthy or dirty; pollute）；['di:fail] *n.*（山间）小道（any narrow valley or mountain pass）
【记】词根记忆：de + file（=vile 卑鄙的）→ 使…卑下 → 弄污

definitive* [di'finitiv] *adj.* 明确的，有权威的（clear and having final authority）；最终的（conclusive）
【反】provisional（*adj.* 临时的）
【参】defined（*adj.* 定义的，清晰的）；definite（*adj.* 清楚的，明确的）；definition（*n.* 定义）

deflated* [di'fleitid] *adj.* 灰心丧气的（feeling less important or less confident）
【记】来自 deflate（*v.* 放气）；de + flat（平的）+ e → 车胎平了，一定是被人放了气 → 放气
【同】inflate（*v.* 充气）；flatus（*n.* 气息）；flatulent（*adj.* 空虚的，浮夸的）
【派】deflation（*n.* 放气；通货紧缩）

deflect* [di'flekt] *v.* 偏离，转向（to turn to aside; deviate）
【记】词根记忆：de + flect（弯曲）→ 弯到旁边 → 偏离
【同】reflection（*n.* 反射，深思）；flexible（*adj.* 灵活的）

defoliator [di'fəulieitə] *n.* 落叶剂
【记】词根记忆：de（去掉）+ foli（树叶）+ ator（东西）→ 让树叶脱落的东西 → 落叶剂
【同】foliage（*n.* 树叶）；portfolio（*n.* 公文包；有价证券）

defraud* [di'frɔ:d] *v.* 欺骗某人（to cheat）
【记】词根记忆：de（变坏）+ fraud（欺骗）→ 欺骗
【参】fraudulent（*adj.* 欺骗性的）

deft* [deft] *adj.* 灵巧的，熟练的（skillful in a quick, sure, and easy way; dexterous）
【反】maladroit（*adj.* 不灵巧的）

defuse* [diːˈfjuːz] *v.* 从(爆破装置)中卸除引信(to remove the fuse from a mine); 缓和紧张状态或危急局面 (to remove the tension from a potentially dangerous situation)

【记】词根记忆: de + fuse(导火线)→拆除导火线→卸除引信

【反】foment(*v.* 煽动)

defy* [diˈfai] *v.* 违抗, 藐视(to refuse to respect sb. as an authority)

【反】acquiesce(*v.* 默许, 同意)

degradation [ˌdegrəˈdeiʃən] *n.* 降低身份, 受辱(the act of degrading)

【记】来自 degrade(*v.* 降级)

dehydrate* [diːˈhaidreit] *v.* 除去水分, 脱水(to remove water from)

【记】词根记忆: de + hydr(水) + ate → 去水, 脱水

【同】hydrant(*n.* 水龙头); anhydrous(*adj.* 无水的)

【派】dehydration(*n.* 脱水)

【反】saturate with water(被水浸透); reconstitute(*v.* 重新泡入水中)

deify [ˈdiːifai] *v.* 奉为神 (to worship as a god); 崇拜 (to adore in an extreme way; to idolize)

【记】词根记忆: dei(神) + fy(…化)→奉为神

【同】deicide(*v.* 杀神); deity(*n.* 神, 神性); deification(*n.* 神化, 崇拜)

deign [dein] *v.* 屈尊; 惠允(做某事)(to condescend to do sth.; stoop)

【参】condescend(*v.* 屈尊)

【例】Now that she is married to a rich man, she no longer *deigns* to visit her former friends. (嫁了富人后, 她不再屈尊去拜访她以前的朋友。)

dejected [diˈdʒektid] *adj.* 沮丧的, 失望的 (in low spirits; depressed; disheartened)

【记】词根记忆: de + ject(扔) + ed → 被扔掉的 → 沮丧的, 失望的

【同】abject(*adj.* 可怜的); reject(*v.* 拒绝)

【反】exultant(*adj.* 欢跃的)

delectable [diˈlektəbl] *adj.* 赏心悦目的 (pleasing to the taste; delicious; luscious)

【记】分拆联想: d + elect(选) + able → 能被选出来的 → 让人赏心悦目的

delegate* [ˈdeligit] *n.* 代表 (representative); *v.* 委派…为代表, 授权(to appoint as one's representative)

【记】词根记忆: de + legate(使者)→出去的使者→代表; legate 本身是一个单词

【派】delegation(*n.* 代表团)

deleterious* [ˌdeliˈtiəriəs] *adj.* (对身心)有害的, 有毒的 (harmful often in a subtle or unexpected way; injurious)

【记】词根记忆: delete(删除) + rious → 要删除的东西 → 有害的

DEFUSE	DEFY	DEGRADATION	DEHYDRATE	DEIFY
DEIGN	DEJECTED	DELECTABLE	DELEGATE	DELETERIOUS

【反】wholesome (*adj.* 健康的); salutary / salubrious (*adj.* 有益健康的)

deliberate* [di'libəreit] *adj.* 深思熟虑的;故意的 (carefully thought out and formed, or done on purpose); *v.* 慎重考虑 (to think or consider carefully and fully)

【记】词根记忆: de + liber (自由) + ate → 非自由的 → 深思熟虑的

【同】liberality (*n.* 自由,慷慨); liberty (*n.* 自由)

【派】deliberateness / deliberation (*n.* 故意;深思熟虑)

【反】impetuous (*adj.* 冲动的); precipitate (*adj.* 仓促的); hasty (*adj.* 匆忙的); summary (*adj.* 草率的)

delicacy* ['delikəsi] *n.* 细嫩 (tenderness when touched); 精致,优雅 (fineness)

【记】词根记忆: de (一再) + lic (引诱) + acy → 一再引诱人的东西 → 精致,优雅

【反】crudity (*n.* 粗糙)

delicate ['delikit] *adj.* 娇嫩的 (tender when touched); 精致的,优美的 (pleasing to the senses)

delimit* [diː'limit] *v.* 定界,划界 (to fix the limits of)

【记】词根记忆: de + limit (界限) → 划界

delineate* [di'linieit] *v.* 描画 (to sketch out; draw; describe)

【记】词根记忆: de (加强) + line (线条) + ate → 加强线条 → 描画

【参】limn (*v.* 描绘)

delinquency [di'liŋkwənsi] *n.* 失职,过失 (failure or neglect to do what duty or law requires; misdeed)

delinquent* [di'liŋkwənt] *adj.* 疏忽职务的 (failing or neglecting to do what duty or law requires)

【记】词根记忆: de + linqu (=linger 闲荡) + ent → 闲荡过去 → 疏忽职务的

delirious [di'liriəs] *adj.* 精神错乱的 (of, relating to, or characteristic of delirium)

delirium* [di'liriəm] *n.* 精神错乱 (a temporary state of extreme mental disorder; insanity; mania)

delta* ['deltə] *n.* 三角洲 (triangular area of alluvial land at the river's mouth)

delude* [di'luːd] *v.* 欺骗,哄骗 (to mislead; deceive; trick)

【记】词根记忆: de + lude (玩弄) → 玩弄别人 → 欺骗

【同】allude (*v.* 暗示); ludicrous (*adj.* 可笑的)

deluge* ['deljuːdʒ] *n.* 大洪水 (great flood); 暴雨 (heavy rainfall)

【记】词根记忆: de + luge (=luv 冲洗) → 冲掉 → 大洪水

DELIBERATE	DELICACY	DELICATE	DELIMIT	DELINEATE
DELINQUENCY	DELINQUENT	DELIRIOUS	DELIRIUM	DELTA
DELUDE	DELUGE			

【参】deluvial（*adj.* 大洪水的）；dilute（*v.* 冲淡）
【反】drizzle（*n.* 细雨；*v.* 下毛毛细雨）

delusion* [di'luːʒən] *n.* 欺骗；幻想（illusion；hallucination）
【派】delusive（*adj.* 迷惑的，欺骗的）
【反】delusive 〈〉 transparent（*adj.* 透明的；清楚的）

delve [delv] *v.* 深入探究，钻研（to investigate for information；search）

demagogue* ['deməgɔg] *n.* 蛊惑民心的政客（political leader who tries to win people's support by using emotional and often unreasonable arguments）
【记】来自 demagogy（*n.* 煽动，蛊惑民心）：dem（人民，人们）+ agogy（教导，鼓动）→ 股蛊民心

• **demand*** [di'mɑːnd] *v.* 要求，苛求（to ask or call for with authority）
【记】词根记忆：de（一再）+ mand（命令）→ 一再令人做 → 苛求
【反】supplicate（*v.* 乞求）

demean* [di'miːn] *v.* 贬抑，降低（to lower in status or character；degrade；humble）
【记】词根记忆：de + mean（低下）→ 使低下 → 贬抑

demise [di'maiz] *n.* 死亡（death）；财产转让（transfer of estate）
【记】词根记忆：de + mise（=miss 消失）→ 消失掉 → 死亡

• **demography*** [diː'mɔgrəfi] *n.* 人口统计，人口学（the statistical study of human populations）
【记】词根记忆：demo（人）+ graphy（写）→ 写出人口有多少 → 人口统计
【参】census（*n.* 人口普查）

demolish* [di'mɔliʃ] *v.* 破坏（to destroy；ruin）；拆除（to break to pieces）
【记】词根记忆：demol（破坏）+ ish → 破坏
【参】demon（*n.* 魔鬼）

demolition* [ˌdemə'liʃən] *n.* 破坏，毁坏（destruction by explosives）

• **demonstrate*** ['demənstreit] *v.* 证明，论证（to prove or make clear by reasoning or evidence）；示威（to make a demonstration）
【记】词根记忆：de（加强）+ monstr（=monster 妖怪；显示）+ ate → 加强显示 → 证明

• **demonstrative*** [di'mɔnstrətiv] *adj.* 证明性的（demonstrating as real or true）；喜怒形于色的（showing the feelings readily）
【例】Some people are more *demonstrative* than others.（有些人更喜欢将喜怒哀乐表露出来。）

demoralize* [di'mɔrəlaiz] *v.* 使士气低落（to dispirit）
【记】词根记忆：de（去掉）+ moral（e）（士气）+ ize → 去掉士气 → 使士气低落

• **demote*** [di'məut] *v.* 降级，降职（to reduce to a lower grade）
【记】词根记忆：de + mote（动）→ 动下去 → 降级
【同】promote（*v.* 提升）；commotion（*n.* 动乱）

DELUSION	DELVE	DEMAGOGUE	DEMAND	DEMEAN
DEMISE	DEMOGRAPHY	DEMOLISH	DEMOLITION	DEMONSTRATE
DEMONSTRATIVE	DEMORALIZE	DEMOTE		

demotic [di(ː)ˈmɔtik] *adj.* 民众的，通俗的 (of or pertaining to the people)
【记】词根记忆：demo(人民)+tic(…的)→民众的，通俗的

demur* [diˈməː] *v.* 表示异议，反对 (to object)
【记】词根记忆：de+mur(墙)→竖起墙→反对
【同】mural(*n.* 壁画)；demure(*adj.* 严肃的)
【反】accept(*v.* 认可；接受)

demystify [diːˈmistifai] *v.* 弄清楚 (to make sth. less mysterious)
【记】词根记忆：de(去掉)+mystify(使迷惑)→去掉迷惑→弄清楚

den* [den] *n.* 兽穴，窝 (animal's hidden home)

denigrate* [ˈdenigreit] *v.* 污蔑，诽谤 (to disparage the character or reputation of; defame; blacken)
【记】词根记忆：de+nigr(黑)+ate→弄黑→诽谤
【同】negrophile(*n.* 同黑人友好者)；nigrify(*v.* 使变黑)
【派】denigration(*n.* 诋毁，贬低)
【反】honor(*v.* 给以尊敬；*n.* 荣耀；名誉)

denizen [ˈdenizn] *n.* 居民 (an inhabitant or occupant)；外籍居民 (an alien granted specified rights of citizenship)
【记】分拆联想：den(兽穴，窝)+izen→住在窝里的人→居民
【参】citizen(*n.* 城市居民)

denomination* [diˌnɔmiˈneiʃən] *n.* 命名 (an act of denominating)；(长度、币值的)单位 (class or unit of measurement or money)
【记】来自 denominate(*v.* 命名，取名)

denote [diˈnəut] *v.* 表示 (to mark, indicate)；指示意义 (to signify)
【记】词根记忆：de+note(意义)→给予意义→表示
【同】connote(*v.* 含蓄，暗示)；notify(*v.* 通知)

denouement* [deiˈnuːmɔŋ] *n.* (小说的)结尾，结局 (the outcome or solution of a plot in a drama or story)
【记】法语：de+noue (=knot 结)+ment→解开结→结尾；注意不要和 denouncement(谴责)相混

denounce* [diˈnauns] *v.* 指责 (to accuse publicly)
【记】词根记忆：de+nounce(报告)→坏报告→指责
【同】renounce(*v.* 抛弃)；announce(*v.* 通告)
【反】advocate(*v.* 提倡)；tout(*v.* 吹捧)；condone(*v.* 宽恕)

DEMOTIC	DEMUR	DEMYSTIFY	DEN	DENIGRATE
DENIZEN	DENOMINATION	DENOTE	DENOUEMENT	DENOUNCE

Word List 11

dent [dent] *n.* 缺口，凹痕 (a slight hollow made in a surface); *v.* 弄凹 (to make a dent in)

denture* [ˈdentʃə] *n.* 假牙 (artificial teeth)
【记】词根记忆：dent (牙) + ure → 假牙
【同】dentist (*n.* 牙医)

denude* [diˈnjuːd] *v.* 脱去 (to make bare or naked); 剥蚀 (to lay bare by erosion); 剥夺 (to deprive of sth. important)
【记】词根记忆：de + nude (赤裸的) → 完全赤裸 → 脱去
【同】nudism (*n.* 裸体主义); nudity (*n.* 裸体)
【反】cover (*v.* 覆盖)

depict* [diˈpikt] *v.* 描绘，描画 (to describe; represent by or as if by a picture)
【记】词根记忆：de (加强) + pict (描画) → 描绘
【同】picture (*n.* 图画); pictograph (*n.* 象形文字)

deplete* [diˈpliːt] *v.* 大量减少；耗尽，枯竭 (to exhaust)
【记】词根记忆：de + plete (满) → 不满 → 耗尽
【同】replete (*adj.* 饱满的); plentiful (*adj.* 大量的)
【派】depletion (*n.* 耗尽；枯竭)
【反】enrich (*v.* 使富足)

deplore [diˈplɔː] *v.* 悲悼，哀叹 (to express or feel grief for); 谴责 (condemn)
【记】词根记忆：de (向下) + plore (喊) → 悲悼
【反】laud (*v.* 赞美); accolade (*n.* 赞美)

deport* [diˈpɔːt] *v.* (将外国人、罪犯等) 驱逐出境 (to legally force a foreigner, criminal to leave a country)
【记】词根记忆：de (去掉) + port (拿，运) → 拿出去 → 驱逐出境

depose* [diˈpəuz] *v.* 免职 (to remove from office or a position of power); 作证 (to state by affidavit)

DENT	DENTURE	DENUDE	DEPICT	DEPLETE
DEPLORE	DEPORT	DEPOSE		

【记】词根记忆：de + pose（放）→ 放下去 → 免职

【同】position（*n.* 职位）；repose（*v.* 休息，宁静）

deposition* [ˌdepəˈziʃən] *n.* 免职 （removal from office or position）；沉积（the laying down of matter）；作证（making a testimony）

【反】perjure（*v.* 使发伪誓）；process of eroding（侵蚀过程）

depraved [diˈpreivd] *adj.* 堕落的，腐化的（morally bad；corrupt）

depravity* [diˈpræviti] *n.* 堕落，恶习 （a morally bad condition；corruption；wickedness）

【记】词根记忆：de + prav（坏）+ ity → 变坏 → 堕落；注意不要和 deprivation（剥夺）相混

deprecate [ˈdeprikeit] *v.* 反对（to express disapproval of）；轻视（belittle）

【记】词根记忆：de + prec（价值）+ ate → 去掉价值 → 反对

【反】extol（*v.* 赞美）；vaunt（*v.* / *n.* 吹嘘）

depreciate* [diˈpriːʃieit] *v.* 轻视 （to make seem less important；belittle；disparage）；贬值（to reduce or drop in value or price）

【记】词根记忆：de + preci（价值）+ ate → 贬值

【同】appreciate（*v.* 增值；欣赏）

depressed* [diˈprest] *adj.* 消沉的 （sad and without enthusiasm）；凹陷的（flattened downward）

【记】来自 depress（*v.* 消沉，沮丧）

【反】bulged（*adj.* 膨胀的）；protuberant（*adj.* 突出的）

depression* [diˈpreʃən] *n.* 沮丧，消沉（low spirits）；降低，削弱（a reduction in amount）

【反】surfeit（*n.* 过度）

deprivation* [ˌdepriˈveiʃən] *n.* 剥夺 （removal from an office, dignity, or benefice）；缺乏（the state of being deprived）

【记】来自 deprive（*v.* 剥夺）；词根记忆：de + priv（私人的）+ ation → 从私人那里拿掉 → 剥夺

【同】privacy（*n.* 独处，私下）；privation（*n.* 贫乏）

deputy* [ˈdepjuti] *n.* 代表（a person appointed to act for another）；副警长

deracinate* [diˈræsineit] *v.* 根除，杜绝（to pull up by the roots；eradicate）

【记】词根记忆：de + rac（=race 种族）+ inate → 灭种族 → 根除

【反】plant（*v.* 种植）

derelict* [ˈderilikt] *adj.* 荒废的 （deserted by the owner；abandoned）；玩忽职守的 （neglectful of duty；remiss）；*n.* 被遗弃的人 （someone abandoned by family and society）

【记】词根记忆：de + relict（=relinguish 放弃）→ 放弃掉的 → 被遗弃的人

【形】relict（*n.* 残余物）；relic（*n.* 遗迹）

【反】extremely careful（极其小心的）；pillar of society（国之栋梁）

DEPOSITION	DEPRAVED	DEPRAVITY	DEPRECATE	DEPRECIATE
DEPRESSED	DEPRESSION	DEPRIVATION	DEPUTY	DERACINATE
DERELICT				

dereliction* [deri'likʃən] *n.* 遗弃，弃置（state of being deserted）

deride* [di'raid] *v.* 嘲弄，愚弄（to laugh at in contempt or scorn; ridicule）

【记】词根记忆：de + ride（笑）→ 嘲笑；注意：rid=ris 都是"笑"的词根

【同】ridiculous（*adj.* 可笑的）；risible（*adj.* 爱笑的）

【反】show respect for（表示尊敬）；praise（*v.* 赞扬）

derivation* [deri'veiʃən] *n.* 发展，起源（development or origin）；词源（first form and meaning of a word）

【记】来自 derive（*v.* 派生，得出）；来自词根 riv（河流）

【同】river（*n.* 河流）；arrive（*v.* 到达）

derivative* [di'rivətiv] *adj.* 派生的（derived）；无创意的（not original）

【反】precursory（*adj.* 先驱的）；innovative（*adj.* 创新的）

dermatologist* [ˌdəːmə'tɔlədʒist] *n.* 皮肤病学家（an expert in dermatology）

【记】词根记忆：dermat（皮肤）+ ologist（学者）→ 皮肤病学家

【同】epidermis（*n.* 表皮）；dermatitis（*n.* 皮炎）；hypoderm（*n.* 皮下组织）

derogate ['derəgeit] *v.* 贬低，诽谤（to lower in esteem; disparage）

【记】词根记忆：de（坏）+ rog（问，说）+ ate → 说坏话 → 贬低

【同】arrogate（*v.* 冒称）；rogation（*n.* 祈祷）；interrogate（*v.* 审问）

descendant [di'send（ə）nt] *n.* 后代，后裔（offspring of a certain ancestor, family, group, etc.）

【反】forebears（*n.* 前辈）

descent [di'sent] *n.* 降落（the process of going down）；侵袭（a sudden violent attack）；血统（the origin or background of a person in terms of family or nationality）

【记】词根记忆：de（向下）+ scent（爬）→ 向下爬 → 降落

descry [dis'krai] *v.* 远远看到，望见（to catch sight of; discern）

【记】词根记忆：de + scry（分辨）→ 分辨出来 → 看到；注意不要和 decry（*v.* 谴责）或 outcry（*n.* 呐喊）相混

desecrate* ['desikreit] *v.* 玷辱，亵渎（to treat as not sacred; profane）

【记】词根记忆：de（坏）+ secr（神圣）+ ate → 玷辱（神灵）

【同】consecrate（*v.* 奉献）

【反】sanctify（*v.* 尊崇）；revere（*v.* 尊敬）

desert* [di'zəːt] *v.* 放弃，离弃（to abandon）

【记】词根记忆：de（分开）+ sert（加入）→ 不再加入 → 离开 → 抛弃

【同】assert（*v.* 断言）；insert（*v.* 插入）

【派】deserted（*adj.* 荒芜的）；deserter（*n.* 逃亡者，背弃者）；desertion（*n.* 背弃，遗弃）

desiccate* ['desikeit] *v.* （使）完全干涸，脱水（to dry completely; preserve by drying）

DERELICTION	DERIDE	DERIVATION	DERIVATIVE	DERMATOLOGIST
DEROGATE	DESCENDANT	DESCENT	DESCRY	DESECRATE
DESERT	DESICCATE			

【记】词根记忆：de + sicc（干）+ ate → 弄干，脱水
【同】siccative（*adj.* 使干燥的；*n.* 干燥剂）；desiccant（*n.* 干燥剂）
【参】dehydrate（*v.* 脱水）
【派】desiccation（*n.* 脱水，干燥）
【反】drench （*v.* 使湿透）；hydrate （*v.* 使与水化合）；add water to（加水）

designation [ˌdezig'neiʃən] *n.* 指定（indication）；名称，称呼（name；title）
【记】词根记忆：de + sign（标出）+ ation → 标出来 → 指定
【同】design（*v.* / *n.* 设计）；signify（*v.* 表示，意味）

desirable* [di'zaiərəbl] *adj.* 值得要的（advisable；worthwhile；beneficial）
【记】来自 desire（渴望）+ able → 令人渴望得到的 → 值得要的

desperate* ['despərit] *adj.* 绝望的（nearly hopeless）；特别强烈的（extremely intense）；渴望至极乃至痛苦绝望的（suffering or driven by great need or distress）
【记】词根记忆：de（去掉）+ sper（希望）+ ate → 去掉希望 → 绝望的
【同】prosperous（*adj.* 繁荣的）

despicable* ['despikəbl] *adj.* 可鄙的，卑劣的 （deserving to be despised；contemptible）
【记】词根记忆：de + spic（看）+ able → 不值得看的 → 卑劣的
【同】despise（*v.* 轻视）；conspicuous（*adj.* 显著的）
【反】sublime（*adj.* 高尚的）

despise* [dis'paiz] *v.* 鄙视，藐视 （to look down on with contempt or aversion）

despot* ['despɔt] *n.* 暴君（a ruler with unlimited powers）
【记】词根记忆：des（出现）+ pot（力量）→ 展示力量的人 → 暴君
【同】potent（*adj.* 有力的）
【派】despotic（*adj.* 专制的，暴虐的）；despotism（*n.* 专制）

destitution* [ˌdesti'tjuːʃən] *n.* 匮乏，穷困（the state of being destitute）
【记】来自 destitute（*adj.* 贫乏的）

desultory* ['desəltəri] *adj.* 不连贯的（disconnected）；散漫的（disconnected；not methodical；random）
【记】词根记忆：de + sult（跳）+ ory → 跳来跳去 → 散漫的
【同】consult（*v.* 咨询；忠告）；insult（*v.* 侮辱）
【反】strictly methodical（有严格系统的）

detach* [di'tætʃ] *v.* 分离，分遣（to separate without violence or damage）
【记】词根记忆：de（去掉）+ tach（接触）→ 去掉接触 → 分离

detached* [di'tætʃt] *adj.* 分开的 （not connected；separate）；超然的（impartial；indifferent）
【同】attachment（*n.* 附件；依恋）

detain* [di'tein] *v.* 拘留（to confine）；使延迟（to hold back）
【记】词根记忆：de + tain（拿，抓）→ 拘留
【同】attainment（*n.* 成就，到达）；retain（*v.* 保留，留住）

detection* [di'tekʃən] *n.* 查出，探获（the act of detecting）
【记】来自 detect（*v.* 察觉，发现）：de + tect（遮盖）→ 去掉遮盖 → 发现
【同】protection（*n.* 保护）

deter* [di'təː] *v.* 威慑，吓住（to discourage）；阻止
【记】词根记忆：de + ter（吓唬）→ 吓住
【同】terror（*n.* 恐惧）
【派】determent（*n.* 制止；威慑）
【反】spur（*v.* 鞭策）

detergent* [di'təːdʒənt] *adj.* 净化的（cleansing）；*n.* 清洁剂
【记】词根记忆：de + terg（擦）+ ent → 擦东西用的 → 清洁剂

deteriorate* [di'tiəriəreit] *v.* （使）变坏，恶化 （make inferior in quality or value）
【记】来自拉丁文 deterior（糟糕的）+ ate → 变糟，恶化
【参】superior（*adj.* 高级的）；inferior（*adj.* 低级的）

detest [di'test] *v.* 厌恶，憎恨（to dislike intensely；hate；abhor）
【记】词根记忆：de + test（证明）→ 反过去证明 → 憎恨
【同】attest（*v.* 证明，表明）；testify（*v.* 证明）

detonation* [ˌdetəu'neiʃən] *n.* 爆炸，爆炸声（explosion）
【记】来自 detonate（*v.* 引爆）

detour ['diːtuə(r)] *n.* 弯路（a roundabout way）；绕行之路（a route used when the direct or regular route is not available）
【记】词根记忆：de + tour（旅行，走）→ 绕行之路

detraction* [di'trækʃən] *n.* 贬低，诽谤（unfair criticism）
【记】词根记忆：de（向下）+ tract（拉，拖）+ ion → 向下拉 → 贬低

detrimental [ˌdetri'mentl] *adj.* 损害的，造成伤害的 （causing detriment；harmful）
【记】来自 detriment（*n.* 损害，伤害）

detritus* [di'traitəs] *n.* 碎屑 （loose fragments and grains from rock）；废墟（debris）
【反】valuable product（有价值的产品）

devastate* ['devəsteit] *v.* 摧毁，破坏（to ravage；destroy）
【记】词根记忆：de（变坏）+ vast（大量）+ ate → 大量弄坏 → 破坏；vast 本身是一个单词，意为"广阔的，大量的"
【派】devastating（*adj.* 破坏性的）

deviant* ['diːviənt] *adj.* 越出常规的（deviating esp. from an accepted norm）
【记】词根记忆：de（偏离）+ vi（路）+ ant → 偏离道路 → 越出常规的
【同】obviate（*v.* 排除）；via（*prep.* 经由）
【派】deviance（*n.* 反常的行为或倾向）

deviate* ['diːvieit] *v.* 越轨，脱离（to diverge；digress）
【记】词根记忆：de（偏离）+ vi（道路）+ ate → 偏离道路的 → 越轨

DETECTION	DETER	DETERGENT	DETERIORATE	DETEST
DETONATION	DETOUR	DETRACTION	DETRIMENTAL	DETRITUS
DEVASTATE	DEVIANT	DEVIATE		

deviation [ˌdiːviˈeiʃən] *n.* 背离 (noticeable or marked departure from accepted norms of behavior)

devious* [ˈdiːvjəs] *adj.* 不正直的 (not straightforward or frank); 弯曲的 (roundabout; winding)

【记】词根记忆：de(偏离) + vi(道路) + ous → 偏离正道的 → 不正直的

devise* [diˈvaiz] *v.* 发明，设计 (to invent); 图谋 (to plan to obtain or bring about); 遗赠给 (to give estate by will)

devoid [diˈvɔid] *adj.* 空的，全无的 (empty or destitute of)

【记】词根记忆：de + void(空) → 空的

【同】void (*adj.* 空的); voidance (*n.* 排泄，放出)

devoted* [diˈvəutid] *adj.* 投入的，热爱的 (very loving or loyal)

【记】来自 devote (*v.* 投身于，献身)：de(加强) + vote(发誓) → 拼命发誓 → 献身

【同】votary (*n.* 信徒，爱好者); vote (*v.* 投票)

devotee* [ˌdevəuˈtiː] *n.* 爱好者 (people who devote to sth., enthusiast)

devotional* [diˈvəuʃənəl] *adj.* 献身的，崇拜的 (used in religious worship)

devour [diˈvauə] *v.* 吞食 (to eat or eat up hungrily); 如饥似渴地读 (to read avidly)

【记】词根记忆：de + vour(吞吃) → 吞食

【同】voracious (*adj.* 狼吞虎咽的)

devout* [diˈvaut] *adj.* 虔敬的 (seriously concerned with religion); 忠诚的，忠心的 (totally committed to a cause or a belief)

【记】可能来自 devote (*v.* 投身于，献身)

dexterity* [dekˈsteriti] *n.* 纯熟，灵巧 (skill in using one's hands or body; adroitness)

【记】词根记忆：dexter(右) + ity → 像右手一样 → 纯熟，灵巧

dexterous [ˈdekstərəs] *adj.* 灵巧的，熟练的 (adroit; handy)

【同】ambidextrous (*adj.* 十分熟练的); dextrorotation (*n.* 右旋)

diabetes [ˌdaiəˈbiːtiːz] *n.* 糖尿病

【记】分拆联想：dia(穿过) + betes → 总觉得有尿要穿过 → 多尿症 → 糖尿病

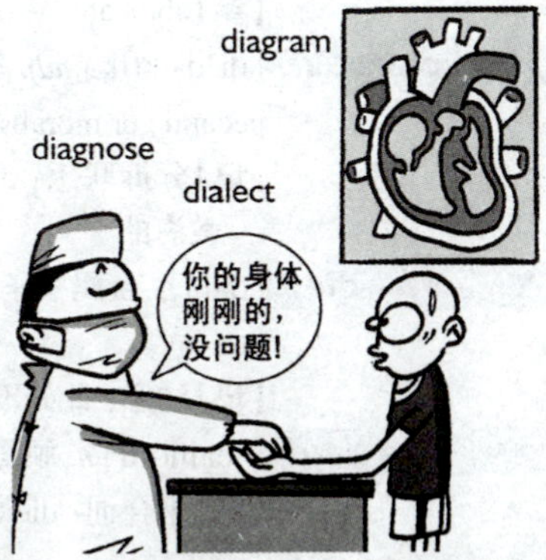

diabolical [ˌdaiəˈbɔlikəl] *adj.* 恶毒的，狠毒的 (very wicked or cruel; fiendish)

【记】来自 diabol (*n.* 恶魔)

【反】seraphic (*adj.* 纯洁的；天使般的)

diagnose [ˈdaiəgnəuz] *v.* 判断，诊断 (to find out the nature of an illness by observing its symptoms)

【记】词根记忆：dia(穿过)+gnose(知道)→穿过(皮肤)知道→诊断

diagonal* [dai'ægənl] *adj.* 对角线的；*n.* 对角线

【记】词根记忆：dia(相对)+gon(角)+al→角相对→对角线

diagram* ['daiəgræm] *n.* 图解，图表 (drawing that uses simple lines to illustrate a machine, structure, or process)

【记】词根记忆：dia(穿过)+gram(写，图)→交叉对着画→图表

dialect* ['daiəlekt] *n.* 方言(form of a language used in a part of a country)

【记】词根记忆：dia(对面)+lect(讲)→对面讲话→方言

【参】lecture(*n.* 讲座)

diameter* [dai'æmitə] *n.* 直径 (the length of a straight line through the center of an object)

【记】词根记忆：dia(对面)+meter(计量，测量)→量到对面的线→直径

diaphanous* [dai'æfənəs] *adj.* 精致的；透明的 (characterized by such fineness of texture as to permit seeing through)

【记】词根记忆：dia+phan(呈现)+ous→对面显现→能看到对面→透明的

【同】phantom(*n.* 幽灵，幻影)

【反】opaque(*adj.* 不透明的)

diatribe* ['daiətraib] *n.* (口头或书面猛烈的)抨击 (a bitter, abusive criticism or denunciation)

【记】词根记忆：dia(两者之间)+tribe(摩擦)→两方摩擦→抨击

【同】tribunal(*n.* 法庭)；contrite(*adj.* 后悔的)

【反】encomium (*n.* 赞美)；eulogy (*n.* 赞扬)；laudatory piece of writing(赞扬性的文章)

dictate* [dik'teit] *v.* 口述 (to speak or read aloud for someone else to write down)；命令(to prescribe or command forcefully)

【记】词根记忆：dict(讲话，命令)+ate→命令

【参】abdicate(*v.* 退位)

didactic* [di'dæktik] *adj.* 教诲的 (morally instructive)；说教的(boringly pedantic or moralistic)

【记】分拆联想：did(做)+act(行动)+ic→教人如何做或行动→教诲的

die* [dai] *n.* 金属模子，印模(block of hard metal with a design, etc. cut into it)

【记】注意：此处不再是"死亡"的意思

die-hard ['daihɑːd] *n.* 顽固分子(a fanatically determined person)

【记】组合词：die(死)+hard(硬)→顽固分子

DIAGONAL	DIAGRAM	DIALECT	DIAMETER	DIAPHANOUS
DIATRIBE	DICTATE	DIDACTIC	DIE	DIE-HARD

diffident* [ˈdifidənt] *adj.* 缺乏自信的 (not showing much belief in one's own abilities)

【反】bold (*adj.* 大胆的); brassy (*adj.* 厚颜无耻的); expansive (*adj.* [胸襟] 开阔的); confident (*adj.* 自信的)

diffuse* [diˈfjuːz] *v.* 散布，(光等) 漫射 (to disperse in every direction); *adj.* 漫射的，散漫的 (spreading out or dispersed); 不简洁的 (not concise)

【记】词根记忆：dif (不同) + fuse (流) → 向不同方向流动 → 漫射

【同】confuse (*v.* 混淆); transfuse (*v.* 输血)

【反】focus (*v.* 集中)

digestion* [diˈdʒestʃən] *n.* 消化，吸收 (the action, process, or power of digesting)

【记】来自 digest (*v.* 消化)：di (下去) + gest (带) → 带下去 → 消化

digit* [ˈdidʒit] *n.* 手指，脚趾 (a finger or a toe); 数字，数码 (a number from 0 to 9)

dignity* [ˈdigniti] *n.* 尊严，尊贵 (quality that deserves respect)

【记】词根记忆：dign (高贵) + ity → 尊贵

【派】dignify (*v.* 使高贵)

【同】indignant (*adj.* 愤慨的)

digress* [daiˈgres] *v.* 离题 (to depart temporarily from the main subject)

【记】词根记忆：di (离开) + gress (走) → 走离 → 离题

dilapidate [diˈlæpiˌdeit] *v.* (使) 荒废，(使) 毁坏 (to bring into a condition of decay or partial ruin)

【记】词根记忆：di (二) + lapid (石头) + ate → 石基倒塌成为两半 → (使) 荒废，(使) 毁坏

【同】ruin (*v.* 使破产); bankrupt (*v.* 使破产); wreck (*v.* 破坏)

dilapidated* [diˈlæpideitid] *adj.* 破旧的，倒塌的 (broken down; shabby and neglected)

【同】lapidary (*adj.* 石头的)

【反】restored (*adj.* 被修复的)

dilate* [daiˈleit] *v.* (身体某部位) 张大，扩大 (to swell; expand)

【记】词根记忆：di + late (放) → 放开 → 扩大；注意不要和 dilute (冲淡，稀释) 相混

【反】constrict (*v.* 压缩); narrow (*v.* 变窄)

dilatory* [ˈdilətəri] *adj.* 慢吞吞的，磨蹭的 (inclined to delay; slow or late in doing things)

【记】可能来自 delay (*v.* 拖延，耽搁)；词根记忆：di + lat (放) + ory → 放下来不做 → 慢吞吞的

【反】alacritous (*adj.* 敏捷的); precipitate (*adj.* 仓促的)

dilemma* [diˈlemə] *n.* 困境，左右为难 (any situation between unpleasant alternatives; predicament)

DIFFIDENT	DIFFUSE	DIGESTION	DIGIT	DIGNITY
DIGRESS	DILAPIDATE	DILAPIDATED	DILATE	DILATORY
DILEMMA				

【记】可能来自 lemma（*n.* 定理，标题）；词根记忆：di（两个）+ lemma → 两个标题 → 左右为难，困境

dilettante* [ˌdiliˈtænti] *n.* 半瓶醋，业余爱好者（dabbler；amateur）
【记】词根记忆：dilet（=delect 愉快）+ tante → 为了找乐而做事的人 → 爱好者
【参】delectable（*adj.* 愉悦的）

diligence* [ˈdilidʒəns] *n.* 勤勉，勤奋（steady effort）
【记】分拆联想：dili（音似：地里）+ gence → 每天在地里劳作 → 勤勉
【反】procrastination（*n.* 拖延）

dilute* [daiˈljuːt] *v.* 把（液体）弄稀，弄淡（to thin down or weaken by mixing with water or other liquid）
【记】词根记忆：di + lute（冲洗）→ 冲开 → 弄稀
【反】concentrate（*v.* 浓缩）

dim* [dim] *v.* 使暗淡，使模糊（to make or become not bright）

dimension* [diˈmenʃən] *n.* 维度，尺寸（measurement of any sort [breadth, length, thickness, height]）
【记】词根记忆：di + mens（测量）+ ion → 加强测量 → 尺寸

diminution [ˌdimiˈnjuːʃən] *n.* 减少，缩减（a case or the state of diminishing or being diminished）
【记】词根记忆：di + minu（变小，减少）+ tion → 减少，缩小

dimple* [ˈdimpl] *n.* 酒窝，笑靥（a small dent or pucker, esp. in the skin of one's cheeks or chin）
【记】分拆联想：d + imp（小精灵）+ le → 像小精灵一样可爱 →（有）笑靥

din* [din] *n.* 喧闹声，嘈杂声（a loud continuous noise；clamor；uproar）
【反】silence（*n.* 安静）；hush（*n.* 寂静）

dingy* [ˈdindʒi] *adj.* 肮脏的；褪色的（dirty colored；grimy；shabby）

diplomatic [ˌdipləˈmætik] *adj.* 外交的；圆滑的（tactful and adroit；suave）
【记】来自 diplomat（*n.* 外交家，外交官）

dire [ˈdaiə] *adj.* 可怕的；悲惨的（dreadful；miserable）
【反】pleasant（*adj.* 快乐的）

dirge* [ˈdəːdʒ] *n.* 哀歌（a funeral hymn）

disabuse* [ˌdisəˈbjuːz] *v.* 打消（某人的）错误念头；纠正（to rid of false ideas；undeceive）
【记】词根记忆：dis + abuse（滥用，误用）→ 纠正错误
【反】hoodwink（*v.* 欺骗）；lead into error（犯错）

disaffect* [ˌdisəˈfekt] *v.* 使不满；使不忠（to make disloyal）
【记】词根记忆：dis（不）+ affect（影响，感动）→ 不再感动 → 使不满

disagreeable [ˌdisəˈgriəbl] *adj.* 讨厌的（unpleasant）；乖戾的（hard to get along with；quarrelsome）

DILETTANTE	DILIGENCE	DILUTE	DIM	DIMENSION
DIMINUTION	DIMPLE	DIN	DINGY	DIPLOMATIC
DIRE	DIRGE	DISABUSE	DISAFFECT	DISAGREEABLE

disarm* [dis'ɑːm] *v.* 缴某人的械 (to take weapons away from sb.); 使缓和 (to make sb. less angry, hostile, etc.)
【记】词根记忆: dis (除去) + arm (武器) → 除去某人的武器
【反】put on guard (警戒)

disarray* [ˌdisə'rei] *n.* 混乱, 漫无秩序 (an untidy condition; disorder; confusion)
【记】词根记忆: dis (离开) + array (排列, 装扮) → 离开排列 → 漫无秩序; array 本身是一个单词

disaster* [di'zɑːstə] *n.* 灾难, 大不幸 (calamity; catastrophe; cataclysm)
【记】词根记忆: dis (离开) + aster (星星) → 离开星星 → 星位不正 → 灾难
【同】asterisk (*n.* 星号); asteroid (*adj.* 星状的)

disbar* [dis'bɑː] *v.* 取消律师资格 (to expel a lawyer from the bar; exclude)
【记】词根记忆: dis (分开, 离开) + bar (律师界) → 使离开律师界 → 取消律师资格

disburse* [dis'bəːs] *v.* 支付, 支出 (to pay out; expend)
【记】词根记忆: dis (除去) + burse (=purse 钱包) → 从钱包里拿 (钱) → 支出
【派】disbursement (*n.* 支出, 开支)

discard [dis'kɑːd] *v.* 扔掉, 抛弃 (to throw sth. out)
【记】词根记忆: dis (除去) + card (纸片) → 把 (废纸) 扔掉 → 抛弃
【反】retain (*v.* 保留)

discern* [di'səːn] *v.* (费劲) 识别, 看出 (to recognize as separate or different; distinguish)
【记】词根记忆: dis (除去) + cern (=sift 筛) → 筛出来 → 识别
【同】concern (*v.* 关注)

discernible* [di'səːnəbl] *adj.* 可识别的, 依稀可辨的 (being recognized or identified)
【记】词根记忆: discern (洞悉, 辨别) + ible → 可识别的, 依稀可辨的

discerning* [di'səːniŋ] *adj.* 识别力强的 (showing insight and understanding)
【反】myopic (*adj.* 近视的)

discharge* [dis'tʃɑːdʒ] *v.* 流出 (to emit); 释放 (to officially allow someone to leave); 解雇 (to dismiss from employment); 履行义务 (to carry out duty)
【反】hire (*v.* 雇用)

disciple* [di'saipl] *n.* 信徒, 弟子 (a convinced adherent of a school or individual)
【记】和 discipline (纪律) 一起记, 学徒必须有纪律

DISARM	DISARRAY	DISASTER	DISBAR	DISBURSE
DISCARD	DISCERN	DISCERNIBLE	DISCERNING	DISCHARGE
DISCIPLE				

discipline* [ˈdisiplin] *v.* 训练，训导 (to train or develop by instruction and exercise esp. in self-control); *n.* 纪律 (a rule or system of rules governing conduct or activity); 惩罚，处分 (punishment)
【记】词根记忆：dis + cip (拿) + line (线) → 让人站成一条线来训练 → 训导

disclaim [disˈkleim] *v.* 放弃权利 (to give up or renounce); 拒绝承认 (to refuse to acknowledge; deny)
【记】词根记忆：dis (不) + claim (喊，要求) → 不再要求 → 放弃权利

disclose* [disˈkləuz] *v.* 使某物显露 (to allow sth. to be seen; reveal)
【记】词根记忆：dis (不) + close (关闭) → 不再关闭 → 显露

discography* [disˈkɔgrəfi] *n.* 唱片分类目录 (a descriptive list of recordings by category, composer, performer, or date of release); 录音音乐研究
【记】词根记忆：disc (录音，唱片) + o + graphy (写) → 唱片分类目录

discombobulate [ˌdiskʌmˈbɔbjuleit] *v.* 扰乱，使困惑 (upset, confuse)
【同】agitate (*v.* 搅动); disturb (*v.* 弄乱)

discombobulated* [ˌdiskʌmˈbɔbjuleitid] *adj.* 扰乱的，打乱的 (in a state of confusion)

discomfit* [disˈkʌmfit] *v.* 使懊恼；使难堪 (to make uneasy; disconcert; embarrass)
【记】词根记忆：dis + comfit (看作 comfort) → 使不舒服 → 使难堪
【派】discomfiture (*n.* 挫折；尴尬)

discompose [ˌdiskəmˈpəuz] *v.* 使失态，慌张 (to disturb the calm or poise of)
【记】词根记忆：dis (不) + compose (组合，沉着) → 不沉着 → 慌张

disconcert [ˌdiskənˈsəːt] *v.* 使…尴尬 (to confuse; upset; embarrass)
【记】词根记忆：dis (不) + concert (一致，音乐会) → 和别人不一致 → 尴尬
【例】He was *disconcerted* to find the other guests formally dressed. (他尴尬地发现其他的客人都穿戴得很正式。)

discord* [ˈdiskɔːd] *n.* 不和，纷争 (disagreement; dissension)
【记】词根记忆：dis (不) + cord (心脏，一致) → 不一致 → 不和，纷争
【反】harmony (*n.* 协调)

discount* [ˈdiskaunt] *n.* 折扣 (amount of money taken off the cost)
【记】词根记忆：dis (除去) + count (降低点数) → 向下点数 → 打折
【反】surcharge (*n.* 附加费)

discourse* [disˈkɔːs] *n.* 演讲，论述 (a long and formal treatment of a subject, in speech or writing; dissertation)

DISCIPLINE	DISCLAIM	DISCLOSE	DISCOGRAPHY	DISCOMBOBULATE
DISCOMBOBULATED	DISCOMFIT	DISCOMPOSE	DISCONCERT	DISCORD
DISCOUNT	DISCOURSE			

【记】词根记忆：dis + course（跑）→ 像跑一样讲 →（长篇）演讲
【同】concourse（*n.* 汇合，合流）

discredit* [dis'kredit] *v.* 怀疑 （to reject as untrue；disbelieve）；*n.* 丧失名誉（disgrace；dishonor）
【记】词根记忆：dis（不）+ credit（相信）→ 不相信 → 怀疑
【参】creditable（*adj.* 可信的）

discreet* [dis'kriːt] *adj.* 小心的，言行谨慎的（prudent；modest）
【记】词根记忆：dis + creet （分辨出来）→ 分辨出不同来 → 小心的；注意不要和 discrete（分开的）相混

discrepancy [dis'krepənsi] *n.* 不同，矛盾（lack of agreement；inconsistency）
【记】词根记忆：dis（分开）+ crep（破裂）+ ancy → 裂开 → 矛盾
【同】decrepit（*adj.* 衰老的）；crepitate（*v.* 劈啪作响）

discrete* [dis'kriːt] *adj.* 个别的（individual；separate）；不连续的（made up of distinct parts；discontinuous）
【反】continuous（*adj.* 连续的）

discretion* [dis'kreʃən] *n.* 谨慎，审慎（prudence）

discretionary [dis'kreʃənəri] *adj.* 自由决定的 （left to one's own discretion or judgement）
【反】obligatory（*adj.* 强制性的）；preordained（*adj.* 预先决定的）

discriminate* [dis'krimineit] *v.* 区分 （to make a clear distinction）；歧视（treat worse/better than others）
【记】词根记忆：dis + crimin（=crime 罪行）+ ate → 区别对待有罪的人 → 歧视，区分
【同】incriminate（*v.* 连累）；recriminate（*v.* 反控诉）
【派】discrimination（*n.* 鉴别力；歧视）
【反】confound（*v.* 混淆）

discriminatory [di'skriminətəri] *adj.* 歧视的，差别对待的（showing prejudice）

discursive [dis'kəːsiv] *adj.* 散漫的，无层次的 （rambling，wandering from topic to topic without order）
【记】词根记忆：dis + curs（跑）+ ive → 到处乱跑 → 散漫的
【反】keen on title（集中在主题上的）；succinct（*adj.* 简洁的）

disdain* [dis'dein] *n.* / *v.* 轻视，鄙视 （contempt；to refuse or reject with aloof contempt or scorn；despise）
【记】词根记忆：dis（不）+ dain（=dign 高贵）→ 把人弄得不高贵 → 鄙视
【同】dainty（*adj.* 优美的，讲究的）
【反】treat favorably（亲切地对待）；adulation（*n.* 阿谀）

disembodied [ˌdisim'bɔdid] *adj.* 无实体的，空洞的（free from bodily existence；incorporeal）
【记】词根记忆：dis（不）+ embodied（实体的）→ 无实体的
【参】embodiment（*n.* 体现，化身）
【反】corporeal（*adj.* 物质的；肉体的）

DISCREDIT	DISCREET	DISCREPANCY	DISCRETE	DISCRETION
DISCRETIONARY	DISCRIMINATE	DISCRIMINATORY	DISCURSIVE	DISDAIN
DISEMBODIED				

disenchant* [ˌdisinˈtʃɑːnt] *v.* 对…不再抱幻想，使清醒 (to free from illusion)
【记】词根记忆：dis (不) + enchant (使陶醉) → 使不再陶醉在 (幻想中)

disengage* [ˌdisinˈgeidʒ] *v.* 脱离，解开 (to release from sth. engaged)
【反】mesh (*v.* 挂挡；啮合)

disentangle* [ˌdisinˈtæŋgl] *v.* 解决；解脱，解开 (to make straight and free of knots)
【记】词根记忆：dis (不) + entangle (纠缠) → 摆脱纠缠 → 解脱

If you put out your hands, you are a laborer; if you put out your hands and mind, you are a craftsperson; if you put out your hands, mind, heart and soul, you are an artist.
如果你用双手工作，你是一个劳力；如果你用双手和头脑工作，你是一个工匠；如果你用双手和头脑工作，并且全身心投入，你就是一个艺术家。

——美国电影 *American Heart and Soul*

Word List 12

disfigure [dis ˈfigə] *v.* 毁容 (to mar the appearance of; spoil)

【记】词根记忆: dis (除去) + figure (形体) → 去掉形体 → 毁容

disfranchise [dis ˈfræntʃaiz] *v.* [尤美] 剥夺(某人的)选举权

【反】enfranchise (*v.* 给予…选举权)

disgorge* [dis ˈgɔːdʒ] *v.* 呕出 (to vomit); (水) 流走 (to pour forth)

【记】词根记忆: dis (否定) + gorge (吞入) → 呕出

【反】ingest (*v.* 摄取); swallow (*v.* 吞咽)

disgruntle [dis ˈgrʌntl] *v.* 使不满意 (to make discontented)

【反】disgruntled (*adj.* 不满的) 〈〉 contented (*adj.* 满意的)

disguise [dis ˈgaiz] *v.* 假扮 (to furnish with a false appearance or an assumed identity); 掩饰 (to obscure real nature of)

【记】词根记忆: dis + guise (姿态, 伪装) → 伪装, 掩饰; 注意 guise 本身是一个单词

disgust* [dis ˈgʌst] *n.* 反感, 厌恶 (strong dislike)

【记】词根记忆: dis (不) + gust (胃口) → 没有胃口, 反胃 → 反感

【同】gusto (*n.* 爱好, 嗜好); degust (*v.* 品尝)

【反】disgusting (*adj.* 令人厌恶的) → entrancing (*adj.* 使人入神的)

disillusion* [ˌdisi ˈluːʒən] *v.* 梦想破灭, 醒悟 (to cause to lose naive faith and trust)

【记】词根记忆: dis (不) + illusion (幻想) → 不再有幻想 → 梦想破灭

disinfect* [ˌdisin ˈfekt] *v.* 杀菌, 消毒 (to clean by destroying germs that cause disease)

【记】词根记忆: dis (除去) + infect (感染) → 消除感染 → 消毒

disinfectant [disin ˈfekt (ə) nt] *n.* 消毒剂 (an agent that frees from infection)

disinter* [ˌdisin ˈtəː] *v.* 挖出, 挖掘 (to unearth; remove from a grave, tomb)

【记】词根记忆: dis (除去) + inter (埋葬) → 把埋葬的 (东西) 掘出

【反】bury (*v.* 埋葬)

DISFIGURE	DISFRANCHISE	DISGORGE	DISGRUNTLE	DISGUISE
DISGUST	DISILLUSION	DISINFECT	DISINFECTANT	DISINTER

disinterested* [dis'intristid] *adj.* 公正的，客观的 (impartial; unbiased)
【记】注意区别 uninterested (不感兴趣的)
【反】prejudiced (*adj.* 怀偏见的); factional (*adj.* 派系的); iniquitous (*adj.* 不公正的)

disjunction* [dis'dʒʌŋkʃən] *n.* 分离，分裂 (a sharp cleavage)
【记】词根记忆: dis (不) + junction (连接，交叉点) → 不再连接 → 分离
【反】continuity (*n.* 连续)

disjunctive* [dis'dʒʌŋktiv] *adj.* 分离的；相反的 (showing opposition or contrast between two ideas)

dislocate* ['disləkeit] *v.* 使脱臼 (to displace a bone from its proper position at a joint); 把…弄乱 (to disarrange; disrupt)
【记】词根记忆: dis (不) + locate (定位，安置) → 不安置 → 弄乱

dislodge [dis'lɔdʒ] *v.* 逐出，取出 (to force from a position where lodged; drive out)
【记】词根记忆: dis (不) + lodge (寄存，小屋) → 不寄存 → 取出
【例】*dislodge* a fishbone from a cat's throat (从猫的喉咙中取出鱼骨头)
【反】anchor (*v.* 固定)

dismal ['dizməl] *adj.* 使人悲伤的，阴沉的 (showing sadness)

dismantle [dis'mæntl] *v.* 拆除 (to take a part; disassemble)
【记】词根记忆: dis (除去) + mantle (斗篷，覆盖物) → 拆掉覆盖物 → 拆除

dismay* [dis'mei] *n.* 沮丧，气馁 (feeling of shock and discouragement); *v.* 使气馁
【记】词根记忆: dis (不) + may (可能) → 不可能做 → 使人沮丧
【反】hearten (*v.* 鼓励)

disparage* [dis'pæridʒ] *v.* 贬抑，轻蔑 (to speak slightingly of; depreciate; decry)
【记】词根记忆: dis (除去) + par (平等) + age → 剥夺平等 → 贬抑
【同】parity (*n.* 平等)
【反】aggrandize (*v.* 赞美); extol (*v.* 赞美)

disparate* ['dispərit] *adj.* 迥然不同的 (essentially not alike; distinct or different in kind)
【记】词根记忆: dis (不) + par (平等) + ate → 不等的 → 不同的
【反】homogeneous (*adj.* 同类的)

dispassionate* [dis'pæʃənit] *adj.* 平心静气的 (free from passion, emotion, or bias)
【记】词根记忆: dis (不) + passionate (激情的) → 不表现激情 → 平心静气的
【反】dispassionate speech (心平气和的演说) 〈〉 tirade (*n.* 长篇攻击性演说)

DISINTERESTED	DISJUNCTION	DISJUNCTIVE	DISLOCATE	DISLODGE
DISMAL	DISMANTLE	DISMAY	DISPARAGE	DISPARATE
DISPASSIONATE				

dispatch* [dis'pætʃ] *v.* 派遣 (to send off or out promptly); 一下子做完 (to dispose of rapidly or efficiently); 吃完 (to eat up quickly); *n.* 迅速 (promptness; haste)

【记】词根记忆: dis (除去) + patch (妨碍, 补丁) → 去掉妨碍, 迅速完成 → 一下子做完

【参】patch (*n.* 补丁)

【反】leisureliness (*n.* 从容)

dispel* [dis'pel] *v.* 驱散, 消除 (to scatter and drive away; disperse)

【记】词根记忆: dis (分开) + pel (推) → 推开 → 驱散

【同】propel (*v.* 推进); expel (*v.* 驱逐)

dispensable* [dis'pensəbl] *adj.* 不必要的, 可有可无的 (capable of being dispensed with)

【记】词根记忆: dis (加强) + pens (挂) + able → 可以挂起来了 → 不必要的

【参】indispensable (*adj.* 必不可少的)

dispense* [dis'pens] *v.* 分配, 分发 (to distribute in portions)

【记】词根记忆: dis (分开) + pens (花费) + e → 分开花费 → 分配, 分送 (财物)

【同】expense (*n.* 花费); compensate (*v.* 补偿)

disperse* [dis'pəːs] *v.* 消散, 驱散 (to spread or distribute from a fixed or constant source)

【记】词根记忆: di (分开) + sperse (散开) → 分散开 → 驱散

【同】asperse (*v.* 诽谤); intersperse (*v.* 点缀, 散布)

【反】focus (*v.* 聚集); aggregate (*v.* 聚集)

displace* [dis'pleis] *v.* 换置; 使某人某物离开原位 (to move from the usual or correct place)

【记】词根记忆: dis (分开, 离开) + place (地方, 位置) → 离开原位

【参】replace (*v.* 取代, 替换)

【反】ensconce (*v.* 安置)

disposable* [dis'pəuzəbl] *adj.* 一次性使用的 (made to be thrown away after use); 可动用的 (available for use)

disposal* [dis'pəuzəl] *n.* 清除, 处理 (action of getting rid of)

dispose* [dis'pəuz] *v.* 使倾向; 处理掉 (to put in place; arrange)

【例】Man proposes, God *disposes*. (谋事在人, 成事在天。)

disposed* [dis'pəuzd] *adj.* 愿意的, 想干的 (inclined)

【记】来自 dispose (*v.* 处理; 有意于)

【反】disinclined (*adj.* 不愿的)

disposition [ˌdispə'ziʃən] *n.* 处理 (management or settlement of affairs); 天性, 气质 (temperament)

【例】He has a happy *disposition*. (他天性快乐。)

DISPATCH	DISPEL	DISPENSABLE	DISPENSE	DISPERSE
DISPLACE	DISPOSABLE	DISPOSAL	DISPOSE	DISPOSED
DISPOSITION				

disproof* [ˈdispruːf] *n.* 反证，反驳 (the act of refuting or disproving)
【反】substantiation (*n.* 证明)

disprove* [disˈpruːv] *v.* 证明…有误 (to show that sth. is wrong)
【记】词根记忆：dis (否定) + prove (证明) → 证明…是否定的 → 证明…有误

dispute* [disˈpjuːt] *v.* 争论 (to argue about; debate)
【记】词根记忆：dis + pute (思考) → 思考相悖 → 争论
【同】putative (*adj.* 被公认的); repute (*n.* 认为；名声)
【反】accept (*v.* 接受，同意)

disregard* [ˌdisriˈɡɑːd] *v.* / *n.* 疏忽，漠视 (to ignore; pay no attention to)

disrepute* [ˌdisriˈpjuːt] *n.* 名声不好 (state of having a bad reputation)
【记】词根记忆：dis (否定) + repute (名声) → 名声不好

disrupt* [disˈrʌpt] *v.* 弄乱，扰乱 (to cause disorder in sth.)
【记】词根记忆：dis (分开) + rupt (断) → 使断裂开 → 扰乱

disruptive* [disˈrʌptiv] *adj.* 制造混乱的 (causing disruption)

dissect* [diˈsekt] *v.* 解剖 (to cut up a dead body)
【记】词根记忆：dis (分开) + sect (切) → 切开 → 解剖
【同】bisect (*v.* 切成两半); section (*n.* 部分，片断)

dissemble* [diˈsembl] *v.* 隐藏，掩饰 (感受、意图) (to conceal; disguise)
【记】词根记忆：dis (否定) + semble (相同) → 不和 (本来面目) 相同 → 隐蔽
【同】assemble (*v.* 集合); simultaneous (*adj.* 同时的)
【反】behave honestly (诚实地表现)

disseminate* [diˈsemineit] *v.* 散布，传播 (to spread abroad; promulgate widely)
【记】词根记忆：dis (分开) + semin (种子) + ate → 散布 (种子)
【同】seminal (*adj.* 种子的；创造性的)
【反】garner (*v.* 收集)

dissent* [diˈsent] *v.* 不同意，持异议 (to differ in belief or opinion; disagree)
【记】词根记忆：dis (否定) + sent (感觉) → 非同感 → 不同意
【同】assent (*v.* 同意); sentiment (*n.* 情感)
【反】concur (*v.* 同意)

dissertation* [ˌdisə(ː)ˈteiʃən] *n.* 专题论文 (long essay on a particular subject)
【记】词根记忆：dis (加强) + sert (断言) + ation → 加强言论，说明言论的东西 → 专题论文

dissident* [ˈdisidənt] *n.* 唱反调者 (a person who disagrees; dissenter)
【记】词根记忆：dis (分开) + sid (坐) + ent → 分开坐的人 → 唱反调者
【同】preside (*v.* 主持); subside (*v.* 沉淀，平息)

dissimulate [diˈsimjuleit] *v.* 隐藏，掩饰 (to hide one's feelings or motives by pretense; to dissemble)

DISPROOF	DISPROVE	DISPUTE	DISREGARD	DISREPUTE
DISRUPT	DISRUPTIVE	DISSECT	DISSEMBLE	DISSEMINATE
DISSENT	DISSERTATION	DISSIDENT	DISSIMULATE	

【记】词根记忆：dis（不）+ simul（相同）+ ate → 不和本来面目相同 → 掩饰

dissipate* [ˈdisipeit] *v.*（使）驱散（to scatter）；浪费（to waste or squander）
【记】分拆联想：dis（加强）+ sip（喝，饮）+ ate → 到处吃喝 → 浪费；注意：sip 本身是一个常考单词
【反】accumulate（*v.* 积累）；gather（*v.* 聚集）；amass（*v.* 收集）

dissociation* [diˌsəusiˈeiʃən] *n.* 分离，脱离关系
【记】词根记忆：dis（分开）+ soci（社会）+ ation → 和社会分开 → 分离
【反】affiliation（*n.* 加入）

dissolute* [ˈdisəljuːt] *adj.* 放荡的，无节制的 （dissipated and immoral; profligate）
【记】词根记忆：dis（分开）+ solute（溶解）→（精力）溶解掉 → 放荡的；注意不要和 dissoluble（可溶解的）相混
【同】resolution（*n.* 坚决，坚定）；solution（*n.* 解决方案）

dissolve* [diˈzɔlv] *v.* 使固体溶解（to make a solid become liquid）
【记】词根记忆：dis（分开）+ solve（松开）→ 松开分散 → 溶解

dissonant [ˈdisənənt] *adj.* 不和谐的，不一致的 （opposing in opinion, temperament; discordant）
【记】词根记忆：dis（分开）+ son（声音）+ ant → 声音分散的 → 不和谐的
【参】consonant（*adj.* 和谐的）

dissuade* [diˈsweid] *v.* 劝阻，阻止（to advise against an action）
【记】词根记忆：dis + suade（敦促）→ 敦促某人不做 → 劝阻
【同】persuade（*v.* 说服）
【反】abet（*v.* 教唆）

distant* [ˈdistənt] *adj.* 疏远的，冷淡的 （reserved or aloof in personal relationship）
【记】词根记忆：dis（分开）+ tant → 分开了的 → 疏远的

distend* [disˈtend] *v.* （使）膨胀，胀大 （to stretch out; become swollen; expand）
【记】词根记忆：dis（分开）+ tend（拉）→ 向四面拉 → 膨胀
【同】contend（*v.* 争论，竞争）；extend（*v.* 延伸，扩展）
【反】compress（*v.* 压缩）

distension* [disˈtenʃən] *n.* 膨胀（inflation; expansion）
【反】compression（*n.* 压缩）

distill* [diˈstil] *v.* 蒸馏（to turn a liquid into vapor by heating）
【记】词根记忆：di（分开）+ still（小水滴）→ 蒸馏
【同】instill（*v.* 滴注，灌输）

distinct* [disˈtiŋkt] *adj.* 清楚的，明显的（definite; evident）
【记】词根记忆：di（分开）+ stinct（刺）→ 把刺分开 → 与众不同

DISSIPATE	DISSOCIATION	DISSOLUTE	DISSOLVE	DISSONANT
DISSUADE	DISTANT	DISTEND	DISTENSION	DISTILL
DISTINCT				

的 → 明显的

【同】instinct（n. 天性，本能）；distinguish（v. 区别，鉴别）

distinction* [dis'tiŋkʃən] n. 区别，差别（difference）；知名（fame；eminence）

【反】lack of distinction（不知名）〈〉repute（n. 名望）

distinctive [dis'tiŋktiv] adj. 出众的，有特色的（that distinguishes sth. by making it different from others）

【记】词根记忆：distinct（明显的）+ ive → 出众的，有特色的

【反】nebulous（adj. 模糊的）

distinguished* [dis'tiŋgwiʃt] adj. 著名的，卓越的（celebrated；eminent）

【记】来自 distinguish（v. 区别）

【同】instigate（v. 教唆，煽动）；extinguish（v. 熄灭）

distort* [dis'tɔːt] v. 扭曲，弄歪（to twist sth. out of its usual shape）

【记】词根记忆：dis（坏）+ tort（扭曲）→ 扭坏了 → 曲解

【同】extort（v. 敲诈）；torture（n. 折磨）

distract* [dis'trækt] v. 分心，转移（to take a person or their attention off sth. esp. for a short time）；使发狂（to perplex and bewilder）

【记】词根记忆：dis（分开）+ tract（拉）→（精神）被拉开 → 分心

distracted [dis'træktid] adj. 心烦意乱的，精神不集中的（diverted）

【记】词根记忆：dis（分开）+ tract（拉）+ ed →（精神）被拉开 → 心烦意乱的

【同】tractable（adj. 温顺的，随和的）；abstract（adj. 抽象的）

【反】rapt（adj. 全神贯注的）

distraught* [dis'trɔːt] adj. 心神狂乱的（mentally confused；distressed）

【记】由 distract（v. 分散注意；发狂）变化而来

【反】composed（adj. 镇定的）

distress* [dis'tres] n. 痛苦，悲痛（pain；suffering；agony；anguish）

【记】词根记忆：di（s）（加强）+ stress（压力，紧张）→ 压倒 → 悲痛

distribute* [dis'tribju(ː)t] v. 分发，分配某事物（to separate sth. into part and give a share to each person）

【记】词根记忆：dis（分开）+ tribute（给予）→ 分开给 → 分发

【派】distribution（n. 分发，分送）

district* ['distrikt] n. 地区，行政区，（美国各州的）众议院选区（a fixed division of a country, a city made for various official purposes）

ditty* ['diti] n. 小曲，小调（short simple song）

diurnal* [dai'əːnl] adj. 白昼的，白天的（of daytime）

【记】词根记忆：di（白天）+ urnal（…的）→ 白天的

【同】diary（n. 日记）；dial（n. 日晷）

【反】chiefly active at night（主要在夜间活动的）；occurring at night（夜间发生的）；nocturnal（adj. 夜间的）

diva ['diːvə] n. 歌剧中的女主角（operatic singer）

DISTINCTION	DISTINCTIVE	DISTINGUISHED	DISTORT	DISTRACT
DISTRACTED	DISTRAUGHT	DISTRESS	DISTRIBUTE	DISTRICT
DITTY	DIURNAL	DIVA		

diver* [ˈdaivə] *n.* 潜水员 (a person who works or explores underwater)

diverge* [daiˈvəːdʒ] *v.* 分歧，分开 (to go or move in different directions; deviate)

【记】词根记忆：di (离开) + verg (转向) + e → 转开 → 分歧

【同】converge (*v.* 聚集，集中)；verge (*v.* 濒临)

【反】come together (聚拢)

diverse [daiˈvəːs] *adj.* 不同的 (different; dissimilar)；多样的 (diversified)

【记】词根记忆：di (离开) + vers (转) + e → 转开 → 不同的

【同】adversity (*n.* 苦难)；versatile (*adj.* 多才多艺的)

diversity* [daiˈvəːsiti] *n.* 多样，千变万化 (the condition of being diverse)

【反】uniformity (*n.* 一致)

divert* [diˈvəːt] *v.* 使某事物转向 (to turn from one course to another)；使娱乐 (to entertain)

【记】词根记忆：di (偏离) + vert (转；偏离) → 转向

【同】avert (*v.* 避开)；controvert (*v.* 辩论，反驳)

divest* [daiˈvest] *v.* 卸下盛装 (to undress or strip esp. of clothing)；剥夺 (to deprive or dispossess)

【记】词根记忆：di (去掉) + vest (穿衣) → 脱衣 → 卸下盛装；剥夺

【同】vestment (*n.* 外衣)

【反】endow (*v.* 赋予)

divestiture* [daiˈvestitʃə] *n.* 脱衣，卸下装饰；剥夺财产 (the act of divesting)；取消称号 (the compulsory transfer of title)

【反】acquisition (*n.* 获得)

divine [diˈvain] *v.* 推测，预言 (to discover or guess by or as if by magic)

divulge* [daiˈvʌldʒ] *v.* 泄露，透露 (to make known; disclose)

【记】词根记忆：di + vulge (普通) → 使…普遍知道 → 透露

【同】vulgar (*adj.* 粗俗的；普通的)；vulgarity (*n.* 粗野)

【反】keep secret (保密)

docile* [ˈdəusail] *adj.* 驯服的，听话的 (of a person or an animal easy to control)

【记】词根记忆：doc (教) + ile (能…的) → 能教的 → 听话的

doctrinaire [ˌdɔktriˈneə] *n.* 空论家 (one who attempts to put into effect an abstract doctrine)；*adj.* 教条的，迂腐的 (stubbornly adhering to a doctrine)

【记】来自 doctrine (*n.* 教条)

doctrine* [ˈdɔktrin] *n.* 教义，主义；学说 (set of beliefs held by a church, political party, group of scientists, etc.)

【记】词根记忆：doc (教导) + trine → 教义

document* [ˈdɔkjumənt] *n.* 文件，公文；*v.* 为…提供书面证明 (to prove or support with documents)

DIVER	DIVERGE	DIVERSE	DIVERSITY	DIVERT
DIVEST	DIVESTITURE	DIVINE	DIVULGE	DOCILE
DOCTRINAIRE	DOCTRINE	DOCUMENT		

dodder [ˈdɔdə] *v.* 蹒跚，摇摆 (to move shakily; totter)
【记】和 dollar（美元）一起记
【形】ladder (*n.* 梯子); fodder (*n.* 饲料)

dodge* [dɔdʒ] *v.* 闪开，躲避 (to shift suddenly to avoid a blow)
【记】分拆联想：do + dge（看作 edge 边缘）→ 在边上躲避 → 躲避
【形】lodge (*v.* 寄存; *n.* 小屋)

doff* [dɔf] *v.* 脱掉 (to take off)
【记】分割记忆：d + off（脱掉）→ 脱掉
【反】don (*v.* 穿上)

dogged [ˈdɔgid] *adj.* 顽强的 (determined; stubborn; tenacious)
【记】分拆联想：dog（狗）+ ged → 像狗一样顽强 → 顽强的
【反】yielded (*adj.* 屈服的); easily-discouraged（容易气馁的）

doggerel* [ˈdɔgərəl] *n.* 歪诗，打油诗 (trivial and satirical verse)
【记】可能由 dog（狗）而来
【参】doggery (*n.* 狗性)

dogma* [ˈdɔgmə] *n.* 教条，信条 (doctrine; principle)
【记】分拆联想：dog（狗）+ ma（拼音：妈）→ 狗他妈 → 老狗像教条一样不变 → 教条
【反】heresy (*n.* 异端邪说)

dogmatism* [ˈdɔgmətizəm; *US* ˈdɔːgmətizəm] *n.* 教条主义，武断 ([quality of] being dogmatic)
【记】词根记忆：dogma（教条）+ t + ism（表主义）→ 教条主义

doldrums* [ˈdɔldrəmz] *n.* 赤道无风带；情绪低落 (low spirits; listless feeling)
【记】分拆联想：d + old + drum（鼓）+ s → 老鼓 → 已敲不响的鼓 → 战鼓不响，情绪低落 → 情绪低落

doleful* [ˈdəulful] *adj.* 忧愁的，消沉的 (full of sorrow or sadness)
【记】词根记忆：dole（悲哀）+ ful → 忧愁的

dolorous [ˈdɔlərəs] *adj.* 悲哀的，忧愁的 (very sorrowful or sad; mournful)
【记】词根记忆：dol（悲哀）+ orous → 悲哀的
【反】jubilant (*adj.* 喜悦的)

dolt* [dəult] *n.* 傻瓜 (a stupid, slow witted person)
【记】和 doll（玩偶）一起记，像玩偶一样无头脑

domain [dəuˈmein] *n.* 领土 (territory; dominion); 领域 (field or sphere of activity or influence)
【记】词根记忆：dom（统治）+ ain → 领土；领域
【参】dominate (*v.* 支配，控制)

dome* [dəum] *n.* 圆顶屋 (a hemispherical roof)

domesticate [dəˈmestikeit] *v.* 驯养 (to tame wild animals and breed for human use)
【记】来自 domestic (*adj.* 家庭的): dom（家）+ estic → 家庭的

DODDER	DODGE	DOFF	DOGGED	DOGGEREL
DOGMA	DOGMATISM	DOLDRUMS	DOLEFUL	DOLOROUS
DOLT	DOMAIN	DOME	DOMESTICATE	

domicile [ˈdɔmisail] *n.* 住处，住所（home; residence）

dominant* [ˈdɔminənt] *adj.* 显性的；优势的（exercising the most influence or control）
【记】词根记忆：domin （=dom 支配）+ ant → 占支配地位的 → 优势的
【反】recessive（*adj.* 隐性的）

dominate* [ˈdɔmineit] *v.* 控制，支配（to control, govern or rule）
【反】have no control over（对…无法控制）

donate* [dəuˈneit] *v.* 捐赠，赠送（to give money, goods to a charity）
【记】词根记忆：don（给予）+ ate → 给出去 → 捐赠
【派】donation（*n.* 捐赠物）

donor* [ˈdəunə] *n.* 捐赠者，赠送者（one that gives, donates, or presents something）；献血者
【记】词根记忆：don + or → 给的人 → 赠送者

doodle* [ˈduːdl] *v.* 胡画（to make meaningless drawings）；混时间（to kill time）
【记】和 noodle（面条）一起记，吃着面条（noodle）乱混时间（doodle）

dormant* [ˈdɔːmənt] *adj.* 冬眠的（torpid in winter）；静止的（quiet; still）
【记】词根记忆：dorm（睡眠）+ ant → 冬眠的
【同】dormitory（*n.* 宿舍）；dormouse（*n.* 睡鼠）

dorsal [ˈdɔːsəl] *adj.* 背部的（of, on, or near the back）
【记】词根记忆：dors（背）+ al → 背部的
【同】endorse（*v.* 背书，批准）

dose* [dəus] *n.* 剂量，一剂（exact amount of a medicine）

dossier* [ˈdɔsiei] *n.* 卷宗，档案（a collection of documents and reports）
【记】发音记忆："东西压" → 被东西压着的东西 → 堆在一起的档案

dote* [dəut] *v.* 溺爱（to be excessively or foolishly fond）；昏聩（to be foolish or weak minded）

doting* [ˈdəutiŋ] *adj.* 溺爱的（foolishly or excessively fond）

dour [duə] *adj.* 严厉的，脸色阴沉的（sullen; gloomy; stubborn）
【反】congenial（*adj.* 适意的）；genial（*adj.* 亲切的）

douse* [daus] *v.* 把…浸入水中（to plunge into water）；熄灭（to extinguish）
【记】房屋（house）大火被熄灭（douse）
【反】ignite（*v.* 点燃）

DOMICILE	DOMINANT	DOMINATE	DONATE	DONOR
DOODLE	DORMANT	DORSAL	DOSE	DOSSIER
DOTE	DOTING	DOUR	DOUSE	

down* [daun] *n.* 羽毛 (a covering of soft fluffy feathers); 汗毛 (fine soft hair)

downplay [ˈdaunplei] *v.* 贬低，不予重视 (to belittle)

【记】组合词：down (向下) + play (玩) → 玩下去 → 不予重视

downpour [ˈdaunpɔː(r)] *n.* 暴雨 (a heavy fall of rain)

down-to-earth* [ˌdauntəˈəːθ] *adj.* 实际的 (practical and honest)

doyen [ˈdɔiən] *n.* 老前辈 (a man who is the eldest or senior member of a group)

drab* [dræb] *adj.* 土褐色的 (of a dull yellowish brown); 无聊的 (not bright or lively; monotonous)

draconian [drəˈkəuniən] *adj.* 严厉的，严酷的 (extremely severe)

【记】来自 Draco (德拉古)，雅典政治家，制定了雅典的法典，该法典因其公平受到赞扬，但因其严酷而不受欢迎

【反】indulgent (*adj.* 放纵的); mild (*adj.* 温和的)

draft* [drɑːft] *n.* 草稿，草案 (preliminary written version of sth.); 汇票 (written order to a bank to pay money to sb.)

draftsmanship [ˈdrɑːftsmənʃip; ˈdræft-] *n.* 起草术，制图术

【记】drafts (草图) + man (人) + ship → 绘图人的技术

drain* [drein] *v.* 排出沟外 (to flow off gradually or completely); 喝光 (to drink the entire contents of)

drainage* [ˈdreinidʒ] *n.* 排水，排水系统 (the act or method of drawing off); 污水

drastic [ˈdræstik] *adj.* 猛烈的，激烈的 (strong; violent and severe)

【例】*Drastic* measures will have to be taken to restore order. (为恢复秩序而将采取激烈措施。)

drawbridge* [ˈdrɔːbridʒ] *n.* 吊桥 (a bridge made to be raised up, let down, or drawn aside)

【记】组合词：draw + bridge

【参】drawback (*n.* 退款，缺陷); drawdown (*n.* 消耗；水位降低量)

drawl* [drɔːl] *v.* / *n.* 慢吞吞地说 (to speak slowly)

【记】分拆联想：draw (抽) + l → 一点点抽出来 → 慢慢说

dreary* [ˈdriəri] *adj.* 沉闷的，乏味的 (gloomy; cheerless; dull)

【记】和 dream 一起记，A dream is not dreary. (梦想不会乏味。)

【反】jocund (*adj.* 欢乐的)

dregs [dregz] *n.* 糟粕，沉淀，废物 (the particles of solid matter that settle at the bottom in a liquid)

【记】和 drag (拖拉) 一起记，Dregs drag people from progress. (糟粕拖住人们不能进步。)

drench* [drentʃ] *v.* 使湿透 (to wet through; soak)

【记】词根记忆：drench (=drink 喝) → 喝饱 → 湿透；注意不要和 trench (挖壕沟) 相混淆

【反】desiccate (*v.* 使干燥)

DOWN	DOWNPLAY	DOWNPOUR	DOWN-TO-EARTH	DOYEN	DRAB
DRACONIAN	DRAFT	DRAFTSMANSHIP	DRAIN	DRAINAGE	DRASTIC
DRAWBRIDGE	DRAWL	DREARY	DREGS	DRENCH	

drill* [dril] *n.* 钻；钻床（a machine with a detachable pointed end for making holes）

drivel [ˈdrivl] *n.* / *v.*（说）废话（nonsense; to talk nonsense）
【记】分拆联想：drive（开车）+ l → 一边开车一边胡说 → 废话

drizzle [ˈdrizl] *v.* 下毛毛雨（to rain or let fall in fine, mistlike drops）；*n.* 毛毛雨（a fine, mistlike rain）
【反】deluge（*v.* / *n.* 下暴雨；暴雨）
【例】The lawn sprinkler just *drizzled* on the grass.（草地洒水器刚刚把水洒在草地上。）

drizzly [ˈdrizli] *adj.* 毛毛细雨的
【记】虽然以 ly 结尾，但不是副词而是形容词

droll* [drəul] *adj.* 古怪的，好笑的（amusing in an odd or wry way; funny）
【记】洋娃娃（doll）身上加个 r，看上去又怪又好笑（droll）
【反】grave（*adj.* 严肃的）

drone* [drəun] *v.* 嗡嗡地响，单调地说（to make monotonous humming or buzzing sound）；*n.* 单调的低音（a bass voice）
【反】speak animatedly（生动地说）

droop [druːp] *v.* 低垂（to bend or hang downward）；沮丧（to become weakened）
【记】由 drop（落下）变化而来

droplet* [ˈdrɔplit] *n.* 小水滴（small drop）
【记】组合词：drop（水滴）+ let（小东西）→ 小水滴
【参】leaflet（*n.* 传单，小叶）；bracelet（*n.* 手镯）

dross* [drɔs] *n.* 浮渣（the scum that forms on the surface of molten metal）；渣滓（waste matter）
【记】和 dress（穿衣）一起记，衣服（dress）无法用渣滓（dross）做

drought* [draut] *n.* 干旱；干旱时期（period of continuous dry weather）
【记】分拆联想：dr（看作 dry）+ ought（应该）→ 应该干 → 干旱

drove* [drəuv] *n.* 畜群（flock; herd）；人群（a moving crowd of people）
【记】和 drive 的过去式 drove 拼写一样

drudgery [ˈdrʌdʒəri] *n.* 苦工；苦活（dull and fatiguing work）
【反】rewarding work（美差）

dual [ˈdju(ː)əl] *adj.* 双重的（having or composed of two parts）
【记】词根记忆：du（二个）+ al → 二个的 → 双重的
【形】duel（*n.* 决斗）；duet（*n.* 二重唱）

dubious [ˈdjuːbjəs] *adj.* 可疑的（slightly suspicious about）；名声不大好的（questionable or suspect as to true nature or quality）
【记】词根记忆：dub（二，双）+ ious → 两种状态 → 不肯定的，怀疑的
【派】dubiety（*n.* 怀疑，疑惑）
【反】certain（*adj.* 肯定的）

DRILL	DRIVEL	DRIZZLE	DRIZZLY	DROLL
DRONE	DROOP	DROPLET	DROSS	DROUGHT
DROVE	DRUDGERY	DUAL	DUBIOUS	

duckling [ˈdʌkliŋ] *n.* 雏鸭，小鸭 (young duck)

【记】duck (鸭子) + ling (小东西) → 小鸭

【参】underling (*n.* 下属)

duct [dʌkt] *n.* 管道，槽 (tube or channel carrying liquid, gas, electric)

【记】duct 本身是词根，意思是：引导；带来

duel* [ˈdju (ː) əl] *n.* 决斗 (a formal fight between two persons)

duet* [djuːˈet] *n.* 二重唱 (a composition for two voices or instruments)

dull* [dʌl] *adj.* 不鲜明的 (not bright)；迟钝的 (mentally slow)；*v.* 变迟钝 (to become dull)

【反】perspicuous (*adj.* 明白的)；resplendent (*adj.* 光辉的)；trenchant (*adj.* 锋利的)

dummy* [ˈdʌmi] *n.* 人体模型，假人 (model of the human figure)

dune* [djuːn] *n.* 沙丘 (a rounded hill or ridge of sand)

dupe* [djuːp] *n.* 上当者 (a person easily tricked or fooled)

【记】发音记忆："丢谱" → 瞎摆谱，结果上了当，丢了面子 → 上当者

duplicitous* [djuˈplisitəs] *adj.* 搞两面派的，奸诈的 (marked by duplicity)；双重的

duplicity* [dju (ː) ˈplisiti] *n.* 欺骗，口是心非 (hypocritical cunning or deception)

【记】词根记忆：du (二) + plic (重叠) + ity → 有二层 (态度) → 口是心非

【同】replica (*n.* 复制品)；complicated (*adj.* 复杂的)；duplicate (*adj.* 完全相同的；*n.* 复制品)；duplication (*n.* 复制，重复)

duration* [djuəˈreiʃən] *n.* 持续的时间 (the time that a thing continues or lasts)

【记】词根记忆：dur (持续) + ation → 持续时间

【同】durable (*adj.* 耐用的)；durance (*n.* 长期监禁)

duress [djuəˈres] *n.* 胁迫 (the use of force or threats；compulsion)

【记】和 dress (穿衣) 一起记，给人穿衣服是强迫别人

dutiful [ˈdjuːtifl] *adj.* 恭敬顺从的；尽职的 (filled with a sense of duty)

dwarf* [dwɔːf] *n.* 侏儒 (a person of unusually small stature)；矮小的动物或植物；*v.* 使变矮小 (to cause to appear smaller)

【记】分拆联想：d + war (战争) + f → 战争使所有东西变矮了 → 使变矮小

【例】the art of *dwarfing* trees (使树长不高的技术)

dwelling* [ˈdweliŋ] *n.* 住处 (place of residence; house, flat, etc.)

【记】dwell (居住) + ing → 住处

dwindle* [ˈdwindl] *v.* 变小 (to diminish；shrink；decrease)

【记】分拆联想：d + wind (风) + le → 随风而去越来越小 → 变小

DUCKLING	DUCT	DUEL	DUET	DULL	DUMMY
DUNE	DUPE	DUPLICITOUS	DUPLICITY	DURATION	DURESS
DUTIFUL	DWARF	DWELLING	DWINDLE		

【形】swindle（v. 欺骗，诈骗）
【反】increase（v. 增加）；proliferate（v. 激增）

dynamic [daiˈnæmik] *adj.* **动态的**（opposed to static）；**有活力的**（energetic；vigorous）
【记】词根记忆：dynam（力量）+ ic → 有活力的
【参】dynamics（n. 力学）
【同】dynamo（n. 发电机）；dynamite（n. 炸药）

Jovons saw the kettle boil and cried out with the delighted voice of a child; Marshal too had seen the kettle boil and sat down silently to build an engine.
杰文斯看见壶开了，高兴得像孩子似地叫了起来；马歇尔也看见壶开了，却悄悄地坐下来造了一部蒸气机。
——英国经济学家 凯恩斯(John Maynard Keynes, British economist)

Word List 13

dynamo* [ˈdainəməu] *n.* 发电机 (electric generator)

【记】词根记忆：dynam (力量) + o → 产生力量的机器 → 发电机

dyslexia* [disˈleksiə] *n.* 诵读困难 (abnormal difficulty in reading and spelling, caused by a brain condition)

【记】词根记忆：dys (不良) + lex (词语) + ia (病) → 阅读障碍

【同】dysfunction (*n.* 机能障碍); dysphoria (*n.* 烦躁不安); lexicon (*n.* 词典)

dyspeptic* [disˈpeptik] *adj.* 消化不良的 (indigestible); 不高兴的 (morose; grouchy)

【反】genial (*adj.* 快乐的)

earnest* [ˈəːnist] *adj.* 认真的 (showing deep sincerity or seriousness)

【反】flippant (*adj.* 轻率的); facetious (*adj.* 玩笑的)

earplug* [ˈiəplʌg] *n.* 耳塞 (soft material put into the ears to keep out air, water or noise)

【记】组合词：ear (耳朵) + plug (插) → 插入耳朵里的东西 → 耳塞

earring* [ˈiəriŋ] *n.* 耳环，耳饰

【记】组合词：ear (耳朵) + ring (环) → 耳环

earshot [ˈiəʃɔt] *n.* 听力所及之范围 (hearing distance)

earsplitting [ˈiəˌsplitiŋ] *adj.* 震耳欲聋的 (loud and shrill enough to hurt the ears)

earthly [ˈəːθli] *adj.* 现世的，尘世的 (of this world; not spiritual)

earthy* [ˈəːθi] *adj.* 粗俗的，粗陋的 (rough, plain in taste)

【记】earth (土地) + y → 土的 → 粗俗的

easel* [ˈiːzl] *n.* 黑板，画架 (wooden frame for holding a blackboard or a picture)

【记】分拆联想：ease (轻松，安逸) + l → 有了画架，画起画来轻松多了 → 画架

DYNAMO	DYSLEXIA	DYSPEPTIC	EARNEST	EARPLUG
EARRING	EARSHOT	EARSPLITTING	EARTHLY	EARTHY
EASEL				

eavesdrop* [ˈiːvzdrɔp] *v.* 偷听，窃听（to listen secretly）
【记】组合词：eaves（屋檐）+ drop（滴水）→ 在屋檐下听滴水 → 偷听

ebb* [eb] *v.* 退潮（to flow back; recede）；衰退（to decline; wane）
【记】发音记忆：二步 → 退后一步 → 退，退潮

ebullience* [iˈbʌljəns] *n.* 精力充沛；洋溢；奔放（high spirits; exuberance）
【记】分拆联想：e + bull（公牛）+ ience → 像公牛一样出来 → 精力充沛
【反】impassivity（*n.* 冷漠）；calm restraint（冷静的克制）；impassiveness（*n.* 冷漠）

eccentric* [ikˈsentrik] *adj.* 古怪的，反常的（deviating from the norm; unconventional）；（指圆形）没有共同圆心的 *n.* 古怪的人（an eccentric person）
【记】词根记忆：ec（出）+ centr（中心）+ ic → 离开中心 → 古怪的
【同】centrifuge（*n.* 离心力）；concentrate（*v.* 集中）

eclectic* [ikˈlektik] *adj.* 折衷的，综合性的（selecting the best from various systems, doctrines, or sources）
【记】词根记忆：ec（出）+ lect（选）+ ic → 选出的 → 折衷的
【同】intellect（*n.* 智力，智慧）；collective（*adj.* 集合的）

eclecticism* [iˈklektiˌsizəm] *n.* 折衷主义（an eclectic method or system of thought）

ecologist* [iˈkɔlədʒist] *n.* 生态学家，生态学者（a person who studies the pattern of relations of plants, animals and people to each other and their surroundings）
【记】词根记忆：eco（家）+ logist → 研究地球之家的人 → 生态学家

economical* [ˌikəˈnɔmikəl] *adj.* 经济的，节约的（careful in the spending of money）
【反】redundant（*adj.* 多余的）；extravagent（*adj.* 奢侈的，浪费的）

ecstasy* [ˈekstəsi] *n.* 狂喜（great delight; rapture）；激情状态
【记】词根记忆：ec（出）+ stasy（站住）→（高兴得）出群 → 狂喜
【同】statue（*n.* 雕像）；stasis（*n.* 停滞）

ecstatic [eksˈtætik] *adj.* 狂喜的，心花怒放的（enraptured）

eddy* [ˈedi] *n.* 涡，涡流（little whirlpool or whirlwind）

edifice [ˈedifis] *n.* 宏伟的建筑（a large, imposing building）
【记】和 edify（*v.* 启发）一起记

edify [ˈedifai] *v.* 陶冶，启发（to enlighten, or uplift morally or spiritually）
【同】edible（*adj.* 可食的）；edacious（*adj.* 暴食的）
【派】edification（*n.* 陶冶，教诲）；edifying（*adj.* 开导的，启发的）

efface [iˈfeis] *v.* 擦掉，抹去（to wipe out; erase）
【记】词根记忆：ef + face（脸，表面）→ 去掉表面 → 擦掉
【反】blazon（*v.* 画纹章）；etch（*v.* 蚀刻）

EAVESDROP	EBB	EBULLIENCE	ECCENTRIC	ECLECTIC
ECLECTICISM	ECOLOGIST	ECONOMICAL	ECSTASY	ECSTATIC
EDDY	EDIFICE	EDIFY	EFFACE	

effervesce [ˌefəˈves] *v.* 冒泡 (to bubble; foam); 热情洋溢 (to show liveliness or exhilaration)
【记】词根记忆: ef(出) + ferv(热) + esce → 释放出热情 → 热情洋溢
【同】fervor (*n.* 炽热; 热情)
【反】be flat (平淡); still (*n.* 平静; *adj.* 平静的)

effete [eˈfiːt] *adj.* 无生产力的 (spent and sterile); 虚弱的 (lacking vigor; weak)
【反】hale (*adj.* 强健的)

efficacy [ˈefikəsi] *n.* 功效, 有效性 (the power to produce an effect)
【记】词根记忆: ef(出) + fic(做) + acy → 做出了成绩 → 功效, 有效性

effluvia* [iˈfluːvjə] *n.* 气味; 恶臭 (stink); 废料 (a byproduct or residue)
【记】为 effluvium 的复数
【反】desired products (合适的产品)

effrontery* [eˈfrʌntəri] *n.* 厚颜无耻, 鲁莽 (unashamed boldness; impudence)
【记】词根记忆: ef + front(脸, 面) + ery → 不要脸面 → 厚颜无耻
【反】decorum (*n.* 得体); deference (*n.* 遵从, 礼貌地听从); timidity (*n.* 胆怯)

effulgent [iˈfʌldʒ(ə)nt] *adj.* 灿烂的 (of great brightness)
【记】词根记忆: ef + fulg(闪亮) + ent → 闪亮的 → 灿烂的
【同】fulgurate (*v.* 发出电光); refulgent (*adj.* 辉煌灿烂的)

egalitarian [igæliˈteəriən] *adj.* 主张人人平等的 (advocating the belief that all people should have equal rights)
【记】egalit (平等) + arian → 平均主义的, 该词等于 equalitarian (平均主义的)

egocentric [iːgəuˈsentrik] *adj.* 利己的 (self-centered)
【记】词根记忆: ego(我) + centr(中心) + ic → 以自我为中心的 → 利己的
【参】egoism (*n.* 自我本位, 利己主义)
【反】altruistic (*adj.* 利他主义的)

egotist* [ˈiːgəutist] *n.* 自私自利者 (selfish person)
【记】ego(我, 自己) + t + ist → 以自我为中心的人 → 自私自利者

egregious [iˈgriːdʒəs] *adj.* (缺点等) 过分的, 惊人的 (conspicuously bad; flagrant)
【记】词根记忆: e(出) + greg(团体) + ious → 超出一般人 → 过分的
【同】gregarious (*adj.* 喜社交的); aggregate (*v.* 集合)

egress* [ˈiːgres] *n.* 出去, 出口 (a place or means of going out; exit)
【记】词根记忆: e(出) + gress(走) → 走出去
【同】digress (*v.* 离题); aggressive (*adj.* 进取的)
【反】entrance (*n.* 入口)

EFFERVESCE	EFFETE	EFFICACY	EFFLUVIA	EFFRONTERY
EFFULGENT	EGALITARIAN	EGOCENTRIC	EGOTIST	EGREGIOUS
EGRESS				

elaborate* [iˈlæbərət] *adj.* 精致的，复杂的（marked by complexity, fullness of detail, or ornateness）; *v.* 详尽地说明，阐明（to describe in detail）

【记】词根记忆：e + labor（劳动）+ ate →（努力）劳动出来的 → 精致的

【反】abstract（*adj.* 抽象的；摘要的）; simplify（*v.* 简化）

elaboration [iˌlæbəˈreiʃən] *n.* 详细的细节，详尽阐述（working sth. out, or discussing sth., in detail）

elated* [iˈleitid] *adj.* 得意洋洋的，振奋的（marked by high spirits; exultant）

【记】词根记忆：e + lat（放）+ ed → 放出（高兴神态）→ 得意洋洋的

【反】despondent（*adj.* 丧气的）

elbow* [ˈelbəu] *n.* 肘（the joint of the human arm）

【记】分拆联想：el + bow（弓）→ 手臂在肘部呈弓形 → 肘

elegy* [ˈelidʒi] *n.* 哀歌，挽歌（a song or poem expressing sorrow or lamentation）

【记】分拆联想：e（出）+ leg（腿）+ y → 悲伤得迈不动步 → 哀歌

【参】dirge（*n.* 挽歌）

elementary [ˌeliˈmentəri] *adj.* 初级的（in the beginning stages of a course of study）

elephantine* [ˌeliˈfæntain] *adj.* 笨拙的（clumsy）; 庞大的（having enormous size; massive）

【记】由 elephant（大象）而来

【反】microscopic（*adj.* 微小的）

elevate* [ˈeliveit] *v.* 将某人或某物举起（to lift sb. / sth. up）

【记】词根记忆：e（出）+ lev（举起）+ ate → 举起

【同】lever（*n.* 杠杆）; levity（*n.* 轻浮）

elicit* [iˈlisit] *v.* 引出，探出（to draw forth or bring out）

【记】词根记忆：e（出）+ licit（引导）→ 引导出；注意不要和 illicit（不合法的）相混淆

eligible [ˈelidʒəbl] *adj.* 合格的（qualified to be chosen; entitled）

【记】词根记忆：e + lig （=lect 选择）+ ible → 能够选出来的 → 合格的

【同】intelligence（*n.* 智力，聪明）

eliminate [iˈlimineit] *v.* 除去，淘汰（to remove; eradicate）

【记】词根记忆：e + limin（门槛）+ ate → 扔出门槛 → 除去

【同】preliminary（*adj.* 初步的）; subliminal（*adj.* 潜意识的）

elite* [iˈliːt] *n.* 精华，中坚 （the group regarded as the best and most powerful）

【记】e + lite（=lig 选择）→ 选出来的 → 精华

ELABORATE	ELABORATION	ELATED	ELBOW	ELEGY
ELEMENTARY	ELEPHANTINE	ELEVATE	ELICIT	ELIGIBLE
ELIMINATE	ELITE			

ellipsis* [i'lipsis] *n.* 省略(the omission of words)
【记】词根记忆:el(出)+lipsis(离开)→离去→省略
【形】eclipse(*n.* 日蚀)

elliptical [i'liptikəl] *adj.* 椭圆的(of, relating to, or shaped like an ellipse);晦涩的(of or relating to deliberate obscurity);省略的
【反】palpable(*adj.* 明显的)

elocution [ˌelə'kjuːʃən] *n.* 演说的艺术(the art of effective public speaking)
【记】词根记忆:e+locu(说)+tion→说出去→演讲的艺术
【同】circumlocution(*n.* 累赘的陈述);loquacious(*adj.* 多话的)

elongate ['iːlɔŋgeit] *v.* 延长,伸长(to extend the length of)
【记】词根记忆:e+long(长)+ate→长出去→伸长
【同】longevity(*n.* 长寿);longitude(*n.* 经度)

eloquence* ['eləkwəns] *n.* 雄辩,口才(the ability to express ideas and opinions readily and well)
【记】词根记忆:e+loqu(说)+ence→能说→雄辩

elucidate [i'ljuːsideit] *v.* 阐明,说明(to give a clarifying explanation)
【记】e+lucid(清晰)+ate→弄清晰→阐明
【参】lucidity(*n.* 清晰,明白)
【派】elucidation(*n.* 清楚,阐明)
【反】garble(*v.* 混淆);obfuscate(*v.* 使模糊)

elude* [i'luːd] *v.* 逃避 (to avoid adroitly);搞不清 (to escape the perception or understanding)
【记】词根记忆:e+lude(玩弄)→玩弄手段来逃避→逃避
【例】The actor's name *eludes* me for the moment.(那位男演员的名字我一时想不起了。)

elusive* [i'luːsiv] *adj.* 难懂的(hard to comprehend or define)
【记】词根记忆:e(出)+lus(看作lust光)+ive→没有灵光出来的→难懂的;和exclusive(排外的,惟一的)一起记→曲高和寡,惟一的

emaciate* [i'meiʃieit] *v.* 使瘦弱,使憔悴(to become very thin)
【记】词根记忆:e+maci(瘦)+ate→瘦出去→使瘦弱
【反】fatten(*v.* 养肥)

emanate* ['eməneit] *v.* 散发,发出;发源(to come out from a source)
【记】词根记忆:e(出)+man(手)+ate→用手散发→发出

emancipate* [i'mænsipeit] *v.* 解放,解除(to free from restraint)
【记】词根记忆:e+man(手)+cip(落下)+ate→把手(从锁链中)放下→解放
【同】manuscript(*n.* 手稿);manumit(*v.* 释放)
【派】emancipation(*n.* 释放,解脱)
【反】shackle(*v.* 加枷锁)

ELLIPSIS	ELLIPTICAL	ELOCUTION	ELONGATE	ELOQUENCE
ELUCIDATE	ELUDE	ELUSIVE	EMACIATE	EMANATE
EMANCIPATE				

embargo* [em'bɑːgəu] *n.* 禁运令，封港令（a legal prohibition on commerce）
【记】分拆联想：em + bar（阻挡）+ go（去）→ 阻拦（船等）进入 → 禁运令

embarrass* [im'bærəs] *v.* 使忸怩，使难堪（to cause sb. to feel self-conscious or ashamed）
【记】词根记忆：em（进入）+ barrass（套子）→ 进入套子 → 使难堪

embed* [im'bed] *v.* 牢牢插入，嵌于（to set or fix firmly in a surrounding mass; wedge）
【记】em（进入）+ bed（床）→ 深深进入内部 → 牢牢插入
【反】extract（*v.* 拔出）

embellish* [im'beliʃ] *v.* 装饰，润饰（to make beautiful with ornamentation; decorate）
【记】词根记忆：em + bell（美）+ ish → 使…美 → 装饰
【同】belle（*n.* 美女）

embezzlement* [im'bezlmənt] *n.* 贪污，盗用（act of using money that is placed in one's care in a wrong way to benefit oneself）
【记】联想记忆：em + bezzle（看作bezzant金银币）+ ment → 将金钱据为已有 → 贪污

emblematic [ˌembli'mætik] *adj.* 作为象征的（symbolic; representative）

embody [im'bɔdi] *v.* 表达，体现（to make concrete and perceptible; incorporate）
【记】em + body（身体）→（思想）进入身体 → 体现

embolden* [im'bəuldən] *v.* 壮胆，鼓励（to give courage or confidence to sb.）
【记】em + bold（大胆）+ en → 使人大胆 → 鼓励
【反】abash（*v.* 使窘迫）; faze（*v.* 折磨）; cow（*v.* 恐吓）; appall（*v.* 使害怕）; boggle（*v.* 犹豫，吓倒）; daunt（*v.* 威吓）

emboss* [im'bɔs] *v.* 加浮雕花纹于，使凸出（to embellish; ornament）
【记】词根记忆：em + boss（凸出）→ 使凸出；boss（老板，肚子通常是凸出的）
【同】bossy（*adj.* 有浮凸装饰的；专横的）
【反】flatten out（使平）

embrace* [im'breis] *v.* 拥抱（to take a person into one's arms as a sign of affection）；包含（to take in or include as a part）
【记】词根记忆：em（进入）+ brace（胳膊）→ 进入怀抱 → 拥抱
【反】eschew（*v.* 避开）; ostracize（*v.* 放逐）; spurn（*v.* 弃绝）

EMBARGO	EMBARRASS	EMBED	EMBELLISH	EMBEZZLEMENT
EMBLEMATIC	EMBODY	EMBOLDEN	EMBOSS	EMBRACE

embroider* [im'brɔidə] *v.* 刺绣，修饰 (to ornament with needlework)
【记】em + broider (刺绣) → 刺绣
【派】embroidery (*n.* 刺绣)

emend [i(ː) 'mend] *v.* 订正，校订 (to make scholarly corrections)
【记】词根记忆：e + mend (改正) → 改出来 → 订正
【同】amendment (*n.* 修正案，改正); mendacious (*adj.* 说谎的)

emergency [i'məːdʒənsi] *n.* 紧急事件，紧急情况 (exigency)
【记】注意不要和 emergence (出现) 相混淆

emigrate* ['emigreit] *v.* 移居外国 (to leave one's place of residence or country to live elsewhere)
【记】注意：emigrate 表示移出，immigrate 表示移入，migrate 指动物或人来回迁移，都来自词根 migr-(移动)

eminence ['eminəns] *n.* 卓越，杰出 (a position of prominence or superiority)

eminent ['eminənt] *adj.* 著名的，显著的 (prominent; conspicuous)
【记】词根记忆：e + min (突出) + ent → 表现突出 → 著名的
【同】imminent (*adj.* 急迫的); prominent (*adj.* 杰出的)
【反】undistinguished (*adj.* 普通的)

emissary* ['emisəri] *n.* 密使 (a secret agent)，特使 (representative sent on a specific mission)
【记】词根记忆：e + miss (送) + ary → 送出去的人 → 特使

emit* [i'mit] *v.* 放射，发出 (光、热、味等) (to send out; eject)
【记】词根记忆：e + mit (送) → 送出 → 发出
【派】emission (*n.* 发出，发光；放射物)
【反】absorb (*v.* 吸收)

emollient* [i'mɔliənt] *n.* 润肤剂 (a medicine applied to surface tissues of the body)
【记】词根记忆：e + moll (=soft 软) + ient → 使 (皮肤) 变软 → 润肤剂
【同】mollify (*v.* 抚慰); mollycoddle (*v.* 溺爱)

emote* [i'məut] *v.* 激动地表达感情 (to act in an emotional or theatrical manner)
【记】词根记忆：e + mote (动) → 感动地说出来 → 表达感情
【参】emotion (*n.* 感动，情感)
【同】demote (*v.* 降级); promote (*v.* 提升)

empathy* ['empəθi] *n.* 同感；感情移入 (the mental ability of sharing other people's ideas and feelings)；全神贯注
【记】词根记忆：em + pathy (感情) → 进入感情 → (感情等) 同感

emphatic* [im'fætik] *adj.* 重视的，强调的 (showing or using emphasis)
【记】来自 emphasis (*n.* 强调)

empirical* [em'pirikəl] *adj.* 经验的，实证的 (based on observation or experience)

EMBROIDER	EMEND	EMERGENCY	EMIGRATE	EMINENCE
EMINENT	EMISSARY	EMIT	EMOLLIENT	EMOTE
EMPATHY	EMPHATIC	EMPIRICAL		

【记】来自 empiric，原指单凭经验而行医的医生；分拆记忆：empir (=empire 帝国) + ical → 经历几代的帝国统治已颇有经验 → 经验的

empiricism [emˈpirisizəm] *n.* 经验主义 (the practice of relying on observation and experiment)

empower* [imˈpauə] *v.* 授权(给某人)采取行动 (to give lawful power or authority to sb. to act)
【记】em (进入) + power (权力) → 进入权力的状态 → 授权给某人

empyreal [ˌempaiˈriːəl] *adj.* 天空的 (celestial; sublime)

emulate* [ˈemjuleit] *v.* 努力赶上或超越 (to strive to equal or excel)
【记】词根记忆：emul (竞争) + ate → 努力赶上
【参】emulous (*adj.* 好胜的)
【派】emulation (*n.* 竞争，好胜；仿效)

emulsify [iˈmʌlsifai] *v.* 使乳化 (to form into an emulsion)
【记】词根记忆：e + muls (=milk 乳) + ify → 乳化
【同】emulsion (*n.* 乳胶)

enact* [iˈnækt] *v.* 制定(法律) (to make into law)；扮演(角色) (to act out)
【记】词根记忆：en (进入) + act (行动) → 使(法律)行动 → 颁布(法律)
【反】rescind (*v.* 废除)

enamel [iˈnæməl] *n.* 珐琅，瓷釉
【记】分拆记忆：e + name (名字) + l → 用瓷釉写上名字 → 瓷釉

enamored [iˈnæməd] *adj.* 珍爱的，喜爱的 (inflamed with love; fascinated)
【记】词根记忆：en + amor (爱) + ed → 进入爱意 → 喜爱的

encapsulate* [inˈkæpsjuleit] *v.* 装入胶囊 (to enclose in a capsule)；概括，摘要 (to summarize; epitomize)
【记】来自 capsule (胶囊)，en + capsule (胶囊) + ate → 装入胶囊

enchant* [inˈtʃɑːnt] *v.* 使陶醉 (to rouse to ecstatic admiration)；施魔法于 (to bewitch)
【记】词根记忆：en + chant (唱歌) → (巫婆) 唱歌以施魔法 → 施魔法于；使陶醉
【派】enchantment (*n.* 着迷，喜悦)；enchanting (*adj.* 讨人喜欢的)

enclosure* [inˈkləuʒə] *n.* 圈地；围占 (the act or action of enclosing)；附件 (the attachment)
【记】en + clos (=close) + ure → 进入围绕状态 → 围占

encomiast [enˈkəumiæst] *n.* 赞美者 (a person who delivers or writes an encomium; a eulogist)
【记】分拆联想：en + com (看作 come) + iast → 有目的而来的人 → 赞美者

encomium* [enˈkəumjəm] *n.* 赞颂，颂辞 (eulogy; panegyric)
【记】分拆联想：en (进来) + com (=come 来) + ium → 进来说好

EMPIRICISM	EMPOWER	EMPYREAL	EMULATE	EMULSIFY
ENACT	ENAMEL	ENAMORED	ENCAPSULATE	ENCHANT
ENCLOSURE	ENCOMIAST	ENCOMIUM		

话 → 赞颂
【派】encomiast (*n.* 赞扬者); encomiastic (*adj.* 赞颂的，赞颂者的)
【反】diatribe (*n.* 恶骂); harsh criticism (严厉批评)

encompass* [inˈkʌmpəs] *v.* 包围，围绕 (to enclose; envelop)
【记】en + compass (罗盘，范围) → 进入范围 → 包围
【反】exclude (*v.* 排斥)

encounter* [inˈkauntə] *v.* 遭遇 (to meet oneself faced by sth. / sb. unpleasant, dangerous, difficult, etc.); 邂逅 (友人等) (meet)
【反】circumvent (*v.* 躲避)

encroach* [inˈkrəutʃ] *v.* 侵占，侵害，侵入 (to enter by gradual steps or by stealth into the possessions or rights of another)
【记】词根记忆：en (进入) + croach (钩) → 钩进去 → 侵占
注意 croch=croach (钩)
【参】cockroach (*n.* 蟑螂)
【同】crochet (*v.* 用钩针编织)
【派】encroachment (*n.* 侵害，侵占)

encumber* [inˈkʌmbə] *v.* 妨害，阻碍 (to impede or hamper)
【记】en + cumber (妨碍) → 妨害
【参】cumbersome (*adj.* 累赘的)

encyclopedia* [enˌsaikləuˈpiːdiə] *n.* 百科全书 (books dealing with every branch of knowledge or with one particular branch)
【记】联想记忆：en + cyclo (看作 cycle，全套) + ped (儿童) + ia → 为儿童提供全套教育 → 百科全书

endearing [inˈdiəriŋ] *adj.* 讨人喜欢的 (resulting in affection)
【记】en + dear (喜爱) + ing → 进入被喜爱的状态 → 讨人喜欢的

endemic* [enˈdemik] *adj.* 地方性的 (restricted to a locality or region; native)
【记】词根记忆：en + dem (人民) + ic → 在人民之内 → 地方性的
【同】epidemic (*adj.* 流行性的); pandemic (*adj.* 全国流行的)
【反】exotic (*adj.* 外来的); foreign (*adj.* 外来的)

endorse* [inˈdɔːs] *v.* 背书 (to write one's name on the back); 赞同 (to approve openly)
【记】词根记忆：en + dorse (背) → 在背后签字 → 背书
【反】oppose publicly (公开反对); impugn (*v.* 指责)

endow* [inˈdau] *v.* 资助，捐助 (to give money or property to)
【反】divest (*v.* 剥夺)

endure* [inˈdjuə] *v.* 忍受，忍耐 (to suffer sth. painful or uncomfortable patiently)
【记】词根记忆：en (进入) + dure (持久，坚硬) → 进入持久 → 耐久
【派】endurance (*n.* 忍耐力)

enduring* [inˈdjuəriŋ] *adj.* 持续的 (lasting)
【反】ephemeral (*adj.* 短暂的); transitory (*adj.* 短时间的)

ENCOMPASS	ENCOUNTER	ENCROACH	ENCUMBER	ENCYCLOPEDIA
ENDEARING	ENDEMIC	ENDORSE	ENDOW	ENDURE
ENDURING				

enervate* [ˈenəveit] *v.* **使衰弱，使无力** (to lessen the vitality or strength of)
【记】词根记忆：e + nerv（力量；神经）+ ate → 力量出去 → 使…无力
【派】enervation (*n.* 虚弱)
【反】strengthen (*v.* 加强); fortify (*v.* 增强); invigorate (*v.* 鼓舞)

enfeeble [inˈfiːbl] *v.* **使衰弱，使无力** (to deprive of strength)
【记】en (使) + feeble (虚弱的) → 使虚弱
【反】invigorate (*v.* 鼓舞); enfeebling (*adj.* 衰弱的) 〈〉 tonic (*adj.* 激励的; 滋补的)

enfetter* [inˈfetə, en-] *v.* **给…上脚镣** (to bind in fetters); **束缚，使受制于** (to enchain)
【记】en (进入) + fetter (镣铐) → 给…上脚镣
【反】enfranchise (*v.* 解放; 给予选举权)

enflame [inˈfleim] *v.* **使愤怒或激动** (to cause sb. to become angry or over-excited)
【记】分拆联想：en (进入) + flame (燃烧) → 进入燃烧 → 使愤怒

engaged* [inˈgeidʒd] *adj.* **忙碌的，使用中的** (busy, occupied)

engaging* [inˈgeidʒiŋ] *adj.* **迷人的，吸引注意力的** (tending to draw favorable attention)
【记】来自 engage (*v.* 吸引)

engender* [inˈdʒendə] *v.* **产生，引起** (to produce; beget)
【记】en + gender (产生; 性别) → 使产生
【反】eradicate (*v.* 根除); quash (*v.* 取消)

engrave* [inˈgreiv] *v.* **在（硬物）上雕刻** (to cut or carve words or designs on a hard surface); **牢记，铭记** (impress sth. deeply on the memory or mind)

engross* [inˈgrəus] *v.* **全神贯注于** (to occupy completely)
【记】分拆联想：en + gross (总的; 粗壮的) → 全部进入状态 → 入迷

engulf* [inˈgʌlf] *v.* **吞噬** (to flow over and enclose; overwhelm)
【记】en (进入) + gulf (大沟) → 吞噬

enhance* [inˈhɑːns] *v.* **提高，增加，改善** (to increase or improve in value, quality, desirability, etc.)
【记】词根记忆：en (使…) + hance (高) → 提高，增加

enjoin* [inˈdʒɔin] *v.* **命令，吩咐** (to direct or impose by authoritative order; command)
【记】en + join (参加) → 使 (别人) 参加 → 命令
【参】rejoin (*v.* 再结合)

enlighten* [inˈlaitn] *v.* **启发，开导，教导，授予…知识** (to give knowledge or information to sb.)
【记】en (使…) + light (点亮) + en → 启发，启迪

ENERVATE	ENFEEBLE	ENFETTER	ENFLAME	ENGAGED
ENGAGING	ENGENDER	ENGRAVE	ENGROSS	ENGULF
ENHANCE	ENJOIN	ENLIGHTEN		

enlightening [inˈlaitniŋ] *adj.* 有启迪作用的 (giving spiritual and intellectual insight); 令人领悟的

enlist* [inˈlist] *v.* (使)入伍从军，征募 (to engage for duty in the army; recruit)
【记】en + list(名单) → 进入(战士的)名单 → 入伍
【参】induction (*n.* 入伍)

enliven* [inˈlaivən] *v.* 使…更活跃 (to make sb. / sth. more lively or cheerful)

enmesh* [inˈmeʃ, en-] *v.* (通常用被动语态)绊住，陷入网中 (to catch or entangle in meshes)
【记】en + mesh(网) → 进入网中，mesh 本身是一个单词，意为"网眼，罗网"
【反】extricate (*v.* 解脱)

enmity* [ˈenmiti] *n.* 敌意，仇恨 (hostility; antipathy)
【记】来自 enemy (*n.* 敌人)
【参】inimical (*adj.* 敌意的)
注意：不要和 amity (亲善) 相混淆

ennui* [ˈɔnwiː] *n.* 倦怠 (weariness of mind); 无聊; *v.* 使无聊
【反】excitement (*n.* 兴奋); exuberance (*n.* 充满活力); keen interest (强烈的兴趣); energy (*n.* 精力); enthusiasm (*n.* 狂热)

enormity* [iˈnɔːmiti] *n.* 极恶 (great wickedness); 暴行 (an outrageous, improper, or immoral act); 巨大 (immensity)
【记】e(出) + norm(正常) + ity → 出了正常状态 → 暴行；巨大

enormous [iˈnɔːməs] *adj.* 极大的，巨大的 (shockingly large)

enrage* [inˈreidʒ] *v.* 激怒，触怒 (to make sb. very angry)
【记】en(进入) + rage(狂怒) → 使某人进入狂怒状态 → 激怒

enrapture* [inˈræptʃə] *v.* 使狂喜，使高兴 (to fill with delight; elate)
【记】en + rapture(狂喜) → 使狂喜

enrapture

500万

ensconce* [inˈskɔns] *v.* 安置，安顿 (在安全、秘密、舒适等的地方) (to shelter; establish; settle)
【记】en + sconce(小堡垒，遮蔽) → 进入遮盖 → 安置
【反】unsettle (*v.* 使不安定); displace (*v.* 使流离失所)

ensemble* [ɑnˈsɑmbl] *n.* 全体，整体；大合唱
【记】词根记忆：en + semble(相同) → 唱相同(的歌) → 大合唱
【同】resemble (*v.* 相似); dissemble (*v.* 掩饰)
【反】solo (*n.* 独唱)

ensign* [ˈensain, ˈensn] *n.* 舰旗 (船上表示所属国家的旗帜)
【记】en + sign(标志) → 作为所属国家标志的旗帜 → 舰旗

ensue* [inˈsjuː] *v.* 继而发生；接着 (to happen afterwards)
【记】词根记忆：en(进入) + sue(跟从；起诉) → 接着发生

ENLIGHTENING	ENLIST	ENLIVEN	ENMESH	ENMITY
ENNUI	ENORMITY	ENORMOUS	ENRAGE	ENRAPTURE
ENSCONCE	ENSEMBLE	ENSIGN	ENSUE	

【派】ensuing (*adj.* 随后的)
【反】ensuing ⟨⟩ anterior (*adj.* 前面的)

ensure [inˈʃuə] *v.* 确保，担保 (to make sure)
【记】en + sure (确定的) → 进入确定 → 确保

entail [inˈteil] *v.* 需要，需求，必须 (to make sth. necessary)
【记】分拆联想：en + tail (尾巴) → 被人抓住把柄，提出要求 → 需要，要求

entangle* [inˈtæŋgl] *v.* 使纠缠，卷入 (to involve in a perplexing or troublesome situation)
【记】en + tangle (纠缠，混乱) → 使纠缠
【反】extricate (*v.* 解救)

enterprise [ˈentəpraiz] *n.* 公司，事业单位 (business company or firm)；进取心 (willingness to take risks and do difficult or new things)

enthralling [inˈθrɔːliŋ] *adj.* 迷人的，吸引人的 (holding the complete attention and interest of sb. as if by magic)
【记】联想记忆：en + thrall (奴隶) + ing → 使别人成为(爱的)奴隶的 → 迷人的

entice* [inˈtais] *v.* 怂恿，引诱 (to attract artfully or adroitly; lure)
【记】分拆联想：ent (看作 enter，进入) + ice (冰) → 引诱人进入冰中 → 引诱

entirety* [inˈtaiəti] *n.* 整体，全面 (completeness)
【记】来自 entire (*adj.* 完整的)

entitle* [inˈtaitl] *v.* 使有权(做某事) (to give someone the right to do sth.)
【例】Every citizen is *entitled* to equal protection under the law. (每个公民都有权依法享受同等保护。)

entity* [ˈentiti] *n.* 实体，统一体 (separate or self-contained existence)

entrance* [inˈtrɑːns] *v.* 使出神，使入迷 (to fill with great wonder and delight as if by magic)
【记】来自 enter (*v.* 进入)

entreat* [inˈtriːt] *v.* 恳求 (to make an earnest request; plead)
【记】分拆联想：en + treat (处理) → 要求进入处理 → 恳求

entreaty* [inˈtriːti] *n.* 恳求，哀求 (an act of entreating; plea)
【记】来自 entreat (*v.* 恳求)

entrée [ˈɔntrei] *n.* 主菜 (the main course of a meal in the U. S.)；获准进入的权利或特权 (right or privilege of admission or entry)
【记】分拆联想：ent (看作 ant，蚂蚁) + ree (看作 tree，树) → 蚂蚁上树(菜名) → 正餐前的开胃菜

entrepreneur [ˌɔntrəprəˈnəː] *n.* 企业家，创业人 (a person who organizes and manages a business undertaking)
【记】来自法语，等于 enterpriser
【参】enterprise (*n.* 事业)

ENSURE	ENTAIL	ENTANGLE	ENTERPRISE	ENTHRALLING
ENTICE	ENTIRETY	ENTITLE	ENTITY	ENTRANCE
ENTREAT	ENTREATY	ENTRÉE	ENTREPRENEUR	

Word List 14

entrust* [inˈtrʌst] *v.* 委托 (to invest with a trust or duty); 托付 (to assign the care of)

【记】en + trust (相信) → 给予信任 → 委托

【例】I *entrusted* the child to your care. (我把孩子委托给你照顾。)

entry* [ˈentri] *n.* 条目 (item written in a list); 记录 (the act of making or entering a record); 报关手续; 入口 (entrance)

enumerate* [iˈnjuːməreit] *v.* 列举, 枚举 (to name one by one)

【记】词根记忆: e + numer (数字) + ate → 列出数字来 → 列举

【同】numerous (*adj.* 很多的); innumerable (*adj.* 数不清的)

enunciate* [iˈnʌnsieit] *v.* 发音 (to pronounce clearly and distinctly; utter); (清楚地) 表达, 阐明 (to state definitely; express in a systematic way)

【记】词根记忆: e + nunci (=nounce 报告, 说) + ate → 说出来 → 发音, 表达

【同】denunciate (*v.* 谴责); pronunciation (*n.* 发音)

【反】mumble (*v.* 含糊地说; *n.* 咕哝)

environ [inˈvaiərən] *v.* 包围, 围绕 (to encircle, surround)

【记】词根记忆: en + viron (圆) → 进入圆中 → 包围, 环绕

envision [inˈviʒən] *v.* 想象, 预想 (to picture to oneself)

【记】词根记忆: en + vis (看) + ion → 想象, 预想

enzyme* [ˈenzaim] *n.* 酵素, 酶 (biochemical catalyst)

【记】来自希腊语, en (在…里) + zyme (发酵) → 酵素, 酶

【同】zymurgy (*n.* 酿造学); zymic (*adj.* 酶的, 酵母的)

epaulet* [ˈepəulet] *n.* 肩章 (a shoulder ornament for certain uniforms)

【记】分拆联想: e + paul (人名, 保罗) + et (小) → 保罗喜欢收集如肩章类的小玩意 → 肩章

ephemeral* [iˈfemərəl] *adj.* 朝生暮死的 (lasting very briefly); 生命短暂的 (transitory; transient)

【记】词根记忆: e + phem (出现) + eral → 出现就消失 → 生命短暂的

ENTRUST	ENTRY	ENUMERATE	ENUNCIATE	ENVIRON
ENVISION	ENZYME	EPAULET	EPHEMERAL	

【同】ephemeron（*n.* 蜉蝣；短命的东西）
【反】enduring （*adj.* 持久的）；permanent （*adj.* 永久的）；perpetual（*adj.* 永久的）

epic* [ˈepik] *n.* 叙事诗，史诗 （a long narrative poem）；*adj.* 英雄的；大规模的（of great size）
【反】modest（*adj.* 一般的；适度的；谦逊的）

epicure* [ˈepikjuə] *n.* 美食家（gourmet；gourmand）
【记】古希腊哲学家 Epicurus（伊壁鸠鲁），主张享受生活
【反】a person indifferent to food（对食物不感兴趣的人）

epidemic* [ˌepiˈdemik] *adj.* 传染性的，流行性的 （prevalent and spreading rapidly in a community）
【记】词根记忆：epi（在…外）+ dem（人民）+ ic → 在一群人之外流传 → 流行性的
【参】endemic（*n.* 地方病；*adj.* 地方性的）

epidermis* [ˌepiˈdəːmis] *n.* 表皮，外皮（the outer layer of the skin）
【记】词根记忆：epi（在…外）+ derm（皮肤）+ is → 外皮
【同】dermatology（*n.* 皮肤病学）

epigram* [ˈepigræm] *n.* 讽刺短句，警句（terse, witty statement）
【记】词根记忆：epi（在…旁边）+ gram（写）→ 旁敲侧击写的东西 → 讽刺短诗
【同】program（*n.* 计划）；telegram（*n.* 电报）

epilogue* [ˈepilɔg] *n.* 收场白；尾声（a closing section）
【记】词根记忆：epi（在…后）+ logue（说话）→ 说在后面的话 → 尾声
【反】prologue（*n.* 前言，开场白）；preface（*n.* 前言）

episodic* [epiˈsɔdik] *adj.* 偶然发生的 （occurring irregularly）；分散性的（occurring irregularly）
【记】来自 episode（*n.* 片断）

epitaph* [ˈepitɑːf] *n.* 墓志铭（an inscription on a tomb or gravestone）
【记】词根记忆：epi（在…上）+ taph（=tomb 墓）→ 在墓碑上刻的字 → 墓志铭

epithet* [ˈepiθet] *n.*（贬低人的）短语或形容词；绰号，别称（an adjective or phrase used to characterize a person or thing in a derogative sense）
【记】词根记忆：epi（在…下）+ thet（=put 放）→ 把（人）放到下面的话 → 贬低人的语言

epitome* [iˈpitəmi] *n.* 典型 （sb. / sth. showing all the typical qualities of sth.）；梗概，摘要（abstract；summary；abridgment）
【记】词根记忆：epi（在…后）+ tome（一卷书）→ 在一卷书后的话 → 梗概，tome 本身是一个单词，意为"卷，册"

epitomize* [iˈpitəmaiz] *v.* 概括，摘要（to be typical of；to be an epitome of）

EPIC	EPICURE	EPIDEMIC	EPIDERMIS	EPIGRAM
EPILOGUE	EPISODIC	EPITAPH	EPITHET	EPITOME
EPITOMIZE				

epoch [ˈiːpɔk] *n.* 纪元 (the beginning of a new and important period in the history); 重大的事件 (a noteworthy and characteristic event)

equable* [ˈekwəbl] *adj.* 稳定的，不变的 (not varying or fluctuating; steady); (脾气) 温和的 (tranquil; serene)
【记】词根记忆：equ (平等) + able → 能够平等的 → 稳定的
【反】intemperate (*adj.* 放纵的，无节制的)

equanimity* [ˌiːkwəˈnimiti] *n.* 镇定，沉着 (evenness of mind or temper)
【记】词根记忆：equ + anim (精神，生命) + ity → 精神平静 → 沉着
【同】animate (*v.* 使活泼); unanimous (*adj.* 一致的)
【反】excitability (*n.* 激动); agitation (*n.* 慌乱); perturbation (*n.* 慌乱)

equate* [iˈkweit] *v.* 认为…相等或相仿 (to consider sth. as equal to sth. else)
【记】词根记忆：equ (相等) + ate (表动词) → 使相等

equation* [iˈkweiʃən] *n.* 等式 (two expressions connected by the sign "="); 等同，相等 (action of making equal)

equator* [iˈkweitə] *n.* 赤道 (imaginary line around the earth at an equal distance from the North and South Poles)
【记】词根记忆：equ (相等) + ator → 使(地球)平分 → 赤道

equator

equilibrium* [ˌiːkwiˈlibriəm] *n.* 平衡 (a state of balance or equality between opposing forces)
【记】词根记忆：equi (平等) + libr (平衡) + ium → 平衡
【同】librate (*v.* 保持平衡)

equine [ˈiːkwain] *adj.* 马的，似马的 (characteristic of a horse)
【参】equitation (*n.* 骑马术)

equity* [ˈekwiti] *n.* 公平，公正 (fairness; impartiality; justice)
【反】unfairness (*n.* 不公平); discrimination (*n.* 歧视)

equivalent* [iˈkwivələnt] *adj.* 相等的，等值的 (equal in quantity, value, meaning, etc.)
【记】词根记忆：equi (平等) + val (力量) + ent → 力量平等的 → 相等的；注意不要和 ambivalent (矛盾心理的) 相混淆
【同】valor (*n.* 勇猛); convalesce (*v.* 恢复健康)
【派】equivalence (*n.* 相等，等值)

equivocate* [iˈkwivəkeit] *v.* 模棱两可地说，支吾其词，说谎 (to use equivocal terms in order to deceive, mislead or hedge)
【反】communicate straightforwardly (直截了当地交流)

eradicate* [iˈrædikeit] *v.* 根除 (to tear out by the roots; uproot); 扑灭 (to exterminate)
【记】词根记忆：e (出) + radic (根) + ate → 根除

EPOCH	EQUABLE	EQUANIMITY	EQUATE	EQUATION
EQUATOR	EQUILIBRIUM	EQUINE	EQUITY	EQUIVALENT
EQUIVOCATE	ERADICATE			

【同】radical (*adj.* 基本的); radix (*n.* 根本)
【派】eradication (*n.* 根除, 消灭)
【反】engender (*v.* 产生)

erase* [iˈreiz] *v.* 擦掉, 抹去 (to rub, scrape, or wipe out)
【记】词根记忆: e + rase (擦) → 擦掉
【同】abrasion (*n.* 磨损); erasable (*adj.* 可消除的, 可抹去的)

erasure* [iˈreiʒə] *n.* 擦掉; 消除; 消灭 (an act of removing or destroying)

erect* [iˈrekt] *adj.* 竖立的, 笔直的, 直立的 (vertical in position)
【记】词根记忆: e + rect (竖, 直) → 竖立的, 笔直的

err [əː] *v.* 犯错误, 出错 (to make mistakes)
【记】err 本身就是词根, 意为"漫游, 犯错误"; 如: error (*n.* 错误)

errand [ˈerənd] *n.* 差使 (a trip to do a definite thing); 差事 (a mission)
【记】词根记忆: err (漫游) + and → 跑来跑去的事情 → 差使
【同】aberration (*n.* 跑偏, 失常)

erratic* [iˈrætik] *adj.* 反复无常的 (irregular; random; wandering); 古怪的 (eccentric; queer)
【记】词根记忆: err (错) + atic → 性格出错 → 反复无常的

ersatz [eəˈzɑːtz] *adj.* 代用的 (substitute or synthetic); 假的 (substitute or synthetic; artificial)

erstwhile [ˈəːstwail] *adj.* 从前的, 过去的 (former; previous)
【记】词根记忆: erst (以前, 古时) + while (时间) → 从前的, 过去的
【例】one's *erstwhile* friends and allies (以前的朋友和战友)

erudite* [ˈeruːdait] *adj.* 博学的 (learned; scholarly)
【记】词根记忆: e (出) + rud (原始, 无知) + ite → 走出无知 → 博学的
【同】rudiments (*n.* 基础知识); rude (*adj.* 粗鲁的)
【反】smattering of knowledge (知识贫乏的); ignorant (*adj.* 无知的); unlettered (*adj.* 文盲的)

erupt* [iˈrʌpt] *v.* 爆发 (to burst out); 喷出 (熔岩、水、气体、泥浆等) (to force out or release suddenly)
【记】词根记忆: e (出) + rupt (断) → 断裂后喷出 → 爆发
【同】corrupt (*adj.* 腐败的); interrupt (*v.* 打断)
【派】eruption (*n.* 爆发)

escalate [ˈeskəleit] *v.* (战争等) 升级 (to make a conflict more serious); 扩大, 上升 (to grow or increase rapidly)
【记】来自 Escalator, 原来是自动电梯的商标, 后来才出现了动词 escalate
【反】diminish (*v.* 减小)

escapism [isˈkeipizəm] *n.* 逃避现实 (的习气) (trying to forget unpleasant realities by means of entertainment)

eschew* [isˈtʃuː] *v.* 避开 (to shun; avoid); 戒绝 (to shun; avoid; abstain from)

ERASE	ERASURE	ERECT	ERR	ERRAND
ERRATIC	ERSATZ	ERSTWHILE	ERUDITE	ERUPT
ESCALATE	ESCAPISM	ESCHEW		

【记】分拆联想：es（出）+ chew（咀嚼，深思）→ 通过深思而去掉 → 戒绝

【反】seek（*v.* 寻找）；habitually indulge in（沉溺）；embrace（*v.* 拥抱）；greet（*v.* 欢迎）

esophagus* [i(ː)ˈsɔfəgəs] *n.* 食道，食管（tube through which food passes from the mouth to the stomach）

【记】词根记忆：eso（带）+ phag（吃）+ us → 带来吃的 → 食道，食管

esoteric* [ˌesəuˈterik] *adj.* 秘传的；神秘的（beyond the understanding or knowledge of most people）

【记】分拆联想：es（出）+ oter（看作 outer）+ ic → 不出外面的 → 秘传的

【反】generally known（众所周知的）；commonly accepted（广为接受、认可的）

espionage* [ˈespiənidʒ] *n.* 间谍活动（the act of spying）

【记】来自法语，e + spion（=spy 看）+ age → 出去看 → 间谍活动

espousal [isˈpauzəl] *n.* 拥护，支持（advocacy）

【记】分拆联想：e + spous（看作 spouse，配偶）+ al → 出来做配偶 → 拥护

espouse* [isˈpauz] *v.* 支持，拥护（to take up; support; advocate）

【反】abjure（*v.* 弃绝）

espy* [isˈpai] *v.*（从远处等）突然看到（to catch sight of; descry）

【记】分拆联想：e + spy（间谍，发现）→ 突然看到

essential* [iˈsenʃəl] *adj.* 本质的（fundamental）；*n.* 要素，实质（fundamentally necessary element or thing）

【记】词根记忆：ess（存在）+ ential → 赖以存在的东西 → 要素，实质

estimable* [ˈestiməbl] *adj.* 值得尊敬的（worthy of great respect）；可估计的（capable of being estimated）

【记】来自 esteem（*v.* 尊敬）和 estimate（*v.* 估计）

【反】infamous（*adj.* 声名狼藉的）；contemptible（*adj.* 可鄙的）

estranged [iˈstreindʒd] *adj.* 疏远的（alienated）；分开的，分离的（alienated）

【记】e + strange（陌生的）+ d → 使…陌生的 → 疏远的，不和的

etch* [etʃ] *v.* 蚀刻（to make a drawing on metal or glass by the action of an acid）；铭记

【记】不要和 itch（*v.* 搔痒）相混淆

【反】efface（*v.* 擦掉）

etching [ˈetʃiŋ] *n.* 蚀刻术（art of making etched prints）；蚀刻板画

eternal [i(ː)ˈtəːnl] *adj.* 永久的，永恒的（without beginning or end）

【参】eternity（*n.* 永远，不朽）

ESOPHAGUS	ESOTERIC	ESPIONAGE	ESPOUSAL	ESPOUSE
ESPY	ESSENTIAL	ESTIMABLE	ESTRANGED	ETCH
ETCHING	ETERNAL			

ethereal [iˈθiəriəl] *adj.* 太空的 (of or like the ether); 轻巧的 (very light; airy)
【记】来自 ether (*n.* 太空; 苍天)
【反】material (*adj.* 物质的); ponderous (*adj.* 笨重的)

ethics* [ˈeθiks] *n.* 伦理学 (science that deals with morals); 道德规范 (moral correctness)

ethnic [ˈeθnik] *adj.* 民族的; 种族的 (of a national, racial or tribal group that has a common culture tradition)
【记】词根记忆: ethn (种族) + ic → 种族的, 民族的

ethnology [ˌeθˈnɔlədʒi] *n.* 人种学, 人类文化学 (the scientific study of the different races of human beings)
【记】词根记忆: ethn (种族) + ology (学科) → 人种学

ethos [ˈiːθɔs] *n.* (个人、团体或民族)道德风貌, 思潮, 信仰 (the characteristic and distinguishing attitudes, habits, beliefs of an individual or of a group)
【记】eth (=ethn 种族) + os → 种族气氛 → 民族精神; 思潮

etiquette* [ˈetiket] *n.* 礼仪 (established forms, manners, and ceremonies); 礼节 (decorum)
【记】词根记忆: e + tiquette (=ticket 票) → 凭票出入 → 礼节
【形】coquette (*n.* 卖弄风情的女子)

etymology [ˌetiˈmɔlədʒi] *n.* 语源学 (the branch of linguistics dealing with word origin and development)
【记】来自 etymon (*n.* 词源, 词根)

eulogistic [ˌjuːləˈdʒistik] *adj.* 颂扬的, 歌功颂德的 (praising highly; laudatory)
【记】词根记忆: eu (好) + log (说) + istic → 说好话的 → 颂扬的

eulogize* [ˈjuːlədʒaiz] *v.* 称赞, 颂扬 (to praise highly in speech or writing)
【记】词根记忆: eu (好) + log (说) + ize → 说好话

eulogy* [ˈjuːlədʒi] *n.* 颂词, 颂文 (high speech or commendation)
【反】denunciation (*n.* 谴责); diatribe (*n.* 恶骂); defamation (*n.* 诋毁)

euphemism* [ˈjuːfimizəm] *n.* 婉言, 委婉的说法 (the act or example of substituting a mild, indirect, or vague term for one considered harsh, blunt, or offensive)
【记】词根记忆: eu (好) + phem (出现) + ism → 以好的语言出现 → 委婉的说法
【同】ephemeral (*adj.* 短暂的)

euphonious* [juːˈfəuniəs] *adj.* 悦耳的 (having a pleasant sound; harmonious)
【记】词根记忆: eu + phon (声音) + ious → 声音好听的
【同】telephone (*n.* 电话); cacophony (*n.* 刺耳的声音)
【反】cacophonous (*adj.* 刺耳的)

ETHEREAL	ETHICS	ETHNIC	ETHNOLOGY	ETHOS
ETIQUETTE	ETYMOLOGY	EULOGISTIC	EULOGIZE	EULOGY
EUPHEMISM	EUPHONIOUS			

euphoria* [juːˈfɔːriə] *n.* 极度愉快的心情 (a feeling of well-being or elation)
【记】词根记忆：eu (好) + phor (带来) + ia (病) → 带来好处的病 → 幸福感
【同】semaphore (*n.* 信号灯)

evacuate* [iˈvækjueit] *v.* 撤退 (to withdraw from)；撤离 (to remove inhabitants from a place for protective purposes)
【记】词根记忆：e + vacu (空) + ate → 空出地方 → 撤离
【同】vacant (*adj.* 空的)；vacuum (*n.* 真空)
【派】evacuation (*n.* 疏散，撤离)
【反】fill up (填满)

evade* [iˈveid] *v.* 逃避 (to avoid or escape by deceit or cleverness; elude)；规避 (to avoid facing up to)
【记】词根记忆：e + vade (走) → 走出去 → 撤离
【同】pervade (*v.* 遍及)；invade (*v.* 入侵)

evaluation* [iˌvæljuˈeiʃən] *n.* 评价，评估 (the determined or fixed value of)
【记】来自 evaluate (*v.* 评价，评估)

evanescent* [ˌiːvəˈnesnt] *adj.* 迅速消失的 (vanishing)；短暂的 (vanishing; ephemeral; transient)
【记】词根记忆：e + van (空) + escent (开始…的) → 刚开始就空了 → 短暂的
【同】adolescent (*adj.* 青少年的)；efflorescent (*adj.* 开花期的)；senescent (*adj.* 年迈的)
【反】lasting (*adj.* 长久的)；perpetual (*adj.* 永久的)；permanent (*adj.* 持久的)

evaporate* [iˈvæpəreit] *v.* (使某物) 蒸发掉 (to cause sth. to change into vapor and disappear)
【记】e (出) + vapor (水汽) + ate → 使水汽出来 → 蒸发

evasion* [iˈveiʒən] *n.* 躲避，借口 (a means of evading)
【记】词根记忆：e (出) + vas (走) + ion → 走出去 → 躲避

evasive [iˈveisiv] *adj.* 回避的，逃避的，托辞的 (tending or intended to evade)
【记】来自 evade (*v.* 规避，躲避)

even* [ˈiːvən] *adj.* 平的 (having a horizontal surface)
【派】偶数 (exactly divisible by 2)

evenhanded [ˌivənˈhændid] *adj.* 公平的，不偏不倚的 (fair and impartial)
【记】组合词：even (平的) + hand (手) + ed → 两手放得一样平 → 公平的
【参】underhanded (*adj.* 不光明正大的，秘密的)

evict* [i(ː)ˈvikt] *v.* (依法) 驱逐 (to force out, expel)
【记】词根记忆：e + vict (征服) → 把…征服出去 → 驱逐
【同】victor (*n.* 胜利者)；victory (*n.* 胜利)
【反】harbor (*v.* 庇护)

EUPHORIA	EVACUATE	EVADE	EVALUATION	EVANESCENT
EVAPORATE	EVASION	EVASIVE	EVEN	EVENHANDED
EVICT				

evince* [i'vins] *v.* 表明，表示（to show plainly; indicate; make manifest）
【记】词根记忆：e + vince（=vict 征服）→ 用（事实）征服 → 表明（事实等）
【同】vincible（*adj.* 可征服的）; convince（*v.* 使信服）
【反】conceal（*v.* 隐藏）; keep hidden（隐藏）

evocative [i'vɔkətiv] *adj.* 唤起的，激起的（tending to evoke）

evoke* [i'vəuk] *v.* 引起（to draw forth or elicit）; 唤起（to call forth or summon a spirit）
【记】词根记忆：e + voke（喊）→ 喊出来 → 唤起
【同】provoke（*v.* 惹怒）; revoke（*v.* 取消）
【反】fail to elicit（未能引起）

evolve* [i'vɔlv] *v.* 使逐渐形成，进化（to cause to develop naturally and gradually）
【记】词根记忆：e（出）+ volve（卷，转）→ 转出来 → 发展，进化
【派】evolution（*n.* 进化，进化论）

ewe [juː] *n.* 母羊（female sheep）

ewer ['ju(ː)ə] *n.* 大口水罐（a large water pitcher with a wide mouth）

exacerbate* [eks'æsə(ː)beit] *v.* 加重，恶化（to aggravate disease, pain, annoyance, etc.）
【记】词根记忆：ex + acerb（苦涩）+ ate → 出现了苦涩 → 恶化
【同】acerbic（*adj.* 酸苦的）; acerbate（*v.* 激怒）
【反】alleviate（*v.* 减轻）; mitigate（*v.* 减轻）

exact* [ig'zækt] *adj.* 精确的（correct in every detail）; *v.* 强求，强索付款（to call for forcibly or urgently and obtain）
【反】forgive（*v.* 宽免）

exacting* [ig'zæktiŋ] *adj.* 苛求的（demanding）; 要求严格的（strict）

exactitude* [ig'zæktitjuːd] *n.* 正确性；精确性（over-correctness）
【反】imprecision（*n.* 不精确）

exaggerate* [ig'zædʒəreit] *v.* 夸张（to overstate）; 夸大（to overemphasize; intensify）
【记】词根记忆：ex（出）+ agger（堆积）+ ate → 越堆越高 → 夸张
【反】minimize（*v.* 减少）

exalt* [ig'zɔːlt] *v.*（高度）赞扬，歌颂（to praise; glorify; extol）
【记】词根记忆：ex + alt（高）→ 评价高 → 赞扬
【同】altitude（*n.* 高度）; altimeter（*n.* 高度表）
【反】pillory（*v.* 使惹人嘲笑）; condemn（*v.* 指责）

exaltation [ˌegzɔːl'teiʃən] *n.*（成功带来的）得意，高兴（elation; rapture）

exasperate* [ig'zɑːspəreit] *v.* 激怒，使恼怒（to make angry; vex）
【记】词根记忆：ex + asper（粗鲁）+ ate → 显出粗鲁 → 激怒
【同】asperity（*n.* 粗糙，粗暴）
【派】exasperation（*n.* 激怒）

EVINCE	EVOCATIVE	EVOKE	EVOLVE	EWE
EWER	EXACERBATE	EXACT	EXACTING	EXACTITUDE
EXAGGERATE	EXALT	EXALTATION	EXASPERATE	

excavate* [ˈekskəveit] *v.* **挖掘** (to make a hole or cavity in); **挖出** (to uncover or expose)
【记】词根记忆：ex + cav (洞) + ate → 挖出洞 → 挖掘
【同】cavity (*n.* 洞，腔)；cavern (*n.* 岩洞)
【反】fill in (填充)

exceed [ikˈsiːd] *v.* **超过** (to surpass; outdo)；**超出** (to go beyond)
【记】词根记忆：ex + ceed (走) → 走出去 → 超过
【同】proceed (*v.* 前行)；succeed (*v.* 成功)

exceptional* [ikˈsepʃənl] *adj.* **特别(好)的** (not ordinary or average)
注意：exceptionable (*n.* 可反对的，可争辩的)
【反】prosaic (*adj.* 平凡的)

excess* [ˈekses] *n.* **过分，过度** (lack of moderation; intemperance)
【记】词根记忆：ex + cess (走) → 走出格 → 过分
【派】excessive (*adj.* 极过分的)
【反】excessive 〈〉 too little (太少的)

excise* [ikˈsaiz] *v.* **切除，删去** (to remove by cutting out or away)
【记】词根记忆：ex + cise (切) → 切出去 → 切除
【同】concision (*n.* 简洁)；incisive (*adj.* 一针见血的)
【派】excision (*n.* 切除，割除)

excitability* [ikˌsaitəˈbiliti] *n.* **易兴奋性，易激动性** (quality of being excitable)
【反】torpor (*n.* 无精打采)；equanimity (*n.* 镇静)

exclaim* [iksˈkleim] *v.* **惊叫，呼喊** (to cry out suddenly and loudly)
【记】词根记忆：ex (出) + claim (呼喊) → 惊叫，呼喊

exclamation* [ˌekskləˈmeiʃən] *n.* **惊叹词；惊呼** (a sharp or sudden utterance)
【记】词根记忆：ex (出) + clam (喊，叫) + ation → 大声喊出来 → 惊叹，感叹

exclude [iksˈkluːd] *v.* **排斥** (to refuse to admit; shut out)；**排除** (to force out; expel)
【记】词根记忆：ex + clude (关闭) → 关出去 → 排斥
【同】occlude (*v.* 堵塞)；preclude (*v.* 预防；排除)
【派】exclusion (*n.* 拒绝，排斥)

exclusive [iksˈkluːsiv] *adj.* (人) **孤僻的** (single and sole)；(物) **专用的** (not shared or divided)

excoriate* [eksˈkɔːrieit] *v.* **撕去皮** (to strip, scratch, or rub off the skin)；**严厉批评** (to denounce harshly)
【记】词根记忆：ex + cor (=core 核心) + iate → 使核心出来 → 撕去皮
注意：尤其要记住"严厉批评"一义
【反】extol (*v.* 赞美)；praise lavishly (过分赞扬)

excrete* [iksˈkriːt] *v.* **排泄，分泌** (to pass out waste matter)
【记】词根记忆：ex + crete (分离) → 分离出来 → 排泄；分泌

EXCAVATE	EXCEED	EXCEPTIONAL	EXCESS	EXCISE
EXCITABILITY	EXCLAIM	EXCLAMATION	EXCLUDE	EXCLUSIVE
EXCORIATE	EXCRETE			

【同】discrete（*adj.* 分开的）；concrete（*adj.* 具体的）
【反】ingest（*v.* 吸收）

exculpate* [ˈekskʌlpeit] *v.* 开脱（to free from blame）；申明无罪（declare or prove guiltless）
【记】词根记忆：ex + culp（罪行）+ ate → 开脱罪行
【同】culprit（*n.* 罪犯）；culpable（*adj.* 有罪的）
【反】attribute guilt（归罪）；indict（*v.* 控告）；inculpate（*v.* 控告）

excursion [iksˈkəːʃən] *n.* 短途旅游（short journey, as for pleasure；jaunt）
【记】词根记忆：ex + curs（跑）+ ion → 跑出去 → 旅行
【同】incursion（*n.* 闯入）；cursive（*adj.* 草书的）

excursive* [iksˈkəːsiv] *adj.* 离题的（digressive）；随意的（digressive）
【记】词根记忆：ex（出）+ curs（跑，发生）+ ive →（思想）跑出去 → 离题的

execrable [ˈeksikrəbl] *adj.* 极坏的（deserving to be execrated；abominable；detestable）
【反】commendable（*adj.* 值得表扬的）；laudable（*adj.* 值得表扬的）

execrate [ˈeksikreit] *v.* 憎恶（to loathe；detest；abhor）；咒骂（to call down evil upon；curse）
【记】来自拉丁文 exsecratus，ex（出）+ secrat（神圣）+ us → 走出了神圣 → 咒骂

execute* [ˈeksikjuːt] *v.* 执行，履行（to carry out）；将某人处死（to kill sb. as a legal punishment）
【记】词根记忆：ex + ecu（看作 secu，跟随）+ te → 跟随计划、决赛 → 执行
【同】consecutive （*adj.* 连贯的）；persecute （*v.* 迫害）；executioner（*n.* 刽子手）；executive（*n.* 经理）；executor（*n.* 遗嘱执行人）
【派】execution（*n.* 执行，实行）

exemplary* [igˈzempləri] *adj.* 可作楷模的（serving as an example）
【记】来自 example（*n.* 榜样）

exemplify [igˈzemplifai] *v.* 是…的典型（to be a typical example of sth.）

exempt* [igˈzempt] *adj.* 被免除的（not subject to a rule or obligation）；*v.* 使免除（to free from a rule or obligation）
【记】词根记忆：ex + empt（拿，买）→ 拿出去 → 被免除的
【同】preempt（*v.* 以先买权取得，占先）

exert* [igˈzəːt] *v.* 运用（力量等）（to apply with great energy or straining effort）
【记】词根记忆：ex + ert（力量）→ 运用（力量）
【同】inert（*adj.* 惰性的，不活跃的）
【派】exertion（*n.* 努力）

exhale* [eksˈheil, egˈzeil] *v.* 呼出（气）（to breathe out）
【记】词根记忆：ex（出）+ hale（气）→ 呼出（气）

EXCULPATE	EXCURSION	EXCURSIVE	EXECRABLE	EXECRATE
EXECUTE	EXEMPLARY	EXEMPLIFY	EXEMPT	EXERT
EXHALE				

【参】inhale (*v.* 吸气)
【派】exhalation (*n.* 呼气，排气)

exhaust [igˈzɔːst] *n.* (机器排出的) 废气，蒸气；*v.* 使非常疲倦 (to make sb. very tired)

exhaustive* [igˈzɔːstiv] *adj.* 彻底的 (thorough)；无遗漏的 (covering every possible detail; thorough)
【反】incomplete (*adj.* 不完全的)；partial (*adj.* 部分的)

exhilarate* [igˈziləreit] *v.* 使高兴 (to make cheerful; animate)
【记】词根记忆：ex + hilar (高兴) + ate → 使 (人) 高兴
【同】hilarious (*adj.* 高兴的；愉快的)
【反】sadden (*v.* 使悲伤)

exhilaration [igˌziləˈreiʃən] *n.* 高兴，活跃 (the feeling or the state of being exhilarated)

exhort* [igˈzɔːt] *v.* 力劝 (to urge earnestly)；勉励 (to urge earnestly; admonish strongly)
【记】词根记忆：ex + hort (=incite 激励) → 激励出来 → 力劝
【同】hortative (*adj.* 劝告的，忠告的)

exigent* [ˈeksidʒənt] *adj.* 紧急的，迫切的 (requiring immediate action)
【反】deferrable (*adj.* 可拖延的)

existential [ˌegzisˈtenʃəl] *adj.* 有关存在的，存在主义的 (of, relating to, or affirming existence)
【记】来自 exist (*v.* 存在)

exodus* [ˈeksədəs] *n.* 大批离去，成群外出 (a mass departure or emigration)
【记】分拆联想：exo (外面) + d + us (我们) → 我们都走到外面去 → 成群外出
【反】influx (*n.* 流入)

exonerate* [igˈzɔnəreit] *v.* 免除责任 (to relieve from an obligation)；宣布无罪 (to clear from guilt; absolve)
【记】词根记忆：ex + oner (负担) + ate → 走出负担 → 无罪
【同】onerous (*adj.* 费力的，繁重的)
【派】exoneration (*n.* 免除，免罪)
【反】prove guilty (证明有罪)；inculpate (*v.* 使负罪)；censure (*v.* 责难)；incriminate (*v.* 控告)

exorbitant* [igˈzɔːbitənt] *adj.* 过分的，过度的 (exceeding the bounds of custom, propriety, or reason)
【记】词根记忆：ex + orbit (轨道，常规) + ant → 走出常规 → 过分的
【同】contraorbital (*adj.* 与正常轨道相反的)

exorcise [ˈeksɔːsaiz] *v.* 驱魔 (to drive or expel an evil spirit)；去除 (坏念头等) (to get rid of)
【记】词根记忆：ex + orc (看作 sorc，巫术) + ise → 用巫术赶出 →

EXHAUST	EXHAUSTIVE	EXHILARATE	EXHILARATION	EXHORT
EXIGENT	EXISTENTIAL	EXODUS	EXONERATE	EXORBITANT
EXORCISE				

驱邪

【同】sorcery（*n.* 巫术，魔术）；sorcerer（*n.* 巫师）

【派】exorcism（*n.* 驱鬼，伏魔）

exotic* [ig'zɔtik] *adj.* 珍奇的（strikingly unusual）；来自异国的（not native; foreign）

【记】词根记忆：exo（外面）+ tic → 外面来的 → 来自异国的

【反】endemic（*adj.* 地方的）；indigenous（*adj.* 本土的）；mundane（*adj.* 世俗的）

expand* [iks'pænd] *v.* 扩大，膨胀（to increase in extent, scope, or volume）

【记】词根记忆：ex + pand（分散）→ 分散出去 → 扩大

【派】expansion（*n.* 扩张，膨胀）；expanse（*n.* 宽广空间）

expansive* [iks'pænsiv] *adj.*（指人）健谈的，开朗的（outgoing and sociable）；可扩大的，可伸展的（having a capacity or a tendency to expand）

【反】reserved（*adj.* 保守的）；taciturn（*adj.* 沉默的）；withdrawn（*adj.* 内向的）

expediency* [ik'spiːdiənsi] *n.* 方便（advantageousness）；权宜之计（a regard for what is politic or advantageous rather than for what is right or just）

【记】词根记忆：ex + ped（脚）+ iency → 把脚拔出去 → 权宜之计

【同】centipede（*n.* 蜈蚣）；podiatrist（*n.* 足病医生）

expedient* [ik'spiːdiənt] *n.* 权宜之计，临时手段（a temporary means to an end）；*adj.*（指行动）有用的（useful, helpful or advisable）

expeditious* [ekspi'diʃəs] *adj.* 迅速的，敏捷的（prompt; quick）

【记】来自 expedite（*v.* 使加速，促进）

expel* [iks'pel] *v.* 排出（to discharge; eject）；开除（to cut off from membership）

【记】词根记忆：ex + pel（推）→ 向外推 → 开除

【反】ingest（*v.* 吸收）

expend* [iks'pend] *v.* 花费（to pay out; spend）；用光（to use up）

【反】store up（储存）

expenditure* [iks'penditʃə] *n.* 消耗，支出（amount expended）

expertise* [ˌekspə'tiːz] *n.* 专门技术，专业知识（the skill, knowledge, judgment of an expert）

【记】expert（专家）+ ise → 专家的知识 → 专业知识

EXOTIC	EXPAND	EXPANSIVE	EXPEDIENCY	EXPEDIENT
EXPEDITIOUS	EXPEL	EXPEND	EXPENDITURE	EXPERTISE

Word List 15

expiate* [ˈekspieit] *v.* 赎罪，补偿（to make amends or reparation for）
【记】词根记忆：ex + pi（=pious 虔诚）+ ate → 显出虔诚 → 赎罪
【同】piety（*n.* 虔诚）；impious（*adj.* 不虔诚的）

expiration [ˌekspaiəˈreiʃən] *n.* 期满，终止（termination）

expire* [iksˈpaiə] *v.* 期满（to cease）；去世（to breathe one's last breath；die）
【记】词根记忆：ex + pire （看作 spire，呼吸）→ 把气全部呼出去 → 去世
【同】inspiration（*n.* 灵感）；aspiration（*n.* 热望）
【反】come to life（苏醒）

explicate [ˈeksplikeit] *v.* 详细解说（to make clear or explicit；explain fully）

explicit* [iksˈplisit] *adj.* 清楚明确的 （distinctly expressed；definite）；成熟的，成形的（fully developed and formulated）
【记】词根记忆：ex + plic（重叠）+ it → 把重叠在一起的弄清楚 → 清楚明确的
【反】inchoate（*adj.* 未形成的）；tacit（*adj.* 含蓄的）；immanent（*adj.* 内在的）；obscure（*adj.* 模糊的）

exploit* [iksˈplɔit] *v.* 剥削 （to make use of meanly or unfairly for one's own advantage）；开发利用 （to utilize productively）；*n.* 英勇行为（a notable or heroic act）
【记】词根记忆：ex + ploit（利用）→ 利用出来 → 开发利用
【同】sexploit（*v.* 对…进行性利用）

explosive* [iksˈpləusiv] *n.* 炸药；*adj.* 爆炸性的；使人冲动的 （likely to erupt in or produce hostile reaction or violence）

exponent [eksˈpəunənt] *n.* 说明者，支持者 （a person who expounds and promotes）；指数
【记】词根记忆：ex + pon（放）+ ent → 把（道理等）放出来的人 → 说明者
【同】opponent（*n.* 反对者）

EXPIATE	EXPIRATION	EXPIRE	EXPLICATE	EXPLICIT
EXPLOIT	EXPLOSIVE	EXPONENT		

exponentially [ˌekspəuˈnenʃəli] *adv.* 指数地；迅速增长地

【记】词根记忆：exponent（指数）+ ially → 指数地；迅速增长地

exposition* [ˌekspəˈziʃən] *n.* 阐释（detailed explanation）；博览会（a public exhibition or show）

【记】词根记忆：ex + pos（放）+ ition → 放出来（让人看）→ 阐明；博览会

【同】repose（*n.* / *v.* 休息）；dispose（*v.* 处理掉）

expository [iksˈpɔziˌtəri] *adj.* 说明的（explanatory；serving to explain）

expostulate* [iksˈpɔstjuleit] *v.*（对人或行为进行）争论，抗议（to object to a person's actions or intentions）；告诫

【参】postulate（*v.* 肯定地假设）

【同】postmeridium（*adj.* 午后的）；postwar（*n.* 战后）

exposure* [iksˈpəuʒə] *n.* 暴露，显露，曝光（action of exposing or state of being exposed）

【记】词根记忆：ex（出）+ pos（放）+ ure → 放出来 → 暴露，显露

expound [iksˈpaund] *v.* 解释（to explain or interpret）；阐述（to state in detail）

【记】词根记忆：ex + pound（放）→ 把（道理）放出来 → 解释

expressly [iksˈpresli] *adv.* 清楚地（explicitly）；特意地（particularly）

【记】来自 express（*v.* 表达；*adj.* 特别的；快递的）

expunge* [eksˈpʌndʒ] *v.* 删除（to erase or remove completely；delete；cancel）

【记】词根记忆：ex + punge（刺）→ 把刺挑出 → 删除

【同】pungent（*adj.* 刺鼻的）

expurgate [ˈekspəːgeit] *v.* 删除；使纯洁（to remove passages considered obscene or objectionable）

【记】词根记忆：ex + purg（清洗）+ ate → 清洗掉，清除掉 → 删除 → 使纯洁

【参】purge（*v.* 清洗，净化）

【辨】expunge 指删除无用的字、章节等；expurgate 指删除书中不恰当或不纯的地方

exquisite [ˈekskwizit] *adj.* 精致的（elaborately made；delicate）；近乎完美的（consummate；perfected）

【记】词根记忆：ex + quisit（要求，寻求）+ e → 按要求做出的 → 精致的

【同】requisite（*adj.* 必要的）；inquisitive（*adj.* 好问的）

extant* [eksˈtænt] *adj.* 现存的（currently or actually existing）

【记】词根记忆：ex + tant（看作 stand，站）→ 站出来 → 现存的

【参】instant（*adj.* 立刻的）

【反】extinct（*adj.* 灭绝的）；lost（*adj.* 错过的；丢失的）

extemporaneous* [eksˌtempəˈreinjəs] *adj.* 即席的，没有准备的（spoken or done without time for preparation）

【记】词根记忆：ex（外）+ tempor（时间）+ aneous → 在安排的时

EXPONENTIALLY	EXPOSITION	EXPOSITORY	EXPOSTULATE	EXPOSURE
EXPOUND	EXPRESSLY	EXPUNGE	EXPURGATE	EXQUISITE
EXTANT	EXTEMPORANEOUS			

间之外的 → 即席的，无准备的
【反】planned（*adj.* 计划好的）

extemporize* [eks'tempəraiz] *v.* 即席演说（to speak extemporaneously）
【同】temporal（*adj.* 短暂的；世俗的）；temporary（*adj.* 临时的）
【反】follow a script（按手稿演说）

extend* [iks'tend] *v.* 延展，延长（to make sth. longer or larger）；舒展（肢体）（to stretch out the body or a limb at full length）
【记】词根记忆：ex（出）+ tend（伸展）→ 伸出去 → 延展
【派】extension（*n.* 伸长，延展；提供）
【反】abbreviate（*v.* 缩短）

extenuate* [iks'tenjueit] *v.* 掩饰（罪行）；减轻罪过（to lessen the seriousness of an offense or guilt by giving excuses）
【记】词根记忆：ex + tenu（细薄）+ ate → 使…微不足道 → 掩饰（罪行）
【同】attenuate（*v.* 变细，变薄）；tenuous（*adj.* 纤细的）
【反】aggravate（*v.* 使恶化）

exterminate [iks'təːmineit] *v.* 消灭，灭绝（to wipe out; eradicate）
【记】词根记忆：ex + termin（范围，结束）+ ate → 从范围中除去 → 消灭
【同】terminate（*v.* 结束，中止）；terminus（*n.* 终点）；terminal（*n.* 终点站）

externalize* [eks'təːnəˌlaiz] *v.* 使…表面化（to make sth. external）
【例】*externalize* one's thoughts and emotions（把思想感情表达出来）

extinct* [iks'tiŋkt] *adj.* 绝种的，不存在的（no longer in existence）
【记】词根记忆：ex + tinct（刺，促使）→ 使…失去 → 绝种的
【同】distinction（*n.* 差别）；instinct（*n.* 本能，天性）
【反】extant（*adj.* 现存的）；resuscitated（*adj.* 复苏的）

extinguish* [iks'tiŋgwiʃ] *v.* 使…熄灭（to cause to cease burning）；使…不复存在（to end the existence of）
【记】词根记忆：ex（出）+ ting（看作 sting，刺）+ uish → 把刺拿出去（刺引申为火焰）→ 灭火
【反】ignite（*v.* 点燃）；kindle（*v.* 点燃）

extirpation* [ˌekstə'peiʃn] *n.* 根除，铲除（extermination）
【记】来自 extirpate（*v.* 消灭，根除）
【反】propagation（*n.* 繁殖）

extol* [iks'tɔl] *v.* 赞美（to praise highly; laud）
【记】词根记忆：ex + tol（举起）→ 举起来 → 赞美
【参】exalt（*v.* 赞赏）
【反】lambaste（*v.* 指责）；pan（*v.* 严厉批评）；deprecate（*v.* 抗议）；excoriate（*v.* 批判）；censure（*v.* 责难）；disparage（*v.* 贬损）；condemn（*v.* 谴责）；impugn（*v.* 打击）；detract（*v.* 贬低）；malign（*v.* 诽谤）

EXTEMPORIZE	EXTEND	EXTENUATE	EXTERMINATE	EXTERNALIZE
EXTINCT	EXTINGUISH	EXTIRPATION	EXTOL	

extort* [iks'tɔːt] *v.* **勒索，敲诈** (to get money from sb. by violence or threats; extract)
【记】词根记忆：ex + tort（扭）→ 扭出来 → 勒索
【同】distort（*v.* 歪曲）；tortuous（*adj.* 弯弯曲曲的）
【派】extortion（*n.* 强取豪夺）

extract* [iks'trækt] *v.* **拔出** (to take sth. out with effort or by force)；**强索** (to forcefully obtain money or information)
【记】词根记忆：ex（出）+ tract（拉）→ 拉出 → 拔出
【反】embed（*v.* 嵌入）

extraneous* [eks'treinjəs] *adj.* **外来的** (coming from outside)；**无关的** (not pertinent)
【记】词根记忆：extra（外面）+ neous → 外来的
【反】relevant（*adj.* 相关的）；apposite（*adj.* 适当的）；intrinsic（*adj.* 本质的）；essential（*adj.* 本质的）

extrapolate* [eks'træpəleit] *v.* **预测，推测** (to speculate)
【记】词根记忆：extra（外面）+ pol（放）+ ate → 放出想法 → 推测
【同】interpolate（*v.* 插入；篡改）

extravagance* [ik'strævəgəns] *n.* **奢侈，挥霍** (the quality or fact of being extravagant)
【记】词根记忆：extra（超过的）+ vag（走）+ ance → 走得过分 → 奢侈
【同】vagrant（*adj.* 流浪的）；divagate（*v.* 流浪；离题）
【反】frugality（*n.* 节俭）

extremist* [iks'triːmist] *n.* **极端主义者** (a person who holds extreme views in politics)

extricable* ['ekstrikəbl] *adj.* **可解救的，能脱险的** (capable of being freed from difficulty)

extricate* ['ekstrikeit] *v.* **摆脱，脱离；拯救，救出** (to set free; release)
【记】词根记忆：ex + tric（复杂，迷惑）+ ate → 从迷惑中解救出来 → 救出
【同】intricate（*adj.* 复杂的，难懂的）；trick（*n.* 诡计）
【反】entangle（*v.* 纠缠）；enmesh（*v.* 使陷入）；mire（*v.* 陷入）

extrovert* ['ekstrəuvəːt] *n.* **性格外向者** (a person who is active and unreserved)
【记】词根记忆：extro（外）+ vert（转）→ 向外转的人 → 性格外向者
【参】introvert（*n.* 内向者）

EXTORT	EXTRACT	EXTRANEOUS	EXTRAPOLATE	EXTRAVAGANCE
EXTREMIST	EXTRICABLE	EXTRICATE	EXTROVERT	

exuberance* [ig'zjuːbərəns] *n.* **愉快** (quality of being cheerful); **茁壮** (the quality or state of being exuberant)
【记】来自 exuberant (*adj.* 茁壮的，繁茂的)
【反】ennui (*n.* 厌倦)

exuberant* [ig'zjuːbərənt] *adj.* (人) **充满活力的** (very lively and cheerful); (植物) **茂盛的** ([of plant] produced in extreme abundance)
【记】词根记忆：ex (出) + uber (=udder 乳房，引申为果实) + ant → 出果实的 → 充满活力的
【参】udder (*n.* 牛、羊等的乳房)

exude* [ig'zjuːd] *v.* **使慢慢流出** (to pass out in drops through pores; ooze out); **四溢** (to diffuse or seem to radiate)
【记】词根记忆：ex + ud (看作 sud，汗) + e → 出汗 → 慢慢流出
【同】sudorific (*adj.* 发汗的); sudation (*n.* 出汗)
【反】absorb (*v.* 吸收)

exult* [ig'zʌlt] *v.* **欢腾，喜悦** (to rejoice greatly; to be jubilant)
【记】词根记忆：ex + ult (看作 sult，激动，跳) → 欢腾
【同】sultry (*adj.* 闷热的；激动的)
【派】exultant (*adj.* 愉悦的，欢乐的)
【反】exultant 〈〉 abject (*adj.* 可怜的); dejected (*adj.* 沮丧的)

fabric* ['fæbrik] *n.* **纺织品；结构** (framework of basic structure)

fabricate* ['fæbrikeit] *v.* **捏造** (to make up for the purpose of deception); **制造** (to construct; manufacture)
【记】词根记忆：fabric (构造) + ate → 构造出来 → 捏造
【参】prefabricate (*v.* 预制)
【派】fabrication (*n.* 编造，捏造；伪造的事物)

facade* [fə'sɑːd] *n.* **建筑物的正面** (the front of a building); (虚伪的) **外表** (a [false] appearance)
【记】词根记忆：fac (=face 正面) + ade → 正面
【例】a *facade* of honesty (装作诚实的虚伪外表)

facet ['fæsit] *n.* (宝石等的) **小平面** (small plane surface of a gem); **侧面**

facetious* [fə'siːʃəs] *adj.* **轻浮的，好开玩笑的** (joking or jesting often inappropriately)
【记】分拆联想：face (脸) + tious → 做鬼脸 → 好开玩笑的
【反】lugubrious (*adj.* 忧郁的); earnest (*adj.* 严肃的)

facile ['fæsail] *adj.* **容易做的** (easily accomplished or attained); **肤浅的** (superficial)
【记】词根记忆：fac (做) + ile (能…的) → 能做的 → 容易的

facilitate* [fə'siliteit] *v.* **使容易，促进** (to make easy or easier)
【反】hamper (*v.* 妨碍); thwart (*v.* 阻碍); one who facilitates (促进者) 〈〉 obstructionist (*n.* 阻碍者); obstruct (*v.* 阻碍)

EXUBERANCE	EXUBERANT	EXUDE	EXULT	FABRIC
FABRICATE	FACADE	FACET	FACETIOUS	FACILE
FACILITATE				

facilities [fəˈsilətiz] *n.* (使事情便利的)**设备，工具** (the means by which sth. can be done)

faction [ˈfækʃən] *n.* **派系；派系斗争** (partisan conflict)

factorable* [fækˈtɔrəbl] *adj.* **能分解成因子的** (capable of being factored)
【记】来自 factor(因素)+able → 能分解成因子的
【反】irreducible (*adj.* 不能分解成因子的)

factotum [fækˈtəutəm] *n.* **杂工，打杂** (a person hired to do all sorts of work; handyman)
【记】fac(t)(做)+totum(=everything)→ 什么事都做 → 杂工
【参】total (*adj.* 全部的)

factual* [ˈfæktjuəl] *adj.* **真实的，事实的** (restricted to or based on fact)
【记】来自 fact(事实，真相)+ual → 事实的
【反】fictitious (*adj.* 编造的)

faculty* [ˈfækəlti] *n.* **全体教员** (all the lecturers in a department or group of related departments in a university)；**官能** (any of the powers of the body or mind)

fad [fæd] *n.* (流行一时的)**狂热，时尚** (a custom, style in a short time; fashion)
【记】可以同 fade(褪色，消退)一起记，(The fad fades quickly. 时尚很快会消退。)

faddish [ˈfædiʃ] *adj.* **流行一时的，时尚的**
【记】来自 fad(*n.* 时尚)+dish → 时尚的

fade [feid] *v.* **褪色，消失，凋谢** (to lose brightness, color, vigor or freshness)

falcon [ˈfælkən] *n.* **猎鹰；隼**

fallacious* [fəˈleiʃəs] *adj.* **欺骗的** (misleading or deceptive)；**谬误的** (erroneous)
【记】词根记忆：fall(错误)+acious(多…的)→ 谬误的
【反】valid (*adj.* 正确的)

fallacy* [ˈfæləsi] *n.* **谬误，错误** (a false or mistaken idea)
【反】valid argument(正确的论证)；valid reasoning(正确的推理)

fallibility* [ˌfæliˈbiliti] *n.* **易于出错，出错性** (liability to err)
【反】inerrancy (*n.* 无错误)

fallible* [ˈfæləbl] *adj.* **会犯错的，易犯错的** (liable to be erroneous)
【例】All men are *fallible*. (人非圣贤，孰能无过。)

fallow* [ˈfæləu] *n.* **休耕地** (cultivated land that is allowed to lie idle during the growing season)；*adj.* (土地)**休耕的** (left uncultivated or unplanted)
【记】和 fellow(*n.* 伙伴，同伙)一起记
【反】in use (在使用中)

falsehood* [ˈfɔːlshud] *n.* **谎言** (untrue statement)
【记】分拆联想：false(虚伪的)+hood(名词后缀)→ 虚伪的话语 → 谎言

FACILITIES	FACTION	FACTORABLE	FACTOTUM	FACTUAL	FACULTY
FAD	FADDISH	FADE	FALCON	FALLACIOUS	FALLACY
FALLIBILITY	FALLIBLE	FALLOW	FALSEHOOD		

falter* [ˈfɔːltə] *v.* 摇晃，蹒跚 (to walk unsteadily; stumble); 支吾地说 (to stammer)

familiarity* [fəˌmiliˈæriti] *n.* 精通 (close acquaintance); 亲近 (intimacy); 不拘礼仪 (free and intimate behavior)
【记】来自 familiar (*adj.* 熟悉的) + ity → 亲近; 精通
【反】lack of familiarity (不熟悉) 〈〉 conversance (*n.* 精通)

famine [ˈfæmin] *n.* 饥荒 (instance of extreme scarcity of food in a region)
【记】分拆联想: fa (看作 far, 远) + mine (我的) → 粮食离我很远 → 饥荒

famish* [ˈfæmiʃ] *v.* 使饥饿 (to make or be very hungry)
【反】surfeit (*v.* 使过饱)

fanatic* [fəˈnætik] *n.* 狂热者 (a person marked or motivated by an extreme, unreasoning enthusiasm)
【记】分拆联想: fan (入迷者) + at + ic (看作 ice, 冰) → 在冰上还入迷 → 狂热者

fang* [fæŋ] *n.* (蛇的) 毒牙

fantasy* [ˈfæntəsi] *n.* 想像 (imagination); 幻想 (imagination or fancy)

farce* [fɑːs] *n.* 闹剧 (an exaggerated comedy); 荒谬，胡闹 (sth. ridiculous or absurd)

farewell* [ˈfeəˈwel] *interj.* 再会，再见 (goodbye); *n.* 辞行，告别 (saying goodbye)
【反】farewell performance (告别演出) 〈〉 debut (*n.* 初次登场)

far-reaching* [fɑːˈriːtʃiŋ] *adj.* 影响深远的 (having a wide influence)

fast* [fɑːst] *n.* 绝食，斋戒 (the practice of fasting); *adv.* 很快地，紧紧地

fasten* [ˈfɑːsn] *v.* 固定某物 (to fix sth. firmly)
【反】loosely attach (宽松地连接)

fastidious* [fæsˈtidiəs] *adj.* 难以取悦的 (not easy to please); 爱挑剔的 (very critical or discriminating)
【记】分拆联想: fast (绝食) + idious (=tedious 乏味的) → 因乏味而绝食 → 爱挑剔的
【派】fastidiousness (*n.* 精挑细选，吹毛求疵)

fastness [ˈfɑːstnis] *n.* 要塞，堡垒 (a secure place; stronghold)
【记】注意: fast 没有名词，要用 speed 或 quickness 代替

fatal* [ˈfeitl] *adj.* 致命的 (causing death); 灾难性的 (causing disaster)
【记】来自 fate (命运) + al → 致命的

fathom* [ˈfæðəm] *n.* 英寻 (水深量度单位，等于 1.8 米); *v.* 彻底明白，了解 (to understand thoroughly)
【记】fathom 原意为伸展手臂，引申为伸展手臂后的长度

fatigue* [fəˈtiːg] *n.* 疲乏，劳累 (physical or mental exhaustion; weariness)
【记】分拆联想: fat (胖的) + igue → 胖人容易劳累 → 疲乏

FALTER	FAMILIARITY	FAMINE	FAMISH	FANATIC	FANG
FANTASY	FARCE	FAREWELL	FAR-REACHING	FAST	FASTEN
FASTIDIOUS	FASTNESS	FATAL	FATHOM	FATIGUE	

fatten* [ˈfætən] *v.* 使长肥 (to become fat); 使土壤肥沃 (to make fertile); 装满

【反】emaciate (*v.* 使消瘦)

fatuity* [fəˈtju(ː)iti] *n.* 愚蠢，愚昧 (stupidity; foolishness)

【反】sagacity (*n.* 睿智)

fatuous* [ˈfætjuəs] *adj.* 愚昧而不自知的 (complacently or inanely foolish)

faucet* [ˈfɔːsit] *n.* 水龙头

【记】来自 fauce (*n.* 咽喉)

fault* [fɔːlt] *n.* 错误 (mistake); (地质学) 断层 (a fracture in the crust of a planet)

faultfinder* [ˈfɔːltˌfaində] *n.* 喜欢挑剔的人 (one given to faultfinding)

【记】组合词：fault (错误) + finder (寻找者) → 喜欢挑剔的人

favorable* [ˈfeivərəbl] *adj.* 有利的 (helpful); 赞成的 (showing approval)

【记】来自 favor (*n.* 好意，喜爱)

【反】untoward (*adj.* 不利的)

fawn* [fɔːn] *n.* 未满周岁的小鹿 (a young deer less than one year old); *v.* 巴结，奉承 (to act servilely; flatter)

faze [feiz] *v.* 使狼狈，折磨 (to disconcert; dismay; embarrass)

【反】embolden (*v.* 使大胆); undisturbed (*adj.* 安静的) 〈〉 fazed (*adj.* 混乱的)

feasible [ˈfiːzibl] *adj.* 可行的，可能的 (capable of being done or carried out; practicable)

【记】词根记忆：feas (=fac 做) + ible → 能做的 → 可行的

feat [fiːt] *n.* 功绩，壮举 (remarkable deed)

feature* [ˈfiːtʃə] *n.* 特色，特点，特征 (a prominent part or characteristic)

feckless* [ˈfeklis] *adj.* 效率低的，不负责的 (inefficient; irresponsible)

【记】feck (=effect 效果) + less → 没有效果；注意不要和 reckless (轻率的) 相混

【反】responsible (*adj.* 负责任的)

fecundity* [fiˈkʌndəti] *n.* 多产，富饶 (fruitfulness in offspring or vegetation); 繁殖力，生殖力

【反】deprivation (*n.* 剥夺，缺乏)

feeble* [ˈfiːbl] *adj.* 虚弱的 (weak; faint)

feign* [fein] *v.* 假装，伪装 (to make a false show of; pretend)

【形】foreign (*adj.* 外国的); deign (*v.* 屈尊); reign (*v.* 统治)

feigned* [feind] *adj.* 假装的 (pretended; simulated); 不真诚的 (not genuine)

【记】和 feint 一起记，(A feint is a feigned attack. 佯攻是假装的进攻。)

【反】genuine (*adj.* 真实的)

FATTEN	FATUITY	FATUOUS	FAUCET	FAULT	FAULTFINDER
FAVORABLE	FAWN	FAZE	FEASIBLE	FEAT	FEATURE
FECKLESS	FECUNDITY	FEEBLE	FEIGN	FEIGNED	

feint [feint] *v.* / *n.* **佯攻，佯击** (a pretended attack or blow)
【记】注意区分 faint 与 feint

felicitous* [fi'lisitəs] *adj.* (话语等)**适当的，得体的** (used or expressed in a way suitable to the occasion; appropriate)
【记】词根记忆：felic(幸福)+itous→(讲话)使人幸福的→得体的

fell* [fel] *n.* **兽皮** (an animal's hide or skin); *v.* **砍伐** (to cut down a tree or trees); *adj.* **凶猛的，毁灭性的**
【记】和 fall(跌倒)的过去式 fell 拼写一致

felon* ['felən] *n.* **重罪犯** (a person guilty of a major crime)
【记】分拆联想：fel(=fell 倒下)+on→倒在罪恶之上→重罪犯

felony ['feləni] *n.* **重罪** (a major crime)

feminist ['feminist] *n.* **女权运动者** (a person who supports and promotes women's rights)
【记】词根记忆：femin(女人)+ist→女权运动者
【同】feminine (*adj.* 女性的)

fender ['fendə] *n.* **挡泥板** (a metal or plastic enclosure to protect against splashing mud); **护舷的垫子** (a pad or cushion hung over a ship's side to protect it)
【记】来自 fend(抵挡，保护)+er→挡泥板

feral* ['fiərəl] *adj.* **凶猛的** (savage); **野的** (wild)
【反】cultivated (*adj.* 驯化的)

ferment* ['fəːmənt] *v.* / *n.* **发酵** (to cause fermentation in); **骚动** (to excite; agitate)
【记】ferm(=ferv 热)+ent→(生热)发酵，激动
【反】tranquility (*n.* 宁静)

fern* [fəːn] *n.* **羊齿植物，蕨**

ferret ['ferit] *n.* **雪貂** (a domesticated usu. albino, brownish, or silver-gray animal); *v.* **用雪豹猎取；搜寻** (to search about)

ferrous* ['ferəs] *adj.* **含铁的** (containing iron; ferric)
【记】词根记忆：ferr(铁)+ous→铁的
【同】ferrum (*n.* 铁); ferroconcrete (*n.* 钢筋混凝土)
【反】containing no iron (不含铁的)

fertile* ['fəːtail] *adj.* **多产的** (productive); **肥沃的** (fecund)
【记】词根记忆：fert (=fer 带来，结果)+ile→可带来果实的→多产的
【同】infertile (*adj.* 不生育的；不毛的); fertilize (*v.* 施肥)

fertilize* ['fəːtilaiz] *v.* **受精，受粉；施肥** (to make soil productive)

fertilizer* ['fəːtiˌlaizə] *n.* **肥料，化肥** (natural or artificial substance added to soil to make it more productive)

FEINT	FELICITOUS	FELL	FELON	FELONY
FEMINIST	FENDER	FERAL	FERMENT	FERN
FERRET	FERROUS	FERTILE	FERTILIZE	FERTILIZER

fervid* [ˈfəːvid] *adj.* 炽热的，热情的 (marked by great passion)
【记】词根记忆：ferv (沸，热) + id → 炽热的，热情的
【反】restrained (*adj.* 克制的)

fervor* [ˈfəːvə] *n.* 热诚，热心 (great warmth of emotion; ardor)
【反】apathy (*n.* 冷漠); lack of fervor → zealotry (*n.* 狂热行为)

fester* [ˈfestə] *v.* (指伤口) 溃烂，化脓 (to become infected and filled with pus)
【反】heal (*v.* 治愈)

festive* [ˈfestiv] *adj.* 欢乐的 (merry; joyous)

fetid* [ˈfetid] *adj.* 有恶臭的 (having a heavy offensive smell)
【反】having a pleasant smell (好闻的)

fetter* [ˈfetə] *n.* / *v.* (带) 脚镣 (a shackle or chain for the feet); 束缚 (restraint)
【反】set free (释放); liberate (*v.* 解放)

fetus [ˈfiːtəs] *n.* 胎儿
【记】词根记忆：fet (=foet 胎儿) + us → 胎儿
【同】fetology (*n.* 胎儿学); feticide (*n.* 堕胎)

feud* [fjuːd] *n.* 宿怨，不和 (a mutual enmity or quarrel that is often inveterate)

fiasco* [fiˈæskəu] *n.* 大失败，惨败 (a complete failure)
【记】和 fresco (*n.* 壁画) 一起记
【反】a notable success (显著成功)

fiat* [ˈfaiæt] *n.* 命令 (an order issued by legal authority; decree)
【记】分拆联想：fi (看作 fire) + at → 对…开火 → 命令

fickle* [ˈfikl] *adj.* (爱情或友谊) 易变的，不坚定的 (changeable or unstable in affection; inconstant)
【记】和 tickle (*v.* 搔痒) 一起记

fictitious* [fikˈtiʃəs] *adj.* 假的 (not real; false); 虚构的 (imaginary; fabulous)
【记】词根记忆：fict (做) + itious → 做出来的 → 做作的，假的
【同】fiction (*n.* 小说); figment (*n.* 虚构)
【反】factual (*adj.* 事实的)

fidget* [ˈfidʒit] *v.* 坐立不安 (to make restless or uneasy); *n.* 烦躁之人 (a fidgety person)
【记】和 budget (*v.* 预算) 一起记，花钱超过了预算 (budget)，所以很烦躁 (fidget)

fig [fig] *n.* 无花果；毫不理会 (not care at all); 一点儿 (a trifling amount; a little bit)

figment [ˈfigmənt] *n.* 虚构的东西 (sth. merely imagined)
【记】词根记忆：fig (做) + ment → 做出来的 → 虚构的东西

FERVID	FERVOR	FESTER	FESTIVE	FETID
FETTER	FETUS	FEUD	FIASCO	FIAT
FICKLE	FICTITIOUS	FIDGET	FIG	FIGMENT

figurative* ['figjurətiv] *adj.* 比喻的，借喻的（metaphoric）
【记】来自 figure（外形，象征）+ ative → 象征性的 → 比喻的
【例】"A sweet temper" is a *figurative* expression.（"甜美的脾气"运用了借喻的表达方式。）

figurehead ['figəhed] *n.* 名义领袖；傀儡（a person given a position of nominal leadership）
【记】组合词：figure（象征）+ head（头）→ 象征性的领袖 → 名义领袖

figurine* ['figjuriːn] *n.* 小塑像，小雕像（a small sculptured or molded figure; statuette）
【记】来自 figure（雕像）+ ine（小的）→ 小雕像

file* [fail] *n.* 锉刀；*v.* 锉平（to smooth with a file）

filibuster* ['filibʌstə] *v.* / *n.* 妨碍议事，阻挠（to obstruct the passage of）
【记】发音记忆："费力拍死它" → 阻碍法案或议事的通过

filigree* ['filəgriː] *n.* 金银丝做的工艺品（ornamental work esp. of fine wire of gold, silver, etc.）
【记】词根记忆：fili（丝）+ gree（=grain 颗粒）→ 由丝和颗粒所组成的 → 金银丝工艺品

filings ['failiŋz] *n.* 锉屑（a small piece of metal, scraped off with file）

filly* ['fili] *n.* 小母马（young female horse）

filter* ['filtə] *n.* 滤纸（a porous article〔as of paper〕through which a gas or liquid is passed to separate out matter in suspension）；*v.* 过滤（to remove by means of a filter）

filth [filθ] *n.* 肮脏（disgustingly offensive dirt）；粗语（anything viewed as grossly indecent or obscene）
【记】和 filch（*v.* 偷）一起记

finale [fi'nɑːli] *n.* 最后，最终（end）；乐曲的最后部分（the concluding part of a musical composition）
【记】来自 final（*adj.* 最后的）

finesse* [fi'nes] *n.* 技巧（adroitness and delicacy）；计谋（cunning; skill）；手段（the ability to handle delicate and difficult situations skillfully and diplomatically）
【记】fine（好，巧妙）+ sse → 巧妙的手段 → 技巧
注意：不要和 fineness（优雅，纤细）相混
【反】heavy handedness（笨手笨脚）；ineptitude（*n.* 笨拙）

finicky* ['finiki] *adj.* 苛求的，过分讲究的（too particular or exacting; fussy）
【记】单词 finical 的变体，来自 fine（精细的）+ ical → 精细的 → 讲究的

finite* ['fainait] *adj.* 有限的（having an end or limit）
【记】词根记忆：fin（范围）+ ite → 在一定范围内 → 有限的

FIGURATIVE	FIGUREHEAD	FIGURINE	FILE	FILIBUSTER
FILIGREE	FILINGS	FILLY	FILTER	FILTH
FINALE	FINESSE	FINICKY	FINITE	

firearm* [ˈfaiərɑːm] *n.* (便携式)枪支 (portable gun of any sort)
【记】组合词: fire(火)+arm(武器)→枪支

firefly [ˈfaiəflai] *n.* 萤火虫
【记】组合词: fire+fly(蝇)→火蝇→萤火虫

fiscal [ˈfiskəl] *adj.* 国库的 (relating to public treasury or revenues), 财政的 (financial)
【记】词根记忆: fisc(国库)+al→国库的, 财政的
【同】confiscate (*v.* 充公, 没收)

fissure* [ˈfiʃə] *n.* 裂缝 (a long, narrow and deep cleft or crack)
【记】词根记忆: fiss(裂)+ure→裂缝
【参】fission (*n.* / *v.* 裂变, 分裂)

fixate* [ˈfikseit] *v.* 使固定 (to make fixed, stationary); 使不变 (to make unchanging); 注视, 凝视 (to focus one's gaze on)
【记】词根记忆: fix(固定)+ate→使固定

flaccid [ˈflæksid] *adj.* 松弛的 (soft and limply flabby); 软弱的 (weak; feeble)
【记】词根记忆: flac(=flab 松弛)+cid→松弛的
【派】flaccidity (*n.* 软弱)
【反】flaccidity 〈〉 firmness (*n.* 坚定)

flag* [flæg] *v.* 减弱, 衰退 (to lose strength); 枯萎 (to droop)
【记】flag 作为"旗, 国旗"一义大家都熟悉
【反】wax (*v.* 增强)

flagging [ˈflægiŋ] *adj.* 下垂的 (drooping); 衰弱的 (weakening)
【反】thriving (*adj.* 兴旺的); vibrant (*adj.* 活跃的)

flaggy [ˈflægi] *adj.* 枯萎的; 松软无力的 (lacking vigor or force)

flail* [fleil] *n.* 连枷 (打谷工具); *v.* 打, 打击 (to strike or beat as with a flail)
【记】和 frail (脆弱的) 一起记, flail 中的"l"像根棍子, 所以可看作"打击", frail 中的"r"像朵花, 所以可看作"脆弱的"

flak [flæk] *n.* 高射炮 (antiaircraft guns); 指责 (strong and clamorous criticism)
【记】和 flake (薄片, 雪片) 一起记, 如: 雪花 (snowflake)

flamboyant* [flæmˈbɔiənt] *adj.* 艳丽的, 炫耀的 (too showy or ornate; florid; extravagant)
【记】分拆联想: flam(火)+boy(男孩)+ant(蚂蚁)→男孩和蚂蚁高举火把→炫耀的
【反】subdued (*adj.* 柔和的); understated (*adj.* 保守的, 朴素的)

flammable* [ˈflæməbl] *adj.* 易燃的 (easily set on fire)
【记】词根记忆: flamm(=flam 火)+able→易燃的
注意: flammable=inflammable, 但后者多一层意思, 即"容易激动的"

FIREARM	FIREFLY	FISCAL	FISSURE	FIXATE
FLACCID	FLAG	FLAGGING	FLAGGY	FLAIL
FLAK	FLAMBOYANT	FLAMMABLE		

Word List 16

flange* [flændʒ] *n.* (火车车轮的)**凸缘，轮缘** (a protruding rim or edge)

flare* [fleə] *n.* / *v.* (火焰)**摇曳，闪耀** (to burn unsteadily, as a flame whipped about by the wind)

【记】和 blare (鸣喇叭)一起记，又鸣喇叭又闪火光

flask* [flɑːsk] *n.* **烧瓶，细颈瓶**

【记】和 flash (闪光)一起记，something flashes in a flask (某物在烧瓶中闪光)

flatcar* [ˈflætkɑː(r)] *n.* **平台型铁路货车** (a railroad freight car)

【记】组合词：flat (平的) + car (车厢) → 平台型铁路货车

flatten* [ˈflætn] *v.* **变平** (to become or make sth. flat); **彻底打败某人** (to defeat sb. completely)

【反】emboss (*v.* 使凹下或凸出)

flatter* [ˈflætə] *v.* **恭维，奉承** (to praise sb. too much)

flaw* [flɔː] *n.* **瑕疵** (imperfection; defect); *v.* **生裂缝；有瑕疵** (to become defective)

flax* [flæks] *n.* **亚麻**

【记】和 flex (弯曲)一起记；亚麻做成的布叫 linen (亚麻布)

fledge* [fledʒ] *v.* **小鸟长飞羽，变得羽毛丰满** (to acquire the feathers necessary for flight or independent activity)

【记】分拆联想：fl (看作 fly) + edge (边缘) → 鸟在飞翔的边缘 → 刚学飞的幼鸟 → 羽毛长成

【反】molt (*v.* 脱羽)

fledgling* [ˈfledʒliŋ] *n.* (刚会飞的)**幼鸟** (a young bird just fledged); **无经验的人** (a young, inexperienced person)

【反】experienced practitioner (有经验的从业者)

fleeting* [ˈfliːtiŋ] *adj.* **短暂的；飞逝的** (transient; passing swiftly)

【记】来自 fleet (*v.* 疾飞，掠过)

【反】perennial (*adj.* 长久的)

FLANGE	FLARE	FLASK	FLATCAR	FLATTEN
FLATTER	FLAW	FLAX	FLEDGE	FLEDGLING
FLEETING				

flexible* [ˈfleksəbl] *adj.* 易弯曲的 (easily bent), 灵活的 (adjustable to change)
【记】词根记忆: flex (弯曲) + ible → 易弯曲的
【同】reflect (*v.* 反射); inflect (*v.* 使弯曲)
【反】obdurate (*adj.* 执拗的); mulish (*adj.* 固执的)

flight* [flait] *n.* 飞行, 飞翔; 逃跑

flimsy* [ˈflimzi] *adj.* (指布料或材料) 轻而薄的 (thin and easily broken or damaged); 脆弱的 (poorly made and fragile)
【记】分拆联想: flim (看作 film) + sy → 像胶卷一样的东西 → 易损坏的 → 脆弱的

flinch* [flintʃ] *v.* 畏缩, 退缩 (to draw back; wince; cower)
【记】分拆联想: fl (看作 fly) + inch (寸) → 一寸一寸向后飞 → 退缩

flint* [flint] *n.* 打火石, 燧石 (a material used for producing a spark)
【记】和 fling (扔, 掷) 一起记, (to fling a flint to make fire) (敲击火石来生火)

flip* [flip] *adj.* 无礼的; 冒失的; 轻率的 (rude; glib; flippant)
【反】earnest

flirt* [flə:t] *v.* 挑逗, 调戏 (to pay amorous attention to sb.; play at love)

flit* [flit] *v.* 掠过, 迅速飞过 (to fly lightly and quickly)
【记】分拆联想: fl (看作 fly) + it → 飞过它 → 掠过, 迅速飞过
【反】plod (*v.* / *n.* 沉重地走)

flock* [flɔk] *n.* 羊群; 鸟群 (a group of certain animals, as goats or sheep, or of birds)

floodgate* [ˈflʌdgeit] *n.* (水闸的) 闸门 (gate that can be opened or closed to control the flow of water)
【记】组合词: flood (洪水) + gate (门)

flora [ˈflɔ:rə] *n.* (某地区或时代的) 植物群
【记】词根记忆: flor (花草) + a → 植物群
【参】fauna (*n.* 动物群)

florid [ˈflɔrid] *adj.* 华丽的 (highly decorated; showy); (脸) 红润的 (rosy; ruddy)
【记】词根记忆: flor (花) + id → 像花一样的 → 华丽的

flounder* [ˈflaundə] *v.* 挣扎 (to plunge about in a stumbling manner); 艰苦地移动 (to struggle awkwardly to move); *n.* 比目鱼 (flatfish)
【记】分拆联想: flo (看作 flow, 流) + under (在…下面) → 在下面流动 → 挣扎
【反】act gracefully (优雅地行动); slide (*v.* 滑行)

flourish* [ˈflʌriʃ] *v.* 昌盛, 兴旺 (to develop well and be successful); 活跃而有影响力 (to be very active and influential)
【记】词根记忆: flour (=flor 花) + ish → 花一样开放 → 昌盛, 兴旺
【反】lack of embellishment (缺乏装饰); waste away (衰退)

FLEXIBLE	FLIGHT	FLIMSY	FLINCH	FLINT
FLIP	FLIRT	FLIT	FLOCK	FLOODGATE
FLORA	FLORID	FLOUNDER	FLOURISH	

flout* [flaut] *v.* 蔑视 (to mock or scoff at; show scorn or contempt for), 违抗

【记】分拆联想:fl(=fly)+out(出去)→飞出去→不再服从命令→违抗

fluctuate* ['flʌktjueit] *v.* 波动 (to undulate as waves); 变化 (to be continually changing)

【记】词根记忆:fluct(=flu 流动)+uate→波动,变化

【反】stabilize(*v.* 使稳定); remain steady(保持稳定)

fluffy ['flʌfi] *adj.* 有绒毛的(covered with fluff); 空洞的(disembodied)

【记】来自 fluff(*n.* 绒毛)

fluke* [fluːk] *n.* 侥幸成功(a thing that is accidentally successful); 意想不到的事(a result brought about by accident)

【记】和 flake(雪片)一起记

【反】expected occurrence(预料中的事)

fluorescent [fluə'resənt] *adj.* 荧光的,发光的(producing light)

【记】词根记忆:fluor(荧光)+escent(发生…的)→发荧光的

【同】fluorometry(*n.* 荧光计)

flush* [flʌʃ] *n.* / *v.* 脸红(to become red in the face; blush); 奔流(to flow and spread suddenly and rapidly); 冲洗 (to pour liquid over or through)

【记】和 blush(脸红)一起记,flush 作为"冲洗"一义,可能来自 flow(流动)一词的变体

flustered* ['flʌstəd] *adj.* 慌张的(nervous or upset)

【反】calm(*adj.* 平静的)

flutter* ['flʌtə] *v.* 拍翅([of the wings] to move lightly and quickly)

fluvial ['fluːviəl] *adj.* 河流的,生在河中的 (of, or living in a stream or river)

【记】词根记忆:fluv(=flu 流)+ial→河流的

flux [flʌks] *n.* 不断的变动(continual change); 动荡不定(condition of not being settled)

【记】词根记忆:flu(流动)+x→不断的变动

foible* ['fɔibl] *n.* 小缺点,小毛病(a small weakness; fault)

【记】可能来自 feeble(*adj.* 脆弱的)

foil* [fɔil] *n.* 钝剑 (a long, thin fencing sword); 箔,锡箔纸(a very thin sheet or leaf of metal)

【记】来自词根 foli(树叶)

【参】foliage(*n.* 树叶)

fold* [fəuld] *n.* 羊栏,畜栏 (a pen in which to keep sheep); *v.* 折叠(to lay one part over another part of)

folder* ['fəuldə] *n.* 文件夹,纸夹 (a folded cover or large envelope for holding or filing loose papers)

【记】fold(折叠)+er→可以折叠的→文件夹

FLOUT	FLUCTUATE	FLUFFY	FLUKE	FLUORESCENT
FLUSH	FLUSTERED	FLUTTER	FLUVIAL	FLUX
FOIBLE	FOIL	FOLD	FOLDER	

foliage [ˈfəuliidʒ] *n.* 叶子（总称）(mass of leaves; leafage)
【记】词根记忆：foli（树叶）+ age → 叶子
【同】portfolio（*n.* 文件夹）; folivore（*n.* 食叶动物）

folklore [ˈfəuklɔː(r)] *n.* 民间传说；民俗学
【记】组合词：folk（乡民）+ lore（传说，学问）→ 民间传说
【参】lore（*n.* 某一学科的全部知识；传说）

folly [ˈfɔli] *n.* 愚蠢 (lack of wisdom)；愚蠢的行为、思想或做法 (a foolish act or idea)
【反】sagacity（*n.* 睿智）

foment* [fəuˈment] *v.* 煽动 (incite)；助长（坏事）(to stir up trouble; incite)
【记】注意不要和 ferment（酶；酝酿）相混
【反】inhibit（*v.* 抑制）; quell（*v.* 镇压）; squelch（*v.* 压制）; stifle（*v.* 抑制）; defuse（*v.* 熄灭）

foodstuff [ˈfuːdstʌf] *n.* 食料，食品 (any substance used as food)
【记】组合词：food（食物）+ stuff（东西）→ 食品

foolproof* [ˈfuːlpruːf] *adj.* 容易懂的，简单而不会误用的 (so simple, well designed as not to be mishandled)
【记】组合词：fool（笨蛋）+ proof（防…的）→ 防止成为傻瓜，笨蛋 → 人人都明白（会干）的 → 极易懂的

foppish* [ˈfɔpiʃ] *adj.*（似）纨绔子弟的；浮华的，俗丽的 (of a or like fop)

forage [ˈfɔridʒ] *n.*（牛马的）饲料，粮草 (food for domestic animals; fodder); *v.* 搜寻，翻寻 (to search for what one needs or wants)
【记】分拆联想：for（为了）+ age（年龄）→ 为了年龄（成长）寻找粮草 → 粮草

forager* [ˈfɔridʒə(r)] *n.* 为动物寻找饲料的人

forbearance* [fɔːˈbeərəns] *n.* 自制 (self-control; restraint)；忍耐 (patience)
【记】词根记忆：for（前）+ bear（忍受）+ ance → 忍受在前 → 自制
注意：for 或 fore 作为词根有"前面；出去"两层意思
【反】impatience（*n.* 不耐烦）

forbid* [fəˈbid] *v.* 不许，禁止 (to order sb. not to do sth.)；妨碍，阻止 (to make sth. difficult or impossible)
【反】countenance（*v.* 支持）

forbidding* [fəˈbidiŋ] *adj.*（表情）冷淡的；形势险恶的 (looking dangerous, threatening, or disagreeable)
【记】来自 forbid（*v.* 禁止，不准），for（出去）+ bid（命令）→ 命令出去 → 不许
【参】bid（*v.* 命令，恳求）

ford [fɔːd] *n.* 浅滩，水浅可涉处 (a shallow place in a body of water); *v.* 涉水 (to cross by wading)
【记】注意不要和 fort（堡垒）相混淆

FOLIAGE	FOLKLORE	FOLLY	FOMENT	FOODSTUFF
FOOLPROOF	FOPPISH	FORAGE	FORAGER	FORBEARANCE
FORBID	FORBIDDING	FORD		

forebode [fɔː'bəud] *v.* 预感，凶兆(to foretell; predict)

【记】词根记忆：fore(提前)+bode(兆头)→前兆

【参】bodement(*n.* 兆头，预言)

forecast* ['fɔːkɑːst] *v.* 预报，预测 (to tell in advance); *n.* 预测(statement that predicts)

【记】词根记忆：fore(前面)+cast(扔)→预先扔下→预料

foreknowledge [ˌfɔː'nɔlidʒ] *n.* 预知(knowledge of sth. before it happens or exists)

【记】fore(预先)+knowledge(知道)→预知

forerunner [ˌfɔː'rʌnə] *n.* 预兆，前兆 (one that precedes and indicates the approach of another); 先驱(herald)

foreshadow [fɔː'ʃædəu] *v.* 预示(to be a sign of sth. about to happen)

【记】fore(预先)+shadow(影子)→影子先来→预示

foresight* ['fɔːsait] *n.* 远见，深谋远虑(an act or the power of foreseeing)

【记】组合词：fore(预先)+sight(看见)→远见

forestall* [fɔː'stɔːl] *v.* 预先阻止 (hinder by doing sth. ahead of time; prevent); 阻止(prevent)

【记】fore(前面)+stall(停止)→预先阻止

【参】install(*v.* 安置)

【反】precipitate(*v.* 促成); abet(*v.* 支持; 唆使)

forestry* ['fɔristri] *n.* 森林学 (silviculture); 林产 (science and practice of developing, caring for, or cultivating forests); 林地(forestland)

forfeit* ['fɔːfit] *v.* 丧失，被罚没收 (to lose, or be deprived of); *n.* 丧失的东西(sth. one loses)

【记】词根记忆：for(出去)+feit(=fect 做)→做出去→丧失

forge* [fɔːdʒ] *n.* 铁匠铺 (smithy); *v.* 锤炼 (to form or shape); 伪造(to counterfeit)

forger* ['fɔːdʒə(r)] *n.* 伪造者(one who commits forgery); 打铁匠(one who forges metal)

forgery* ['fɔːdʒəri] *n.* 伪造(物)(something forged)

【记】来自 forge(*v.* 伪造)

forgo [fɔː'gəu] *v.* 放弃，抛弃 (to abstain from; give up; relinquish)

【记】分拆联想：for(出去)+go(走)→走出去→放弃

formality* [fɔː'mæliti] *n.* 遵循的规范 (an established form or procedure that is required or conventional); 拘泥形式; 正式 (the quality or state of being formal)

【记】form(形状)+al+ity(表性质)→正式性质→规范

FOREBODE	FORECAST	FOREKNOWLEDGE	FORERUNNER	FORESHADOW
FORESIGHT	FORESTALL	FORESTRY	FORFEIT	FORGE
FORGER	FORGERY	FORGO	FORMALITY	

formation* [fɔːˈmeiʃən] *n.* **组织，形成** (thing that is formed); (军队)**编队** (an arrangement of a group of persons in some prescribed manner or for a particular purpose)

【记】词根记忆：form(形状)+ation→形成形状

formidable* [ˈfɔːmidəbl] *adj.* **可怕的** (causing fear or dread); **难以克服的** (hard to handle or overcome)

【记】formid(看作formic，蚂蚁的)+able→蚂蚁成群骚扰→可怕的

formula* [ˈfɔːmjulə] *n.* 〔化〕**分子式**；〔数〕**公式**；**套语，惯用语** (fixed arrangement of words)

【记】词根记忆：form(形成)+ula(表名词)→形成的东西→公式

forsake* [fəˈseik] *v.* **遗弃** (to leave; abandon)，**放弃** (to give up; renounce)

【记】分拆联想：for(出去)+sake(缘故)→为了某种缘故而抛出去→遗弃

forte [fɔːt] *n.* **长处，擅长的事** (special accomplishment or strong point); *adj.* (音乐)**强音的** (used as a direction in music)

forthright* [ˈfɔːθˈrait] *adj.* **直率的** (clear and honest in manner and speech)

【反】furtive (*adj.* 秘密的)

fortify* [ˈfɔːtifai] *v.* **加强防卫** (to strengthen a place against attack)

【记】词根记忆：fort(强大)+ify→力量化→加强防卫

【反】sap (*v.* 削弱); enervate (*v.* 使衰弱); vitiate (*v.* 损害); debilitate (*v.* 使衰弱)

fortitude* [ˈfɔːtitjuːd] *n.* **坚毅，坚忍不拔** (strength of mind that enables a person to encounter danger or bear pain)

【记】词根记忆：fort(强)+itude(状态)→坚毅

【参】altitude (*n.* 高度); attitude (*n.* 态度)

fortuitous* [fɔːˈtju(ː)itəs] *adj.* **偶然发生的，巧合的** (happening by chance; accidental); **幸运的** (lucky)

【记】来自fortune(运气)+itous→运气的→偶然发生的

forum [ˈfɔːrəm] *n.* **辩论的场所，论坛** (a public meeting place for open discussion)

forward* [ˈfɔːwəd] *adj.* **过激的** (extreme); **莽撞的** (bold)

【派】forwardness (*n.* 大胆，鲁莽)

fosse [fɔs] *n.* **护城河** (a ditch or moat used in fortifications)

【记】foss(石头)+e→像石头一样坚固的东西→护城河

【同】fossil (*n.* 化石); fossify (*v.* 石化，僵化)

fossilize* [ˈfɔsilaiz] *v.* (使)**成为化石** (to cause sth. to become a fossil); (使)**过时** (to make sth. out of date)

【记】来自fossil (*n.* 化石)

foster* [ˈfɔstə] *v.* **培养，鼓励** (to promote the growth or development of sth.); **领养** (to take care of and bring up a child that is not legally

FORMATION	FORMIDABLE	FORMULA	FORSAKE	FORTE
FORTHRIGHT	FORTIFY	FORTITUDE	FORTUITOUS	FORUM
FORWARD	FOSSE	FOSSILIZE	FOSTER	

one's own)

【反】stymie(v. 阻碍); repress(v. 压制); retract(v. 取消)

foul* [faul] adj. 恶臭的(stinking; loathsome); 邪恶的(very wicked); v. 弄脏(to soil; defile); n.(体育等)犯规(an infraction of the rules, as of a game or sport)

founder ['faundə] v.(船)沉没([of a ship or boat] to sink);(计划)失败(to collapse; fail);(尤指马)摔倒,绊(fall or stumble)

【记】founder 作为"创建者"一义人所共知

four-poster* ['fɔːˌpɔstə(r)] n. 四柱大床

【记】组合词: four(四)+ post(柱子)+ er → 四柱大床

注意: poster(n. 广告,招贴)

foyer* ['fɔiei] n. 门厅,休息室(an entrance hall or lobby)

fracas* ['frækɑː] n. 喧嚷,吵闹(a noisy fight or loud quarrel; brawl)

【记】词根记忆: frac(碎裂)+ as → 碎裂一样 → 喧嚷

【同】fraction(n. 小部分,碎片); fracture(n. 断裂,骨折)

【反】peaceful situation(平静的状态); peaceable discussion(平和的讨论)

fraction* ['frækʃən] n. 碎片(fragment; scrap); 小部分(portion)

【记】词根记忆: fract(碎裂)+ ion → 碎片

fractious* ['frækʃəs] adj.(脾气)易怒的,好争吵的(peevish; irritable; cross)

【记】词根记忆: fract(碎裂)+ ious(易…的)→ 脾气易碎 → 易怒的

fracture* ['fræktʃə] n. 骨折(a break in the body part); 折断(a break); 裂口(crack)

【记】词根记忆: fract(碎裂)+ ure → 骨头碎了 → 骨折

【反】cement(v. 接合)

fragile* ['frædʒail] adj. 易碎的,易坏的(brittle; crisp; friable)

【记】词根记忆: frag(=fract 断裂)+ ile(易…的)→ 易碎的

【同】fragment(n. 碎片)

fragment* ['frægmənt] n. 碎片(small part or piece); 分裂

【记】词根记忆: frag(打碎)+ ment(表名词)→ 碎片

【反】coalesce(v. 联合)

fragrance* ['freigrəns] n. 香料; 香味(pleasant or sweet smell)

fragrant* ['freigrənt] adj. 芳香的(having a pleasant oder)

【记】和 flagrant(恶名昭著的)一起记,fragrant 中间有两个"r"像两朵花,所以是"芳香的"

【反】noisome(adj. 有恶臭的,有害的)

frail [freil] adj. 脆弱的(fragile; delicate); 不坚实的(slender and delicate)

【记】可能是 fragile 的变体

frantic ['fræntik] adj. 疯狂的,狂乱的(wild with anger; frenzied)

【记】分拆联想: fr(看作 fry,炸)+ ant(蚂蚁)+ ic(看作 ice,冰)→ 在冰上炸蚂蚁吃 → 疯狂的

FOUL	FOUNDER	FOUR-POSTER	FOYER	FRACAS
FRACTION	FRACTIOUS	FRACTURE	FRAGILE	FRAGMENT
FRAGRANCE	FRAGRANT	FRAIL	FRANTIC	

fraud* [frɔːd] *n.* 欺诈，欺骗(deceit; trickery)；骗子(impostor; cheat)
【记】联想记忆：frau 是德语"妻子，太太"之意；如果妻子(frau)欺骗丈夫，那就是欺骗(fraud)

fraudulent* [ˈfrɔːdjulənt] *adj.* 欺骗的，不诚实的(acting with fraud; deceitful)

fraught* [frɔːt] *adj.* 充满…的(filled; charged; loaded)
【记】可能来自 freight(装运的货物)
【反】experience fraught with tension(充满紧张的经历)〈〉idyll(*n.* 田园生活)

freckle* [ˈfrekl] *n.* 雀斑，斑点(a small, brownish spot on the skin)
【记】和 heckle(诘问，责问)一起记

freelancer [ˈfriːlɑːnsə] *n.* 自由职业者 (a person who pursues a profession without a long term commitment to any one employer)

freight [freit] *n.* 货物；*v.* 装货于(船等)(to load a ship with freight)

frenetic* [fri ˈnetik] *adj.* 狂乱的，发狂的(frantic; frenzied)
【记】词根记忆：fren(=phren 心灵)+etic
【参】frantic(*adj.* 疯狂的)
【同】phrenetic(*adj.* 发狂的)；phrenalgia(*n.* 精神痛苦)

frenzy* [ˈfrenzi] *n.* 极度激动的状态 (state of extreme excitement)；狂暴(temporary madness)

frequency* [ˈfriːkwənsi] *n.* 频率(rate of occurrence or repetition of sth.)
【反】rarity(*n.* 稀有)

frequent* [ˈfriːkwənt] *v.* 时常来访(to go to a certain place often)；*adj.* 惯常的(happening often)
【反】visit rarely(很少拜访)

fresco* [ˈfreskəu] *n.* 壁画(paintings with watercolors on wet plaster)
【记】分拆联想：fres(看作 fresh，新鲜的)+co(看作 cool，凉爽的)，原指"凉爽的新鲜空气"→壁画

fret* [fret] *n./v.* (使)烦躁，焦虑(to irritate; annoy)

friable* [ˈfraiəbl] *adj.* 易碎的(easily broken up or crumbled)
【反】not easily crumbled (不易破碎的)；resistant to be pulverized(抗碎的)

friction* [ˈfrikʃən] *n.* 摩擦(the rubbing of one body against another)；矛盾，冲突(disagreement between people with different views)

frieze* [friːz] *n.* (在墙顶与天花板间起装饰作用的)横条，饰带
【记】和 freeze(冰冻)一起记

frigid [ˈfridʒid] *adj.* 寒冷的(very cold)；冷淡的(lacking in warmth and life)
【记】词根记忆：frig(冷)+id(…的)→寒冷的

frigidity* [fri ˈdʒiditi] *n.* 寒冷；冷淡(the quality or state of being frigid)
【参】frigorific(*adj.* 致冷的)
【反】torridness(*n.* 炎热)

FRAUD	FRAUDULENT	FRAUGHT	FRECKLE	FREELANCER	FREIGHT
FRENETIC	FRENZY	FREQUENCY	FREQUENT	FRESCO	FRET
FRIABLE	FRICTION	FRIEZE	FRIGID	FRIGIDITY	

fringe* [ˈfrindʒ] *n.* (窗帘等)**须边;边缘**(an outer edge; border; margin)
【记】分拆联想: f + ring(一圈) + e → 周围一圈 → 边缘; 和 flange(凸出的轮缘)一起记
【参】on the fringes of a city(在城市边缘)
【反】center(*n.* 中心)

frisky [ˈfriski] *adj.* **活泼的,快活的**(playful; frolicsome; merry)

frivolous [ˈfrivələs] *adj.* **轻薄的,轻佻的**(marked by unbecoming levity)
【记】词根记忆: friv(愚蠢) + olous → 愚蠢的 → 轻佻的
【派】frivolity(*n.* 轻浮)

frond* [frɔnd] *n.* **蕨类或棕榈等的叶子**(the leaf of a fern or palm)
【记】和 front(前面)一起记

frothy [ˈfrɔθi] *adj.* **起泡的** (foamy); **空洞的** (frivolous in character and content)
【反】weighty(*adj.* 沉重的)

frugal* [ˈfruːgəl] *adj.* **节约的,节俭的**(careful and thrifty)
【记】发音记忆: "腐乳过日" → 吃腐乳过日子 → 节约的

fruition* [fru(ː) ˈiʃən] *n.* **实现,完成**(fulfillment of hopes, plans, etc.)
【记】fruit(水果) + ion → 有果实, 有成果 → 实现, 完成

frustrate* [frʌs ˈtreit] *v.* **挫折,使沮丧**(to baffle; defeat)
【反】abet(*v.* 鼓动, 支持)

fulcrum [ˈfʌlkrəm] *n.* **杠杆支点,支柱** (point of support on which a lever turns in raising or moving sth.)

fulfil* [ful ˈfil] *v.* **履行** (to perform sth. to completion); **满足,符合**(to satisfy)
【反】fulfil an obligation(履行义务)〈〉default(*v.* 不履行责任)

full-blown* [ˈful ˈbləun] *adj.* (鲜花)**盛开的**([esp. of flowers] fully developed)
【反】incipient(*adj.* 初始的)

full-bodied* [ˈful ˈbɔdid] *adj.* (味道等)**浓郁而强烈的**(having a rich flavor and much strength)

full-fledged [ˈful ˈfledʒd] *adj.* **羽毛丰满的** (having fully developed adult plumage); **成熟的**(completely developed or trained)

fulminate* [ˈfʌlmineit] *v.* **猛烈抨击,严厉谴责**(to shout forth denunciations)
【记】词根记忆: fulmin(闪电, 雷声) + ate → 像雷电一样 → 严厉谴责
【同】fulminic(*adj.* 爆炸的)

fulsome* [ˈfulsəm] *adj.* **虚情假意的** (disgustingly insincere); **充足的**(full; ample; abundant)
【记】组合词: ful(l)(满) + some(带有…的) → 充足的

fumble* [ˈfʌmbl] *v.* **摸索,笨拙搜寻**(to search by feeling about awkwardly; grope clumsily); **弄乱,搞糟**
【记】来自瑞典语 fumla=fumble
【反】handle adroitly(灵巧地处理)

FRINGE	FRISKY	FRIVOLOUS	FROND	FROTHY	FRUGAL
FRUITION	FRUSTRATE	FULCRUM	FULFIL	FULL-BLOWN	FULL-BODIED
FULL-FLEDGED	FULMINATE	FULSOME	FUMBLE		

fume* [fjuːm] *v./n.* **愤怒** (to show anger, annoyance, etc.); **冒烟** (to give off smoke)

fumigate* [ˈfjuːmigeit] *v.* **以烟熏消毒** (to expose to the action of fumes in order to disinfect or kill the vermin)

【记】词根记忆：fum(=fume 烟)+igate(用…的)→用烟消毒

functional* [ˈfʌŋkʃənl] *adj.* **起作用的，能运转的** (performing or able to perform a regular function); **实用的** (not decorative)

【记】function(作用，功能)+al→起作用的，实用的

functionary* [ˈfʌŋkʃənəri] *n.* **小官，低级公务员** (a person who performs a certain function; esp. an official)

【记】来自 function(工作，功能)+ary→工作人员，公务员

fundamental* [ˌfʌndəˈmentl] *adj.* **最根本的，基本的** (of or forming the basis or foundation of sth.); **十分重要的** (essential)

【记】fundament(基础)+al→基本的

【例】a *fundamental* law (根本法则；基本定律；基本法)

fungi [ˈfʌndʒai] *n.* **菌类，蘑菇**

【记】为 fungus 的复数

fungicide* [ˈfʌndʒisaid] *n.* **杀真菌剂** (substance that kills fungus)

【记】词根记忆：fungi(菌类)+cide(杀)

furnace* [ˈfəːnis] *n.* **锅炉** (enclosed fireplace for heating the water)

furor [ˈfjuərɔː] *n.* **轰动** (a fashionable craze); **盛怒** (frenzy; great anger)

【记】来自 fur(y)(狂怒)+or→盛怒

furrow* [ˈfʌrəu] *n.* **犁沟** (a trench in the earth made by a plow); **皱纹** (deep wrinkle on the face)

【记】和 burrow(洞穴，挖洞)一起记

furtive* [ˈfəːtiv] *adj.* **偷偷的，秘密的** (done or acting in a stealthy manner; sneaky)

【反】open (*adj.* 公开的); forthright (*adj.* 直率的); brassy (*adj.* 厚脸皮的；吵闹的)

fusillade* [ˈfjuːziˌleid] *n./v.* (枪炮)**齐射，连发** (a simultaneous or rapid and continuous discharge of many firearms)

【记】分拆联想：fus(流，泻)+ill(生病)+ade→(枪炮)齐射，如水流泻

fusion* [ˈfjuːʒən] *n.* **融合** (a union by or as if by melting); **聚变** (union of atomic nuclear)

【例】the *fusion* of copper and zinc to produce brass (铜和锌融合产生黄铜)

fuss* [fʌs] *n.* **大惊小怪** (a flurry of nervous; needless bustle or excitement)

【记】注意不要和 fuzz(绒毛；模糊)相混

FUME	FUMIGATE	FUNCTIONAL	FUNCTIONARY	FUNDAMENTAL
FUNGI	FUNGICIDE	FURNACE	FUROR	FURROW
FURTIVE	FUSILLADE	FUSION	FUSS	

fussy [ˈfʌsi] *adj.* 爱挑剔的（overly exacting and hard to please）

fusty [ˈfʌsti] *adj.* 陈腐的（old-fashioned）；霉臭的（musty）

【反】fresh（*adj.* 新鲜的）

futile* [ˈfjuːtail] *adj.* 无效的，无用的（completely ineffective）；（人）没出息的；琐细的（occupied with trifles）

【记】分拆联想：f（看作 fail，失败）+ uti（用）+ le → 无法利用的 → 无效的，无用的

futility [fjuːˈtiləti] *n.* 无用，无益（the quality of being futile）

【同】refute（*v.* 反驳，驳倒）

gadfly* [ˈgædflai] *n.* 虻，牛虻（a kind of fly that swarms around cattle）；讨厌的人（an annoying person）

【记】组合词：gad（尖头棒）+ fly（蝇）→ 牛虻

gadget* [ˈgædʒit, ˈgædʒət] *n.* 小工具，小机械（any small mechanical contrivance or device）

【记】分拆联想：gad（尖头棒）+ get → 尖头棒是小工具的一种，可以和 fidget（坐立不安）一起记

gaffe* [gæf] *n.*（社交上令人不快的）失言，失态（a social or diplomatic blunder）

【记】分拆联想：gaff（鱼叉）+ e → 像用鱼叉刺人 → 言语失态

gaggle* [ˈgægl] *n.* 鹅群（a flock of geese）

【记】原指鹅的嘎嘎叫，gaggle 是象声词

gainsay* [geinˈsei] *v.* 否认（to deny）

【记】分拆联想：gain（=against 反）+ say（说）→ 反着说 → 否认

【反】speak in support of（支持）；concur（*v.* 同意）；affirm（*v.* 确认）

gait [geit] *n.* 步法，步态（manner of walking or running）

【记】等（wait）别人注意自己的步法（gait）

galaxy* [ˈgæləksi] *n.*（银河）星群；显赫的人群（an assemblage of brilliant or notable persons）

gall* [gɔːl] *n.* 胆汁（bile）；怨恨（hatred；bitter feeling）；激怒

【记】和 wall 一起记，一头撞到墙（wall）上，心中充满怨恨（gall）

gallant [ˈgælənt] *adj.* 勇敢的（brave）；（向女人）献殷勤的（polite and attentive to women）

【记】词根记忆：gall（胆）+ ant → 有胆的 → 勇敢的

【派】gallantry（*n.* 勇敢，殷勤）

galley* [ˈgæli] *n.* 船上的厨房（the kitchen of a ship, boat）

【记】原指奴隶船，引申为船上的厨房；注意不要和 gallery（走廊；画廊）相混

gallon* [ˈgælən] *n.* 加仑（measure for liquids）

【记】发音记忆：加仑；1 加仑等于 3. 785 升（liter）

galvanize* [ˈgælvənaiz] *v.* 电镀（to plate metal with zinc, originally by galvanic action）；通电（to apply an electric current to）；激励（to stimulate）

FUSSY	FUSTY	FUTILE	FUTILITY	GADFLY	GADGET
GAFFE	GAGGLE	GAINSAY	GAIT	GALAXY	GALL
GALLANT	GALLEY	GALLON	GALVANIZE		

【记】来自 galvanic（电流的）+ ize → 电镀

【反】lull（*v.* 使麻痹）

gamble* ['gæmbl] *v.* / *n.* 赌博（to play a game for money or property）；孤注一掷（to bet on an uncertain outcome）

【记】分拆联想：gamb（看作 game，游戏）+ le（小）→ 赌博可不只是小小的游戏 → 赌博

gambol* ['gæmbəl] *n.* / *v.* 雀跃；嬉戏（a jumping and skipping about in play; frolic）

【记】来自 gamb （腿）+ ol → 腿跳跃 → 雀跃；注意不要和 gamble（赌博）相混

【反】plod（*v.* 沉重地走）

gangway* ['gæŋwei] *n.*（上下船的）跳板（gangplank）

【记】组合词：gang（帮派；路）+ way（路）→ 通向路的路 → 跳板

gape* [geip] *v.* 裂开 （to come apart）；目瞪口呆地凝视 （to look hard in surprise or wonder）

garble* ['gɑːbl] *v.* 曲解，篡改 （to so alter or distort as to create a wrong impression or change the meaning）

【记】联想记忆：美国女影星嘉宝（Garbo）

【反】elucidate（*v.* 阐明）

garbled* ['gɑːbld] *adj.* 引起误解的（misleading）；篡改的（falsifying）

gardenia [gɑː'diːni] *n.* 栀子花

【记】分拆联想：garden（花园）+ ia → 花园之花 → 栀子花

gargantuan* [gɑː'gæntjuən] *adj.* 巨大的，庞大的 （of tremendous size or volume）

【记】来自法国作家拉伯雷《巨人传》中的巨人，名叫 Gargantua

【反】minuscule（*adj.* 极小的）

Man errs so long as he strives.

人只要奋斗就会犯错误。

——德国诗人、剧作家 歌德

（Johann Wolfgang Goethe, German poet and dramatist）

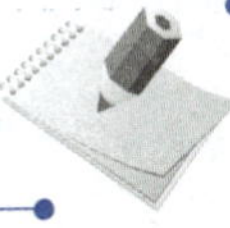

Word List 17

gargoyle* [ˈgɑːgɔil] *n.* （雕刻成怪兽状的）**滴水嘴**（a waterspout usu. in the form of a grotesquely carved animal or fantastic creature）；**面貌丑恶的人**（a person with grotesque features）

【记】来自 gargle（漱口）+ oyle → 滴水嘴

garish* [ˈgæriʃ] *adj.* **俗丽的**（tastelessly showy）；**过于艳丽的**（too bright or gaudy）

【记】词根记忆：gar（花）+ ish → 花哨的；注意不要和 garnish（装饰，配备）相混

【同】garland（*n.* 花环）；garment（*n.* 衣服）

【派】garishness（*n.* 俗丽）

garment* [ˈgɑːmənt] *n.* **衣服**（any article of clothing）

garner* [ˈgɑːnə] *v.* **收藏，积累**（to collect or gather）

【记】发音记忆："家纳" → 家里收纳下来 → 收藏

【反】disseminate（*v.* 散布）

garnish* [ˈgɑːniʃ] *v.* **装饰**（to decorate; embellish）

【记】词根记忆：gar（花）+ nish → 用花装饰 → 装饰

【参】furnish（*v.* 提供，供应）

garrulity* [gəˈruːliti] *n.* **唠叨，饶舌**（the quality or state of being garrulous）

【反】taciturnity（*n.* 沉默寡言）

garrulous* [ˈgæruləs] *adj.* **唠叨的，多话的**（loquacious; talkative）

【反】laconic（*adj.* 简洁的）

gaseous* [ˈgæsiəs] *adj.* **似气体的**（like, containing or being gas）

gash [gæʃ] *n.* **深长的伤口**（long, deep cut）；**裂缝**

【记】联想记忆：深长的伤口（gash）中血液会喷涌（gush）

gasification [ˌgæsifiˈkeiʃən] *n.* **气化**（conversion into gas）

【反】solidification（*n.* 凝固）

gaucherie* [gəuʃəˈriː] *n.* **笨拙**（awkwardness; tactlessness）

GARGOYLE	GARISH	GARMENT	GARNER	GARNISH
GARRULITY	GARRULOUS	GASEOUS	GASH	GASIFICATION
GAUCHERIE				

gaudy [ˈgɔːdi] *adj.* **俗丽的** (bright and showy)
【记】发音记忆:"高低"→花衣服穿得高高低低→俗丽的;来自 gaud (华丽而俗气的饰物)
【参】garish (*adj.* 华丽的)

gauge [geidʒ] *n.* **标准规格** (a standard measure); **测量仪**; *v.* **测量** (to measure)
【记】注意不要和 gouge (半圆凿;敲竹杠)相混

gavel* [ˈgævəl] *n.* (法官所用的) **槌,小木槌**
【记】分拆联想:gave (给)+l→给以注意→敲小木槌

gaze* [geiz] *v.* / *n.* **凝视,注视** (to look intently and steadily; stare)
【参】gazelle (*n.* 瞪羚)

gazetteer [ˌgæziˈtiə] *n.* **地名词典,地名表** (a dictionary or index of geographical name)
【记】发音记忆:"盖着天"→盖着天下所有的地方→地名词典

gear* [giə] *n.* **齿轮;装备** (equipment); **仪器** (set of apparatus or machinery)

gem* [dʒem] *n.* **宝石,珠宝** (jewel); **精华**

gene [dʒiːn] *n.* **基因** (unit in a chromosome which controls heredity)

genealogy* [ˌdʒiːniˈælədʒi] *n.* **家谱学** (study of family history)
【记】词根记忆:gene (基因)+alogy (=ology 学科)→家谱学

generality* [ˌdʒenəˈræliti] *n.* **概述** (general statement)
【记】来自 general (*adj.* 概括的,大体的)

generalize [ˈdʒenərəlaiz] *v.* **归纳** (to draw a general conclusion from particular examples)

generate* [ˈdʒenəˌreit] *v.* **造成** (to bring into being); **产生** (to originate or produce)
【记】词根记忆:gener (种属;产生)+ate→产生
【同】generative (*adj.* 有生殖力的); generic (*adj.* 种类的)

generation* [ˌdʒenəˈreiʃən] *n.* **一代人** (a group of individuals born and living at about the same time); (产品类型的) **代** (single stage in the development of a type of product); **产生,发生** (production)

generator* [ˈdʒenəreitə] *n.* **发电机** (dynamo)

generic* [dʒiˈnerik] *adj.* **种类的,类属的** (of or characteristic of a genus)
【记】来自 genus (*n.* 种类),注意不要和 genetic (遗传的;起源的)相混

generosity* [ˌdʒenəˈrɔsiti] *n.* **慷慨,大方** (willingness to share; unselfishness)

genesis [ˈdʒenisis] *n.* **创始,起源** (beginning; origin)
【记】词根记忆:gene (产生,基因)+sis→创始;大写 Genesis 专指《圣经》中的《创世纪》

genetic [dʒiˈnetik] *adj.* **遗传的** (having to do with genetics); **起源的** (of the genesis)

GAUDY	GAUGE	GAVEL	GAZE	GAZETTEER	GEAR
GEM	GENE	GENEALOGY	GENERALITY	GENERALIZE	GENERATE
GENERATION	GENERATOR	GENERIC	GENEROSITY	GENESIS	GENETIC

genetics* [dʒiˈnetiks] *n.* 遗传学 (the branch of biology that deals with heredity)

genial* [dʒiˈnaiəl] *adj.* 愉快的，脾气好的 (cheerful, friendly and amiable)
【记】联想记忆：做个快乐（genial）的天才（genius）；注意不要和genital（生殖的）相混
【反】mordant（*adj.* 尖刻的）；saturnine（*adj.* 阴郁的）；dyspeptic（*adj.* 脾气坏的）；caustic（*adj.* 刻薄的）；dour（*adj.* 阴沉的）

genome [ˈdʒiːnəum] *n.* 〔生〕基因组，染色体组 (one haploid set of chromosomes with the genes they contain)
【记】词根记忆：gen（=gene 基因）+ ome（群体）→ 基因组
【参】biome（*n.* 生物群体）

genre [ʒɑːŋr] *n.* （文艺的）类型 (a kind of works of literature, art, etc.)
【记】词根记忆：gen（种属）+ re → 类型，体裁
比较：genus（*n.* 种属，通常指生物上的种属）

genteel [dʒenˈtiːl] *adj.* 上流社会的 (well bred; elegant)；装作彬彬有礼的 (striving to convey an appearance of refinement)
【记】来自 gentle（*adj.* 文雅的）变体

gentle* [ˈdʒentl] *adj.* 温和的，慈祥的 (mild; kind)
【反】truculent（*adj.* 凶残的）

gentry [ˈdʒentri] *n.* 绅士，上等人 (class of people just below nobility)

genuine* [ˈdʒenjuin] *adj.* 真的 (real)；真诚的 (sincere)
【记】词根记忆：genu（出生，产生）+ ine → 产生 → 来源清楚 → 真的
【派】genuineness（*n.* 名副其实）
【反】feigned（*adj.* 假的）；spurious（*adj.* 伪造的）

genus [ˈdʒiːnəs] *n.* （动植物的）属 (division of animals or plants, below a family and above a species)

geometrician* [ˌdʒiəuməˈtriʃən] *n.* 几何学家 (geometer)
【记】来自 geometry（*n.* 几何学）

germ* [dʒəːm] *n.* 胚芽，芽孢 (the embryo with the scutellum of a cereal grain)；微生物，细菌
【记】germ 本身就是词根：种子，引申为"细菌"

germane* [dʒəːˈmein] *adj.* 有密切关系的 (closely akin)；贴切的 (being at once relevant and appropriate)
【记】来自 german（*adj.* 同父母的），germ（后代，幼苗）+ an
【同】germinate（*v.* 发芽，产生）；germule（*n.* 小芽）
【反】inappropriate（*adj.* 不恰当的）；irrelevant（*adj.* 无关的）

germicide* [ˈdʒəːmisaid] *n.* 杀菌剂 (substance used for killing germs)
【记】词根记忆：germ（细菌）+ i + cide（杀）→ 杀菌剂

germinate [ˈdʒəːmineit] *v.* 发芽 (to sprout or cause to sprout)；发展 (to start developing or growing)

GENETICS	GENIAL	GENOME	GENRE	GENTEEL
GENTLE	GENTRY	GENUINE	GENUS	GEOMETRICIAN
GERM	GERMANE	GERMICIDE	GERMINATE	

【记】词根记忆：germ（种子，幼芽）+ inate → 发芽
【参】germinal（*adj.* 萌芽的，未成熟但有发展的）
【派】germination（*n.* 发芽，萌芽）

gerontocracy* [dʒerən'tɔkrəsi] *n.* 老人统治的政府（a government in which a group of old men dominates）
【记】词根记忆：geront（老人）+ o + cracy（统治）→ 老人统治的政府

gerontology* [ˌdʒerən'tɔlədʒi] *n.* 老人病学 （the scientific study of aging and of the problems of the aged people）
【记】词根记忆：geront（老人，老年）+ ology → 老年病学
【同】gerontic（*adj.* 老年的，衰老的）；gerontocracy（*n.* 老人统治）

gerrymander* ['dʒerimændə] *v.* （为使某政党在选举中取得优势）不公正地将（某地区）划成选区
【记】由 Gerry 和 salamander （蝾螈）组成，Gerry 任马萨诸塞州州长时不公正地将（某地区）划成选区，该区的形状像只蝾螈

gesture* ['dʒestʃə] *n.* 姿势，手势，姿态 （the movement of the body to express a certain meaning）

geyser* ['gaizə] *n.* 天然热喷泉 （a spring from which columns of boiling water and steam gush into the air at intervals）
【记】来自冰岛一温泉名 Geysir

gibe [dʒaib] *n.* / *v.* 嘲弄，讥笑（to jeer or taunt；scoff）
【记】也写作 jibe，但 jibe 还有另一个意思"与…一致"，是 GRE 常考意思

giddy ['gidi] *adj.* 轻浮的，不严肃的（not serious；frivolous）
【反】grave（*adj.* 严肃的）；serious（*adj.* 严厉的）

giggle* ['gigl] *v.* 咯咯笑（to laugh with repeated short catches of the breath）

gild* [gild] *v.* 镀金 （to overlay with a thin covering of gold）；虚饰（to give an attractive but often deceptive appearance to）
【反】represent accurately（精确地表达）

gimmick* ['gimik] *n.* 吸引人的花招，噱头 （a trick or device used to attract business or attention）

ginger ['dʒindʒə] *n.* 姜；活力（vigor；spirit）

gingerly ['dʒindʒəli] *adj.* / *adv.* 小心的（地）；谨慎的（地）（very careful or very carefully）

girder* ['gəːdə] *n.* 大梁（horizontal beam to support the roof）
【记】词根记忆：gird（束腰，支持）+ er → 支撑物 → 栋梁

girth [gəːθ] *n.* 腰身；周长（circumference）

gist* [dʒist] *n.* 要点，要旨（the essence or main point）
【记】和 list（列出）一起记，list the gists（列出要点）
【反】tangential point（非要点）；trivial point（不重要的点）

GERONTOCRACY	GERONTOLOGY	GERRYMANDER	GESTURE	GEYSER
GIBE	GIDDY	GIGGLE	GILD	GIMMICK
GINGER	GINGERLY	GIRDER	GIRTH	GIST

glacial* [ˈgleisjəl] *adj.* **冰期的，冰河期的** (of the Ice Age); **寒冷的** (very cold)
【记】词根记忆：glaci (冰) + al → 冰期的
【同】glaciate (*v.* 使结冰); glaciology (*n.* 冰河学)

glade* [gleid] *n.* **林中的空地** (an open space in a wood or forest)
【记】和 blade (叶片，刀片) 一起记；分拆联想：glad (高兴) + e → 很高兴有了一片空地 → 林中空地

gladiator* [ˈglædieitə] *n.* **角斗士，与野兽搏斗者** (a person engaged in a fight to the death as public entertainment for ancient Romans)
【记】来自 gladius (*n.* 短剑；箭鱼)，用剑打斗的人 → 角斗士

glance* [glɑːns] *v.* / *n.* **一瞥** (to take a quick look at)
【反】peruse (*v.* 细读); scrutiny (*n.* 详细审查)

glare* [gleə] *v.* **发出炫目光芒** (to shine with dazzling light); **怒目而视** (to stare fiercely or angrily)
【记】和 flare (闪光) 一起记

glaze* [gleiz] *v.* **装玻璃于** (to furnish or fit with glass); **上釉彩** (to apply a glaze to); *n.* **釉**

glean* [gliːn] *v.* **拾落穗** (to gather grains left by reapers); **收集** (材料等) (to gather information or material bit by bit)
【派】gleanable (*adj.* 拾落穗的；可收集情况的); gleaner (*n.* 拾落穗的人); gleanings (*n.* 所拾得的落穗)

glib* [glib] *adj.* **流利圆滑的，善辩的** (speaking or spoken in a smooth, fluent, easy manner)
【反】labored (*adj.* 费力的); awkward (*adj.* 笨拙的)

glide* [glaid] *v.* **滑行，滑动** (to flow or move smoothly and easily)
【反】lumber (*v.* 笨拙地移动)

glimmer* [ˈglimə] *v.* **发微光** (to give faint, flickering light); *n.* **摇曳的微光**
【记】词根记忆：glim (灯，灯光) + mer → 灯光摇曳

glisten* [glisn] *v.* **闪烁，闪耀** (to shine or sparkle with reflected light)
【记】词根记忆：glist (闪光) + en；分拆联想：g + listen (听) → 因为善于倾听，所以智慧闪耀

glitch [glitʃ] *n.* **小故障** (a minor malfunction, mishap, or technical problem; a snag)
【记】分拆联想：gl + itch (痒痒) → 有点痒痒 → 小毛病，小故障

gloat* [gləut] *v.* **幸灾乐祸地看，窃喜** (to gaze or think with exultation, or malicious pleasure)
【形】bloat (*v.* 膨胀，肿起); float (*v.* 漂浮)

gloom [gluːm] *n.* **黑暗** (darkness; dimness; obscurity); **忧郁** (deep sadness or hopelessness)

gloomy* [ˈgluːmi] *adj.* **阴暗的** (dismally and depressingly dark); **没有希望的** (lacking in promise or hopefulness); **阴郁的** (low in spirits)

GLACIAL	GLADE	GLADIATOR	GLANCE	GLARE
GLAZE	GLEAN	GLIB	GLIDE	GLIMMER
GLISTEN	GLITCH	GLOAT	GLOOM	GLOOMY

gloss* [glɔs] *n.* 光泽 (the brightness or luster; sheen); 注解 (words of explanation or translation)
【记】可能来自 glow (*v.* 闪光); 注意不要和 gross (总的, 粗略的) 相混

glossary* [ˈglɔsəri] *n.* 词汇表; 难词表 (a list of difficult, technical, or foreign terms with definitions or translations)
【记】词根记忆: gloss (舌头, 语言) + ary → 词汇表
【同】glossal (*adj.* 舌的); glossography (*n.* 注释写作)

glossy* [ˈglɔsi] *adj.* 光泽的, 光滑的 (having a smooth, shiny appearance)

glow* [gləu] *v.* / *n.* 光亮, 发热 (to give out heat or light); (脸) 红 (to show redness)

glower* [ˈglauə] *v.* 怒目而视 (to stare with sullen anger; scowl)
【记】来自 glow (闪光, 发亮) + er → 眼睛发亮看对方 → 怒目而视

glowing* [ˈgləuiŋ] *adj.* 热情赞扬的 (giving enthusiastic praise)
【反】glowing tribute (热情的赞词) 〈〉 aspersion (*n.* 诽谤)

glucose [ˈgluːkəus] *n.* 葡萄糖 (a form of sugar)

glut* [glʌt] *v.* / *n.* 过多; 供过于求 (to flood [the market] with goods so that supply exceeds demand)
【参】glutton (*n.* 贪吃的人)
【反】dearth (*n.* 缺乏)

glutinous* [ˈgluːtinəs] *adj.* 粘的, 胶状的 (gluey; sticky)
【记】来自 glue (*n.* 胶, 胶水)
【反】nonviscous (*adj.* 无粘性的)

gluttonous* [ˈglʌtənəs] *adj.* 贪吃的, 贪嘴的 (very greedy for food)

gnarled [nɑːld] *adj.* (树木) 多节的 (knotty and twisted); 粗糙的 (roughened; hardened)
【记】来自 gnarl (*n.* 木节)
【例】a *gnarled* cypress (多节的柏树)

gnaw* [nɔː] *v.* 啃, 咬 (to bite bit by bit with the teeth)

goad* [gəud] *n.* 赶牛棒; *v.* / *n.* 刺激, 激励 (any driving impulse; spur)
【记】和 goal (目标) 一起记, goad sb. toward a goal (刺激某人走向目标)
【反】curb (*n.* / *v.* 抑制); lull (*v.* / *n.* [使] 平静)

gobble* [ˈgɔbl] *v.* 贪婪地吃 (to eat quickly and greedily); 吞没
【记】可能来自 gob (*n.* 一块, 大量)
【形】cobble (*n.* 卵石); babble (*v.* 胡言乱语); bubble (*v.* 起泡); dabble (*v.* 涉足)

goblet* [ˈgɔblit] *n.* 高脚酒杯 (a drinking glass with a base and stem)

goldbrick [ˈgəuldbrik] *v.* 逃避责任, 偷懒 (to shirk one's assigned duties or responsibility)

GLOSS	GLOSSARY	GLOSSY	GLOW	GLOWER	GLOWING
GLUCOSE	GLUT	GLUTINOUS	GLUTTONOUS	GNARLED	GNAW
GOAD	GOBBLE	GOBLET	GOLDBRICK		

【记】组合词：gold（金）+ brick（砖）→ 一边偷懒一边梦想金砖 → 偷懒

goodwill* [gud'wil] *n.* 友好（kindness and friendliness）
【记】组合词：good（好的）+ will（意愿）→ 怀抱好的意愿 → 友好
【反】rancor（*n.* 怨怒）；spleen（*n.* 恨意）

gospel ['gɔspəl] *n.* 教义，信条 （any doctrine or rule widely or ardently maintained）
【记】来自《圣经·新约》中的福音书 （Gospel），可能来自 god + spel（看作 spell）→ 上帝的话 → 信条

gossamer* ['gɔsəmə] *n.* 蛛丝 （a filmy cobweb floating in the air）；薄纱（soft, filmy cloth）；*adj.* 轻而薄的（light, thin, and filmy）
【记】来自 goose summer （食鹅时节），此时节蛛丝飞扬，所以有 gossamer 一词
【反】ponderous（*adj.* 笨重的）

gouge* [gaudʒ] *n.* 半圆凿（a semicircular chisel）；*v.* 挖出（to scoop out）；敲竹杠（to cheat out of money）
【记】不要和 gauge（准则，规范）相混

gourmand* ['guəmənd] *n.* 嗜食者 （a person who indulged in food and drink; glutton）
【记】分拆联想：g + our + man + d → 我们的人都很爱吃 → 嗜食者

gourmet* ['guəmei] *n.* 美食家 （a person who is an excellent judge of fine foods and drinks）
【记】注意以上两词意义的不同：gourmand 指贪吃的人，gourmet 指品尝食品是否美味的人

grace* [greis] *n.* 优美（quality of simple elegant beauty）

gracious* ['greiʃəs] *adj.* 大方的，和善的 （kind, polite and generous）；奢华的（marked by luxury）

gradation [grə'deiʃən] *n.* 渐变 （gradual change）；阶段，等级 （any of the stages）
【记】词根记忆：grad（步，级）+ ation → 等级，阶段
【参】grade（*n.* 年级）

graduated ['grædʒuətid] *adj.* 按等级（高度，困难等）分的（classifying with grade, height, difficulty, etc.）

graft* [grɑːft] *v.* / *n.* 嫁接 （to cause a scion to unite with a stock）；贪污（to get [illicitly gain] by graft）
【记】分拆联想：g（看作 go）+ raft（木筏）→ 用木筏运送嫁接的树苗 → 嫁接
【反】process of grafting（嫁接）〈〉abscission（*n.* 剪除）

grain* [grein] *n.* 谷物 （small hard seeds of food plants）；小的硬粒（tiny hard bit）

GOODWILL	GOSPEL	GOSSAMER	GOUGE	GOURMAND
GOURMET	GRACE	GRACIOUS	GRADATION	GRADUATED
GRAFT	GRAIN			

grandeur* [ˈgrændʒə] *n.* 壮丽，伟大 (splendor; magnificence)
【记】来自 grand (*adj.* 宏伟的，庄严的)

grandiose* [ˈgrændiəus] *adj.* 宏伟的 (impressive because of uncommon largeness)；夸大的 (characterized by affectation or exaggeration)
【记】词根记忆：grandi (大的) + ose (多…的) → 多大 (话) 的 → 夸大的

grandstand* [ˈgrændstænd] *n.* 大看台；*v.* 哗众取宠 (to act ostentatiously to impress onlookers)
【记】组合词：grand (大) + stand (站) → 很大的站的地方 → 大看台

granite* [ˈgrænit] *n.* 花岗石 (a hard, gray rock)
【记】词根记忆：gran (=grain 颗粒) + ite → 颗粒状石头 → 花岗岩

grant* [grɑːnt] *v.* 同意给予 (to agree to give what is asked for)
【反】withhold (*v.* 抑制)

graphic* [ˈgræfik] *adj.* 图表的 (of graphs)；生动的 (vivid)
【记】来自 graph (图表，图解) + ic → 图表的

graphite* [ˈgræfait] *n.* 石墨 (black form of carbon used in lead pencils)
【记】词根记忆：graph (写) + ite → 石墨用来造铅笔写东西

grasping* [ˈgrɑːspiŋ] *adj.* 贪心的，贪婪的 (greedy)
【记】来自 grasp (抓取) + ing → 贪心的，贪婪的

grate* [greit] *v.* 吱嘎磨碎 (to grind into small particles)；使人烦躁 (irritate; annoy; fret)
【记】分拆联想：g + rat (耗子) + e → 耗子发出吱嘎声 → 使人烦躁
【反】soothe (*v.* 使平静)

grateful* [ˈgreitful] *adj.* 感激的 (expressing gratitude; appreciative)
【记】不要和上面的 grate (*v.* 磨碎) 相混
【反】ingrate (*n.* 忘恩负义者)

gratification* [ˌgrætifiˈkeiʃən] *n.* 满足，喜悦 (the state of being gratified)

gratify* [ˈgrætifai] *v.* 使高兴，使满足 (to give pleasure or satisfaction)
【记】词根记忆：grat (高兴) + ify → 使高兴
【同】gratulant (*adj.* 表示高兴的)；gratitude (*n.* 感激之情)
【反】aggrieve (*v.* 使苦恼)；irk (*v.* 使苦恼)

grating* [ˈgreitiŋ] *adj.* (声音) 刺耳的 (harsh and rasping)；恼人的 (irritating or annoying)

gratitude* [ˈgrætitjuːd] *n.* 感激 (thankfulness)

gratuitous* [grəˈtju(ː)itəs] *adj.* 无缘无故的 (without cause or justification)；免费的 (free)
【记】来自 gratuity (*n.* 小费，赏钱)，付小费严格说不是义务，所以有“无缘无故”之意
【反】merited (*adj.* 应得的)；warranted (*adj.* 有正当理由的)

GRANDEUR	GRANDIOSE	GRANDSTAND	GRANITE	GRANT
GRAPHIC	GRAPHITE	GRASPING	GRATE	GRATEFUL
GRATIFICATION	GRATIFY	GRATING	GRATITUDE	GRATUITOUS

gratuity* [grəˈtju(ː)iti] *n.* **赏钱，小费** (sth. given voluntarily or beyond obligation usu. for some service; tip)

【记】grat(感激)+uity → 表示感激的小费 → 小费

grave* [greiv] *adj.* **严峻的**(serious); *n.* **墓穴**

【记】词根记忆：grav(重)+e → 严峻的

【同】aggravate(*v.* 加重)

【反】droll(*adj.* 滑稽的); insignificant(*adj.* 不重要的)

gravel* [ˈgrævəl] *n.* **碎石，砂砾** (a loose mixture of pebbles and rock fragments)

【记】和gavel(*n.* 小木槌)一起记；可能来自词根grav(重)+el → 重的东西 → 碎石

gravitational [ˌgræviˈteiʃənəl] *adj.* **万有引力的**

【记】来自gravitation(引力；倾向)

gravity* [ˈgræviti] *n.* **严肃，庄重**(solemnity or sedateness; seriousness)

【记】词根记忆：grav(重)+ity → 庄重 → 严肃

【反】levity(*n.* 轻浮)

graze* [greiz] *v.* (动物)**吃**(地上长的)**草** (to feed on growing grass); **放牧** (to put livestock to eat grass)

【记】来自grass (*n.* 草)，和glaze(*v.* 装玻璃，上釉彩)一起记

grease* [griːs] *n.* (炼出的)**动物油脂；滑脂** (any thick semisolid oily substance)

【形】crease(*n.* 折缝); decrease(*v.* 减少)

green* [griːn] *adj.* **新鲜的，未成熟的；无经验的** (young or inexperienced)

greenhouse* [ˈgriːnhaus] *n.* **花房，温室**

gregarious [greˈgeəriəs] *adj.* **群居的** (living in herds or flocks); **爱社交的**(sociable)

【记】词根记忆：greg(群体)+arious → 群居的

【同】egregious(*adj.* 异乎寻常的；极坏的); aggregate(*v.* 集合)

【反】aloof(*adj.* 孤独的)

gregariousness* [greˈgeəriəsnis] *n.* **群居；合群**

grief* [griːf] *n.* **忧伤，悲伤**(deep or violent sorrow)

【反】consolation(*n.* 安慰)

grievance* [ˈgriːvəns] *n.* **委屈，抱怨**(complaint or resentment)

【记】词根记忆：griev(e)(悲痛)+ance → 委屈

【同】aggrieve(*v.* 使委屈)

GRATUITY	GRAVE	GRAVEL	GRAVITATIONAL	GRAVITY
GRAZE	GREASE	GREEN	GREENHOUSE	GREGARIOUS
GREGARIOUSNESS	GRIEF	GRIEVANCE		

grieve* [griːv] *v.* 使某人极为悲伤 (to cause great sorrow to sb.)

grievous* [ˈgriːvəs] *adj.* 严重伤害的 (causing suffering or sorrow)
【记】词根记忆：griev(e)(悲痛)+ous → 严重伤害的
【反】slight (*adj.* 轻微的)

grill* [gril] *v.* 烤 (broil)；拷问 (to question relentlessly)；*n.* 烤架
【记】分拆联想：gr+ill(生病) → 严刑拷打会打出病的

grim [grim] *adj.* 冷酷的，可怕的 (appearing stern; forbidding)
【形】brim (*n.* 边缘)；prim (*adj.* 一本正经的，呆板的)；trim (*v.* 修剪)

grimace [griˈmeis] *v.*/*n.* 做鬼脸，面部歪扭 (a twisting or distortion of the face)
【记】分拆联想：grim(可怕的)+ace(看作 face) → 可怕的脸 → 鬼脸

grin [grin] *v.* 露齿而笑 (to smile broadly)
【反】pout (*v.* 生气，撅嘴)

grind* [graind] *n.* 枯燥乏味的工作 (long, difficult, tedious task)；*v.* 磨碎，碾碎 (to crush into bits or fine particles)

gripe* [graip] *v.* 抱怨 (to complain habitually)
【记】分拆联想：g(看作 go)+ripe(成熟的) → 成年人容易抱怨

gripping* [ˈgripiŋ] *adj.* 紧紧抓住注意力的 (holding the attention strongly)

grisly* [ˈgrizli] *adj.* 恐怖的，可怕的 (inspiring horror or greatly frightened)

gristle* [ˈgrisl] *n.* 软骨；肉中难吃的硬组织 (tough unappetizing tissue in meat)
【形】bristle (*v.* 毛发竖起，发怒；*n.* 硬毛)

grit [grit] *n.* 沙粒 (rough, hard particles of sand)；决心，勇气 (stubborn courage; pluck)；*v.* 下定决心，咬紧牙关 (to clench or grind the teeth in anger or determination)
【记】可看作词组 grin and bear it (苦笑着忍受) 的缩写，grin+it → grit

groan* [grəun] *v.*/*n.* 呻吟，叹息 (to make a deep sad sound)

groom* [grum] *n.* 马夫；新郎 (bridegroom)
【记】分拆联想：g(音似：哥哥)+room(房间) → 哥哥进房间 → 做新郎

groove* [gruːv] *n.* 凹线 (a long, narrow furrow)；(刻出的)线条；习惯 (habitual way; rut)
【记】注意不要和 grove (*n.* 树丛) 相混

grope [grəup] *v.* 摸索，探索 (to feel or search about blindly)
【记】分拆联想：g(看作 grasp 抓住)+rope(绳子) → 抓住绳子 → 摸索向前

gross [grəus] *adj.* 总的 (total; entire)；粗野的 (vulgar; coarse)；*n.* 整个，全部
【记】和 gloss (*n.* 光泽) 一起记

GRIEVE	GRIEVOUS	GRILL	GRIM	GRIMACE	GRIN
GRIND	GRIPE	GRIPPING	GRISLY	GRISTLE	GRIT
GROAN	GROOM	GROOVE	GROPE	GROSS	

grotto ［'grɔtəu］*n.* 洞穴（small cavern）
【记】分拆联想：gr（看作 great）+ otto（看作 otter 水獭）→ 大水獭住在洞穴中 → 洞穴

grouch* ［grautʃ］*n.* 牢骚，不满（a complaint）
【形】crouch（*v.* 蹲伏）

grounded* ［'graundid］*adj.* 有理由的；*adv.* 地面上
【反】precarious（*adj.* 不确定的）；aloft（*adv.* 在空中）

group* ［gruːp］*v.* 使…集合（to gather sb. / sth. into groups）；*n.* 群，集
【反】isolate（*v.* 分开；孤立）

grouse* ［graus］*n.* 松鸡；*v.* 发牢骚，诉苦（complain；grumble）
【记】分拆联想：g（看作 GRE）+ rouse（激起）→ GRE 太难引起考生的不满 → 发牢骚，诉苦
【反】rejoice（*v.* 喜悦）

grove* ［grəuv］*n.* 小树林，树丛（a small wood or group of trees）
【记】分拆联想：gro（看作 grow）+ ve（看作 five）→ grow five trees → 五棵树长在一起 → 小树林

grovel* ［'grɔvl］*v.* 摇尾乞怜，奴颜婢膝（to behave humbly or abjectly；stoop）
【派】groveler（*n.* 乞怜者）

grueling* ［'gruəliŋ］*adj.* 繁重而累人的（punishing；exhausting）
【记】来自 gruel（稀粥）+ ing → 喝着稀粥干活 → 繁重而累人的
【反】effortless（*adj.* 不费力气的）

grumble* ［'grʌmbl］*v.* 喃喃诉苦，发怨言（to utter or mumble in discontent）
【记】再回顾一下表示抱怨的单词：grouch, grouse, grudge

guarantee* ［ˌgærən'tiː］*v.* 保证，担保（to undertake to do or secure）
【记】guar（看作 guard 保卫）+ antee → 保证，担保

guffaw ［gʌ'fɔː］*n.* / *v.* 哄笑，大笑（a loud, coarse burst of laughter）
【记】可能是象声词：gu-ffaw（哈嘿）→ 大笑

guile* ［gail］*n.* 欺诈；狡猾（deceit；cunning）
【记】发音记忆：gui（拼音：贵）+ le（拼音：了）→ 东西买贵了 → 被欺骗了
【反】artlessness（*n.* 淳朴）

guileless* ［'gaillis］*adj.* 厚道的，老实的（innocent, naive）
【记】guile（狡诈，诡计）+ less
【反】manipulative（*adj.* 耍手段的）

guillotine* ［'giləti:n］*n.* 断头台
【记】来自法国医生 Guillotin，他发明了断头台

guilt* ［gilt］*n.* 罪行（crime；sin）；内疚（a painful feeling of self-reproach）
【反】innocence（*n.* 清白）；attribute guilt（归罪）→ exculpate（*v.* 使无罪）

guilty* ［'gilti］*adj.* 有罪的（having done wrong）
【反】prove guilty（证明有罪）〈〉exonerate（*v.* 证明无罪）

guise* ［gaiz］*n.* 外观，装束（outward manner or appearance）
【记】发音记忆："盖子" → 外观，装束

GROTTO	GROUCH	GROUNDED	GROUP	GROUSE	GROVE
GROVEL	GRUELING	GRUMBLE	GUARANTEE	GUFFAW	GUILE
GUILELESS	GUILLOTINE	GUILT	GUILTY	GUISE	

gullible* [ˈɡʌlib(ə)l] *adj.* 易受骗的（easily cheated or tricked; credulous）
【派】gullibility（*n.* 受骗，上当）

gulp* [ɡʌlp] *v.* 吞食，咽下（to swallow hastily or greedily）

gum* [ɡʌm] *n.* 树胶，橡皮

guru* [ˈɡuruː] *n.* 古鲁（印度的宗教领袖）；（受尊敬的）教师或权威（a respected and influential teacher or authority）

gush* [ɡʌʃ] *v.* 涌出（to pour out; spout）；滔滔不绝地说（to talk effusively）

gusher* [ˈɡʌʃə(r)] *n.* 滔滔不绝的说话者（a person who gushes）；喷油井（an oil well）

gust* [ɡʌst] *n.* 阵风（a sudden, strong rush of wind）；一阵（情绪）（an outburst）
【形】bust（*n.* 半身像）；oust（*v.* 驱逐，取代）；rust（*v.* 生锈）

gustation* [ɡʌsˈteiʃən] *n.* 品尝（the act of tasting）；味觉（the sensation of tasting）
【记】来自 gust（古代意义为"趣味；味觉"）
【参】gusto（*n.* 爱好）

gustatory* [ˈɡʌstətəri] *adj.* 味觉的，品尝的（relating to or associated with eating or the sense of taste）

gutter* [ˈɡʌtə] *n.* 水槽；街沟（a channel at the edge of a street）
【记】分拆联想：gut（肠胃，引申为沟）+ter → 街沟

guy* [ɡai] *n.* （铁塔等的）支索，牵索（a rope, chain, or rod attached to sth. to steady or guide it）
【记】该单词作"家伙"讲大家都熟悉，但一定要记住"支索"这一意思

guzzle* [ˈɡʌzl] *v.* 大吃大喝（to drink greedily or immoderately）
【参】guttle（*v.* 狼吞虎咽）

gyrate [ˈdʒaiərit] *adj.* 旋转的（spiral; convoluted）；*v.* 旋转（to move in a circular or spiral motion）
【记】词根记忆：gyr（转）+ate → 旋转的
【同】gyral（*adj.* 旋转的）；gyroidal（*adj.* 螺旋形的）

gyrate

habitat [ˈhæbitæt] *n.* 自然环境，栖息地（native environment）
【记】词根记忆：habit（住）+at → 住的地方 → 栖息地
【同】habitant（*n.* 居民）；habitable（*adj.* 可居住的）

habituate [həˈbitjueit] *v.* 使习惯于（to make used to; accustom）
【记】词根记忆：habit（住，习惯）+uate → 习惯于
【参】habitude（*n.* 习惯的行为方式）
【派】habituation（*n.* 习惯）

GULLIBLE	GULP	GUM	GURU	GUSH
GUSHER	GUST	GUSTATION	GUSTATORY	GUTTER
GUY	GUZZLE	GYRATE	HABITAT	HABITUATE

Word List 18

hack* [hæk] *v.* 乱劈，乱砍 (to chop or cut crudely); *n.* 雇佣文人 (a writer hired to produce routine or commercial writing)

hackneyed* [ˈhæknid] *adj.* 陈腐的，不新奇的 (made trite by overuse; trite)
【记】来自伦敦近郊城镇 Hackney，此地以养马闻名，hack 的意思是“出租的老马”，引申为“陈腐的”
【反】original (*adj.* 有新意的); fresh (*adj.* 新的)

hail [heil] *n.* 冰雹 (frozen rain drop); *v.* 致敬 (to salute or greet)

halcyon* [ˈhælsiən] *adj.* 平静的 (tranquil, calm); 愉快的 (happy, idyllic)
【记】原指传说中一种能平息风浪的“神翠鸟”
【反】miserable (*adj.* 悲惨的，糟糕的); tempestuous (*adj.* 暴乱的)

hale* [heil] *adj.* 健壮的，矍铄的 (sound and healthy)
【记】词根记忆：hal (呼吸) + e → 呼吸得很好的 → 精神矍铄的
【反】infirm (*adj.* 弱的); effete (*adj.* 疲惫的); blighted (*adj.* 毁灭的)

halfhearted [ˌhɑːf ˈhɑːtid] *adj.* 不认真的，不热心的 (showing little effort and no real interest)
【记】组合词：half (半) + heart (心) + ed → 一半心思的 → 不认真的

hallmark* [ˈhɔːlmɑːk] *n.* (在金银上的) 纯度印记；特征 (distinctive feature)
【反】uncharacteristic feature (无特点的标志)

hallow* [ˈhæləu] *v.* 把…视为神圣，尊敬 (to regard as holy)
【记】注意不要和 hollow (空洞的) 相混
【参】Halloween (万圣节，10 月 31 日)
【反】desecrate (*v.* 亵渎)

hallowed [ˈhæləud] *adj.* 神圣的 (holy)

hallucination* [həˌluːsiˈneiʃən] *n.* 幻觉 (illusion of seeing or hearing)
【记】分拆联想：hall (大厅) + uci (发音相当于 you see 你看) + nation (国家) → 在大厅里你看到了一个国家 → 产生了幻觉

HACK	HACKNEYED	HAIL	HALCYON	HALE
HALFHEARTED	HALLMARK	HALLOW	HALLOWED	HALLUCINATION

halo* [ˈheiləu] *n.* (日、月等)晕; 神像之光环

halting* [ˈhɔːltiŋ] *adj.* 踌躇的, 吞吞吐吐的 (marked by hesitation or uncertainty)

【反】fluent (*adj.* 流利的)

hammer* [ˈhæmə] *n.* 锤子, 槌 (tool used for breaking things, etc.)

hamper* [ˈhæmpə] *v.* 妨碍, 阻挠 (to hinder, impede, encumber); *n.* 有盖提篮 (a large basket, esp. with a cover)

【形】camper (*n.* 露营者); tamper (*v.* 篡改, 损害)

【反】hampering further development (阻碍进一步发展) 〈〉 seminal (*adj.* 发展的); facilitate (*v.* 促进)

handle* [ˈhændl] *n.* 柄, 把手; *v.* 处理 (to manipulate)

【记】分拆联想: hand (手) + le → 柄, 把手

【反】easy to handle (容易处理) 〈〉 cumbersome (*adj.* 麻烦的)

hangar* [ˈhæŋə] *n.* 飞机库 (a shelter used to house or repair an airplane)

【记】注意不要和 hanger (*n.* 衣架) 相混

hangdog [ˈhæŋdɔg] *adj.* 忧愁的 (downcast); 低贱的 (shamefaced)

【记】组合词: hang (吊) + dog (狗), 原义为吊起来的狗

【反】buoyant (*adj.* 轻快的)

hankering [ˈhæŋkəriŋ] *n.* 渴望 (craving; yearning)

haphazard [ˌhæpˈhæzəd] *adj.* 任意的, 偶然的 (without plan or order)

【记】词根记忆: hap (机会, 运气) + hazard (冒险) → 运气 + 冒险 → 偶然的

【同】mishap (*n.* 不幸); hazardous (*adj.* 危险的)

【反】methodical (*adj.* 有条理的); systematic (*adj.* 系统的)

harangue* [həˈræŋ] *n.* [贬] 长篇指责性演说 (a long, scolding speech; tirade)

【记】分拆联想: har (看作 hard) + angue (看作 argue) → 强硬的辩论 → 长篇指责性演说

【反】speak temperately (有节制地说)

harass* [ˈhærəs] *v.* 侵扰, 烦扰 (to annoy persistently)

【记】分拆联想: har (看作 hard 硬) + ass (驴子) → 倔驴 → 烦扰

harbinger [ˈhɑːbindʒə] *n.* 先驱, 先兆 (herald)

【记】中国城市哈尔滨的拼音 harbin + ger

harbor* [ˈhɑːbə] *n.* 港, 避难所 (retreat, shelter); *v.* 包庇, 隐匿 (to provide a place of protection to)

【反】evict (*v.* 驱逐)

harden* [ˈhɑːdn] *v.* 变硬, 变坚强 (to cause sth. to become hard)

【反】macerate (*v.* 浸软)

hardheaded [ˌhɑːdˈhedid] *adj.* (商业上) 现实的, 精明的 (shrewd and unsentimental)

【记】组合词: hard + head + ed → 头脑坚硬的

HALO	HALTING	HAMMER	HAMPER	HANDLE
HANGAR	HANGDOG	HANKERING	HAPHAZARD	HARANGUE
HARASS	HARBINGER	HARBOR	HARDEN	HARDHEADED

hardy [ˈhɑːdi] *adj.* 耐寒的 (able to endure cold); 强壮的 (robust, vigorous)

【例】*hardy* animals (强健耐劳的牲畜)

harmony* [ˈhɑːməni] *n.* 相符,一致 (agreement); 协调,匀称 (a pleasing combination of related things)

【反】imbroglio (*n.* 纠葛); discord (*n.* 不一致)

harness [ˈhɑːnis] *n.* 马具; *v.* 束以马具; 利用 (to control so as to use the power)

【例】If you can *harness* your energy, you will accomplish a great deal. (如果你能利用你的精力,你将获得巨大成功。)

harp [hɑːp] *n.* 竖琴; *v.* 喋喋不休地说或写 (to talk or write about to an excessive and tedious degree)

harpsichord [ˈhɑːpsikɔːd] *n.* 键琴 (钢琴前身)

【记】harp (竖琴) + si + chord (琴弦)

harridan [ˈhæridən] *n.* 凶恶的老妇,老巫婆 (a nasty, bad-tempered woman)

【记】原意为"骑坏的老马", hard + ridden → harridan

harrow* [ˈhærəu] *n.* 耙; *v.* 使痛苦 (to inflict great distress or torment on)

【记】和 hallow (*v.* 使神圣) 一起记

【形】barrow (*n.* 独轮车)

【反】assuage (*v.* 缓和)

harrowing [ˈhærəuiŋ] *adj.* 悲痛的,难受的 (mentally distressful)

harry [ˈhæri] *v.* 掠夺; 袭扰; 折磨 (to harass, annoy, torment)

【记】联想记忆: 掠夺 (harry) 时要搬运 (carry); 和人名 Harry 一样拼写

【反】comfort (*v.* 缓和)

harsh* [hɑːʃ] *adj.* 严厉的 (stern); 粗糙的 (rough); 刺耳的 (sharp)

harshly* [ˈhɑːʃli] *adv.* 严酷地,无情地

【反】treat harshly (严厉地对待) 〈〉 mollycoddle (*v.* 溺爱)

hasten* [ˈheisn] *v.* 催促,促进 (to speed up; accelerate)

【反】slow the progress of (延缓过程); check (*v.* 阻碍)

hasty* [ˈheisti] *adj.* 急急忙忙的 (rapid in action or movement)

【反】characterized by deliberation (深思熟虑的)

hatch* [hætʃ] *n.* 船舱盖 (a covering for a ship's hatchway); *v.* 孵化 (to produce young by incubation)

【记】hatch 作为"孵出"一义大家都熟悉,但"船舱盖"一义必须记住

haughty [ˈhɔːti] *adj.* 傲慢的,自大的 (proud; arrogant; supercilious)

【记】分拆联想: h (看作 he) + aught (应该) + y (看作 shy) → 他太傲慢了,本来应该害羞一点儿 → 傲慢的

haunt* [hɔːnt] *v.* 常到 (to visit often); 鬼魂出没 (to visit or inhabit as a ghost); (事情) 萦绕心头 (to remain in one's thoughts); *n.* 常去的地方

HARDY	HARMONY	HARNESS	HARP	HARPSICHORD	HARRIDAN
HARROW	HARROWING	HARRY	HARSH	HARSHLY	HASTEN
HASTY	HATCH	HAUGHTY	HAUNT		

hauteur [əu'təː] *n.* 傲慢 (haughtiness; snobbery)
【记】来自法语 haut (高) + eur → 傲慢
【反】humility (*n.* 谦卑)

haven* ['heivn] *n.* 安息所，避难所 (any sheltered, safe place; refuge)
【记】一 (e) 个像 heaven (*n.* 天堂) 的地方
【反】dangerous place (危险的地方)

havoc* ['hævək] *n.* 大破坏，混乱 (great destruction and devastation)
【记】分拆联想：hav (看作 have) + oc (看作 occur 发生) → 有事发生 → 混乱
【反】serenity (*n.* 平静)

hawk* [hɔːk] *n.* 隼，鹰 (a kind of eagle)

hazard ['hæzəd] *n.* 危险 (risk; peril; danger)
【参】haphazard (*adj.* 偶然的)

hazardous ['hæzədəs] *adj.* 危险的 (risky)

headlong ['hedlɔŋ] *adj.* / *adv.* 轻率的 (地)，迅猛的 (地) (hasty; rash)
【记】组合词：head + long → 头很长 → 做事长驱直入不假思索 → 轻率地

headstrong* ['hedstrɔŋ] *adj.* 刚愎自用的 (obstinately determined)
【记】组合词：head + strong → 头很强 → 刚愎自用的
【反】tractable (*adj.* 温顺的)

headway ['hedwei] *n.* 进步，进展 (progress)

heal* [hiːl] *v.* 治愈 (to restore to health or soundness)
【反】fester (*v.* / *n.* 溃烂)

hearken ['hɑːkən] *v.* 倾听 (to listen attentively)

hearten* ['hɑːtn] *v.* 鼓励，激励 (to make sb. feel cheerful and encouraged)
【记】词根记忆：heart (心) + en → 鼓励，激励
【反】dismay (*v.* 使沮丧)

heartrending ['hɑːtrendiŋ] *adj.* 令人心碎的 (heartbreaking)

heavy-handedness* ['hevi 'hændidnis] *n.* 笨拙，粗劣 (clumsiness)
【反】finesse (*n.* 灵巧；技巧)

heckle* ['hekl] *v.* 诘问，困扰 (to annoy or harass by interrupting with questions or taunts)
【记】分拆联想：he (他) + ckle (看作 buckle 扣上) → 他把别人扣住不放诘问别人 → 诘问

hectic ['hektik] *adj.* 兴奋的；繁忙的 (characterized by confusion, rush, excitement)
【记】词根记忆：hect (许多) + ic → 有许多事要做 → 繁忙的

hector ['hektə] *v.* 凌辱，威吓 (to browbeat; bully)
【记】词根记忆：hect (许多) + or → 装出有许多力量 → 虚张声势 → 威吓

HAUTEUR	HAVEN	HAVOC	HAWK	HAZARD	HAZARDOUS
HEADLONG	HEADSTRONG	HEADWAY	HEAL	HEARKEN	HEARTEN
HEARTRENDING	HEAVY-HANDEDNESS	HECKLE	HECTIC	HECTOR	

hedge* [hedʒ] *n.* 树篱；限制 (restriction or defense)

hedonist* [ˈhiːdəunist] *n.* 享乐主义者 (believer in hedonism)
【记】分拆联想：he + don （看作 done）+ ist → 他做了自己想做的一切 → 享乐主义者

heed* [hiːd] *v.* 注意，留心 (to give attention to); *n.* 关心 (careful attention)

hegemony* [hi(ː)ˈgeməni] *n.* 霸权，领导权 (the leadership or dominance)
【记】来自希腊语 hegemon（领导）；分拆联想：he + ge（看作 get）+ mony（看作 money）→ 他想得到所有的钱 → 霸权
【反】lack of authority（缺乏权威）

heinous* [ˈheinəs] *adj.* 十恶不赦的，可憎的 (outrageously wicked or evil; abominable)
【记】发音记忆：hein（音似：恨）+ ous → 恨那个十恶不赦的人
【反】commendable（*adj.* 值得表扬的）

heir [eə] *n.* 继承人 (a person who is legally entitled to inherit another's property)
【例】He is the *heir* to a large fortune.（他继承了一大笔财富。）
【派】heiress（*n.* 女继承人）

heirloom [ˈeəluːm] *n.* 传家宝 (a valued possession passed down in a family through succeeding generations)
【记】组合词：heir（继承人）+ loom（织布机），原指把织布机传给下一代

helmet* [ˈhelmit] *n.* 头盔，钢盔
【记】请注意不要和 hermit（*n.* 隐士），hermetic（*adj.* 密封的）相混

hem [hem] *v.* 包围 (to surround tightly)；吞吞吐吐地说；*n.* 袖边，边缘 (a border of a cloth article)
【例】a valley *hemmed* in by mountains（四面被山包围的峡谷）

hemisphere* [ˈhemisfiə] *n.* 半球 (half a sphere)
【记】词根记忆：hemi（半）+ sphere（球）→ 半球

hemophilia* [ˌhiːməˈfiliə] *n.* 血友病，出血不止
【记】词根记忆：hemo（血）+ phil（爱）+ ia → 爱出血的病 → 血友病

hemorrhage* [ˈheməridʒ] *n.* 出血（尤指大出血）(heavy bleeding)
【记】词根记忆：hemo（血）+ rrhage（超量流出）→ 超量流血 → 大出血

hemostat [ˈhiːməstæt] *n.* 止血器；止血剂 (sth. that hastens clotting)
【记】词根记忆：hemo（血）+ stat（站住）→ 止血器

herbaceous* [həːˈbeiʃəs] *adj.* 草本植物的 (of, relating to, or having the characteristics of an herb)
【记】词根记忆：herb（草）+ aceous → 草本的
【参】arboraceous（*adj.* 树木的）

HEDGE	HEDONIST	HEED	HEGEMONY	HEINOUS
HEIR	HEIRLOOM	HELMET	HEM	HEMISPHERE
HEMOPHILIA	HEMORRHAGE	HEMOSTAT	HERBACEOUS	

herbicide* [ˈhəːbisaid] *n.* 除草剂(a substance used to destroy weeds)
【记】词根记忆：herb(草本植物)+i+cide(杀)→除草剂

herbivorous* [həːˈbivərəs] *adj.* 食草的(feeding on plants)
【记】词根记忆：herb(草)+i+vor(吃)+ous→食草的
【参】carnivorous(*adj.* 食肉的)

herd* [həːd] *n.* 兽群(a number of cattle, etc.); *v.* 聚集(to gather together)

hereditary* [hiˈreditəri] *adj.* 祖传的，世袭的(passed on from one generation to following generations)
【记】词根记忆：her(继承人)+editary→祖传的

heresy* [ˈherəsi] *n.* 异端邪说 (a religious belief opposed to the orthodox doctrines)
【记】词根记忆：here(异)+sy→异端邪说
【反】dogma(*n.* 正统教条)

heretic [ˈherətik] *n.* 异教徒(a person who professes heresy)

heretical* [hiˈretikəl] *adj.* 异端邪说的(of heresy or heretics)
【记】词根记忆：here(异)+tical→异端邪说

hermetic* [həːˈmetik] *adj.* 密封的(completely sealed by fusion; airtight); 深奥的(relating to or characterized by occultism or abstruseness)
【记】分拆联想：her(她)+met(遇到)+ic(看作 ice 冰)→她遇到了冰进不去→密封的
【反】easily comprehended(易被理解的)

hermit [ˈhəːmit] *n.* 隐士，修道者(recluse)
【记】分拆联想：her(她)+mit(看作 MIT 麻省理工学院)→她不想进麻省理工学院→隐士

herpetologist [ˌhəːpətəˈlɔdʒist] *n.* 爬行动物学家(one who studies reptiles)
【记】词根记忆：herpet(爬虫)+ologist(学科专家)

heterodox* [ˈhetərəudɔks] *adj.* 异端的，非正统的(unorthodox)
【记】词根记忆：hetero(异种)+dox(思想)→异端(思想)的
【同】orthodox(*n.* 正统思想)
【反】canonical(*adj.* 正统的，规范的)

heterogeneous* [ˌhetərəuˈdʒiːniəs] *adj.* 异类的，不同的 (dissimilar, incongruous, foreign)
【记】词根记忆：hetero(异)+gene(产生，基因)+ous→异类的

hew* [hjuː] *v.* 砍伐(to chop or cut with an ax); 遵守(conform, adhere)
【记】可以和 dew(露珠)一起记，早上砍伐树木时露珠被震下来
【反】not hew to(不遵守)〈〉conform to(遵守)
【例】*hew* to tradition(遵守传统)

hexagon [ˈheksəgən] *n.* 六角形，六边形
【记】词根记忆：hexa(六)+gon(角)
【同】hexapod(*n.* 昆虫，有六足的节肢动物)

HERBICIDE	HERBIVOROUS	HERD	HEREDITARY	HERESY
HERETIC	HERETICAL	HERMETIC	HERMIT	HERPETOLOGIST
HETERODOX	HETEROGENEOUS	HEW	HEXAGON	

hiatus [haiˈeitəs] *n.* 空隙，裂缝 (any gap or interruption)
【例】There's a *hiatus* between the theory and the practice of the party. (该党的言行不一致。)

hibernate* [ˈhaibəneit] *v.* 冬眠，蛰伏 (to spend the winter in a dormant state)
【记】词根记忆：hibern (冬天) + ate → 冬眠
【派】hibernation (*n.* 冬眠)

hide* [haid] *n.* 兽皮 (an animal skin or pelt)

hidebound [ˈhaidbaund] *adj.* 顽固的，心胸狭窄的 (obstinately conservative and narrow minded)
【记】组合词：hide (皮) + bound (包裹) → 被皮包裹起来 → 顽固的

hideous [ˈhidiəs] *adj.* 讨厌的，丑恶的 (horrible to see or hear)
【记】分拆联想：hide (躲藏) + ous → 因为某物可怕而躲藏 → 可怕的；注意不要和 heinous (*adj.* 可憎的) 相混
【派】hideousness (*n.* 可怕，丑陋)
【反】hideousness 〈〉 pulchritude (*n.* 美丽)；affinity (*n.* 亲和力)

hie [hai] *v.* 疾走；催促 (to go quickly; hasten)
【反】dawdle (*v.* 慢慢走；鬼混)

hierarchy* [ˈhaiərɑːki] *n.* 阶层；等级制度 (a system of ranks)
【记】词根记忆：hier (神圣) + archy (统治) → 僧侣统治 → 等级制度
【同】hieratic (*adj.* 僧侣的)；hieron (*n.* 圣地)

hieroglyph* [ˈhaiərəglif] *n.* 象形文字，图画文字 (a picture or symbol representing a word)
【记】词根记忆：hiero (神) + glyph (写，刻) → 神写的字 → 象形文字

hieroglyphic* [ˈhaiərəˌglifik] *n.* 象形文字 (a system of writing which uses hieroglyphs)

highbrow* [ˈhaibrau] *n.* 自以为文化修养很高的人 (a person pretending highly cultivated, or having intellectual tastes)
【记】组合词：high (高) + brow (额头，眉毛) → 眉毛挑得很高的人 → 自以为文化修养很高的人
【参】middlebrow (*n.* 中产阶级趣味的人)；lowbrow (*n.* 无文化修养之人)

hike [haik] *v.* 高涨，上升 (to increase or raise in amount)；*n.* 徒步旅行
【反】backset (*n.* 挫折，倒退)

HIATUS	HIBERNATE	HIDE	HIDEBOUND	HIDEOUS
HIE	HIERARCHY	HIEROGLYPH	HIEROGLYPHIC	HIGHBROW
HIKE				

hilarious* [hiˈleəriəs] *adj.* 充满欢乐的 (noisily merry); 引起大笑的 (producing great merriment)
【记】词根记忆: hilar (高兴) + ious → 高兴的
【同】exhilarate (*v.* 使高兴, 使兴奋)

hinder* [ˈhində] *v.* 阻碍, 妨碍 (to thwart; impede; frustrate)
【记】词根记忆: hind (后面) + er → 落在后面 → 阻碍
【参】behind (*prep.* / *adv.* 在…后面; 在后面)

hinge* [hindʒ] *n.* 铰链 (a joint); 关键 (pivot)

hirsute* [ˈhəːsjuːt] *adj.* 多毛的 (hairy; shaggy; bristly)
【记】词根记忆: hirs (=hair 毛) + ute → 多毛的

hiss* [his] *v.* 作嘘声; (蛇等) 发出嘶嘶声 (to make a sound like prolonged "s")
【记】比较: piss (*v.* 撒尿); kiss (*v.* 亲吻); miss (*v.* 思念)

histology [hisˈtɔlədʒi] *n.* 细胞组织学 (the branch of biology concerned with the microscopic study of the structure of tissues)
【记】词根记忆: histo (细胞组织) + logy (学科) → 细胞组织学

histrionic* [ˌhistriˈɔnik] *adj.* 演戏的 (deliberately affected); 剧院的 (of or relating to actors, acting, or the theater)
【记】词根记忆: histrion (演员) + ic → 演戏的; 注意不要和 historic (历史的) 相混

hitherto [ˌhiðəˈtuː] *adv.* 到目前为止 (until now)

hive [haiv] *n.* 蜂房 (beehive); 忙碌之地 (a place swarming with activities)

hoard* [hɔːd] *v.* / *n.* 贮藏, 秘藏 (to accumulate and hide or keep in reserve)
【记】和 board (木板) 一起记, 把东西藏在木板后 (hoard sth. behind the board)

hoary [ˈhɔːri] *adj.* (头发) 灰白的 (gray); 古老的 (very old)
【参】gray (*adj.* 灰白的)

hoax* [həuks] *n.* / *v.* 骗局, 欺骗 (a trick or fraud)
【记】不要和 coax (*v.* 哄, 哄骗) 相混

hodgepodge [ˈhɔdʒpɔdʒ] *n.* 混淆; 杂烩 (a mixture of dissimilar ingredients; a jumble)
【记】组合词: hodge (庄稼汉) + podge (矮胖的人) 不要混淆庄稼汉和矮胖的人 → 混淆

hoe* [həu] *n.* 锄头 (any of various implements for tilling, mixing or raking)
【记】联想记忆: 用锄头 (hoe) 挖洞 (hole)

hoist* [hɔist] *v.* 吊高, 升起 (to raise or haul up); *n.* 起重机

hold* [həuld] *n.* (船) 货舱
【记】hold"握住"一义大家都很熟悉

HILARIOUS	HINDER	HINGE	HIRSUTE	HISS	HISTOLOGY
HISTRIONIC	HITHERTO	HIVE	HOARD	HOARY	HOAX
HODGEPODGE	HOE	HOIST	HOLD		

holster* [ˈhəulstə] *n.* 手枪皮套 (a pistol case)
【形】bolster (*n.* / *v.* 垫子；支持)

homage [ˈhɔmidʒ] *n.* 效忠，崇敬 (allegiance; honor)
【记】词根记忆：hom (=hum 人) + age → 对别人表示敬意 → 崇敬
【同】homicide (*n.* 杀人犯)
【反】disrespect (*n.* 不尊重)

homeostasis [ˌhəumiəuˈsteisis] *n.* 体内平衡 (a relatively stable state of equilibrium)
【记】词根记忆：homeo (相同) + sta (看作 state 状态) + sis → 动态静止，体内平衡

homiletics* [ˌhɔmiˈletiks] *n.* 讲道术，说教术 (art of preaching)
【记】来自 homil (y) (说教，讲道) + etics (学术) → 说教术

homogeneity* [ˌhɔməudʒeˈniːiti] *n.* 同种，同质 (quality of being alike)
【记】词根记忆：homo (同类) + gene (基因) + ity (表性质) → 具有同种基因 → 同质

homogeneous* [ˌhɔməuˈdʒiːnjəs] *adj.* 同类的，相似的 (similar or identical)
【反】disparate (*adj.* 全异的)

homogenize* [həˈmɔdʒənaiz] *v.* 使均匀，使一致 (to reduce to small particles of uniform size and distribute evenly usu. in a liquid)
【派】homogenization (*n.* 均匀化，纯一化)
【反】stratify (*v.* 分层)

hone* [həun] *n.* 磨刀石；*v.* 磨刀 (to sharpen with a hone)
【记】注意不要和 horn (*n.* 号角) 相混
【反】blunt (*v.* 使变钝；*adj.* 钝的)

honorarium* [ˌɔnəˈreəriəm] *n.* 酬劳金，谢礼 (a payment given to a professional person for the services)
【记】词根记忆：honor (荣誉) + arium (东西；地方) → 表示荣誉的东西 → 酬劳金，谢礼

hoodwink* [ˈhudwiŋk] *v.* 蒙混，欺骗 (to mislead or confuse by trickery; dupe)
【记】分拆联想：hood (帽兜) + wink (眨眼) → 眨眼之间从帽兜中变出 (像魔术一样) → 蒙骗
【反】disabuse (*v.* 解惑，使省悟)

hoof* [huːf] *n.* (牛、马的) 蹄 (the entire foot of ungulate animals)
【形】hood (*n.* 帽兜); hook (*n.* 挂钩); hoop (*n.* 环，圈)

hoop [huːp] *n.* (桶之) 箍，铁环 (a circular band or ring for holding together the staves of a barrel)

horizontal* [ˌhɔriˈzɔntl] *adj.* 水平的 (level)
【记】horizon (地平线) + tal → 水平的
【反】plumb (*adj.* 垂直的)

hormone* [ˈhɔːməun] *n.* 荷尔蒙，激素
【记】发音记忆
【参】horme (*n.* 有目的的活动)

HOLSTER	HOMAGE	HOMEOSTASIS	HOMILETICS	HOMOGENEITY
HOMOGENEOUS	HOMOGENIZE	HONE	HONORARIUM	HOODWINK
HOOF	HOOP	HORIZONTAL	HORMONE	

horn* [hɔːn] *n.* 角，角质（bony outgrowth usu. pointed on head of some animals）；喇叭（an apparatus which makes a loud warning sound）

horrific* [hɔˈrifik] *adj.* 可怕的（causing horror）

hortative* [ˈhɔːtətiv] *adj.* 激励的（serving to encourage or urge）

【记】词根记忆：hort（敦促）+ ative → 激励的

【同】exhort（*v.* 规劝）；hortation（*n.* 勉励）

horticulture* [ˈhɔːtikʌltʃə] *n.* 园艺学

【记】词根记忆：horti（花园）+ culture（培植）→ 园艺学

【参】hortitherapy（*n.* 通过种花草而治病的园艺疗法）

hospitable* [ˈhɔspitəbl] *adj.* 思想开放的，善于接受的（having an open mind; receptive）

【记】hospita（l）（医院）+（a）ble（能…的）→ 在医院养病要心胸豁达 → 豁达的

hostile* [ˈhɔstail] *adj.* 敌对的，敌意的（unfriendly; antagonistic）

【记】分拆联想：host（主人）+ ile → 反客为主 →（主客）敌对的

hostility* [hɔsˈtiliti] *n.* 敌对，不友好；憎恨（enmity）

hovel [ˈhɔvəl] *n.* 茅舍；肮脏的小屋（any small, miserable dwelling; hut）

hover* [ˈhɔvə] *v.* 翱翔（to remain fluttering in the air）；（人）徘徊（to linger near a place）

【记】hover 作为构词成分，意为“气垫的”，如：hovercraft（*n.* 气垫船）

hub* [hʌb] *n.* 轴心（the center part of a wheel）；中心（a center）

hubris* [ˈhjuːbris] *n.* 过分自傲，目中无人（wanton insolence or arrogance）

【记】分拆联想：hub（中心）+ ris（看作 rise）→ 中心升起 → 以（自我）为中心 → 目中无人

【反】humility（*n.* 谦卑）

huckster* [ˈhʌkstə] *n.* 叫卖小贩，零售商（a peddler or hawker）

【记】词根记忆：huck（=back 背）+ ster（人）→ 背东西卖的人 → 小贩

【参】huckleback（*n.* 驼背）

hue [hjuː] *n.* 色彩，色泽（color）

【例】the *hues* of the rainbow（彩虹的颜色）

hulk [hʌlk] *n.* 废船，船壳（the hull of a dismantled ship）；笨重的人或物（one that is bulky or unwieldy）

hull* [hʌl] *n.* 外壳（the outer covering）；荚；船身；*v.* 剥去外壳（to remove the hulls of）

【记】联想记忆：想成 null（无价值的，等于零的）→ 空有“外壳”当然是无价值的

【形】lull（*n.* 安静）；dull（*adj.* 枯燥的）

HORN	HORRIFIC	HORTATIVE	HORTICULTURE	HOSPITABLE
HOSTILE	HOSTILITY	HOVEL	HOVER	HUB
HUBRIS	HUCKSTER	HUE	HULK	HULL

humane [hjuːˈmein] *adj.* 人道的，慈悲的（kind; tender; merciful）
【记】human（人）+ e → 做得像人一样

humble* [ˈhʌmbl] *adj.* 卑微的（modest）; *v.* 使谦卑（to make humble）
【记】词根记忆：hum（地）+ ble → 接近地的 → 低下的，卑微的
【同】exhume（*v.* 挖掘）; humility（*n.* 谦逊）
【派】humbleness（*n.* 谦逊）
【反】presumptuous（*adj.* 专横的）; supercilious（*adj.* 傲慢的）; bumptious（*adj.* 自大的）

humdrum [ˈhʌmdrʌm] *adj.* 单调的，乏味的（dull; monotonous; boring）
【记】组合词：hum（嗡嗡声）+ drum（鼓声）→ 单调的

humdrum

上班

humid* [ˈhjuːmid] *adj.* 湿润的（damp）

humidity* [hjuːˈmiditi] *n.* 湿度，湿气（moistness, dampness）

humiliate* [hju(ː)ˈmilieit] *v.* 使屈辱（to hurt the pride or dignity; mortify; degrade）
【记】词根记忆：hum（地）+ iliate（使…）→ 使人靠近地面 → 使屈辱
【派】humiliation（*n.* 羞辱）

humility* [hju(ː)ˈmiliti] *n.* 谦逊，谦恭（absence of pride or self-assertion）
【反】hubris（*n.* 自大）; hauteur（*n.* 自大）; panache（*n.* 炫耀）

humor* [ˈhjuːmə] *v.* 纵容，迁就（to comply with the mood or whim; indulge）
【记】humor 作为“幽默”一义大家都知道

hunch [hʌntʃ] *n.* 直觉，预感（a guess or feeling not based on known facts）
【例】I had a *hunch* that he would lose.（我预感到他会输。）

hurdle* [ˈhəːdl] *n.* 跳栏；障碍（obstacle）; *v.* 克服（障碍）（to overcome; surmount）
【形】curdle（*v.* 凝固）
【例】overcome a language *hurdle*（克服语言障碍）

hurl* [həːl] *v.* 猛投（to throw with force）; 大声叫骂（to shout out violently）
【例】She *hurled* insults at her boyfriend.（她对男友大声叫骂。）

hurricane* [ˈhʌrikən] *n.* 飓风（a severe tropical cyclone）

husband* [ˈhʌzbənd] *v.* 妥善而又节约地管理（to manage prudently and economically）
【记】丈夫省钱老婆花钱
【反】squander（*v.* 浪费）

husbandry [ˈhʌzbəndri] *n.* 耕种，务农（the cultivation or production of plants or animals）; 节俭；管理（the scientific control and management of

HUMANE	HUMBLE	HUMDRUM	HUMID	HUMIDITY
HUMILIATE	HUMILITY	HUMOR	HUNCH	HURDLE
HURL	HURRICANE	HUSBAND	HUSBANDRY	

money and supplies)
【记】词根记忆：husband（丈夫）+ ry → 丈夫所干的活 → 耕种
【反】squander（*v.* 浪费）；prodigality（*n.* 浪费）

hush* [hʌʃ] *v.* / *n.* 肃静，安静（absence of noise; silence）
【记】不要和 husk（*n.* 种子等的外壳）相混
【形】bush（*n.* 灌木丛）；lush（*adj.* 青翠的）
【反】din（*n.* 喧嚣）

husk* [hʌsk] *n.* 外壳；皮，荚（the dry outer covering）

husky [ˈhʌski] *adj.* 声音沙哑的（sounding deep and hoarse; rough）
【反】delicate（*adj.* 优雅的；精巧的）

hybrid* [ˈhaibrid] *n.* 杂种；混血人
【反】of unmixed extraction（纯血统）

hydrant [ˈhaidrənt] *n.*（消防）水龙头（a faucet）；消防栓（fireplug）
【记】词根记忆：hydr（水）+ ant → 水龙头
【同】hydria（*n.* 提水罐）；hydrogen（*n.* 氢）

hydrate* [ˈhaidreit] *n.* 水化物；*v.* 水化 （to cause to take up or combine with water）
【记】词根记忆：hydr（水）+ ate → 水化
【反】desiccate（*v.* 弄干；变干）

hymn* [him] *n.* 赞美诗（any song of praise）
【记】hymn 本身可作构词成分
【参】hymnology（*n.* 赞美诗研究）；hymnbook（*n.* 赞美诗集）

hyperactivity* [ˌhaipəræk ˈtivəti] *n.* 活动过强，极度亢奋（the state or condition of being excessively or pathologically active）
【记】词根记忆：hyper（过分）+ activity（活动）→ 活动过强

hyperbole* [hai ˈpəːbəli] *n.* 夸张法（extravagant exaggeration）
【记】词根记忆：hyper（过分）+ bole（扔）→ 扔得过分 → 夸张法
【反】understatement（*n.* 轻描淡写）

hypertension* [ˌhaipə ˈtenʃən] *n.* 高血压（abnormally high blood pressure）
【记】词根记忆：hyper（超过）+ tension（紧张，压力）→ 高血压

hyphen* [ˈhaifən] *n.* 连字号（即"-"）

Ordinary people merely think how they shall spend their time; a man of talent tries to use it. 普通人只想到如何度过时间，有才能的人设法利用时间。
——德国哲学家 叔本华(Arthur Schopenhauer, German philosopher)

Word List 19

hypnotic [hip'nɔtik] *adj.* 催眠的 (tending to produce sleep); *n.* 催眠药 (a sleep-inducing agent)

【反】conscious (*adj.* 有意识的); stimulant (*n.* 刺激剂; *adj.* 激励的)

hypocrite* ['hipəkrit] *n.* 伪善者，伪君子 (a person who pretends to have opinions or to be what he is not)

【记】词根记忆：hypo (下面，次等) + crite (批评者) → 在背后批评的人 → 伪君子

hypocritical* [ˌhipə'kritikəl] *adj.* 虚伪的 (of hypocrisy or a hypocrite)

hypotenuse [hai'pɔtinjuːz] *n.* (直角三角形的) 斜边

【记】词根记忆：hypo (在…下面) + ten (拉) + use → 从下面拉到上面的一条线 → 斜边

hypothesis* [hai'pɔθisis] *n.* 假设，假说 (an unproved theory)

【记】词根记忆：hypo (在…下面) + thesis (论点) → 下面的论点 → 假说

hypothetical* [ˌhaipəu'θetikəl] *adj.* 假设的 (based on a hypothesis)

hysteria* [his'tiəriə] *n.* 歇斯底里症 (a psychoneurosis marked by emotional excitability); 过度兴奋 (behavior exhibiting emotional excess)

【记】词根记忆：hyster (子宫) + ia → 人们认为妇女患歇斯底里症是因为子宫机能失调所致 → 歇斯底里症

icicle* ['aisikl] *n.* 冰柱，冰垂 (a tapering, pointed, hanging piece of ice)

【记】词根记忆：ic (ice 冰) + icle (小东西) → 冰柱

icon* ['aikɔn] *n.* 圣像，偶像 (an image or picture of Jesus, Mary, a saint, etc.)

【记】icon 本身可作构词成分，如：iconize (*v.* 盲目崇拜), iconoclasm (*n.* 打破圣像的行动)

iconoclast* [ai'kɔnəklæst] *n.* 攻击传统观念或风俗的人 (one who attacks and seeks to destroy widely accepted ideas, beliefs)

HYPNOTIC	HYPOCRITE	HYPOCRITICAL	HYPOTENUSE	HYPOTHESIS
HYPOTHETICAL	HYSTERIA	ICICLE	ICON	ICONOCLAST

【记】词根记忆：icono（圣像）+ clast（打破…的人）→ 打破圣像的人 → 攻击传统观念或风俗的人

ideology* [ˌaidiˈɔlədʒi] *n.* 思想体系，思想意识，意识形态 （a systematic body of concepts）
【记】词根记忆：ide（看作 idea 思想）+ ology（学科）→ 思想（体系）

idiom [ˈidiəm] *n.* 习语，语言的习惯用法 （the language peculiar to a people or to a district, community, or class）；特色（manner, style）

idle* [ˈaidl] *adj.* （指人）无所事事的 （avoiding work）；无效的（useless）；*v.* 懒散，无所事事（to do nothing）
【记】发音记忆："爱斗" → 无所事事的才爱斗

idolater [aiˈdɔlətə] *n.* 神像（偶像）崇拜者（a worshiper of idols）

idyll* [ˈidil] *n.* 田园生活 （a carefree experience）；田园诗 （a simple descriptive work in poetry）
【反】experience fraught with tension（充满紧张的经历）

igneous* [ˈigniəs] *adj.* 火的，火绒的（having the nature of fire；fiery）
【记】词根记忆：ign（点燃）+ eous → 火的

ignite* [igˈnait] *v.* 发光（to make glow with heat）；点燃，燃烧 （to set fire to）
【记】词根记忆：ign（点火）+ ite → 点燃，燃烧
【派】ignition（*n.* 着火，点火；点火装置）
【反】extinguish（*v.* 熄灭）；douse（*v.* 熄灭）

ignoble* [igˈnəubl] *adj.* 卑鄙的（dishonorable, base, mean）
【记】词根记忆：ig（不）+ noble（高贵）→ 不高贵的 → 下流的

ignominious* [ignəˈminiəs] *adj.* 可耻的 （contemptible, despicable）；耻辱的（shameful）
【反】lofty（*adj.* 崇高的）；honorable（adj. 可敬的）

ignominy [ˈignəmini] *n.* 羞耻，屈辱（shame and dishonor；infamy）
【记】词根记忆：ig（不）+ nomin（名声）+ y → 名声不好 → 耻辱
【反】glory（*n.* 光荣）；honor（*n.* 荣誉）；esteem（*n.* 尊重）

ignorant* [ˈignərənt] *adj.* 无知的，愚昧的（knowing little or nothing）
【反】erudite（*adj.* 博学的）

illegal* [iˈliːgəl] *adj.* 违法的（against the law）
【记】词根记忆：il（不）+ legal（合法的）→ 不合法的
【参】legislation（*n.* 立法）
【派】illegality（*n.* 非法，违法）

illegitimate* [ˌiliˈdʒitimit] *adj.* 不合法的（illegal；unlawful）；私生的（born of parents not married）
【记】il（不）+ legitimate（合法的）→ 不合法的

illicit* [iˈlisit] *adj.* 违法的（unlawful；prohibited）
【记】il（不）+ licit（合法的）→ 违法的

IDEOLOGY	IDIOM	IDLE	IDOLATER	IDYLL
IGNEOUS	IGNITE	IGNOBLE	IGNOMINIOUS	IGNOMINY
IGNORANT	ILLEGAL	ILLEGITIMATE	ILLICIT	

illiterate* [iˈlitərit] *adj.* 文盲的(ignorant; uneducated)
【记】il(不)+literate(识字的)→不识字的,文盲的

illuminate* [iˈljuːmineit] *v.* 阐明,解释 (to make understandable);照亮 (to brighten with lights)
【记】词根记忆:il(加强)+lumin(光)+ate→把光加强→照亮
【同】lumen(*n.* 流明,光的单位);luminant(*adj.* 发光的;*n.* 杰出人物)
【反】obfuscate(*v.* 使迷乱)

illuminati* [iˌluːmiˈnɑːti] *n.* 先觉者,智者 (persons who are unusually enlightened)
【记】词根记忆:il(加强)+lumin(光)+ati→给人带来光明的人→智者

illusion* [iˈluːʒən] *n.* 假象,错觉(false perception)
【记】词根记忆:il+lus(玩弄)+ion→被玩弄→假象

illusive* [iˈluːsiv] *adj.* 迷惑人的,迷幻的(deceiving and unreal)

illusory* [iˈluːsəri] *adj.* 虚幻的(deceptive; unreal; illusive)

illustrate* [ˈiləstreit] *v.* 为…做插图或图表 (to explain by examples, diagrams, pictures);说明,阐明(to make clear)
【记】词根记忆:il(不断)+lustr(照亮,光)+ate→不断(用语言)照亮→说明
【同】luster(*n.* 光彩,光泽);lacklustre(*adj.* 无光泽的)
【派】illustration(*n.* 举例说明;图解)

imbibe [imˈbaib] *v.* 饮(drink);吸入(absorb)
【记】词根记忆:im(进入)+bibe(=drink 喝)→喝入→吸入

imbroglio* [imˈbrəuliəu] *n.* 纠纷,纠葛 (confused misunderstanding or disagreement)
【记】词根记忆:im(进入)+broglio(混乱)→进入混乱→纠纷,纠葛,原是意大利语
【反】harmony(*n.* 协调)

imbue (with)* [imˈbjuː] *v.* 灌输(某人)强烈的情感或意见 (to permeate or inspire)

imitation* [imiˈteiʃən] *n.* 赝品 (a thing produced as a copy of the real thing);效法,冒充(an action of imitating)
【记】来自 imitate(*v.* 模仿,仿制)

imitative* [ˈimitətiv] *adj.* 模仿的(copying or following a model or example)

immaculate* [iˈmækjulit] *adj.* 洁净的,无瑕的 (perfectly clean; unsoiled; impeccable)
【记】词根记忆:im(不)+macul(斑点)+ate→无斑点的→无瑕的
【同】macula(*n.* 皮肤上的斑点);maculate(*adj.* 有斑点的)

immanent [ˈimənənt] *adj.* 内在的(inherent);普遍存在的(present through the universe)

ILLITERATE	ILLUMINATE	ILLUMINATI	ILLUSION	ILLUSIVE
ILLUSORY	ILLUSTRATE	IMBIBE	IMBROGLIO	IMBUE(WITH)
IMITATION	IMITATIVE	IMMACULATE	IMMANENT	

【记】词根记忆：im（进入）+ man（人）+ ent → 在人之内的 → 内在的

【反】explicit（*adj.* 外在的）

immemorial [ˌimiˈmɔːriəl] *adj.* 太古的，极古的（extending beyond memory or record；ancient）

【记】词根记忆：im（不）+ memor（记住）+ ial → 老得让人无法记住的 → 太古的

【反】recent（*adj.* 近来的）

immense [iˈmens] *adj.* 极大的（very large）；无限的（limitless；infinite）

【记】词根记忆：im（不）+ mense（=measure 测量）→ 不能测量的 → 巨大的

immensity [iˈmensiti] *n.* 巨大之物（sth. immense）；无限（the quality or state of being immense）

immerse* [iˈməːs] *v.* 浸入（to plunge, drop, or dip into liquid）；沉浸于（engross）

【记】词根记忆：im（进入）+ merse（=merge 浸入）→ 浸入

imminent* [ˈiminənt] *adj.* 即将发生的，逼近的（impending）

【记】词根记忆：im（进入）+ min（突出）+ ent → 突进来 → 逼近的

【同】eminent（*adj.* 出众的）；prominent（*adj.* 杰出的）

immolate* [ˈiməuleit] *v.* 牺牲，焚祭（to offer or kill as a sacrifice）

【记】词根记忆：im（进入）+ mola（祭品）+ te → 变成祭品 → 牺牲

immune* [iˈmjuːn] *adj.* 免疫的（not susceptible to some specified disease）；免除的（exempt）

【记】词根记忆：im（无）+ mune（公共）→ 不得公共病 → 免疫的

【反】having no resistance（无抵抗力的）

immunity* [iˈmjuːniti] *n.* 免疫；豁免（exemption）

【反】susceptibility（*n.* 易被感染）；liability（*n.* 易受影响）

immunize* [iˈmju(ː)naiz] *v.* 使免疫（to give immunity by inoculation）

immure* [iˈmjuə] *v.* 监禁（imprison；confine；seclude）

【记】词根记忆：im（进入）+ mure（墙）→ 进入墙里 → 监禁

【同】mural（*n.* 壁画）；demure（*adj.* 一本正经的）

【反】release（*v.* 释放；*n.* 救济；放松）

imp [imp] *n.* 小鬼（a small demon）；顽童（a mischievous child）

impact* [ˈimpækt] *n.* 冲击，影响（the effect and impression of one thing on another）

【记】词根记忆：im（进入）+ pact（紧的）→ 压进去的力量 → 影响

impair* [imˈpeə] *v.* 损害，使弱（damage；reduce；injure）

【记】词根记忆：im（使）+ pair（坏）→ 使坏 → 损害

IMMEMORIAL	IMMENSE	IMMENSITY	IMMERSE	IMMINENT
IMMOLATE	IMMUNE	IMMUNITY	IMMUNIZE	IMMURE
IMP	IMPACT	IMPAIR		

【同】repair（*v.* 修理）

【派】impairment（*n.* 削弱，减少；损害，损伤）

impale [im'peil] *v.* 刺入，刺中（to pierce with a sharp-pointed object）

【记】分拆联想：im + pale （苍白的）→ 脸色苍白，因为身体被刺中了

impalpable* [im'pælpəbl] *adj.* 无法触及的；不易理解的（too slight or subtle to be grasped）

【记】词根记忆：im（不）+ palpable（可触摸的）→ 不可触摸的

【参】palpitate（*v.* 心突突跳）

impart* [im'pɑːt] *v.* 传授，告知（to make known; tell; reveal）

【记】词根记忆：im（进入）+ part（部分）→ 成为（知识）一部分 → 告知

【例】The good teacher *imparts* wisdom to his pupils.（好的老师向学生传授智慧。）

impartial* [im'pɑːʃəl] *adj.* 公平的，无私的（without prejudice or bias）

【记】词根记忆：im（非）+ partial（偏见的）→ 没有偏见的，公平的

impasse* [æm'pɑːs] *n.* 僵局（deadlock）；死路（blind alley）

【记】词根记忆：im（不）+ pass（通过）+ e → 通不过 → 死路，僵局

impassioned* [im'pæʃ(ə)nd] *adj.* 慷慨激昂的（passionate; fiery; ardent）

【记】词根记忆：im（使）+ passion（激情）+ ed → 使有激情 → 慷慨激昂的

impassive* [im'pæsiv] *adj.* 无动于衷的，冷漠的（stolid; phlegmatic）

【记】词根记忆：im（非）+ pass（感情）+ ive → 没有感情的，冷漠的；注意不要和 impassioned（充满激情的）相混

【反】overwrought（*adj.* 过度紧张的）；emotional（*adj.* 有感情的）

impeach* [im'piːtʃ] *v.* 指责 （to challenge or discredit; accuse）；弹劾 （to charge with a crime or misdemeanor）

【记】词根记忆：im（使）+ peach（告发）→ 告发，指责

注意：peach 作为"桃子"一义大家都知道

【派】impeachment（*n.* 弹劾，控告）

impeccable* [im'pekəbl] *adj.* 无瑕疵的（faultless; flawless）

【记】词根记忆：im + pecc（斑点）+ able → 无斑点的

【同】peccadillo（*n.* 小过失）

【反】faulty（*adj.* 有缺点的）

impecunious* [ˌimpi'kjuːnjəs] *adj.* 一文不名的，贫困的（having very little or no money）

【记】词根记忆：im + pecun（钱）+ ious → 无钱的

【同】peculate（*v.* 挪用）；pecuniary（*adj.* 金钱的）

【反】wealthy （*adj.* 富有的）；prosperous （*adj.* 繁荣的）；affluent（*adj.* 丰富的）

IMPALE	IMPALPABLE	IMPART	IMPARTIAL	IMPASSE
IMPASSIONED	IMPASSIVE	IMPEACH	IMPECCABLE	IMPECUNIOUS

impede* [im'piːd] *v.* 妨碍 (to bar or hinder the progress of; obstruct)
【记】词根记忆：im (进入) + ped (脚) + e → 把脚放入 → 妨碍
【同】centipede (*n.* 蜈蚣); podiatry (*n.* 足病学)
【反】assist (*v.* 支持); abet (*v.* 支持); facilitate (*v.* 推动)

impediment [im'pedimənt] *n.* 妨碍；阻碍物 (obstacle)

impel* [im'pel] *v.* 推进 (push; propel)；驱使 (to force, compel, or urge)
【记】词根记忆：im (使) + pel (推) → 推进
【同】dispel (*v.* 驱散); compel (*v.* 强制)
【反】restrain (*v.* 制止)

impending* [im'pendiŋ] *adj.* 行将发生的，逼近的 (imminent)
【记】词根记忆：im (进入) + pend (挂) + ing → 挂到眼前 → 行将发生的

impenetrable* [im'penitrəbl] *adj.* 不能穿透的 (incapable of being penetrated)；不可理解的 (unfathomable; inscrutable)
【记】im (不) + penetrable (可刺穿的) → 不可穿透的
【反】porous (*adj.* 多孔的)

impenitent* [im'penitənt] *adj.* 不悔悟的 (without regret; unrepentant)
【记】im (不) + penitent (悔恨的) → 不悔悟的
【反】rueful (*adj.* 悔恨的)

imperative* [im'perətiv] *adj.* 急需的 (absolutely necessary; urgent; compelling)
【记】词根记忆：imper (命令) + ative → 下命令(要做的)的 → 紧急的
【同】imperator (*n.* 绝对统治者)

imperial [im'piəriəl] *adj.* 帝王的，至尊的 (of an emperor or a ruler)

imperious* [im'piəriəs] *adj.* 傲慢的，专横的 (overbearing; arrogant)
【记】词根记忆：imper (命令) + ious → 命令的 → 专横的
【派】imperiousness (*n.* 傲慢)
【反】humble (*adj.* 谦虚的)

impermanent* [im'pəːmənənt] *adj.* 暂时的 (temporary)
【记】im (不) + permanent (永久的) → 不做永久逗留的 → 暂时的

impermeable* [im'pəːmjəbl] *adj.* 不可渗透的，透不过的 (not allowing a liquid to pass through)
【记】im (不) + permeable (可渗透的) → 不可渗透的

impersonate* [im'pəːsəneit] *v.* 模仿 (to mimic)；扮演 (to act the part of)
【记】im (进入) + person (人，角色) + ate → 进入角色 → 扮演

impertinence* [im'pəːtinəns] *n.* 无礼，粗鲁 (rudeness)
【记】im (不) + pertinence (礼貌，得体) → 无礼，粗鲁
【反】respect (*n.* 尊敬); relevance (*n.* 适当)

imperturbable* [ˌimpə(ː)'təːbəbl] *adj.* 冷静的，沉着的 (incapable of being disturbed; impassive)
【记】im (不) + perturb (打扰) + able → 不能被打扰的 → 沉着的

IMPEDE	IMPEDIMENT	IMPEL	IMPENDING	IMPENETRABLE
IMPENITENT	IMPERATIVE	IMPERIAL	IMPERIOUS	IMPERMANENT
IMPERMEABLE	IMPERSONATE	IMPERTINENCE	IMPERTURBABLE	

【参】perturbation（*n.* 不安，扰乱）

【反】ticklish（*adj.* 极敏感的）；restive（*adj.* 不安的；难控制的）

impervious* [im'pəːvjəs] *adj.* 不能渗透的 （not allowing entrance or passage）；不为所动的（not capable of being affected or disturbed）

【记】im（不）+ pervious（渗透的）→ 不可渗透的

impetuous* [im'petʃuəs] *adj.* 冲动的，鲁莽的（impulsive）

【派】impetuosity（*n.* 冲动）

【反】deliberate（*adj.* 故意的；深思熟虑的）

impetus ['impitəs] *n.* 推动力；刺激（incentive；impulse）

【记】词根记忆：im（在内）+ pet（追求）+ us → 内心追求 → 推动力

【同】competition（*n.* 竞争，角逐）

impinge [im'pindʒ] *v.* 侵犯（infringe；encroach）；撞击（to collide with）

【记】分拆联想：im（进入）+ pinge（拼音：品格）→ 进入别人的品格 → 侵犯别人

【例】The effects are *impinging* on every aspect of our lives. （事情的结果正在影响着我们生活的各个方面。）

implant* [im'plɑːnt] *v.* 注入 （to plant firmly or deeply）；灌输 （to instill；inculcate）

【记】im（进入）+ plant（种植）→ 植入 → 灌输

implausible* [im'plɔːzəbl] *adj.* 难以置信的（not plausible）

【记】im（不）+ plausible（可信的）→ 难以置信的

【反】believable（*adj.* 令人相信的）；verisimilar（*adj.* 似乎真实的）

implement* ['implimənt] *n.* 工具，器具；*v.* 实现，实施（fulfill；accomplish）

【记】词根记忆：im（使）+ ple（满）+ ment → 使圆满 → 实现

【同】deplete（*v.* 倒空；耗尽）；replete（*adj.* 饱满的）

【反】foil（*v.* 挫败）

implicate* ['implikeit] *v.* 牵连 （于罪行中） （to involve in a crime）；暗示（imply）

【记】词根记忆：im（进入）+ plic（重叠）+ ate → 重叠进去 → 牵连

【派】implication（*n.* 牵连；暗示）

implication* [ˌimpli'keiʃən] *n.* 暗示（something that is not openly stated）

implicit* [im'plisit] *adj.* 含蓄的，不言而喻的（not directly expressed）

【记】词根记忆：im（进入）+ plic（重叠）+ it（意义）→ 重叠在里面 → 含蓄的

implode* [im'pləud] *v.* 内爆 （to burst inward）；剧减 （to undergo violent compression）

【记】词根记忆：im（向内）+ plode（爆炸）→ 内爆

【参】explode（*v.* 外爆）

IMPERVIOUS	IMPETUOUS	IMPETUS	IMPINGE	IMPLANT
IMPLAUSIBLE	IMPLEMENT	IMPLICATE	IMPLICATION	IMPLICIT
IMPLODE				

implore* [imˈplɔː] *v.* 哀求，恳求（beg）
【记】词根记忆：im（使）+ plore（悲哀）→ 使悲哀 → 哀求
【同】deplore（*v.* 哀叹）

impolitic [imˈpɔlitik] *adj.* 不智的，失策的（unwise；injudicious）
【记】im（不）+ politic（有手腕的，策略的）→ 失策的 → 无法衡量的
比较：apolitical（*adj.* 不关心政治的）

imponderable [imˈpɔndərəbl] *adj.* （重量等）无法衡量的 （incapable of being weighed or measured）
【记】im（不）+ ponder（重量）+ able → 没法测量重量的
【同】ponderous（*adj.* 笨重的）

import [imˈpɔːt，ˈimpɔːt] *v.* / *n.* 进口，输入 （to bring〔goods, etc.〕from foreign country to one's own country）；意义（importance）

importune* [imˈpɔːtjuːn] *v.* 强求，不断请求（to entreat persistently or repeatedly）
【记】词根记忆：im （使）+ portune（拿出）→ 拿出（强求）的姿态
【同】opportunity（*n.* 机会，时机）

impose* [imˈpəuz] *v.* 征（税）；加（负担等）于 （to place a burden, tax officially on sb. / sth.）；强加于
【记】词根记忆：im（使）+ pose（放）→ 使拿出来 → 征税
【同】dispose（*v.* 布置，处理）；positive（*adj.* 肯定的）

imposing [imˈpəuziŋ] *adj.* 壮丽的，雄伟的（impressive；grand）

impostor [imˈpɔstə] *n.* 冒充者，骗子 （a person who deceives under false name）
【记】词根记忆：im（进入）+ post（放）+ or → 把自己放入别人的角色 → 冒充者

imposture* [imˈpɔstʃə] *n.* 冒充（being an impostor；fraud）
【记】词根记忆：im（进入）+ pos（放）+ ture → 把别的东西放进去 → 冒充

impoverish* [imˈpɔvəriʃ] *v.* 使成赤贫（to make poor；reduce to poverty）
【记】词根记忆：im（进入）+ pover（贫困）+ ish → 进入贫困 → 使成赤贫
【同】poverty（*n.* 贫困）

impregnable* [imˈpregnəbl] *adj.* 攻不破的，征服不了的 （not capable of being captured or entered by force）

IMPLORE	IMPOLITIC	IMPONDERABLE	IMPORT	IMPORTUNE
IMPOSE	IMPOSING	IMPOSTOR	IMPOSTURE	IMPOVERISH
IMPREGNABLE				

【记】词根记忆：im（不）+ pregn（拿住）+ able → 拿不住的 → 征服不了的

【同】pregnant（*adj.* 怀孕的）

impresario* [ˌimpreˈsɑːriəu] *n.* （剧院或乐团等）经理人，主办者（the organizer, manager, or director of an opera or ballet company）

【记】来自意大利语：impresar（经营）+ io → 经营者 → 主办者

impressed* [imˈprest] *adj.* 被打动的；被感动的

impression* [imˈpreʃən] *n.* 印象，感想（deep lasting effect on the mind or feeling of sb.）；盖印，压痕（the effect of impressing or stamping）

【记】impress（印，盖印）+ion → 印象；盖印

impressionable [imˈpreʃənəb(ə)l] *adj.* 易受影响的（easily affected by impressions）

imprint* [imˈprint] *v.* 盖印，刻印（to mark by pressing or stamping）

【记】im（进入）+ print（印）→ 印上 → 盖印

impromptu* [imˈprɔmptjuː] *adj.* 即席的，即兴的（without preparation; offhand）

【记】im（不）+ promptu（时间）→ 不在（安排的）时间之内 → 即席的

【反】carefully rehearsed（仔细排练的）

improvident* [imˈprɔvidənt] *adj.* 不节俭的，无远见的（lacking foresight or thrift）

【记】词根记忆：im（不）+ provident（节俭的；有远见的）→ 不节俭的；无远见的

【派】improvidence（*n.* 浪费）

improvise* [ˈimprəvaiz] *v.* 即席而作（to extemporize）

【记】词根记忆：im（不）+ pro（前）+ vise（看）→ 没有预先看过 → 即席创作

imprudent* [imˈpruːdənt] *adj.* 轻率的（indiscreet）；不智的（not wise）

impudent* [ˈimpjudənt] *adj.* 鲁莽的，无礼的（insolent; impertinent）

【记】词根记忆：im（不）+ pud（小心，谦虚）+ ent → 不谦虚的 → 鲁莽的，无礼的

【反】deferential（*adj.* 恭顺的）；respectful（*adj.* 尊敬的）

impugn* [imˈpjuːn] *v.* 指责，对…表示怀疑（to challenge as false or questionable）

【记】词根记忆：im（进入）+ pugn（打斗）→ 马上就要进入打斗 → 指责

【同】pugnacious（*adj.* 好斗的）

【反】champion（*v.* 支持）；vindicate（*v.* 辩护）；endorse（*v.* 赞同）

impuissance* [imˈpju(ː)isns] *n.* 无力，虚弱（weakness）

【记】im（不）+ puissance（力量）→ 无力

【反】clout（*n.* 打击；力量）

IMPRESARIO	IMPRESSED	IMPRESSION	IMPRESSIONABLE	IMPRINT
IMPROMPTU	IMPROVIDENT	IMPROVISE	IMPRUDENT	IMPUDENT
IMPUGE	IMPUISSANCE			

impulse [ˈimpʌls] *n.* 冲动 (an impelling force); 刺激 (a motivating force)
【记】词根记忆: im (在内) + pulse (推) → 内推 → 冲动
【同】repulse (*v.* 打退; 厌恶)

impunity* [im ˈpjuːniti] *n.* 免除惩罚 (exemption from punishment)
【记】词根记忆: im (不) + pun (罚) + ity → 免除惩罚
【同】punitive (*adj.* 惩罚性的)

inadvertence* [ˌinəd ˈvəːtəns] *n.* 漫不经心 (actions done without thinking or not deliberately)
【记】in (不) + advertence (注意) → 漫不经心
【反】careful attention (小心留意)

inalienable [in ˈeiljənəbl] *adj.* 不可剥夺的 (not transferable to another or capable of being repudiated)
【记】词根记忆: in (不) + alien (疏远) + able → 不可疏远的 → 不可剥夺的
【同】alienate (*v.* 疏远)

inane* [i ˈnein] *adj.* 无意义的 (lacking sense); 愚蠢的 (silly); 空洞的 (empty; void)
【派】inanity (*n.* 无意义, 无聊)
【反】meaningful (*adj.* 有意义的); pregnant (*adj.* 有意义的; 怀孕的)

inanimate* [in ˈænimit] *adj.* 无生命的 (not animate; lifeless)
【记】词根记忆: in (无) + anim (生命) + ate → 无生命的
【同】unanimous (*adj.* 想法一致的)

inappreciable [ˌinə ˈpriːʃəbl] *adj.* 微不足道的 (too small to be perceived)
【记】分拆联想: in (不) + appreci (ate) (欣赏) + able (能…的) → 不值得欣赏的 → 微不足道的

inaugural [i ˈnɔːgjurəl] *adj.* 就职的, 开幕的 (for an inauguration)
【例】an *inaugural* speech (就职演说)

inaugurate [i ˈnɔːgjureit] *v.* 举行就职典礼 (to install); 开创 (to initiate; commence)
【记】词根记忆: in (进入) + augur (预示; 开始) + ate → 开始进入 → 就职
【同】augury (*n.* 预示, 先兆)
【派】inauguration (*n.* 就职, 就职典礼)
【反】cease (*v.* 停止)

inborn* [ˈin ˈbɔːn] *adj.* 天生的, 天赋的 (naturally present at birth; innate)
【记】in (内) + born (出生) → 与生俱来的, 天生的

incandescence* [ˌinkæn ˈdesəns] *n.* 白炽, 炽热发光 (the emission of a visible light)
【记】词根记忆: in (进入) + cand (光) + escence (开始…的) → 开始进入发光状态 → 炽热发光

incantation [ˌinkæn ˈteiʃən] *n.* 咒语 (spells or verbal charms spoken or sung as a part of a ritual of magic)
【记】词根记忆: in + cant (黑话) + ation → 咒语

IMPULSE	IMPUNITY	INADVERTENCE	INALIENABLE	INANE
INANIMATE	INAPPRECIABLE	INAUGURAL	INAUGURATE	INBORN
INCANDESCENCE	INCANTATION			

incarcerate* [inˈkɑːsəreit] *v.* 下狱，监禁 (to imprison; confine)
【记】词根记忆：in（进入）+ carcer（监狱）+ ate → 下狱
【反】liberate (*v.* 释放)

incarnate [ˈinkɑːneit] *adj.* 具有肉体的 (given a bodily form); 化身的 (personified)
【记】词根记忆：in（进入）+ carn（肉体）+ ate → 变成肉体 → 具有肉体的
【同】carnage (*n.* 大屠杀); carnal (*adj.* 肉欲的)
【派】incarnation (*n.* 具体化；化身)

incendiary [inˈsendjəri] *adj.* 放火的，纵火的 (pertaining to the criminal setting on fire of property)
【记】词根记忆：in（进入）+ cend（=cand 发白光）+ iary → 燃烧发光 → 放火的

incense [ˈinsens] *n.* 香，香味 (any pleasant fragrance); [inˈsens] *v.* 激怒 (to arouse the wrath of)
【记】词根记忆：in（使）+ cense（=cand 发光）→ 使大为光火 → 激怒
【反】propitiate (*v.* 取悦)

incentive* [inˈsentiv] *n.* 刺激，鼓励 (motive); 刺激因素 (sth. that incites to determination or action)
【记】词根记忆：in（使）+ cent（=cant 唱，说）+ ive → 使人说话、唱歌 → 刺激，鼓励
【反】deterrent (*n.* 威慑)

inception [inˈsepʃən] *n.* 开端，开始 (an act, process, or instance of beginning); 取得学位 (commencement)
【记】词根记忆：in（进入）+ cept（拿）+ ion → 拿进来 → 开始
【同】concept (*n.* 概念); accept (*v.* 接受)

incessant [inˈsesnt] *adj.* 无间断的，连续的 (continuing without interruption)
【记】词根记忆：in（不）+ cess（停止）+ ant → 不停止的 → 连续的
【同】concession (*n.* 让步); cessation (*n.* 停止)

inch [intʃ] *v.* 慢慢前进，慢慢移动 (to move by small degrees)
【记】联想记忆：一寸一寸（inch）地移动，引申为慢慢前进

inchoate* [ˈinkəueit] *adj.* 刚开始的 (just begun; incipient); 未发展的 (not yet completed or fully developed)
【记】分拆联想：inch（寸）+ oat（燕麦）+ e → 燕麦刚长一寸 → 未发展的
【反】completely formed (完全形成的); fully formed (完全形成的)

incidence [ˈinsidəns] *n.* 事情发生 (an instance of happening); 发生率 (rate of occurrence or influence)
【记】词根记忆：in（使）+ cid（落下）+ ence → 掉进来的事 → 事情发生

INCARCERATE	INCARNATE	INCENDIARY	INCENSE	INCENTIVE
INCEPTION	INCESSANT	INCH	INCHOATE	INCIDENCE

incinerate* [inˈsinəreit] *v.* 焚化，毁弃 (to burn to ashes; cremate)
【记】词根记忆：in(使)+ciner(灰)+ate→使成灰→焚化
【同】cinerary(*adj.* 灰的，骨灰的)

incipient* [inˈsipiənt] *adj.* 初期的，刚出现的 (beginning to exist or appear)
【记】词根记忆：in+cip(掉)+ient→掉进来的→刚出现的
【反】full-blown(充分发展的)

incise* [inˈsaiz] *v.* 切，切割 (to cut into)
【记】词根记忆：in+cise(切)→切进去→切割
【同】decisive(*adj.* 有决断力的)；abscise(*v.* 切除)

incision* [inˈsiʒən] *n.* 切口 (a cut; gash)；切割
【反】suture(*n.*/*v.* 缝合)

incisive* [inˈsaisiv] *adj.* 一针见血的 (sharp; keen; penetrating)

incite* [inˈsait] *v.* 激发，刺激 (to stimulate to action; foment)
【记】词根记忆：in(使)+cite(唤起)→唤起情绪→激发
【同】excite(*v.* 兴奋)；recite(*v.* 背诵)

inclement* [inˈklemənt] *adj.* (天气)严酷的 (severe; stormy)；严厉的 (rough; severe)
【记】in(不)+clement(仁慈的)→不仁慈的→严酷的，严厉的
【反】balmy(*adj.* 温和的)

inclusive [inˈkluːsiv] *adj.* 包含一切的，范围广的 (including much or all)
【记】来自 include(*v.* 包含，包括)

incogitant [inˈkɔdʒitənt] *adj.* 无思维能力的，考虑不周的 (thoughtless, inconsiderate)
【记】词根记忆：in(不)+cogit(思考)+ant→不会思考的→无思维能力的
【同】cogitate(*v.* 思考)；cogitative(*adj.* 深思熟虑的)

incommensurate [ˌinkəˈmenʃərit] *adj.* 不成比例的，不相称的 (not proportionate; not adequate)
【记】in(不)+commensurate(等量的，相称的)→不相称的→不成比例的

incompatible [ˌinkəmˈpætəbl] *adj.* 不能和谐共存的 (not able to exist in harmony or agreement)
【记】in(不)+compatible(和谐的)→不能和谐共存的

incompetent [inˈkɔmpitənt] *adj.* 无能力的，不能胜任的 (lacking the qualities needed for effective action)
【记】in(不)+competent(有能力的)→无能力的，不能胜任的

incongruity* [ˌinkɔŋˈgru(ː)iti] *n.* 不协调，不相称 (state of being incongruous)
【记】in(不)+congruity(一致，和谐)→不协调，不相称

inconsequential* [inˌkɔnsiˈkwenʃəl] *adj.* 不重要的，微不足道的 (unimportant; trivial)
【记】in(不)+consequential(重要的)→不重要的
【反】crucial(*adj.* 至关重要的)

□ INCINERATE	□ INCIPIENT	□ INCISE	□ INCISION	□ INCISIVE
□ INCITE	□ INCLEMENT	□ INCLUSIVE	□ INCOGITANT	□ INCOMMENSURATE
□ INCOMPATIBLE	□ INCOMPETENT	□ INCONGRUITY	□ INCONSEQUENTIAL	

Word List 20

inconstancy* [inˈkɔnstənsi] *n.* （指人）**反复无常**（feelings and intentions that change often）

【记】in（不）+ constancy（恒久不变）→ 反复无常

【反】persistence（*n.* 坚持）; stability（*n.* 稳定）

incontrovertible [ˌinkɔntrəˈvəːtəbl] *adj.* **无可辩驳的**（incapable of being disputed）

【记】in（不）+ controvertible（可辩论的）→ 无可辩驳的

【参】controvert（*v.* 反驳）

incorporate* [inˈkɔːpəreit] *v.* **合并，并入**（to combine or join with sth. already formed; embody）

【记】词根记忆：in（进入）+ corpor（团体）+ ate → 进入团体 → 合并

incorrigible* [inˈkɔridʒəbl] *adj.* **积习难改的，不可救药的**（incapable of being corrected）

【记】in（不）+ corrigible（可以改正的）→ 积习难改的

【反】tractable（*adj.* 易于管教的）

incorruptible* [ˌinkəˈrʌptəbl] *adj.*（道德上）**不受腐蚀的**（unable to be corrupted morally）

【记】in（不）+ corrupt（腐败）+ ible → 不受腐蚀的

【反】venal（*adj.* 贪污的）

incredulity* [ˌinkriˈdjuːliti] *n.* **怀疑，不相信**（disbelief）

【记】词根记忆：in（不）+ cred（信任）+ ulity → 不信任 → 怀疑

increment* [ˈinkrimənt] *n.* **增值，增加**（increase; gain; growth）

【记】词根记忆：in（使）+ cre（增加）+ ment → 使增加 → 增加

【同】accretion（*n.* 逐渐增大）; incretion（*n.* 内分泌）

incriminate* [inˈkrimiˌneit] *v.* **连累，牵连**（to involve in）

【记】词根记忆：in（进入）+ crimin（罪行）+ ate → 被牵连在罪行中

【派】incrimination（*n.* 控告）

【反】exonerate（*v.* 免除）

INCONSTANCY	INCONTROVERTIBLE	INCORPORATE	INCORRIGIBLE	INCORRUPTIBLE
INCREDULITY	INCREMENT	INCRIMINATE		

incubate* [ˈinkjubeit] *v.* 孵化（to keep eggs warm until they hatch）；潜伏
【记】词根记忆：in （里面）+ cub （睡）+ ate → 使睡在里面 → 孵化；潜伏

incubation* [ˌinkjuˈbeiʃən] *n.* 孵卵期；潜伏期 （the phase of development of a disease between the infection and the first appearance of symptoms）
【同】incubus（*n.* 梦魇）；concubine（*n.* 小妾）

incubator* [ˈinkjubeitə] *n.* 孵卵器；早产婴儿保育箱

incubus* [ˈiŋkjubʌs] *n.* 恶梦 （a nightmare）；梦魇般的精神压力，负担（burden）
【记】词根记忆：in + cub （睡）+ us → 恶梦，原指在妇女睡觉时和妇女同眠的怪物

inculcate* [inˈkʌlkeit] *v.* 谆谆教诲，灌输 （to impress upon the mind by persistent urging；implant）
【记】词根记忆：in（进入）+ culc（=cult 培养，种植）+ ate → 种进去 → 灌输

inculpate* [ˈinkʌlpeit] *v.* 连累；控告；归咎于（to incriminate）
【记】词根记忆：in（使）+ culp（错，罪）+ ate → 使（别人）有罪 → 连累
【同】culpable（*adj.* 有罪的）；exculpate（*v.* 开脱）
【反】exonerate（*v.* 证明无罪）；absolve（*v.* 宣布免除）

incumbent* [inˈkʌmbənt] *n.* 在职者，现任者 （the holder of an office or benefice）；*adj.* 义不容辞的（obligatory）
【记】词根记忆：in + cumb（躺）+ ent → 躺在（职位）上的人 → 在职者
【同】encumber（*v.* 妨碍）；recumbent（*adj.* 斜躺的）

incur* [inˈkəː] *v.* 招惹（to bring upon oneself）
【记】词根记忆：in（进入）+ cur（跑）→ 引着跑进来 → 招惹
【例】I *incurred* his dislike from that day on. （从那天起我就招惹他讨厌了。）

indebted* [inˈdetid] *adj.* 感激的，感恩的（owing gratitude）
【记】词根记忆：in（进入）+ debt（债务）+ ed → 欠人债务的，引申为别人不催债而感激的

indecipherable* [ˌindiˈsaifərəbl] *adj.* 无法破译的（incapable of being deciphered）
【记】in（不）+ decipher（破解，破译）+ able → 无法破译的

indecisive* [ˌindiˈsaisiv] *adj.* 非决定性的，迟疑不决的（hesitating）
【记】in（非）+ decisive（决定性的）→ 非决定性的

indefatigable* [ˌindiˈfætigəbl] *adj.* 不知疲倦的（not yielding to fatigue；untiring）
【记】in（不）+ de（表示强调）+ fatig（疲倦）+ able → 不知疲倦的
【参】fatigue（*v.* / *n.* 疲倦）

indelible* [inˈdelibl] *adj.* 擦拭不掉的，不可磨灭的 （incapable of being erased）

INCUBATE	INCUBATION	INCUBATOR	INCUBUS	INCULCATE
INCULPATE	INCUMBENT	INCUR	INDEBTED	INDECIPHERABLE
INDECISIVE	INDEFATIGABLE	INDELIBLE		

【记】词根记忆：in + del (=delete 擦掉) + ible → 擦拭不掉的
【参】delete (*v.* 擦掉)

indemnify [in'demnifai] *v.* **赔偿，偿付** (to compensate for a loss; reimburse)
【记】词根记忆：in + demn (损坏) + ify → 使损坏消除 → 赔偿
【同】condemn (*v.* 谴责)
【派】indemnification (*n.* 赔偿，赔偿金)

indemnity* [in'demniti] *n.* **赔偿** (compensation); **保障** (guarantee against damage or loss)

indent* [in'dent] *v.* **切割成锯齿状** (make marks by cutting into the edge or surface; notch)
【记】词根记忆：in (使) + dent (牙齿) → 使成齿状

indenture [in'dentʃə] *n.* **契约，合同** (a written contract or agreement)
【记】分拆联想：indent (切割成锯齿状) + ure，原指古代师徒间分割成锯齿状的契约

indicate* ['indikeit] *v.* **显示，指出** (to show sth.); **象征** (to be a sign of)
【记】词根记忆：in + dic (说) + ate → 指示，指出

indict* [in'dait] *v.* **控诉，起诉** (to make a formal accusation against; accuse)
【记】词根记忆：in + dict (说) → (在法庭上) 把…说出来 → 控告
【同】dictator (*n.* 独裁者); dictation (*n.* 听写)
【反】exculpate (*v.* 使无罪)

indifferent* [in'difərənt] *adj.* **不感兴趣的，漠不关心的** (having or showing no partiality; disinterested)
【记】in (不) + different (不同的) → 任何不同之事都与己无关
【反】avid (*adj.* 渴望的)

indigence* ['indidʒəns] *n.* **贫穷** (poverty; lacking money and goods)
【记】分拆联想：in (无) + dig (挖) + ence → 挖不出东西 → 贫穷

indigenous* [in'didʒinəs] *adj.* **土产的，本地的** (native); **天生的** (innate)
【记】词根记忆：indi (内部) + gen (产生) + ous → 内部产生的 → 本地的
【反】acquired (*adj.* 后天获得的); exotic (*adj.* 外来的); non-native (*adj.* 非本土的)

indigent* ['indidʒənt] *adj.* **贫穷的，贫困的** (impoverished; deficient)
【记】分拆联想：in (没有) + dig (挖) + ent → 挖不出东西的 → 贫困的
【反】affluent (*adj.* 丰富的)

indignant* [in'dignənt] *adj.* **愤慨的，愤愤不平的** (feeling or expressing anger)
【记】词根记忆：in (不) + dign (高贵) + ant → 因不高贵而愤慨 → 愤慨的
【同】dignity (*n.* 尊贵，礼貌); indign (*adj.* 不得体的)

INDEMNIFY	INDEMNITY	INDENT	INDENTURE	INDICATE
INDICT	INDIFFERENT	INDIGENCE	INDIGENOUS	INDIGENT
INDIGNANT				

indignation* [ˌindigˈneiʃən] *n.* 愤慨 (anger or scorn; righteous anger)

indignity* [inˈdigniti] *n.* 侮辱，轻蔑 (insult); 侮辱性的言行 (an act that offends against a person's dignity or self-respect)

【记】in (不) + dignity (高贵) → 不高贵的言行 → 侮辱性的言行

indispensability* [ˌindisˌpensəˈbiləti] *n.* 不可缺少 (absolute necessity)

【记】in (不) + dispensability (可缺少) → 不可缺少

individual* [ˌindiˈvidjuəl] *adj.* 单独的，特有的 (single; separate); *n.* 个人，个体 (single human being)

【记】词根记忆：in + divid (e) (分割) + ual → 分割开的 → 单独的，个别的

indoctrinate* [inˈdɔktrineit] *v.* 教导；灌输思想 (to imbue with doctrines)

【记】词根记忆：in (进入) + doctrin (e) (教条，思想) + ate → 使思想进入 → 灌输

indolent* [ˈindələnt] *adj.* 懒惰的 (idle; lazy)

【记】词根记忆：in (不) + dol (悲痛) + ent → 不悲痛的 → 不因为浪费时间等而悲痛 → 懒惰的

【同】condolence (*n.* 安慰); doleful (*adj.* 悲哀的)

indubitable* [inˈdjuːbitəbl] *adj.* 不容置疑的 (unquestionable)

【记】词根记忆：in (不) + dubit (怀疑) + able → 不容置疑的

【同】dubitation (*n.* 怀疑)

【反】questionable (*adj.* 可疑的)

induce* [inˈdjuːs] *v.* 诱导 (to lead into some action); 引起 (to bring out)

【记】词根记忆：in (使) + duce (引导) → 引入，诱导

induct* [inˈdʌkt] *v.* 使就职 (install); 使入伍 (to enroll in the armed forces)

【记】词根记忆：in (使) + duct (引导) → 引进 → 入伍

induction [inˈdʌkʃən] *n.* 就职，入伍仪式 (installation); 归纳 (inference of a generalized conclusion from particular instances)

indulge* [inˈdʌldʒ] *v.* 放纵 (to allow to have whatever one likes or wants); 满足 (to satisfy a perhaps unwarranted desire)

indurate* [ˈindjuəreit] *v.* 使坚硬 (to make hard); 使巩固 (to become firmly fixed)

【记】词根记忆：in (使) + dur (坚硬) + ate → 使坚硬

【同】endurable (*adj.* 可忍受的); duration (*n.* 持续时间)

【反】soften (*v.* 软化)

industrious* [inˈdʌstriəs] *adj.* 勤劳的，勤勉的 (hard-working; diligent)

ineffable* [inˈefəbl] *adj.* 妙不可言的 (inexpressible)

【记】in (不) + effable (可以表达的) → 难以表达的 → 妙不可言的

ineffectual* [ˌiniˈfektjuəl] *adj.* 无效的，徒劳无益的 (without effect)

【记】in (不) + effectual (有效的) → 无效的

INDIGNATION	INDIGNITY	INDISPENSABILITY	INDIVIDUAL	INDOCTRINATE
INDOLENT	INDUBITABLE	INDUCE	INDUCT	INDUCTION
INDULGE	INDURATE	INDUSTRIOUS	INEFFABLE	INEFFECTUAL

inelasticity* [ˌinilæsˈtisiti] *n.* 无弹性，无伸缩性
【记】in（无）+ elastic（弹性的）+ ity → 无弹性，无伸缩性
【反】resilience（*n.* 弹性）

ineluctable [ˌiniˈlʌktəbl] *adj.* 不能逃避的（certain; inevitable）
【记】词根记忆：in（不）+ eluc（=elude 逃避）+ table → 不可逃避的

inept [iˈnept] *adj.* 无能的（inefficient）；不适当的（not suitable）
【记】词根记忆：in（无）+ ept（能干的）→ 无能的

ineptitude* [iˈneptitjuːd] *n.* 无能，不称职（the quality or state of being inept）
【反】bent（*n.* 倾向，爱好）；finesse（*n.* 灵巧）

inequity* [inˈekwiti] *n.* 不公正，不公平（injustice or unfairness）
【记】词根记忆：in（不）+ equi（平等）+ ty → 不平等

inert* [iˈnəːt] *adj.* 惰性的（having few or no active properties）；行动迟钝的（dull; slow）
【记】词根记忆：in（不）+ ert（动）→ 不动的 → 惰性的
【反】active（*adj.* 积极的）；dynamic（*adj.* 动力的）

inertia* [iˈnəːʃjə] *n.* 惰性（indisposition to motion, exertion, or change）；懒惰（disinclination to move or act）
【反】tendency to change motion（改变运动趋势）；activity（*n.* 活动性）

inexhaustible [ˌinigˈzɔːstəbl] *adj.* 用不完的，取之不竭的（incapable of being used up or emptied）
【记】词根记忆：in（不）+ exhaust（耗尽）+ ible → 耗不尽的

inexorable* [inˈeksərəbl] *adj.* 不为所动的（incapable of being moved or influenced）；坚决不变的（that cannot be altered）
【记】in（不）+ exorable（可说服的）→ 不可说服的 → 不为所动的
【同】oration（*n.* 演讲）
【反】relenting（*adj.* 温和的）

inexplicable* [inˈeksplikəbl] *adj.* 无法解释的（incapable of being explained or accounted for）
【记】in（不）+ explicable（可以解释的）→ 无法解释的

infant* [ˈinfənt] *n.* 婴儿（a child in the first period of life）
【记】分拆联想：in + fant（看作 faint 虚弱的）→ 处于无力虚弱的状态 → 婴儿

infantry* [ˈinfəntri] *n.* 步兵（soldiers who fight on foot）
【记】分拆联想：infant（婴儿）+（t）ry（尝试）→ 婴儿尝试走路很慢，可以联想到步兵也很慢

infatuation* [inˌfætjuˈeiʃən] *n.* 迷恋（infatuated love）
【反】odium（*n.* 厌恶）

infection* [inˈfekʃən] *n.* 传染，感染（an act or process of infecting）
【反】free of infection（未受感染的）〈〉septic（*adj.* 腐烂的）

INELASTICITY	INELUCTABLE	INEPT	INEPTITUDE	INEQUITY
INERT	INERTIA	INEXHAUSTIBLE	INEXORABLE	INEXPLICABLE
INFANT	INFANTRY	INFATUATION	INFECTION	

infelicitous [ˌinfiˈlisitəs] *adj.* **不幸的，不妥当的**（unfortunate or unsuitable）
【记】in（不）+ felicitous（得体的）→ 不得体的 → 不妥当的
【反】happy（*adj.* 高兴的）

infelicity* [ˌinfiˈlisiti] *n.* **不幸**（the quality or state of being infelicitous）；**不恰当**（sth. that is infelicitous）
【反】appropriateness（*n.* 适当）

infer* [inˈfəː] *v.* **推断，推定**（to reach an opinion from reasoning）
【记】词根记忆：in（进入）+ fer（带来）→ 带进（意义）→ 推断

inferior* [inˈfiəriə] *adj.* **下级的，低等的，质次的，较差的**（low[er] in rank, importance, etc.）

inferno* [inˈfəːnəu] *n.* **火海，地狱般的场所**（hell or any place characterized by great heat or flames）
【记】词根记忆：infern（低，地狱）+ o → 地狱，火海

infest* [inˈfest] *v.* **骚扰，扰乱**（to spread or swarm in or over in a troublesome manner）
【记】词根记忆：in（使）+ fest（匆忙）→ 使匆忙起来 → 骚扰
【同】festive（*adj.* 欢庆的）；festinate（*adj.* 仓促的）
【例】Mice *infested* the old house.（老屋里老鼠横行。）

infiltrate* [inˈfiltreit] *v.* **渗透，渗入**（to pass through）
【记】词根记忆：in（进入）+ filtr（过滤）+ ate → 过滤进去 → 渗透
【参】filter（*v.* 过滤）

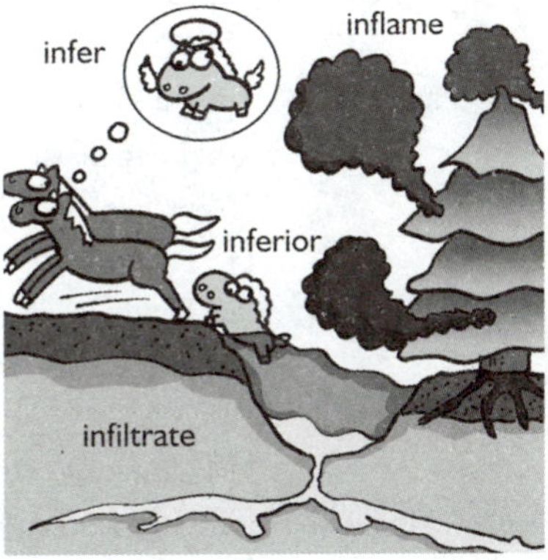

infinitesimal* [inˌfinəˈtesiməl] *adj.* **极微小的**（infinitely small）；*n.* **极小量**
【记】词根记忆：infinite（无穷的）+ simal → 无穷小的 → 极微小的

infinity* [inˈfiniti] *n.* **无限的时间或空间**（unlimited extent of time, space）
【记】词根记忆：in（无）+ fin（结束）+ ity → 没有结束 → 无限的时间或空间
【反】bounded space（有限空间）

infirm* [inˈfəːm] *adj.* **虚弱的**（physically weak）
【记】词根记忆：in（不）+ firm（坚定）→ 不坚定的，不坚强的 → 虚弱的
【派】infirmity（*n.* 虚弱）；infirmary（*n.* 医务室）
【反】hale（*adj.* 强壮的）

inflame [inˈfleim] *v.* **使燃烧**（to set on fire）；**激怒**（某人）（to excite intensely with anger）

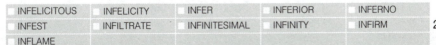

INFELICITOUS	INFELICITY	INFER	INFERIOR	INFERNO
INFEST	INFILTRATE	INFINITESIMAL	INFINITY	INFIRM
INFLAME				

【记】词根记忆：in（使）+ flame（火焰）→ 使有火焰 → 使燃烧
【参】flammable（*adj.* 易燃的）
【反】assuage（*v.* 缓和）；subdue（*v.* 征服）

inflamed [inˈfleimd] *adj.* 发炎的（red and swollen because of infection）
【记】词根记忆：in（里面）+ flam（火焰）+ ed → 像有火焰在里面烧 → 发炎的

inflate* [inˈfleit] *v.* 使充气，使膨胀（to fill with air）
【记】词根记忆：in（进入）+ flate（气）→ 让气进去 → 使充气
【同】deflate（*v.* 放气）；conflate（*v.* 合并）
【派】inflation（*n.* 膨胀，夸大；通货膨胀）
【反】minimize（*v.* 缩减到最小）

inflict [inˈflikt] *v.* 遭受（to cause a blow, penalty to be suffered by sb.）
【记】词根记忆：in（使）+ flict（打击）→ 使受打击 → 遭受痛苦
【同】affliction（*n.* 苦难，折磨）；conflict（*n.* 冲突）

influx* [ˈinflʌks] *n.* 注入，涌入（arrival of people or things in large numbers or quantities）
【记】词根记忆：in（进入）+ flux（流动）→ 注入，涌入
【反】exodus（*n.* 流出）

informed* [inˈfɔːmd] *adj.* 见多识广的（having or showing knowledge）；消息灵通的（having information）

infraction* [inˈfrækʃən] *n.* 违法（violation; infringement）
【记】词根记忆：in（使）+ fract（破裂）+ ion → 使（法律）破裂 → 违法
【同】refractory（*adj.* 倔强的）；fraction（*n.* 碎片）

infringe [inˈfrindʒ] *v.* 违反，侵害（to break a law; violate; trespass）
【记】词根记忆：in（不）+ fringe（界限，边缘）→ 不在界限之内 → 违反
【同】fringe（*n.* 边缘；刘海）；befringe（*v.* 饰以边）

infuriate [inˈfjuərieit] *v.* 使（人）极为愤怒（to enrage）
【记】词根记忆：in（使）+ furi（=fury 狂怒）+ ate → 使狂怒

infuse* [inˈfjuːz] *v.* 灌输（to instill; impart）；鼓励（to inspire）
【记】词根记忆：in（进入）+ fuse（流）→ 流进去 → 灌输
【反】drain away（排出）；refuse（*v.* 拒绝）；extract（*v.* 拔出）

ingenious* [inˈdʒiːnjəs] *adj.* 聪明的，有发明天才的（original; inventive）
【记】词根记忆：in（内在）+ gen（产生）+ ious → 聪明产生于内 → 聪慧的；注意不要和 ingenuous（坦率的，天真的）相混
【派】ingeniousness（*n.* 足智多谋；巧妙）

ingénue [ˌænʒeiˈnjuː] *n.* 天真无邪的少女（young innocent girl）
【记】法语词，和 ingenuous（天真的）同出一源

ingenuity* [ˌindʒiˈnjuːiti] *n.* 巧思，聪敏（cleverness; originality）
【反】lack of inventiveness（缺乏创造性）

INFLAMED	INFLATE	INFLICT	INFLUX	INFORMED
INFRACTION	INFRINGE	INFURIATE	INFUSE	INGENIOUS
INGÉNUE	INGENUITY			

ingenuous* [inˈdʒenjuəs] *adj.* 纯朴的，单纯的(simple; artless)
【记】来自拉丁语 ingenuus，意为"天真，诚实"
【反】cunning (*adj.* 狡猾的); hypocritical (*adj.* 伪善的)

ingest* [inˈdʒest] *v.* 咽下，吞下(to take into the body by swallowing)
【记】词根记忆：in (进入) + gest (带) → 带进去 → 咽下
【同】congestion (*n.* 拥挤); digest (*v.* 消化; *n.* 文摘)
【反】expel (*v.* 排出); disgorge (*v.* 呕吐); excrete (*v.* 排泄)

ingestion* [inˈdʒestʃən] *n.* 摄取，吸收 (act of taking food or drink into the body)

ingrained* [inˈgreind] *adj.* 根深蒂固的(firmed, fixed or established)
【记】in (进入) + grain (木头的纹理) + ed → 进入纹理之内 → 根深蒂固的
【反】easily to change (容易改变的)

ingrate* [inˈgreit] *n.* 忘恩负义的人(an ungrateful person)
【记】词根记忆：in (不) + grate (感激) → 不知感激 → 忘恩负义的人
【派】ingratitude (*n.* 忘恩负义)
【反】a thankful person (感恩者)

ingratiate* [inˈgreiʃieit] *v.* 逢迎，讨好 (to bring oneself into another's favor or good graces by conscious effort)
【记】词根记忆：in (使) + grati (感激) + ate → 使别人感激自己 → 讨别人欢心 → 逢迎，讨好

ingratiating [inˈgreiʃieitiŋ] *adj.* 讨好的，谄媚的(capable of winning favor)

ingredient* [inˈgriːdiənt] *n.* 成分 (element); (烹调的) 原料 (one of the different types of food that you use to make particular dish)
【记】词根记忆：ingr (=integr 完整，进入) + edi (吃) + ent → 放入食物内的东西 → (烹调的) 原料
【同】integrity (*n.* 完整，正直); edible (*adj.* 可吃的)

inhabit* [inˈhæbit] *v.* 栖居于，占据(to live in; occupy)
【记】词根记忆：in (进入) + habit (居住) → 栖居于

inhabitant [inˈhæbitənt] *n.* 居民 (one that occupies a particular place regularly); 栖息的动物(an animal living in a place)

inherit [inˈherit] *v.* 继承(to receive property)

inhumane [ˌinhju(ː)ˈmein] *adj.* 不近人情的(cruel; brutal; unkind)

inimical* [iˈnimikl] *adj.* 敌意的，不友善的(hostile; unfriendly)
【记】词根记忆：inim (=enemy 敌人) + ical → 敌人的 → 敌意的
【反】friendly (*adj.* 友好的); amiable (*adj.* 亲切的); amicable (*adj.* 友善的)

inimitable* [iˈnimitəbl] *adj.* 无法效仿的，不可比拟的 (incapable of being imitated or matched)
【记】词根记忆：in (不) + imit (模仿) + able → 不可模仿的 → 无

INGENUOUS	INGEST	INGESTION	INGRAINED	INGRATE
INGRATIATE	INGRATIATING	INGREDIENT	INHABIT	INHABITANT
INHERIT	INHUMANE	INIMICAL	INIMITABLE	

法仿效的
【参】imitation（*n.* 模仿）
【反】ordinary（*adj.* 普通的）；commonplace（*adj.* 普通的）

iniquitous [iˈnikwitəs] *adj.* **邪恶的，不公正的**（wicked；unjust）
【记】词根记忆：in（不）+ iquit（=equit 公正）+ ous → 不公正的

iniquity [iˈnikwiti] *n.* **邪恶，不公正**（wickedness；lack of righteousness or justice）
【反】rectitude（*n.* 正直）；disinterestedness（*n.* 公正）

initial [iˈniʃəl] *adj.* **开始的，最初的**（at the very beginning）；*n.*（姓名的）**首字母**（initial letter of a name）
【记】词根记忆：init（开始）+ ial → 开始的 → 最初的

initiate* [iˈniʃieit] *v.* **发起，创始**（to put a scheme into operation）；**接纳或介绍某人加入某团体等**（to admit or introduce sb. to membership of a group）
【记】词根记忆：init（开始）+ iate → 使…开始，发起
【反】follow up（后来跟上）

initiative [iˈniʃiətiv] *n.* **主动；首创精神**（enterprise）
【记】来自 initial（*adj.* 开始的，最初的）

injection* [inˈdʒekʃən] *n.* **注射**（an act or instance of injecting）；**注射剂**（sth. that is injected）
【记】来自 inject（*v.* 注射），in（进）+ ject（扔）→ 扔进去 → 注射

injunction [inˈdʒʌŋkʃən] *n.* **命令，强制令**（bidding；command）
【记】词根记忆：in（进入）+ junct（连接）+ ion → 和（法令）相连接 → 命令
【参】enjoin（*v.* 命令）

injurious* [inˈdʒuəriəs] *adj.* **有害的**（harmful）
【记】来自 injury（*n.* 伤害）

inkling* [ˈiŋkliŋ] *n.* **暗示，迹象**（hint）；**略知，模糊概念**（a slight knowledge or vague notion）
【记】分拆联想：ink（墨水）+ ling（小东西）→ 小墨迹 → 迹象

innate* [ˈineit] *adj.* **生来的，天赋的**（inborn；inbred）
【记】词根记忆：in（内生）+ nate（出生）→ 出生时带来的 → 生来的
【同】natality（*n.* 出生率）

innocence* [ˈinəsns] *n.* **无辜，清白**（quality of being innocent）
【记】词根记忆：in（无）+ noc（伤害，毒）+ ence → 无辜，清白
【反】guilt（*n.* 罪过）

innocuous* [iˈnɔkjuəs] *adj.*（行为、言论等）**无害的**（harmless）
【记】词根记忆：in（无）+ noc（毒害）+ uous → 无害的
【同】obnoxious（*adj.* 引起反感的）
【反】noxious（*adj.* 有害的）；caustic（*adj.* 尖刻的）

INIQUITOUS	INIQUITY	INITIAL	INITIATE	INITIATIVE
INJECTION	INJUNCTION	INJURIOUS	INKLING	INNATE
INNOCENCE	INNOCUOUS			

innovative* ['inəuveitiv] *adj.* 革新的 (introducing or using new ideas or techniques)
【记】来自 innovate (*v.* 革新，创新)
【反】derivative (*adj.* 无创见的；派生的)

innuendo* [ˌinju'endəu] *n.* 含沙射影，暗讽 (an indirect remark, gesture, or reference, usu. implying sth. derogatory; insinuation)
【记】词根记忆：innu (在内) + endo (内部) → 包含在内的讽刺 → 暗讽
【参】endogenous (*adj.* 内生的，自发的)；insinuate (*v.* 暗指)

inoculate* [i'nɔkjuleit] *v.* 预防注射 (to inject a serum, vaccine to create immunity)
【记】词根记忆：in (进入) + ocul (萌芽；眼睛) + ate → 在萌芽时进入 → 预防注射

inordinate [in'ɔːdinit] *adj.* 过度的，过分的 (immoderate; excessive)
【记】词根记忆：in (不) + ordin (正常) + ate → 不正常的 → 过度的

inquiry* [in'kwaiəri] *n.* 询问 (request for help or information)

inquisitive* [in'kwizitiv] *adj.* 过分好问的 (prying)；好奇的
【记】词根记忆：in + quisit (询问) + ive → 询问 → 好奇的
【同】prerequisite (*n.* 先决条件)；inquisition (*n.* 调查)

inroad ['inrəud] *n.* 袭击 (hostile invasion)
【记】分拆联想：in (进入) + road (路) → 进了别人的路 → 袭击

insatiable* [in'seiʃəbl] *adj.* 不能满足的，贪心的 (very greedy)
【记】词根记忆：in (不) + sati (满) + able → 不能满足的

inscribe* [in'skraib] *v.* 在某物上写，题写 (to write words on sth. as a formal or permanent record)
【记】词根记忆：in (进入) + scribe (写) → 刻写进去 → 题写

inscrutable* [in'skruːtəbl] *adj.* 高深莫测的，神秘的 (unfathomable; enigmatic; mysterious)
【记】词根记忆：in (不) + scrut (理解) + able → 高深莫测的
【同】scrutiny (*n.* 详细阅读)
【派】inscrutability (*n.* 神秘)

insecticide [in'sektisaid] *n.* 杀虫剂 (a substance used for killing insects)
【记】词根记忆：insect (昆虫) + i + cide (杀) → 杀昆虫的东西 → 杀虫剂

insensate [in'senseit] *adj.* 无感觉的 (without feeling)；蠢笨的 (foolish)
【记】词根记忆：in (无) + sens (感觉) + ate → 无感觉的
【参】sense (*n.* 感觉)

insentient* [in'senʃənt] *adj.* 无知觉的，无生命的 (devoid of sensation; inanimate)
【记】词根记忆：in (无) + sent (感觉) + ient → 无感觉的 → 无生

INNOVATIVE	INNUENDO	INOCULATE	INORDINATE	INQUIRY
INQUISITIVE	INROAD	INSATIABLE	INSCRIBE	INSCRUTABLE
INSECTICIDE	INSENSATE	INSENTIENT		

命的
【同】sentimental（*adj.* 多愁善感的）
【反】perceiving（*adj.* 可感知的）

insider [inˈsaidə(r)] *n.* 局内人，圈内人（a person inside a given place or group）

insidious* [inˈsidiəs] *adj.* 隐藏诡计的（more dangerous than seems evident）
【记】词根记忆：in（里面）+ sid（坐）+ ious →（祸害）坐在里面的 → 隐藏诡计的
【同】assiduous（*adj.* 勤勉的）；preside（*v.* 主持）

insignia* [inˈsigniə] *n.* 徽章，袖章（badges, emblems, etc.）
【记】词根记忆：in + sign（标志，记号）+ ia → 作为标志的东西 → 徽章，袖章

insincerity [ˌinsinˈseriti] *n.* 伪善（the quality or state of not being sincere）
【记】in（不）+ sincerity（真诚）→ 伪善

insinuate* [inˈsinjueit] *v.* 暗指，暗示（to hint or suggest indirectly; imply）
【记】词根记忆：in（进入）+ sinu（弯曲）+ ate → 绕弯说出来 → 暗指，暗示
【同】sinuous（*adj.* 弯弯曲曲的）

insipid* [inˈsipid] *adj.* 乏味的，枯燥的（dull; vapid; banal）
【记】词根记忆：in（进入）+ sip（啜饮）+ id → 不好喝的 → 乏味的，枯燥的
【同】insipience（*n.* 愚蠢）；dissipate（*v.* 驱散）

insolent* [ˈinsələnt] *adj.* 粗野的，无礼的（boldly disrespectful in speech or behavior; impudent）
【反】polite（*adj.* 礼貌的）；courteous（*adj.* 有礼貌的）

insoluble* [inˈsɔljubl] *adj.* 不溶解的（incapable of being dissolved）；不能解决的（incapable of being solved）
【记】in（不）+ soluble（可溶解的）→ 不溶解的

insolvency* [inˈsɔlvənsi] *n.* 无力偿还（inability to pay debts）；破产（bankruptcy）
【记】in（无）+ solvency（还债能力）→ 无力偿还
【反】ability to pay one's debts（偿还能力）

insomnia* [inˈsɔmniə] *n.* 失眠症（abnormally prolonged inability to sleep）
【记】词根记忆：in（不）+ somn（睡眠）+ ia → 不能睡眠 → 失眠症
【同】somniferous（*adj.* 催眠的）；somnolent（*adj.* 想睡的）

insouciant [inˈsuːsiənt] *adj.* 漫不经心的（unconcerned）

inspection* [inˈspekʃən] *n.* 检查，细看（critical examination）
【记】来自 inspect（*v.* 细看，视察），in（进入）+ spect（看）→ 检查，细看
【同】retrospect（*n.* 回顾）；introspect（*v.* 内省）

INSIDER	INSIDIOUS	INSIGNIA	INSINCERITY	INSINUATE
INSIPID	INSOLENT	INSOLUBLE	INSOLVENCY	INSOMNIA
INSOUCIANT	INSPECTION			

inspiration* [ˌinspəˈreiʃən] *n.* 启示，灵感（thought or emotion inspired by sth.）
【记】词根记忆：in（进入）+ spir（呼吸）+ ation → 吸入（灵气）→ 灵感
【同】expire（*v.* 期满；断气）；aspiration（*n.* 热望）

inspired* [inˈspaiəd] *adj.* 有创见的，有灵感的（outstanding or brilliant in a way or to a degree suggestive of divine inspiration）
【记】词根记忆：in（进入）+ spir（呼吸）+ ed → 吸入（灵气）→ 有灵感的

install* [inˈstɔːl] *v.* 安装，装置（to fix equipment, etc.）；使就职（to induct into an office）
【记】词根记忆：in（进）+ stall（放）→ 放进去 → 安装
【同】forestall（*v.* 预防；阻止）
【派】installation（*n.* 就职，安装）

instantaneous [ˌinstənˈteinjəs] *adj.* 立即的（immediate）；瞬间发生的（occurring, or acting without any perceptible duration of time）
【记】instant（立即的）+ aneous → 立即的
【参】instantize（*v.* 把食品等预先配制好）

instate [inˈsteit] *v.* 任命，安置（to put sb. in office）

instigate* [ˈinstigeit] *v.* 发起，煽动（to urge on；foment；incite）
【记】词根记忆：in（使）+ stig（=sting 刺激）+ ate → 使刺激起来 → 煽动
【派】instigation（*n.* 煽动，教唆）
【反】quell（*v.* 镇压）

instill* [inˈstil] *v.* 滴注（to put in drop by drop）；逐渐灌输（to impart gradually）
【记】词根记忆：in（进入）+ still（水滴）→ 像水滴一样进入 → 滴注
【同】distill（*v.* 蒸馏）

instinctive [inˈstiŋktiv] *adj.* 本能的（prompted by natural instinct）
【记】来自 instinct（*n.* 本能）

institute [ˈinstitjuːt] *v.* 制定，创立（社团、规章）（to set up；establish）；*n.* 学院，协会
【记】词根记忆：in（进入）+ stitute（站）→ 站进去 → 制定，创立
【同】constitution（*n.* 宪法，规章）；restitution（*n.* 赔偿）
【反】rescind（*v.* 废除）；abrogate（*v.* 废除）

institution [ˌinstiˈtjuːʃən] *n.* 公共机构，协会（an established organization or corporation）；制度
【记】来自 institute（*v.* 创立，开始，制定）

institutionalized [ˌinstiˈtjuːʃənəlaizd] *adj.* 制度化的，有组织的（making into an institution）

INSPIRATION	INSPIRED	INSTALL	INSTANTANEOUS	INSTATE
INSTIGATE	INSTILL	INSTINCTIVE	INSTITUTE	INSTITUTION
INSTITUTIONALIZED				

instructive [inˈstrʌktiv] *adj.* **传授知识的，启蒙的**（giving much useful information）

【记】instruct（教导，教学）+ ive → 传授知识的

• **instrumental*** [ˌinstruˈmentl] *adj.* **有帮助的，有作用的**（helpful in bringing sth. about）

【记】instrument（器具，手段）+ al → 像工具一样 → 有帮助的

The man who has made up his mind to win will never say "impossible".

凡是决心取得胜利的人是从来不说"不可能的"。

——法国皇帝 拿破仑（Bonaparte Napoleon, French emperor）

Word List 21

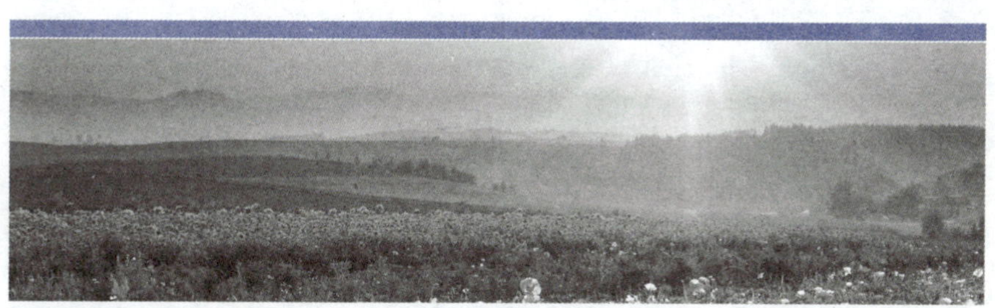

instrumentalist* [ˌinstrəˈmentəlist] *n.* 乐器演奏者(a player of a musical instrument)

insular* [ˈinsjulə] *adj.* 岛屿的；心胸狭窄的(narrow-minded, illiberal)

【记】词根记忆：insul(岛)+ar→岛屿的

【同】peninsular(*adj.* 半岛的)

【反】cosmopolitan(*adj.* 世界性的)

insularity* [ˌinsjuˈlærəti] *n.* 岛国状态，与外界隔绝的生活状况；(思想、观点等的)褊狭

【反】cosmopolitanism(*n.* 大同主义)

insulate* [ˈinsjuleit] *v.* 使绝缘 (to separate or cover with a nonconducting material)；使隔离(to isolate)

【记】词根记忆：insul(岛)+ate→成为岛一样→隔离

【反】expose(*v.* 暴露)

insulin* [ˈinsjulin] *n.* 胰岛素(a hormone made by the pancreas)

【记】词根记忆：insul(岛)+in(素)→胰岛素

insurgent* [inˈsəːdʒənt] *adj.* 叛乱的，起事的 (rebellious)；*n.* 叛乱分子(a person engaged in insurgent activity)

【记】词根记忆：in(内部)+surge(浪涛；升起)+nt→内部起浪潮→叛乱的

【参】surge(*n.* 巨浪，汹涌)

insurrection [ˌinsəˈrekʃən] *n.* 造反，叛乱(rebellion; revolt)

【记】词根记忆：in(内部)+sur(下面)+rect(竖直，直)+ion→内部的下属站直了→造反

【同】rectitude(*n.* 正直)；resurrect(*v.* 复活)

intact* [inˈtækt] *adj.* 完整的，未动过的(unimpaired; complete)

【记】词根记忆：in(不)+tact(接触)→未接触过→完整的

【同】contact(*v.* 接触)；tactile(*adj.* 接触的)

【反】riven(*adj.* 被撕裂的)

intangible* [in'tændʒəbl] *adj.* 不可触摸的(incorporeal; impalpable)
【记】in(不)+tangible(可触摸的)→不可触摸的
【反】corporeal(*adj.* 物质的)

integral* ['intigrəl] *adj.* 构成整体所必需的 (necessary for completeness); 完整的(whole)
【反】superfluous(*adj.* 多余的)

integrate ['intigreit] *v.* 使成整体(to make whole or complete)
【记】词根记忆:integr(完整)+ate→完整化→使成整体
【同】integrity(*n.* 完整;正直);integrant(*adj.* 不可分割的)
【派】integration(*n.* 结合,综合)

integrity* [in'tegriti] *n.* 正直,诚实(honesty and sincerity);完整(entirety)
【反】incompleteness(*n.* 不完全)

intellect* ['intilekt] *n.* 智力,思维能力 (power of the mind to reason and acquire knowledge)
【记】词根记忆:intel(在…中间)+lect(选择)→在中间做选择的能力→智力

intellectual* [ˌinti'lektjuəl] *adj.* 智力的,理智的(of the intellect);*n.* 知识分子

intelligible* [in'telidʒəbl] *adj.* 可了解的,清晰的 (capable of being understood; comprehensible)
【记】词根记忆:intel(在…中间)+lig(选择)+ible→从中间选择出来的→可了解的
【同】intelligence(*n.* 智力,智慧);intellect(*n.* 智力,理解力)

intensify* [in'tensifai] *v.* 加剧(to cause to become more intense)
【记】来自 intense(*adj.* 强烈的)
【反】assuage(*v.* 缓和);abate(*v.* 减少)

intent* [in'tent] *adj.* 专心的,渴望的 (full of eager interest);*n.* 目的,意向(purpose)
【记】来自 intend(*v.* 打算)

intentional* [in'tenʃənl] *adj.* 存心的,故意的(on purpose)
【反】inadvertent(*adj.* 无意的)

inter* [in'təː] *v.* 埋葬(to put into a grave or tomb; bury)
【记】词根记忆:in(进入)+ter(=terr 泥土)→埋进泥土→埋葬
【同】terrain(*n.* 地形);subterranean(*adj.* 地下的)

interaction* [ˌintər'ækʃən] *n.* 相互作用 (影响)(reciprocal action or effect)
【记】词根记忆:inter (在…中间)+act(作用)+ion→相互作用

intercede* [ˌintə(ː)'siːd] *v.* 说好话,代为求情(to plead or make a request on behalf of another)
【记】词根记忆:inter (在…中间)+

intercede
他不是故意的

INTANGIBLE	INTEGRAL	INTEGRATE	INTEGRITY	INTELLECT
INTELLECTUAL	INTELLIGIBLE	INTENSIFY	INTENT	INTENTIONAL
INTER	INTERACTION	INTERCEDE		

cede（走）→ 走到中间（调停）→ 代为求情

【例】He *interceded* with the governor for me, and I was saved.（他代我向总督求情救了我。）

intercept [ˌintəˈsept] *v.* **中途拦截，截取**（to seize or stop on the way）

【记】词根记忆：inter（在…中间）+ cept（拿）→ 从中间拿 → 中途拦截

intercessor [ˌintəˈsesə] *n.* **仲裁者**（mediator）

【记】词根记忆：inter（在…中间）+ cess（走）+ or → 在双方之间来回走的人 → 仲裁者

interchangeable* [intəˈtʃeindʒəb(ə)l] *adj.* **可互换的**（capable of being interchanged）

【记】interchange（交换，互换）+ able → 能互换的

interdict [ˌintəˈdikt] *v.* **禁止**（to prohibit; forbid with authority）；**切断**（补给线）（to impede or hinder by firepower or bombing）

【记】词根记忆：inter（在…中间）+ dict（说）→ 在内部说（不准做）→ 禁止

interference* [ˌintəˈfiərəns] *n.* **干涉，妨碍**（interfering）

【反】assistance（*n.* 协助）

interim* [ˈintərim] *n.* **中间时期，过渡时期**（the period of time between）；*adj.* **暂时的**（temporary）

【记】词根记忆：inter（在…中间）+ im（名词后缀）→ 中间时期

【反】permanent（*adj.* 永久的）

interjection* [ˌintəˈdʒekʃən] *n.* **插入语**（sth. that is interjected）；**感叹词**（word used as an exclamation）

【记】来自 interject（*v.* 插入）

interlock [ˌintəˈlɔk] *v.* **连锁，连串**（to lock together）

【记】inter + lock（锁）→ 互相锁 → 连锁

interlocking* [ˌintə(ː)ˈlɔkiŋ] *adj.* **连锁的**

【反】independent（*adj.* 独立的）

interlude* [ˈintə(ː)ˌluːd] *n.*（活动间的）**暂时休息**（time between two events）

【记】词根记忆：inter（在…中间）+ lude（玩耍）→ 在玩闹中 → 暂时休息

intermediary [ˌintəˈmiːdiəri] *n.* **仲裁者**（mediator）；**中间物**（an intermediate form, product or stage）；*adj.* **中间的，媒介的**（acting as a mediator）

【记】词根记忆：inter + media（媒体）+ ry → 媒介的

interminable* [inˈtəːminəbl] *adj.* **无尽头的**（without end; lasting）

【记】词根记忆：in（不）+ termin（结束）+ able → 无尽头的

【同】termination（*n.* 结束，终止）；terminal（*n.* 终点站）

intermingle [ˌintə(ː)ˈmiŋgl] *v.* **混合，掺杂**（to mix together）

【记】inter + mingle（混合）→ 混合

intermission* [ˌintə(ː)ˈmiʃən] *n.* **暂停，间歇**（an interval of time）

【记】inter + mission（发送）→ 在发送之间 → 间歇

INTERCEPT	INTERCESSOR	INTERCHANGEABLE	INTERDICT	INTERFERENCE
INTERIM	INTERJECTION	INTERLOCK	INTERLOCKING	INTERLUDE
INTERMEDIARY	INTERMINABLE	INTERMINGLE	INTERMISSION	

intermittent* [ˌintə(ː)ˈmitənt] *adj.* 断断续续的，间歇的（periodic; recurrent; alternate）

【记】来自 intermit（*v.* 暂停，中断）

【反】perpetual（*adj.* 永久的）; constant（*adj.* 不断的）

intern* [inˈtəːn] *v.* 拘禁，软禁（to detain or confine）; *n.* 实习生

【记】来自 internal（*adj.* 内部的）→ 关在内部 → 拘禁

internecine [ˌintə(ː)ˈniːsain] *adj.* 内讧的，两败俱伤的（deadly or harmful to both sides of a group）

【记】词根记忆：inter（相互）+ nec（杀）+ ine → 互相杀 → 两败俱伤的

interplay [ˌintə(ː)ˈplei] *v.* / *n.* 相互影响（interaction; to interact）

interpolate* [inˈtəːpəuleit] *v.* 插入（to insert between or among others）; 篡改（to alter by putting in new words）

【记】词根记忆：inter（在…中间）+ pol（放）+ ate → 在中间放 → 插入；篡改

interpose [ˌintə(ː)ˈpəuz] *v.* 置于…之间（to place or put between）; 介入（to introduce by way of intervention）

【记】词根记忆：inter（在…中间）+ pose（放）→ 放入中间 → 介入

interregnum* [ˌintə(ː)ˈregnəm] *n.* 无王时期（an interval between two successive reigns when the country has no sovereign）

【记】词根记忆：inter（在…中间）+ reg（国王）+ num → 在两个国王统治之间的时期 → 无王时期

【同】regal（*adj.* 帝王的）

interrogate* [inˈterəgeit] *v.* 审问，审讯（to question formally and systematically）

【记】词根记忆：inter（在…中间）+ rog（问）+ ate → 在中间问 → 审问

【同】arrogate（*v.* 冒称；强做）; arrogant（*adj.* 傲慢的）

【派】interrogation（*n.* 讯问，审问）

interrogative [ˌintəˈrɔgətiv] *adj.* 疑问的（having the form or force of a question）

interrupt* [ˌintəˈrʌpt] *v.* 暂时中止（to break the continuity of sth. temporarily）; 打断，打扰（to stop sb. speaking or causing some other sort of disturbance）

【记】词根记忆：inter（在…中间）+ rupt（断裂）→ 在中间断裂 → 打断

intersect* [ˌintəˈsekt] *v.* 横截，横断（to divide into two parts; cut across）

【记】词根记忆：inter（在…中间）+ sect（切，割）→ 从中间切 → 横截

【同】dissect（*v.* 解剖）; section（*n.* 部分，断片）

【派】intersection（*n.* 横断；十字路口）

intersperse* [ˌintə(ː)ˈspəːs] *v.* 散布（to scatter）; 点缀（to decorate）

【记】词根记忆：inter（在…中间）+ sperse（散布）→ 在中间散布

INTERMITTENT	INTERN	INTERNECINE	INTERPLAY	INTERPOLATE
INTERPOSE	INTERREGNUM	INTERROGATE	INTERROGATIVE	INTERRUPT
INTERSECT	INTERSPERSE			

→点缀

【同】disperse（*v.* 驱散）；asperse（*v.* 诽谤）

intertwine [ˌintə(ː)ˈtwain] *v.* **纠缠，缠，绕**（to twine together）

【记】inter（在…中间）+twine（编）→在中间编织→纠缠

intervene* [ˌintəˈviːn] *v.* **干涉，介入**（to interfere with the outcome or course）

【记】词根记忆：inter（在…中间）+vene（来）→来到中间→干涉，介入

【派】intervention（*n.* 干涉）

intimate [ˈintimit] *adj.* **亲密的**（closely acquainted）；*n.* **密友**（an intimate friend or companion）；*v.* **暗示**（to hint or imply; suggest）

【记】词根记忆：intim（内部）+ate→内部关系→亲密的

intimidate [inˈtimideit] *v.* **恐吓**（to make timid）；**胁迫**（to compel by or as if by threats）

【记】词根记忆：in（使）+timid（害怕）+ate→使人害怕→恐吓

【派】intimidating（*adj.* 吓人的，令人惊恐的）；intimidation（*n.* 恐吓）

intoxicate [inˈtɔksikeit] *v.*（使）**沉醉**，（使）**欣喜若狂**（to excite sb. greatly）；（使）**喝醉**（to cause sb. to lose self-control as a result of the effects of the alcohol）

【记】词根记忆：in（进入）+toxic（有毒的）+ate→（像）中毒了一样→沉醉

intractable* [inˈtræktəbl] *adj.* **倔强的**（unruly or stubborn）；**难管的**（not easily managed）

【记】词根记忆：in（不）+tract（拉）+able→拉不动的→倔强的

intransigent* [inˈtrænsidʒənt] *adj.* **不妥协的**（uncompromising）

【记】联想记忆：in（不）+transigent（妥协的）→不妥协的

【反】open to compromise（寻求和解的）；tractable（*adj.* 易管教的）

intrepid* [inˈtrepid] *adj.* **无畏的，刚毅的**（characterized by fearlessness and fortitude）

【记】词根记忆：in（不）+trep（害怕）+id→不害怕→无畏的

【同】trepidation（*n.* 胆怯）

【反】timorous（*adj.* 胆怯的）；apprehensive（*adj.* 不安的）

intricacy* [ˈintrikəsi] *n.* **错综，复杂，纷乱**（quality of being intricate）

【记】词根记忆：in（进入）+tric（复杂）+acy→错综，复杂

intricate* [ˈintrikit] *adj.* **复杂难懂的**（complex, hard to follow or understand）

【记】词根记忆：in+tric（复杂）+ate→复杂难懂的

【同】extricate（*v.* 解救）；trick（*n.* 诡计）

【派】intricacy（*n.* 错综复杂）

intrigue [inˈtriːg] *v.* **密谋**（to plot or scheme secretly）；**引起极大兴趣**（to arouse the interest or curiosity of）

【记】词根记忆：in+trig（=tric 复杂）+ue→在复杂阴谋中→密谋

【反】pall（*v.* 使平淡无味）

INTERTWINE	INTERVENE	INTIMATE	INTIMIDATE	INTOXICATE
INTRACTABLE	INTRANSIGENT	INTREPID	INTRICACY	INTRICATE
INTRIGUE				

introspective [ˌintrəuˈspektiv] *adj.* 自省的 (characteristic of sb. who is inclined to introspect)
【记】来自 introspect (*v.* 内省，反省)

intrude* [inˈtruːd] *v.* 把(思想等)强加于；闯入 (to thrust or force in or upon someone or sth. esp. without permission or fitness)
【记】词根记忆：in (进入) + trude (突出) → 突进去 → 闯入
【同】extrude (*v.* 压出，逐出)

intuition* [ˌintju(ː)ˈiʃən] *n.* 直觉 (state of understanding things immediately)；由直觉获知的知识 (piece of knowledge gained by this power)
【记】来自 intuit (*v.* 由直觉知道)

intuitive* [inˈtju(ː)itiv] *adj.* 直觉的 (of intuition)

inundate* [ˈinəndeit] *v.* 淹没 (to cover or engulf with a flood)；泛滥 (to overwhelm with a great amount)
【记】词根记忆：in (进入) + und (波浪) + ate → 卷入波浪 → 淹没
【同】undulant (*adj.* 波浪形的)
【反】drain (*v.* 排水)

inured* [iˈnjuəd] *adj.* 习惯的 (accustomed; habituated)
【例】Though the food became no more palatable, he soon became sufficiently *inured* to it. (虽然食物变得不再可口，但他很快就彻底习惯了。)

invade* [inˈveid] *v.* 侵犯，侵入 (to enter a country or territory with armed forces)
【记】词根记忆：in (进入) + vade (走) → 走进 (其他国家) → 侵略

invective* [inˈvektiv] *n.* 猛烈抨击，痛骂 (a violent verbal attack; diatribe)
【记】词根记忆：in (进入) + vect (猛烈) + ive → 猛烈抨击
【反】laudatory speech (赞扬的演说)；laudatory words (赞扬之词)

inveigh [inˈvei] *v.* 痛骂，抨击 (to utter censure or invective)
【记】分拆联想：in (使) + veigh (看作 weigh 重量) → 重重地痛骂 → 痛骂，抨击
【反】verbally provide support (口头支持)

inveigle* [inˈviːgl] *v.* 诱骗，诱使 (to win with deception; lure)
【记】分拆联想：in + veigle (音似 veil 面纱) → 盖上面纱 → 诱骗
【反】request directly (直接要求)；openly seek to persuade (公开寻求说服)

inventory* [ˈinventəri] *n.* 详细目录 (a detailed, itemized list)；存货清单 (a detailed, itemized list; a list of goods on hand)
【记】词根记忆：in + vent (来) + ory → 对库存货物来清查 → 详细目录
【参】invent (*v.* 发明)；inventive (*adj.* 发明的)

INTROSPECTIVE	INTRUDE	INTUITION	INTUITIVE	INUNDATE
INURED	INVADE	INVECTIVE	INVEIGH	INVEIGLE
INVENTORY				

inverse [inˈvəːs] *adj.* 相反的（directly opposite）；倒转的（inverted）
【记】词根记忆：in（反）+ verse（转）→ 反转 → 相反的；倒转的

invert* [inˈvəːt] *v.* 上下倒置（to turn upside down）
【记】词根记忆：in（反）+ vert（转）→ 上下倒置

invertebrate [inˈvəːtibrit] *adj.* / *n.* 无脊椎的（动物）（[of]any type of animal lacking a spinal column）
【记】in（无）+ vertebrate（脊椎的）→ 无脊椎的

investigate* [inˈvestigeit] *v.* 调查（to examine in order to obtain the truth）
【记】分拆联想：in + vest（背心）+ i + gate（大门）→ 穿上背心出大门去调查

inveterate* [inˈvetərit] *adj.* 积习已深的（habitual；chronic）
【记】词根记忆：in（进入）+ veter（老）+ ate → 变老了 → 积习已深的
【同】veteran（*n.* 老兵）
【反】casual （*adj.* 偶然的）；occasional （*adj.* 偶然的）；uninitiated （*adj.* 无经验的）

invidious* [inˈvidiəs] *adj.* 惹人反感的，导致伤害和仇恨的，招人嫉妒的（tending to cause discontent, harm, animosity, or envy）
【记】词根记忆：in（不）+ vid（看）+ ious → 不看的 → 惹人反感的
【同】provident（*adj.* 有远见的）
【反】beneficial（*adj.* 有益的）

invigorate* [inˈvigəreit] *v.* 鼓舞，激励（to give life and energy to）
【记】词根记忆：in（使）+ vigor（活力）+ ate → 使有活力 → 鼓舞，激励
【反】debilitate（*v.* 使虚弱）；enervate（*v.* 削弱）；enfeeble（*v.* 削弱）

invigorating* [inˈvigəreitiŋ] *adj.* 使人有精神的，使人健壮的 （animating or stimulating；making sb. feel more lively and healthy）

inviolable [inˈvaiələbl] *adj.* 不可侵犯的 （incapable of being violated）；不可亵渎的（sacred）
【记】词根记忆：in（不）+ viol（违反，冒犯）+ able → 不可侵犯的
【同】violate（*v.* 冒犯）
【反】profane（*adj.* 亵渎的）；impure（*adj.* 不纯的）

invoke [inˈvəuk] *v.* 祈求；恳求（to implore；entreat）；（法律的）实施生效（to put a law into use）
【记】词根记忆：in（使）+ voke（喊，唤）→ 唤起来 → 祈求
【派】invocation（*n.* 祈祷）

involuntary* [inˈvɔləntəri] *adj.* 无意的（done without intention）
【记】词根记忆：in（无）+ volunt（意志）+ ary → 无意的

invulnerable* [inˈvʌlnərəbl] *adj.* 无法伤害的 （incapable of being wounded or injured）
【记】in（不）+ vulnerable（易受攻击的）→ 无法伤害的

INVERSE	INVERT	INVERTEBRATE	INVESTIGATE	INVETERATE
INVIDIOUS	INVIGORATE	INVIGORATING	INVIOLABLE	INVOKE
INVOLUNTARY	INVULNERABLE			

iodine* [ˈaiədiːn] *n.* 碘 (a halogen element obtained usu. as heavy shining blackish gray crystals); 碘酒 (a tincture of iodine)

iota* [aiˈəutə] *n.* 极小量, 极少 (a very small quantity)
【记】来自希腊语第九个字母, 相当于英语中的字母 i, 因其位置靠后而引申为微小

irascible* [iˈræsibl] *adj.* 易发怒的 (easily angered)
【记】词根记忆: i (坏) + rasc (摩擦) + ible → 一摩擦 (脾气) 就坏 → 易发怒的
【参】erase (*v.* 擦掉)
【反】affable (*adj.* 和蔼可亲的)

irate* [aiˈreit] *adj.* 发怒的 (angry; incensed)
【记】分拆联想: i (我) + rate (责骂) → 我被责骂了 → 发怒的

ire [ˈaiə] *n.* 愤怒 (anger); *v.* 激怒 (to make angry)
【记】联想记忆: 愤怒 (ire) 之火 (fire)
【反】mollify (*v.* 抚慰)

iridescent* [ˌiriˈdesnt] *adj.* 闪彩光的, 现晕光的 (showing shifting changes in color, as when seen from different angles)
【记】词根记忆: irid (=iris 虹光) + escent (开始…的) → 闪彩光的

irk* [əːk] *v.* 使苦恼, 厌烦 (annoy; disgust)
【记】发音记忆: "饿渴" → 又饿又渴, 当然苦恼厌烦
【反】make sb. pleased (使某人高兴)

irksome* [ˈəːksəm] *adj.* 令人苦恼的, 讨厌的 (tending to irk)
【记】irk (使苦恼) + some → 令人苦恼的

ironclad* [ˈaiənˌklæd] *adj.* 装铁甲的 (covered or protected with iron); 坚固的 (difficult to change or break)
【记】组合词: iron (铁) + clad (穿衣的) → 穿铁衣的 → 装铁甲的; 坚固的

ironic* [aiəˈrɔnik] *adj.* 挖苦的 (sarcastic); 出乎意料的 (directly opposite to what might be expected)

irony [ˈaiərəni] *n.* 反话 (the opposite of the literal meaning); 出人意料的事情或情况 (the opposite of what is expected)

irradicable* [iˈrædikəbl] *adj.* 不能根除的 (impossible to eradicate)

irreconcilable* [iˈrekənsailəbl] *adj.* 不能协调的, 矛盾的 (incompatible; conflicting)
【记】ir (不) + reconcilable (可调和的) → 不能协调的

irredeemable* [ˌiriˈdiːməbl] *adj.* 无法挽回的 (incapable of being remedied)
【记】ir (不) + redeem (挽回) + able → 无法挽回的

irreducible* [ˌiriˈdjuːsəbl] *adj.* 〔数〕不能约的 (incapable of being factored into polynomials of lower degree with coefficients in integral domain)
【反】factorable (*adj.* 能分解成因子的)

IODINE	IOTA	IRASCIBLE	IRATE	IRE
IRIDESCENT	IRK	IRKSOME	IRONCLAD	IRONIC
IRONY	IRRADICABLE	IRRECONCILABLE	IRREDEEMABLE	IRREDUCIBLE

irremediable [ˌiriˈmiːdiəbl] *adj.* 无法治愈的，无法纠正的 (incurable, not remediable)
【记】词根记忆：ir(不)+remediable(可挽回的，可治疗的)→无法治愈的

irrepressible* [ˌiriˈpresəbl] *adj.* 无法约束或阻止的 (incapable of being controlled)
【记】ir(不)+repressible(可镇压的)→无法约束或阻止的

irrevocable* [iˈrevəkəbl] *adj.* 无法取消的(not possible to revoke)
【记】词根记忆：ir(不)+revocable(可取消的)→无法取消的

irrigate* [ˈirigeit] *v.* 灌溉(to supply land with water)；冲洗伤口(to flush [a body part] with a stream of liquid)
【记】词根记忆：ir(进入)+rig(水)+ate→把水引进→灌溉

irritable* [ˈiritəbl] *adj.* 易怒的 (easily annoyed; fretful)；易受刺激的 (irascible; choleric)

irritate* [ˈiriteit] *v.* 激怒(to provoke anger)；刺激(to induce irritability in or of)
【记】词根记忆：irrit(痒)+ate→刺激
【派】irritating(*adj.* 恼人的，使人不愉快的)；irritant(*n.* 刺激物)
【反】balm(*n.* 安慰物，镇定剂)

isolate* [ˈaisəleit] *v.* 孤立，将…从其种群中隔离(to set apart from others)
【记】词根记忆：isol(岛)+ate→使成为孤岛→孤立
【反】group(*v.* 聚集)；amalgamate(*v.* 合并)

issue* [ˈisjuː] *v.* 出来，流出 (to go or flow out)；发给，分发 (to send out)；*n.* (书刊的)期
【反】withdraw(*v.* 撤回)

isthmus* [ˈisməs] *n.* 地峡(a narrow strip of land)
【记】希腊语，原意为“脖子”
【参】strait(*n.* 海峡)

itinerant [iˈtinərənt] *adj.* 巡回的，流动的(peripatetic; nomadic)
【记】词根记忆：it(走)+iner+ant→巡回的
【同】itinerary(*n.* 旅行计划)；itinerate(*v.* 巡回)

itinerary* [aiˈtinərəri] *n.* 行程表；旅行路线(proposed route of a journey)
【记】词根记忆：it(走)+iner(里面)+ary→在里面走→旅行路线

ivory* [ˈaivəri] *n.* 象牙，长牙(the tusks of elephants, walruses, etc.)

jabber* [ˈdʒæbə] *v.* 快而不清楚地说(to talk or say quickly and not clearly)
【记】发音记忆：“结巴”→快而不清楚地说
【反】speak slowly(慢慢地说)

jade [dʒeid] *n.* 疲惫的老马 (a broken-down horse)；玉，翡翠(gem; emerald)

jaded [ˈdʒeidid] *adj.* 疲惫的(wearied)；厌倦的(dull or satiated)

IRREMEDIABLE	IRREPRESSIBLE	IRREVOCABLE	IRRIGATE	IRRITABLE
IRRITATE	ISOLATE	ISSUE	ISTHMUS	ITINERANT
ITINERARY	IVORY	JABBER	JADE	JADED

jagged* [ˈdʒæɡid] *adj.* 锯齿状的，不整齐的（notched or ragged）
【记】jag（齿状）+ ged → 锯齿状的

jamb* [dʒæm] *n.* 门窗的侧柱（an upright piece or surface forming the side of a door, window）
【记】分拆联想：jam（果酱）+ b → 果酱抹在了门框上 → 门窗的侧柱

jar* [dʒɑː] *v.* 冲突，抵触（to clash）；震惊（to give a sudden shock）；发刺耳声（to strike sth. with a harsh sound）

jargon* [ˈdʒɑːɡən] *n.* 暗语（confused language）；行话（the technical terminology）
【记】分拆联想：jar（大罐）+ go（走）+（o）n（在…上）→ 大罐走在上面，这句话就很像一句暗语

jarring [ˈdʒɑːriŋ] *adj.* 声音刺耳的（of sounds that have a harsh or an unpleasant effect）

jaundice* [ˈdʒɔːndis] *n.* 偏见（state of mind in which one is jealous or suspicious）；黄疸

jaunt [dʒɔːnt] *n.* / *v.* 短程旅游（a short trip; to take a short trip for pleasure）

jaunty* [ˈdʒɔːnti] *adj.* 愉快的，满足的（gay and carefree；sprightly）
【记】来自 jaunt（*n.* 短途旅行）→ 旅行令人愉快
【反】staid（*adj.* 沉静的；呆板的）

jazz* [dʒæz] *n.* 爵士乐；喧闹（noise, clamour）

jealousy* [ˈdʒeləsi] *n.* 猜忌，嫉妒（the state of being jealous）
【记】来自 jealous（*adj.* 嫉妒的）

jeer* [dʒiə] *v.* 嘲笑（mock；taunt；scoff at）

jejune* [dʒiˈdʒuːn] *adj.* 空洞的（devoid of significance）；不成熟的（not mature）
【记】来自 jejun（*n.* 空肠）→ 空洞的
【反】thought-provoking（*adj.* 促人思考的）

jerk [dʒəːk] *n.* / *v.* 突然猛拉（a sudden abrupt motion; to pull with a sudden, sharp movement）

jeopardize* [ˈdʒepədaiz] *v.* 危及，危害（to endanger）
【记】jeopard（看作 leopard 豹）+ ize → 豹会危害人类生命 → 危害

jeopardy* [ˈdʒepədi] *n.* 危险（great danger；peril）

jest* [dʒest] *n.* / *v.* 说笑，玩笑（joke; to be playful in speech and actions）
【形】just（*adj.* 公正的）；vest（*n.* 背心）；zest（*n.* 强烈兴趣）
【反】solemnity（*n.* 严肃）

jettison [ˈdʒetisn] *v.*（船）向外抛弃东西（to cast overboard off）；*n.* 抛弃的货物（jetsam）
【记】来自 jet（*v.* 喷出）

JAGGED	JAMB	JAR	JARGON	JARRING	JAUNDICE
JAUNT	JAUNTY	JAZZ	JEALOUSY	JEER	JEJUNE
JERK	JEOPARDIZE	JEOPARDY	JEST	JETTISON	

jibe* [dʒaib] *v.* 与…一致，符合 (to be in harmony, agreement, or accord)
【反】conflict (*n.* / *v.* 冲突)

jigsaw puzzle [ˈdʒigsɔːˈpʌzl] *n.* 拼图游戏 (a puzzle consisting of small irregularly cut pieces that are to be fitted together to form a picture)

jingoism* [ˈdʒiŋgəuiz(ə)m] *n.* 沙文主义；侵略主义 (extreme chauvinism or nationalism marked esp. by a belligerent foreign policy)
【记】来自获得胜利后的呼喊 jingo

jockey* [ˈdʒɔki] *n.* 骑师；*v.* 用计谋获取 (to manoeuvre to gain an advantage)

jocular* [ˈdʒɔkjulə] *adj.* 滑稽的，诙谐的 (humorous)；嬉戏的 (playful)
【记】词根记忆：joc (=joke 笑话) + ular → 爱开玩笑的 → 诙谐的
【反】serious (*adj.* 严肃的)

jocund* [ˈdʒɔkənd] *adj.* 快乐的，高兴的 (cheerful; genial; gay)
【记】词根记忆：joc (=joke 玩笑) + und → 充满玩笑的 → 快乐的
【反】dreary (*adj.* 郁闷的)

jog* [dʒɔg] *v.* 慢而平静地前进 (to run in a slow, steady manner)

jolt* [dʒəult] *v.* 颠簸着移动 (to cause jerky movements)；*n.* 震动，摇晃 (jerk)

jot [dʒɔt] *v.* 摘要记录 (to write briefly or hurriedly)

jovial* [ˈdʒəuviəl] *adj.* 愉快的 (very cheerful and good-humored)
【反】mournful (*adj.* 悲哀的)；saturnine (*adj.* 阴郁的)；maudlin (*adj.* 感情脆弱的)

jubilation* [ˌdʒuːbiˈleiʃ(ə)n] *n.* 欢快，欢庆 (great joy)
【记】词根记忆：jubil (大叫) + ation → 高兴得大叫 → 欢快，欢庆

judicial [dʒu(ː)ˈdiʃəl] *adj.* 法庭的，法官的 (of law, courts, judges; judiciary)
【记】词根记忆：judic (判断) + ial → 判案的 → 法庭的

judicious* [dʒu(ː)ˈdiʃəs] *adj.* 有判断力的 (having or showing sound judgment)；明智的 (wise and careful)
【记】词根记忆：judic (判断) + ious → 有判断力的
【反】unwise (*adj.* 不明智的)；daft (*adj.* 愚蠢的)

juggernaut* [ˈdʒʌgənɔːt] *n.* 摧毁一切的强大力量 (a terrible, irresistible force)
【记】原指印度教主神，相传每年用巨车载其神像旅行时，善男信女们甘心投身死于轮下

jumble* [ˈdʒʌmbl] *v.* 混杂，掺杂 (to mix in disorder)；*n.* 混杂，掺杂 (a disorderly mixture)

JIBE	JIGSAWPUZZLE	JINGOISM	JOCKEY	JOCULAR
JOCUND	JOG	JOLT	JOT	JOVIAL
JUBILATION	JUDICIAL	JUDICIOUS	JUGGERNAUT	JUMBLE

Word List 22

junction* [ˈdʒʌŋkʃən] *n.* 交叉路口 (an intersection of roads); 连接 (an act of joining)

【记】词根记忆: junct (连接) + ion → 连接; 交叉路口

justifiable [ˈdʒʌstifaiəbl] *adj.* 有理由的, 无可非议的 (capable of being justified or defended as correct)

【记】来自 justify (*v.* 证明…正当)

justification* [ˌdʒʌstifiˈkeiʃ(ə)n] *n.* 正当理由, 好的 (正义的) 原因 (acceptable reason); 辩护 (as a defence)

【记】来自 justify (证明…正当)

justify* [ˈdʒʌstifai] *v.* 证明…正当 (to show that sb. / sth. is reasonable or just)

【反】argue against (反对)

juvenile [ˈdʒuːvinail] *adj.* 少年的, 似少年的 (of or like young persons)

【记】词根记忆: juven (年轻) + ile → 年轻的, 少年的

【同】rejuvenate (*v.* 返老还童)

juxtapose [ˈdʒʌkstəpəuz] *v.* 并排, 并置 (to put side by side or close together)

【记】词根记忆: juxta (接近) + pose (放) → 挨着放 → 并置, 并排

kaleidoscope [kəˈlaidəskəup] *n.* 万花筒 (a tube with mirrors and pieces of colored glass); 产生有趣的对称效果

【记】词根记忆: kaleido (=beautiful 美丽的) + scope (视野, 范围) → 能看到很多美丽的画面 → 万花筒

JUNCTION	JUSTIFIABLE	JUSTIFICATION	JUSTIFY	JUVENILE
JUXTAPOSE	KALEIDOSCOPE			

kangaroo [ˌkæŋɡəˈruː] *n.* 袋鼠

ken [ken] *n.* 视野范围 (perception); 知识范围

kennel [ˈkenl] *n.* 狗舍, 狗窝 (a doghouse)

【记】词根记忆: ken (=can 犬) + nel → 狗窝; 注意: 不要和 kernel (*n.* 核心) 相混

【参】canine (*adj.* 犬的)

kernel* [ˈkəːnl] *n.* 果仁; 核心 (the central; most important part; essence)

【记】词根记忆: kern (=corn 种子) + el → 核心

kidnap* [ˈkidnæp] *v.* 诱拐, 绑架, 勒赎 (to steal sb. away by force and illegally)

【记】分拆联想: kid (小孩) + nap (打盹儿) → 趁着大人打盹儿将小孩诱拐走

kidney* [ˈkidni] *n.* 肾 (one of a pair of vertebrate organs situated in the body cavity near the spinal column)

【记】分拆联想: kid (孩子) + ney → 贪吃的孩子爱吃腰子 → 肾

killjoy* [ˈkildʒɔi] *n.* 令人扫兴的人 (a person who intentionally spoils the pleasure of other people)

【记】组合词: kill (杀) + joy (欢乐) → 杀欢乐的人 → 令人扫兴的人

kin [kin] *n.* 亲属 (the members of one's family)

【派】kinship (*n.* 亲属关系)

kindle [ˈkindl] *v.* 着火, 点燃 (to set on fire; ignite)

【记】candle (*n.* 蜡烛) 的变体

【参】rekindle (*v.* 重新点燃)

kinetic* [kaiˈnetik] *adj.* 运动的 (of or resulting from motion)

【记】词根记忆: kine (动) + tic → 运动的

【同】kinescope (*n.* 显像管); kinematics (*n.* 运动学)

knack [næk] *n.* 特殊能力; 窍门 (a clever, expedient way of doing sth.)

【记】knock 的变体, 意为敲开脑袋 → 窍门

knave [neiv] *n.* 流氓, 恶棍 (an unprincipled and crafty fellow)

knead [niːd] *v.* 揉制, 捏制 (to mix and work into a uniform mass)

knit* [nit] *v.* 编织 (to make by joining woolen threads into a close network with needles); 密接, 结合 (to connect closely)

knotty [ˈnɔti] *adj.* 有节疤的 (having or full of knots); 困难的 (hard to solve or explain; puzzling)

【记】knot (结, 节疤) + ty → 有节疤的

【反】easy (*adj.* 容易的); simple (*adj.* 简单的)

know-how [ˈnəuhau] *n.* 专业技能, 知识 (practical ability or skill)

kudos [ˈkjuːdɔs] *n.* 荣誉 (fame and renown)

【记】发音记忆: "秋到" → 秋天到了是收获的季节 → 荣誉

□ KANGAROO	□ KEN	□ KENNEL	□ KERNEL	□ KIDNAP	□ KIDNEY
□ KILLJOY	□ KIN	□ KINDLE	□ KINETIC	□ KNACK	□ KNAVE
□ KNEAD	□ KNIT	□ KNOTTY	□ KNOW-HOW	□ KUDOS	

labile* [ˈleibail] *adj.* 不稳定的（open to change; unstable）
【反】stable（*adj.* 稳定的）

labored* [ˈleibəd] *adj.* 吃力的；（文体等）不自然的（not natural; strained）
【反】glib（*adj.* 口齿伶俐的）

labyrinth* [ˈlæbərinθ] *n.* 迷宫
【记】词根记忆：labyr（=labour 努力）+ inth（里面）→ 在里面努力 → 迷宫

lace* [leis] *n.* 鞋带，系带（a cord or leather strip）；网眼花边，透孔织品（a netlike decorative cloth made of fine thread）
【记】发音记忆："蕾丝" → 鞋带；花边

lacerate [ˈlæsəreit] *v.* 撕裂（to tear jaggedly）；深深伤害（to cause sharp mental or emotional pain to）
【记】词根记忆：lacer（撕）+ ate → 撕裂

lachrymose* [ˈlækriməus] *adj.* 好流泪的（inclined to shed a lot of tears）；引人落泪的（causing tears）
【记】词根记忆：lachrym（泪）+ ose → 好流泪的
【同】lachrymal（*adj.* 流泪的）；lachrymator（*n.* 催泪剂）

lackadaisical* [ˌlækəˈdeizikəl] *adj.* 无精打采的（listless; languid）；无兴趣的（showing lack of interest）
【记】分拆联想：lack（缺少）+ a + daisi（=daisy 第一流人物）+ cal → 缺少第一流人物让人无精打采 → 无精打采的

lackluster* [ˈlækˌlʌstə] *adj.* 无光泽的（lacking brightness）；呆滞的（dull）
【记】组合词：lack（缺少）+ luster（光泽）→ 无光泽的
【参】lustrous（*adj.* 有光泽的）
【反】radiant（*adj.* 明亮的）；refulgent（*adj.* 光辉灿烂的）

laconic* [ləˈkɔnik] *adj.* 简洁的（brief or terse in speech or expression; concise）
【记】来自古希腊王国 Laconia（拉哥尼亚），该国人以说话简洁而闻名
【反】garrulous（*adj.* 多嘴的）；verbose（*adj.* 冗长的）；loquacious（*adj.* 多话的）；voluble（*adj.* 多话的）

lactic [ˈlæktik] *adj.* 乳汁的（of or relating to milk）
【记】词根记忆：lact（乳）+ ic → 乳汁的
【同】lactate（*v.* 分泌乳汁）；lactogenic（*adj.* 催乳的）

lag* [læg] *v.* 落后，滞留（to move or develop more slowly than others）
【反】forge ahead（稳步前进）

lair* [leə] *n.* 野兽的巢穴（a resting place of a wild animal）；躲藏处

laity* [ˈleiiti] *n.* 俗信徒，俗人阶级；外行（layman）
【记】词根记忆：la（=lay 世俗的，外行的）+ ity → 俗信徒；外行
【参】layman（*n.* 俗人；外行）

lambaste* [læmˈbeist] *v.* 痛打（to beat soundly）；痛骂（to scold or denounce severely）

LABILE	LABORED	LABYRINTH	LACE	LACERATE
LACHRYMOSE	LACKADAISICAL	LACKLUSTER	LACONIC	LACTIC
LAG	LAIR	LAITY	LAMBASTE	

【记】组合词：lam（鞭打）+ baste（狠揍）→ 用鞭子狠揍 → 痛打
【参】baste（*v.* 狠揍）
【反】extol（*v.* 赞美）

lament* [ləˈment] *n.* / *v.* 悲伤；哀悼（grief, sorrow; to grieve, to express deep sorrow for; to mourn）
【派】lamentation（*n.* 悲伤，哀悼）

lampoon* [læmˈpuːn] *n.* 讽刺文章（a broad satirical piece of writing）；*v.* 讽刺（to ridicule or satirize）
【记】词根记忆：lamp（灯）+ oon → 用灯照别人的缺点 → 讽刺
【派】lampooner（*n.* 讽刺作家）
【反】paean（*n.* 赞歌）

lance [lɑːns] *n.* 长矛（long spear）；鱼叉（fish spear）

lancet* [ˈlɑːnsit] *n.* 手术刀（a sharp-pointed surgical instrument used to make small incisions）
【记】分拆联想：lance（长矛）+ t → t 像一把短的手术刀

landfill [ˈlændfil] *n.* 垃圾堆（an area where waste is buried）

landlocked [ˈlændlɔkt] *adj.* 被陆地包围的（entirely surrounded by land）
【记】组合词：land（地）+ locked（锁起来的）→ 被陆地包围的

landmark* [ˈlændmɑːk] *n.* 陆标（an object [as a stone or tree] that marks the boundary of land）；里程碑（an important point in developing process）
【记】组合词：land（陆地）+ mark（标志）→ 陆标

landslide* [ˈlændslaid] *n.* 山崩（a slide of a large mass of dirt and rock down a moutain or cliff）；压倒性的胜利（overwhelming victory）
【记】组合词：land（地）+ slide（滑行）→ 地向下滑 → 山崩

languid* [ˈlæŋgwid] *adj.* 没精打采的，倦怠的（listless; without vigor）
【记】发音记忆："懒鬼的" → 没精打采的，倦怠的
【反】energetic（*adj.* 精力充沛的）；vivacious（*adj.* 活泼的）

languish* [ˈlæŋgwiʃ] *v.* 变得消瘦；衰弱（to lose vigor or vitality）
【记】词根记忆：langu（松弛，倦怠）+ ish → 衰弱
【反】thrive（*v.* 茁壮成长）
【例】She *languished* for his love and gave him languishing looks.（她因爱他而憔悴不堪并用哀怨的眼神看着他。）

languor* [ˈlæŋgə] *n.* 身心疲惫（lack of vigor or vitality; weakness）
【记】词根记忆：langu（松弛，倦怠）+ or → 身心疲惫

lank [læŋk] *adj.* 瘦削的（long and thin; slender）；长而软的（hanging straight and limp）
【反】stalwart（*adj.* 坚定的）

lap [læp] *v.* 舔食（to drink by taking up with quick movements of the tongue）

lapse* [læps] *n.* 失误（small error; fault）；（时间等）流逝（a gliding or passing away of time）

LAMENT	LAMPOON	LANCE	LANCET	LANDFILL
LANDLOCKED	LANDMARK	LANDSLIDE	LANGUID	LANGUISH
LANGUOR	LANK	LAP	LAPSE	

【记】lapse of time 时间流逝

【参】relapse（*n.* 病的复发）; elapse（*v.* 消逝，〔时间〕过去）

larder* [ˈlɑːdə] *n.* 食品室（a place where food is stored; pantry）

【记】来自 lard（*n.* 猪油），原指放猪油的地方

largess [ˈlɑːdʒes] *n.* 赠送，赏赐（generous giving of money or gifts）; 赠品；贺礼（money or gifts given in this way）

【记】分拆联想：large（大的）+ ss → 大方 → 赠送；赠品

lark* [lɑːk] *v.* 玩乐，嬉耍（to play or frolic; have a merry time）

【记】联想记忆：在公园（park）玩乐（lark）; 原义为"百灵鸟"

larva [ˈlɑːvə] *n.*（昆虫的）幼虫

【记】发音记忆：读音近似于"lover" → 幼虫是两条虫子爱情的结晶

lash [læʃ] *n.* 鞭子（whip）; *v.* 鞭打；捆住（to secure or bind）

【反】unbind（*v.* 解放，解开）

lassitude* [ˈlæsitjuːd] *n.* 无力（weariness）; 没精打采（listlessness）

【记】联想记忆：lassi（看作 lassie 少女）+ tude → 少女状态 → 无力；没精打采

【反】a feeling of vigor（精力充沛的感觉）; vim（*n.* 活力）; animation（*n.* 活泼）

lasso* [ˈlæsəu] *n.*（捕捉牛、马用的）套索（a long rope used to catch cattle or wild horses）

【记】谐音记忆："拉索" → 套索

lasting* [ˈlɑːstiŋ] *adj.* 持久的，永久的（continuing for a long time）

【反】evanescent（*adj.* 短暂易逝的）

latency* [ˈleitənsi] *n.* 潜伏期（latent period）

latent* [ˈleitənt] *adj.* 潜伏的（present but invisible; dormant; quiescent）

【记】分拆联想：late（晚）+ nt（看作 hint 提示）→ 晚到的提示 → 潜伏的

lateral* [ˈlætərəl] *adj.* 侧面的（of, at, from, or towards the side）

【记】词根记忆：later（侧面）+ al → 侧面的

latitude [ˈlætitjuːd] *n.* 言行自由（freedom of opinion, conduct, or action）; 纬度（an imaginary line around the Earth parallel to the equator）

【记】词根记忆：lati（阔）+ tude → 纬度

【同】latifoliate（*adj.* 阔叶的）

lattice* [ˈlætis] *n.*（做篱笆或爬藤架等的）格子架（a frame of crossed strips of wood or iron）

【记】分拆联想：l + attic（阁楼）+ e → 在阁楼边做上格子架

laud* [lɔːd] *v.* 称赞（to praise; extol）

lava* [ˈlɑːvə] *n.* 熔岩（molten rock that reaches the earth's surface through a volcano or fissure）

【记】注意不要和 larva（*n.* 幼虫）相混

LARDER	LARGESS	LARK	LARVA	LASH
LASSITUDE	LASSO	LASTING	LATENCY	LATENT
LATERAL	LATITUDE	LATTICE	LAUD	LAVA

lave* [leiv] *v.* 洗浴 (to wash or bathe); 慢慢冲刷 (to flow along or against)
【记】词根记忆: lav (洗) + e → 洗浴
【同】lavatory (*n.* 厕所; 洗手盆); lavish (*adj.* 浪费的)

lavish* [ˈlæviʃ] *adj.* 浪费的 (expending profusely); 丰富的 (profuse)
【反】mean (*adj.* 简陋的); penurious (*adj.* 缺乏的); stint (*v.* 节约)

laxative* [ˈlæksətiv] *adj.* (药) 通便的; 放松的; *n.* 轻泻药 (any laxative medicine)
【记】词根记忆: lax (松) + ative → 放松的; 轻泻药

leak* [liːk] *v.* 泄漏 (to enter or escape through an opening usu. by a fault or mistake); *n.* 泄漏; 漏出量, 漏洞 (hole, crack, etc. through which liquid or gas may wrongly get in or out)

leakage* [ˈliːkidʒ] *n.* 渗漏, 漏出 (leaking)
【记】leak (漏) + age → 渗漏
【参】leakproof (*adj.* 防漏的; 保密的)

lease [liːs] *n.* 租约 (a rental contract); 租期; *v.* 出租 (to rent a property to someone)
【记】分拆联想: l + ease (安心) → 有了租约所以安心 → 租约

leaven* [ˈlevən] *n.* 发酵剂 (a substance used to produce fermentation in dough or a liquid); 影响力; *v.* 发酵 (to raise with a leaven); 影响
【记】分拆联想: leave (离开) + n → 离开旧的状态 → 发酵; 和heaven (天堂) 一起记

lectern* [ˈlektə(ː)n] *n.* 教堂里的读经台 (a stand from which scripture lessons are read in a church service)
【记】和 lecture (演讲, 说教) 一起记, 在读经台 (lectern) 上说教 (lecture)

ledger* [ˈledʒə] *n.* 账簿 (a book holding records of business transaction)
【记】分拆联想: l + edge (边) + r → 旁边放上一本账 → 账簿

leer* [liə] *v.* 斜眼看, 送秋波 (to have a sly, sidelong look)
【例】He is *leering* at his neighbor's pretty young wife. (他对邻居的漂亮老婆暗送秋波。)

leery [ˈliəri] *adj.* 机警的 (wary; cautious); 怀疑的 (suspicious)
【记】来自 leer (*v.* 送秋波); 你送秋波 (leer), 我怀疑 (leery) 你的动机

legacy* [ˈlegəsi] *n.* 遗产 (bequest); 遗留之物
【记】来自 legate (*v.* 把…遗赠给)

legend* [ˈledʒənd] *n.* 地图里的说明文字或图例 (an explanatory list of the symbols on a map)
【记】legend 作为"传说"一词人所共知

LAVE	LAVISH	LAXATIVE	LEAK	LEAKAGE
LEASE	LEAVEN	LECTERN	LEDGER	LEER
LEERY	LEGACY	LEGEND		

legerdemain [ˌledʒədəˈmein] *n.* 手法（sleight of hand）；戏法（tricks of a stage magician）
【记】来自法语 leger de main=light of hand → 手轻巧 → 手法，花招
【参】legerity（*n.* 轻巧，灵敏）

legion [ˈliːdʒən] *n.* 兵团（a large group of soldiers; army）；一大群
【记】词根记忆：leg（=lect 选择）+ ion → 选出的团队 → 兵团

legislate [ˈledʒisˌleit] *v.* 制定法律（to make or pass a law）
【记】词根记忆：legisl（法律）+ ate → 制定法律

legitimate* [liˈdʒitimit] *adj.* 合法的（lawful）；正当的（reasonable; legal）
【记】词根记忆：legitim（合法）+ ate → 合法的
【参】legitimize（*v.* 使…合法，正式批准）

leisureliness* [leˈʒəlinis] *n.* 悠然，从容
【记】来自 leisurely（*adj.* 悠然的）
【反】dispatch（*n.* 迅速）

leniency* [ˈliːniənsi] *n.* 温和，宽容（gentility）
【记】词根记忆：len（软）+ i + ency → 温和

lenient [ˈliːnjənt] *adj.* 宽大的（not harsh or severe）；仁慈的（merciful, clement）
【同】lenitive（*adj.* 缓和的）；lento（*adj.*〔音〕缓慢的）
【派】lenience（*n.* 宽大，温和）

lethal* [ˈliːθəl] *adj.* 致命的（fatal or deadly）
【记】词根记忆：leth（死，僵）+ al → 致命的
【同】lethality（*n.* 致死性）；lethargy（*n.* 昏睡）

lethargic* [leˈθɑːdʒik] *adj.* 昏睡的（of, relating to, or characterized by lethargy）

lethargy* [ˈleθədʒi] *n.* 昏睡（abnormal drowsiness）；倦怠（the state of being sleepy or unnaturally tired）；呆滞懒散（the state of being lazy, sluggish）
【记】词根记忆：leth（死）+ argy → 像死一样睡 → 昏睡
【反】vigor（*n.* 活力）

levee* [ˈlevi] *n.* 防洪堤（an embankment）；堤岸（bank of a river）
【记】注意不要和 lever（*n.* 杠杆）相混

levelheaded [ˈlevəlˈhedid] *adj.* 头脑冷静的，稳健的（self-composed and sensible）
【记】组合词：level（平坦的）+ head（头脑）+ ed → 大脑平坦 → 头脑冷静的
【反】foolish（*adj.* 愚蠢的）

lever* [ˈliːvə] *n.* 杠杆（a rigid bar pivoted about a fulcrum）；*v.* 撬动（to move with a lever）

levity* [ˈleviti] *n.* 轻率（lack of seriousness）；轻浮（flippancy）
【记】词根记忆：lev（升起）+ ity → 升起状态 → 轻浮
【反】seriousness（*n.* 严肃）；gravity（*n.* 庄重）

LEGERDEMAIN	LEGION	LEGISLATE	LEGITIMATE	LEISURELINESS
LENIENCY	LENIENT	LETHAL	LETHARGIC	LETHARGY
LEVEE	LEVELHEADED	LEVER	LEVITY	

levy* [ˈlevi] *n.* / *v.* 征税 (a charge imposed and collected; to impose a tax); 征兵 (the act of drafting into military service; to draft into military service)
【记】词根记忆：lev (升起) + y → 把税收起来 → 征税
【反】rescind (*v.* 废除〔税收〕)

lexicographer [ˌleksiˈkɔgrəfə] *n.* 词典编纂人 (a person who writes or compiles a dictionary)
【记】lexico (n) (词典) + graph (写) + er → 写词典的人 → 词典编纂人

liability* [ˌlaiəˈbiliti] *n.* 责任 (the state of being liable); 债务 (obligation; debt)
【记】分拆联想：li (看作 lie 躺) + ability → 躺的能力 → 躺在人身上的债务 → 债务
【反】asset (*n.* 资产); immunity (*n.* 免债务)

liaison* [li (ː) ˈeizən] *n.* 联系 (a close bond or connection); 暧昧关系 (an illicit love affair)
【记】词根记忆：lia (捆) + ison → 捆在一起 → 联系
【参】liana (*n.* 藤本植物)

libel* [ˈlaibəl] *n.* / *v.* (文字) 诽谤，中伤 (a false and demanding statement; to print slanderous statements against)
【记】词根记忆：lib (文字) + el → (用文字) 诽谤；注意：请不要和 label (标签) 相混
【同】slander (*n.* / *v.* 口头诽谤)

liberality* [ˌlibəˈræliti] *n.* 慷慨 (generosity); 心胸开阔 (quality of being tolerant and open-minded)
【记】来自 liberal (*adj.* 慷慨的，开明的), liber (自由) + al
【同】liberate (解放); libertine (*n.* 浪荡的人)

liberate* [ˈlibə (ː) reit] *v.* 释放，解放 (to set free)
【记】词根记忆：liber (自由) + ate → 释放，解放
【反】incarcerate (*v.* 监禁); fetter (*v.* 束缚)

libertine* [ˈlibə(ː)tiːn] *n.* 性行为放纵者，浪荡的人 (a man who leads an unrestrained, sexually immoral life)
【记】词根记忆：liber (自由) + tine → 自由人 → 浪荡的人
【反】ascetic (*n.* 禁欲者)

liberty* [ˈlibəti] *n.* 随意，冒失 (too much freedom in speech or behavior)
【记】词根记忆：liber (自由) + ty → 自由，随意

libretto* [liˈbretəu] *n.* (歌剧等的) 歌词 (the words of an opera, etc.); 剧本
【记】词根记忆：libre (书) + tto → 剧本

license* [ˈlaisəns] *n.* 放肆；自由 (freedom); 许可证，执照 (a document that proves that someone has permission to do or own sth.)
【记】原指政府等的许可或许可证，licen (允许) + se → 许可证
【同】licensure (*n.* 许可证); licentious (*adj.* 放荡的)

LEVY	LEXICOGRAPHER	LIABILITY	LIAISON	LIBEL
LIBERALITY	LIBERATE	LIBERTINE	LIBERTY	LIBRETTO
LICENSE				

licentious [lai'senʃəs] **纵欲的**（lascivious）；**放肆的**（marked by disregard for strict rules of correctness）

【记】词根记忆：licent（放荡）+ious → 纵欲的；放肆的

lien* ['li(ː)ən] *n.* **扣押权**（the security interest created by a mortgage）；**留置权**（a charge upon real or personal property for the satisfaction of some debt or duty ordinarily arising by operation of law）

【记】分拆联想：lie（躺着）+n（看作 in）→ 使东西躺在里面 → 把东西扣押 → 扣押权

ligneous ['ligniəs] *adj.* **木质的，木头的**（having the nature of wood；woody）

【记】词根记忆：lign（木头）+eous → 木质的

【同】lignum（*n.* 木材）；lignify（*v.* 木质化）

liken* ['laikən] *v.* **把…比作…**（to compare... to...）

limb* [lim] *n.* **肢**（手或脚），**翼**（an arm, leg, or wing）

【形】limp（*adj.* 松软的）；limn（*v.* 描绘）

limber* ['limbə] *adj.* **易弯曲的，敏捷的**（easilybent; flexible）

【记】limb（肢）+er → 像四肢一样易弯曲的 → 易弯曲的

limerick* ['limərik] *n.* **五行打油诗**（a nonsense poem of five anapestic lines）

【记】源自爱尔兰一首歌曲中连唱五遍的叠句：Will you come up to Limerick?（Limerick 为城市名）

limestone* ['laimstəun] *n.* **石灰岩**（a type of rock）

【记】组合词：lime（石灰）+stone（石头）→ 石灰岩

limn* [lim] *v.* **描写**（to describe）；**画**（to paint or draw）

limousine* ['liməziːn] *n.* **大型轿车，大客车**（a large and usu. luxurious car）

【记】原指法国牧羊人披的斗篷

limp* [limp] *v.* **跛行**（to walk lamely）；*adj.* **软弱的**（flaccid）；**松软的**（drooping）

【反】firm（*adj.* 坚固的）

limpid* ['limpid] *adj.* **清澈的**（perfectly clear）；**透明的**（transparent）

【反】turbid（*adj.* 混浊的）；murky（*adj.* 混浊的）

lineage ['liniidʒ] *n.* **宗系，血统**（ancestry）

【记】分拆联想：line（线）+age（年龄）→ 各年龄的人像线一样经络分明 → 宗系，血统

linen* ['linin] *n.* **亚麻织品，亚麻布**（cloth made from the plant flax）

【记】联想记忆：line（线）+n → 亚麻织品

LICENTIOUS	LIEN	LIGNEOUS	LIKEN	LIMB
LIMBER	LIMERICK	LIMESTONE	LIMN	LIMOUSINE
LIMP	LIMPID	LINEAGE	LINEN	

linger* [ˈliŋgə] *v.* **逗留，留恋**（to continue to stay）
【记】ling（可能来自 length 长度）+ er → 拉长（时间）→ 逗留

linguistics* [liŋˈgwistiks] *n.* **语言学**（the science of language）
【同】bilingual（*adj.* 双语言的）

lionize* [ˈlaiənaiz] *v.* **崇拜，看重** （to treat as an object of great interest or importance）
【记】分拆联想：lion（狮子）+ ize → 把人看作狮子 → 崇拜

liquefy* [ˈlikwifai] *v.* （使）**液化**，（使）**溶解** （to make or become liquid; melt）
【记】词根记忆：liqu（液体）+ efy → 液化
【同】liquid（*n.* 液体）；liquor（*n.* 酒精饮料）

liquid* [ˈlikwid] *adj.* **清澈的**（clear and clean, like water）
【记】联想记忆：liqu（液体）+ id → 像液体一样 → 清澈的

liquidate* [ˈlikwideit] *v.* **清算**（to settle the affairs of a business by disposing of its assets and liabilities）；**清偿**（to pay or settle a debt）
【记】liquid（清澈的）+ ate → 弄清 → 清算；清偿
【派】liquidation（*n.* 清算；停止营业）

lissome [ˈlisəm] *adj.* **姿态优雅的，柔软的**（lithe; supple; limber）
【记】词根记忆：liss（=smooth 光滑的）+ ome →体态光滑→柔软的

list* [list] *n.* / *v.* **倾斜**（tilt; to tilt to one side）
【记】list 意义很多，常考的有"名单，列表；倾侧；愿望"
【反】be upright（直立）

listless* [ˈlistlis] *adj.* **无精打采的**（spiritless; languid）
【记】分拆联想：list（名单）+ less → 榜上无名所以没精打采

literal* [ˈlitərəl] *adj.* **字面上的**（according with the letter of the scriptures）；**忠实原义的** （adhering to fact or to the ordinary construction or primary meaning）；**精确的**（accurate）
【记】词根记忆：liter（文字）+ al → 字面上的
【同】literacy（*n.* 识字）；literary（*adj.* 文学上的）

literate* [ˈlitərit] *adj.* **有读写能力的** （able to read and write）；**有文化修养的**（educated, cultured）
【记】词根记忆：liter（文字）+ ate → 有读写能力的

literati* [ˌlitəˈrɑːti] *n.* **文人；学者**［复］（scholarly or learned people）
【记】来自单数 literatus（*n.* 文人）

lithe [laið] *adj.* **柔软的，易弯曲的** （easily bent）；**敏捷的，轻快的**（flexible）
【记】词根记忆：lith（石头）+ e → 石头的反义 → 柔软的，易弯曲的
【参】blithe（*adj.* 欢乐的，轻快的）

litigant* [ˈlitigənt] *n.* **诉讼当事人**（a party to a lawsuit）
【记】词根记忆：litig（打官司）+ ant → 打官司的人 → 诉讼当事人
【同】litigate（*v.* 提出诉讼）；litigious（*adj.* 好诉讼的）

LINGER	LINGUISTICS	LIONIZE	LIQUEFY	LIQUID
LIQUIDATE	LISSOME	LIST	LISTLESS	LITERAL
LITERATE	LITERATI	LITHE	LITIGANT	

litigation [ˌliti'geiʃən] *n.* 诉讼 (the process of making and defending claims in a court)
【记】词根记忆: litig (打官司) + ation → 诉讼

litter ['litə] *n.* 垃圾 (bits of rubbish); 一窝 (动物) (the offspring at one birth of a multiparous animal)

loaf [ləuf] *n.* 一条 (面包); *v.* 虚度光阴 (to idle; to dawdle)
【例】He was fired when he *loafed* on the job. (他因工作不认真而被开除了。)

loathe [ləuð] *v.* 憎恨, 厌恶 (abhor; detest; hate)
【记】来自 loath (*adj.* 不愿意的, 厌恶的); 分拆联想: l (看作 leave) + oath (誓言) + e → 发誓离开 → 憎恨

lobby* ['lɔbi] *n.* 大厅, 休息厅 (a hall or large anteroom)
【形】hobby (*n.* 业余爱好)

lobe [ləub] *n.* 耳垂; (肺、肝等的) 叶
【形】lope (*n.* / *v.* 大步慢跑)

locale [ləu'kɑːl] *n.* 事件发生的现场、地点 (a place with reference to a particular event)
【记】词根记忆: loc (地方) + ale → 事发地
【同】locality (*n.* 地点, 地区); collocate (*v.* 排列, 组合)

locomotion [ˌləukə'məuʃ(ə)n] *n.* 运动, 移动 (motion from one place to another)
【记】词根记忆: loco (地方) + mot (动) + ion → 从一个地方移动到另一个地方 → 移动

locomotive* [ˌləukə'məutiv] *adj.* 移动的 (of or relating to locomotion); *n.* 机车, 火车头 (a train engine)

locus ['ləukəs] *n.* 地点, 所在地 (site; location)
【记】词根记忆: loc (地方) + us → 我们的所在地 → 所在地

lode [ləud] *n.* 矿脉 (metal bearing vein)
【形】lobe (*n.* 耳垂); lope (*v.* 大步慢跑)

lofty* ['lɔ(ː)fti] *adj.* 崇高的, 高尚的 (noble; sublime)

log* [lɔg] *n.* / *v.* 日志, 记录 (a daily record; enter into a log, as on ships and planes); *n.* 一段大木头; 圆木 (a segment of the trunk of a tree)

logistics* [lə'dʒistiks] *n.* 后勤学; 后勤 (the management of the details of an operation)
【记】词根记忆: log (言语, 思维) + istics → 原指"逻辑计算", 引申为"后勤学"
【同】logic (*n.* 逻辑学); logocentric (*adj.* 以理性为中心的)

loll* [lɔl] *v.* 懒洋洋地坐或卧 (to sit or lie in a very lazy and relaxed way)
【形】lull (*n.* / *v.* [使] 安静)
【反】move vigorously (充满活力地走动)

longevity* [lɔŋ'dʒeviti] *n.* 长寿 (long life; great span of life)
【记】词根记忆: long (长) + ev (时间) + ity → 活得时间长 →

LITIGATION	LITTER	LOAF	LOATHE	LOBBY	LOBE
LOCALE	LOCOMOTION	LOCOMOTIVE	LOCUS	LODE	LOFTY
LOG	LOGISTICS	LOLL	LONGEVITY		

长寿

【同】medieval（*adj.* 中世纪的）；primeval（*adj.* 原始的）

longing* [ˈlɔŋiŋ] *n.* **渴望**（a strong desire esp. for sth. unattainable）

【记】来自 long（*v.* 渴望）

long-winded* [ˌlɔŋˈwindid] *adj.* **冗长的**（too long in speaking or writing）

【记】组合词：long（长）+ wind（绕，缠）+ ed → 冗长的

loom* [luːm] *n.* **织布机**（a textile machine for weaving yarn into a textile）；*v.*（威胁性）**隐约出现**（to come into view in a massive and indistinct image）

【记】和 room 一起记，sth. loomed in a room（某物于房间里隐约出现）

loon [luːn] *n.* **愚人**（a clumsy, stupid person）；**疯子**（a crazy person）

【形】loom（*n.* 织布机）；loop（*n.* 圈，环）；loot（*n.* 战利品）

loop [luːp] *n.* **圈，金属线圈**（a piece of string, wire, etc. with a round or oval shape）

loophole [ˈluːphəul] *n.* **枪眼，小窗，换气孔**（narrow opening on the wall of a fort, etc. for shooting through or to let light and air in）

【记】组合词：loop（圈，环）+ hole（洞）→ 枪眼

loosen* [ˈluːsn] *v.* **变松，松开**（to become less firmed or fixed）

【反】tauten（*v.* 拉紧）

lope* [ləup] *n.* **轻快的步伐**（a long, easy, swinging stride）；*v.* **使大步慢跑**（to run with a steady, easy gait）

【记】注意不要和 lobe（*n.* 耳垂）相混

【参】elope（*v.* 私奔）

lopsided [lɔpˈsaidid] *adj.* **倾向一方的，不平衡的**（lacking in symmetry or balance or proportion）

loquacious* [ləuˈkweiʃəs] *adj.* **多嘴的，饶舌的**（very talkative；fond of talking）

【记】词根记忆：loqu（话语）+ acious（多…的）→ 多嘴的

【同】eloquence（*n.* 口才，雄辩）

【反】taciturn（*adj.* 沉默寡言的）

lot [lɔt] *n.* **签**（an object used as a counter）；**命运**（a person's destiny）；*v.* **抽签，划分**（to divide into lots）

lottery* [ˈlɔtəri] *n.* **彩票，抽彩给奖法**（a game of chance）

【记】来自意大利语 lotto，指一种抽数码的赌博游戏

lounge* [laundʒ] *v.* **懒散地斜靠**（to act or move idly or lazily）；*n.* **休息室**（a room [as in a hotel or airport] with seating where people can wait）

loutish* [ˈlautiʃ] *adj.* **粗鲁的**（rough and rude）

【记】词根记忆：lout（蠢人，笨人）+ ish → 粗鲁的

low* [ləu] *v.* **牛叫**（of cattle to make a characteristic deep sound）

loyal* [ˈlɔiəl] *adj.* **忠诚的，忠贞的，忠心的**（true and faithful）

【记】联想记忆：对皇家的（royal）事情是忠诚的（loyal）

LONGING	LONG-WINDED	LOOM	LOON	LOOP	LOOPHOLE
LOOSEN	LOPE	LOPSIDED	LOQUACIOUS	LOT	LOTTERY
LOUNGE	LOUTISH	LOW	LOYAL		

Word List 23

lubricant* [ˈluːbrikənt] *n.* 润滑剂 (a substance for reducing friction)
【记】词根记忆：lubric (光滑) + ant → 润滑剂

lubricate* [ˈluːbrikeit] *v.* 润滑 (to make slippery or smooth)

lucid* [ˈluːsid] *adj.* 表达清楚的，明白易懂的 (well expressed and easy to understand)
【记】词根记忆：luc (光) + id → 很光滑的 → 表达清楚的
【派】lucidity (*n.* 清晰，明白)
【反】vague (*adj.* 模糊的)；murky (*adj.* 难懂的)

lucrative [ˈluːkrətiv] *adj.* 赚钱的，有利可图的 (profitable; remunerative)
【记】词根记忆：lucr (看作 lucre 钱财) + ative → 赚钱的

ludicrous [ˈluːdikrəs] *adj.* 荒唐可笑的 (so foolish as to cause disrespectful laughter)
【记】词根记忆：lud (玩) + icrous → 闹着玩的 → 荒唐可笑的

lug [lʌg] *n.* / *v.* 拖，拉 (the act of lugging; to drag or carry with great effort)

lukewarm [ˈljuːkwɔːm] *adj.* 微温的，不热心的 (not very warm or enthusiastic)
【记】词根记忆：luke (=tepid 微温) + warm (温) → 微温的

lull* [lʌl] *n.* 活动的暂停 (a temporary pause or decline in activity)；*v.* 使平静 (to soothe or calm)
【反】increased activity (增加的活动)；goad (*v.* 刺激)；startle (*v.* 使吃惊)

lullaby* [ˈlʌləbai] *n.* 摇篮曲 (cradlesong)
【记】lull 和 baby 的缩体

lumber* [ˈlʌmbə] *v.* 蹒跚而行，笨拙地走 (to move with heavy clumsiness)；*n.* 杂物 (miscellaneous discarded household articles)；木材 (timber)
【形】number (*n.* 数字)；cumber (*v.* 阻碍)
【反】glide (*n.* / *v.* 滑行)

LUBRICANT	LUBRICATE	LUCID	LUCRATIVE	LUDICROUS
LUG	LUKEWARM	LULL	LULLABY	LUMBER

lumberjack* [ˈlʌmbədʒæk] *n.* 伐木工 (a person who cuts down trees for wood)
【记】组合词：lumber (木材) + jack (男工) → 伐木工
【参】blacksmith (*n.* 铁匠，锻工)

lumen* [ˈljuːmin] *n.* 流明 (光通量单位)

luminary* [ˈljuːminəri] *n.* 杰出人物，名人 (a person of prominence or brilliant achievement)
【记】词根记忆：lumin (光) + ary → 发光的人 → 名人
【同】luminant (*adj.* 发光的)；illuminate (*v.* 照亮，阐明)

lump [lʌmp] *n.* 一块，肿块 (a large piece of sth. without definite shape)；*v.* 形成块状 (to become lumpy)
【形】lamp (*n.* 灯)；limp (*v.* 跛行；*adj.* 柔软的)

lunar [ˈljuːnə] *adj.* 月亮的 (of or relating to or associated with the moon)

lunatic [ˈljuːnətik] *n.* 疯子 (an insane person)；*adj.* 极蠢的 (utterly foolish)
【记】词根记忆：lun (月亮) + atic → 人们认为精神病与月亮的盈亏有关 → 疯子；Luna 原指罗马神话中的月亮女神
【同】lunar (*adj.* 月球的)；lunula (*n.* 新月状物)

lurch* [ləːtʃ] *n.* 突然向前或旁边倒 (the act of moving forward suddenly)；*v.* 蹒跚而行 (to stagger)
【形】lunch (*n.* 午饭)；larch (*n.* 落叶松)
【反】progress smoothly (平稳前进)

lurid [ˈljuərid] *adj.* 耀眼的 (unnaturally bright)；骇人听闻的 (shocking)
【形】lucid (*adj.* 清晰的)

lurk* [ləːk] *v.* 潜伏，埋伏 (to stay hidden; lie in wait)
【形】lark (*n.* 云雀；*v.* 嬉戏)；luck (*n.* 运气)

lush* [lʌʃ] *adj.* 繁茂的，茂盛的 (growing very well)
【反】sere (*adj.* 干枯的)

lust [lʌst] *n.* 强烈的欲望 (overmastering desire)
【参】wanderlust (*n.* 旅行癖)

lustrous* [ˈlʌstrəs] *adj.* 有光泽的 (having lustre; bright)

luxuriant* [lʌgˈzjuəriənt] *adj.* 繁茂的 (lush; teeming)；肥沃的 (fertile; profuse)
【记】词根记忆：luxur (丰富，精美) + iant → 繁茂的
【同】luxuriate (*v.* 纵情享乐)；luxurious (*adj.* 奢侈的，丰富的)

luxurious* [lʌgˈzjuəriəs] *adj.* 奢侈的，豪华的 (very fine and expensive)
【记】词根记忆：luxur (丰富，精美) + ious → 奢侈的，豪华的

luxury* [ˈlʌkʃəri] *n.* 奢侈(品) (thing that is expensive but not essential)

lyric* [ˈlirik] *adj.* 抒情的 (expressing deep personal emotion)；*n.* 抒情诗 (a lyric poem)；歌词 (the word of a song)
【记】lyra (天琴星座) + ic → 像天琴一样的 → 抒情的
【例】Sonnets, elegies, odes and hymns are *lyric* poetry. (十四行诗、哀诗、颂歌和赞美歌都是抒情诗歌。)

LUMBERJACK	LUMEN	LUMINARY	LUMP	LUNAR	LUNATIC
LURCH	LURID	LURK	LUSH	LUST	LUSTROUS
LUXURIANT	LUXURIOUS	LUXURY	LYRIC		

macabre* [məˈkɑːbr(ə)] *adj.* **骇人的，可怖的**（grim and horrible; gruesome）
【记】来自法语，原指"骷髅舞蹈"

macerate* [ˈmæsəreit] *v.* **浸软**（to soften by soaking in liquid）；**使消瘦**（to cause to grow thin）
【记】来自拉丁文 macerate（*v.* 泡软）
【反】harden by drying（通过干燥变硬）

骗子
machination
把钱交给他就等着发财啦

machination* [ˌmækiˈneiʃ(ə)n] *n.* **阴谋**（an artful or secret plot or scheme）
【记】词根记忆：machin（计划，制造）+ ation → 阴谋
【同】machinery（*n.* 机器）

maculated* [ˈmækjuleitid] *adj.* **有斑点的**（blemished）
【记】词根记忆：macul（斑点）+ ated → 有斑点的
【同】macula（*n.* 斑点）
【反】unspotted（*adj.* 无污点的）；immaculate（*adj.* 纯洁的）

madrigal* [ˈmɑːdrigəl] *n.* **抒情短诗，情歌**（a short poem, often about love, suitable for being set to music）；**合唱曲**（a part song）
【记】分拆联想：madri（看作 Madrid）+ gal → 马德里是个浪漫的城市 → 情歌

maelstrom* [ˈmeilstrəm] *n.* **大漩涡**（violent whirlpool）；**大混乱**（a violently agitated state of mind, emotion, etc.）
【记】词根记忆：mael（=mal 坏）+ strom（水流，旋转）→ 大漩涡

magenta* [məˈdʒentə] *adj.* **紫红色的**（of deep purple red）；*n.* **紫红色，紫红色的染料**（purplish red）
【记】源自意大利一城镇 Magenta，紫红色是于 1598 年在该城镇里发现的

magisterial* [ˌmædʒisˈtiəriəl] *adj.* **有权威的**（authoritative; official）；**威风的**
【记】词根记忆：magister（=master 主人）+ ial → 主人的 → 有权威的；威风的

magnanimity* [ˌmægnəˈnimiti] *n.* **慷慨**（very generous qualities towards others）
【记】词根记忆：magn（大）+ anim（心胸，生命）+ ity → 心胸宽大 → 慷慨

magnanimous* [mægˈnænimǝs] *adj.* **宽宏大量的，慷慨的**（noble in mind; high souled）
【同】equanimity（*n.* 沉着，镇静）；magnify（*v.* 放大，扩大）

magnate* [ˈmægneit] *n.* **财主，巨头**（a very important or influential person）
【记】词根记忆：magn（大）+ ate → 大人物 → 巨头
【例】The board of directors accused the oil *magnate* of fraud.（董事会指责石油巨头搞欺骗。）

magnificent [mægˈnifisnt] *adj.* **壮丽的，宏伟的**（splendid）；**高尚的**（sublime）
【记】词根记忆：magn（大）+ ificent → 壮丽的，宏伟的

MACABRE	MACERATE	MACHINATION	MACULATED	MADRIGAL
MAELSTROM	MAGENTA	MAGISTERIAL	MAGNANIMITY	MAGNANIMOUS
MAGNATE	MAGNIFICENT			

magnify* [ˈmægnifai] *v.* 放大(enlarge); 赞美(glorify; extol)
【记】词根记忆: magn(大) + ify → 放大
【派】magnification(*n.* 放大, 扩大)

magnitude [ˈmægnitjuːd] *n.* 重要(greatness); 星球的光亮度(the degree of brightness of a celestial body)
【记】词根记忆: magn(大)+itude(状态)→大的状态→重大→重要

magpie [ˈmægpai] *n.* 鹊 (long-tailed black-and-white crow that utters a raucous chattering call); 饶舌的人(a person who chatters)

maintenance [ˈmeintinəns] *n.* 维持, 维护(the act of maintaining)
【记】词根记忆: main(手) + ten(拿住) + ance → 用手拿住 → 维持

maize* [meiz] *n.* 玉米(corn)

majestic [məˈdʒestik] *adj.* 雄伟的, 庄严的(showing majesty)
【记】词根记忆: maj(大) + estic → 大的 → 雄伟的

maladroit* [ˌmæləˈdrɔit] *adj.* 笨拙的(awkward; clumsy; bungling)
【记】词根记忆: mal(坏, 不) + adroit(灵巧的) → 不灵巧的, 笨拙的

malaise* [mæˈleiz] *n.* 不适, 不舒服(a feeling of illness)
【记】发音记忆: "没累死" → 差点儿没累死 → 不适

malapropism* [ˈmæləˌprɔpizəm] *n.* 字的误用(ludicrous misuse of words)
【记】词根记忆: mal(坏, 不) + aprop(恰当) + ism → 用字不恰当 → 字的误用; 源自 Malaprop, 爱尔兰喜剧《情敌》中的人物马勒普太太, 以荒唐地误用词语而出名

malcontent* [ˈmælkənˌtent] *adj.* 不满的(discontented); *n.* 不满分子, 反抗者(discontented, dissatisfied, rebellious person)
【记】mal(坏, 不) + content(满意的) → 不满的

malevolent* [məˈlevələnt] *adj.* 有恶意的, 恶毒的(showing ill will; malicious)
【记】词根记忆: male(恶) + vol(意念) + ent → 恶意的
【同】benevolent(*adj.* 好意的); volition(*n.* 意志)

malfeasance [mælˈfiːzəns] *n.* 不法行为, 渎职(misconduct by a public official)
【记】词根记忆: mal(坏) + feas(做, 行为) + ance → 不法行为
【参】feat(*n.* 功绩)

malfunction [mælˈfʌŋkʃən] *v.* 发生故障 (to fail to function); *n.* 故障, 障碍(failure of this sort)
【记】词根记忆: mal(坏) + function(功能) → 功能不好 → 故障

malicious* [məˈliʃəs] *adj.* 恶意的, 怨毒的(spiteful; intentionally mischievous or harmful)
【记】来自 malice(*n.* 恶意)

malign* [məˈlain] *v.* 诽谤, 中伤 (to defame; slander; traduce); *adj.* 邪恶的(evil; baleful; sinister)
【记】词根记忆: mal(坏) + ign → 坏的 → 邪恶的
【参】benign(*adj.* 仁慈的)

MAGNIFY	MAGNITUDE	MAGPIE	MAINTENANCE	MAIZE
MAJESTIC	MALADROIT	MALAISE	MALAPROPISM	MALCONTENT
MALEVOLENT	MALFEASANCE	MALFUNCTION	MALICIOUS	MALIGN

malinger* [mə'liŋgə] *v.* 装病以逃避工作 (to pretend to be ill in order to escape duty or work; shirk)
【记】词根记忆：mal (坏) + (l) inger (逗留，偷懒) → 假装身体不好而逗留 → 装病

malleable* ['mæliəbl] *adj.* 可塑的，易改变的 (capable of being changed; adaptable)
【记】词根记忆：malle (=mallet 锤子) + able → 可锤打的 → 可塑的
【同】malleate (*v.* 锻，锤薄); mallet (*n.* 木锤)

malpractice* [mæl'præktis] *n.* 玩忽职守，渎职 (failure to carry out one's professional duty)
【记】词根记忆：mal (坏) + practice (行为) → 玩忽职守

mammoth ['mæməθ] *adj.* 巨大的 (gigantic; enormous)
【记】原指古代的猛犸象，十分巨大

mandate* ['mændeit] *n.* 命令，指令 (an authoritative order or command)
【记】词根记忆：mand (命令) + ate → 命令
【同】command (*v.* 指挥); countermand (*v.* 取消，撤回)

mandatory* ['mændətəri] *adj.* 命令的，强迫的 (authoritatively commanded; obligatory)

mangle ['mæŋgl] *v.* 毁损 (to ruin or spoil); 撕成碎片，压碎 (to mutilate or disfigure by hacking or crushing; maim)
【形】mingle (*v.* 混合); wangle (*v.* 哄骗); tangle (*v.* 纠缠)

mania* ['meiniə] *n.* 癫狂 (wild or violent mental disorder); 狂热 (an excessive, persistent enthusiasm)
【参】kleptomania (*n.* 盗窃狂); bibliomania (*n.* 爱书癖)

manifest* ['mænifest] *adj.* 显然的 (clear or evident); *n.* 旅客名单，载货清单 (an itemized list of a ship's cargo)
【记】词根记忆：mani (手) + fest (打) → 用手公开打 → 公开的，明了的，尤其要记住"载货清单"一义

manifesto* [ˌmæni'festəu] *n.* 宣言，声明 (a public declaration)
【记】manifest (显然的) + o → 宣言，声明

manifold ['mænifəuld] *adj.* 繁多的 (many); 多种的 (of many sorts)
【记】词根记忆：mani (=many 许多) + fold (折叠，层次) → 繁多的，多种的

manipulate* [mə'nipjuleit] *v.* 操纵 (to operate or control; handle)
【派】manipulation (*n.* 操纵，操作)

MALINGER	MALLEABLE	MALPRACTICE	MAMMOTH	MANDATE
MANDATORY	MANGLE	MANIA	MANIFEST	MANIFESTO
MANIFOLD	MANIPULATE			

manipulative* [məˈnipjulətiv] *adj.* 操纵别人的，老于世故的（clever at managing or controlling artfully often in an unfair or fraudulent way）
【反】guileless（*adj.* 诚实的，天真的，不狡猾的）

mannered* [ˈmænəd] *adj.* 做作的（having an artificial or stilted character）
【反】natural（*adj.* 自然的）

mansion* [ˈmænʃən] *n.* 公馆；大厦（a large imposing house）
【记】来自 manse（*n.* 牧师住宅；大厦）

mantle [ˈmæntl] *n.* 披风，斗篷 （a loose sleeveless cloak or cape）；*v.* 覆盖（to cover）
【例】Snow *mantles* the heights.（雪覆盖着高地。）

manumit [ˌmænjuˈmit] *v.* 解放（奴隶）（to free from slavery）
【记】词根记忆：manu（手）+ mit（放）→ 把手放掉 → 解放
【同】manual（*adj.* 手工的）；manufacture（*n.* 制造）
【反】enslave（*v.* 奴役）

manure* [məˈnjuə] *n.* 粪肥 （waste matter from animals）；*v.* 给…施肥（to put manure on）
【形】mature（*adj.* 成熟的）

manuscript* [ˈmænjuskript] *n.* 手稿 （a written or typewritten document or paper）；手抄本 （a book or document written by hand before the invention of printing）
【记】词根记忆：manu（手）+ script（写）→ 手抄本

maple [ˈmeipl] *n.* 枫树（枫树是加拿大的国树）
【形】ample（*adj.* 丰富的，充足的）

mar* [mɑː] *v.* 破坏，损伤（to injure or damage；spoil；impair）
【例】The noise *marred* the peace of the night.（噪音打破了夜晚的宁静。）

marble* [ˈmɑːbl] *n.* 大理石（a hard sort of stone used for building, sculpture）

mare* [ˈmeə] *n.* 母马，母驴（a fully mature female horse, mule, donkey）
【参】nightmare（*n.* 噩梦，直译就是晚上的母马）

margarine* [ˌmɑːdʒəˈriːn] *n.* 人造黄油 （cooking fat made of refined vegetable oils）
【记】分拆联想：人名 margar（et）（玛格丽特）+ ine

margin* [ˈmɑːdʒin] *n.* 页边空白，边缘 （amount of space, time, etc. by which sth. is won；The blank space bordering the written or printed area on a page）
【派】marginal（边缘的，不重要的）

marine [məˈriːn] *adj.* 海的（of the sea）；海中的（inhabiting in the sea）
【记】词根记忆：mari（海）+ ne → 海的
【同】submarine（*n.* 潜水艇）；mariculture（*n.* 水产养殖）
【例】Lobsters and dolphins are kinds of *marine* animals. （龙虾和海豚是海洋动物。）

MANIPULATIVE	MANNERED	MANSION	MANTLE	MANUMIT
MANURE	MANUSCRIPT	MAPLE	MAR	MARBLE
MARE	MARGARINE	MARGIN	MARINE	

marionette [ˌmæriəˈnet] *n.* 木偶 (a puppet)
【记】分拆联想：marion (=Mary) + ette (小东西) → 小玛丽 → 木偶

marital [ˈmæritl] *adj.* 婚姻的 (of marriage; connubial)
【记】词根记忆：marit (=marriage 婚姻) + al → 婚姻的
【同】maritage (*n.* 嫁妆)

maritime [ˈmæritaim] *adj.* 沿海的 (adjacent to the sea); 海上的 (nautical)
【记】词根记忆：mari (海) + time → 沿海的

marked [mɑːkt] *adj.* 明显的 (having a distinctive character); 被监视的 (being an object of suspicion)
【记】mark (标记) + ed → 显著的，明显的

maroon [məˈruːn] *n.* / *adj.* 栗色 (的) ([of] a very dark red-brown color)

marsh [mɑːʃ] *n.* 沼泽地，湿地 (a tract of low, wet, soft land; swamp)
【记】和 march (*v.* 行军) 一起记，红军长征过沼泽地

marshal [ˈmɑːʃəl] *v.* 整理，安排，设置 (to arrange in good or effective order)

marsupial* [mɑːˈsjuːpjəl] *n.* / *adj.* 有袋动物 (的)

martial* [ˈmɑːʃəl] *adj.* 战争的，军事的 (of or suitable to war and soldiers)
【记】分拆联想：mar (毁坏) + tial → 战争常常意味着毁灭 → 战争的

martyr* [ˈmɑːtə] *n.* 烈士，殉道者 (any of those persons who choose to suffer or die rather than give up their faith or principles)
【记】分拆联想：mar (损伤) + tyr (看作 tyre 轮胎) → 在轮胎下牺牲 → 烈士

marvel* [ˈmɑːvəl] *v.* 对…感到惊异 (to be very surprised); *n.* 奇迹 (wonderful or miraculous thing)

mash* [mæʃ] *v.* 捣成糊状 (to convert into a soft pulpy mixture)
【记】分拆联想：m (看作 make) + ash (灰) → 弄成灰 → 捣成糊状

mask* [mɑːsk] *n.* 假面具 (a covering for the face); *v.* 隐藏 (感情) (to conceal or cover)

mason* [ˈmeisn] *n.* 泥瓦匠，石匠 (a person whose work is building with stone, brick, concrete, etc.)
【派】masonry (*n.* 石工技术；石屋)

masquerade [ˌmæskəˈreid] *n.* 化装舞会 (a gathering of persons wearing masks and fantastic costumes); *v.* 伪装 (to live or act under false pretenses)
【记】词根记忆：masque (=mask 假面具) + rade → 化装舞会

massacre* [ˈmæsəkə] *n.* 大屠杀 (the indiscriminate, merciless killing of a number of human beings)
【记】分拆联想：mass (大批) + acre (英亩) → 把一大批人在一英亩的地方杀掉 → 大屠杀

massive* [ˈmæsiv] *adj.* 巨大的，厚重的 (very big and heavy)
【记】来自 mass (*n.* 大量，大多数)

MARIONETTE	MARITAL	MARITIME	MARKED	MAROON	MARSH
MARSHAL	MARSUPIAL	MARTIAL	MARTYR	MARVEL	MASH
MASK	MASON	MASQUERADE	MASSACRE	MASSIVE	

mast* [mɑːst] *n.* 船桅，旗杆(a vertical spar for supporting sails)
【例】The heavy winds cracked the ship's *mast*. (大风折断了船的桅杆。)

masticate* [ˈmæstikeit] *v.* 咀嚼(to chew up food)；把…磨成浆(to grind to a pulp)
【记】词根记忆：mast(乳房)+icate→原指小孩吃奶→咀嚼
【同】mastitis(*n.* 乳腺炎)；mastodon(*n.* 乳齿象)

mate* [meit] *n.* 伙伴(a friend)；配偶(one of a male or female pair)；*v.* 交配(to make animals have sex to produce babies)

materialize [məˈtiəriəlaiz] *v.* 赋予形体，使具体化 (to represent in material form)；实现(to come into existence)
【记】material(材料，物质)+ize→物质化→使具体化
【例】*materialize* an idea in words(用语言体现思想)

maternal [məˈtəːnl] *adj.* 母性的(of, like or received from a mother)
【记】词根记忆：matern(母亲)+al→母性的

matrix* [ˈmeitriks] *n.* 模子(mold)；矩阵(a set of numbers or terms)
【记】词根记忆：matr(母)+ix，原指"子宫"，引申为模子和矩阵；电影《骇客帝国》的英文名

mattress* [ˈmætris] *n.* 床垫(a large rectangular pad that is used to sleep on)
【记】分拆联想：mat(席子，草席)+tress(头发)→用头发编成的床垫

mature* [məˈtjuə] *adj.* 成熟的 (fully developed)；深思熟虑的(carefully decided)
【反】nascent(*adj.* 新生的)

maudlin* [ˈmɔːdlin] *adj.* 感情脆弱的，爱哭的 (foolishly or weakly sentimental)
【记】来自人名 Maudalene，常被描绘成哭泣的典型形象
【反】jovial(*adj.* 高兴的)

maul* [mɔːl] *v.* 撕裂皮肉，伤害(to injure by bearing bruise of; lacerate)
【例】The hunter was *mauled* by a lion and badly hurt. (猎人被狮子撕伤，受伤严重。)

mauve [məuv] *adj.* 淡紫色的(having a pale purple color)

maven [ˈmeivin] *n.* 专家，内行 (a person who has special knowledge or experience)

maverick* [ˈmævərik] *n.* 想法与众不同的人 (a person who takes an independent stand as in politics, refusing to conform to that of a party or group)
【记】来自人名 Maverick，19世纪得克萨斯州大牧场主，其牲畜皆不打烙印而显得与众不同

mawkish* [ˈmɔːkiʃ] *adj.* 自作多情的 (sickly or puerilely sentimental)；淡而无味的，令人作呕的(insipid or nauseating)

MAST	MASTICATE	MATE	MATERIALIZE	MATERNAL
MATRIX	MATTRESS	MATURE	MAUDLIN	MAUL
MAUVE	MAVEN	MAVERICK	MAWKISH	

【记】可能来自 maw（牛胃）+ kish → 牛胃看上去很难看，所以令人作呕的

maximize* [ˈmæksmaiz] *v.* 使增至最大限度（to increase to the greatest possible size）
【记】词根记忆：maxim（大，高）+ ize → 使增至最大限度

maze [meiz] *n.* 迷宫（a confusing, intricate network of winding pathways; labyrinth）
【形】maize（*n.* 玉米）; amaze（*v.* 使吃惊）; haze（*n.* 薄雾）; raze（*v.* 摧毁）

meager* [ˈmiːgə(r)] *adj.* 贫乏的（of small amount; inadequate）; 瘦削的（lean; emaciated）
【记】分拆联想：m + eager（热心的）→ 光靠热心解决不了贫乏

mean* [miːn] *adj.* 卑贱的；吝啬的（selfish in a petty way; stingy）
【反】noble（*adj.* 高贵的）; lavish（*adj.* 过分大方的）

meander* [miˈændə] *v.* 蜿蜒而流（to take a winding or tortuous course）; 漫步（to wander aimlessly; ramble）
【记】来自 the Meander（米安德河），以其蜿蜒曲折而著名
【反】move purposively（有目的地走）

measly [ˈmiːzli] *adj.* 患麻疹的；小得可怜的（contemptibly small; meager）
【反】grand（*adj.* 宏伟的）

measured [ˈmeʒəd] *adj.* 精确的（proportioned by a standard）; 慎重的（calculated, restrained）
【记】来自 measure（*v.* 测量）

mechanical* [miˈkænikl] *adj.* 机械的，机械制造的（of or relating to machinery or tools）; 机械似的，呆板的，体力的（([of people] acting [as if] without thinking, in a machine-like way）

mechanics* [miˈkæniks] *n.* 力学（the science of the action of forces on objects）

mechanism [ˈmekənizəm] *n.* 结构，机制（the arrangement and action of the parts of a machine）

medal* [ˈmedl] *n.* 奖牌，勋章（an award for winning a championship or commemorating some other event）
【记】由 metal（金属）变化而来，因为奖牌是金属做的

meddle* [ˈmedl] *v.* 干涉，干预（to interfere）
【形】middle（*adj.* 中间的）; muddle（*v.* 混合）

meddlesome [ˈmedlsəm] *adj.* 爱管闲事的（interfering; curious）
【记】来自 meddle（干涉，干预）+ some → 爱管闲事的
【参】medley（*n.* 混合物）

mediate* [ˈmiːdiit] *v.* 调停（to bring about by conciliation）
【记】词根记忆：medi（中间）+ ate → 在中间调停；注意不要和 meditate（沉思）相混
【派】mediation（*n.* 调停）; mediator（*n.* 调停者，仲裁人）

MAXIMIZE	MAZE	MEAGER	MEAN	MEANDER
MEASLY	MEASURED	MECHANICAL	MECHANICS	MECHANISM
MEDAL	MEDDLE	MEDDLESOME	MEDIATE	

medieval [ˌmediˈiːvəl] *adj.* 中世纪的，中古的（of the Middle Ages）
【记】词根记忆：medi（中间）+ ev（时间）+ al → 中世纪的

mediocrity* [ˌmiːdiˈɔkriti] *n.* 平庸，碌碌无为（mediocre abilities or attainment）
【反】virtuosity（*n.* 精湛的技艺）

meditate* [ˈmediteit] *v.* 沉思，反省（to think deeply, esp. about spiritual matters）
【记】词根记忆：medi（中间）+ tate → 沉浸其中 → 沉思
【派】meditation，meditative

medium* [ˈmiːdjəm] *n.* 媒介（something intermediate）；（细菌等的）生存环境（any surrounding or pervading substance in which bodies exist or move）
【记】词根记忆：medi（中间）+ um → 中间物 → 媒介
【例】A fish in water is in its natural *medium*.（鱼在水中是在其自然生存环境中。）

medley [ˈmedli] *n.* 混合歌曲；混杂（heterogeneous assortment or collection）；各种各样的集团（a mass or crowd of different types mixed together）
【记】可能来自 meddle（*v.* 干涉，乱弄）
【例】a *medley* of different ideas（不同思想的混合）

meek* [miːk] *adj.* 温顺的，顺服的（gentle and uncomplaining）
【反】vaunting（*adj.* 骄傲的）；unyielding（*adj.* 不屈的）

meet* [miːt] *adj.* 合适的（suitable, appropriate）
【反】inappropriate（*adj.* 不合适的）；unsuitable（*adj.* 不合适的）

melancholy [ˈmelənkəli] *adj.* 忧郁的（depressed）；令人悲伤的（causing depression）
【记】词根记忆：melan（黑色）+ chol（=bile 胆汁）+ y → 胆汁发黑 → 忧郁的
【派】melancholic（*adj.* 忧郁的）

meld [meld] *v.*（使）混合，（使）合并（blend；mix）
【例】Clouds and grey sea *melded* and a steady rain began.（云和灰色的海融为一色，雨开始下个不停。）
【反】separate（*v.* 分开）

mellifluous* [meˈlifluəs] *adj.*（音乐等）柔美流畅的（sweetly or smoothly flowing）
【记】词根记忆：melli（蜂蜜）+ flu（流）+ ous → 流蜜的 → 柔美流畅的
【同】melliferous（*adj.* 产蜜的）
【反】cacophonous（*adj.* 刺耳的）；raspy（*adj.* 刺耳的）

melodrama* [ˈmelədrɑːmə] *n.* 情节剧（exciting and emotional drama）；音乐戏剧（a romantic dramatic composition with music interspersed）
【记】melod(y)（旋律）+ (d)rama（戏剧）→ 音乐戏剧

MEDIEVAL	MEDIOCRITY	MEDITATE	MEDIUM	MEDLEY
MEEK	MEET	MELANCHOLY	MELD	MELLIFLUOUS
MELODRAMA				

melon* [ˈmelən] *n.* 甜瓜 (a large rounded fruit with a hard rind and juicy flesh)

【记】词根记忆：mel (甜) + on → 甜的东西 → 甜瓜

【参】watermelon (*n.* 西瓜)

membrane* [ˈmembrein] *n.* 薄膜 (pliable material used as a filter, separator, resonator); 膜 (a thin soft pliable sheet or layer especially of animal or plant origin)

【记】分拆联想：mem (看作 member) + brane (看作 brain 头脑) → 人的头脑有保护膜 → 薄膜

memoir [ˈmemwɑː] *n.* 回忆录，自传 (biography); 记事录 (a short piece of writing on a subject)

【记】memo (备忘录) + ir → 回忆录，自传

memorial* [miˈmɔːriəl] *n.* 纪念碑，纪念物 (monument, things that remind people of an event or a person); *adj.* 纪念的，悼念的 (of or relating to memory)

【记】词根记忆：memor (记忆) + ial → 纪念物；纪念的

【同】memoir (*n.* 传记，回忆录); memorable (*adj.* 难忘的)

menace* [ˈmenəs] *n.* / *v.* 威胁，恐吓 (threat; to threaten)

【记】分拆联想：men (人) + ace (看作 face) → 当面的人 → 威胁

mend [mend] *v.* 修改，改进 (to put into good shape or working order)

mendacious* [menˈdeiʃəs] *adj.* 不真的 (false or untrue); 撒谎的 (telling lies habitually)

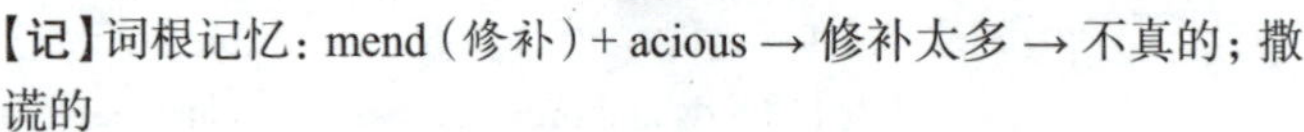

【记】词根记忆：mend (修补) + acious → 修补太多 → 不真的；撒谎的

【同】mendable (*adj.* 可修理的); mender (*n.* 修补者)

【反】honest (*adj.* 诚实的)

【派】mendacity (*n.* 虚假)

mendicant* [ˈmendikənt] *adj.* 行乞的 (practicing beggary); *n.* 乞丐 (beggar)

【记】词根记忆：mend (修补，改善) + icant → 生活需要改善的人 → 乞丐

menthol* [ˈmenθɔl] *n.* 薄荷醇 (a white substance which smells and tastes of mint)

mentor [ˈmentɔː] *n.* 导师 (a wise and trusted counselor or teacher)

【记】词根记忆：ment (精神) + or → 精神上的指导人 → 导师

【同】mental (*adj.* 精神的); mentality (*n.* 智力，精神)

mercantile* [ˈməːkəntail] *adj.* 贸易的，商业的 (of trade and business)
【记】词根记忆：merc (贸易，商业) + antile → 贸易的，商业的

mercenary* [ˈməːsinəri] *adj.* 惟利是图的 (acting merely for money)；*n.* 雇佣兵 (a professional soldier hired to serve in a foreign army for money)
【记】词根记忆：mercen (工资) + ary → 只为了工钱的 → 惟利是图的

mercurial* [məːˈkjuəriəl] *adj.* 善变的 (changeable; fickle)；活泼的 (animated; sprightly)
【记】来自 mercury (*n.* 水银)，水银流动性极强
【反】constant (*adj.* 恒定的)

meretricious* [ˌmeriˈtriʃəs] *adj.* 华而不实的，俗艳的 (tawdrily and falsely attractive)
【记】来自 meretrix (*n.* 妓女)

merit [ˈmerit] *v.* 值得 (to be worthy of)

merited [ˈmeritid] *adj.* 该得的，理所当然的 (deserving, worthy of)
【记】联想记忆：merit (价值) + ed → 该得的

meritorious* [ˌmeriˈtɔːriəs] *adj.* 值得赞赏的 (deserving praise and esteem)
【记】merit (优点，长处) + orious (多…的) → 长处很多 → 值得赞赏的

mesa [ˈmeisə] *n.* 高台地，平顶山 (a land formation having steep wells and a relative flat top)
【记】来自西班牙语，意为 table (桌子)

mesh [meʃ] *v.* 用网捕捉 (to catch in the openings of a net)；齿合 (to become engaged or interlocked)

metabolism [meˈtæbəlizəm] *n.* 新陈代谢 (the chemical changes in living cells by which energy is provided for vital processes and activities and new material is assimilated)
【记】词根记忆：meta (变化) + bol (=throw 扔) + ism → 产生变化 → 新陈代谢

metamorphose* [ˌmetəˈmɔːfəuz] *v.* 变形 (to change into another form)
【记】词根记忆：meta (变化) + morph (形状) + ose → 变形
【同】amorphous (*adj.* 不定形的)
【反】remain unaltered (持续不变)

metaphor* [ˈmetəfə] *n.* 隐喻，暗喻
【记】词根记忆：meta (变化) + phor (带有) → 以变化的方式表达 → 隐喻

metaphysics* [ˌmetəˈfiziks] *n.* 形而上学，玄学 (a branch of philosophy)

mete [miːt] *v.* 给予，分配 (to give out by measure)；测量 (to measure)；*n.* 边界 (boundary)

meteoric* [ˌmiːtiˈɔrik] *adj.* 流星的 (relating to a meteor)；昙花一现的 (transient; swift)

MERCANTILE	MERCENARY	MERCURIAL	MERETRICIOUS	MERIT
MERITED	MERITORIOUS	MESA	MESH	METABOLISM
METAMORPHOSE	METAPHOR	METAPHYSICS	METE	METEORIC

【记】来自 meteor（流星，陨石）+ ic → 流星的

【反】gradual（*adj.* 逐渐的）；plodding（*adj.* 缓慢进行的）

methodical* [mi'θɔdik(ə)l] *adj.* 细心的，有条不紊的（habitually proceeding according to method）

【反】desultory（*adj.* 散漫的，随意的）；haphazard（*adj.* 偶然的）

meticulous* [mi'tikjuləs] *adj.* 细心的，一丝不苟的（taking extreme care about minute details; precise）

【记】词根记忆：metic（害怕的）+ ulous（多…的）→ 经常害怕的 → 细心的

metrical* ['metrik(ə)l] *adj.* 测量的（metric）；韵律的（written in the form of poetry）

【记】来自 meter（*n.* 米；诗的韵律）

metropolis [mi'trɔpəlis] *n.* 大城市（a chief city or the capital city of a country）

【记】联想记忆：metro（铁）+ polis（城邦）→ 有地铁的城市 → 大城市

Few things are impossible in themselves; and it is often for want of will, rather than of means, that man fails to succeed.

事情很少有根本做不成的；其所以做不成，与其说是条件不够，不如说是由于决心不够。

——法国作家 罗切福考尔德（La Rochefocauld, French writer）

Word List 24

metropolitan [ˌmetrəˈpɔlit(ə)n] *adj.* 大都市的，首都的（of a metropolis）

mettle* [ˈmet(ə)l] *n.* 勇气，斗志（courage and fortitude）

【记】可能来自 metal（*n.* 金属），有着钢铁的特征 → 勇气

【形】nettle（*n.* 荨麻；*v.* 使苦恼）；settle（*v.* 使安定）

mettlesome [ˈmet(ə)lsəm] *adj.* 精神抖擞的（spirited；courageous）

【记】mettle（勇气，斗志）+ some → 有斗志

microbe* [ˈmaikrəub] *n.* 微生物（tiny living creature）

【记】词根记忆：micro（小）+ be（=bio 生命）→ 微生物

microorganism* [ˌmaikrəuˈɔːgəniz(ə)m] *n.* 微生物，细菌（a bacterium）

【记】词根记忆：micro（微小）+ organism（生物）→ 微生物

microscopic* [ˌmaikrəˈskɔpik] *adj.* 极小的（very small；tiny）；显微镜的（of or relating to or used in microscope）

【反】elephantine（*adj.* 巨大的）

miff [mif] *n.* 小争吵（a trivial quarrel）

【记】联想记忆：亲密爱人在一起常有小争吵（miff），分开又彼此想念（miss）

mighty [ˈmaiti] *adj.* 强有力的，强大的（very great in power, strength）

migratory* [ˈmaigrətəri] *adj.* 迁移的，流浪的（having or of the habit of migrating）

【记】词根记忆：migr（移动）+ atory → 迁移的，流浪的

milestone* [ˈmailstəun] *n.* 里程碑；转折点（a significant event in one's life or in a project）

【记】组合词：mile（里）+ stone（石头）→ 里程碑

militia* [miˈliʃə] *n.* 民兵（an army composed of ordinary citizens）

【记】词根记忆：milit（军事，战斗）+ ia → 战斗的人民 → 民兵

milk* [milk] *v.* 榨取（to coerce profit or advantage to an extreme degree）

【记】联想记忆：像挤牛奶一样 → 榨取

mill* [mil] *n.* 磨坊；压榨机；制造厂

METROPOLITAN	METTLE	METTLESOME	MICROBE	MICROORGANISM
MICROSCOPIC	MIFF	MIGHTY	MIGRATORY	MILESTONE
MILITIA	MILK	MILL		

mime* [maim] *n.* 哑剧表演；哑剧（演员）(pantomime or an actor in a mime)
【参】pantomime (*n.* 哑剧)；mimi (*v.* 模仿，戏弄)

mimic* [ˈmimik] *v.* 模仿，戏弄 (to imitate or copy playfully or derisively)；*n.* 模仿他人言行的人 (someone who mimics)

minaret [ˈminəret] *n.* 清真寺的尖塔 (a tall slender tower of a mosque)

minatory* [ˈminətəri] *adj.* 威胁的，恫吓的 (threatening; menacing)
【记】词根记忆：mina (威胁) + tory → 威胁的
【同】minacious (*adj.* 恫吓的)；minacity (*n.* 威胁性)
【反】reassuring (*adj.* 使安心的)；unthreatening (*adj.* 没有威胁的)；nonthreatening (*adj.* 没有威胁的)

mince* [mins] *v.* 切碎 (to chop into very small pieces)；小步走路 (to move with short, affected steps)
【参】minute (*adj.* 微小的)；minutia (*n.* 细节，小节)

mingle* [ˈmiŋgl] *v.* 混合 (to bring or mix together)

miniature* [ˈminjətʃə] *n.* 小画像 (a very small portrait)；缩影 (a representation of sth. on a small scale)
【记】词根记忆：mini (小) + ature (看作 picture) → 小画像
【同】minikin (*n.* 娇小的动物或人)；minimal (*adj.* 最小的)

minimize* [ˈminimaiz] *v.* 把…减至最低数量或程度 (to lessen to the smallest possible amount or degree)
【反】exaggerate (*v.* 夸大)；overestimate (*v.* 高估)；inflate (*v.* 膨胀)

minion* [ˈminjən] *n.* 奴才，低下之人 (a servile follower or subordinate)
【记】词根记忆：mini (小) + on → 小人物 → 奴才

minnow* [ˈminəu] *n.* 鲦鱼，小淡水鱼 (small, freshwater fishes)
【记】注意不要和 winnow (*v.* 簸去，筛选糠皮) 相混

mint [mint] *n.* 大量；巨额 (an abundant amount)；造币厂 (a plant where money is coined by authority of the government)
【记】mint 作为薄荷 (糖) 一义大家都熟悉
【反】modicum (*n.* 微量)

minuet [ˌminjuˈet] *n.* 小步舞 (a slow, stately dance)
【记】词根记忆：minu (小) + et → 小步舞
【同】minute (*adj.* 微小的)；minuscular (*adj.* 无足轻重的)

minuscule* [miˈnʌskjuːl] *adj.* 极小的 (extremely small)
【记】词根记忆：minu (小) + scule → 极小的
【反】gargantuan (*adj.* 巨大的)

minutes* [maiˈnjuːts] *n.* 会议记录 (a witten account of what transpired at a meeting)

minutia* [maiˈnjuːʃiə] *n.* 细枝末节，细节 (small or trifling matters)
【记】词根记忆：min (小) + utia → 细小之处 → 细节
【反】essential point (重点)；vital feature (重要特征)

MIME	MIMIC	MINARET	MINATORY	MINCE
MINGLE	MINIATURE	MINIMIZE	MINION	MINNOW
MINT	MINUET	MINUSCULE	MINUTES	MINUTIA

miracle*　[ˈmirəkl] *n.* 奇事，奇迹 (an action done that is impossible)
【记】词根记忆：mir (惊奇) + acle (物) → 奇迹

mirage*　[ˈmirɑːʒ] *n.* 幻影，海市蜃楼 (an optical illusion)
【记】词根记忆：mir (惊奇) + age → 使人惊奇之物 → 海市蜃楼
【同】miraculous (*adj.* 神奇的)；mirror (*n.* 镜子)

mire*　[ˈmaiə] *n.* 泥沼 (marsh)；困境 (a troublesome situation)；*v.* 使…陷入困境 (to hamper or hold back as if by mire)
【记】联想记忆：烈火 (fire) 使人陷入困境 (mire)
【反】extricate (*v.* 解脱困境)

mirth*　[məːθ] *n.* 欢乐，欢笑 (gaiety or jollity)
【记】发音记忆："没事" → 没事当然很欢乐
【参】mirthful (*adj.* 欢乐的)；mirthless (*adj.* 忧郁的)

misanthrope*　[ˈmisənθrəup] *n.* 愤世嫉俗者 (a person who hates humankind)
【记】词根记忆：mis (坏，恨) + anthrope (人) → 恨人类的人 → 愤世嫉俗者
【同】philanthropist (*n.* 博爱家)；anthropoid (*n.* 类人猿)

mischievous*　[ˈmistʃivəs] *adj.* 淘气的 (playfully annoying)；有害处的 (harmful)
【记】分拆联想：mis (坏) + chiev (看作 achieve 完成，达到) + ous → 达到坏结果 → 有害处的

miscreant*　[ˈmiskriənt] *n.* 恶棍，歹徒 (a vicious or depraved person)
【记】词根记忆：mis (坏) + crea (做) + nt → 做坏事者 → 恶棍
【同】creation (*n.* 创造)

miser*　[ˈmaizə] *n.* 守财奴，吝啬鬼 (a stingy hoarder of money and possessions)
【反】spendthrift (*n.* 挥霍者)

miserly*　[ˈmaizəli] *adj.* 吝啬的，贪婪的 (avaricious; penurious)

misgiving*　[misˈgiviŋ] *n.* 担心，疑虑 (doubt, distrust, or fear)
【记】词根记忆：mis (错误) + giving (礼物) → 送礼送错了 → 担心，疑虑
【反】certainty (*n.* 确信)

misinform*　[ˈmisinˈfɔːm] *v.* 向…提供错误信息 (to give sb. wrong information)
【记】词根记忆：mis (错误) + inform (提供信息) → 向…提供错误信息

misnomer　[ˈmisˈnəumə] *n.* 名字的误用 (wrong or unsuitable use of a name)
【记】词根记忆：mis (错误) + nom (名字) + er → 名字的误用

misperceive*　[ˌmispəˈsiːv] *v.* 误解 (to misunderstand)
【记】词根记忆：mis (错误) + perceive (理解，领会) → 误解

misrepresent*　[ˌmisrepriˈzent] *v.* 误传，歪曲 (to give an intentionally untrue account)
【记】词根记忆：mis (错误) + represent (表示) → 误传，歪曲

MIRACLE	MIRAGE	MIRE	MIRTH	MISANTHROPE
MISCHIEVOUS	MISCREANT	MISER	MISERLY	MISGIVING
MISINFORM	MISNOMER	MISPERCEIVE	MISREPRESENT	

misshapen* [misˈʃeipən] *adj.* 畸形的，奇形怪状的 (badly shaped)
【记】词根记忆：mis (坏) + shapen (形状的) → 畸形的

missile* [ˈmisail] *n.* 发射物；导弹 (a thrown object or weapon)
【记】词根记忆：miss (发送) + ile (物体) → 发送出去的东西 → 发射物
【同】dismiss (*v.* 开除，解散)；emissary (*n.* 使者，间谍)

mite [mait] *n.* 极小量 (a very little)；小虫
【记】mite 原意"螨虫"
词组：a mite on an elephant (大象身上一小虫)，引申为"小量，一点点"

mitigate* [ˈmitigeit] *v.* 减轻，缓和 (to lessen in force or intensity)
【记】词根记忆：miti (小，轻) + gate (=ag 做) → 弄轻 → 减轻
【派】mitigation (*n.* 缓解，减轻)
【反】exacerbate (*v.* 加重)

mitten [ˈmitn] *n.* (四指套在一起拇指分开的) 连指手套 (glove that encases the thumb separately and the other four fingers together)

mnemonics [niːˈmɔniks] *n.* 记忆法，记忆规则 (the technique of developing the memory)
【记】词根记忆：mnemo (记忆) + nics → 记忆法
【同】amnesia (*n.* 健忘症)；mnemonist (*n.* 记忆能手)

moan* [məun] *n.* / *v.* (痛苦的 / 地) 呻吟 (a low prolonged sound of pain or of grief; indicate pain)；(不满的 / 地) 抱怨 (a complaint; indicate discomfort or displeasure)

moat* [məut] *n.* 壕沟，护城河 (a deep, wide trench)
【例】The castle *moat* was filled with crocodiles. (城堡的护城河里放满了鳄鱼。)

mobile* [ˈməubail] *adj.* 易于移动的 (easy to move)
【记】词根记忆：mob (动) + ile (易…的) → 易于移动的

mobility* [məuˈbiliti] *n.* 可动性，流动性 (the quality of being mobile)

mock* [mɔk] *v.* 嘲笑 (to treat with ridicule; deride)；模仿以嘲弄 (to mimic in derision)
【形】lock (*n.* / *v.* 锁)；dock (*n.* 码头)

mode [məud] *n.* 样式，时尚 (style or fashion in clothes, art, etc.)；模式 (how sth. is done or how it happens)

modest* [ˈmɔdist] *adj.* 谦虚的，谨慎的 (humble; unassuming)；适度的 (not large in quantity or size)
【记】词根记忆：mod (方式，风度) + est → 做事有风度 → 谦虚的；适度的
【派】modesty (*n.* 谦虚，谦逊)

modicum [ˈmɔdikəm] *n.* 少量 (a moderate or small amount)
【反】large amount (大量)

MISSHAPEN	MISSILE	MITE	MITIGATE	MITTEN
MNEMONICS	MOAN	MOAT	MOBILE	MOBILITY
MOCK	MODE	MODEST	MODICUM	

modify* [ˈmɔdifai] *v.* 修改，变更 (to alter partially; amend)
【记】词根记忆：mod (方式) + ify → 使改变方式 → 修改
【派】modification (*n.* 修改，修饰)

modish* [ˈməudiʃ] *adj.* 时髦的 (fashionable; stylish)
【记】来自 mode (*n.* 时髦)
【反】lacking style and fashionableness (缺乏风格和时尚的)

modulate* [ˈmɔdjuleit] *v.* 调整 (音的强弱) (to regulate by or adjust to)
【记】词根记忆：mod (方式) + ulate → 改变方式 → 调整
【例】Some people are able to *modulate* their voices according to the size of the room in which they speak. (有些人可以根据房间的大小调整自己的声音。)

mogul* [ˈməugl] *n.* 显要人物，权势之人 (an influential or powerful person)
【记】来自 Mogul (*n.* 莫卧儿人，蒙古人)，因比较高大而引申为"显要人物"
【反】nonentity (*n.* 无足轻重者)

molar [ˈməulə] *n.* 臼齿 (a tooth with a rounded or flattened surface adapted for grinding)
【记】词根记忆：mol (磨) + ar → 磨牙 → 臼齿

mold* [məuld] *n.* 模子 (a cavity in which a substance is shaped); [美] 霉 (a fungus); *v.* 塑造 (to give shape to)
【形】meld (*v.* 混合，合并); mild (*adj.* 温和的)

molding* [ˈməuldiŋ] *n.* 装饰线条 (a decorative band of stone or wood); 铸造物 (an object produced from a mold)
【记】mold (模子) + ing → 铸造物

moldy* [ˈməuldi] *adj.* 发霉的 (covered with mold)
【记】mold (霉) + y → 发霉的

molecule* [ˈmɔlikjuːl] *n.* 分子 (the simplest structural unit of an element or compound)

mollify* [ˈmɔlifai] *v.* 安慰，安抚 (to soften in feeling or temper; appease)
【记】词根记忆：moll (软) + ify → 软化 → 安慰
【同】emollient (*n.* 润肤剂); mollescent (*adj.* 变软的)
【反】pique (*v.* 激怒); rouse (*v.* 激起); antagonize (*v.* 对抗); discommode (*v.* 使为难); vex (*v.* 使烦恼); ire (*n.* 愤怒)

mollycoddle* [ˈmɔlikɔdl] *v.* 过分爱惜，娇惯 (to overly coddle; pamper); *n.* 娇生惯养的人

□ MODIFY	□ MODISH	□ MODULATE	□ MOGUL	□ MOLAR
□ MOLD	□ MOLDING	□ MOLDY	□ MOLECULE	□ MOLLIFY
□ MOLLYCODDLE				

【记】词根记忆：molly（软，溺爱）+ coddle（纵容）→ 娇惯
【反】treat harshly（严厉对待）

molt* [məult] *v.* 换羽，脱毛（cast off hair, skin, horn or feathers）；*n.* 换羽（期），脱毛（期）
【反】fledge（*v.* 长羽毛）

molten [ˈməultən] *adj.* 熔化的（melted）

moment [ˈməumənt] *n.* 瞬间 （an indefinitely short time）；重要（importance）
【反】insignificance（*n.* 不重要）

momentous* [məuˈmentəs] *adj.* 极重要的，严重的 （of great importance or consequence）

momentum* [məuˈmentəm] *n.* 推进力，势头 （impetus；force or speed of movement）
【记】moment（=movement 运动）+ um → 动力，推进力

monarch* [ˈmɔnək] *n.* 君主，帝王（a hereditary sovereign）
【记】词根记忆：mon（单个）+ arch（统治者）→ 个人统治 → 君主

monarchy [ˈmɔnəki] *n.* 君主制（rule by a king or queen）
【记】词根记忆：mon（单个）+ archy（统治）→ 个人统治 → 君主制

monetary [ˈmʌnitəri] *adj.* 货币的（about money）
【记】来自 money（*n.* 钱，金钱）

mongrel* [ˈmʌŋgrəl] *n.* 杂种动植物 （an animal or a plant resulting from various interbreedings, esp. a dog of mixed or undetermined breed）；混血儿
【反】purebred（*n.* 纯种动物）

monochromatic [ˈmɔnəukrəuˌmætik] *adj.* 单色的（having only one color）
【记】词根记忆：mono（单个）+ chrom（颜色）+ atic → 单色的
【反】iridescent（*adj.* 彩虹色的）

monochrome [ˈmɔnəukrəum] *adj.* 单色的，单色画的 （painting in only one color）

monocle* [ˈmɔnɔkl] *n.* 单片眼镜（an eye glass for one eye only）

monogamy [mɔˈnɔgəmi] *n.* 一夫一妻制 （the state or custom of being married to one person at a time）
【记】词根记忆：mono（单个）+ gam（婚姻）+ y → 一夫一妻制
【同】neogamist（*n.* 新婚者）；bigamous（*adj.* 重婚的）

monolithic* [ˌmɔnəˈliθik] *adj.* 巨石的，巨大的（huge；massive）
【记】词根记忆：mono（单个）+ lith（石头）+ ic → 单块大石头 → 巨石的
【同】paleolith（*n.* 旧石器）；neolith（*n.* 新石器）

monologue* [ˈmɔnəlɔg] *n.* 独白 （soliloquy）；个人长篇演说 （a prolonged discourse）
【记】词根记忆：mono（单个）+ logue（说话）→ 一个人说话 → 独白

MOLT	MOLTEN	MOMENT	MOMENTOUS	MOMENTUM
MONARCH	MONARCHY	MONETARY	MONGREL	MONOCHROMATIC
MONOCHROME	MONOCLE	MONOGAMY	MONOLITHIC	MONOLOGUE

monomania [ˌmɔnəuˈmeinjə] *n.* 偏狂症，狂热病 (a condition of the mind in which a person keeps thinking of one particular idea or subject)
【记】词根记忆：mono（单个）+ mania（狂热）→ 为一件事物而狂热的病 → 狂热病

monopoly* [məˈnɔpəli] *n.* 专利权，垄断 (exclusive possession or control)
【记】词根记忆：mono（单个）+ poly（运用）→ 一个人用 → 垄断
【同】employ（*v.* 雇用）；deploy（*v.* 展开，部署）

monotonous* [məˈnɔtənəs] *adj.* 单调的，无聊的 (tediously uniform or unvarying)
【记】词根记忆：mono（单个）+ ton（声音）+ ous → 一个声音 → 单调的

monotony* [məˈnɔtəni] *n.* 单调，千篇一律 (tedious sameness)

monsoon [mɔnˈsuːn] *n.* 季雨，季风 (a periodic wind especially in the Indian Ocean and southern Asia)
【记】来自阿拉伯语，意为"季节"

montage [mɔnˈtɑːʒ] *n.* 蒙太奇 (a literary, musical, or artistic composite of juxtaposed more or less heterogeneous elements)；拼集画 (a composite picture made by combining several separate pictures)

monumental [ˌmɔnjuˈmentl] *adj.* 极大的 (massive; impressively large)；纪念碑的 (built as a monument)
【记】monument（纪念碑）+ al → 纪念碑的

morale [mɔˈrɑːl] *n.* 士气，精神力量 (a sense of common purpose with respect to a group)
【记】和 moral（*adj.* 道德的）一起记

moralistic* [mɔrəˈlistik] *adj.* 道学气的 (concerned with morals)
【记】moral（道德）+ istic → 道学气的

moratorium* [ˌmɔrəˈtɔːriəm] *n.* 停止偿付 (a legal authorization to delay payment of money)；禁止活动 (a suspension of activity)
【记】词根记忆：morat（延误）+ orium → 停止偿付
【参】moratory（*adj.* 延期偿付的）

morbid* [ˈmɔːbid] *adj.* 病态的，不正常的 (diseased; unhealthy)
【记】词根记忆：morb（病）+ id → 病态的
【参】morbific（*adj.* 引起疾病的）
【派】morbidity（*n.* 病态）
【反】wholesome（*adj.* 健康的）

mordant* [ˈmɔːdənt] *adj.* 讥讽的，尖酸的 (biting or sarcastic)
【记】词根记忆：mord（咬）+ ant → 咬人的 → 尖酸的
【参】mordacious（*adj.* 尖锐的，尖刻的）
【反】genial（*adj.* 和蔼的）

mores* [ˈmɔːriːz] *n.* 风俗习惯，道德观念 (the fixed morally binding customs of a particular group)

MONOMANIA	MONOPOLY	MONOTONOUS	MONOTONY	MONSOON
MONTAGE	MONUMENTAL	MORALE	MORALISTIC	MORATORIUM
MORBID	MORDANT	MORES		

【记】词根记忆：mor（道德）+ es → 道德观念

【参】moral（*adj.* 道德的）

moribund* [ˈmɔ(ː)ribʌnd] *adj.* 即将结束的（coming to end）；垂死的（dying）

【记】词根记忆：mori（=mort 死）+ bund（接近的）→ 垂死的

【反】increasingly vital（生机勃勃的）；nascent（*adj.* 新生的）；beginning（*adj.* 开始的）

morose* [məˈrəus] *adj.* 阴郁的（sullen or gloomy）

【记】分拆联想：mo（音似"没"）+ rose（玫瑰）→ 没有玫瑰 → 不高兴的，阴郁的

【反】cheerful（*adj.* 高兴的）；lighthearted（*adj.* 轻松愉快的）；sanguine（*adj.* 乐观的）

morsel [ˈmɔːsəl] *n.* 一小块（食物）（a small bite or portion of food）；小量（a small piece or amount）

【记】词根记忆：mors（咬）+ el → 咬一口 → 一小块

【例】*morsels* of news（点滴新闻）

mortality* [mɔːˈtæliti] *n.* 死亡率（the rate of deaths）

【记】词根记忆：mort（死亡）+ ality（性质）→ 死亡率

mortar* [ˈmɔːtə] *n.* 臼，研钵（a vessel in which substances are crushed or ground with a pestle）；迫击炮

mortgage* [ˈmɔːgidʒ] *n.* 抵押贷款；抵押证书；*v.* 用…作抵押

【记】词根记忆：mort（死亡）+ gage（抵押品）→ 用抵押品使债务死亡

【例】He will have to *mortgage* his land for a loan.（他将不得不用土地抵押贷款。）

mortification* [ˈmɔːtifiˈkeiʃən] *n.* 耻辱，屈辱（shame；humiliation；chagrin）

mortify* [ˈmɔːtifai] *v.* 使屈辱，使痛心（to cause to feel humiliation and chagrin）

【记】词根记忆：mort（死）+ ify → 让人想死 → 使屈辱

mortuary* [ˈmɔːtjuəri] *n.* 停尸间，太平间（a place in which dead bodies are kept until burial）

【记】词根记忆：mort（死）+ uary → 死亡地方 → 停尸间

【例】A mortician（殡仪员）works in a *mortuary*.（殡仪员在太平间工作。）

mosaic* [mɔˈzeiik] *n.* 马赛克；镶嵌细工（把小块玻璃、石头等镶嵌成图画）（a surface decoration made by inlaying small pieces of variously colored material to form pictures or patterns）

mosque [mɔsk] *n.* 清真寺（伊斯兰教的寺庙）（a building used for public worship by Muslims）

mosquito [məsˈkiːtəu] *n.* 蚊子

【记】发音记忆："貌似黑头" → 像鼻子上的黑头 → 蚊子

mote [məut] *n.* 微粒，微尘（a speck of dust）

【形】dote（*v.* 溺爱）；rote（*v.* 死记硬背）

MORIBUND	MOROSE	MORSEL	MORTALITY	MORTAR
MORTGAGE	MORTIFICATION	MORTIFY	MORTUARY	MOSAIC
MOSQUE	MOSQUITO	MOTE		

motif [məu'tiːf] *n.* (作品)主题，主旨(a main theme or subject)

【记】可能是 motive(动机)的变体

motility* [məu'tiliti] *n.* 运动性

【记】词根记忆：mot(运动)+ility → 运动性

【参】motion(*n.* 运动)

【反】stasis(*n.* 静止；淤血)

motley ['mɔtli] *adj.* 混杂的(heterogeneous)；杂色的(of many colors)

【记】词根记忆：mot(=mote 微粒)+ley → 各种微粒混合 → 混杂的

【参】medley(*n.* 混合物)

【反】colorless(*adj.* 无色的)；unique(*adj.* 惟一的)

mottled ['mɔtld] *adj.* 有杂色的，斑驳的(marked with blotches, streak, and spots of different colors or shades)

【记】来自 mottle，发音记忆："毛头" → 头发颜色多 → 使成杂色

【反】homogenous (*adj.* 相同的)；mottle (*v.* 使成杂色) → blanch (*v.* 使成白色)

motto* ['mɔtəu] *n.* 座右铭；箴言(a maxim)

mountainous ['mauntinəs] *adj.* 多山的(full of mountains)；巨大的(very large)

【记】mountain(山)+ous → 多山的

mourn* [mɔːn] *v.* 哀悼，哀伤(to feel or express sorrow or grief)

mournful ['mɔːnful] *adj.* 悲伤的(feeling or expressing sorrow or grief)

【反】jovial(*adj.* 快乐的)

movement* ['muːvmənt] *n.* (交响乐)乐章(a principal division or section of a sonata or symphony)

【记】movement 作为"运动"一义大家都熟悉，但"乐章"一义不可忘

muffle* ['mʌfl] *v.* 使声音降低(to deaden the sound of)；裹住(to envelop)

【派】muffled, muffler

mulish ['mjuːliʃ] *adj.* 骡一样的，执拗的(stubborn as a mule)

【反】flexible(*adj.* 灵活的)；pliant(*adj.* 顺从的)

multiple* ['mʌltipl] *adj.* 多样的，多重的(various; including more than one)

【记】词根记忆：multi(多)+ple → 多样的，多重的

multiplicity [ˌmʌlti'plisiti] *n.* 多样性(large number or great variety)

multiply* ['mʌltipli] *v.* 乘；增加(to greatly increase)；繁殖(to breed)

【记】词根记忆：multi(多)+ply(表动词) → 变多 → 增加

【反】fail to multiply(不能繁殖) 〈〉 propagate(*v.* 繁殖)

mumble* ['mʌmbl] *v.* 咕哝，含糊不清地说(to speak or say unclearly)

【反】enunciate(*v.* 清楚地说)

mundane* ['mʌndein] *adj.* 现世的，世俗的(relating to the world; worldly)

【记】来自拉丁语 mundus(*n.* 世界)

【反】exotic(*adj.* 奇异的)；unearthly(*adj.* 超脱自然的)

MOTIF	MOTILITY	MOTLEY	MOTTLED	MOTTO	MOUNTAINOUS
MOURN	MOURNFUL	MOVEMENT	MUFFLE	MULISH	MULTIPLE
MULTIPLICITY	MULTIPLY	MUMBLE	MUNDANE		

municipality [mjuːˌnisiˈpæliti] *n.* 市；市政当局（指城市行政区及管理者）
【记】来自 municipal（*adj.* 市政的）

munificence* [mjuːˈnifisəns] *n.* 慷慨，宽宏大量（generosity）
【记】词根记忆：muni（公共）+ fic（做）+ ence → 为公共着想 → 慷慨，宽宏大量
【反】stinginess（*n.* 吝啬）

munition* [mjuːˈniʃən] *n.* 军火，弹药（weapons and ammunition）
【记】词根记忆：muni（礼物，加强）+ tion → 送给敌人的礼物 → 军火

mural* [ˈmjuərəl] *adj.* 墙壁的（of a wall）；*n.* 壁画
【记】词根记忆：mur（墙）+ al → 墙上的画 → 壁画
【同】demur（*v.* 反对）；immure（*v.* 监禁）

murky* [ˈməːki] *adj.* 黑暗的（dark; gloomy）；朦胧的（vague）
【记】来自 murk（*n.* 黑暗），mur（墙）+ k
【反】lucid（*adj.* 明晰的）；limpid（*adj.* 清澈的）；pellucid（*adj.* 透明的）；clear（*adj.* 清晰的）

murmur* [ˈməːmə] *v.* 柔声地说，抱怨（complain, grumble）
【记】象声词：mur-mur

muse* [mjuːz] *v.* 沉思，冥想（to think or meditate in silence）
【记】联想记忆：Muse（希腊神话中缪斯女神）

musicologist [ˌmjuːziˈkɔlədʒist] *n.* 音乐学者
【记】来自 musicology（*n.* 音乐学）

musket* [ˈmʌskit] *n.* 旧式步枪（a type of gun used in former times）
【记】也翻译成毛瑟枪

muster* [ˈmʌstə] *v.* 召集，聚集（to gather or summon）
【记】和 master （主人，大师）一起记 （a master has the power to muster）

mutate* [mjuːˈteit] *v.* 变异（to undergo mutation）
【记】词根记忆：mut（变）+ ate → 变化
【反】remain the same（保持不变）；root（*v.* 生根，确立）

mute* [mjuːt] *adj.* 沉默的（silent）；*v.* 减弱声音（to muffle the sound of）；*n.* 弱音器 （a device to soften or alter the tone of a musical instrument）
【反】amplify（*v.* 放大［声音］）

muted* [ˈmjuːtid] *adj.*（声音）减弱的，变得轻柔的

mutineer* [ˌmjuːtiˈniə] *n.* 反叛者，背叛者（a person who mutinies）
【记】来自 mutiny（*v.* 叛变），mut（变化）+ iny

mutter* [ˌmʌtə] *v.* 咕哝，嘀咕（to speak in a low and indistinct voice）
【反】speak distinctly（清楚地说）

myopia* [maiˈəupiə] *n.* 近视；缺乏远见（lack of foresight or discernment）
【记】词根记忆：myo（肌肉）+ p（看作 op 光；眼）+ ia（病）→ 眼

MUNICIPALITY	MUNIFICENCE	MUNITION	MURAL	MURKY	MURMUR
MUSE	MUSICOLOGIST	MUSKET	MUSTER	MUTATE	MUTE
MUTED	MUTINEER	MUTTER	MYOPIA		

病 → 近视

【反】prescience (*n.* 远见)

myopic [mai'ɔpik] *adj.* 近视眼的；缺乏辨别力的 (lacking of foresight or discernment)

【反】discerning (*adj.* 能分辨的)

myriad ['miriəd] *adj.* 许多的，无数的 (innumerable)

【记】词根记忆：myria (许多) + d

【参】myriad-minded (*adj.* 多才多艺的)

mystic ['mistik] *adj.* 神秘的，不可思议的 (of hidden meaning or spiritual power, esp. in religion)；*n.* 神秘主义者

nadir* ['neidiə] *n.* 最低点 (the lowest point)

【反】topmost point (最高点)；zenith (最高点)；summit (*n.* 最高点)；acme (*n.* 顶点)

nag* [næg] *v.* 唠叨，烦扰，不断找岔，抱怨 (to find fault or complain)

【记】联想记忆：snag (障碍) 去掉一个 s

naive [nɑː'iːv] *adj.* 天真的，纯朴的 (marked by unaffected simplicity)

【记】联想记忆：native (原始的，土著的) 减去 t → 比土著人懂的还要少 → 天真的，幼稚的

【反】worldly (世故的)

narcissism* ['nɑːsisizəm] *n.* 自恋，自爱 (inordinate fascination with oneself)

【记】来自 Narcissus，希腊神话中的美少年，因爱恋自己水中的影子而淹死，化为水仙花 (narcissus)

【派】narcissistic (*adj.* 自恋的)

narcissist* ['nɑːsisist] *n.* 自负的人，自恋者 (person who has abnormal and excessive love or admiration for oneself)

narcotic* [nɑː'kɔtik] *n.* 催眠药；*adj.* 催眠的

【记】词根记忆：narcot (睡眠) + ic → 催眠的

【同】narcotize (*v.* 使昏迷)；narcosis (*n.* 睡眠状态)

narrative* ['nerətiv] *adj.* 叙述的，讲故事的 (of, or in the form of story-telling)

【记】来自 narrate (*v.* 叙述)

nascent* ['næsnt] *adj.* 初生的，萌芽的 (beginning to exist or develop)

【记】词根记忆：nasc (出生) + ent → 出生的

【同】renascent (*adj.* 复活的)；nascency (*n.* 诞生，起源)

【反】fully established (完全形成的)；mature (*adj.* 成熟的)；moribund (*adj.* 垂死的)

natal ['neitəl] *adj.* 出生的，诞生时的 (of, relating to, or present at birth)

【记】词根记忆：nat (出生) + al → 出生的，诞生时的

natty* ['næti] *adj.* 整洁的；潇洒的 (neatly or trimly smart)

【记】可能是 neat (干净的) 的变体

【反】sloppy (*adj.* 邋遢的)

MYOPIC	MYRIAD	MYSTIC	NADIR	NAG
NAIVE	NARCISSISM	NARCISSIST	NARCOTIC	NARRATIVE
NASCENT	NATAL	NATTY		

nausea [ˈnɔːsjə] *n.* 作呕，恶心 (sickness at the stomach)
【记】原来写作 nausia，naus (=naut 船) + ia (病) → 船上的病 → 晕船 → 恶心

nauseate [ˈnɔːsieit] *v.* 使作呕，使厌恶 (to feel disgust)
【派】nauseating (*adj.* 令人作呕的)

nautical* [ˈnɔːtikəl] *adj.* 船员的，航海的 (pertaining to sailors, ships or navigation)
【记】词根记忆：naut (船) + ical → 航海的
【同】astronaut (*n.* 宇航员)

navigate* [ˈnævigeit] *v.* 航海，导航 (to direct the course of a ship or plane)
【记】词根记忆：nav (船) + ig (走) + ate → 坐船走 → 航海
【派】navigation (*n.* 航海，航空)

naysay [ˈneisei] *v.* 拒绝，说不 (to say no)
【反】concur (*v.* 同意)

nebulous* [ˈnebjuləs] *adj.* 模糊不清的 (hazy; vague; indistinct)；云状的 (cloudlike)
【记】词根记忆：nebul (云) + ous → 云状的
【反】distinct (*adj.* 明显的)；clear-cut (*adj.* 清晰的)

needle* [ˈniːdl] *n.* 针；针叶 (a narrow stiff leaf of conifers)

needlework [ˈniːd(ə)lwəːk] 缝纫，刺绣 (sewing done with needle and thread)
【记】组合词：needle (针) + work (工作) → 针线活儿 → 刺绣

needy [ˈniːdi] *adj.* 贫穷的 (impoverished)
【反】affluent (*adj.* 丰富的)

nefarious [niˈfeəriəs] *adj.* 邪恶的 (extremely wicked; evil)
【记】词根记忆：ne (=not) + far (公正) + ious → 不公正的 → 违法的，邪恶的
【反】above reproach (无可责备)；virtuous (*adj.* 美德的)

negate* [niˈgeit] *v.* 取消 (to nullify or invalidate)；否认 (deny)
【记】词根记忆：neg (否认) + ate → 否认
【同】abnegation (*n.* 自我否认)；neglect (*v.* 忽视)

negation* [niˈgeiʃən] *n.* 否定，拒绝 (action of denying)

negligence* [ˈneglidʒəns] *n.* 粗心，疏忽 (disregard of duty; neglect)
【记】词根记忆：neg (不) + lig (选择) + ence → 不加选择 → 粗心，疏忽

negotiable [niˈgəuʃjəbl] *adj.* 可商量的 (capable of being negotiated)
【记】来自 negotiation (*n.* 商议，谈判)

NAUSEA	NAUSEATE	NAUTICAL	NAVIGATE	NAYSAY
NEBULOUS	NEEDLE	NEEDLEWORK	NEEDY	NEFARIOUS
NEGATE	NEGATION	NEGLIGENCE	NEGOTIABLE	

negotiate* [niˈgəuʃieit] *v.* 商议，谈判，交涉 (to try to reach agreement by discussion)

neolithic [niːəuˈliθik] *adj.* 新石器时代的

【记】词根记忆：neo（新）+ lith（石头）+ ic → 新石器时代的

My fellow Americans, ask not what your country can do for you, ask what you can do for your country. My fellow citizens of the world: ask not what American will do for you, but what together we can do for the freedom of man.

美国同胞们，不要问国家能为你们做些什么，而要问你们能为国家做些什么。全世界的公民们，不要问美国将为你们做些什么，而要问我们共同能为人类的自由做些什么。

——美国总统 肯尼迪(John Kennedy, American president)

Word List 25

neologism* [niː'ɔlədʒiz(ə)m] *n.* 新字，新义 (a new word or phrase)

【记】词根记忆：neo(新)+log(话语)+ism→新话语→新字

neophyte* ['ni(ː)əufait] *n.* 初学者，新手 (a beginner or a novice)

【记】词根记忆：neo(新)+phyte(植物)→新植物→新手

nepotism* ['nepətizəm] *n.* 裙带关系 (patronage or favoritism based on family relationship)

【记】词根记忆：nepot(=nephew 侄甥)+ism→裙带关系

nerve* [nəːv] *n.* 勇气；*v.* 鼓起勇气 (to give strength to)

【反】appall (*v.* 使害怕)

nettle* ['netl] *n.* 荨麻；*v.* 烦忧，激恼 (to irritate; provoke)

【形】mettle (*n.* 勇气); kettle (*n.* 壶)

【反】conciliate (*v.* 安抚); mollify (*v.* 平息)

neurology [njuə'rɔlədʒi] *n.* 神经学 (the scientific study of the nervous system)

【记】词根记忆：neur(神经)+ology(学科)→神经学

neutralize* ['njuːtrəlaiz] *v.* 使无效 (to make ineffective; nullify); 中和 (to make neutral)

【记】来自 neutral(中性的)+ize

neutron ['njuːtrɔn] *n.* 中子 (particle carrying no electric charge)

nexus* ['neksəs] *n.* (看法等的)联系，连结 (a means of connection)

【记】词根记忆：nex(=nect 联系)+us→连结

nib* [nib] *n.* 钢笔尖 (a penpoint)

nibble* ['nibl] *v.* 一点点地咬，慢慢啃 (to bite off small bits)

【记】词根记忆：nib (小)+ble→小口咬→一点点啃，注意不要和 nipple(乳头)相混

nice [nais] *adj.* 精密的 (marked by great or excessive precision and delicacy)

NEOLOGISM	NEOPHYTE	NEPOTISM	NERVE	NETTLE
NEUROLOGY	NEUTRALIZE	NEUTRON	NEXUS	NIB
NIBBLE	NICE			

nick [nik] *n.* 小伤口，刻痕（a small wound or dent）
【记】联想记忆：北美五分钱硬币，叫 nickel，砍掉 el，就成了 nick

nightmare* [ˈnaitmeə(r)] *n.* 噩梦（a terrifying dream）；可怕的事
【记】组合词：night + mare（母马；恶魔）→ 噩梦
【参】mare（*n.* 母马）

nil* [nil] *n.* 无，零（nothing; zero）

nip [nip] *v.* 小口啜饮（to sip in a small amount）

nitpick* [ˈnitpik] *v.* 挑剔，吹毛求疵（to pay too much attention to petty details; niggle）
【记】组合词：nit（幼虫）+ pick → 挑小虫 → 挑剔

nocturnal* [nɔkˈtəːnl] *adj.* 夜晚的，夜间发生的（happening in the night）
【记】词根记忆：noct（夜）+ urnal → 夜晚的
【同】noctambulant（*adj.* 梦游的）；noctilucence（*n.* 夜间发光）
【反】diurnal（*adj.* 白天的）

noisome* [ˈnɔisəm] *adj.* 恶臭的（foul smelling）；令人不快的（highly obnoxious or objectionable）
【记】词根记忆：noi（=annoy 讨厌）+ some → 讨厌的，令人不快的
【反】appealing（*adj.* 吸引人的）；beneficial（*adj.* 有益的）；pleasant（*adj.* 愉快的）；healthy（*adj.* 有益健康的）

nomad* [ˈnəumæd] *n.* 流浪者（any wanderer）；游牧部落的人
【记】分拆联想：no + mad → 流浪者不疯也狂

nomadic* [nəuˈmædik] *adj.* 游牧的（of nomad）

nominal* [ˈnɔminl] *adj.* 名义上的，有名无实的（in name only）
【记】词根记忆：nomin（名称）+ al → 名义上的

nominate* [ˈnɔmineit] *v.* 提名；任命，指定（to appoint someone to a position）
【记】词根记忆：nomin（名称）+ ate → 提名

nonchalance [ˈnɔnʃələns] *n.* 冷漠，缺少关怀；沉着（the quality or state of being nonchalant）
【记】词根记忆：non（不）+ chal（关心）+ ance → 不关心 → 无动于衷，冷漠，缺少关怀

noncommittal [ˈnɔnˌkɔmitəl] *adj.* 态度暧昧的（giving no clear indication of attitude or feeling）；不承担义务的
【记】non（不）+ committal（义务）→ 不承担义务的

nonentity* [nɔˈnentiti] *n.* 不重要的人或事（a person or thing of no importance）
【记】non（不）+ entity（存在）→ 当作不存在 → 不重要的人或事

nonflammable* [ˌnɔnˈflæməbl] *adj.* 不易燃的（not flammable）
【记】non（不）+ flammable（易燃的）；注意不要和 inflammable（易燃的）相混

nonplus* [ˌnɔnˈplʌs] *v.* 使窘困迷惑（to put in perplexity, bewilder）；*n.* 迷惑，窘境

□ NICK	□ NIGHTMARE	□ NIL	□ NIP	□ NITPICK	□ NOCTURNAL
□ NOISOME	□ NOMAD	□ NOMADIC	□ NOMINAL	□ NOMINATE	□ NONCHALANCE
□ NONCOMMITTAL	□ NONENTITY	□ NONFLAMMABLE	□ NONPLUS		

【记】non（不）+ plus（增加，有利的）→ 不利 → 窘困
【派】nonplussed（*adj.* 窘困迷惑的）

nonporous* [ˌnɔnˈpɔːrəs] *adj.* 无孔的，不渗透的
【记】non（不）+ porous（多孔的）→ 无孔的

nonradioactive [ˌnɔnreidiəˈæktiv] *adj.* 非放射性的
【记】non（不）+ radioactive（放射性的）→ 非放射性的

nonsensical [nɔnˈsensikəl] *adj.* 荒唐的，无意义的（having no meaning or conveying no intelligible ideas）

nonthreatening* [ˌnɔnˈθretəniŋ] *adj.* 不威胁的
【记】non（不）+ threatening（威胁的）→ 不威胁的

nonviable [ˌnɔnˈvaiəbl] *adj.* 无法生存的（not able to live）
【记】non + viable（能养活的）→ 无法生存的

norm* [nɔːm] *n.* 规范，准则（a standard or mode that should be followed）
【例】*norms* of conduct（行为准则）

nostalgia* [nɔsˈtældʒiə] *n.* 怀旧之情（a sentimental yearning for return to or of some past period）；思乡病（the state of being homesick）
【记】词根记忆：nost（家）+ alg（痛）+ ia → 想家病 → 思乡病

nostrum [ˈnɔstrəm] *n.* 家传秘方，江湖药（quack medicine）；万灵丹（panacea；a usually questionable remedy or scheme）
【记】词根记忆：nost（家）+ rum → 家传秘方

notable* [ˈnəutəbl] *adj.* 明显的，出众的，重要的（deserving to be noticed；remarkable）
【记】词根记忆：not（标示）+ able → 加了标示的 → 明显的

notch* [nɔtʃ] *n.* V 字形刻痕（a V-shaped cut or indentation）
【反】serrated（*adj.* 锯齿状的）〈〉without notches（没有刻痕的）

notorious [nəuˈtɔːriəs] *adj.* 臭名昭著的（widely and unfavorably known）
【记】词根记忆：not（知道）+ orious → 人所共知的 → 臭名昭著的

nourish* [ˈnʌriʃ] *v.* 滋养，怀有（希望等）（to nurture；promote the growth of）
【记】词根记忆：nour（看作是 nutri 营养）+ ish → 滋养

nova [ˈnəuvə] *n.* 新星（star that suddenly becomes much brighter and then returns to its original brightness）

novelty* [ˈnɔvəlti] *n.* 新奇（的事物）（newness；sth. new or unusual）
【记】novel（新的）+ ty → 新奇
【反】banality（*n.* 陈腐）；timeworn（*adj.* 陈旧的）

novice* [ˈnɔvis] *n.* 生手，新手（beginner）
【记】分拆联想：no + vice（副的，第二的）→ 连副的都不是 → 新手
【参】neophyte（*n.* 新手）；apprentice（*n.* 学徒）

noxious* [ˈnɔkʃəs] *adj.* 有害的，有毒的（injurious；pernicious）
【记】词根记忆：nox（毒）+ ious → 有毒的
【参】nocuous（*adj.* 有害的）
【反】beneficial（*adj.* 有益的）

NONPOROUS	NONRADIOACTIVE	NONSENSICAL	NONTHREATENING	NONVIABLE	NORM
NOSTALGIA	NOSTRUM	NOTABLE	NOTCH	NOTORIOUS	NOURISH
NOVA	NOVELTY	NOVICE	NOXIOUS		

nuance* [njuːˈɑːns] *n.* 细微的差异（a subtle difference）
【反】patent difference（明显的差异）

nubile* [ˈnjuːbail] *adj.*（女孩）到婚嫁年龄的（marriageable）；吸引人的，性感的（sexually attractive）
【记】词根记忆：nub（结婚）+ ile → 可结婚的
【参】nubility（*n.* 适婚性），注意不要和 nebulous（模糊的）相混

nucleate* [ˈnjuklieit] *v.* 使成核（to form a nucleus）；*adj.* 有核的

nucleus* [ˈnjuːkliəs] *n.*（原子）核（the central part of an atom）

nudge [nʌdʒ] *v.*（用肘）轻触，轻推（to push or poke gently）

nugatory* [ˈnjuːgətəri] *adj.* 无价值的，琐碎的（trifling; worthless）
【记】来自 nugae（无价值的东西）+ tory → 无价值的

nullify* [ˈnʌlifai] *v.* 使无效（to invalidate），取消（to cancel out）
【记】词根记忆：null（无）+ ify → 使无效，取消
【同】nullity（*n.* 无效）；nulliparous（*adj.* 未生育过的）

numb* [nʌm] *adj.* 麻木的（devoid of emotions）
【记】联想记忆：number 去掉 er，就成为 numb

numerous* [ˈnjuːmərəs] *adj.* 许多的，很多的（many）
【记】词根记忆：numer（计数）+ ous → 不计其数的 → 许多的，很多的

numismatist* [njuːˈmizmətist] *n.* 钱币学家，钱币收藏家（a person who studies or collects coins, tokens, and paper money）

nurture* [ˈnəːtʃə] *v.* 抚育，给…营养物，教养（to care for and educate）；*n.* 养育，营养物（sth. that nourishes）；[总称] 环境因素（the sum of the environmental factors influencing the behavior and traits expressed by an organism）

nutrient* [ˈnjuːtriənt] *n.* 滋养物质（substance serving as or providing nourishment）
【记】词根记忆：nutri（营养）+ ent → 滋养物

nutrition* [njuːˈtriʃən] *n.* 营养（[process of giving and receiving] nourishment）；营养学（the study of human diet）

oafishness [ˈəufiʃnis] *n.* 痴呆（state of being stupid）
【记】分拆联想：oa + fish（鱼）+ ness → 笨鱼 → 痴呆

oak* [əuk] *n.* 橡树

oasis* [əuˈeisis] *n.* 绿洲（a fertile place in desert）

oath* [ˈəuθ] *n.* 誓言（a formal promise to, esp. one made in a court of law）；咒骂（swear-word）

obdurate* [ˈɔbdjurit] *adj.* 固执的，顽固的（stubbornly persistent; inflexible）
【记】词根记忆：ob（反）+ dur（坚韧）+ ate → 很坚韧地对抗 → 固执的
【同】endure（*v.* 忍耐）；indurate（*v.* 使坚固，硬化）
【反】toward（*adj.* 温顺的）

NUANCE	NUBILE	NUCLEATE	NUCLEUS	NUDGE	NUGATORY
NULLIFY	NUMB	NUMEROUS	NUMISMATIST	NURTURE	NUTRIENT
NUTRITION	OAFISHNESS	OAK	OASIS	OATH	OBDURATE

obedient* [ə'biːdjənt] *adj.* 服从的，顺从的 (submissive; docile)
【记】来自 obey (服从) + dient → 服从的
【反】contumacious (*adj.* 顽固的)

obeisance* [əu'beisns] *n.* 鞠躬，敬礼 (a gesture of respect or reverence)
【记】来自 obey (服从) + sance → 服从的态度 → 鞠躬
【反】obeisant (*adj.* 有礼的) 〈〉 impertinent (*adj.* 鲁莽的)

obese [əu'biːs] *adj.* 极肥胖的 (very fat; corpulent)
【派】obesity (*n.* 肥胖)

obfuscate* ['ɔbfʌskeit] *v.* 使困惑，使迷惑 (muddle; confuse; bewilder)
【记】词根记忆：ob (走向) + fusc (黑暗；糊涂) + ate → 弄糊涂 → 使困惑，使迷惑
【参】fuscous (*adj.* 深色的)
【反】elucidate (*v.* 阐明); illuminate (*v.* 说明); explain clearly (解释清楚); clarify (*v.* 阐明)
【派】obfuscation (*n.* 昏迷，困惑)

obituary [ə'bitjuəri] *n.* 讣闻，讣告 (death notice in a newspaper)
【记】词根记忆：ob (离开) + it (走) + uary → 走开了；死了 → 讣闻，讣告

objection* [əb'dʒekʃən] *n.* 厌恶，反对 (dislike or disapproval)
【记】词根记忆：ob (反) + ject (扔，射) + ion → 反过来扔 → 厌恶，反对

objective* [əb'dʒektiv] *adj.* 客观的 (not influenced by personal opinions); *n.* 目标 (an aim)
【记】object (物体，目标) + ive → 目标
【派】objectivity (*n.* 客观性)

obligation* ['ɔbli,geiʃən] *n.* 责任 (a duty imposed legally or socially); 债务，欠的人情 (the fact of being indebted)

obligatory* [ɔ'bligətəri] *adj.* 强制性的，义务的 (binding in law or conscience; required)
【反】discretionary (*adj.* 自由决定的); selective (*adj.* 选择性的)

oblige* [ə'blaidʒ] *v.* 束缚 (constrain); 恩惠于… (to do sth. as a favour)
【记】词根记忆：ob + lig (绑住) + e → 绑住某人 → 迫使，束缚

obliging* [ə'blaidʒiŋ] *adj.* 恳切的，热心助人的 (helpful; accommodating)
【记】来自 oblige (情愿，表示好意) + ing → 热心助人的

oblique* [ə'bliːk] *adj.* 间接的 (not straightforward); 斜的 (inclined)
【记】词根记忆：ob (躺) + lique (歪斜的) → 斜的
【反】direct (*adj.* 直接的)

obliterate [ə'blitəreit] *v.* 涂掉，擦掉 (efface; erase)
【记】词根记忆：ob (去掉) + liter (文字) + ate → 擦掉 (文字等)

oblivious* [ə'bliviəs] *adj.* 遗忘的，疏忽的 (forgetful or unmindful)
【记】词根记忆：ob (反) + liv (=live 活) + ious → 不再活的 → 遗

OBEDIENT	OBEISANCE	OBESE	OBFUSCATE	OBITUARY
OBJECTION	OBJECTIVE	OBLIGATION	OBLIGATORY	OBLIGE
OBLIGING	OBLIQUE	OBLITERATE	OBLIVIOUS	

忘的，疏忽的

【反】vigilant（*adj.* 警觉的）；cognizant（*adj.* 认知的）；mindful（*adj.* 留心的）

obloquy [ˈɔbləkwi] *n.* 大骂，斥责（censure or vituperation）

【记】词根记忆：ob（坏）+ loqu（话）+ y → 说坏话 → 大骂

【反】adulation（*n.* 阿谀奉承）

obnoxious* [əbˈnɔkʃəs] *adj.* 令人不愉快的（very unpleasant）；可憎的（disgustingly objectionable）

【记】词根记忆：ob（坏）+ nox（毒）+ ious → 有毒的，令人不快的

obscure* [əbˈskjuə] *adj.* 难理解的（cryptic；ambiguous）；不清楚的（not clear or distinct）；*v.* 隐藏（to conceal）；使…模糊（to make less conspicuous）

【记】词根记忆：ob（离开）+ scure（跑）→ 跑掉 → 隐藏

【参】scurry（*v.* 急跑）

【反】explicit（*adj.* 清楚的）

obscurity* [əbˈskjuəriti] *n.* 费解；不出名（the quality of being obscure）

【反】celebrity（*n.* 名声，名人）

obsequious* [əbˈsiːkwiəs] *adj.* 逢迎的，谄媚的（showing too great a willingness to serve or obey）

【记】词根记忆：ob（坏）+ sequ（跟随）+ ious → 即使坏的也跟着走 → 谄媚的

【反】supercilious（*adj.* 自大的）

observatory* [əbˈzəːvətəri] *n.* 天文台（a building or place given over to or equipped for observation of natural phenomena）

【记】来自 observe（观察）+ atory

obsess [əbˈses] *v.* 迷住；使…困窘，使…烦扰（to haunt or excessively preoccupy the mind of）

【记】词根记忆：ob（反）+ sess（=sit 坐）→ 坐着不走 → 迷住，使…着迷

obsolete [ˈɔbsəliːt] *adj.* 废弃的（no longer in use）；过时的（out of date；old）

【记】词根记忆：ob（不）+ solete（使用）→ 不再使用 → 过时的

【派】obsolescent（正在过时的，逐渐废弃的）

obstacle* [ˈɔbstəkl] *n.* 障碍，干扰（impediment；obstruction；hindrance）

【记】词根记忆：ob（反）+ st（=stand 站）+ acle（东西）→ 反着站的东西 → 障碍

obstinacy* [ˈɔbstinəsi] *n.* 固执，倔强，顽固（state of being obstinate, stubbornness）

【记】词根记忆：ob+stin（=stand 站）+acy → 坚决站着 → 固执，倔强

obstinate* [ˈɔbstinit] *adj.* 固执的，倔强的（unreasonably determined；stubborn；dogged）

【反】tractable（*adj.* 驯良的，易管教的）

OBLOQUY	OBNOXIOUS	OBSCURE	OBSCURITY	OBSEQUIOUS
OBSERVATORY	OBSESS	OBSOLETE	OBSTACLE	OBSTINACY
OBSTINATE				

obstreperous [əbˈstrepərəs] *adj.* 吵闹的；难管束的（noisy, boisterous; unruly）
【记】词根记忆：ob + streper（喧闹）+ ous → 喧闹的 → 吵闹的
【反】disciplined（*adj.* 遵守纪律的）

obstruct* [əbˈstrʌkt] *v.* 阻塞，截断（to block with obstacles; clog）
【记】词根记忆：ob（反）+ struct（建造）→ 反建造 → 阻塞
【反】facilitate（*v.* 加速进行）；unoccluded（*adj.* 顺畅的）〈〉obstructed（*adj.* 受阻挠的）

obtainable* [əbˈteinəb(ə)l] *adj.* 能得到的（capable of being obtained）
【记】来自 obtain（*v.* 得到）

obtuse* [əbˈtjuːs] *adj.* 愚笨的（dull or insensitive）；不锐利的（blunt）
【记】分拆联想：obt（音似：恶脾气）+ use（用）→ 用恶脾气 → 愚笨的

obverse* [ˈɔbvəːs] *n.* / *adj.* 正面（的）（the front or main surface）
【记】词根记忆：ob（外）+ verse（转）→ 转向外的 → 正面的
【参】reverse（*n.* 反面）

obviate [ˈɔbvieit] *v.* 排除，消除（困难、危险等）（to remove, get rid of）
【记】词根记忆：ob（离开）+ vi（路）+ ate → 使障碍离开道路 → 排除（困难）
【同】viable（*adj.* 能活的）；viaduct（*n.* 高架桥）

obvious* [ˈɔbviəs] *adj.* 明显的，显而易见的（easy to see and understand）

occlude* [ɔˈkluːd] *v.* 使闭塞（to prevent the passage of）
【记】词根记忆：oc + clude（关闭）→ 一再关起来 → 使闭塞
【反】occluded（*adj.* 阻塞的）〈〉unobstructed（*adj.* 顺畅的）

occult* [ɔˈkʌlt] *adj.* 秘密的，不公开的（hidden; concealed）
【记】词根记忆：oc（外）+ cult（教派）→ 不在教派外公开的 → 秘密的，不公开的
【参】cult（*n.* 崇拜；教派）
【反】bare（*adj.* 赤裸的）；patent（*adj.* 明显的）；fathomable（*adj.* 可看透的）

occupation [ˌɔkjuˈpeiʃən] *n.* 工作，职业（a job; employment）；占领（the act or process of taking possession of a place or area）
【记】来自 occupy（占领，使用）+ ation

occurrence* [əˈkʌrəns] *n.* 事件（event; incident）；发生（fact of occurring）
【记】来自 occur（发生）+ rence

octogenarian* [ˌɔktəudʒiˈneəriən] *n.* 80 至 89 岁的人（a person whose age is in the eighties）
【记】词根记忆：octo（8）+ gen（产生；活）+ arian → 80 至 89 岁的人
【同】octopus（*n.* 章鱼）；octennial（*adj.* 8 年的）

odds [ɔdz] *n.* 机会，可能性（possibility or chance）

ode* [əud] *n.* 长诗，颂歌

odious* [ˈəudjəs] *adj.* 可憎的，讨厌的（disgusting; offensive）

OBSTREPEROUS	OBSTRUCT	OBTAINABLE	OBTUSE	OBVERSE
OBVIATE	OBVIOUS	OCCLUDE	OCCULT	OCCUPATION
OCCURRENCE	OCTOGENARIAN	ODDS	ODE	ODIOUS

odium* [ˈəudiəm] *n.* 憎恶，反感（hatred）
【反】hankering（*n.* 渴望）；infatuation（*n.* 迷恋）；esteem（*n.* 尊敬）

odometer* [ɔˈdɔmitə] *n.* （汽车）里程表（an instrument for measuring the distance traveled〔as by a vehicle〕）
【记】词根记忆：odo（旅行）+ meter（测量）→ 测量旅行的东西 → 里程表

odyssey [ˈɔdisi] *n.* 长途的冒险旅行（long, eventful, adventurous journey）
【记】来自荷马史诗《奥德赛》（*Odyssey*），其主人公曾长途冒险

offbeat [ɔfˈbiːt] *adj.* 不规则的，不平常的（unconventional）
【记】组合词：off（离开）+ beat（节奏）→ 无节奏 → 不规则的
【反】conventional（*adj.* 惯例的，常规的）

offence（offense） [əˈfens] *n.* 得罪；错事（the breach of the moral, social or legal code）
【记】词根记忆：of + fense（保护）→ 没有保护好 → 得罪
【同】fense（*n.* 篱笆，栅栏）；defense（*n.* 防卫，保护）

offend* [əˈfend] *v.* 得罪，冒犯（to be displeasing; violate）

offensive* [əˈfensiv] *adj.* 令人不快的，得罪人的（causing anger displeasure）

offhand* [ˈɔːfˌhænd] *adv.* / *adj.* 事先无准备地（的）（without preparation）；随便地（的）（casual; informal）
【反】premeditated（*adj.* 预谋的）

officious* [əˈfiʃəs] *adj.* 爱发命令的，好忠告的（too ready or willing to give orders or advice）；过度殷勤的（meddlesome）
【记】来自 officer（*n.* 官员）
【反】politic（*adj.* 慎重的，策略的）

offish [ˈɔːfiʃ] *adj.* 冷淡的（distant and reserved）
【记】分拆联想：off（离开）+（f）ish（鱼）→ 鱼离开了，池塘冷清 → 冷淡的
【反】sociable（*adj.* 友善的）

off-key* [ˈɔːfkiː] *adj.* 走调的，不和谐的（out of tune）

offset [ˈɔːfset] *v.* 补偿，抵消（to make up for）
【例】He put up his prices to *offset* the increased cost of materials.（他抬高价格以抵消原材料成本的上涨。）

offspring* [ˈɔfspriŋ] *n.* 儿女，后代（children from particular parents）

offstage [ˈɔːfˌsteidʒ] *adv.* / *adj.* 台后（的），幕后（的）（not on the open stage）

ogle* [ˈəugl] *v.* 送秋波（to make eyes）；*n.* 媚眼（an ogling eye）
【例】The man *ogled* her lasciviously.（那个男人好色地向她抛媚眼。）

ointment* [ˈɔintmənt] *n.* 油膏，软膏（salve; unguent）
【记】词根记忆：oint（=oil 油）+ ment → 油膏
【参】unguent（*n.* 软膏）

ODIUM	ODOMETER	ODYSSEY	OFFBEAT	OFFENCE(OFFENSE)	OFFEND
OFFENSIVE	OFFHAND	OFFICIOUS	OFFISH	OFF-KEY	OFFSET
OFFSPRING	OFFSTAGE	OGLE	OINTMENT		

olfaction* [ɔl ˈfækʃən] *n.* 嗅觉 (the sense of smell)

oligarchy [ˈɔligɑːki] *n.* 寡头政治 (a form of government in which power is concentrated in the hands of a few persons)
【记】词根记忆：olig (少) + archy (统治) → 少数人统治 → 寡头统治

omelet* [ˈɔmlit] *n.* 煎蛋卷 (eggs beaten together and cooked in hot fat)
【记】分拆联想：o (看作一个蛋) + me (我) + let (让) → 让我吃煎蛋

ominous* [ˈɔminəs] *adj.* 预兆的，不祥的 (portentous; of an evil omen)
【记】来自 omen (*n.* 预兆，征兆)
【例】The nation is worried about the *ominous* signs of civil war. (全国都为内战的不祥预兆担忧。)

omit* [əu ˈmit] *v.* 省略，遗漏 (to leave out)；疏忽 (to leave undone)

omnipotent [ɔm ˈnipətənt] *adj.* 全能的，万能的 (almighty; all-powerful)
【记】词根记忆：omni (全) + potent (有力的) → 全能的
【同】omnifaceted (*adj.* 全面的)

omnipresent [ɔmni ˈprezənt] *adj.* 无处不在的 (present in all places at all times)
【记】组合词：omni (全) + present (存在的) → 无所不在的

omniscient [ɔm ˈnisiənt] *adj.* 无所不知的，博识的 (knowing all things)
【记】词根记忆：omni (全) + sci (知道) + ent → 全知道的
【同】prescient (*adj.* 预知的)；conscience (*n.* 良心)

onerous* [ˈɔnərəs] *adj.* 繁重的，麻烦的 (burdensome)
【记】词根记忆：oner (劳动) + ous → 繁重的
【同】exonerate (*v.* 无罪释放)

onset [ˈɔnset] *n.* (坏情况) 开始发作 (the first attack or beginning of sth. bad)

opacity* [əu ˈpæsiti] *n.* 不透明性，晦涩 (the quality of being opaque)
【反】transparency (*n.* 透明性)

opalescence* [ˌəupə ˈlesəns] *n.* (不透明的) 乳白光
【记】词根记忆：opal (不透明) + escence (状态) → (不透明的) 乳白光

opaque* [əu ˈpeik] *adj.* 不透明的 (not transparent)；难懂的 (hard to understand; obscure)
【记】来自 opacus (*adj.* 遮蔽阳光的)
【反】diaphanous (*adj.* 透明的)

operative* [ˈɔpərətiv] *adj.* (计划等) 实施中的 (working)；生效的 (effective)
【记】词根记忆：oper (做) + ative → 在做的 → 在实施中的
【同】operose (*adj.* 费力的)

operetta* [ˈɔpəˌretə] *n.* 小歌剧 (a light and amusing opera)
【记】词根记忆：oper (=opera 歌剧) + etta (小) → 小歌剧

opine [əu ˈpain] *v.* 想，以为 (to hold or express an opinion)
【记】联想记忆：opinion (看法) 反推 opine (想)

OLFACTION	OLIGARCHY	OMELET	OMINOUS	OMIT	OMNIPOTENT
OMNIPRESENT	OMNISCIENT	ONEROUS	ONSET	OPACITY	OPALESCENCE
OPAQUE	OPERATIVE	OPERETTA	OPINE		

opinionated* [ə'pinjəneitid] *adj.* 固执己见的 (holding obstinately to one's own opinions)
【记】来自 opinion (观点) + ated → 坚持自己观点的

opponent* [ə'pəunənt] *n.* 对手, 敌手 (adversary; antagonist)
【记】词根记忆: op (反) + pon (放) + ent → 处于对立位置 → 对手
【同】component (*adj.* 组成的, 合成的); proponent (*n.* 支持者)

opportune* ['ɔpətjuːn] *adj.* 合适的, 适当的 (right for the purpose)
【记】词根记忆: op (进入) + port (港口) + une → 进入港口避风雨 → 合适的, 适当的
【参】opportunity (*n.* 机会)
【反】inconvenient (*adj.* 不适当的)

oppose* [ə'pəuz] *v.* 反对 (to be or act against)
【记】词根记忆: op (反) + pose (放) → 反着放 → 反对
【派】opposition (*n.* 反对, 敌对)

oppress [ə'pres] *v.* 压迫, 压制 (to rule in a hard and cruel way)
【记】词根记忆: op + press (压) → 压下去 → 压迫, 压制
【同】depress (*v.* 降低, 抑制); impressive (*adj.* 印象深刻的)
【派】oppressive (*adj.* 残酷的, 压迫的); oppression (*n.* 压迫; 郁闷)

opprobrious* [ə'prəubriəs] *adj.* 辱骂的, 恶名声的 (expressing scorn; abusive)
【记】词根记忆: op + probr (耻辱) + ious → 耻辱的
【反】irreproachable (*adj.* 无可指责的)

optimism* ['ɔptimizəm] *n.* 乐观主义 (the belief that everything will be better)
【记】词根记忆: opt (希望) + im + ism → 总是心存希望 → 乐观主义
【参】optimize (*v.* 使完善)

optimist* ['ɔptimist] *n.* 乐观主义者 (person who is always hopeful and expects the best in all things)

optimum ['ɔptiməm] *adj.* 最好的, 最有利的 (most favorable or desirable)
【记】词根记忆: optim (最好) + um → 最好的

optional* ['ɔpʃənəl] *adj.* 可自由选择的 (left to one's own choice)
【记】来自 option (选择) + al

opulent ['ɔpjulənt] *adj.* 富裕的 (very wealthy); 充足的 (profuse; luxuriant)
【记】词根记忆: opul (财富) + ent → 富裕的
【派】opulence (*n.* 富裕)

oracle* ['ɔrəkl] *n.* 代神发布神谕的人 (any person or agency believed to be in communication with a deity)
【记】词根记忆: ora (嘴) + cle → 作为 (神的) 嘴巴
【参】oral (*adj.* 口头的)

oration* [ə'reiʃən] *n.* 正式演说, 演讲 (a formal public speech)
【记】词根记忆: ora (嘴) + tion → 用嘴说 → 演讲

OPINIONATED	OPPONENT	OPPORTUNE	OPPOSE	OPPRESS
OPPROBRIOUS	OPTIMISM	OPTIMIST	OPTIMUM	OPTIONAL
OPULENT	ORACLE	ORATION		

oratorio* [ˈɔrəˌtɔriəu] *n.* 清唱剧（没有舞台行动、道具的戏剧）

【记】词根记忆：orat（演讲）+ orio（表示音乐类）→ 配以音乐的演讲 → 清唱剧

oratory* [ˈɔrətəri] *n.* 演讲术（the art of making good speeches）

【记】来自 orate（演讲）+ ory

orchard* [ˈɔːtʃəd] *n.* 果园（a place where fruit trees are grown）

orchestra* [ˈɔːkistrə] *n.* 管弦乐队（group of people playing various musical instruments together）

ordain [ɔːˈdein] *v.* 任命（神职）（to make sb. a priest or minister）；颁发命令（to decree; order）

【记】词根记忆：ord（命令）+ ain → 任命

ordeal* [ɔːˈdiːl] *n.* 严峻考验，痛苦经验（any difficult and severe trial）

【记】发音记忆："恶地儿" → 险恶之地 → 严峻考验

ordinance [ˈɔːdinəns] *n.* 法令，条例（a governmental statute of regulation）

【记】词根记忆：ord（命令）+ inance；注意不要和 ordnance（大炮）相混

ordnance [ˈɔːdnəns] *n.* 大炮（cannon or artillery）；军械（all military weapons）

【记】词根记忆：ord（命令，顺序）+ nance → 大炮常排列整齐，故名

ore* [ɔː(r)] *n.* 矿，矿石

【记】注意不要和 roe（鱼卵）相混

organism* [ˈɔːgənizəm] *n.* 生物；有机体（an individual form of life）

【记】词根记忆：organ（器官）+ ism → 生物

【同】organic（*adj.* 器官的，有机体的）；organization（*n.* 组织）

orient [ˈɔːriənt] *v.* 确定方向（to ascertain the bearings of）；使熟悉情况（to acquaint with a particular situation）（*n.* 东方）

【记】词根记忆：ori（升起）+ ent → 东方是太阳升起的方向

original* [əˈridʒənəl] *adj.* 最初的，原始的（existing from the beginning; first or earliest）；有创意的（able to produce new ideas; creative）

【记】来自 origin（*n.* 起源，由来）

【反】commoplale（*adj.* 平凡的）；banality（*n.* 平凡）

originality* [ˌəridʒiˈnæliti] *n.* 创造性，独特性（the ability to be original, creative or inventive）

【记】origin（起源）+ ality → 创造性

ornate* [ɔːˈneit] *adj.* 华美的（showy or flowery）；充满装饰的

ORATORIO	ORATORY	ORCHARD	ORCHESTRA	ORDAIN
ORDEAL	ORDINANCE	ORDNANCE	ORE	ORGANISM
ORIENT	ORIGINAL	ORIGINALITY	ORNATE	

(heavily ornamented or adorned)
【记】词根记忆：orn（装饰）+ ate → 装饰过的 → 华美的
【同】ornamental（*adj.* 装饰的）；suborn（*v.* 唆使）

ornithologist [ˈɔːniˌθɔlədʒist] *n.* 鸟类学家，鸟类学者（expert in ornithology）
【记】词根记忆：ornith（鸟）+ ologist → 鸟类学家

ornithology [ˈɔːniˌθɔlədʒi] *n.* 鸟类学（the branch of zoology dealing with birds）

orthodontics [ˈɔːθəuˌdɔntiks] *n.* 畸齿矫正学
【记】词根记忆：ortho（正）+ dont（=dent 牙齿）+ ics（学科）→ 畸齿矫正学

orthodox* [ˈɔːθədɔks] *adj.* 正统的 （conforming to the usual beliefs of established doctrines）
【记】词根记忆：ortho（正）+ dox（观点）→ 正统观点
【同】heterodox（*adj.* 异端邪说的）；paradox（*n.* 自相矛盾的话）

You never know what you can do till you try.
除非你亲自尝试一下，否则你永远不知道你能够做什么。
——英国小说家 马里亚特(Frederick Marryat, British novelist)

Word List 26

oscillate* [ˈɔsileit] *v.* 摆动(to swing regularly);犹豫(vacillate)
【记】词根记忆:oscill(摆动)+ate→摆动
【同】oscillatory(*adj.* 摇摆不定的);oscilloscope(*n.* 示波计)
【派】oscillation(*n.* 振动;踌躇)

osmosis* [ɔzˈməusis] *n.* 渗透 (the diffusion of fluids);潜移默化(gradual, and often hardly noticeable acceptance of ideas, etc.)

osseous [ˈɔsiəs] *adj.* 骨的,多骨的(composed of bone;bony)
【记】词根记忆:oss(骨)+eous→骨头的
【同】ossiferous(*adj.* 含骨化石的)

ossify [ˈɔsifai] *v.* 硬化,骨化 (to change or develop into bone);使 (传统)僵化 (to become hardened or conventional and opposed to change)
【记】词根记忆:oss(骨)+ify(…化)→硬化,骨化
【反】transcend conventions(超越传统)

ostensible* [ɔsˈtensəbl] *adj.* 表面上的(apparent;seeming;professed)
【记】词根记忆:ostens(显现)+ible→显现出来的→表面上的
【例】His *ostensible* frankness covered a devious scheme. (他表面的诚实掩盖着邪恶的阴谋。)

ostentation* [ˈɔstenˌteiʃən] *n.* 夸示,炫耀(showy display;pretentiousness)
【记】词根记忆:ostent(显现)+ation→显现出来→炫耀

ostracism* [ˈɔstrəsizəm] *n.* 放逐,排斥 (act of stopping accepting someone as a member of the group)
【记】ostrac (贝壳)+ism→用投贝壳的方法放逐,源自古希腊用贝壳投票决定是否应该放逐某人

ostracize [ˈɔstrəsaiz] *v.* 放逐,排斥 (to exclude from a group by common consent)
【记】ostrac(贝壳)+ize

OSCILLATE	OSMOSIS	OSSEOUS	OSSIFY	OSTENSIBLE
OSTENTATION	OSTRACISM	OSTRACIZE		

【参】ostracean (*n.* 牡蛎); ostrakon (*n.* 陶片)
【反】welcome (*v.* 欢迎); include / embrace (*v.* 包括)

ostrich* [ˈɔstritʃ] *n.* 鸵鸟；不接受现实的人 (one who refuses to face the unpleasant realities)
【记】分拆联想：ost + rich (富有的) → 富有的人才能穿得起鸵鸟羽毛的衣服

other-directed* [ˈʌðədiˌrektid] *adj.* 受人支配的 (directed in thought and action by others)
【记】组合词：other (别人) + direct (指挥) + ed → 受人支配的

otter* [ˈɔtə] *n.* 水獭
【记】联想记忆：他提议 (offer) 把水獭 (otter) 卖了

oust [aust] *v.* 驱逐；把…赶走 (expel; force out)
【记】分拆联想：out (出去) 中加上 s → 死也要让他出去

outgoing* [ˈautgəuiŋ] *adj.* 友善的 (openly friendly; sociable); 即将离去的 (going out; leaving)

outgrowth [ˈautgrəuθ] *n.* 自然结果 (consequence); 副产品 (by-product)
【记】组合词：out (出来) + growth (生长) → 自然结果

outlandish* [aut ˈlændiʃ] *adj.* 古怪的 (very odd, fantastic; bizarre)
【记】out (出) + land (国家) + ish → 从外国来的 → 古怪的

outlet* [ˈautlet] *n.* 出口 (a way through which sth. may go out)
【记】组合词：out (出来) + let (让) → 让出来 → 出口

outline* [ˈautlain] *n.* 轮廓；梗概 (the main ideas or facts)
【记】组合词：out (出来) + line (线条) → 划出线条 → 大纲

outmaneuver [autməˈnuːvə(r)] *v.* 以策略制胜 (to overcome an opponent by artful, clever maneuvering)
【记】组合词：out (超出) + maneuver (策略) → 以策略制胜
【反】yield (*v.* 屈服)

outmoded* [aut ˈməudid] *adj.* 不再流行的 (no longer in fashion; obsolete)
【记】out (出) + mode (时髦) + d → 不再时髦的

outrage* [ˈautreidʒ] *n.* 暴行 (an extremely vicious or violent act)
【记】组合词：out (出) + rage (狂怒，狂暴) → 过分狂暴 → 暴行

outset* [ˈautset] *n.* 开始，开头 (start; beginning)
【记】联想记忆：词组 set out (出发) 的倒写

outshine [aut ˈʃain] *v.* 比…更好 (to excel in splendor or showiness)
【记】分拆联想：out (超越) + shine (杰出) → 超越杰出人物

outskirts* [ˈautskəːts] *n.* 郊区，郊外 (district remote from the center of a city)
【记】组合词：out (出) + skirts (裙子) → 裙子外边，引申为郊区

outspoken [aut ˈspəukən] *adj.* 直言不讳的 (expressing openly)
【记】组合词：out (出) + spoken (口头的，说的) → 说出来的 → 直言不讳的
【例】He is an *outspoken* critic of the government. (他是政府的直言不讳的批评者。)

OSTRICH	OTHER-DIRECTED	OTTER	OUST	OUTGOING	OUTGROWTH
OUTLANDISH	OUTLET	OUTLINE	OUTMANEUVER	OUTMODED	OUTRAGE
OUTSET	OUTSHINE	OUTSKIRTS	OUTSPOKEN		

outstrip [aut'strip] *v.* 超过 (excel; surpass); 跑过 (get ahead of)

【记】组合词: out (出) + strip (剥去, 夺去) → 比别人夺得多 → 超过

outwit [aut'wit] *v.* 以机智胜过 (to overcome by cleverness)

【记】组合词: out (出) + wit (机智) → 以机智超出别人

ovation [əu'veiʃən] *n.* 热烈的欢迎、鼓掌 (an enthusiastic outburst of applause)

【例】The speech was accorded a standing *ovation*. (全体起立为演讲热烈鼓掌。)

overbearing* [ˌəuvə'beəriŋ] *adj.* 专横的, 独断的 (arrogant; domineering)

【记】组合词: over (过分) + bearing (忍受) → 使别人过分忍受 → 专横的

【反】unassuming (*adj.* 谦逊的)

overdose* ['əuvədəus] *n.* (药物) 过大的剂量 (too large a dose)

【记】组合词: over (过分) + dose (剂量) → (药物) 过大的剂量

overdue* ['əuvə'djuː] *adj.* 过期未付的 (left unpaid too long); 逾期的 (later than expected)

【记】组合词: over + due (应得的, 应付的) → 过期未付的

overexposure [ˌəuvəriks'pəuʒə] *n.* 过分暴露, (照相) 曝光过度

overflow* [ˌəuvə'fləu] *v.* 溢出 (to flow over the edges); 充满 (to be very full)

【记】组合词: over + flow (流) → 溢出

overhaul* [ˌəuvə'hɔːl] *v.* 彻底检查 (to check thoroughly); 大修 (to repair thoroughly)

【记】组合词: over (全部) + haul (拉, 拖) → 全部拉上来修理 → 大修

overlap [ˌəuvə'læp] *v.* (部分地) 重叠 (to coincide in part with)

【记】组合词: over (在…上) + lap (大腿) → 把一条腿放在另一条腿上 → 重叠

overlap

overlook* [ˌəuvə'luk] *v.* 忽视 (not to notice); 俯视 (to have a view from above)

【记】组合词: over (在…上) + look (看) → 在上面看 → 俯视, 引申为忽视

overpowering [əuvə'pauriŋ] *adj.* 压倒性的, 不可抗拒的 (overwhelming)

【记】来自 overpower (制服, 压服) + ing

overreach* [ˌəuvə'riːtʃ] *v.* 做事过头 (to go to excess)

【记】组合词: over (过分) + reach (伸出) → 做事过头

【例】*overreach* one's authority (越权)

override [ˌəuvə'raid] *v.* 不理会 (to disregard; overrule); 蹂躏, 践踏 (to ride over or across)

【记】组合词: over + ride (骑) → 骑在…之上 → 蹂躏

□ OUTSTRIP	□ OUTWIT	□ OVATION	□ OVERBEARING	□ OVERDOSE
□ OVERDUE	□ OVEREXPOSURE	□ OVERFLOW	□ OVERHAUL	□ OVERLAP
□ OVERLOOK	□ OVERPOWERING	□ OVERREACH	□ OVERRIDE	

overriding [ˌəuvəˈraidiŋ] *adj.* 最主要的，优先的 (chief, principal)

overrule [ˌəuvəˈruːl] *v.* （高位的人）否决（低位的人或事）(to decide against by exercising one's higher authority)
【记】组合词：over+rule(统治)→(高位的人)否决(低位的人或事)
【例】The judgement was *overruled* by the Supreme Court. (判决被最高法院否决了。)

oversee* [ˌəuvəˈsiː] *v.* 监督 (watch; supervise)
【记】组合词：over + see (看) → 监督

overshadow [ˌəuvəˈʃædəu] *v.* 遮蔽，使失色 (to cast a shadow over)
【记】组合词：over + shadow (阴影) → 遮蔽

overstate* [ˌəuvəˌsteit] *v.* 夸张，对…言过其实 (exaggerate)
【记】组合词：over (过分) + state (陈述)

overt* [ˈəuvəːt] *adj.* 公开的，非秘密的 (apparent; manifest)
【记】词根记忆：o (出) + vert (转) → 转出来 → 公开的
【参】covert (*adj.* 秘密的)
【反】shadowy (*adj.* 朦胧的，有阴影的)

overthrow [ˌəuvəˈθrəu] *v.* 推翻；终止 (to defeat with force); *n.* 推翻；终止 (defeat; removal from power)

overture* [ˈəuvətjuə] *n.* 前奏曲，序曲 (a musical introduction to an opera)
【记】词根记忆：o (出) + vert (转) + ure → 从开头转出来 → 序曲

overturn* [ˌəuvəˈtəːn] *v.* 翻倒 (to turn over)；推翻 (to bring to an end suddenly)
【记】组合词：over (翻转) + turn (转) → 翻转

overwhelm* [ˌəuvəˈwelm] *v.* 泛滥 (to pour down upon)；压倒 (to crush; overpower)
【记】组合词：over (在…上) + whelm (淹没，压倒) → 泛滥

overwrought* [ˌəuvəˈrɔːt] *adj.* 紧张过度的，兴奋过度的 (very nervous or excited)
【记】组合词：over (过分) + wrought (兴奋的，精神的) → 紧张过度

owl [aul] *n.* 猫头鹰
【参】awl (*n.* 尖钻，锥子)

oxidize* [ˌɔksiˈdaiz] *v.* 氧化，生锈 (to unite with oxygen in burning or rusting)
【记】词根记忆：oxid (氧化物) + ize → 氧化

pacifist* [ˈpæsifist] *n.* 和平主义者，反战主义者 (a person who believes that all wars are wrong and refuses to fight in them)
【记】词根记忆：pac (和平，宁静) + ifist → 和平主义者

pacify* [ˈpæsifai] *v.* 使安静，抚慰 (to make calm, quiet, and satisfied)
【记】词根记忆：pac (和平，平静) + ify → 使安静，抚慰
【同】pacific (*adj.* 和平的); pacifism (*n.* 和平主义)
【派】pacification (*n.* 和解，平定); pacifier (*n.* 调停者，和解人); pacifist (*n.* 和平主义者)
【反】rankle (*v.* 激怒); vex (*v.* 恼怒); discommode (*v.* 使为难)

OVERRIDING	OVERRULE	OVERSEE	OVERSHADOW	OVERSTATE
OVERT	OVERTHROW	OVERTURE	OVERTURN	OVERWHELM
OVERWROUGHT	OWL	OXIDIZE	PACIFIST	PACIFY

pack* [pæk] *n.* 狼群；一群动物 (a number of wild animals living and hunting together)

【记】本词"包裹"之义大家比较熟悉

packed [pækt] *adj.* 充满人的，拥挤的 (crowded; crammed)

【记】pack (打包) + ed → 像打包一样 → 拥挤的

pact* [pækt] *n.* 协定，条约 (an agreement; covenant)

【例】a peace *pact* (和平协约)

padding* [ˈpædiŋ] *n.* 衬垫，填料 (material used to pad sth.)

paean* [ˈpiːən] *n.* 赞美歌，颂歌 (a song of joy, praise, triumph)

【参】hymn (*n.* 赞美歌)

【反】harsh lampoon (强烈讽刺)

pagan* [ˈpeigən] *n.* 没有宗教信仰的人 (a person who has no religion)；异教徒 (heathen)

【记】分拆联想：pag (看作 pig) + an (一个) → 一头猪

【派】paganism (*n.* 异教信仰)

pageant* [ˈpædʒənt] *n.* 壮观的游行 (a spectacular exhibition)；露天历史剧

【记】分拆联想：page (页) + ant (蚂蚁) → 一页蚂蚁浩浩荡荡 → 壮观的游行

painkiller* [ˌpeinˈkilə(r)] *n.* 止痛药 (a medicine that relieves pain)

【记】组合词：pain (痛) + killer (杀人者) → 止痛药

painstaking* [ˈpeinsteikiŋ] *adj.* 煞费苦心的 (involving diligent care and effort)

【记】pains (痛苦) + taking (花费…的) → 煞费苦心的

【反】cursory (*adj.* 草率的)

palate* [ˈpælit] *n.* 上腭；口味 (sense of taste)；爱好 (a usu. intellectual taste or liking)

【参】palatable (*adj.* 美味的；愉快的)

palatial [pəˈleiʃəl] *adj.* 宫殿般的 (like a palace)；宏伟的 (magnificent; stately)

【记】来自 palace (*n.* 宫殿)，注意不要和 palatable (*adj.* 美味的) 相混

palette* [ˈpælit] *n.* 调色板，颜料配置

pall [pɔːl] *v.* 令人发腻，失去吸引力 (to become boring)

【反】interest (*v.* 有兴趣)；intrigue (*v.* 引起兴趣)

【例】I find his books begin to *pall* after a while—they're all very similar. (读了一会儿我就发现他的书挺没意思——写的都一样。)

palliate* [ˈpælieit] *v.* 减轻 (痛苦) (reduce; abate)；掩饰 (罪行) (extenuate)

【记】词根记忆：pall (罩子) + iate → 盖上 (罪行) → 掩饰 (罪行)

【派】palliation (*n.* 减轻，缓和)

【反】exacerbate (*v.* 恶化)；palliating (*adj.* 令人安慰的) 〈〉 caustic (*adj.* 尖刻的)

PACK	PACKED	PACT	PADDING	PAEAN
PAGAN	PAGEANT	PAINKILLER	PAINSTAKING	PALATE
PALATIAL	PALETTE	PALL	PALLIATE	

palliative* [ˈpæliətiv] *n.* 缓释剂；*adj.* 减轻的，缓和的（serving to palliate）

pallid* [ˈpælid] *adj.* 苍白的，没血色的（wan; lacking sparkle or liveliness）
【记】词根记忆：pall（=pale 苍白）+ id → 苍白的，没血色的
【参】a pallid countenance（病容）

palmy [ˈpɑːmi] *adj.* 繁荣的（prosperous）；棕榈的（abounding in or bearing palms）
【记】来自 palm（棕榈树），棕榈树象征繁荣

palpable* [ˈpælpəbl] *adj.* 可触知的，明显的（tangible; perceptible; noticeable）
【记】词根记忆：palp（摸）+ able → 摸得到的 → 可触知的，明显的
【同】palpate（*v.* 用手触摸）
【反】subtle（*adj.* 微妙的）

palpitate* [ˈpælpiteit] *v.*（心脏）急速而不规则地跳动（to beat rapidly; throb）
【记】词根记忆：palp（摸）+ itate → 摸得着的心跳 → 急跳

palter [ˈpɔːltə] *v.* 含糊其词（equivocate; talk insincerely）
【记】分拆联想：p + alter（改变）→ 说话老是改变 → 含糊其词

paltry [ˈpɔːltri] *adj.* 无价值的，微不足道的（trashy; trivial; petty）
【记】分拆联想：pal（=pale 白）+ try（努力）→ 白努力 → 无价值的
【反】significant / important（*adj.* 重要的）

pamphlet [ˈpæmflit] *n.* 小册子（an unbound printed publication）
【记】来自拉丁文 pamphilus，是一首爱情名诗，pam（=pan 全部）+ phil（爱）+ us → 表达爱情

pan* [pæn] *v.* 严厉批评（to criticize severely）
【反】rave（*v.* 狂热赞扬）

panacea [ˌpænəˈsiə] *n.* 万灵药（a remedy for all ills or difficulties）
【记】词根记忆：pan（全部）+ acea（治疗）→ 包治百病 → 万灵药

panache [pəˈnæʃ] *n.* 炫耀（flamboyance）；羽饰（an ornamental feather）
【记】原指在头盔上的羽饰；分拆联想：pan（锅）+ ache（痛）→ 把锅戴在头上炫耀，让人头痛
【反】humility（*n.* 谦虚）；unremarkable behavior（谦逊的举止）

pancreas* [ˈpænkriəs] *n.* 胰腺（the organ that makes insulin）
【记】分拆联想：pan（全部）+ cre（生长）+ as → 给身体生长提供激素的器官 → 胰脏

pandemic* [pænˈdemik] *adj.*（病）大范围流行的（occurring over a wide geographic area）
【记】词根记忆：pan（全部）+ dem（人民）+ ic → 涉及全部民众
【同】epidemic（*adj.* 传染的）；endemic（*adj.* 地方性的）

pandemonium* [ˌpændiˈməunjəm] *n.* 喧嚣，大混乱（a wild uproar; tumult）
【记】来自弥尔顿所著《失乐园》中的地狱之都（Pandemonium）；词根记忆：pan（全部）+ demon（魔鬼）+ ium → 全是魔鬼 → 大混乱

PALLIATIVE	PALLID	PALMY	PALPABLE	PALPITATE
PALTER	PALTRY	PAMPHLET	PAN	PANACEA
PANACHE	PANCREAS	PANDEMIC	PANDEMONIUM	

panegyric* [ˌpæniˈdʒirik] *n.* 颂词，颂扬 (elaborate praise)

【记】词根记忆：pan (全部) + egyric (集中) → 把赞扬的话集中 → 颂扬

【反】anathema (*n.* 诅咒)

panel [ˈpænl] *n.* 专门小组 (a group of persons selected for some service)；仪表板 (switchboard)

【例】a *panel* of three psychiatrists and three doctors (由三名精神病学者与三名医师组成的专门小组)

pang [pæŋ] *n.* 一阵剧痛 (sudden sharp feeling of pain)

panic* [ˈpænik] *adj.* 恐慌的；*n.* 恐慌，惊惶 (a sudden unreasoning terror)

【记】来自希腊神话中的畜牧神潘 (Pan)，panic 是指潘的出现所引起的恐惧

panorama* [ˌpænəˈrɑːmə] *n.* 概观，全景 (a comprehensive presentation; cyclorama)

【记】词根记忆：pan (全部) ＋orama (看) → 全部看得到 → 全景，全貌

panther* [ˈpænθə] *n.* 黑豹 (a black leopard)

【记】联想记忆：美国汽车品牌 Panther"美洲豹"

pantomime* [ˈpæntəmaim] *n.* 哑剧 (a performance done using gestures and postures instead of words)

【记】词根记忆：panto (神话剧) ＋mime (哑剧) → 神话哑剧

pantry* [ˈpæntri] *n.* 食品室 (a room used for storing food; larder)

【形】pastry (*n.* 糕点)；paltry (*adj.* 琐碎的)；patrol (*v.* 巡逻)

papyrus* [pəˈpaiərəs] *n.* 莎草；莎草纸 (a written scroll made of papyrus)

【记】古埃及用来书写的一种草纸

【参】papyrology (*n.* 古代文稿研究学)

parable* [ˈpærəbl] *n.* 寓言，比喻 (a short fictitious story that illustrates a moral attitude or a religious principle)

【记】词根记忆：par (平等) ＋able → 能够平行比较 → 比喻

parabola* [pəˈræbələ] *n.* 抛物线

【记】词根记忆：para (降落伞) ＋bola → 成降落伞式的运动 → 抛物线

paradigm* [ˈpærədaim] *n.* 范例，示范 (a typical example or archetype)

【记】词根记忆：para (旁边) ＋digm (显示) → 显示给旁边的看 → 范例，示范

【派】paradigmatic (*adj.* 作为示范的，典范的)

paradox* [ˈpærədɔks] *n.* 似非而可能是的理论 (a statement that is seemingly contradictory or opposed to common sense and yet is perhaps true)；与通常见解相反的观点 (a statement contrary to received opinion)

【记】词根记忆：para (类似) ＋dox (观点) → 与两边的观点都类似 → 矛盾

【同】orthodox (*adj.* 正统的)；heterodox (*adj.* 异端的)

PANEGYRIC	PANEL	PANG	PANIC	PANORAMA
PANTHER	PANTOMIME	PANTRY	PAPYRUS	PARABLE
PARABOLA	PARADIGM	PARADOX		

paragon* [ˈpærəgən] *n.* 模范，典型 (a model of excellence or perfection)
【记】词根记忆：para (旁边) + gon (角，样子) → 旁人学习的样子 → 模范
【同】trigon (*n.* 三角形)；polygon (*n.* 多角形)
【反】travesty (*v.* / *n.* 滑稽而歪曲模仿)

parallel* [ˈpærəlel] *adj.* 平行的 (at the same distance apart)；类似的 (comparable, analogous)；*n.* 平行线；*v.* 与…相似 (to be similar to)
【例】Her experiences *parallel* mine in many instances. (她的经历在很多方面和我的相似。)

parallelism* [ˈpærəlelizəm] *n.* 平行，类似 (the state or quality of being parallel)
【记】parallel (平行的) + ism → 平行，类似

parameter [pəˈræmitə] *n.* 参量，变量 (any of the established limits within which sth. must operate)
【记】词根记忆：para (辅助) + meter (测量) → 辅助测量 → 参量

paramount* [ˈpærəmaunt] *adj.* 最重要的，最高权力的 (supreme; dominant)
【记】词根记忆：par + amount (数量) → 在量上超过别的 → 最重要的

paramount

国家政府

X!%*#
@?^..!

parch

paraphrase
他说肉焦了

pare

paranoia* [ˈpærəˌnɔiə] *n.* 偏执狂 (a psychosis characterized by systemized delusions of persecution or grandeur)；多疑症 (irrational suspiciousness and distrustfulness of others)
【记】词根记忆：para (旁边) + no (=noos 精神) + ia (病) → 精神偏向的病 → 偏执狂

paranoid* [ˈpærənɔid] *adj.* 偏执狂的，过分怀疑的 (associated with paranoia)
【记】来自 paranoia (*n.* 偏执狂)

paraphrase* [ˈpærəfreiz] *v.* 解释，释义 (to make a restatement of a text or passage)

parasite* [ˈpærəsait] *n.* 食客 (person who lives off others and gives nothing in return)；寄生物 (animal or plant that lives on or in another and gets its food from it)
【记】词根记忆：para (旁边) + site (吃) → 坐在旁边吃的人 → 食客；寄生物
【派】parasitic (*adj.* 寄生的)

parch* [pɑːtʃ] *v.* 烘烤 (to toast)；烤焦 (to become scorched)
【记】联想记忆：用火把 (torch) 来烘烤 (parch)
【参】parchment (*n.* 羊皮纸；羊皮纸手稿)

PARAGON	PARALLEL	PARALLELISM	PARAMETER	PARAMOUNT
PARANOIA	PARANOID	PARAPHRASE	PARASITE	PARCH

【形】perch (v. 栖息); porch (n. 门廊)
【反】steep (v. / n. 浸泡)

pare [peə] v. 削 (peel); 修剪 (trim); 削减，缩减 (to diminish or reduce by or as if by paring)

pariah [ˈpæriə] n. 贱民，被社会遗弃者 (a member of a low caste; outcast)
【记】源自 Pariah，印度南部和缅甸的贱民

parity [ˈpæriti] n. (水平、地位、数量等的) 同等，相等 (equality)
【反】inequality (n. 不等)

parka [ˈpɑːkə] n. 派克大衣 (毛皮风雪大衣) (a coat down to the knees with fur inside)

parlance [ˈpɑːləns] n. 说法，用语，词汇 (manner of speaking; idiom)
【记】词根记忆：parl (说话) + ance (方式)

parody* [ˈpærədi] n. 模仿性嘲弄文章或表演 (article or performance in which the style of an author or work is closely imitated for comic effect or in ridicule); 拙劣的模仿 (a feeble or ridiculous imitation)
【记】词根记忆：par (平等) +ody (=ode 唱) → 同样唱 → 模仿诗文

paroxysm [ˈpærəksizəm] n. (感情等) 突发 (a sudden violent emotion or action)
【记】词根记忆：par (变) +oxy (尖锐) +sm → 变尖锐 → 突发
【例】*paroxysms* of anger (突发愤怒); *paroxysms* of pain (突发阵痛)

parquet* [ˈpɑːkei] n. 镶木地板 (a patterned wood surface)
【参】banquet (n. 宴会); bouquet (n. 花束); tourniquet (n. 止血带)

parry* [ˈpæri] v. 挡开，避开 (武器、问题等) (to ward off; evade)
【形】carry (v. 携带); marry (v. 结婚); tarry (v. 逗留，等候)

parse* [pɑːz] v. 对…做语法分析 (to state the part or speech, the grammatical form, and the use in a particular sentence of a word)

parsimony* [ˈpɑːsiməni] n. 过分节俭，吝啬 (the quality of being parsimonious)
【反】largesse (n. 慷慨)

partial* [ˈpɑːʃəl] adj. 局部的 (of or forming a part; not complete); 偏袒的 (showing too much favour to one person or side; biased)
【记】词根记忆：part (部分) + ial → 部分的，局部的

partiality* [ˌpɑːʃiˈæliti] n. 偏袒，偏心 (state of being partial; bias)
【记】来自 partial (adj. 有偏见的)
【参】impartiality (n. 公正)

particular* [pəˈtikjulə] n. 事实，细节 (an individual fact or detail; item)
【例】My boss stressed the important *particulars* of the project. (我的老板强调了该工程的重要细节。)

particularize* [pəˈtikjuləraiz] v. 详述，列举 (to give the details of sth. one by one)
【记】来自 particular (详细的) + ize

PARE	PARIAH	PARITY	PARKA	PARLANCE
PARODY	PAROXYSM	PARQUET	PARRY	PARSE
PARSIMONY	PARTIAL	PARTIALITY	PARTICULAR	PARTICULARIZE

partisan* [pɑːtiˈzæn] *n.* 党派支持者；党徒（a firm adherent to a party）
【记】parti（看作 party 党）+san（人）→ 党徒

partition* [pɑːˈtiʃən] *n.* 隔开（division）；隔墙（an interior dividing wall）
【记】词根记忆：part（部分）+ition → 分成部分 → 隔开

passionate* [ˈpæʃənit] *adj.* 充满激情的（showing or filled with passion）
【记】passion（激情）+ ate → 充满激情的

passive* [ˈpæsiv] *adj.* 被动的，缺乏活力的（not active, submissive）
【记】词根记忆：pass （感情）+ ive → 感情用事的 → 被动的，消极的

pastel [ˈpæstel] *n.* 彩色粉笔或蜡笔画 （a crayon or a drawing in crayons）；柔和的色彩（any of various pale or light colors）
【记】词根记忆：paste（浆糊）+l → 用糊状物制作的粉笔 → 彩色粉笔（画）
【同】toothpaste（*n.* 牙膏）

pasteurize [ˈpæstəraiz] *v.* 加热杀菌，消毒（to heat in order to destroy bacteria）
【记】来自人名 Pasteur（巴斯德，发明巴氏消毒法）
【派】pasteurization（*n.* 加热杀菌法，巴斯德杀菌法）

pastiche* [pæsˈtiːʃ] *n.* 混合拼凑的作品 （a musical, literary, or artistic composition made up of selections from different works）
【记】分拆联想：pasti（看作 paste 粘贴）+ che → 粘贴在一起的画
【反】original work（原作）

pastoral* [ˈpɑːstərəl] *adj.* 田园生活的 （idyllic；rural）；宁静的（pleasingly peaceful and innocent）
【记】pastor（牧人）+al → 乡村的，田园风光的

pastry [ˈpeistri] *n.* 糕点，点心（sweet baked goods）
【记】past（看作 paste 面团）+ry → 面团做成的糕点

patch* [pætʃ] *n.* 补丁 （a piece of material used to mend or cover a hole）；一小片（土地）（a small piece）

patent* [ˈpeitənt] *adj.* 显而易见的 （readily visible；obvious）；*n.* 专利权（证书）
【派】patency（*n.* 明显）
【反】not evident （不明显的）；abstruse （*adj.* 深奥的）；recondite（*adj.* 深奥的）；patent difference（明显差别）〈〉nuance（*n.* 细微差别）

pathogen [ˈpæθədʒ(ə)n] *n.* 病原体（a specific causative agent of disease）
【记】词根记忆：path（病）+ o + gen（产生）→ 导致疾病产生的东西 → 病原体

pathology* [pəˈθɔlədʒi] *n.* 病理学（the study of the essential nature of diseases）
【记】词根记忆：path（病）+ology（学科）→ 病理学
【反】pathological（*adj.* 病态的）〈〉normal（*adj.* 正常的）

PARTISAN	PARTITION	PASSIONATE	PASSIVE	PASTEL
PASTEURIZE	PASTICHE	PASTORAL	PASTRY	PATCH
PATENT	PATHOGEN	PATHOLOGY		

patina* [ˈpætinə] *n.* 绿锈 (green film formed naturally on copper and bronze); 光亮的外表 (a beautiful covering or exterior)
【记】原指古罗马人用的大铜盘 (patina)
【反】essential quality (本质，实质)

patrician [pəˈtriʃən] *n.* 贵族 (a person of high birth; aristocrat)
【记】词根记忆: patric (父亲) + ian → 像父亲一样威严之人 → 贵族

patrimony [ˈpætrimәni] *n.* 祖传的财产 (property inherited from one's ancestor)
【记】词根记忆: patri (父亲) + mony (东西) → 父亲留下的东西

patriot* [ˈpætriәt] *n.* 爱国者，爱国主义者 (one who loves his / her country and supports its authority and interests)
【记】词根记忆: patri (父亲) + ot → 把祖国当父亲看待的人 → 爱国者

patriotism* [ˈpætriәtizәm] *n.* 爱国主义，爱国心 (love for or devotion to one's country)
【记】patriot (爱国者) + ism → 爱国主义

patronage [ˈpætrәnidʒ] *n.* 赞助，惠顾 (business or activity provided by patrons)
【记】patron (赞助人) + age → 赞助

patronize* [ˈpætrәnaiz] *v.* 以高人一等的态度对待 (to behave towards sb. as if one were better or more important than him); 光顾，惠顾 (to be a frequent or regular customer or client of)
【记】patron (赞助人) + ize → 光顾，惠顾

paucity* [ˈpɔːsiti] *n.* 小量，缺乏 (fewness; dearth)
【记】词根记忆: pauc (少) + ity → 少量
【反】slew (*n.* 极大量); profusion (*n.* 丰富)

paunchy [ˈpɔːntʃi] *adj.* 大肚子的 (protruding belly)
【反】svelte (*adj.* 苗条的)

paunchy

pauper* [ˈpɔːpә] *n.* 贫民，乞丐 (a very poor person)
【记】词根记忆: paup (少) + er → 财富少的人 → 贫民; 可能是 poor 的变体

peak* [piːk] *v.* 憔悴，消瘦 (to become thin or sick; emaciate)
【记】peak 作为“山峰”一义大家都熟悉
【参】peak and pine (变得消瘦憔悴)

pecan* [piˈkæn] *n.* 山核桃 (a nut with a long thin reddish shell)
【记】发音记忆: “皮啃” → 皮很难啃动的坚果 → 山核桃

peccadillo* [pekәˈdilәu] *n.* 小过失 (a slight offense)
【记】词根记忆: pecca (过失，罪行) + dillo (小) → 小过失

PATINA	PATRICIAN	PATRIMONY	PATRIOT	PATRIOTISM
PATRONAGE	PATRONIZE	PAUCITY	PAUNCHY	PAUPER
PEAK	PECAN	PECCADILLO		

【同】peccable (*adj.* 易犯罪的); peccant (*adj.* 有罪的); impeccable (*adj.* 没有瑕疵的)

peck* [pek] *v.* 啄食; 轻啄 (to strike with a beak)

pedagogue [ˈpedəgɔg] *n.* 教师, 教育者 (teacher; pedant)

pedagogy* [ˈpedəgɔgi] *n.* 教育学, 教学法 (the art, science of teaching)

【记】词根记忆: ped (儿童) +agog (引导) +y → 引导儿童之学 → 教育学

【同】demagogue (*n.* 煽动者)

pedal* [ˈpedl] *n.* 踏板, 脚蹬; *v.* 骑脚踏车 (to ride a bicycle)

【记】词根记忆: ped (脚) + al (东西) → 脚踏板

pedant* [ˈpedənt] *n.* 迂腐之人, 书呆子 (one who unduly emphasizes minutiae in the use of knowledge)

【记】词根记忆: ped (儿童, 教育) +ant → 受过教育之人 → 书呆子

pedestal* [ˈpedistl] *n.* (柱石或雕像的) 基座 (base; foundation)

【记】词根记忆: ped (脚) +estal → 做脚的东西 → 基座, ped 作为词根, 有"儿童; 脚"两层意思

Victory won't come to me unless I go to it.

胜利是不会向我走来的,我必须自己走向胜利。

——美国女诗人 穆尔(M. Moore, American poetess)

Word List 27

pedestrian* [pe'destriən] *adj.* 徒步的(going or performed on foot); 缺乏想像的(unimaginative); *n.* 行人

【记】词根记忆: ped(脚)+estr+ian(人)→行人

【反】uncommon(*adj.* 不平凡的); imaginative(*adj.* 有想像力的)

pediatrics* [ˌpiːdi'ætriks] *n.* 小儿科 (a branch of medicine dealing with diseases of children)

【记】词根记忆: ped(儿童)+iatrics(医学科)→小儿科

【参】podiatrics (*n.* 足病学); psychiatrics (*n.* 精神病学); 注意: ped=pod 脚

peel* [piːl] *v.* 削去…的皮 (to strip off an outer layer of); 剥落(to remove the outer covering); *n.* 外皮

peer* [piə] *n.* 同等之人, 同辈(one belonging to the same societal group)

peerless ['piəlis] *adj.* 无可匹敌的(matchless; incomparable)

【记】peer(同等的人)+less→无可匹敌的

peeve [piːv] *v.* 使气恼, 怨恨(to cause to be annoyed or resentful)

peevish* ['piːviʃ] *adj.* 坏脾气的, 易怒的(querulous; fretful)

【记】来自 peeve(使气恼, 怨恨)+ish

pejorative [piː'dʒərətiv] *adj.* 带有轻蔑意义的, 贬低的 (tending to disparage; depreciatory)

【记】词根记忆: pejor(坏)+ative→变坏的→贬低的

【参】pejorate(*v.* 恶化)

【反】laudatory(*adj.* 赞美的)

pelf [pelf] *n.* 钱财; 不义之财(money, riches, esp. dishonestly acquired)

pell-mell [pel'mel] *adv.* 混乱地(in mingled confusion or disorder)

【记】组合词: pell(羊皮纸)+mell(使混和)→羊皮纸掺和在一起→混乱地

【参】hustle and bustle(匆忙)

PEDESTRIAN	PEDIATRICS	PEEL	PEER	PEERLESS
PEEVE	PEEVISH	PEJORATIVE	PELF	PELL-MELL

pellucid* [pə'ljuːsid] *adj.* 清晰的，清澈的 (transparent; clear)
【记】词根记忆：pel (=per 全部) +lucid (清澈的) → 十分清澈的
【反】murky (*adj.* 模糊的)

pen [pen] *n.* 围栏 (a small enclosure of animals); 监禁 (a small place of confinement); 母天鹅 (a female swan)
【记】pen 作为"钢笔"一义大家都知道

penalize ['penəlaiz] *v.* 置(某人)于不利地位 (to put at a serious disadvantage); 处罚 (to inflict a penalty on)
【记】词根记忆：penal (惩罚) +ize → 处罚

penalty* ['penlti] *n.* 刑罚，处罚 (punishment for breaking a law or contract)

penance* ['penəns] *n.* 自我惩罚 (an act of self-abatement)
【记】词根记忆：pen (惩罚) +ance → 惩罚 → 自我惩罚

penchant* ['pentʃənt] *n.* 爱好，嗜好 (liking)
【记】词根记忆：pench (=pend 挂) +ant → 对…挂着一颗心 → 爱好
【反】aversion (*n.* 厌恶); dislike (*n.* 讨厌)

pending ['pendiŋ] *adj.* 即将发生的 (imminent; impending); 未决的 (not yet decided)
【记】词根记忆：pend (挂) +ing → 挂着的 → 未决的

pendulum* ['pendjuləm] *n.* 摆，钟摆
【记】词根记忆：pend (挂) +ulum (东西) → 挂的东西 → 钟摆

penetrate* ['penitreit] *v.* 刺穿 (to pierce); 渗入 (to pass in); 了解 (to discover the meaning of)z
【记】词根记忆：pen (全部) +etr (=enter 进入) +ate → 全部进入 → 刺穿

peninsula* [pi'ninsjulə] *n.* 半岛 (a piece of land surrounded by water on three sides)
【记】词根记忆：pen (近似) + insula (岛) → 像岛 → 半岛

penitent* ['penitənt] *adj.* 后悔的，忏悔的 (expressing regretful pain; repentant)

pennant ['penənt] *n.* (船上用的)信号旗 (nautical flags used for identification or signaling)
【记】可能是 pendant (悬挂物) 的变体

penultimate [pi'nʌltimit] *adj.* 倒数第二的 (next to the last)
【记】词根记忆：pen (近似) +ultimate (最终的) → 几乎最后一个的 → 倒数第二的

penury* ['penjuri] *n.* 贫穷 (severe poverty); 吝啬 (extreme and often niggardly frugality)
【反】prodigality (*n.* 丰富); affluence (*n.* 富裕)

perambulate* [pə'ræmbjuleit] *v.* 巡视 (to make an official inspection on foot); 漫步 (stroll)
【记】词根记忆：per (贯穿) +ambul (行走) +ate → 到处走 → 巡视

perception*　[pəˈsepʃən] *n.* 感觉；洞察力（quick, acute, and intuitive cognition）
【记】来自 percept（*v.* 感知，认识），per（贯穿，自始至终）+cept（抓）

perch　[pəːtʃ] *v.*（鸟）栖息（to alight, settle, or rest on a roost or a height）
【记】注意不要和 parch（*v.* 烘，烤）相混

percussionist　[ˌpəˈkʌʃənist] *n.* 敲击乐器的乐师（one skilled in the playing of percussion instruments）
【记】来自 percussion（*n.* 敲击），per + cuss（震动）+ ion

peregrination　[perigriˈneiʃ(ə)n] *n.* 游历（尤指在国外）（travel, esp. on foot）
【记】词根记忆：per（全部）+egri（=agri 土地）+nation（国家）→走遍各国的土地→游历

peremptory*　[pəˈremptəri] *adj.* 不容反抗的；专横的（masterful）
【记】词根记忆：per（全部）+empt（买）+ory→全部买下来的→专横的
【同】preempt（*v.* 优先取得）；exemption（*n.* 免除）
【反】open to challenge（愿意接受挑战的）

perennial*　[pəˈrenjəl] *adj.* 终年的（present all the year）；永久的（perpetual；enduring）
【记】词根记忆：per（全部）+enn（年）+ial→全年的；永久的
【反】fleeting（*adj.* 短暂的）

perfervid　[pəːˈfəːvid] *adj.* 非常热心的（excessively fervent）
【记】词根记忆：per（过，高）+ fervid（热的）→非常热心的
【反】impassive（*adj.* 冷漠的）

perfidious*　[pəːˈfidiəs] *adj.* 不忠的，背信弃义的（faithless）
【记】词根记忆：per（假，坏）+fid（相信）+ious→假忠诚→不忠的
【参】perjury（*n.* 伪证）
【反】faithful（*adj.* 忠诚的）；loyal（*adj.* 忠心的）

perfidy*　[ˈpəːfidi] *n.* 不忠，背叛（the quality of being faithless；treachery）
【反】loyalty（*n.* 忠诚）

perforate　[ˈpəːfəreit] *v.* 打洞（to make a hole through）
【记】词根记忆：per（全部）+forate（=pierce 刺穿）→全部刺→打洞
【派】perforation（*n.* 孔；穿孔，贯穿）

perfunctory*　[pəˈfʌŋktəri] *adj.* 草率的，敷衍的（characterized by superficiality）
【反】obsessional（*adj.* 沉迷的）

□ PERCEPTION　□ PERCH　□ PERCUSSIONIST　□ PEREGRINATION　□ PEREMPTORY
□ PERENNIAL　□ PERFERVID　□ PERFIDIOUS　□ PERFIDY　□ PERFORATE
□ PERFUNCTORY

peril [ˈperil] *n.* 危险 (exposure to the risk; danger)

perilous [ˈperiləs] *adj.* 危险的，冒险的 (full of peril; hazardous)

【记】来自 peril (危险) + ous → 危险的，冒险的

perimeter* [pəˈrimitə] *n.* 周长 (the boundary of a closed plane figure or the length of it)

【记】词根记忆：peri (周围) +meter (测量) → 周长

periodical* [ˌpiəriˈɔdikəl] *n.* 期刊 (a magazine that comes out at regular times)

【记】periodic (周期的) + al → 期刊

peripatetic* [ˌperipəˈtetik] *adj.* 巡游的 (travelling from place to place; itinerant)

【记】词根记忆：peri (周围) +patet (走) +ic → 巡游的

【反】stationary (*adj.* 静止的); rooted (*adj.* 固定的)

peripheral* [pəˈrifərəl] *adj.* 不重要的，外围的 (of a periphery or surface part; auxiliary)

【记】词根记忆：peri (周围的) +pheral → 外围的

【反】peripheral element (不重要因素) 〈〉 crux (*n.* 关键)

periphery [pəˈrifəri] *n.* 不重要的部分 (part of minor importance); 外围 (the external boundary or surface of a body)

【记】词根记忆：peri (周围) + pher (带) + y → 带到周围 → 外围

periscope* [ˈperiskəup] *n.* 潜望镜

【记】词根记忆：peri (周围) + scope (看) → (潜望镜伸出水面) 看周围的情况 → 潜望镜

perish* [ˈperiʃ] *v.* 死，消亡 (to become destroyed or ruined; die)

【形】cherish (*v.* 珍爱); flourish (*v.* 繁荣)

【反】survive (*v.* 生存)

perishing [ˈperiʃiŋ] *adj.* 严寒的 (very cold)

perjure [ˈpəːdʒə] *v.* 作伪证，发假誓 (to tell a lie under oath)

【记】词根记忆：per (假，坏) +jure (发誓) → 发假誓

【反】depose (*v.* 作证)

perjury* [ˈpəːdʒəri] *n.* 作伪证；发假誓 (false swearing)

【反】truthful deposition (真实的作证)

perky [ˈpəːki] *adj.* 神气的；活泼的 (jaunty, lively)

【例】a *perky* squirrel (活泼的松鼠)

permanent* [ˈpəːmənənt] *adj.* 长久的，永久的 (lasting forever)

【反】evanescent (*adj.* 短暂的); interim (*adj.* 暂时的); ephemeral (*adj.* 短暂的)

permeable* [ˈpəːmiəbl] *adj.* 可渗透的 (penetrable)

【记】词根记忆：per (始终) +mea (通过) +ble → 通过的 → 渗透的

【派】permeability (*n.* 渗透性)

【反】waterproof (*adj.* 防水的)

PERIL	PERILOUS	PERIMETER	PERIODICAL	PERIPATETIC
PERIPHERAL	PERIPHERY	PERISCOPE	PERISH	PERISHING
PERJURE	PERJURY	PERKY	PERMANENT	PERMEABLE

permeate* [ˈpəːmieit] *v.* 扩散 (to spread or diffuse through);渗透 (to pass through the pores or interstices)
【记】词根记忆: per(全部)+mea(通过)+te → 通过 → 扩散

permissive* [pə(ː)ˈmisiv] *adj.* 过分纵容的 (indulgent)
【记】来自 permiss (*n.* 允许), per(过,高)+miss(放开) → 全部放开 → 允许

pernicious* [pəːˈniʃəs] *adj.* 有害的,致命的 (noxious; deadly)
【记】词根记忆: per+nic(毒,死)+ious → 有毒的 → 有害的

perpendicular* [ˌpəːpənˈdikjulə] *adj.* 垂直的 (exactly upright; vertical)
【记】词根记忆: per+pend(挂)+icular → 全部挂的 → 垂直的

perpetual* [pəˈpetjuəl] *adj.* 连续不断的 (continuing endlessly; uninterrupted);永久的 (lasting forever)
【记】per(始终)+pet(追求)+ual → 自始至终的追求 → 永久的
【反】evanescent (*adj.* 短暂易逝的); intermittent (*adj.* 间歇的, 间断的); ephemeral (*adj.* 短暂的)

perpetuate [pə(ː)ˈpetjueit] *v.* 使永存,使永记不忘 (to make perpetual)
【参】perpetuity (*n.* 永恒, 永久)

perquisite [ˈpəːkwizit] *n.* 固定津贴;利益 (a privilege, gain, or profit incidental to regular salary or wages)
【记】词根记忆: per (全部)+quisite (要求) → 要求全部得到 → 利益
【形】requisite (*adj.* 必需的); prerequisite (*n.* 先决条件)

persecute* [ˈpəːsikjuːt] *v.* 迫害 (to oppress or harass with ill treatment)
【记】词根记忆: per(始终)+secu(跟随)+te → 一直跟踪 → 迫害
【形】prosecute (*v.* 控告)

persiflage [ˌpeəsiˈflɑːʒ] *n.* 挖苦,嘲弄 (frivolous bantering talk; raillery)
【记】词根记忆: per(全部)+sifl(吹哨)+age → 吹哨 → 嘲弄
【形】camouflage (*v.* / *n.* 伪装)

personable* [ˈpəːsənəbl] *adj.* 英俊的,风度好的 (attractive)
【反】unattractive (*adj.* 没有吸引力的)

personification [pə(ː)ˌsɔnifiˈkeiʃən] *n.* 典型,化身,完美榜样 (a perfect example; embodiment; incarnation)
【例】the *personification* of courage (勇敢的化身)

personnel* [ˌpəːsəˈnel] *n.* 全体人员,员工 (all the people working in an organization)
【记】来自 person (*n.* 人)

perspective [pəˈspektiv] *n.* (判断事物的)角度,方法 (point of view);透视法
【记】词根记忆: per+spect(看)+ive → 贯穿看 → 透视法
【例】He tends to view most issues from a religious *perspective*. (他习惯于从宗教角度看许多问题。)

perspicacious [ˌpəːspiˈkeiʃəs] *adj.* 独具慧眼的 (of acute mental vision or discernment)

PERMEATE	PERMISSIVE	PERNICIOUS	PERPENDICULAR	PERPETUAL
PERPETUATE	PERQUISITE	PERSECUTE	PERSIFLAGE	PERSONABLE
PERSONIFICATION	PERSONNEL	PERSPECTIVE	PERSPICACIOUS	

【记】词根记忆：per（全部）+spic（=spect 看）+acious → 全部都看到 → 独具慧眼的
【同】conspicuous（*adj.* 显眼的）；suspicious（*adj.* 怀疑的）
【反】obtuse（*adj.* 迟钝的）；undiscerned（*adj.* 无辨别力的）

perspicuity* [ˌpəːspiˈkju(ː) iti] *n.* 明晰；聪明睿智（very clear judgment and understanding）
【记】词根记忆：per（全部）+ spic（看作 spec，看）+ uity → 每一点都看到 → 聪明睿智
【反】opacity（*n.* 难懂）

perspicuous [pə(ː)ˈspikjuəs] *adj.* 明晰的；明了的（clearly expressed or presented）
【反】dull（*adj.* 呆滞的）

perspire* [pəsˈpaiə] *v.* 流汗（to sweat）
【记】词根记忆：per+spire（呼吸）→ 全身都呼吸 → 出汗
【同】inspiration（*n.* 灵感）；expire（*v.* 期满；断气）
【派】perspiration（*n.* 出汗）

pertain* [pəˈtein] *v.* 属于（to belong as a part）；关于（to have reference）
【记】词根记忆：per（全部）+tain（拿住）→ 全部拿住 → 属于
【反】be irrelevant（不相关）

pertinacious* [ˌpəːtiˈneiʃəs] *adj.* 固执的；无法驾驭的（insubordinate）；不妥协的（intransigent）
【记】词根记忆：per+tin（拿住）+acious → 始终拿住不放 → 固执的
【派】pertinacity（*n.* 顽固）
【反】vacillation（*n.* 犹豫）；tractable（*adj.* 温顺的）

pertinent [ˈpəːtinənt] *adj.* 有关的，相关的（relevant）
【记】词根记忆：per（始终）+tin（拿住）+ent → 始终拿在手里放不下 → 有关的
【反】immaterial（*adj.* 无关紧要的）；irrelevant（*adj.* 无关的）

peruse* [pəˈruːz] *v.* 细读，精读（to read sth. in a careful way）
【记】词根记忆：per（始终）+use（用）→ 反复用 → 细读，精读
【参】scrutiny（*n.* 细读）
【反】glance at（一瞥）

pervade* [pə(ː) ˈveid] *v.* 弥漫，普及（to become diffused throughout）
【记】词根记忆：per（始终）+vade（走）→ 走遍
【例】Fear *pervaded* the small town after the unexplained murder.（在未经解释的谋杀发生后，恐怖弥漫着小城。）

pervious* [ˈpəːviəs] *adj.* 可渗透的（permeable, accessible）
【记】per（坏）+ vious → 容器坏了就会渗水 → 可渗透的

pessimism* [ˈpesimizm] *n.* 悲观（tendency to be gloomy and believe that the worst will happen）；悲观主义（belief that evil will always triumph

over good)
【记】分拆联想：pess （音似：“怕死”）+ im + ism → 老是怕死 → 悲观，悲观主义

pest* [pest] *n.* 害虫 （a detrimental animal）；讨厌的人或物 （one that pesters or annoys）
【记】发音记忆：“拍死它”→ 害虫

pester* [ˈpestə] *v.* 纠缠，强求（to harass with petty irritations）
【记】分拆联想：pest（害虫）+er → 像害虫一样骚扰 → 纠缠

pesticide* [ˈpestisaid] *n.* 杀虫剂（an agent used to destroy pests）
【记】词根记忆：pest（害虫）+ i + cide（杀）→ 杀虫剂

pestilent* [ˈpestilənt] *adj.* 致死的（deadly）；有害的（pernicious）
【记】pest（害虫）+ ilent → 有害的

pestle* [ˈpestl] *n.* 杵，乳钵槌 （a club shaped implementation for pounding or grinding substances in a mortar）

petal* [ˈpetl] *n.* 花瓣（leaf-like divisions of a flower）
【形】pedal（*n.* 踏板）；fetal（*adj.* 胎儿的）；metal（*n.* 金属）

petition* [piˈtiʃən] *n.* 请愿（entreaty; appeal）；请愿书
【记】词根记忆：pet（追求）+ition → 寻求（帮助）→ 请愿

petitioner* [piˈtiʃənə(r)] *n.* 请愿人（the person who makes a request）

petrify* [ˈpetriˌfai] *v.* 石化 （to controvert into stone）；吓呆 （to confound with fear or awe）
【记】词根记忆：petr（石头）+ ify → 石化
【同】petroleum （*n.* 石油）；petrifaction （*n.* 石化；目瞪口呆）；petrology（*n.* 岩石学）；petroglyph（*n.* 岩石雕刻）

petroglyph [ˈpetrəglif] *n.* 岩石雕刻（a carving or inscription on a rock）
【记】词根记忆：petro（石头）+ glyph（写，刻）→ 岩石雕刻
【参】hieroglyph（*n.* 象形文字）

petroleum* [piˈtrəuliəm] *n.* 石油（a mineral oil）

petrology [piˈtrɔlədʒi] *n.* 岩石学（a science that deals with the origin, history, occurrence, structure, chemical composition, and classification of rocks）
【记】词根记忆：petr（石头）+ ology → 岩石学

petty [ˈpeti] *adj.* 琐碎的 （trivial; unimportant）；小心眼儿的（petty-minded）

petulance* [ˈpetjuləns] *n.* 发脾气，性急，暴躁 （the quality or state of being petulant）

petulant* [ˈpetjulənt] *adj.* 性急的，暴躁的（insolent; peevish）
【记】来自 pet（不高兴）+ ulant（多…的）→ 非常不高兴 → 暴躁的

phantom [ˈfæntəm] *n.* 鬼怪，幽灵（a ghost）；幻像（sth. elusive or visionary）
【记】词根记忆：phan（显现）+ tom → 显现的东西 → 幽灵
【同】phanerogam（*n.* 显花植物）；phenomenon（*n.* 现象）

PEST	PESTER	PESTICIDE	PESTILENT	PESTLE	PETAL
PETITION	PETITIONER	PETRIFY	PETROGLYPH	PETROLEUM	PETROLOGY
PETTY	PETULANCE	PETULANT	PHANTOM		

pharmaceutical [ˌfɑːməˈsjuːtikəl] *adj.* 制药的 (of the manufacture and sale of medicines)
【记】来自 pharmacy (*n.* 药房, 药剂学), pharma (药, 毒) + cy
【参】pharmacist (*n.* 药剂师); pharmacology (药理学)

phenomena [fəˈnɔminə] *n.* [复] 现象 (observable events); 科学研究的现象
【记】词根记忆: phen (=phan 出现) + omena → 现象。单数形式为 phenomenon

phenomenal [fiˈnɔminl] *adj.* 显著的, 非凡的 (extraordinary; remarkable)
【记】来自 phenomenon (*n.* 现象, 奇迹)

philanthropic [ˌfilənˈθrɔpik] *adj.* 博爱的 (of, relating to, or characterized by philanthropy)
【记】词根记忆: phil (爱) + anthrop (人) + ic → 爱人的 → 博爱的
【参】philanthropy (*n.* 慈善, 仁慈); philanthropist (*n.* 慈善家)

philatelist* [fiˈlætəlist] *n.* 集邮家 (one who collects or studies stamps)

philately* [fiˈlætəli] *n.* 集邮 (stamp collecting)
【记】词根记忆: phil (爱) + ately (邮票) → 集邮

philistine* [ˈfilistain] *n.* 庸人, 市侩 (a person who is guided by materialism and is usu. disdainful of intellectual or artistic values)
【记】来自腓力斯丁人 (Philistia), 是庸俗的市侩阶层
【反】aesthete (*n.* 唯美主义者)

phlegmatic* [flegˈmætik] *adj.* 冷静的, 冷淡的 (of slow and stolid temperature; impassive)
【记】来自 phlegma (痰) + tic → 西方人认为痰多的人不易动感情
【反】vivacious (*adj.* 活泼的); spirited (*adj.* 生气勃勃的)

phoenix [ˈfiːniks] *n.* 凤凰, 永生或再生的象征 (an imaginary bird believed to live for 500 years and then burn itself and be born again from the ashes)

phonetic* [fəuˈnetik] *adj.* 语音的 (about the sounds of human speech)
【记】词根记忆: phon (声音) + etic → 语音的

photosynthesis* [ˌfəutəuˈsinθəsis] *n.* 光合作用 (formation of carbohydrates through light)
【记】词根记忆: photo (光) + synthesis (综合) → 光合作用
【同】photics (*n.* 光学); photography (*n.* 照相)

physiological [ˌfiziəˈlɔdʒikəl] *adj.* 生理的 (of, or concerning the bodily functions); 生理学上的 (of, or concerning physiology)
【记】来自 physiology (*n.* 生理学)

piano* [piˈɑːnəu] *adj.* [音] 轻柔的 (at a soft volume)
【记】piano"钢琴", 钢琴的音乐很轻柔
【反】forte (*adj.* 强音的)

pictorial [pikˈtɔːriəl] *adj.* 绘画的 (of or relating to the painting or drawing of pictures); 有图片的, 用图片表示的 (having or expressed in

PHARMACEUTICAL	PHENOMENA	PHENOMENAL	PHILANTHROPIC	PHILATELIST
PHILATELY	PHILISTINE	PHLEGMATIC	PHOENIX	PHONETIC
PHOTOSYNTHESIS	PHYSIOLOGICAL	PIANO	PICTORIAL	

pictures)

【记】来自 picture (n. 图片)

piddling [ˈpidliŋ] adj. 琐碎的，微不足道的 (so trifling or trivial as to be beneath one's consideration)

pied* [paid] adj. 杂色的 (of two or more colors in blotches)

【记】分拆联想：pie (馅饼) + d → 馅饼中放各种颜色的菜，所以是杂色的

【反】solid-colored (adj. 单色的)

pierce* [piəs] v. 刺透 (to run into or through; stab); 穿过 (to force through)

piercing* [ˈpiəsiŋ] adj. (寒风) 刺骨的 (penetratingly cold); 敏锐的 (perceptive)

pigment* [ˈpigmənt] n. 天然色素 (a coloring matter in animals and plants); 干粉颜料 (a powdered substance that imparts colors to other materials)

【记】联想记忆：pigmeat (猪肉；肉感女人) → pigment (色素)

pilgrim* [ˈpilgrim] n. 朝圣客，香客 (one who travels to a shrine as a devotee)

pillar* [ˈpilə] n. 柱子 (a tall upright round post)

【反】pillar of society (社会栋梁) 〈〉 derelict (n. 废物)

pillory* [ˈpiləri] n. 颈手枷；示众，嘲弄 (a means for exposing one to public scorn or ridicule)

【记】注意不要和 pillar (支柱) 相混

【反】exalt (v. 赞扬)

pilot* [ˈpailət] n. 飞行员 (one who operates the controls of an aircraft); 领航员 (person who is licensed to guide ships through a canal, the entrance to a harbour, etc.); 领导人

pinch* [pintʃ] v. 捏，掐 (compress; squeeze); n. 一撮，一点 (a very small amount)

【反】abundant amount (充足的数量)

pine* [pain] n. 松树; v. (因疾病等) 憔悴 (to lose vigor; anguish)

【反】become invigorated (变得有活力)

pinnacle [ˈpinəkl] n. 尖塔 (spire); 山峰，顶峰 (a lofty peak; summit)

【记】来自 pin (针) + nacle → 像针一样尖的东西 → 山峰

pinpoint [ˈpinˌpɔint] v. 精确地找出或描述 (to find or describe exactly); adj. 非常精确的 (very exact)

【记】组合词：pin (针) + point (尖) → 像针尖一样精确 → 非常精确的

pious* [ˈpaiəs] adj. 虔诚的，尽责的 (showing and feeling deep respect for God and religion)

piquant* [ˈpiːkənt] adj. 辛辣的，开胃的 (agreeably stimulating to the palate; spicy); 兴奋的 (engagingly provocative)

【记】词根记忆：piqu (刺激) + ant → 刺激的 → 辛辣的，开胃的

PIDDLING	PIED	PIERCE	PIERCING	PIGMENT
PILGRIM	PILLAR	PILLORY	PILOT	PINCH
PINE	PINNACLE	PINPOINT	PIOUS	PIQUANT

pique* [piːk] *n.* / *v.* (因自尊心受伤害而导致的)不悦，愤怒(resentment); *v.* 冒犯(to arouse anger or resentment; irritate)
【记】piqu(刺激)+e → 因受刺激而不悦
【反】mollify(*v.* 抚慰)

pirate* [ˈpaiərit] *n.* 海盗，剽窃者 (one who commits piracy); *v.* 盗印(to reproduce without authorization in infringement of copyright); 掠夺(to take or appropriate by piracy)
【记】词根记忆: pir(转)+ate → 在海上转悠的人 → 海盗

pirouette* [piruˈet] *v.* / *n.* (舞蹈)脚尖着地的(地)旋转(a full turn on the toe in ballet)
【记】词根记忆: pirou(转)+ette(小动作) → 小转 → 脚尖着地的(地)旋转

pistol* [ˈpistl] *n.* 手枪(handgun)

pitch* [pitʃ] *n.* 沥青，柏油(a black substance made from tar); 音调

pitcher* [ˈpitʃə] *n.* 有柄水罐(a container for liquids that usu. has a handle)

pitfall [ˈpitfɔːl] *n.* 陷阱 (trap), 未料到的危险或困难 (a hidden or not easily recognized danger or difficulty)
【记】组合词: pit(坑，洞)+fall(落下) → 落下的坑 → 陷阱

pith* [piθ] *n.* 精髓，要点(the essential part; core)
【反】superficial element(表面的因素); insignificant part(不重要的部分)

pithiness* [ˈpiθinis] *n.* 简洁(state of being precisely brief)
【记】来自 pithy(*adj.* 精炼的)

pithy [ˈpiθi] *adj.* (讲话或文章)简练的(tersely cogent; concise)
【反】prolix(*adj.* 冗长的)

pitiful* [ˈpitiful] *adj.* 值得同情的，可怜的(deserving pity)
【记】来自 pity(*n.* 同情)

pittance [ˈpitəns] *n.* 微薄的薪俸，少量的收入(small allowance or wage)
【反】cornucopia(*n.* 富饶)

placate* [pləˈkeit] *v.* 抚慰，平息(愤怒)(to soothe or mollify)
【记】词根记忆: plac(平静)+ate → 使平静，平息
【同】implacable(*adj.* 难以平息的); complacent(*adj.* 自满的)
【反】antagonize(*v.* 对抗); peeve(*v.* 触怒); gall(*v.* 使烦恼)

placebo* [pləˈsiːbəu] *n.* 安慰剂(sth. tending to soothe)
【记】词根记忆: plac(平静)+ebo → 安慰剂

placid* [ˈplæsid] *adj.* 安静的，平和的(serenely free of interruption)
【记】词根记忆: plac(平静)+id → 平静的，安静的

plagiarism* [ˈpleidʒiərizəm] *n.* 剽窃，抄袭(an act or instance of plagiarizing)
【记】词根记忆: plagiar(斜的)+ism → 做歪事 → 抄袭
【同】plagiotropism(*n.* 斜向性); plage(*n.* 海滩)

PIQUE	PIRATE	PIROUETTE	PISTOL	PITCH	PITCHER
PITFALL	PITH	PITHINESS	PITHY	PITIFUL	PITTANCE
PLACATE	PLACEBO	PLACID	PLAGIARISM		

plagiarize [ˈpleidʒiəraiz] *v.* 剽窃，抄袭（to take [sb. else's ideas, words etc.] and use them as if they were one's own）
【记】词根记忆：plagiar（斜的）+ize → 做歪事 → 剽窃，抄袭

plague [pleig] *n.* 瘟疫 （fatal epidemic disease）；讨厌的人或物（nuisance）；*v.* 烦扰（to disturb or annoy persistently）
【记】区别形近词 plaque（*n.* 血管内沉积物）

plain* [plein] *adj.* 简单的 （simple）；清楚的 （clear）；*n.* 平原 （a large stretch of flat land）

plaintiff [ˈpleintif] *n.* 原告（a person who brings a legal action）
【记】词根记忆：plaint（哀诉，抱怨）+ iff → 哀诉的一方 → 原告
【同】plaint（*n.* 哀诉，起诉）；complain（*v.* 抱怨）

plaintive [ˈpleintiv] *adj.* 可怜的，伤心的（expressive of woe；melancholy）
【记】词根记忆：plaint（哀诉）+ ive → 可怜的，伤心的
【例】a *plaintive* old song（一首伤心的老歌）

plait* [plæt] *n.* 发辫（a braid of hair）；*v.* 编成辫

plane* [plein] *n.* 刨子（a tool for smoothing or shaping a wood surface）；平面（a flat or level surface）；*v.* 刨（to work with a plane）

plangent [ˈplændʒənt] *adj.* 轰鸣的；悲哀的（having a plaintive quality）
【记】plang 原意为拍打胸脯，表示哀痛
【反】muffled（*adj.* 声音被压抑的）

plankton [ˈplæŋkt（ə）n] *n.* 浮游生物（minute animal and plant life of a body of water）

plaster* [ˈplɑːstə] *n.* 灰泥，石膏（a pasty composition）；*v.* 抹灰泥
【记】plast（塑造）+ er → 塑造成墙的东西 → 灰泥

plateau* [ˈplætəu] *n.* 高原 （tableland）；平稳的状态 （a relatively stable period）
【记】词根记忆：plat（平）+ eau → 平稳状态

platitude* [ˈplætitjuːd] *n.* 陈词滥调（a banal, trite, or stale remark）
【记】词根记忆：plat（平）+ itude → 平庸之词 → 陈词滥调
【反】original observation（有新意的评论）

platonic [pləˈtɔnik] *adj.* 理论的（theoretical）；纯精神上的，没有感官欲望的 （[of love or a friendship between two poeple] close and deep but not sexual）
【记】发音记忆："柏拉图" → 理论的

plaudit [ˈplɔːdit] *v.* 喝彩，赞扬（to praise；to approve enthusiastically）
【记】词根记忆：plaud（鼓掌）+ it → 喝彩，赞扬
【参】applaud（*v.* 鼓掌）

plausible* [ˈplɔːzəbl] *adj.* 表面上看起来有道理的 （superficially fair, reasonable, or valuable but often specious）
【记】词根记忆：plaus（鼓掌）+ ible → 值得鼓掌的 → 似是而非的
【派】plausibility（*n.* 似乎有理；善辩）

PLAGIARIZE	PLAGUE	PLAIN	PLAINTIFF	PLAINTIVE
PLAIT	PLANE	PLANGENT	PLANKTON	PLASTER
PLATEAU	PLATITUDE	PLATONIC	PLAUDIT	PLAUSIBLE

plead* [pliːd] *v.* **恳求，提出…为理由** (to offer as a plea in defense; appeal)

【记】来自 plea (*n.* 恳求，辩护)

pleat* [pliːt] *n.* (衣服上的) **褶** (a fold in cloth)

【记】plait (打褶；编辫子) 的变体

pledge* [pledʒ] *n.* **誓言，保证** (a solemn promise); *v.* **发誓** (to vow to do sth.)

plenitude* [ˈplenitjuːd] *n.* **完全** (completeness); **大量** (a great sufficiency)

【记】词根记忆：plen (满) + itude → 充足，大量

【同】plenteous (*adj.* 丰富的，丰产的); plenilune (*n.* 满月)

【反】vacuity (*n.* 空虚); dearth (*n.* 缺乏)

plethora* [ˈpleθərə] *n.* **过量，过剩** (excess; superfluity)

【记】词根记忆：pleth (满) + ora (嘴) → 嘴都塞满了 → 过剩

【反】dearth (*n.* 缺乏); scarcity (*n.* 缺乏)

pliable* [ˈplaiəbl] *adj.* **易弯的，柔软的** (supple enough to bend freely; ductile)

【记】词根记忆：pli (=ply 弯，折) + able → 能弯曲的

【反】rigid (*adj.* 僵硬的)

pliant [ˈplaiənt] *adj.* **易受影响的** (easily influenced); **易弯的** (pliable)

【反】mulish (*adj.* 顽固的); intransigent (*adj.* 不妥协的); intractable (*adj.* 难对付的)

You have to believe in yourself. That's the secret of success.

人必须相信自己，这是成功的秘诀。

——美国演员 卓别林(Charles Chaplin, American actor)

Word List 28

plight [plait] *n.* 困境，苦境 (difficult condition)
【形】alight (*v.* 落下); blight (*v.* 使枯萎); slight (*adj.* 轻微的)
【反】favorable condition (顺境)

plinth* [plinθ] *n.* 柱脚，底座 (a square block serving as a base)
【参】pedestal (*n.* 基座)

plod* [plɔd] *v.* 重步走 (to walk heavily; trudge); 吃力地干 (to drudge)
【反】flit (*v.* 轻快地掠过); gambol (*v.* 雀跃)

plot* [plɔt] *n.* 情节 (the plan or main story of a literary work); 阴谋 (a secret plan; intrigue); 策划 (plan)

plough* [plau] *n.* 犁; *v.* 犁地 (to work with a plow)

ploy* [plɔi] *n.* 花招，策略 (a tactic; stratagem)

pluck* [plʌk] *n.* 在困难面前足智多谋的勇气，胆量 (courageous readiness to fight or continue against odds; dogged resolution); 精力 (vigor); *v.* 拔毛 (to pull off hair, etc.); 弹拉
【记】分拆联想: p (音似: 不) + luck (运气) → 不靠运气靠勇气
【同】courage (*n.* 勇气，精神); dauntlessness (*n.* 不屈不挠，大胆); spunk (*n.* 精神，胆量)
【反】cowardice (*n.* 懦弱)

plumb* [plʌm] *adv.* 精确地 (exactly); *v.* 深入了解 (to examine minutely and critically); 测水深 (to measure the depth with a plumb); *adj.* 垂直的
【记】由 plumb (铅锤) 意义转化而来
【反】horizontal (*adj.* 水平的); examine superficially (表面检查)

plumber* ['plʌmbə] *n.* 管子工，铅管工 (a person whose job is to fit and repair water pipes or bathroom apparatus)

plume [pluːm] *n.* 羽毛 (a feather of a bird); *v.* 整理羽毛 (to preen and arrange the feathers of); 搔首弄姿 (to indulge in pride with an obvious or vain display of self-satisfaction)
【参】preen (*v.* 整理羽毛)

PLIGHT	PLINTH	PLOD	PLOT	PLOUGH
PLOY	PLUCK	PLUMB	PLUMBER	PLUME

plummet* [ˈplʌmit] *v.* 垂直或突然坠下（to fall perpendicularly or abruptly）
【记】plummet 原意为“测深锤”

plunder [ˈplʌndə] *v.* 抢劫，掠夺（to take the goods by force; pillage）
【记】分拆联想：pl（看作 place，放）+ under（在…下面）→ 放在自己下面 → 抢劫

plunge* [plʌndʒ] *v.* 投入（to thrust or cast oneself into or as if into water）；俯冲（to move suddenly forwards and downwards）

plush* [plʌʃ] *adj.* 豪华的（notably luxurious）
【形】blush（*v.* 脸红）；flush（*adj.* 丰足的；*v.* 冲洗）；lush（*adj.* 青翠的；奢华的）

plutocracy* [pluːˈtɔkrəsi] *n.* 财阀统治（government by the wealthy）
【记】词根记忆：pluto（财富）+ cracy（统治）→ 财阀统治，来自 Plutus（希腊神话中的财神）
【同】plutolatry（*n.* 拜金主义）；plutonomy（*n.* 政治经济学）

pod* [pɔd] *n.* 豆荚；*v.* 剥掉（豆荚）（to take peas out of pods）

podiatrist* [pəuˈdaiətrist] *n.* 足病医生（chiropodist）
【记】词根记忆：pod（足，脚）+ iatr（看作 iatry，医疗）+ ist → 足病医生

podium* [ˈpəudiəm] *n.* 讲坛，指挥台（a base esp. for an orchestral conductor）
【记】词根记忆：pod（脚）+ ium → 站脚的地方 → 讲坛

poignant* [ˈpɔinənt] *adj.* 伤心的（painfully affecting the feelings）；尖锐的（cutting）
【记】词根记忆：poign（刺）+ ant → 刺的，尖锐的
【派】poignancy（*n.* 辛酸事；尖锐）

poise* [pɔiz] *v.* 使相等，使平衡（to hold in equilibrium）；*n.* 泰然自若，镇定（easy self-possessed assurance of manner）

poisonous* [ˈpɔiznəs] *adj.* 有毒的（containing poison）；有害的（harmful）

poke* [pəuk] *v.* 刺，戳（to prod; stab; thrust）
【例】He *poked* me with his umbrella.（他用雨伞戳了我一下。）

polar* [ˈpəulə] *adj.* 地极的，两极的（of or near the North or South Pole）；磁极的（[one of] the poles of a magnet）
【记】来自 pole（*n.* 极）

polarity [pəuˈlæriti] *n.* 极端性，两极分化（diametrical opposition）
【记】词根记忆：polar（地极的）+ ity → 极端性，两极分化

polarize* [ˈpəuləraiz] *v.* 使…两极分化（to divide into groups based on two completely opposite principles or political opinions）
【记】词根记忆：polar（两极的）+ ize（…化）→ 使…两极分化

PLUMMET	PLUNDER	PLUNGE	PLUSH	PLUTOCRACY
POD	PODIATRIST	PODIUM	POIGNANT	POISE
POISONOUS	POKE	POLAR	POLARITY	POLARIZE

polemic* [pɔˈlemik] *n.* 争论，论战 (an aggressive attack or refutation)
【记】词根记忆：polem(战争)+ic→争论，论战
【参】polemology(*n.* 战争学)

polemical* [pəˈlemikəl] *adj.* 挑起论战的 (controversial)
【反】conciliatory(*adj.* 调和的)

polish* [ˈpɔliʃ] *v.* 把…擦光亮，抛光 (to make smooth and glossy; burnish); *n.* 上光剂 (a preparation that is used to polish sth.); (态度等)优雅 (freedom from rudeness or coarseness; refinement)
【记】分拆联想：pol(音似：刨)+ish→抛光
【反】gaucheness(*n.* 粗鲁)

poll* [pəul] *n.* 民意测验 (a survey of the public opinion); 选举投票 (voting in an election)
【形】loll(*v.* 懒散地倚靠); doll(*n.* 洋娃娃)

pollen* [ˈpɔlin] *n.* 花粉 (a mass of microspores in a seed plant)

pollinate* [ˈpɔlineit] *v.* 给…授粉 (to carry out the transfer of pollen)
【派】pollination(*n.* 授粉)

pollster* [ˈpəulstə] *n.* 民意测验家 (one that conducts a poll)
【记】词根记忆：poll(民意测验)+ster(人)→民意测验家

pomposity* [pɔmˈpɔsiti] *n.* 自大的行为，傲慢，自命不凡 (pompous behavior, demeanor, or speech)
【记】词根记忆：pomp(炫耀)+osity→夸耀，自命不凡

pompous* [ˈpɔmpəs] *adj.* 自大的 (arrogant)

poncho* [ˈpɔntʃəu] *n.* 斗篷 (a blanket worn as a sleeveless garment); 雨衣 (a waterproof garment)

ponder* [ˈpɔndə] *v.* 仔细考虑 (to weigh in the mind; reflect on)
【记】词根记忆：pond(重量)+er→掂重量→仔细考虑

ponderable [ˈpɔndərəbl] *adj.* 可估量的 (able to be assessed; appreciable)
【反】inappreciable(*adj.* 毫无价值的)

ponderous* [ˈpɔndərəs] *adj.* 笨重的，笨拙的 (unwieldy or clumsy)
【记】ponder(重量)+ous→有重量的→笨重的
【反】gossamer (*adj.* 轻而薄的); ethereal (*adj.* 轻的); slight(*adj.* 轻的)

pontifical* [pɔnˈtifikəl] *adj.* 自以为是的 (pretentious; pompous); 武断的 (dogmatic)
【记】来自 pontiff(*n.* 教皇，主教)

pontificate* [pɔnˈtifikit] *v.* 自大武断地做或说 (to act or speak in a pompous or dogmatic way)
【反】speak modestly(谦虚地说); comment tentatively(试探性地评论)

populace [ˈpɔpjuləs] *n.* 民众，老百姓 (the common people; masses)
【记】词根记忆：popul(人民)+ace→民众
【同】population(*n.* 人口); popularity(*n.* 普及，流行)

POLEMIC	POLEMICAL	POLISH	POLL	POLLEN	POLLINATE
POLLSTER	POMPOSITY	POMPOUS	PONCHO	PONDER	PONDERABLE
PONDEROUS	PONTIFICAL	PONTIFICATE	POPULACE		

populous [ˈpɔpjuləs] *adj.* 人口稠密的（densely populated）
【记】词根记忆：popul（人民）+ ous

porcelain* [ˈpɔːslin] *n.* 瓷；瓷器

porcupine* [ˈpɔːkjupain] *n.* 豪猪，箭猪
【记】词根记忆：porc（猪）+ upine（=spine 刺）→ 有刺的猪

pore* [pɔː] *n.* 毛孔，气孔（a very small opening）
【例】Water seeped into the *pores* of the rock.（水渗入岩石的空隙。）

porous* [ˈpɔːrəs] *adj.* 可渗透的（capable of being penetrated）；多孔的（full of pores）
【记】来自 pore（孔）+ ous → 多孔的
【派】porosity（*n.* 有孔性）
【反】impermeable（*adj.* 不能渗透的）

portentous* [pɔːˈtentəs] *adj.* 凶兆的，有危险的（ominous）
【记】来自 portent（*n.* 凶兆，预兆）
【反】regular（*adj.* 正常的）

portfolio* [pɔːtˈfəuliəu] *n.* 文件夹（a hinged cover or flexible case for carrying loose papers, etc.）；股份单（the securities held by an investor）
【记】词根记忆：port（拿）+ folio（树叶）→ 拿在手里像叶子的东西 → 文件夹

portray* [pɔːˈtrei] *v.* 描绘，描述（to depict; describe in words）
【例】The diary *portrays* his family as quarrelsome and malicious.（日记把他的家人描述成既好争吵又恶毒的人。）

pose* [pəuz] *v.* 摆姿势（to assume a posture）；造作（to affect an attitude to impress）
【例】She *posed* and smiled for the cameraman.（她摆好了姿势，然后冲着摄影师微笑起来。）

poseur* [pəuˈzəː] *n.* 装模作样的人（an affected or insincere person）
【反】sincere person（诚恳的人）

posit* [ˈpɔzit] *v.* 断定，认为（to assume or affirm the existence of; postulate）
【记】position（位置，立场）反推成 posit
【反】deny（*v.* 否认）

posse* [ˈpɔsi] *n.* 武装团队（a group of men gathered together by a sheriff to help keep order）
【记】和 pose（姿势）一起记 → 民防团（posse）摆造型（pose）

possessed [pəˈzest] *adj.* 着迷的（influenced or controlled by sth.）；疯狂的（mad）
【记】来自 possess（拥有，迷住）+ ed → 被（邪念）迷住的 → 疯狂的

poster* [ˈpəustə] *n.* 海报，招贴画（a large placard displayed in a public place）
【记】post（邮政，张贴）+ er → 海报，招贴画

□ POPULOUS	□ PORCELAIN	□ PORCUPINE	□ PORE	□ POROUS
□ PORTENTOUS	□ PORTFOLIO	□ PORTRAY	□ POSE	□ POSEUR
□ POSIT	□ POSSE	□ POSSESSED	□ POSTER	

postpone* [pəust'pəun] *v.* 使延期，推迟 (to move to some later time)
【记】词根记忆：post (在后面) + pone (放) → 放在后面 → 推迟

postulate* ['pɔstjuleit] *v.* 假定 (to assume; presume)；要求 (to demand; claim)
【记】词根记忆：postul (放) + ate → 放出观点 → 假定
【参】expostulate (*v.* 告诫，警告)
【反】deny as false (作为假的否认)

posture* ['pɔstʃə] *n.* 姿势，体态；态度 (a conscious mental or outward behavioral attitude)；*v.* 故作姿态 (to talk or behave unnaturally)
【派】posturer (*n.* 做作者，装模作样者)
【反】behave naturally (举止自然)

potable* ['pəutəbl] *adj.* 适于饮用的 (suitable for drinking)
【记】词根记忆：pot (喝) + able → 可以喝的
【同】potation (*n.* 饮，饮酒)；potamic (*adj.* 河流的)
【反】undrinkable (*adj.* 不可饮用的)

potation [pəu'teiʃən] *n.* 畅饮 (the act of drinking or inhaling)；饮料 (an alcoholic drink)

potentate ['pəutənteit] *n.* 统治者，当权者 (ruler; sovereign)
【记】potent (力量) + ate → 有力量的人
【反】subject (*n.* 臣民)

potential* [pə'tenʃ(ə)l] *adj.* 潜在的，有可能性的 (capable of development into actuality, possible)
【记】potent (潜力的) + ial → 潜在的

potentiate* [pə'tenʃieit] *v.* 加强 (力量、效果) (to make effective or active)
【反】deactivate (*v.* 使无效)

potpourri* [pəu'puri(:)] *n.* 混杂；杂文集 (a miscellaneous collection; medley)
【记】分拆联想：pot (锅) + pour (倾倒) + ri → 倒在一个锅里 → 混杂

pottery* ['pɔtəri] *n.* 制陶 (the manufacture of clayware)；陶器 (earthenware)

pout [paut] *v.* 撅嘴，板脸 (to show displeasure by thrusting out the lips)
【反】grin (*v.* 露齿而笑)

practitioner* [præk'tiʃənə] *n.* 开业者 (one who practices)；从事某种手艺者 (a person who performs a skill or art)
【反】fledgling (*n.* 无经验者)；quack (*n.* 假充内行者)

pragmatic* [præg'mætik] *adj.* 实际的，实用主义的 (practical as opposed to idealistic)
【记】词根记忆：pragm (实际) + atic → 实际的
【参】practical (*adj.* 实际的)

prank [præŋk] *n.* 恶作剧，玩笑 (a trick)
【记】不要和 plank (厚木板) 相混
【派】prankster (*n.* 顽皮的人，爱开玩笑的人)

POSTPONE	POSTULATE	POSTURE	POTABLE	POTATION
POTENTATE	POTENTIAL	POTENTIATE	POTPOURRI	POTTERY
POUT	PRACTITIONER	PRAGMATIC	PRANK	

prate* [preit] *v.* 瞎扯，胡说（to talk long and idly; chatter）
【参】prattle（*v.* 闲聊）
【形】crate（*n.* 柳条箱）; irate（*adj.* 发怒的）

preach* [pri:tʃ] *v.* 传教，讲道（to deliver a sermon）
【记】分拆联想：p（看作 priest 牧师）+ reach（到达）→ 牧师到达 → 传教

preamble* [pri:ˈæmbl] *n.* 前言，序言（an introductory statement）; 先兆（an introductory fact or circumstance indicating what is to follow）
【记】词根记忆：pre（前）+ amble（跑）→ 跑在前面 → 前言

precarious* [priˈkeəriəs] *adj.* 根据不足的，靠不住的（uncertain）; 不稳的，危险的（unsafe）
【记】分拆联想：pre（前）+ car（汽车）+ ious → 在汽车前面 → 危险的
【反】firmly grounded（理由充分的）; safe（*adj.* 安全的）; secure（*adj.* 安全的）; stable（*adj.* 稳定的）

precede* [pri(:)ˈsi:d] *v.* 在…之前，早于（to be earlier than）
【记】词根记忆：pre（前）+ cede（走）→ 走在…之前 → 早于
【例】Are you certain the minister's statement *preceded* that of the president?（你肯定部长的讲话是在总统讲话之前吗？）
【参】precedence（*n.* 优先权）; precedent（*n.* 先例，前例）

precept* [ˈpri:sept] *n.* 箴言，格言（moral instruction; rule or principle that teaches correct behavior）
【记】词根记忆：pre（预先）+ cept（拿住）→ 预先接受的话 → 格言
【形】percept（*n.* 感觉，知觉）

precipice [ˈpresipis] *n.* 悬崖（a very steep or overhanging place）
【记】词根记忆：pre（前面）+ cip（落下）+ ice → 前面（突然）落下 → 悬崖

precipitant* [priˈsipitənt] *n.* 沉淀剂（one that causes the formation of a precipitate）
【反】solvent（*n.* 溶剂）

precipitate* [priˈsipiteit] *v.* 加速，促成（to bring about abruptly; hasten）; *adj.* 鲁莽的（impetuous）
【记】词根记忆：pre（预先）+ cipit（落下）+ ate → 先落下了 → 快速，加速
【参】precipitous（*adj.* 陡峭的；仓促的）
【反】forestall（*v.* 预先阻止）; retard（*v.* 阻碍）; deliberate（*adj.* 深思熟虑的）; dilatory（*adj.* 拖延的）

precipitation* [priˌsipiˈteiʃən] *n.* 降水（量）（fall of rain, sleet, snow or hail）

précis [ˈpreisi:] *n.* 摘要，大纲（a concise summary of essential points, statements, or facts）

PRATE	PREACH	PREAMBLE	PRECARIOUS	PRECEDE
PRECEPT	PRECIPICE	PRECIPITANT	PRECIPITATE	PRECIPITATION
PRÉCIS				

【记】词根记忆：pre（提前）+ cis（切）→ 提前切掉不必要的东西 → 摘要

【参】precise（*adj.* 精确的）

precise* [pri'sais] *adj.* **精确的**（exact）

【记】词根记忆：preci （价值，价格）+ se → 一般价值和价格都很准确 → 准确的，精确的

preclude [pri'kluːd] *v.* **避免，排除**（to rule out in advance; prevent）

【记】词根记忆：pre（前）+ clude（关闭）→ 在面前关闭 → 排除

【同】occlude（*v.* 堵塞）; exclude（*v.* 排除）

precocious* [pri'kəuʃəs] *adj.* **早熟的**（premature）

【记】词根记忆：pre（预先）+ coc（=cook 煮）+ ious → 提前煮好 → 早熟的

precursor* [pri(ː)'kəːsə] *n.* **先驱，先兆**（forerunner）

【记】词根记忆：pre（前）+ curs（跑）+ or → 跑在前面的人 → 先驱

predator* ['predətə] *n.* **食肉动物** （an animal that lives by killing and consuming other animals）

【记】词根记忆：predat（破坏，掠夺）+ or → 掠夺者；食肉动物

【同】predation（*n.* 捕食，掠夺）; predatory（*adj.* 掠夺的）

predecessor* ['priːdisesə] *n.* **前任，前辈** （person who held an office or position before sb. else）; **原先的东西** （thing that has been replaced by another thing）

【记】词根记忆：pre （前）+ de + cess （走）+ or → 前面走的人 → 前辈

predestine* [pri'destin] *v.* **注定**（to destine or determine beforehand）

【记】词根记忆：pre（预先）+ destine（注定）

【派】predestination（*n.* 宿命论，命定论）

【反】leave to chance（随机发生）

predicament* [pri'dikəmənt] *n.* **困境，窘境**（dilemma; quandary）

【记】词根记忆：pre（预先）+ dica（命令）+ ment → 被预先命令了 → 困境，窘境

【形】predication（*n.* 断言，肯定）; prediction（*n.* 预言）

predilection* [ˌpriːdi'lekʃən] *n.* **偏袒，爱好** （a special liking that has become a habit）

【记】词根记忆：pre + dilection （看作 direction 趋向）→ 兴趣的趋向 → 爱好

【同】delectable（*adj.* 美味的）

【反】propensity to dislike（厌恶的倾向）

predisposition* [ˌpriːdispə'ziʃən] *n.* **倾向，癖性**（state of mind or body favorable to act in a certain way）

【记】pre（预先）+ disposition（性情，倾向）→ 倾向，癖性

PRECISE	PRECLUDE	PRECOCIOUS	PRECURSOR	PREDATOR
PREDECESSOR	PREDESTINE	PREDICAMENT	PREDILECTION	PREDISPOSITION

predominant* [pri'dɔminənt] *adj.* 有势力的 (having superior strength; prevailing)
【记】pre (前) + dominant (统治的) → 在前面统治的 → 有势力的

predominate [pri'dɔmineit] *v.* 支配，统治 (to dominate); 占优势 (to hold advantage in numbers or quantity)
【记】pre + dominate (统治) → 支配，统治

preeminent [pri(ː) 'eminənt] *adj.* 出类拔萃的 (supreme; outstanding)
【记】pre (前面) + eminent (著名的) → 比著名的人还著名 → 出类拔萃的
【派】preeminence (*n.* 卓越，杰出)

preempt* [pri(ː) 'empt] *v.* 以先买权取得 (to acquire by preemption); 取代 (to replace with)
【记】词根记忆：pre (预先) + empt (买) → 先买
【参】peremptory (*adj.* 断然的，专横的)
【派】preemption (*n.* 先买权)

preen* [priːn] *v.* 整理羽毛 ([of a bird] to clean or smooth its feathers with its beak); (人) 打扮修饰 (to dress up; primp)
【记】和 green 一起记
【参】plume (*v.* 整理羽毛)
【反】rumple (*v.* 弄乱); ruffle (*v.* 扰乱)

preface* ['prefis] *n.* 序言 (introduction)
【记】pre (前) + face (正面) → 前言，序言
【反】epilogue (*n.* 后记)

pregnant ['pregnənt] *adj.* 怀孕的 (gravid); 充满的 (full; teeming)
【记】词根记忆：pregn (拿住) + ant → 拿住孩子 → 怀孕的
【同】pregnable (*adj.* 可攻克的)
【反】inane (*adj.* 空洞的)

prehistoric [ˌpriːhis'tɔrik] *adj.* 史前的 (of a time before recorded history)
【记】词根记忆：pre (前) + historic (历史的) → 史前的

prejudice* ['predʒudis] *n.* 偏见，成见 (opinion, or like or dislike of sb. / sth. that is not founded on experience or reason); *v.* 使产生偏见 (to cause to have prejudice)
【记】词根记忆：pre (预先) + judice (判断) → 预先判断 → 偏见
【同】judicious (*adj.* 有判断力的，明智的)

preliminary* [pri'liminəri] *adj.* 预备的; 初步的，开始的 (preparatory; coming before a more important action or event)
【记】词根记忆：pre (预先) + limin (=lumin 光) + ary → 预先透光的 → 预备的

preliterate [ˌpri'litərit] *adj.* 文字出现以前的 (antedating the use of writing)
【记】词根记忆：pre (前) + liter (文字) + ate → 文字出现以前的

PREDOMINANT	PREDOMINATE	PREEMINENT	PREEMPT	PREEN
PREFACE	PREGNANT	PREHISTORIC	PREJUDICE	PRELIMINARY
PRELITERATE				

prelude* [ˈpreljuːd] *n.* **序幕，前奏** (an introductory performance, action, or event)
【记】词根记忆：pre (前) + lude (玩，弄) → 前面演奏的音乐 → 序幕，前奏
【同】allude (*v.* 暗指)；delude (*v.* 欺骗，迷惑)
【反】coda (*n.* 尾声)

premature* [ˌpreməˈtjuə] *adj.* **过早的，早熟的** (developing or happening before the natural or proper time)
【记】pre (预先) + mature (成熟的) → 早熟的

premeditate* [ˌpri(ː)ˈmediteit] *v.* **预先想过，预谋** (to plan, arrange, or plot [a crime, for example] in advance)
【记】pre (预先) + meditate (想，考虑) → 预先想过，预谋

premeditated* [ˌpri(ː)ˈmediteitid] *adj.* **预谋的，事先计划的** (characterized by a measure of forethought)
【记】词根记忆：pre (预先) + meditated (思考过的) → 预谋的，事先计划的

premiere [priˈmiə] *n.* / *v.* **首次公演** (a first performance or exhibition)
【记】来自 premier (首要的；最早的) + e → 首次公演

premise* [ˈpremis] *n.* **前提** (a proposition antecedently supposed or proved as a basis of argument or inference)
【记】词根记忆：pre (前) + mise (放) → 放在前面的东西 → 前提

premium [ˈprimiəm] *n.* **保险费** (the consideration paid for a contract of insurance)；**奖金** (a reward or recompense)
【记】词根记忆：pre (前) + m (=empt 买) + ium → 提前买下的东西 → 保险费

premonition* [ˌpriːməˈniʃən] *n.* **预感，预兆** (a feeling that sth. is going to happen)
【记】词根记忆：pre (预先) + monit (警告) + ion → 预感，预兆
【同】monitor (*n.* 监视器；班长)

preoccupation* [pri(ː)ˌɔkjuˈpeiʃən] *n.* **全神贯注** (the state of being preoccupied)；**使人专注的东西** (sth. that takes up one's attention)
【参】preoccupied (*adj.* 心事重重的，出神的)
【反】unconcern (*n.* 不关心)

preponderate* [priˈpɔndəreit] *v.* (重量上、重要性上) **压倒，超过** (to exceed in weight or importance)
【记】词根记忆：pre (前) + ponder (重量) + ate → 重量超过前面 → 压倒
【参】preponderance (*n.* 优势)

preposition* [ˌprepəˈziʃən] *n.* **介词，前置词**
【记】词根记忆：pre (在…前的) + position (位置) → 位置放在前面 → 前置词

PRELUDE	PREMATURE	PREMEDITATE	PREMEDITATED	PREMIERE
PREMISE	PREMIUM	PREMONITION	PREOCCUPATION	PREPONDERATE
PREPOSITION				

preposterous* [pri'pɔstərəs] *adj.* 荒谬的 (contradictory to nature or common sense; absurd)
【记】词根记忆：pre（前）+ post（后）+ erous → "前、后"两个前缀放在一起了 → 荒谬的
【反】commonsensical (*adj.* 明智的)

prerequisite [ˌpriː'rekwizit] *n.* 先决条件 (sth. that is necessary to an end)
【记】词根记忆：pre（预先）+ re + quisite（要求）→ 预先要求 → 先决条件

prerogative [pri'rɔgətiv] *n.* 特权 (privilege; the discretionary power)
【记】词根记忆：pre（预先）+ rog（要求）+ ative → 预先要求的权力 → 特权

presage ['presidʒ] *n.* 预感 (an intuition or feeling of the future); *v.* 预示 (foreshadow, foretell)
【记】词根记忆：pre（预先）+ sage（智者，智慧）→ 预知

prescience* ['presiəns] *n.* 预知，先见 (foreknowledge of events)
【记】词根记忆：pre（预先）+ sci（知道）+ ence → 预知，先见

prescribe* [pris'kraib] *v.* 开处方 (to say what treatment a sick person should have); 规定 (to lay down a rule)
【记】词根记忆：pre（预先）+ scribe（写）→ 预先写好 → 规定

prescription* [pri'skripʃən] *n.* 处方（上的药）(a written direction for the preparation and use of a medicine)

presentation* [ˌprezen'teiʃən] *n.* 表演，介绍，描述 (the way in which sth. is shown to others)
【记】来自 present (*v.* 介绍)

presenter* [pri'zentə] *n.* 主持人 (a person who presents a programme)
【记】词根记忆：present（介绍）+ er → 主持人

preservative* [pri'zəːvətiv] *adj.* 防腐的；*n.* 防腐剂 (an additive used to protect against decay)
【记】来自 preserve (*v.* 保护，保藏)

preside* [pri'zaid] *v.* 担任主席 (to act as president or chairman); 负责 (to be in charge of); 指挥 (to exercise control)
【记】词根记忆：pre（前）+ side（坐）→ 坐在前面 → 担任主席，指挥
【参】president (*n.* 总统，校长)

press* [pres] *v.* 挤压 (to act upon through steady pushing)
【反】withdraw (*v.* 缩回，撤退)

pressing* ['presiŋ] *adj.* 紧迫的，迫切的 (urgently important); 恳切要求的 (asking for sth. strongly)

prestige* [pres'tiːʒ] *n.* 威信，威望，声望 (respect based on good reputation, past achievements, etc.)

PREPOSTEROUS	PREREQUISITE	PREROGATIVE	PRESAGE	PRESCIENCE
PRESCRIBE	PRESCRIPTION	PRESENTATION	PRESENTER	PRESERVATIVE
PRESIDE	PRESS	PRESSING	PRESTIGE	

【记】分拆联想：pres（看作 president 总统）+ tige（看作 tiger 老虎）→ 总统和老虎两者都是有威信、威望的 → 威信，威望

prestigious [pres'tiːdʒəs] *adj.* 有名望的，有威信的（having prestige; honored）
【记】来自 prestige（*n.* 威信，魅力）
【例】The *prestigious* celebrity raised a lot of money for charity.（这位声望很高的名人为慈善机构筹了很多钱。）

presume* [pri'zjuːm] *v.* 假定，认定（to suppose 〔sth.〕to be true; to take 〔sth.〕for granted）
【记】词根记忆：pre（预先）+ sum（结论）+ e → 预先下结论 → 假定

presumption* [pri'zʌmpʃən] *n.* 冒昧，专横（presumptuous attitude or conduct）；假定（assumption）
【记】来自 presume（*v.* 推测，认定）

presupposition* [ˌpriːsʌpə'ziʃ(ə)n] *n.* 预先假定，臆测（the act of supposing beforehand）
【记】pre（预先）+ supposition（假定，推测）

pretend* [pri'tend] *v.* 假装（to behave with the intention of deceiving）；装扮（act）

pretension* [priː'tenʃən] *n.* 自命不凡，夸耀（pretentiousness）
【例】I make no *pretensions* to skill as an artist, but I enjoy painting.（我不自称具备艺术家的技巧，但我很喜欢绘画。）

pretentious* [pri'tenʃəs] *adj.* 自抬身价的（making usu. unjustified or excessive claims 〔as of value or standing〕）
【例】He always uses *pretentious* language.（他总是使用狂妄的语言。）

preternatural* [ˌpriːtə(ː)'nætʃərəl] *adj.* 异常的（extraordinary）；超自然的（existing outside of nature）
【记】词根记忆：preter（超）+ natural（自然的）
【反】ordinary（*adj.* 常见的）

pretext ['priːtekst] *n.* 借口（a purpose or motive assumed in order to cloak the real intention）
【记】词根记忆：pre（预先）+ text（课文）→ 预先想好的文章 → 借口

prevail* [pri'veil] *v.* 战胜（to triumph）；盛行（to predominate）
【记】词根记忆：pre（前）+ vail（=val 力量）→ 力量在别人之前 → 战胜

prevaricate* [pri'værikeit] *v.* 支吾其词，说谎（to deviate from the truth; equivocate）
【记】词根记忆：pre（预先）+ vari（变化）+ cate → 预先想好变化之词 → 说谎

PRESTIGIOUS	PRESUME	PRESUMPTION	PRESUPPOSITION	PRETEND
PRETENSION	PRETENTIOUS	PRETERNATURAL	PRETEXT	PREVAIL
PREVARICATE				

preview* [ˈpriːvjuː] *v.* / *n.* 预演，预展 (a private showing before shown to the general public)
【记】词根记忆：pre (预先) + view (观看)

previous* [ˈpriːvjəs] *adj.* 在先的，以前的 (prior; preceding)
【记】词根记忆：pre (前) + vi (道路) + ous

prey [prei] *n.* 被捕食的动物 (an animal taken by a predator as food)
【参】primary (*adj.* 首要的，起初的)

prim* [prim] *adj.* 端庄的，整洁的 (decent; neat, trim)
【记】来自词根 prim (最初的，最好的)
【例】She's much too *prim* and proper to enjoy such a rude joke. (她极为端庄得体，欣赏不了这种粗鲁的玩笑。)

primate [ˈpraimit] *n.* 灵长类 (动物) (member of the most highly developed order of mammals that includes humans beings, apes, monkeys and lemurs)
【记】词根记忆：prim (最早的) + ate → 最早的动物 → 灵长类动物
【参】primer (*n.* 启蒙书，识字课本); primeval (*adj.* 原始的，早期的); primitive (*adj.* 原始的，简单的); primordial (*adj.* 最初的)

prime* [praim] *n.* 全盛时期 (the time of greatest perfection); *adj.* 最初的；原始的 (original); 最好的 (first in rank, authority, or significance)
【反】uninitial (*adj.* 非最先的)

primp* [primp] *v.* (妇女) 刻意打扮 (to dress oneself carefully)
【记】词根记忆：prim (最早，最好) + p → 向最好处打扮

principal* [ˈprinsəp(ə) l] *adj.* 主要的，重要的 (most important)
【反】subordinate (*adj.* 次要的)

principle* [ˈprinsəpl] *n.* 原则，原理 (a truth or belief that is accepted as a base for reasoning or action); 道德准则 (a moral rule or set of ideas which guides behavior)

priority* [prai ˈɔriti] *n.* 在先，居前 (the quality or state of being prior); 优先权 (superiority in privilege)
【记】词根记忆：prior (在前的) + ity → 在先

pristine* [ˈpristain] *adj.* 太古的 (belonging to the earliest period); 纯洁的 (pure); 新鲜的 (fresh and clean)
【记】词根记忆：prist (=prim 最早的) + ine → 太古的
【反】corrupted by civilization (被文明腐蚀的); squalid (*adj.* 肮脏的); contaminated (*adj.* 被污染的); taint (*n.* 污点)

□ PREVIEW	□ PREVIOUS	□ PREY	□ PRIM	□ PRIMATE
□ PRIME	□ PRIMP	□ PRINCIPAL	□ PRINCIPLE	□ PRIORITY
□ PRISTINE				

Word List 29

privation* [prai'veiʃən] *n.* **丧失；贫困**（lack of what is needed for existence）

【记】词根记忆：priv（分开）+ ation → 人财两分 → 丧失

【同】privacy（*n.* 私下，隐居）；privative（*adj.* 剥夺性的）

privilege ['privilidʒ] *n.* **特权，特别利益**（a right granted as a peculiar benefit, advantage, or favor）

【记】词根记忆：privi（分开；个人）+ lege（法律）→ 在法律上将人分等级 → 特权，特别利益

probe* [prəub] *v.* **探索，探测**（to search into and explore）

probity* ['prəubiti] *n.* **刚直，正直**（uprightness；honesty）

【反】turpitude（*n.* 卑鄙）；unscrupulousness（*n.* 肆无忌惮）

proboscis [prəu'bɔsis] *n.*（象）**长鼻**（the trunk of an elephant）；（昆虫等）**吸管**（elongated or extensible snout of an invertebrate）

【记】词根记忆：prob（探索）+ oscis → 探索之鼻 → 象鼻

proceeds ['prəusiːdz] *n.* **收入**（the total amount brought in）

【记】来自 proceed（*v.* 继续前进，举行），pro（向前）+ ceed（走）；proceeds 指举行某种活动而得的收入

procession* [prə'seʃən] *n.* **行列**（a group of individuals moving along in an orderly way）；**前进**（continuous forward movement）

【记】词根记忆：pro（向前）+ cess（走）+ ion → 前进

proclaim* [prə'kleim] *v.* **宣告，宣布**（to declare officially）；**显示**（to show clearly）

【记】词根记忆：pro（在前）+ claim（叫，喊）→ 在前面喊 → 宣布

procrastinate* [prəu'kræstineit] *v.* **耽搁，拖延**（to put off intentionally and habitually）

【记】词根记忆：pro（向前）+ crastin（明天）+ ate → 直到明天再干 → 拖延

proctor* ['prɔktə] *n.* **代理人；学监**（one appointed to supervise students）

【记】分拆联想：pro（很多）+ ct（看作 act 做）+ or（人）→ 现在很多人做代理人

PRIVATION	PRIVILEGE	PROBE	PROBITY	PROBOSCIS
PROCEEDS	PROCESSION	PROCLAIM	PROCRASTINATE	PROCTOR

procure* [prə'kjuə] *v.* 取得，获得 (to obtain or aquire)
【记】词根记忆：pro (向前) + cur (跑) + e → 向前跑是为了取得
【反】relinquish (*v.* 放弃)

prod* [prɔd] *v.* 刺，捅 (poke)；激励 (stir up; urge)
【例】She is a fairly good worker, but she needs *prodding* occasionally. (她还算是个好工人，但偶尔需要激励。)
【反】rein (*v.* 抑制)

prodigal* ['prɔdigəl] *adj.* 挥霍的 (lavish)；*n.* 挥霍者 (one who spends lavishly)
【记】词根记忆：prodig (巨大，浪费) + al → 挥霍的
【反】parsimonious (*adj.* 吝啬的)

prodigious* [prə'didʒəs] *adj.* 巨大的 (extraordinary in bulk, quantity, or degree)
【例】I have a *prodigious* amount of work to do before I leave. (在离开前，我有大量工作要做。)
【反】slight (*adj.* 微小的)

prodigy* ['prɔdidʒi] *n.* 奇事 (sth. extraordinary or inexplicable)；奇才 (a highly talented child or youth)

produce* ['prɔdjuːs] *n.* 产品 (sth. produced)；农产品 (agricultural products and esp. fresh fruits and vegetables)

productivity* [ˌprɔdʌk'tiviti] *n.* 生产力 (ability to produce)；生产率 (the rate at which goods are produced)
【记】product (产物，产品) + ivity

profane* [prə'fein] *v.* 亵渎，玷污 (to treat with abuse; desecrate)
【记】词根记忆：pro (在前) + fane (神庙) → 在神庙前 (做坏事) → 亵渎
【派】profanity (*n.* 不敬，渎神)
【反】revere (*v.* 崇敬)；treat reverently (虔诚地对待)；inviolable (*adj.* 神圣的)

proffer ['prɔfə] *n.* / *v.* 献出，赠送 (to present for acceptance; offer)；提议，建议 (to offer suggestion)
【记】词根记忆：pr (o) (向前) + offer (提供) → 向前提供 → 献出
【反】retain (*v.* 保留)

proficient* [prə'fiʃənt] *adj.* 熟练的，精通的 (skillful; expert)
【记】词根记忆：pro (在前) + fic (做) + ient → 做在别人前面的 → 熟练的
【同】sufficient (*adj.* 足够的)；deficient (*adj.* 缺乏的)
【派】proficiency (*n.* 熟练，精通)

profile ['prəufail] *n.* 外形 (outline)；轮廓侧面像 (a human head or face represented or seen in a side view)
【记】词根记忆：pro (前面) + file (线条) → 外部的线条 → 外形，轮廓

PROCURE	PROD	PRODIGAL	PRODIGIOUS	PRODIGY
PRODUCE	PRODUCTIVITY	PROFANE	PROFFER	PROFICIENT
PROFILE				

profiteer* [ˌprɔfiˈtiə] *n.* 奸商，牟取暴利者 (one who makes an unreasonable profit)

【记】profit（利润）+ eer（人）→ 只顾利益之人 → 奸商

profligate* [ˈprɔfligit] *adj.* 挥金如土的 (wildly extravagant); *n.* 挥霍者

【记】词根记忆：pro（许多）+ flig（搅，拌）+ ate → 搅拌了许多 → 挥霍者

【反】parsimonious（*adj.* 小气的）; provident（*adj.* 节俭的）

profound* [prəˈfaund] *adj.* 深的；深刻的 (deep; very strongly felt); 渊博的，深奥的 (difficult to fathom or understand)

【参】profundity（*n.* 深奥，深刻）

【反】shallow（*adj.* 浅的，肤浅的）

profuse* [prəˈfjuːs] *adj.* 很多的 (bountiful); 浪费的 (extravagant)

【记】词根记忆：pro（许多）+ fuse（流）→ 向外流很多 → 浪费的

【反】scant（*adj.* 不足的）; scanty（*adj.* 不足的）

progeny [ˈprɔdʒəni] *n.* 后代，子女 (descendants, children)

【记】词根记忆：pro（前）+ gen（产生）+ y → 前人所生下的 → 后代

prognosis [prɔgˈnəusis] *n.* 预后，对疾病的发作及结果的预言 (forecast of the likely course of a disease or an illness)

【记】词根记忆：pro（前）+ gnosis（知道）→ 先知道 → 预后

prohibitive* [prəˈhibitiv] *adj.* 抑制的 (tending to prohibit or restrain); 价格贵得买不起的 ([prices or expenses] extremely high)

【记】词根记忆：pro（提前）+ hibit（拿住）+ ive → 提前拿住 → 抑制的

projectile* [prəˈdʒektail] *n.* 抛射物，发射体 (a body projected by external force)

【记】词根记忆：pro（向前）+ ject（扔）+ ile → 扔向前的东西 → 抛射物

projection [prəˈdʒekʃən] *n.* 凸出物 (thing that jets out from a surface)

【记】词根记忆：pro（向前）+ ject（扔）+ ion → 扔向前的东西 → 凸出物

projector* [prəˈdʒektə] *n.* 电影放映机，幻灯机 (an apparatus for projecting films or pictures onto a surface)

proliferate* [prəuˈlifəreit] *v.* 繁殖 (to grow by rapid production); 激增 (to increase rapidly; multiply)

【记】词根记忆：pro（许多）+ life（生命）+ rate → 产生许多生命 → 繁殖

【反】dwindle（*v.* 逐渐减少）

prolific* [prəˈlifik] *adj.* 多产的，多结果的 (fruitful; fertile)

【例】a *prolific* writer（多产作家）

PROFITEER	PROFLIGATE	PROFOUND	PROFUSE	PROGENY
PROGNOSIS	PROHIBITIVE	PROJECTILE	PROJECTION	PROJECTOR
PROLIFERATE	PROLIFIC			

prolix* [ˈprəuliks] *adj.* 啰嗦的，冗长的（unduly prolonged）
【记】词根记忆：pro（许多）+ lix（可能来自 lex 词语）→ 话语太多 → 啰嗦的
【反】pithy（*adj.* 精练的）；taciturn（*adj.* 沉默寡言的）

prolixity* [prəuˈliksəti] *n.* 啰嗦（tedious wordiness；verbosity）
【反】extreme brevity（极为简洁）；conciseness（*n.* 简洁）；succinctness（*n.* 简洁）

prologue* [ˈprəulɔg] *n.* 开场白；序幕
【记】词根记忆：pro（在前）+ logue（话语）→ 前面说的话 → 开场白
【反】epilogue（*n.* 后记）

prolong* [prəˈlɔŋ] *v.* 延长，拉长（lengthen）
【记】词根记忆：pro（向前）+ long（长）→ 拉长
【反】curtail（*v.* 缩短）；truncate（*v.* 截短）

promenade* [ˌprɔmiˈnɑːd] *n.* / *v.* 散步；开车兜风（a leisurely walk or ride for pleasure or display）
【记】词根记忆：pro（向前）+ menade（=walk, drive）→ 向前走；开车 → 散步；开车兜风

prominent* [ˈprɔminənt] *adj.* 显著的（noticeable）；著名的（widely and popularly known）
【记】词根记忆：pro（向前）+ min（伸）+ ent → 向前伸出 → 突出的，显著的

promote* [prəˈməut] *v.* 提升（to give someone a higher position or rank）；促进（to help in the growth or development of）
【记】词根记忆：pro（向前）+ mote（动）→ 向前动 → 促进
【派】promotion（*n.* 提升；推销）；promotor（*n.* 推动者）
【反】abate（*v.* 减少）；subside（*v.* 下沉）

prompt* [prɔmpt] *v.* 促使，激起（to move to action；incite）；*adj.* 敏捷的，迅速的（quick）
【派】promptness（*n.* 敏捷，迅速）
【反】check（*v.* / *n.* 阻止）

promulgate* [ˈprɔməlgeit] *v.* 颁布（法令）（to put [a law] into action or force）；宣传（to spread the news）
【记】词根记忆：pro（前面）+ mulg（人民）+ ate → 放到人民前面 → 宣传
【反】keep secret（保密）

prone* [prəun] *adj.* 俯卧的（lying flat or prostrate）；倾向于…的（being likely）
【例】He is *prone* to be late for work.（他上班经常迟到。）

pronounced [prəˈnaunst] *adj.*（观点等）明确的（decided），明显的（strongly marked）

PROLIX	PROLIXITY	PROLOGUE	PROLONG	PROMENADE
PROMINENT	PROMOTE	PROMPT	PROMULGATE	PRONE
PRONOUNCED				

【记】来自 pronounce（宣称，发音）+ d → 被宣布的 → 明显的

【例】You won't easily make him change his opinion because he has very *pronounced* ideas on everything.（你不太容易改变他的想法，因为他对任何事情都有明确的观点。）

prop [prɔp] *n.* 支撑物，靠山（support）；*v.* 支持（support）

【例】He used two sticks as *props* for a sagging tent.（他用两根棍支撑下垂的帐篷。）

propagate* [ˈprɔpəgeit] *v.* 繁殖（multiply）；传播（to cause to spread out; publicize）

【记】词根记忆：pro + pag（砍，切）+ ate → 原意是把树的旁枝剪掉使主干成长，引申为繁殖

【反】fail to multiply（不能繁殖）；check（*v.* / *n.* 阻碍）

propel* [prəˈpel] *v.* 推进（to drive forward or onward; push）

【记】词根记忆：pro（向前）+ pel（推）→ 推进

propensity* [prəˈpensiti] *n.* 嗜好，习性（an often intense natural inclination or preference）

【记】词根记忆：pro（提前）+ pens（挂）+ ity → 预先挂好了 → 癖好

【反】antipathy / aversion（*n.* 厌恶）

prophecy* [ˈprɔfisi] *n.* 预言（a statement telling sth. that will happen in the future）

prophet* [ˈprɔfit] *n.* 先知，预言家（a person who claims to be able to tell the course of future events）

prophetic* [prəˈfetik] *adj.* 先知的，预言的，预示的（correctly telling of things that will happen in the future）

【记】词根记忆：prophet（先知，预言者）+ ic → 先知的，预言的

propitiate* [prəˈpiʃieit] *v.* 讨好（to gain or regain the favor or goodwill of）；抚慰（appease）

【记】词根记忆：pro（向前）+ piti（=pet 寻求）+ ate → 主动寻求和解 → 讨好；抚慰

【反】arouse hostility（激起敌意）；antagonize（*v.* 对抗）；incense（*v.* 激怒）

propitious* [prəˈpiʃəs] *adj.* 吉利的（auspicious; favorable）；有利的（advantageous）

【记】词根记忆：pro（向前）+ piti（=pet 寻求）+ ous → 所寻求的 → 吉利的

proposal* [prəˈpəuzəl] *n.* 提案，建议（thing that is suggested; plan or scheme）

【记】来自 propose（*v.* 提议，建议）

proposition* [ˌprɔpəˈziʃən] *n.* 看法（statement that expresses a judgement or an opinion）；提议（a proposal）

【记】来自 propose（建议，提议）+ ition

PROP	PROPAGATE	PROPEL	PROPENSITY	PROPHECY
PROPHET	PROPHETIC	PROPITIATE	PROPITIOUS	PROPOSAL
PROPOSITION				

proprietary [prə'praiətəri] *adj.* 私有的(privately owned and managed)

【记】propr(拥有)+iet+ary→私有的

【同】property(*n.* 财产)

propriety* [prə'praiəti] *n.* 礼节(decorum);适当(appropriateness)

【记】词根记忆:propr(拥有)+iety→拥有得体的行为→适当

propulsion* [prə'pʌlʃən] *n.* 推进力(power or force to propel)

【记】词根记忆:pro(向前)+puls(跳动,推动)+ion→向前推→推进力

【同】repulse(*v.* 驱逐;反击);impulsive(*adj.* 冲动的)

prosaic* [prəu'zeiik] *adj.* 单调的,无趣的(dull; unimaginative)

【记】来自prose(散文)+aic→散文一般的→单调的

【反】extraordinary(*adj.* 非凡的);exceptional(*adj.* 例外的);imaginary(*adj.* 幻想的);ingenious(*adj.* 有创意的)

proscribe* [prəu'skraib] *v.* 禁止(to forbid as harmful or unlawful; prohibit)

【记】词根记忆:pro(前面)+scribe(写)→写在前面→禁止

【同】prescribe(*v.* 开处方);circumscribe(*v.* 限定)

【反】permit(*v.* 允许);sanction(*v.* 批准)

prose* [prəuz] *n.* 散文(written or spoken language that is not in verse form)

【记】分拆联想:p+rose(玫瑰)→散文如玫瑰花瓣,形散而神聚

prosecute* ['prɔsikjuːt] *v.* 告发,检举(to carry on a legal suit or prosecution)

【记】词根记忆:pro(前面)+secu(跟随)+te→告发,检举

【参】persecute(*v.* 迫害)

【派】prosecutor(*n.* 起诉人)

prosecution* [ˌprɔsi'kjuːʃən] *n.* 起诉(the act or process of prosecuting);实行,经营(carrying out or being occupied with sth.)

【记】来自prosecute(*v.* 起诉,检举)

proselytize ['prɔsilitaiz] *v.* 使…皈依(to recruit or convert to a new faith)

【记】pros(靠近)+elyt(来到)+ize→走到(佛祖)面前→皈依

prospect [prə'spekt] *v.* 勘探(explore);['prɔspekt] *n.* 期望(reasonable hope that sth. will happen);前景(sth. which is possible or likely for the future)

【参】prospective(*adj.* 未来的,预期的)

prosperity* [prɔ'speriti] *n.* 繁荣(state of being successful);幸运(state of good fortune);健康

【记】来自prosper(繁荣的,兴旺的)+ity→繁荣,兴旺

prosperous ['prɔspərəs] *adj.* 繁荣富强的(marked by success or economic well-being)

【反】depressed(*adj.* 沮丧的);impecunious(*adj.* 贫穷的)

prostrate ['prɔstreit] *adj.* 俯卧的(prone);沮丧的(powerless, helpless);*v.* 使下跪,鞠躬(to make oneself bow or kneel down in humility or adoration)

【反】erect(*adj.* 直立的)

PROPRIETARY	PROPRIETY	PROPULSION	PROSAIC	PROSCRIBE
PROSE	PROSECUTE	PROSECUTION	PROSELYTIZE	PROSPECT
PROSPERITY	PROSPEROUS	PROSTRATE		

protagonist* [prəu'tægənist] *n.* 提议者，支持者 (proponent)
【记】词根记忆：prot（首先）+ agon（打，行动）+ ist → 首先行动者 → 提议者
【同】antagonist (*n.* 对抗者)；agony (*n.* 极度痛苦)

protean* ['prəutiən] *adj.* 变化多端的，多变的 (continually changing)
【反】static (*adj.* 静态的)；invariable (*adj.* 不变的；始终如一的)

protest* [prə'test, 'prəutest] *v.* / *n.* 抗议，反对 (organized public demonstration of disapproval)
【记】词根记忆：pro（在前面）＋test（=assert 断言）→ 在前面抗议；注意不要和 protect（保护）相混

protocol* ['prəutəkɔl] *n.* 外交礼节 (official etiquette)；协议，草案 (an original draft of a document or transaction)
【记】词根记忆：proto（首要）＋col（胶水）→ 礼节很重要，把人凝聚（粘）到一起 → 外交礼节

prototype ['prəutətaip] *n.* 原型 (an original model; archetype)；典型 (a standard or typical example)
【记】词根记忆：proto（首先）＋type（形状）→ 首先的形状 → 原型

protract* ['prɔtrækt] *v.* 延长，拖长 (prolong)
【记】词根记忆：pro（向前）＋tract（拉）→ 向前拉 → 延长
【反】curtail (*v.* 缩短)；cut short (减短)

protuberant [prə'tjuːbərənt] *adj.* 凸出的，隆起的 (thrusting out; prominent)
【记】词根记忆：pro（向前）＋tuber（块茎）＋ant → 像块茎一样凸出 → 隆起的
【反】depressed (*adj.* 下陷的，凹的)
【派】protuberance (*n.* 凸出，隆起)

provenance* ['prɔvinəns] *n.* (艺术等的) 出处，起源 (origin; source)
【记】词根记忆：pro（前面）＋ven（来）＋ance → 前面来的东西 → 起源

provender* ['prɔvində] *n.* (牛、马吃的) 草料，粮秣 (dry food for domestic animals)
【记】来自 provide (*v.* 提供) 的变体

provident* ['prɔvidənt] *adj.* 深谋远虑的 (prudent)；节俭的 (frugal; thrifty)
【记】词根记忆：pro（向前）＋vid（看）＋ent → 向前看的 → 深谋远虑的

PROTAGONIST	PROTEAN	PROTEST	PROTOCOL	PROTOTYPE
PROTRACT	PROTUBERANT	PROVENANCE	PROVENDER	PROVIDENT

【参】improvidence（*n.* 目光短浅；浪费）
【派】providence（*n.* 深谋远虑，远见）
【反】profligate（*adj.* 挥霍的）

providential [ˌprɔviˈdenʃəl] *adj.* 幸运的（fortunate）；恰到好处的（happening as if through divine intervention; opportune）
【反】unfortunate（*adj.* 不幸的）

provincial* [prəˈvinʃəl] *adj.* 褊狭的，粗俗的（limited in outlook; narrow）
【记】来自 province（省）+ ial → 地方性的 → 褊狭的

provision* [prəˈviʒən] *n.*（粮食）供应（a stock of needed materials or supplies）；（法律等）条款（stipulation）

provisional* [prəˈviʒənl] *adj.* 暂时的，临时的（temporary）
【例】*provisional* regulations（暂行条例）
【反】definitive（*adj.* 决定性的）

provisory [prəˈvaizəri] *adj.* 有附带条件的（conditional）
【反】unconditional（*adj.* 绝对的）

provocation* [ˌprɔvəˈkeiʃən] *n.* 挑衅，激怒（the act of provoking; incitement）
【记】来自 provoke（*v.* 激怒）

prowess [ˈprauis] *n.* 勇敢（distinguished bravery）；不凡的能力（extraordinary ability）
【记】来自 prow（*adj.* 英勇的），是 proud 的变体
【反】timidity（*n.* 胆小）

prowl [praul] *v.* 潜行于，偷偷地漫游（to roam through stealthily）

proximate* [ˈprɔksimit] *adj.* 即将来临的，接近的（immediately preceding or following; imminent）
【记】词根记忆：proxim（接近）+ate → 接近的
【参】approximate（*adj.* 大约的）

prude* [pruːd] *n.* 过分守礼的人（a person who is excessively attentive to propriety or decorum）
【记】词根记忆：prud（小心）+e → 小心之人 → 过分守礼的人
【参】prudery（*n.* 过分守礼，假正经）；prudish（*adj.* 过分守礼的，假道学的）

prudent* [ˈpruːdənt] *adj.* 审慎的，三思而后行的；精明的（acting with or showing care and foresight; showing good judgement）；节俭的（frugal）
【记】词根记忆：prud（小心的）+ ent → 审慎的，小心谨慎的

prudish* [ˈpruːdiʃ] *adj.* 过分守礼的，假道学的（marked by prudery; priggish）

prune* [pruːn] *n.* 梅干（a plum dried without fermentation）；*v.* 修剪（to cut away what is unwanted）

pry* [prai] *v.* 刺探（to make inquiry curiously）；撬开（to pull apart with a lever）

□ PROVIDENTIAL	□ PROVINCIAL	□ PROVISION	□ PROVISIONAL	□ PROVISORY
□ PROVOCATION	□ PROWESS	□ PROWL	□ PROXIMATE	□ PRUDE
□ PRUDENT	□ PRUDISH	□ PRUNE	□ PRY	

pseudonym* [ˈsjuːdənim] *n.* **假名，笔名**（a fictitious name, esp. penname）
【记】词根记忆：pseudo（假）＋nym（名字）→ 假名
【参】pseudoscience（*n.* 伪科学）

psyche [ˈsaiki] *n.* **心智，精神**（mind；soul）
【例】After years of abuse, Mary's *psyche* was deeply scarred.（成年累月的虐待使玛丽的精神深受创伤。）
【参】psychiatry （*n.* 精神病学）；psychiatrist （*n.* 精神科医生）；psychoanalysis （*n.* 精神分析）；psychopathic （*adj.* 患精神病的）；psychosis（*n.* 精神病，变态心理）；psychotic（*adj.* / *n.* 精神病的 / 疯子）；psychic（*adj.* 精神的）

psychology [saiˈkɔlədʒi] *n.* **心理学，心理状态**（the study or science of the mind and the way it works and influences behavior）
【记】词根记忆：psycho（心理学，心理）＋logy → 心理学

publicize* [ˈpʌblisaiz] *v.* **引人注意；宣传**（to bring to the attention of the public；advertise）
【记】public（公开的）＋ize → 公开，宣传

pucker* [ˈpʌkə] *v.* **起皱**（to become wrinkled）；*n.* **皱褶**（a fold or wrinkle）
【记】发音记忆："扒开"→ 因为有皱褶，所以要扒开来才能看到

puckish [ˈpʌkiʃ] *adj.* **淘气的**（mischievous）
【记】来自 puck（*n.* 恶作剧的小妖精）
【反】sober（*adj.* 严肃的）；grave（*adj.* 严重的）

puddle* [ˈpʌdl] *n.* **水坑，洼**（a very small pool of dirty or muddy water）
【记】注意不要和 peddle（沿街叫卖）相混

puerile [ˈpjuərail] *adj.* **幼稚的**（childish）；**儿童的**（juvenile）
【记】词根记忆：puer（boy 男孩）＋ile → 男孩的 → 幼稚的
【反】sagacious（*adj.* 精明的）

pugilism [ˈpjuːdʒilizəm] *n.* **拳击，搏击**（boxing）
【记】词根记忆：pugil（打斗）＋ism → 拳击

pugilist* [ˈpjuːdʒilist] *n.* **拳击手，拳师**（a boxer）

pugnacious* [pʌgˈneiʃəs] *adj.* **好斗的** （having a quarrelsome or combative nature）
【记】词根记忆：pugn（打斗）＋acious → 好斗的
【派】pugnacity（*n.* 好斗性）

puissance* [ˈpju（ː）isns] *n.* **权力**（strength；power）
【反】powerlessness（*n.* 无权）

puissant [ˈpjuːisənt] *adj.* **强有力的，强大的**（having strength；powerful）
【形】depressant（*n.* 镇静剂）；incessant（*adj.* 不间断的）

pulchritude [ˈpʌlkritjuːd] *n.* **美丽**（physical comeliness）
【记】词根记忆：pulchr（美丽）＋itude（状态）→ 美丽
【反】ugliness（*n.* 丑恶，丑陋）；hideous（*adj.* 可怕的）

PSEUDONYM	PSYCHE	PSYCHOLOGY	PUBLICIZE	PUCKER
PUCKISH	PUDDLE	PUERILE	PUGILISM	PUGILIST
PUGNACIOUS	PUISSANCE	PUISSANT	PULCHRITUDE	

pullet* [ˈpulit] *n.* **小母鸡**（a young hen during its first year of laying eggs）
【记】联想记忆：子弹（bullet）打中了小母鸡（pullet）

pulley* [ˈpuli] *n.* **滑轮；滑车**
【记】分拆联想：pull（推）+ ey →（推）滑轮，滑车

pulp* [pʌlp] *n.* **果肉酱**（a soft mass of vegetable matter）；**纸浆**（a material prepared in making paper）
【例】She squashed the grapes into *pulp*.（她把葡萄压榨成泥。）

pulse* [pʌls] *v.* **搏动，跳动**（to move with strong regular movements; beat or throb）；*n.* **脉搏；脉冲**
【记】词根记忆：puls（驱动）+ e → 搏动；脉搏

pulverize* [ˈpʌlvəraiz] *v.* **压成细粉**（to reduce to very small particles）；**彻底击败**（annihilate）
【记】词根记忆：pulver（粉）+ize → 压成粉
【参】pulverable（*adj.* 可研成粉末的）

pun* [pʌn] *n.* **双关语**

punch* [pʌntʃ] *v.* **以拳猛击**（to strike with the fist）；**打洞**（to make a hole; pierce）

punctilious* [pʌŋkˈtiliəs] *adj.* **谨小慎微的**（careful）
【记】词根记忆：punct（点，尖）+ilious → 注意到每一点 → 小心的
【同】punctual（*adj.* 准时的）；punctuate（*v.* 加标点）
【反】slipshod（*adj.* 马虎的）；remiss（*adj.* 玩忽职守的）

puncture* [ˈpʌŋktʃə] *v.* **刺穿，刺破**（to piercewith a pointed instrument）；*n.* **刺孔，穿孔**
【记】词根记忆：punct（点）+ure → 点破，刺破

pundit* [ˈpʌndit] *n.* **权威人士，专家**（one who gives opinions in an authoritative manner）
【记】可能是 pedant（*n.* 书呆子）的变体

pungent* [ˈpʌndʒənt] *adj.* **味道刺激的**（having an intense flavor or odor; piquant）；**苛刻的**（caustic）
【记】词根记忆：pung（刺）+ent → 刺激的

puny [ˈpjuːni] *adj.* **弱小的，发育不良的**（slight or inferior in power; weak）
【记】可能是 pony（*n.* 小马）的变体

purchase* [ˈpəːtʃəs] *n.* **支点**（阻止东西下滑）（a mechanical hold）
【记】purchase 作为"购买"一义大家都很熟悉

purgative [ˈpəːgətiv] *n.* **泻药**（a purging medicine; cathartic）

purgatory [ˈpəːgətəri] *n.* **炼狱；受苦受难的地方**（a place of great suffering）
【记】来自 purge（清洗）+ atory → 清洗灵魂 → 炼狱

purge* [pəːdʒ] *v.* **清洗，洗涤**（to make free of sth. unwanted）
【记】词根记忆：pur（=pure 纯洁）+ge → 弄干净 → 清洗

PULLET	PULLEY	PULP	PULSE	PULVERIZE	PUN
PUNCH	PUNCTILIOUS	PUNCTURE	PUNDIT	PUNGENT	PUNY
PURCHASE	PURGATIVE	PURGATORY	PURGE		

purify* [ˈpjuərifai] *v.* 使洁净，净化（to make pure）
【记】词根记忆：pur（纯洁）+ify→使纯洁，净化
【反】contaminate（*v.* 污染）

purity* [ˈpjuriti] *n.* 纯洁，纯净；纯度（state or quality of being pure）
【记】来自 pure（*adj.* 纯洁的）

purlieu* [ˈpəːljuː] *n.* [常作复数] 邻近地区（environment; neighborhood）
【记】词根记忆：pur（附近）+lieu（场所）→附近场所
【反】infrequently visited place（不常去的地方）

purloin [pəːˈlɔin] *v.* 偷窃（to appropriate wrongfully; steal）
【记】词根记忆：pur（附近）+loin（=long 长远）→把附近的带到远方→偷窃；注意不要和 purlieu（附近）相混

purported [pəːˈpɔːtid] *adj.* 谣传的，声张的，号称的（reputed, alleged）
【记】词根记忆：pur（附近）+port（带）+ed→带到附近的→谣传的

pursue [pəˈsjuː] *v.* 追赶，追求，追踪（to follow）

purvey [pəːˈvei] *v.*（大量）供给，供应（to supply as provisions）
【记】可能是 provide（*v.* 提供）的变体；和 survey（测量，调查）一起记
【派】purveyance（*n.* 粮食的供给）；purveyor（*n.* 供应货物或提供服务的人或公司）

pusillanimous [ˌpjuːsiˈlæniməs] *adj.* 胆小的（lacking courage; cowardly）
【记】词根记忆：pusill（虚弱的）+anim（生命，精神）+ous→胆小的
【反】dauntless（*adj.* 大胆的）；stouthearted（*adj.* 大胆的）

pylon* [ˈpailən] *n.* 高压电线架（a tower for supporting either end of usu. a number of wires over a long span）；桥塔（any of various towerlike structures）
【形】nylon（*n.* 尼龙）

pyre* [paiə] *n.* 火葬用的柴堆（a combustible heap for burning a dead body）
【记】联想记忆：火葬用的柴堆（pyre）燃起了熊熊大火（fire）

quack* [kwæk] *n.* 冒充内行之人（charlatan）；庸医（a pretender to medical skill）
【记】和 quick（快）一起记，庸医骗完钱就很快消失
【反】honest practitioner（诚实的从业者）

quaff* [kwɑːf, kwɔf] *v.* 痛饮，畅饮（to drink deeply）
【记】发音记忆："夸父"→夸父追日，渴急痛饮
【形】draff（*n.* 糟粕）；chaff（*n.* 谷壳）；staff（*n.* 全体人员）

quail [kweil] *v.* 畏惧，颤抖（to coil in dread or fear; cower）
【记】原意为"鹌鹑"，鹌鹑胆子较小，所以就有了畏惧的意思
【反】become resolute（坚决）

PURIFY	PURITY	PURLIEU	PURLOIN	PURPORTED
PURSUE	PURVEY	PUSILLANIMOUS	PYLON	PYRE
QUACK	QUAFF	QUAIL		

quaint* [kweint] *adj.* 离奇有趣的 (unusual and attractive)
【记】和 paint (油漆) 一起记, paint to become quaint (漆上油漆变得离奇有趣)

qualified* [ˈkwɔlifaid] *adj.* 有资格的 (having suitable knowledge or qualification); 有限制的 (limited)
【记】来自 qualify (*v.* 具有资格; 限制)
【反】absolute (*adj.* 不受限制的); categorical (*adj.* 无条件的)

qualms* [kwɑːmz] *n.* 疑虑 (尤指有关良心问题的) (an uncomfortable feeling of uncertainty)
【记】联想记忆: 捧在手掌 (palms) 怕丢了 → 疑虑 (qualms)

quandary [ˈkwɔndəri] *n.* 困惑, 进退两难 (a state of perplexity or doubt; predicament)
【反】state of complete certainty (完全确定状态)

quantum [ˈkwɔntəm] *n.* 量子; 定量 (any of the small subdivisions of a quantized physical magnitude)
【记】词根记忆: quant (数量) + um → 定量
【同】quantity (*n.* 数量, 总量); quantitative (*adj.* 数量的)

quarantine* [ˈkwɔrəntiːn] *n.* 隔离检疫期, 隔离 (enforced isolation to prevent the spread of disease)
【记】quarant (四十) + ine, 原意指隔开 40 天

quarry* [ˈkwɔri] *n.* 猎物 (one that is sought or pursued; prey)
【记】和 quarrel (*v.* 争吵) 一起记

quartet [kwɔːˈtet] *n.* 四重奏, 四重唱 (a musical composition for four instruments or voices)

quash [kwɔʃ] *v.* 镇压 (suppress); 取消 (to nullify by judicial action)
【反】engender (*v.* 造成)

quaver* [ˈkweivə] *v.* 发颤音, 颤抖 (shake; tremble); *n.* 颤音 (a tremulous sound)

quay [kiː] *n.* 码头 (dock; wharf; pier)

quell* [kwel] *v.* 制止, 镇压 (to thoroughly overwhelm)
【反】foment (*v.* 煽动); instigate (*v.* 鼓动); rouse (*v.* 激起)

quench* [kwentʃ] *v.* 熄灭 (火) (to put out; extinguish); 抑制 (欲望) (subdue)
【例】*quench* hatred (消除仇恨); *quench* the flames (扑灭火焰)

querulous* [ˈkweruləs] *adj.* 抱怨的, 多牢骚的 (habitually complaining; fretful)
【记】分拆联想: que (看作 question) + rul (看作 rule 规则) + ous → 质疑规则 → 抱怨的

quest [kwest] *v.* 搜寻, 探求 (to search for); *n.* 探求 (investigation; pursuit)
【记】联想记忆: question (问题) 去掉 ion 成为 quest

QUAINT	QUALIFIED	QUALMS	QUANDARY	QUANTUM
QUARANTINE	QUARRY	QUARTET	QUASH	QUAVER
QUAY	QUELL	QUENCH	QUERULOUS	QUEST

Word List 30

queue [kjuː] *v.* 排队 (to arrange or form in a queue); *n.* 长队 (a line of persons waiting to be processed)

quibble* [ˈkwibl] *n.* 遁词 (an evasion of the point); 吹毛求疵的反对意见 (a minor objection or criticism)

【记】quip (*n.* 妙语，借口) 的变体

quiescent [kwaiˈesənt] *adj.* 不动的，静止的 (marked by inactivity or repose)

【记】词根记忆：qui (=quiet 安静的) +escent (状态) → 静止状态的

【同】quietus (*n.* 债务清偿；寂灭)

quill* [kwil] *n.* (豪猪等动物的) 刺 (long, sharp and stiff spine of a porcupine)

【形】quell (*n.* / *v.* 镇压)

【记】分拆联想：qui (看作 quit 离开) + ll (形似刺) → 要把刺去掉

quirk* [kwəːk] *n.* 奇事 (accident; vagary); 怪癖 (a strange habit)

【例】He has some unusual *quirks* in his character. (他的个性有些怪癖。)

quisling* [ˈkwizliŋ] *n.* 卖国贼，内奸 (traitor; collaborator)

【记】来自人名 Quisling，挪威政客，二战德国占领挪威期间任傀儡政府总理

quiver* [ˈkwivə] *n.* 箭筒，箭囊 (a case for carrying arrows)

【记】quiver 作为"颤抖"一义大家都熟悉

quixotic* [kwikˈsɔtik] *adj.* 不切实际的，空想的 (foolishly impractical)

【记】来自 Don Quixote (堂·吉诃德)；亦作 quixotical

quota* [ˈkwəutə] *n.* 定额，配额 (a number or amount that has been officially fixed as someone's share)

【反】unlimited number (不限额)

quote [kwəut] *v.* 引用，引述 (to repeat in speech or writing the words of a person or a book)

QUEUE	QUIBBLE	QUIESCENT	QUILL	QUIRK
QUISLING	QUIVER	QUIXOTIC	QUOTA	QUOTE

【例】He's always *quoting* verses from the *Bible*.（他总是引用《圣经》经文。）

quotidian* [kwəu'tidiən] *adj.* 每日的（occurring everyday）；平凡的（commonplace）

【记】词根记忆：quoti（每）+di（日子）+an → 每日的

【反】extraordinary（*adj.* 非凡的）；unusual（*adj.* 不平常的）；remarkable（*adj.* 醒目的）；striking（*adj.* 惊人的）

rabble ['ræbl] *n.* 乌合之众（a disorganized or disorderly crowd of people；mob）；下等人（the lowest class of people）

【形】babble（*v.* 胡言乱语）；dabble（*v.* 涉足，弄湿）

rabid* ['ræbid] *adj.* 患狂犬病的（affected with rabies）；失去理性的（going to extreme lengths in expressing or pursuing a feeling, interest or opinion）

【记】来自 rabies（*n.* 狂犬病）

【反】logical（*adj.* 有逻辑的）

rabies ['reibiːz] *n.* 狂犬病；恐水病

【记】联想记忆：当心那些婴儿们（babies）感染上狂犬病（rabies）

raconteur* [ˌrækɔn'təː] *n.* 善于讲故事的人（a person who excels in telling anecdotes）

【记】词根记忆：racont（=recount 描述）+eur（人）→ 讲故事者

racy ['reisi] *adj.* 活泼的，生动的（amusing；full of zest or vigor）

【记】来自 race（*v.* 比赛）

【派】raciness（*n.* 生动活泼）

【反】tame（*adj.* 枯燥的）

radius* ['reidjəs] *n.* 半径（a straight line going from the side of a circle to the center）

【记】词根记忆：radi（光线）+ us → 半径

raffish ['ræfiʃ] *adj.* 粗俗的（vulgar）；俗艳的（tawdry）

【记】来自 raff（*n.* 垃圾）

raffle ['ræfl] *n.*（尤指为公益事业举办的）抽奖售物（活动）（lottery）

rafter* ['rɑːftə] *n.* 椽子（any of the parallel beams that support a roof）

【记】可能来自 raft（木排，木筏）+er；rafter 也可指“放筏人”

rag* [ræg] *n.* 旧布，碎布（old cloth）；破旧衣服（an old worn-out garment）

ragged ['rægid] *adj.* 破烂的（torn or worn to tatters）

raid [reid] *n.* 突然袭击（a surprise attack by a small force）

rail* [reil] *n.* 栏杆（a bar serving as a guard or barrier）；铁轨；*v.* 咒骂，猛烈指责（to revile or scold in harsh language）

raisin ['reizn] *n.* 葡萄干（a grape that has been dried）

rakish ['reikiʃ] *adj.* 潇洒的（jaunty）；放荡的（dissolute）

QUOTIDIAN	RABBLE	RABID	RABIES	RACONTEUR	RACY
RADIUS	RAFFISH	RAFFLE	RAFTER	RAG	RAGGED
RAID	RAIL	RAISIN	RAKISH		

rally [ˈræli] *v.* 召集，集会（to muster）；*n.* 召集；集会（a mass meeting）

【记】可能来自 re（再）+ally（联合，联盟）

ram* [ræm] *n.* 公羊；撞击，猛击 （to strike or drive against with a heavy impact）

ramble* [ˈræmbl] *n.* 漫步 （a leisurely excursion for pleasure）；*v.* 漫步（to move aimlessly from place to place）

【记】分拆联想：r+amble（慢跑）→漫步

rambunctious* [ræmˈbʌŋkʃəs] *adj.* 骚乱的；（兴奋）控制不了的 （marked by uncontrollable exuberance）

ramify [ˈræmifai] *v.* 分支，分叉（to split up into branches or constituents）

【记】词根记忆：ram（=ramus 分支）+ify→分支，分叉

【派】ramification（*n.* 分支，支流）

rampage* [ˈræmpeidʒ] *v.* 狂暴地乱冲 （to rush wildly about）；*n.* 暴怒（violent action or behavior）

【记】分拆联想：ram（羊）+page（书页）→羊翻书使人怒

rampant* [ˈræmpənt] *adj.* 蔓生的，猖獗的 （marked by a menacing wildness or absence of restraint）

【记】分拆联想：ram（羊）+pant（喘气）→因为草生长猖獗，所以羊高兴得直喘气

rampart* [ˈræmpɑːt] *n.* 壁垒 （a protective barrier）；城墙 （a broad embarkment raised as a fortification）

ramshackle [ˌræmˈʃækl] *adj.* 摇摇欲坠的（rickety）

rancid* [ˈrænsid] *adj.* 不新鲜的，变味的（rank；stinking）

【记】分拆联想：ran（跑）+cid（看作 acid 酸）→变酸了→不新鲜的

rancor* [ˈræŋkə] *n.* 深仇，怨恨（bitter deep-seated ill will；enmity）

【反】goodwill（*n.* 友好）；charitableness（*n.* 仁慈）

random [ˈrændəm] *adj.* 没有明确目的、计划或者目标的 （lacking a definite plan, purpose or pattern）；偶然的，随便的（haphazard）

【记】分拆联想：ran （跑）+dom （领域）→可以在各种领域跑的→任意的

ranger [ˈreindʒə] *n.* 森林管理员 （the keeper of a forest）；巡逻骑警（a policeman who rides through country areas to see that the law is kept）

rankle* [ˈræŋkl] *v.* 怨恨（to cause resentment）；激怒（to cause irritation）

【记】分拆联想：ran（跑）+kle（看作 ankle 脚脖子）→跑步扭伤了脚踝→怨恨

【反】pacify（*v.* 使平静）；calm（*v.* 使平静；*adj.* 平静的）

ransom* [ˈrænsəm] *n.* 赎金；赎身；*v.* 赎回 （to free from captivity or punishment by paying a price）

【例】The hijackers demanded a *ransom* of a million pounds.（劫匪索要一百万英镑的赎金。）

RALLY	RAM	RAMBLE	RAMBUNCTIOUS	RAMIFY
RAMPAGE	RAMPANT	RAMPART	RAMSHACKLE	RANCID
RANCOR	RANDOM	RANGER	RANKLE	RANSOM

rant* [rænt] *v.* 咆哮 (to scold vehemently); 口出狂言 (to talk in a loud excited way)

rapacious* [rəˈpeiʃəs] *adj.* 强夺的; 贪婪的 (excessively grasping or covetous)
【记】词根记忆: rap (抓取) +acious → 抓得多 → 贪婪的
【同】rape (*v.* 强奸); rapine (*n.* 抢夺)
【派】rapacity (*n.* 掠夺; 贪婪)

rapids* [ˈræpidz] *n.* 急流, 湍流 (a part of a river where the current is fast and the surface is broken by obstructions)
【记】rapid (快速) +s → 急流

rapport* [ræˈpɔːt] *n.* 和睦, 意见一致 (relation marked by harmony, conformity)
【记】和 support (*v.* 支持) 一起记

rapprochement* [ˌrɑːprɔʃˈmɔŋ] *n.* 和好, 和睦 (establishment of having cordial relations)
【反】estrangement (*n.* 疏远)

rapt* [ræpt] *adj.* 专心致志的, 全神贯注的 (engrossed; absorbed; enchanted)
【反】distracted (*adj.* 分心的)

rarefaction* [ˌreəriˈfækʃən] *n.* 稀薄 (the quality or state of being rarefied)
【记】来自 rarefy (*v.* 稀薄)
【反】condensation (*n.* 浓缩)

raspy* [ˈrɑːspi] *adj.* (声音) 刺耳的 (grating; harsh); 恼人的 (irritable)
【反】mellifluous (*adj.* 声音甜美的)

ratification* [ˌrætifiˈkeiʃən] *n.* 正式批准 (fomal confirmation)
【记】来自 ratify (*v.* 正式批准)

ratiocination* [ˌrætiɔsiˈneiʃən] *n.* 推理; 推论 (reasoning)
【记】词根记忆: ratio (理由) +cination → 推理

ration* [ˈræʃən] *n.* 定量配给 (a share of food allowed to one person for a period); *v.* 配给 (to limit sb. to a fixed ration)

rational* [ˈræʃənl] *adj.* 理性的 (able to reason); 合理的 (not foolish or absurd; reasonable)
【记】ration (定量) + al → 人人有份的 → 合理的

rattle* [ˈrætl] *v.* 使咯咯作响 (to make a rapid succession of short sharp noises); 使慌乱 (to make anxious and cause to lose confidence)
【参】rattlesnake (*n.* 响尾蛇)

raucous* [ˈrɔːkəs] *adj.* (声音) 沙哑的; 粗糙的 (disagreeably harsh; hoarse)
【记】词根记忆: rauc (=hoarse 沙哑的) +ous → 沙哑的

ravage [ˈrævidʒ] *v.* 摧毁, 使荒废 (to ruin and destroy)

rave* [reiv] *n.* 热切赞扬 (an extravagantly favorable remark); *v.* 狂语 (to talk irrationally in or as if in delirium)
【反】pan (*v.* 严厉批评)

RANT	RAPACIOUS	RAPIDS	RAPPORT	RAPPROCHEMENT	RAPT
RAREFACTION	RASPY	RATIFICATION	RATIOCINATION	RATION	RATIONAL
RATTLE	RAUCOUS	RAVAGE	RAVE		

ravel* [ˈrævəl] *v.* **纠缠，纠结** (to become twisted and knotted)；**拆开，拆散** (unravel)
【反】knit (*v.* 编织)

ravenous* [ˈrævinəs] *adj.* **饿极了的** (hungry)；**贪婪的** (rapacious)
【记】来自 raven (大乌鸦，掠夺) ＋ous

ravishing* [ˈræviʃiŋ] *adj.* **令人陶醉的** (unusually attractive or striking)

raze* [reiz] *v.* **彻底破坏** (to destroy completely)
【反】build (*v.* 建造)

razor* [ˈreizə] *n.* **剃刀，刮胡刀** (a keen cutting instrument for shaving)
【记】来自 raze (夷平；抹掉) ＋or → 剃刀

reactant* [riˈæktənt] *n.* **反应物** (a substance that enters into and is altered in the course of a chemical reaction)
【记】react (反应) + ant (指物) → 反应物
【反】inert material (惰性物质)

reactionary* [ri(ː)ˈækʃənəri] *adj.* **保守的，反动的** (ultraconservative in politics)
【记】re (反) ＋action (动) ＋ary → 反动的

readily* [ˈredili] *adv.* **不迟疑地** (without hesitation; willingly)；**迅速地，轻易地** (without difficulty; easily)

ready* [ˈredi] *adj.* **机敏的，迅速的** (promp in reacting)

reagent* [ri(ː)ˈeidʒənt] *n.* **试剂** (导致化学反应) (a substance used because of its chemical or biological activity)

realign* [ˌriəˈlain] *v.* **重新组合** (排列) (to form into new types of organization, etc.)
【记】re (重新) + align (排列) → 重新排列

realm [relm] *n.* **王国** (a country ruled over by a king or queen)；**领域，范围** (an area of activity, study, etc.)

ream [riːm] *n.* **令** (纸张的计数单位) (a quantity of paper, 500 sheets or, in a printer's ream, 516 sheets)
【记】和 team (*n.* 队) 一起记

reap* [riːp] *v.* **收割，收获** (to cut and gather)

rebate [ˈriːbeit] *n.* **折扣，回扣** (a return of a part of a payment)
【记】词根记忆：re (重新) + bate (打) → 重新打回去的 (钱) → 回扣
【参】abate (*v.* 减轻)

rebellious* [riˈbeljəs] *adj.* **反抗的** (given to or engaged in rebellion)；**难控制的** (refractory)
【记】词根记忆：re (反) ＋bell (打斗，战争) ＋ious → 反过去打 → 反抗的

RAVEL	RAVENOUS	RAVISHING	RAZE	RAZOR	REACTANT
REACTIONARY	READILY	READY	REAGENT	REALIGN	REALM
REAM	REAP	REBATE	REBELLIOUS		

rebuff* [ri'bʌf] *v.* **断然拒绝** (to reject or criticize sharply; snub)
【记】词根记忆：re (反) +buff (=puff 喷，吹) → 反过喷气 → 拒绝
【反】welcome (*v.* 欢迎); approve (*v.* 同意)

rebuke* [ri'bjuːk] *v.* **指责，谴责** (to criticize sharply; reprimand)
【记】词根记忆：re+buke (=beat 打) → 反打 → 指责

rebus ['riːbəs] *n.* (以音、画等提示的) **字谜，画谜**
【例】A picture of an eye followed by one of a tin can is a *rebus* for "I can". (画一只眼睛，接着画一只锡罐，这个画谜便是"I can"的意思。)

rebuttal* [ri'bʌtəl] *n.* **反驳，反证** (argument or proof that rebuts)
【记】词根记忆：re (反) +butt (顶撞) + al → 反顶撞 → 反驳

recalcitrant* [ri'kælsitrənt] *adj.* **顽抗的** (obstinately defiant of authority or restraint; unruly)
【记】词根记忆：re+calcitr (=calc 石头) +ant → 变成石头 → 顽抗的
【反】submissive (*adj.* 顺从的); amenable (*adj.* 顺从的)

recall* [ri'kɔːl] *v.* **回想，回忆起** (to bring back to the mind); **收回** (to take back); *n.* **唤回** (call to return)
【记】词根记忆：re + call (喊，想) → 回想

recant* [ri'kænt] *v.* **改变，放弃** (以前的声明或信仰) (to withdraw or repudiate [a statement or belief])
【记】词根记忆：re (反) +cant (唱) → 唱反调 → 改变，放弃 (以前的信仰)
【反】affirm (*v.* 断言，肯定)

recantation* [ˌrikæn'teiʃn] *n.* **改变宗教信仰** (statement that one's former beliefs were wrong)

recapitulate [ˌriːkə'pitjuleit] *v.* **扼要重述** (to repeat the principal points; summarize)
【记】词根记忆：re (重新) + capit (头) + ulate → 重新把重要的东西 (头) 放到一起 → 扼要重述
【参】capitulate (*v.* 投降)

recast* [ˌriː'kɑːst] *v.* **重铸** (to give a new shape to); **更换演员** (to change the actors in a play)
【记】词根记忆：re (重新) + cast (铸) → 重铸

recede* [ri'siːd] *v.* 后退；收回（诺言）(to move back; withdraw)
【记】词根记忆：re（反）+cede（走）→ 走回去 → 后退

receipt* [ri'siːt] *n.* 收到，接到 (act of receiving or being received)；发票，收据 (a writing acknowledging the receiving of goods or money)
【记】来自 receive（*v.* 收到）

receptacle* [ri'septəkl] *n.* 容器 (container)
【记】词根记忆：recept（感受，接受）+acle（东西）→ 容器
【参】reception（*n.* 接待，欢迎）

receptive* [ri'septiv] *adj.* 善于接受的；从善如流的 (able or inclined to receive)
【记】recept（接受）+ive → 善于接受的

recess* [ri'ses] *n.* 壁凹（墙上装的架子、柜子等的凹处）(alcove; cleft)；休假 (a suspension of business for rest and relaxation)
【记】词根记忆：re（反）+cess（走）→ 像内反走 → 壁凹

recession [ri'seʃən] *n.* 经济萧条时期 (a period of reduced trade and business activity)；撤回，退回 (the action of receding)
【记】词根记忆：re（反）+ cess（行走）+ ion → 向后走 → 撤回，退回

recessive* [ri'sesiv] *adj.* 后退的 (tending to recede)；[遗]隐性的
【反】dominant（*adj.* 显性的）

recipe* ['resipi] *n.* 食谱 (a set of instructions for cooking)
【记】词根记忆：re + cipe（抓）→ 为做饭提供抓的要点 → 食谱

recipient* [ri'sipiənt] *n.* 接受者，收受者 (a person who receives)
【记】词根记忆：re + cip（拿）+ ient → 接受者，收受者

reciprocal [ri'siprəkəl] *adj.* 相互的，互惠的 (mutual; shared by both sides)
【记】词根记忆：re + ciproc (=cip + pro 向前放下) + al → 重新向前放下 → 回报

reciprocate* [ri'siprəkeit] *v.* 回报，答谢 (to make a return for sth.)
【记】词根记忆：re + ciproc (=cip + pro 向前放下) + ate → 重新向前放下 → 回报，答谢

recital* [ri'saitl] *n.* 独奏 (a concert given by an individual musician or dancer)；吟诵 (the act or process or an instance of reciting)
【记】来自 recite（*v.* 背诵），re + cite（唤起）→ 重新引出 → 背诵
【同】excite（*v.* 兴奋）；incite（*v.* 激励，促成）
【派】recitalist（*n.* 独奏家）

reclaim [ri'kleim] *v.* 纠正 (to rescue from an undesirable state)；开垦（土地）(to make available for human use by changing natural conditions)
【记】词根记忆：re + claim（喊）→ 喊回来 → 纠正

recluse* [ri'kluːs] *n.* 隐士 (a person who leads a secluded or solitary life)；*adj.* 隐居的 (marked by withdrawal from society)
【记】词根记忆：re + cluse（关闭）→ 重新把门关上 → 隐居的

□ RECEDE	□ RECEIPT	□ RECEPTACLE	□ RECEPTIVE	□ RECESS
□ RECESSION	□ RECESSIVE	□ RECIPE	□ RECIPIENT	□ RECIPROCAL
□ RECIPROCATE	□ RECITAL	□ RECLAIM	□ RECLUSE	

recoil [riˈkɔil] *v.* 退却，退缩 (to shrink back physically or emotionally; wince)

【记】词根记忆：re + coil (卷，盘绕) → 卷回去 → 退缩

recollection* [ˌrekəˈlekʃən] *n.* 记忆力 (the power or action of remembering the past); 记忆中的往事 (sth. in one's memory of the past)

【记】来自 recollect (*v.* 回想); re + col (一起) + lect (收集) + ion

recombine* [ˌriːkəmˈbain] *v.* 重组，再结合 (to combine again or anew)

【记】re + combine (组合) → 重组，再结合

【派】recombinant (*n.* 重组体)

recompense* [ˈrekəmpəns] *v.* 报酬，赔偿 (to give by way of compensation)

【记】re + compense (补偿) → 重新补偿 → 赔偿

reconcile* [ˈrekənsail] *v.* 和解，调和 (to restore to friendship or harmony)

【记】词根记忆：re (重新) + concile (=conciliate 安抚，调和) → 和解，调和

【例】A mediator *reconciled* the difference between the two sides. (仲裁人调解了双方的分歧。)

recondite* [riˈkɔndait] *adj.* 深奥的 (difficult or impossible for understanding)

【记】词根记忆：re (反) + con (共同) + dite (说) → 不是对所有人都能说 → 深奥的

【反】widely understood (被广泛理解的); patent (*adj.* 明显的); self-explained (*adj.* 明晰的)

reconnaissance [riˈkɔnisəns] *n.* 侦察，预先探索 (a preliminary survey to gain information)

【记】注意不要和 renaissance (*n.* 复兴，复活) 相混

【例】The military *reconnaissance* was a secret mission. (军事侦察是一项秘密使命。)

reconstitute* [ˌriːˈkɔnstitjuːt] *v.* 再组成 (to bring back into existence); 用水泡 (to restore by adding water)

【记】re + constitute (组成) → 再组成

【反】dehydrate (*v.* 脱水)

recourse* [riˈkɔːs] *n.* 求助，依靠 (a turning to someone or sth. for help or protection)

【例】We have *recourse* to the law. (我们求助于法律。)

recruit* [riˈkruːt] *n.* 新兵 (a newly enlisted or drafted soldier); 新成员 (a newcomer); *v.* 征募 (to seek to enroll)

【记】词根记忆：re + cruit (=cres 成长) → 重新成长 → 新兵

rectangle* [ˈrektæŋgl] *n.* 长方形，矩形 (a parallelogram with adjacent sides of unequal length)

【记】词根记忆：rect (正，直) + angle (角) → (四个角) 都是直角 → 矩形

RECOIL	RECOLLECTION	RECOMBINE	RECOMPENSE	RECONCILE
RECONDITE	RECONNAISSANCE	RECONSTITUTE	RECOURSE	RECRUIT
RECTANGLE				

rectify* ['rektifai] *v.* **改正，调正** (to correct by removing errors; adjust); **提纯** (to purify by repeated distillation)
【记】词根记忆：rect (直) + ify → 使…直 → 纠正
【派】rectification (*n.* 改正，校正；提纯)

rectitude* ['rektitjuːd] *n.* **诚实，正直** (moral integrity; righteousness); **公正** (right)
【记】词根记忆：rect (直) + itude → 正直
【反】inequity (*n.* 不公正)

recumbent* [ri'kʌmbənt] *adj.* **侧卧的** (lying down; prone); **休息的** (resting)
【记】词根记忆：re + cumb (躺) + ent → 侧卧的
【参】incumbent (*n.* 任职者)
【反】standing up (站立的)

recuperate* [ri'kjuːpəreit] *v.* **恢复** (健康), **复原** (to recover health or strength)
【记】词根记忆：re + cuper (=gain 获得) + ate → 恢复
【派】recuperative (*adj.* 有助于恢复健康的)

redeem* [ri'diːm] *v.* **赎罪** (to atone for; expiate)
【记】词根记忆：re (重新) + deem (买) → 重新买回 → 赎罪
【派】redemption (*n.* 赎罪)

redemptive [ri'demptiv] *adj.* **赎回的，救赎的，救世的** (acting to save someone from error or evil)

redirect* [ˌriːdi'rekt] *v.* **改寄** (信件) (to send [letter] in a new direction); **改变方向** (to change the course or direction of)
【记】词根记忆：re (重新) + direct (指向) → 改变方向

redistribution* [ˌriːdistri'bjuːʃən] *n.* **重新分配**
【记】re (重新) + distribution (分配) → 重新分配

redolent* ['redəulənt] *adj.* **芬芳的，芳香的** (scented; aromatic)
【记】词根记忆：red (=re 反复) + ol (=olfaction 嗅觉) + ent → 反复闻 → 芳香的
【形】indolent (*adj.* 懒惰的)
【反】unscented (*adj.* 无香味的)

redoubtable* [ri'dautəbl] *adj.* **可敬畏的** (causing fear or alarm; formidable)
【记】re (反复) + doubt (怀疑，疑虑) + able → 行动时产生疑虑，说明对手是可敬畏的 → 可敬畏的
【反】not formidable (不可怕的); unimpressive (*adj.* 不令人信服的)

redress* [ri'dres] *n.* **改正，修正** (correction; remedy)
【记】re (重新) + dress (穿衣，整理) → 重新整理 → 改正
【例】The slandered celebrity demanded *redress*. (被诽谤的名人要求恢复名誉。)

redundancy* [ri'dʌndənsi] *n.* **过剩** (the state of being redundant); **备份** (repetition of parts or all of a message)
【记】本单词亦作 redundance

RECTIFY	RECTITUDE	RECUMBENT	RECUPERATE	REDEEM
REDEMPTIVE	REDIRECT	REDISTRIBUTION	REDOLENT	REDOUBTABLE
REDRESS	REDUNDANCY			

redundant* [ri'dʌndənt] *adj.* **累赘的；多余的**（exceeding what is necessary or normal; superfluous）
【记】词根记忆：red(=re)+und(波动)+ant→反复波动→反复出现→累赘的
【反】deficient(*adj.* 缺乏的，不足的)；economical(*adj.* 节俭的)

reed* [riːd] *n.* **芦苇**（a grasslike plant）；**簧片**（a thin piece of wood or metal in a musical instrument）
【参】reedy(*adj.* 似笛声的，尖声的)

reek [riːk] *v.* **发臭味**(to give off an unpleasant odor)；**冒烟**(to give out smoke)

reel [riːl] *n.* **卷轴，旋转**；*v.* **卷…于轴上**(to wind on a reel)

refectory* [ri'fektəri] *n.* (学院)**餐厅，食堂**（a large room in a school or college in which meals are served）
【记】来自 refection(*n.* 食品，小吃)

referee* [ˌrefə'riː] *n.* **裁判员；仲裁者**
【记】refer(参考，提到)+ee(人)→仲裁者
【参】reference(*n.* 参考，推荐)

refinery* [ri'fainəri] *n.* **提炼厂，精炼厂**(a building and apparatus for refining metals, oil, sugar, etc.)

reflect* [ri'flekt] *v.* **反射**（to cause light to change direction）；**仔细考虑**(meditate)
【记】词根记忆：re(反)+flect(弯曲)→弯曲过来→反射
【反】absorb(*v.* 吸收)

refraction [ri'frækʃən] *n.* **折射**(bending of a ray of light)

refractory* [ri'fræktəri] *adj.* **倔强的**（stubborn; unmanageable）；**反应迟钝的**(unresponsive to stimulus)
【记】词根记忆：re+fract(断裂)+ory→宁折不弯→倔强的
【反】responsive(*adj.* 有回答的，迅速反应的)

refrain* [ri'frein] *v.* **抑制**（curb; restrain）；*n.* **歌曲的反复句，叠句**（a regular recurring phrase or verse）
【记】词根记忆：re+frain(笼头)→上笼头→抑制

refresh* [ri'freʃ] *v.* **消除…的疲劳，使精神振作**(to bring back strength and freshness to)
【记】re(再)+fresh(新鲜的)→使精神振作
【反】disgruntle(*v.* 使不高兴)

refugee [ˌrefju(ː)'dʒiː] *n.* **难民，流亡者**
【记】词根记忆：re+fug（逃，离开）+ee→逃离家园的人→难民

refulgent* [ri'fʌldʒənt] *adj.* **辉煌的，灿烂的**(shining radiantly)
【记】词根记忆：re+fulg(发光)+ent→辉煌的
【同】fulgurate(*v.* 发光，闪光)
【反】lackluster(*adj.* 无光泽的)

REDUNDANT	REED	REEK	REEL	REFECTORY
REFEREE	REFINERY	REFLECT	REFRACTION	REFRACTORY
REFRAIN	REFRESH	REFUGEE	REFULGENT	

refurbish* [ˌriːˈfəːbiʃ] v. 刷新，擦亮 (to brighten or freshen up; renovate)
【记】词根记忆：re + furbish (磨光，磨亮) → 刷新，擦亮

refute* [riˈfjuːt] v. 驳斥 (to prove wrong by argument or evidence; disprove)
【记】词根记忆：re + fute (打) → 反过来打 → 反驳
【同】refutable (*adj.* 可驳倒的); futile (*adj.* 无用的); refutation (*n.* 驳斥)
【反】prove (*v.* 证明)

regale* [riˈgeil] v. 款待 (to feast with delicacies); 使…享受 (to give pleasure or amusement to)
【记】词根记忆：re (使) + gale (高兴) → 使别人高兴 → 款待

regime* [reiˈʒiːm] n. 政权，政治制度 (government in power)
【记】词根记忆：reg (统治) + ime → 政权

regress* [riˈgress] v. 使倒退，复原，逆行 (to return to a former or a less developed state)
【记】词根记忆：re (向后) + gress (行走) → 向后走 → 倒退，退回

regressive* [riˈgresiv] *adj.* 退步的，退化的 (moving backward to a primitive state or condition)
【反】forward (*adj.* / *adv.* 向前进的[地])

regulate* [ˈregjuleit] v. 管制 (to govern according to rule); 调整 (to fix or adjust the time, amount, degree, or rate of)
【记】词根记忆：regul (=reg 统治) + ate → 统治，管制

rehabilitate* [ˌriː(h)əˈbiliteit] v. 修复，恢复(职业等) (to restore to a former capacity)
【记】词根记忆：reh (重新) + abilit (能力) + ate → 修复，恢复
【参】debilitate (*v.* 使衰弱)
【派】rehabilitation (*n.* 复原)

rehearsal* [riˈhəːsəl] n. 排演，演习 (act of rehearsing a play or concert)

rehearse* [riˈhəːs] v. 排练，预演 (to practice in order to prepare for a public performance); 详述 (to tell fully)
【反】carefully rehearsed (仔细排练的) 〈〉 impromptu (*adj.* 即兴的)

reign [rein] n. 统治时期 (the term during which a sovereign reigns); 王朝 (the royal authority); 领域 (the dominion)
【形】deign (*v.* 屈尊); feign (*v.* 假装)

reimburse* [ˌriːimˈbəːs] v. 偿还 (to pay back to sb.; repay)
【记】词根记忆：re + im (进入) + burse (钱包) → 重新进入钱包 → 偿还
【派】reimbursement (*n.* 偿还[的款项])

rein* [rein] n. 缰绳 (a strap that controls an animal); v. 控制 (control)
【形】vein (*n.* 血脉，静脉)
【反】prod (*n.* / *v.* 激励)

REFURBISH	REFUTE	REGALE	REGIME	REGRESS
REGRESSIVE	REGULATE	REHABILITATE	REHEARSAL	REHEARSE
REIGN	REIMBURSE	REIN		

reinforce* [ˌriːinˈfɔːs] *v.* **加强力量，增援** (to strengthen or increase by fresh additions)

【记】re + inforce (强化) → 加强力量，增援

【反】undermine (*v.* 削弱); subvert (*v.* 颠覆)

reinstate* [ˌriːinˈsteit] *v.* **恢复** (原职) (to restore to a previous effective state [former position])

【记】词根记忆：re (重新) + in (进入) + state (状态) → 重新恢复职位

reiterate* [riːˈitəreit] *v.* **重申，反复地说** (to state over again or repeatedly)

【记】词根记忆：re (反复) + iterate (重申) → 重申，反复地说

rejoice* [riˈdʒɔis] *v.* **喜欢，高兴** (to feel joy or great delight)

【记】re + joice (=joy 高兴) → 喜欢，高兴

【反】grouse (*v.* 抱怨，不满)

rejuvenate* [riˈdʒuːvineit] *v.* **使返老还童** (to make young or youthful again)

【记】词根记忆：re + juven (年轻) + ate → 使返老还童

【参】juvenile (*adj.* 年轻的)

【派】rejuvenation (*n.* 返老还童，恢复活力)

relapse* [riˈlæps] *n.* **旧病复发** (a recurrence of symptoms of a disease); **再恶化** (the act or an instance of backsliding, worsening); *v.* **旧病复发，再恶化** (to slip or fall into a former worse state)

【记】词根记忆：re + lapse (滑) → (身体状况) 再次下滑 → 旧病复发

【同】collapse (*v.* 倒塌); elapse (*v.* 时间消逝)

Trouble is only opportunity in work clothes.

困难只是穿上工作服的机遇。

——美国实业家 凯泽(H.J. Kaiser, American businessman)

Word List 31

relate* [riˈleit] *v.* 讲述 (to tell); 有关联 (to show a connection between)

【例】It is difficult to *relate* cause and effect in this case. (在这个案子里因果关系连接不上。)

relaxation* [ˌriːlækˈseiʃən] *n.* 放松，消遣 (a relaxing activity or pastime; diversion)

【记】来自 relax (*v.* 放松), re + lax (松的)

release* [riˈliːs] *v.* 释放，放出 (to set free); *n.* 释放 (an authoritative discharge)

【反】constrain (*v.* 束缚); immure (*v.* 监禁)

relegate* [ˈreligeit] *v.* 降级; 贬谪 (to send to exile); 交付，托付 (to refer or assign for decision or action)

【记】词根记忆: re + leg (选择) + ate → 重新选择职位 → 降级

【同】delegate (*n.* 代表); allegation (*n.* 断言)

【反】aggrandize (*v.* 扩大权力)

relent* [riˈlent] *v.* 动怜悯心 (to become compassionate or forgiving); 减弱 (soften; mollify)

【记】词根记忆: re + lent (=bent 弯曲) → 弯曲下来 → 变温和

【例】The wind blast has *relented*. (风力已减弱了。)

relenting* [riˈlentiŋ] *adj.* 减弱的; 怜悯的

【反】inexorable (*adj.* 无情的)

relentless [riˈlentlis] *adj.* 无情的，残酷的 (unrelenting)

reliance [riˈlaiəns] *n.* 信赖，信任 (the state of being dependent on or having confidence in)

【记】来自 rely (*v.* 依赖)

relic* [ˈrelik] *n.* 遗物，遗迹 (a survivor or remnant left after decay, disintegration, or disappearance)

【例】This stone axe is a *relic* of ancient times. (这把石斧是古代的遗物。)

RELATE	RELAXATION	RELEASE	RELEGATE	RELENT
RELENTING	RELENTLESS	RELIANCE	RELIC	

relieved [riˈliːvd] *adj.* 宽慰的，如释重负的（no longer worried）

relinquish* [riˈliŋkwiʃ] *v.* 放弃，废除（to give up; withdraw or retreat from）
【记】词根记忆：re + linqu（=leave 离开）+ ish → 离开 → 放弃
【反】procure（*v.* 获得）; cling to（结合）; cooperate（*v.* 协作）

relish [ˈreliʃ] *n.* 味道（pleasing flavor）; 喜好（a strong liking）; *v.* 喜好，享受（to be gratified by; enjoy）
【记】分拆联想：rel（看作 real）+ ish（看作 fish）→ 真正的鱼 → 好味道

remainder* [riˈmeində] *n.* 剩余物（the part of sth. that is left over）

remains [riˈmeinz] *n.* 遗址，废墟（a remaining part or trace）

reminder [riˈmaində] *n.* 提醒人记忆之物（sth. that makes one remember）
【记】来自 remind（*v.* 提醒）; 注意和 remainder（*n.* 剩余物）的区别

reminisce* [ˌremiˈnis] *v.* 追忆，怀旧（to indulge in reminiscence）
【记】词根记忆：re（重新）+ min（=mind 思维）+ isce → 重新回忆 → 追忆
【派】reminiscence（*n.* 回想，追忆；[复] 回忆录）

remiss [riˈmis] *adj.* 疏忽的，不留心的 （negligent in the performance of work or duty）
【记】词根记忆：re（一再）+ miss（放）→ 一再放掉 → 疏忽的
【反】assiduous（*adj.* 勤勉的）; punctilious（*adj.* 一丝不苟的）

remnant* [ˈremnənt] *n.* 残余物（remainder）; 零头布料（a leftover piece of fabric remaining）
【记】可能是 remain（*v.* 剩余）的变体
【例】the *remnants* of the sun（残阳）; *remnant* of silks（丝绸零料）

remorse* [riˈmɔːs] *n.* 懊悔，悔恨（a gnawing distress; self-reproach）
【记】词根记忆：re（反）+ morse（咬）→ 反过去咬自己 → 悔恨
【同】morsel（*n.* 一口，一小份）

remove* [riˈmuːv] *v.* 移走；脱掉（to take away）; 迁移（to go to live or work in another place）
【记】re + move（移动）→ 移走
【反】insert（*v.* 插入）

remunerative [riˈmjuːnərətiv] *adj.* 报酬高的，有利润的 （providing payment; profitable）
【反】unrequited（*adj.* 无报酬的）

rend* [rend] *v.* 撕裂，分裂（to split or tear apart）; 猛拉（to remove from place by violence）
【记】因为被撕裂（rend）了，所以要修补（mend）
【形】rent（*n.* 租金；裂痕）
【反】unite（*v.* 使联合）; mend（*v.* 修补）; repair（*v.* 修理）

render* [ˈrendə] *v.* 呈递，表现（to present or send in）; 提供（to give sth. in return or exchange）

RELIEVED	RELINQUISH	RELISH	REMAINDER	REMAINS
REMINDER	REMINISCE	REMISS	REMNANT	REMORSE
REMOVE	REMUNERATIVE	REND	RENDER	

rendering [ˈrendəriŋ] *n.* 演出(performance);翻译(translation)

rendezvous [ˈrɔndivuː] *n.* 约会 (a meeting at an appointed place and time);约会地点(a place appointed for meeting)

【记】法语:rendez (=present) + vous (=yourself) → 现出你自己 → 约会

renegade* [ˈrenigeid] *n.* 叛教者,叛徒 (a deserter from a faith, cause, or allegiance)

【记】词根记忆:re + neg (否定) +ade → 回头否定的人 → 叛教徒,叛徒

renege* [riˈniːg] *v.* 背信,违约(to go back on a promise or commitment)

【记】词根记忆:re(反)+ nege(否认)→ 反过来不承认 → 背信,违约

renounce* [riˈnauns] *v.* (正式)放弃 (to give up or resign by formal declaration)

【记】词根记忆:re(反)+ nounce(讲话,通告)→ 反过来宣布 → 放弃

【同】denounce(*v.* 指责);enounce(*v.* 发音;表达)

【派】renunciation(*n.* 放弃,抛弃)

【反】claim(*v.* / *n.* 要求)

renovate* [ˈrenəuveit] *v.* 修复,装修,翻新 (to put back into good condition)

【反】cause to decay(使腐烂)

renown* [riˈnaun] *n.* 名望,声誉 (fame)

【记】词根记忆:re(反复)+ nown(=nomen 名字)→ 名字反复出现 → 名望

rent* [rent] *n.* 裂缝 (an opening made by rending);(意见)分歧(a split in a party; schism)

【记】rent 作为"租金"一义大家都熟悉

reparable* [ˈrepərəbl] *adj.* 能补救的,可挽回的(capable of being repaired)

【记】来自 repair(修补)+ able → 能修补的 → 能补救的

reparation* [ˌrepəˈreiʃən] *n.* 赔偿,补偿 (repairing; restoration; compensation)

repartee [ˌrepɑːˈtiː] *n.* 机灵的回答(a quick and witty reply)

【记】词根记忆:re(反)+ part(部分,观点)+ ee → 用反问作为回答 → 机灵的回答

repatriate* [riːˈpætrieit] *v.* (自异国)遣返(to send sb. back to the country of origin)

RENDERING	RENDEZVOUS	RENEGADE	RENEGE	RENOUNCE
RENOVATE	RENOWN	RENT	REPARABLE	REPARATION
REPARTEE	REPATRIATE			

【记】词根记忆：re（重新）+ patr（父亲，祖国）+ iate → 重新送回祖国 → 遣返

repeal* [riˈpiːl] *v.* 废除（法律）（to annul by authoritative act）
【记】词根记忆：re（反）+ peal（=call 叫）→ 反过来叫 → 废除
【同】appeal（*v.* 呼吁）；appealing（*adj.* 引人入胜的）

repel* [riˈpel] *v.* 击退（to fight against；resist）；使…反感（to cause aversion）
【记】词根记忆：re（反）+ pel（推）→ 反推 → 击退
【反】repel intentionally（有意使反感）〈〉court（*v.* 追求）

repellent* [riˈpelənt] *adj.* 令人厌恶的（arousing disgust；repulsive）
【反】entrancing（*adj.* 使人入神的）

repercussion* [ˌriːpə(ː)ˈkʌʃən] *n.* 反响（a reciprocal action）；影响（a widespread, indirect effect of an act or event）；回声（reflection；resonance）
【记】词根记忆：re（反复）+ percussion（震动）→ 反复震动 → 回声；反响

repertoire* [ˈrepətwɑː] *n.*（剧团等）常备剧目（the complete list or supply of dramas, operas, or musical works）
【记】和 report（汇报）一起记 → 汇报演出需要常备节目
【参】repertory（*n.* 保留剧目；仓库）

repine* [riˈpain] *v.* 不满，心中抱怨（to feel or express discontent）
【记】词根记忆：re（重新）+ pine（憔悴）→ 因苦恼、不满而憔悴 → 不满
【反】express joy（表达高兴）

replenish [riˈpleniʃ] *v.* 补充，再装满（to fill or build up again）
【记】词根记忆：re（重新）+ plen（满）+ ish → 重新装满
【同】plenitude（*n.* 充满）；plentiful（*adj.* 丰富的）

replete [riˈpliːt] *adj.* 饱满的，塞满的（fully or abundantly provided or filled）
【记】词根记忆：re（重新）+ plete（满）→ 塞满的
【同】complete（*adj.* 完全的）；deplete（*v.* 耗尽）；repletion（*n.* 充满）

reportorial* [ˌrepəˈtɔːriəl] *adj.* 记者的；纪实的
【记】reportor（记者）+ ial → 记者的
【反】imaginative（*adj.* 想象的）

repose* [riˈpəuz] *n.* / *v.* 躺着休息，安睡（to lie at rest）
【记】词根记忆：re（重新）+ pose（放）→ 重新（将身体）放下去 → 躺着休息

reprehend [ˌrepriˈhend] *v.* 谴责，责难（to voice disapproval of；censure）
【记】词根记忆：re（反）+ prehend（抓住）→ 反过来抓住（缺点）→ 谴责
【同】comprehend（*v.* 综合，理解）；apprehend（*v.* 领会，理解）

REPEAL	REPEL	REPELLENT	REPERCUSSION	REPERTOIRE
REPINE	REPLENISH	REPLETE	REPORTORIAL	REPOSE
REPREHEND				

reprehensible [ˌrepriˈhensəbl] *adj.* 应受谴责的 (deserving reprehension; culpable)

repressed* [riˈprest] *adj.* 被压制的，被压抑的 (suffering from suppression of the emotions)

reprieve [riˈpriːv] *v.* 缓刑 (to delay the punishment of); 暂时解救 (to give relief for a time); *n.* 缓刑，暂时解救

【记】词根记忆：re (重新) + prieve (拿) → 重新从刑场带回来 → 不执行死刑 → 缓刑

reprimand* [ˈreprimɑːnd] *n.* 训诫，谴责 (a severe or formal reproof); *v.* 训诫，谴责 (to reprove sharply or censure formally)

【记】词根记忆：re (重新) + prim (首要) + (m) and (命令) → 再次给以严厉的命令 → 谴责

【例】The boy got a new *reprimand* from his teacher. (这个男孩又被老师严重警告了一次。)

reprisal [riˈpraizəl] *n.* (政治或军事的) 报复 (practice in retaliation for damage or loss suffered)

【记】词根记忆：re (回) + pris (=price 代价) + al → 还给对方代价 → 报复

reprise [riˈpraiz] *n.* (音乐剧中) 乐曲的重复 (musical repetition); 重复 (表演) (repeat performance)

【记】分拆联想：rep (看作 red 红色) + rise (升起) → 红色太阳重复升起

reproach* [riˈprəutʃ] *n.* 谴责，责骂 (an expression of rebuke or disapproval)

【记】re (反) + proach (靠近) → 以反对的方式靠近 → 谴责

【同】approach (*n.* / *v.* 接近；方法); irreproachable (*adj.* 无可指责的)

【反】above reproach (无可指责的) 〈〉 scurvy / nefarious (*adj.* 可鄙的，凶恶的)

reprobate* [ˈreprəubeit] *v.* 谴责，指责 (to condemn strongly); *adj.* / *n.* 堕落的 (人) (a person morally corrupt)

【记】词根记忆：re (反) + prob (赞扬) + ate → 反赞扬 → 指责

【同】approbation (*n.* 赞扬)

【反】righteous individual (正直的人)

reproof* [riˈpruːf] *n.* 责斥，责备 (criticism for a fault; rebuke)

reprove* [riˈpruːv] *v.* 责骂，申斥 (to express disapproval; censure)

【记】词根记忆：re (反) + prove (证据) → 反证，责备

reptile* [ˈreptail] *n.* 爬行动物 (any of the class of cold-blooded, egg-laying animals); 卑鄙的人 (a groveling or despised person)

【记】词根记忆：rept (爬行) + ile (物) → 爬行动物

reptilian* [repˈtiliən] *adj.* 爬虫类的 (of the reptiles); 卑下的 (cold-bloodedly treacherous)

REPREHENSIBLE	REPRESSED	REPRIEVE	REPRIMAND	REPRISAL
REPRISE	REPROACH	REPROBATE	REPROOF	REPROVE
REPTILE	REPTILIAN			

【记】来自 reptile（*n.* 爬行动物），rept（爬）+ ile

【同】reptant（*adj.* 爬行的）；surreptitious（*adj.* 鬼鬼祟祟的）

repudiate* [ri'pjuːdieit] *v.* **拒绝，抛弃**（to refuse to accept）

【记】词根记忆：re + pudi（=put 放）+ ate → 放掉 → 抛弃

【派】repudiation（*n.* 拒绝，抛弃）

repugnance* [ri'pʌgnəns] *n.* **嫌恶，反感**（strong dislike, distaste, or antagonism）

repugnant* [ri'pʌgnənt] *adj.* **令人厌恶的**（exciting distaste or aversion）

【记】词根记忆：re + pugn（打斗）+ ant → 反过去打 → 令人厌恶的

【同】pugnacious（*adj.* 好斗的）；impugn（*v.* 指责，打击）

repulse [ri'pʌls] *v.* **驱逐，击退**（repel）；**厌恶**（to repel by discourtesy, coldness, or denial）；*n.* **回绝，拒绝**（rebuff; rejection）；**击退**（the act of repulsing or the state of being repulsed）

【记】词根记忆：re + pulse（推）→ 推出去 → 击退

【反】captivate（*v.* 使着迷）；court（*v.* 追求）；entrance（*v.* 使入神）

repulsion* [ri'pʌlʃən] *n.* **厌恶，反感**（very strong dislike）；**排斥力**（the force by which one object drives another away from it）

【反】attraction（*n.* 吸引力）

reputation* [ˌrepju'teiʃən] *n.* **名声**（good name）

repute* [ri'pjuːt] *n.* **名声，名誉**（reputation）

【记】re + pute（想）→ 反复想（认为很好）→ 名声

【反】opprobrium（*n.* 污名）；lack of distinction（不知名）

request* [ri'kwest] *n.* **要求，请求**（an act of asking politely）；*v.* **要求，请求**（to ask for）

【反】request directly（直接要求）〈〉inveigle（*v.* 诱骗）

requisite* ['rekwizit] *n.* **必需物**（sth. that is needed or necessary）；*adj.* **必要的**（required）

【记】词根记忆：re + quisite（寻求）→ 反复寻求的 → 必要的

【同】prerequisite（*n.* 先决条件）

requite* [ri'kwait] *v.* **报答**（repay）；**报复**（to make retaliation）

【例】*requite* kindness with ingratitude（以怨报德）

【反】leave unrepaid（不予回报）

rescind* [ri'sind] *v.* **废除，取消**（to make void）

【记】词根记忆：re + scind（=cut 砍）→ 砍掉 → 废除

【反】levy（*v.* 征收）；institute（*v.* 制定）

rescission* [ri'siʒən] *n.* **废除**（an act of rescinding）

【记】词根记忆：re + sciss（分开，开裂）+ ion → 切除，废除

rescue* ['reskjuː] *n.* / *v.* **解救**（to save or set free from harm, danger, or loss）；**把…从法律监管下强行夺回**（to take from legal custody by force）

【反】enactment（*n.* 制定法律）

REPUDIATE	REPUGNANCE	REPUGNANT	REPULSE	REPULSION
REPUTATION	REPUTE	REQUEST	REQUISITE	REQUITE
RESCIND	RESCISSION	RESCUE		

resent* [ri'zent] *v.* 憎恶，愤恨 (to feel or express annoyance or ill will)
【记】词根记忆：re + sent (感情) → 反感，憎恶
【派】resentful (*adj.* 怨恨的)
【同】assent (*v.* 同意)；sentiment (*n.* 情感)

resentment* [ri'zentmənt] *n.* 愤恨，怨恨 (the feeling of resenting sth.)

reserve* [ri'zəːv] *n.* 储备（物），储藏量 (sth. kept back or saved for future use)；缄默，谨慎 (self-restraint in expression)；*v.* 保留，储备，预订 (to put aside or keep sth. for a later occasion or special use)

reside* [ri'zaid] *v.* 居住 (to dwell permanently or continuously)
【参】residence (*n.* 居所)

resident* ['rezidənt] *n.* 居民 (person who lives or has a home in a place)；*adj.* 定居的，常驻的 (living in a place for some length of time)

residual* [ri'zidjuəl] *adj.* 残余的，剩余的 (of, relating to, or constituting a residue)
【记】词根记忆：re + sid (坐) + ual → 坐下来的（东西）→ 残余的，剩余的

residue ['rezidjuː] *n.* 剩余 (remainder; what is left behind)

resignation* [ˌrezig'neiʃən] *n.* 听从，顺从 (submissiveness)；辞职 (a formal notification of resigning)
【记】词根记忆：re + sign (签字) + ation → 再次签字 → 辞职
【同】designation (*n.* 指定，任命)；consign (*v.* 委托)

resigned* [ri'zaind] *adj.* 逆来顺受的，顺从的 (acquiescent)

resilience* [ri'ziliəns] *n.* 弹性，弹力 (the capability of a strained body to recover its size and shape after deformation caused by compressive stress)
【记】来自 resile (*v.* 弹回，恢复活力)，re (再) + sile (跳) → 再次跳起 → 弹回
【反】inelasticity (*n.* 无弹性)

resilient* [ri'ziliənt] *adj.* 有弹性的；能恢复活力的，适应力强的 (tending to recover from or adjust easily to misfortune or change)

resonant* ['rezənənt] *adj.* （声音）洪亮的 (enriched by resonance)；共鸣的 (echoing)
【记】词根记忆：re + son (声音) + ant → 回声 → 洪亮的
【同】dissonant (*adj.* 不和谐的)；supersonic (*adj.* 超音波的)
【派】resonance (*n.* 回响，共鸣)

resort [ri'zɔːt] *n.* 度假胜地 (a place providing recreation and entertainment)
【记】词根记忆：re + sort (出现) → 反复出现的地方 → 度假地

resound* [ri'zaund] *v.* 回荡着声音 (to be filled with sound)；鸣响 (to be loudly and clearly heard)

RESENT	RESENTMENT	RESERVE	RESIDE	RESIDENT
RESIDUAL	RESIDUE	RESIGNATION	RESIGNED	RESILIENCE
RESILIENT	RESONANT	RESORT	RESOUND	

resourceful* [ri'sɔːsful] *adj.* 机智的 (good at finding ways to deal with difficult situations)

respiration* [ˌrespi'reiʃən] *n.* 呼吸 (act of breathing air)
【记】词根记忆：re + spir (呼吸) + ation → 呼吸

respite* ['respait] *n.* 休息 (an interval of rest or relief)；暂缓 (a period of temporary delay)
【记】词根记忆：re + spite (=spect 看) → 再次看 → 再审 → 暂缓 (死刑)；休息

resplendent [ri'splendənt] *adj.* 华丽的，辉煌的 (shining brilliantly)
【记】词根记忆：re + splend (发光) + ent → 不断发光 → 辉煌的
【反】dull (*adj.* 阴暗的)

respondent* [ri'spɔndənt] *n.* 被告 (one who answers in various legal proceedings)
【记】respond (反应) + ent → 对原告反应的人 → 被告
【参】defendant (*n.* 被告)；plaintiff (*n.* 原告)

response* [ri'spɔns] *n.* 反应，响应；回答 (act or feeling produced in answer to a stimulus; reaction)

responsive* [ri'spɔnsiv] *adj.* 敏感的；反应快的 (quick to respond or react)
【反】refractory (*adj.* 不敏感的)；dispassionate (*adj.* 冷静的)

responsiveness* [ri'spɔnsivnis] *n.* 应答，响应 (the action of reacting quickly and positively)

restitution* [ˌresti'tjuːʃən] *n.* 归偿 (a restoration to its rightful owner)；赔偿 (giving an equivalent for some injury)
【记】词根记忆：re + stitut (站立) + ion → 重新站过去 → 赔偿
【同】institution (*n.* 创立，建立)；destitution (*n.* 贫穷)

restive* ['restiv] *adj.* 不安静的，不安宁的 (marked by impatience)
【记】注意不要看作是"休息的"的意思，restive=restless (*adj.* 不安静的，不安宁的)
【反】calm / imperturbable (*adj.* 平静的)

restiveness* ['restivnis] *n.* 倔强；难以驾驭
【反】contentment (*n.* 愿意，顺从)

restless* ['restlis] *adj.* 不停的；不安静的 (unable to relax)
【反】restless activity (不停的活动) 〈〉 quiescence (*n.* 静止)

restore* [ri'stɔː] *v.* 使回复，恢复 (to bring sb. / sth. back to a former position or condition)；修复，修补 (to rebuild or repair sth. so that it is like the original)

restored* [ri'stɔːd] *adj.* 恢复的；复修的 (returned to an original or regular condition)
【反】dilapidated (*adj.* 荒废的)

restrain* [ri'strein] *v.* 克制，抑制 (to keep under control)
【记】词根记忆：re + strain (拉紧) → 重新拉紧 → 克制

RESOURCEFUL	RESPIRATION	RESPITE	RESPLENDENT	RESPONDENT
RESPONSE	RESPONSIVE	RESPONSIVENESS	RESTITUTION	RESTIVE
RESTIVENESS	RESTLESS	RESTORE	RESTORED	RESTRAIN

【参】restrict（*v.* 限制）

【反】impel（*v.* 推动，驱使）

restraint* ［riˈstreint］*n.* **克制**（a control over the expression of one's emotions or thoughts）

【反】without restraint（不受约束的）bridled（*adj.* 受约束的）；latitude（*n.* 言论或行动自由）

resume* ［riˈzjuːm］*v.* **重新开始，继续**（to begin again after interruption）

【记】词根记忆：re + sume（拿起）→ 重新拿起

【反】resumed fighting（继续战斗）〈〉truce（*n.* 休战）

resurgence ［riˈsəːdʒəns］*n.* **再起，复活，再现**（the return of ideas, beliefs to a state of being active）

【记】词根记忆：re + surg（看作 surge 汹涌）+ ence → 再起

resurrect* ［ˌrezəˈrekt］*v.* **使复活**（to raise from the dead）；**复兴**（to bring to view）

【记】词根记忆：re + sur（下面）+ rect（直）→ 再次从下面直立起来 → 复活

resuscitate ［riˈsʌsiteit］*v.* **使复活，使苏醒**（to restore consciousness）

【记】词根记忆：re + sus（在下面）+ cit（引起）+ ate → 再次从下面唤起来 → 复活

【反】resuscitated（*adj.* 复活的）〈〉extinct（*adj.* 灭绝的）

retail ［ˈriːteil］*v.* **零售**（to sell to the ultimate consumers）；*n.* **零售**

【记】词根记忆：re + tail（剪，玩）→ 剪下来卖 → 零售

【参】tailor（*n.* 裁缝）

【派】retailer（*n.* 零售商）

retain* ［riˈtein］*v.* **保留，保持**（to keep possession of）；**留住**（to hold in place）

【记】词根记忆：re + tain（拿）→ 拿住，保持

【反】discard（*v.* 扔掉）

retainer ［riˈteinə］*n.* **侍从**（servant）

retaliate* ［riˈtælieit］*v.* **报复，反击**（to get revenge）

【记】词根记忆：re + tali（邪恶）+ ate → 把邪恶还回去 → 报复

【参】talisman（*n.* 避邪物）；retaliatory（*adj.* 报复性的）

retaliation* ［riˌtæliˈeiʃən］*n.* **报复**（the action of returning a bad deed to someone who has done a bad deed to oneself）

retard* ［riˈtɑːd］*v.* **妨碍**（impede）；**减速**（to slow down）

【记】词根记忆：re + tard（迟缓）→ 使迟缓 → 妨碍

【同】tardy（*adj.* 行动慢的；迟到的）；retarded（*adj.* 智力迟钝的）

【反】speed up（加速）；accelerate / precipitate（*v.* 加速）；expedite / catalyze（*v.* 促进）

reticent* ［ˈretisənt］*adj.* **沉默不语的**（inclined to be silent; reserved）

【记】词根记忆：re+tic(=silent 安静)+ent→再次安静→沉默寡言的

RESTRAINT	RESUME	RESURGENCE	RESURRECT	RESUSCITATE
RETAIL	RETAIN	RETAINER	RETALIATE	RETALIATION
RETARD	RETICENT			

【参】taciturn（*adj.* 沉默的）
【派】reticence（*n.* 沉默寡言）
【反】loquacious （*adj.* 多话的）；vociferous （*adj.* 大声叫喊的）；voluble（*adj.* 爱说话的）

retinue ［ˈretinjuː］*n.* **侍从；随员团**（a group of attendants）
【记】词根记忆：re＋tin（拿住）＋ue → 拿东西的人 → 随从

retiring ［riˈtaiəriŋ］*adj.* **隐居的，不喜欢社交的**（reserved；shy）
【记】来自 retire （*v.* 退休，隐居），re＋tire （拉）→ 拉回去了 → 隐居

retort* ［riˈtɔːt］*v.* **反驳**（to answer by a counter argument）
【记】词根记忆：re（反）＋tort（扭）→ 反扭 → 反驳
【同】distort（*v.* 歪曲）；tortuous（*adj.* 弯曲的）→ 调色

retouch* ［ˌriːˈtʌtʃ］*v.* **修描；润色** （to improve a picture or photograph by adding small strokes）
【记】re＋touch（用画笔轻画）

retrace ［riˈtreis］*v.* **回顾，追想**（to go over sth. again）
【记】词根记忆：re＋trace（踪迹）→ 找回踪迹 → 回顾

retract* ［riˈtrækt］*v.* **缩回，收回**（to take back or withdraw）
【记】词根记忆：re＋tract（拉）→ 拉回去 → 缩回
【派】retraction（*n.* 收回，缩回）
【反】foster（*v.* 鼓励）

retreat* ［riˈtriːt］*n.* / *v.* **撤退** （withdrawal of troops）；**隐居处** （a place of privacy or safety；refuge）
【记】词根记忆：re＋treat（=tract 拉）→ 拉回 → 撤退
【反】incursion（*n.* 入侵）

retrench ［riˈtrentʃ］*v.* **节省，紧缩费用**（to economize；cut down expenses）
【记】re＋trench（切掉）→ 把开支再切掉 → 节省
【参】trench（*n.* 沟渠）
【反】enlarge（*v.* 增大）

retribution* ［ˌretriˈbjuːʃən］*n.* **报应，惩罚**（sth. given as punishment）
【记】词根记忆：re＋tribut（给予）＋ion → 反过来给予 → 报应
【同】contribution（*n.* 贡献）；attribute（*v.* 把…归因于）

retrieve* ［riˈtriːv］*v.* / *n.* **寻回，取回**（regain）；**挽回**（错误）（to remedy the evil consequences of；correct）
【记】词根记忆：re＋trieve（=find 找到）→ 重新找到 → 寻回
【派】retrieval（*n.* 取回，补偿）

revealing* ［riˈviːliŋ］*adj.* **暴露的，裸露的**（allowing parts to be seen）；**揭露性的**（giving some unexpected information）

revelation* ［ˌreviˈleiʃən］*n.* **显示** （an act of making sth. known or seen）；**泄露的事实**（something revealed）
【记】revel（=reveal 揭露）＋ation → 揭露，显示

RETINUE	RETIRING	RETORT	RETOUCH	RETRACE
RETRACT	RETREAT	RETRENCH	RETRIBUTION	RETRIEVE
REVEALING	REVELATION			

revelry [ˈrevlri] *n.* 狂欢(noisy partying or merrymaking)
【记】来自 revel(*v.* 陶醉，狂欢)，可能是 rebel(*v.* 造反)的变体

revenge* [riˈvendʒ] *n.* **报复，报仇**(retaliation)
【记】词根记忆：re + venge(惩罚)→反惩罚→报复
【同】vengeful(*adj.* 复仇心重的)

revenue [ˈrevinjuː] *n.* **总收入** (the total income)；**国家的税收收入**→(the income of a govenment from all sources)
【记】词根记忆：re + ven(来)+ ue→回来的东西→收入
【同】revenant(*n.* 归来之人，亡魂)

reverberate [riˈvəːbəreit] *v.* **起回声，反响**(resound; echo)
【记】词根记忆：re + verber (打，振动)+ ate→振动回来→起回声

revere* [riˈviə] *v.* **尊敬**(to have deep respect)
【反】jape at(嘲弄); jeer(*v.* 讥讽); jibe(*v.* 嘲笑); taunt(*v.* 嘲弄); profane(*v.* 亵渎)

reverie* [ˈrevəri] *n.* **幻想，梦幻曲**(daydream)
【记】词根记忆：rever(做梦)+ ie→幻想，梦幻曲

reverse* [riˈvəːs] *n.* **反面** (the back part)；**相反** (opposite)；*v.* **倒车**(to perform action in the opposite direction)；**反转**(to turn backward)
【记】词根记忆：re + verse(转)→反转

revert [riˈvəːt] *v.* **恢复，回复到**(to go back to)；**重新考虑**(to talk about or consider again)

revile [riˈvail] *v.* **辱骂，恶言相向**(to use abusive language; rail)
【记】词根记忆：re + vile(卑鄙的，邪恶的)→辱骂

revise* [riˈvaiz] *n.* / *v.* **改变，修正** (to change because of new information or more thought)
【派】revision(*n.* 修改，校订；修订本)

revitalize* [riːˈvaitəlaiz] *v.* **使重新充满活力**(to give new life or vigor to; rejuvenate)
【记】词根记忆：re + vital(有活力的)+ ize→使…重新有活力
【同】vitality(*n.* 生命力，活力); vital(*adj.* 有效的)

revive* [riˈvaiv] *v.* **使苏醒**(to become conscious again)；**再流行**(to come or bring back into use)；**使复活**(to bring back to life)
【反】wither(*v.* 枯萎); lull(*v.* 使麻痹)

REVELRY	REVENGE	REVENUE	REVERBERATE	REVERE
REVERIE	REVERSE	REVERT	REVILE	REVISE
REVITALIZE	REVIVE			

revolt* [riˈvəult] *v.* 叛乱，造反 (to renounce allegiance or subjection; rebel); 反感 (to turn away with disgust)
【记】词根记忆：re(反)+volt(转)→反过来转→叛乱

revue [riˈvjuː] *n.* 时事讽刺剧 (a light theatrical show with short acts and etc.)

reward* [riˈwɔːd] *n.* 酬报，奖赏 (money offered or given for some special service); *v.* 酬谢，奖赏 (to give a reward to)
【反】relinquish (*v.* 让与，放弃)

rewarding [riˈwɔːdiŋ] *adj.* 有益的，值得做的 (worth doing or having)
【反】drudgery (*adj.* 苦工的)

rhetoric* [ˈretərik] *n.* 修辞学，浮夸的言语 (insincere or grandiloquent language)
【记】来自Rhetor(古希腊的修辞学教师，演说家)

rhinestone* [ˈrainstəun] *n.* 莱茵石 (a colorless imitation stone of high luster made of glass, paste, or gem quartz)
【记】组合词：rhine(莱茵河)+stone(石)→一种透明无色的钻石仿制品，因首制于莱茵河畔而得名

rhubarb* [ˈruːbɑːb] *n.* 〔植〕大黄；*n.* / *v.* 喧闹争吵 (a heated dispute or controversy)

rhyme* [raim] *n.* 押韵 (words that rhyme at the ends); *v.* 押韵 (to end with the same sound)

rhythmic* [ˈriðmik] *adj.* 有节奏的 (marked by pronounced rhythm)
【记】rhythm(节奏)+ic→有节奏的
【参】arrhythmic (*adj.* 无节奏的)

rib* [rib] *n.* 肋骨；伞骨 (one of the stiff strips supporting an umbrella's fabric)

ribald* [ˈribəld] *adj.* 下流的，粗鄙的 (crude; using coarse indecent humor)
【记】分拆联想：ri(拼音：日)+bald(光秃的)→白天光着→下流的
【派】ribaldry (*n.* 粗俗下流的言词或笑话)
【反】seemly (*adj.* / *adv.* 适宜的[地])

rickety [ˈrikiti] *adj.* 不牢靠的，摇摇欲坠的 (likely to break or fall apart)

riddle* [ˈridl] *n.* 谜语

rider [ˈraidə] *n.* 骑手 (one that rides); 附文，附件 (an addition to a document often attached on a separate piece of paper)

ridge* [ridʒ] *n.* 脊(如屋脊、山脊等); 隆起物

ridicule* [ˈridikjuːl] *n.* 奚落 (unkind expression of amusement); *v.* 嘲笑 (to laugh unkindly at)
【记】词根记忆：rid(笑)+icule→嘲笑
【同】deride (*v.* 嘲弄)

REVOLT	REVUE	REWARD	REWARDING	RHETORIC	RHINESTONE
RHUBARB	RHYME	RHYTHMIC	RIB	RIBALD	RICKETY
RIDDLE	RIDER	RIDGE	RIDICULE		

rife* [raif] *adj.* **流行的，普遍的**（prevalent to an increasing degree）

【记】和 life 一起记。Life is rife.（生命是普遍的。）

【反】sparse（*adj.* 极少的）

rifle* [ˈraifl] *n.* **步枪**；*v.* **抢劫**（to ransack with the intent to steal）

rift* [rift] *n.* **裂口，断裂**（fissure; crevasse）；**矛盾**（a separation between people）

【反】reconciliation（*n.* 和解）

rig [rig] *v.* **欺骗，舞弊，伪造**（to manipulate by deceptive or dishonest means）

rigid* [ˈridʒid] *adj.* **硬性的，刚硬的**（stiff; not flexible or pliant）

【反】pliable（*adj.* 柔软的）

rigor* [ˈrigə] *n.* **严酷；严格，苛刻**（severity; strictness）；**严密，精确**（strict precision）

rile [rail] *v.* **使…恼火，激怒**（irritate; vex）

【反】appease（*v.* 平息）

rind* [raind] *n.*（西瓜等）**外皮**（hard or tough outer layer）

【记】和 find(*v.* 寻找)一起记

ringlet* [ˈriŋlit] *n.* **卷发**（a long curl of hair）

【记】词根记忆：ring（卷）+ let（小）→ 小卷发

The supreme happiness of life is the conviction that we are loved.

生活中最大的幸福是坚信有人爱我们。

——法国小说家 雨果（Victor Hugo, French novelist）

Word List 32

riot [ˈraiət] *v.* 参加暴动(to create or engage in a riot)
【反】sedate(*v.* 使镇静)

riotous [ˈraiətəs] *adj.* 暴乱的；骚动的(turbulent)；喧闹的(boisterous)

ripen* [ˈraipən] *v.* 使成熟(to become or make ripe)
【记】来自 ripe(*adj.* 成熟的)

ripple* [ˈripl] *v.* 起涟漪(to move in small waves)；*n.* 细浪，涟漪
【例】She threw a stone into the pond and watched the *ripples* spread.(她把一块石头扔到池塘里，看着圈圈涟漪扩散开去。)

rite* [rait] *n.*(宗教的)仪式(a ceremonial act or action)
【反】improvised act(即席行为)

ritual* [ˈritʃuəl] *n.* 仪式，例行习惯(ceremonial act or action)
【记】来自 rite(仪式)+ual → 仪式

rival* [ˈraivəl] *n.* 竞争者，对手(one striving for competitive advantage)；*v.* 与…匹敌(to equal)
【例】Ships can't *rival* planes for speed.(船的速度比不上飞机。)

rivalry [ˈraivəlri] *n.* 竞争，对抗(the state of being a rival)

rive [raiv] *v.* 撕开，分裂(to rend or tear apart)
【反】unite(*v.* 联合)

riven* [ˈrivən] *adj.* 撕裂的，分裂的(split violently apart)
【反】intact(*adj.* 完好无损的)

rivet* [ˈrivit] *n.* 铆钉；*v.* 吸引(注意力)(to attract completely)

riveting [ˈrivitiŋ] *adj.* 非常精彩的(engrossing; fascinating)
【例】a *riveting* speech(精彩演讲)

rivulet [ˈrivjulit] *n.* 小溪，小河(a small stream)
【记】词根记忆：rivu(=river 河)+let(小) → 小河

robe [rəub] *n.* 长袍，礼服(a long flowing outer garment)
【记】分拆联想：rob(抢劫)+e → 把长袍抢走(rob the robe)
【参】lobe(*n.* 耳垂)

RIOT	RIOTOUS	RIPEN	RIPPLE	RITE
RITUAL	RIVAL	RIVALRY	RIVE	RIVEN
RIVET	RIVETING	RIVULET	ROBE	

robust [rə'bʌst] *adj.* 健壮的(having or exhibiting strength)
【记】中国的"乐百氏"矿泉水就来自这个单词

roe* [rəu] *n.* 鱼卵(the eggs of fish)

roil* [rɔil] *v.* 煽动; 搅浑(to stir up)
【反】settle(*v.* 使稳定); clarify(*v.* 澄清); appease(*v.* 安抚)

rookie* ['ruki] *n.* 新兵, 新手(someone who is new and has no experience)
【记】联想记忆: 新兵(rookie)爱吃小点心(cookie)

roster* ['rəustə] *n.* 值班表, 花名册(a list of military or naval personnel or groups; any list; roll)

rostrum* ['rɔstrəm] *n.* 讲台, 讲坛(a raised place for a public speaker)

rotate* [rəu'teit] *v.* 旋转, 转动(to turn round a fixed point or axis); 轮流, 交替(alternate)
【派】rotation(*n.* 旋转)

rotten* ['rɔtn] *adj.* 腐败的(gone bad); 糟糕的(unsatisfactory)

roughen* ['rʌfən] *v.* 变得粗糙, 变得不平(to make or become rough)
【记】rough(粗糙的)+en → 变得粗糙

royalty* ['rɔiəlti] *n.* 版税 (percentage paid for the work of an author, composer, etc. by the publisher)

rubicund ['ruːbikənd] *adj.* (脸色)红润的(reddish; ruddy)
【记】词根记忆: rub(红色)+icund → 红色的, 红润的
【同】rubify(*v.* 使成为红色); ruby(*n.* 红宝石)
【反】pale(*adj.* 苍白的)

rudder* ['rʌdə] *n.* 船舵; 领导者
【记】联想记忆: 奔跑者(runner)和领导者(rudder)
【例】Mary turned the *rudder* sharply to avoid hitting the rock. (玛丽一个急转舵, 避开了礁石。)

rudimentary [ˌruːdi'mentəri] *adj.* 初步的, 未充分发展的 (fundamental; elementary)
【记】词根记忆: rudi (无知的, 粗鲁的)+ment+ary → 无知状态 → 初步的
【同】erudite(*adj.* 深奥的)

rue* [ruː] *n.* 后悔, 遗憾(repent or regret)
【反】satisfaction(*n.* 满意)

ruffian* ['rʌfiən] *n.* 恶棍, 歹徒 (a brutal person; bully); *adj.* 残暴的 (brutal; violent)
【记】分拆联想: ruff(音同 rough)+ian(人) → 粗暴的人 → 恶棍, 歹徒

ruffle* ['rʌfl] *v.* 弄皱 (to become uneven or wrinkled); 激怒 (to become disturbed

ROBUST	ROE	ROIL	ROOKIE	ROSTER	ROSTRUM
ROTATE	ROTTEN	ROUGHEN	ROYALTY	RUBICUND	RUDDER
RUDIMENTARY	RUE	RUFFIAN	RUFFLE		

or irritated); *n.* 皱边(装饰衣服)

【反】preen (*v.* 以嘴整理〔羽毛〕; 打扮自己)

ruminant [ˈruːminənt] *adj.* (动物)反刍的 (characterized by the chewing of cud); 沉思的 (meditative; thoughtful)

【记】词根记忆: rumin (=rumen 反刍动物的第一胃"瘤胃") + ant → 反刍的

rumple* [ˈrʌmpl] *v.* 弄皱, 弄乱 (to make or become disheveled or tousled)

【记】分拆联想: rum (看作 room) + ple (看作 people) → 房间里面来了好多人 → 弄乱

【例】*rumpled* curls (蓬乱的卷发)

【反】preen (*v.* 打扮整洁)

rung* [rʌŋ] *n.* 梯子横档, 梯级 (cross bars that form the steps of a ladder)

runic* [ˈruːnik] *adj.* 北欧古代文字的; 神秘的

【记】分拆联想: run (追逐) + ic (…的) → 吸引人不断追逐的 → 神秘的

rupture [ˈrʌptʃə] *n.* / *v.* 破裂, 断裂 (to break apart or burst)

【记】词根记忆: rupt (断) + ure → 断裂

【同】erupt (*v.* 喷发); corrupt (*adj.* 腐败的)

rural* [ˈruərəl] *adj.* 乡村的 (characteristic of the country)

【记】词根记忆: rur (乡村) + al → 乡村的

【同】ruralize (*v.* 使农村化); rurality (*n.* 农村景色)

ruse [ruːz] *n.* 骗术, 诡计 (trick to deceive; stratagem)

【记】联想记忆: 用玫瑰 (rose) 来骗取 (ruse) 姑娘的芳心 → 骗术, 诡计

rustic [ˈrʌstik] *adj.* 乡村的, 乡土气的 (of, relating to, or suitable for the country)

【记】词根记忆: rust (乡村) + ic → 乡村的

【同】rusticity (*n.* 乡村风味; 笨拙)

【反】polished (*adj.* 雅致的); urbane (*adj.* 优雅的)

ruthlessness* [ˈruːθlisnis] *n.* 无情, 残忍 (cruelty)

【反】clemency (*n.* 仁慈)

sabotage [ˈsæbətɑːʒ] *n.* 阴谋破坏, 颠覆活动 (intentional destruction)

【记】sabot (木鞋) + age, 原指将木鞋扔进机器进行破坏

saboteur [ˌsæbəˈtəː] *n.* 从事破坏活动者 (one who commits sabotage)

【记】法语词

saccharin* [ˈsækərin] *n.* 糖精

【记】词根记忆: sacchar (糖) + in → 糖精

【同】saccharine (*adj.* 声调极甜的); saccharize (*v.* 使糖化)

sacred* [ˈseikrid] *adj.* 神圣的, 庄严的 (holy; inviolable)

sacrifice* [ˈsækrifais] *n.* 牺牲; *v.* 宰牲祭神 (to offer as a sacrifice)

RUMINANT	RUMPLE	RUNG	RUNIC	RUPTURE
RURAL	RUSE	RUSTIC	RUTHLESSNESS	SABOTAGE
SABOTEUR	SACCHARIN	SACRED	SACRIFICE	

sacrilege* [ˈsækrilidʒ] *n.* **亵渎，冒犯神灵** (outrageous violation of what is sacred)
【反】respect (*n.* / *v.* 尊敬)

sacrilegious [ˌsækriˈlidʒəs] *adj.* **亵渎神圣的** (treating a sacred thing or place with disrespect)
【记】分拆联想：sacr (神圣的) + i + leg (读) + ious → 说神的坏话 → 渎神的

sadden* [ˈsædn] *v.* **使伤心，使悲哀** (to make sad)
【反】exhilarate (*v.* 使高兴)

saddle* [ˈsædl] *n.* **鞍，马鞍** (a seat of a rider on a horse)

safeguard [ˈseifgɑːd] *n.* **防范措施** (guard against loss or injury)
【记】组合词：safe (安全的) + guard (保卫) → 防范措施

sagacious [səˈgeiʃəs] *adj.* **聪明的，睿智的** (showing keen perception and foresight)
【记】来自 sage (智慧) + acious → 敏锐的，聪明的
【反】without wisdom (无智慧的); puerile (*adj.* 幼稚的)

sage* [seidʒ] *adj.* **智慧的** (wise; discerning); *n.* **智者** (a very wise person)

saintly* [ˈseintli] *adj.* **圣徒似的，极为圣洁的** (of, like, or suitable to a saint; holy)
【记】saint (圣徒) + ly → 圣徒似的，极为圣洁的
【反】saintly behavior (高尚的行为) 〈〉 turpitude (*n.* 卑劣)

salient* [ˈseiljənt] *adj.* **显著的，突出的** (noticeable; conspicuous; prominent)
【记】词根记忆：sal (跳) + ient → 跳起来 → 突出的
【反】unconspicuous (*adj.* 不引人注意的)

saliva* [səˈlaivə] *n.* **唾液，口水**

salmon* [ˈsæmən] *n.* **大麻哈鱼；鲜肉色** (yellowish-pink)

salubrious* [səˈljuːbriəs] *adj.* **有益健康的** (promoting health; salutary)
【记】词根记忆：salubr (健康) + ious → 健康的 → 有益健康的
【反】unhealthy (*adj.* 不利健康的); virulent (*adj.* 剧毒的); deleterious (*adj.* 有害的)

salutary* [ˈsæljutəri] *adj.* **有益的，有益健康的** (promoting or conducive to health)
【记】词根记忆：salut (健康) + ary → 有益健康的，有利的
【反】unhealthy (*adj.* 不利健康的); deleterious (*adj.* 有害健康的)

salutation* [ˌsælju(ː)ˈteiʃən] *n.* **招呼，致意，敬礼** (expression of greeting by words or action)

salute* [səˈluːt] *v.* **行举手礼** (to make a salute); **向…致意** (to greet with polite words or with a sign); *n.* **行军礼** (a military sign of recognition)

salvage* [ˈsælvidʒ] *n.* / *v.* (从灾难中) **抢救，海上救助** (to save sth. from loss, fire, wreck, etc.)

SACRILEGE	SACRILEGIOUS	SADDEN	SADDLE	SAFEGUARD	SAGACIOUS
SAGE	SAINTLY	SALIENT	SALIVA	SALMON	SALUBRIOUS
SALUTARY	SALUTATION	SALUTE	SALVAGE		

【记】词根记忆：salv（救）+ age → 抢救

【参】salvable（*adj.* 可抢救的）

salve* [sɑːv] *n.* **药膏**（oily substance used on wounds）；*v.* **减轻，缓和**（to soothe；assuage）

【记】词根记忆：salv（救）+ e → 解救的东西 → 药膏

sampler* [ˈsɑːmplə] *n.* **刺绣花样**（decorative piece of needlework typically used as an example of skill）；**取样员**（a person who prepares or selects samples for inspection）

【记】词根记忆：sample（样子）+ r → 取样员

【同】example（*n.* 榜样）；sampling（*n.* 取样，样品）

sanctify [ˈsæŋktifai] *v.* **使神圣**（to purify；to consecrate）

【反】desecrate（*v.* 亵渎）

sanctimonious [ˌsæŋktiˈməunjəs] *adj.* **假装神圣的**（hypocritically pious or devout）

sanction* [ˈsæŋkʃən] *n.* / *v.* **批准，认可**（to ratify or confirm；countenance）

【记】词根记忆：sanct（神圣）+ ion → 神圣之物，原指教会的法令，引申为"批准"、"赞许"

【反】proscribe（*v.* 禁止）

sandal* [ˈsændl] *n.* **凉鞋，拖鞋**

sane* [sein] *adj.* **神志清楚的，明智的**（having a normal, healthy mind；sensible）

【例】No *sane* man would do that.（是个正常的人都不会那样做。）

sanguine* [ˈsæŋgwin] *adj.* **乐观的**（cheerful and confident；optimistic）

【记】词根记忆：sanguin（血）+ e → 有血色的 →（病情）乐观的

【反】morose（*adj.* 忧郁的）；despondent（*adj.* 绝望的）

sanity* [ˈsæniti] *n.* **神志清楚**（soundness of mind and judgement）

sap* [sæp] *n.* **树液；活力**（the watery fluid that circulates through a plant；vigor; vitality）；*v.* **消弱，耗尽**（weaken; exhaust）

【反】bolster（*v.* 支持）；fortify（*v.* 支持）

sapient [ˈseipiənt] *adj.* **有智慧的**（full of knowledge；sagacious；discerning）

【记】词根记忆：sap（=wise 智慧）+ ient → 有智慧的

【派】sapience（*n.* 贤明，睿智）

【反】foolish（*adj.* 愚蠢的）

sapphire [ˈsæfaiə] *n.* **青石，蓝宝石**（clear, bright blue jewel）；*adj.* **天蓝色的**（deep blue）

【例】a *sapphire* brooch（蓝宝石的别针）

sarcastic* [sɑːˈkæstik] *adj.* **讽刺的**（sneering；caustic；ironic）

【例】John's *sarcastic* comments insulted David.（约翰带讽刺意味的话侮辱了戴维。）

sartorial* [sɑːˈtɔːriəl] *adj.* **裁缝的，缝制的**（of or relating to a tailor or tailored clothes）

【记】sartor（裁缝）+ ial → 裁缝的

□ SALVE	□ SAMPLER	□ SANCTIFY	□ SANCTIMONIOUS	□ SANCTION
□ SANDAL	□ SANE	□ SANGUINE	□ SANITY	□ SAP
□ SAPIENT	□ SAPPHIRE	□ SARCASTIC	□ SARTORIAL	

sash* [sæʃ] *n.* 肩带 (an ornamental band, ribbon, or scarf worn over the shoulder)

sate* [seit] *v.* 使心满意足，使厌腻(to gratify completely; glut)
【记】词根记忆：sat(满)+e→满足
【同】satiety(*n.* 饱足，厌腻)；satisfy(*v.* 满足)；satiate(*v.* 使充分满足，使饱足)
【反】starve(*v.* 使挨饿)

satiated* [ˈseiʃieitid] *adj.* 充分满足的(fully satisfied)；厌倦的，生腻的(tired of)
【记】分拆联想：sat(坐)+i+ate(吃)+d→我可以坐下吃东西了→充分满足的

satire* [ˈsætaiə] *n.* 讽刺(作品)(the use of irony to expose vices)
【记】分拆联想：sat(坐)+tire(疲劳)→坐着讽刺别人到疲劳为止

satirize* [ˈsætiraiz] *v.* 讽刺(to use satire against)

saturate* [ˈsætʃəreit] *v.* 浸透(to put as much liquid as possible into)；使充满(to fill completely)
【记】词根记忆：satur(足够)+ate→使足够→使充满
【反】saturate with water(使充满水)〈〉dehydrate(*v.* 脱水)

saturnine* [ˈsætə(ː)nain] *adj.* 忧郁的，阴沉的(sluggish; sullen)
【记】来自 Saturn(土星)+ine→据说生于土星宫时的人性格忧郁
【反】genial(*adj.* 愉快的)；jovial(*adj.* 欢愉的)

saunter* [ˈsɔːntə] *n.* / *v.* 闲逛，漫步(to walk about idly; stroll)
【记】分拆联想：s(看作 see)+aunt(姑姑)+er→看姑姑去→闲逛而去

savage [ˈsævidʒ] *adj.* 凶猛的，野蛮的(fierce; ferocious; untamed)
【记】词根记忆：sav(树木，森林)+age→原始森林状态的→野蛮的

savant* [ˈsævənt] *n.* 博学之士，大学士 (a learned person; eminent scholar)
【记】词根记忆：sav(=sap 智慧)+ant→有智慧之人，大学士
【反】unlearned person(无知者)

savvy [ˈsævi] *adj.* 有见识和精明能干的(well informed and perceptive; shrewd)
【反】tactless(*adj.* 不老练的)

sawdust* [ˈsɔːdʌst] *n.* 锯屑(minute particles of wood)
【记】组合词：saw(锯子)+dust(灰尘)→锯子下的灰尘→锯屑

scabbard* [ˈskæbəd] *n.* (刀、剑)鞘 (a sheath or case to hold the blade of a sword or dagger)
【记】分拆联想：scab(疤)+bard(马的铠甲)

scad* [skæd] *n.* 许多，大量(large numbers or amounts)

SASH	SATE	SATIATED	SATIRE	SATIRIZE
SATURATE	SATURNINE	SAUNTER	SAVAGE	SAVANT
SAVVY	SAWDUST	SCABBARD	SCAD	

scaffold* [ˈskæfəuld] *n.* 脚手架(造房时搭的架子)(a temporary wooden or metal framework for supporting workmen and materials)

scalding [ˈskɔːldiŋ] *adj.* 滚烫的(hot enough to scald)

scale* [skeil] *n.* 鱼鳞;〔音〕音阶(a graduated series of musical tones)

scalpel* [ˈskælpəl] *n.* 外科手术刀,解剖刀 (a small straight thin bladed knife used in surgery)

【记】分拆联想:scalp(头皮)+el→割头皮的手术刀→外科手术刀

scandal* [ˈskændl] *n.* 丑闻;恶意诽谤(malicious or defamatory gossip)

scant* [skænt] *adj.* 不足的,缺乏的(barely or scarcely sufficient)

【反】profuse(*adj.* 丰富的)

scarcity* [ˈskeəsiti] *n.* 不足,缺乏(a state of being scarce)

【反】plethora(*n.* 过多)

scarf* [skɑːf] *n.* 围巾,披肩

scathing* [ˈskeiðiŋ] *adj.* 苛刻的,严厉的(bitterly severe)

【反】calmly complimentary(冷静赞扬的)

scatter* [ˈskætə] *v.* 散开,驱散(to separate or cause to separate widely)

【反】collect(*v.* 收集); nucleate(*v.* 聚合)

scenario [siˈnɑːriəu] *n.* 剧本提纲 (an outline or synopsis of a play); 剧本(screenplay)

【记】词根记忆:scen(=scene 场景)+ario→剧本提纲

schematic [skiˈmætik] *adj.* 纲要的,图解的(of or relating to an outline)

【记】来自 schema(图表,纲要)+tic→纲要的

schematize [ˈskiːmətaiz] *v.* 扼要表示(to express or depict in an outline)

scheme* [skiːm] *n.* 阴谋(a crafty or secret plan);(作品等)体系,结构(a systematic or organized framework; design)

【记】注意不要和 schema(*n.* 图表)相混

schism [ˈsizəm] *n.* 组织分裂(formal division in or separation from a church or religious body)

【派】schismatic(*adj.* 分裂的)

school* [skuːl] *n.* 鱼群(a large group of aquatic animals)

scion [ˈsaiən] *n.* 嫩芽 (a detached living portion of a plant joined to a stock in grafting); 子孙(descendant; child)

scissor* [ˈsizə] *n.* 剪刀

【记】词根记忆:sciss(分开,分裂)+or→分开,剪开→剪刀

scoff [skɔf] *v.* 嘲笑(to sneer; mock); 狼吞虎咽(to eat greedily); *n.* 嘲笑,笑柄

scoop* [skuːp] *n.* 小铲,勺子; *v.* (用勺子)取出,舀出(to take up or out with a scoop)

scope* [skəup] *n.* 眼界;范围

scorch* [skɔːtʃ] *v.* 烤焦,烧焦(to dry or shrivel with intense heat)

【例】The maid *scorched* the shirt in ironing it.(保姆把衬衣熨焦了。)

SCAFFOLD	SCALDING	SCALE	SCALPEL	SCANDAL	SCANT
SCARCITY	SCARF	SCATHING	SCATTER	SCENARIO	SCHEMATIC
SCHEMATIZE	SCHEME	SCHISM	SCHOOL	SCION	SCISSOR
SCOFF	SCOOP	SCOPE	SCORCH		

score* [skɔː] *n.* 乐谱(musical composition in written or printed notation)
【记】score 作为"分数，得分"的意思大家都很熟悉

scorn* [skɔːn] *n.* 轻蔑 (disrespect or derision mixed with indignation); *v.* 轻蔑，瞧不起(to show disdain or derision)
【反】adulate (*v.* 奉承)

scorpion* [ˈskɔːpiən] *n.* 蝎子

scotch* [skɔtʃ] *v.* 镇压，粉碎(to put an end to)
【记】Scotch (苏格兰) 和 scotch 拼写一致
【反】encourage (*v.* 鼓励)

scourge [skəːdʒ] *n.* 鞭笞 (whip); 磨难 (a cause of great affliction); *v.* 鞭笞，磨难(to flog; afflict)
【记】和 courage (*n.* 勇气) 一起记

scowl* [skaul] *n.* 怒容; *v.* 生气地皱眉，怒视 (to frown angrily; make a scowl)

scrap* [skræp] *n.* 小片，碎屑(a fragment of sth.); *v.* 废弃(to abandon)
【记】和 scrape (*v.* 刮，擦) 一起记

scrappy* [ˈskræpi] *adj.* 碎片的 (made of disconnected pieces); 好斗的(liking to fight); 坚毅的(determined; gutsy)
【反】timorous (*adj.* 胆怯的)

scrawl [skrɔːl] *v.* 潦草地写，乱涂(to write awkwardly or carelessly)
【记】分拆联想: s + crawl (爬) → 乱爬 → 乱涂

screw* [skruː] *n.* 螺丝钉，螺旋(a type of fastener that is like a nail); 吝啬鬼(a mean person)

screwdriver [ˈskruːdraivə] *n.* 螺丝起子; 改锥(a tool for turning screws)
【记】组合词: screw (螺丝钉) + driver (起子)

scribble* [ˈskribl] *v.* 乱写，乱涂(to write and draw hastily and carelessly)
【记】词根记忆: scrib (写) + ble → 潦草乱写
【参】script (*n.* 剧本，脚本); scripture (*n.* 经文，圣典)

script* [skript] *n.* 剧本，脚本(a copy of the text of a play, film, etc.)

scripture* [ˈskriptʃə] *n.* 经文，圣典 (a body of writing considered sacred or authoritative)
【记】词根记忆: script (写) + ure → 写出的东西 → 经文

scroll* [skrəul] *n.* 卷轴，纸卷(a roll used for writing a document); 画卷

scrub [skrʌb] *n.* 矮树丛 (shrub); 身体矮小的人 (a person of insignificant size); *v.* 用力擦洗(to clean with hard rubbing; to scour)
【例】It is so dry that only isolated trees and low *scrub* can survive there. (那里过于干旱，只有个别几棵树和低矮的灌木丛能活下来。)

scruple [ˈskruːpl] *n.* 顾忌，迟疑 (an ethical consideration or principle that inhibits action); *v.* 顾忌(to hesitate)
【参】scrupulous (*adj.* 谨慎小心的，细心的)

SCORE	SCORN	SCORPION	SCOTCH	SCOURGE	SCOWL
SCRAP	SCRAPPY	SCRAWL	SCREW	SCREWDRIVER	SCRIBBLE
SCRIPT	SCRIPTURE	SCROLL	SCRUB	SCRUPLE	

【例】He did not *scruple* to tell when it served his interests.（当对他的利益有好处时，他会毫无顾忌地说出来。）

scrutable* [ˈskruːtəbl] *adj.* 可以理解的（capable of being deciphered）

【反】mysterious（*adj.* 神秘的）

scrutinize* [ˈskrutinaiz] *v.* 详细检查；细读（to examine closely and minutely）

【记】词根记忆：scrutin（检查）+ize→详细检查

【同】scrutable（*adj.* 可辨认的）；scrutiny（*n.* 精读）

【反】gloss over（敷衍）；scrutable（*adj.* 可辨查的）〈〉mysterious（*adj.* 神秘的）

scuff [skʌf] *v.* 拖着脚走（to scrape the feet while walking；to shuffle）

sculpt* [skʌlpt] *v.* 雕刻（to carve；sculpture）

【记】sculpture（*n.* 雕刻）去掉 ure

【派】sculpture（*n.* 雕塑）

scurrilous [ˈskʌriləs] *adj.* 下流的（being vulgar and evil）

【记】scurril（下流）+ous→下流的；可以和 scurry（*v.* 急跑）一起记

scurry* [ˈskʌri] *v.* 急跑，疾行（to move in a brisk pace；scamper）

【例】*scurry* off to find a doctor（急忙赶去找医生）

scurvy* [ˈskəːvi] *adj.* 卑鄙的，可鄙的（despicable）

【记】不要和 scurry（*v.* 急跑）相混

【反】above reproach（无可指责的）

scythe* [saið] *n.* 大镰刀（an implement used for mowing）

seam* [siːm] *n.* 缝，接缝（line along which two edges are joined）

【参】seamstress（*n.* 女裁缝）

seamy* [ˈsiːmi] *adj.* 肮脏的，恶劣的（unpleasant；degraded；sordid）

【记】seam（缝）+y→裂缝里的→肮脏的

【反】decent and respectable（体面而值得尊敬的）

sear [siə] *v.*（以烈火）烧灼（to burn or scorch with intense heat）

seasoned [ˈsiːznd] *adj.* 有经验的，训练有素的（experienced）

seasoning* [ˈsiːzniŋ] *n.* 调味品，作料（an ingredient added to food）

secede* [siˈsiːd] *v.* 正式脱离或退出（组织）（to withdraw from an organization）

【记】词根记忆：se（分开）+cede（走）→走开→正式脱离

【派】secession（*n.* 脱离，退出）

secrete* [siˈkriːt] *v.* 隐藏（to deposit and conceal in a hidden place）；分泌（to separate a substance from cells or bodily fluids）

【记】来自 secret（秘密的）+e

【反】absorb（*v.* 吸收）

secretive* [ˈsiːkrətiv] *adj.* 守口如瓶的（liking to keep one's thoughts）

【反】grandiloquent（*adj.* 夸大的，张扬的）

secular [ˈsekjulə] *adj.* 世俗的，尘世的（worldly rather than spiritual）

【例】*secular* affairs（世事）；*secular* drama（世俗戏剧）

SCRUTABLE	SCRUTINIZE	SCUFF	SCULPT	SCURRILOUS	SCURRY
SCURVY	SCYTHE	SEAM	SEAMY	SEAR	SEASONED
SEASONING	SECEDE	SECRETE	SECRETIVE	SECULAR	

secure* [siˈkjuə] *adj.* 安全的 (safe); 稳固的 (steady); *v.* 固定 (to hold or close tightly); 使安全 (to make safe)

【反】unfasten (*v.* 松开)

securities* [siˈkjuəritiz] *n.* 证券 (an official piece of writing giving the owner the right to certain property)

sedate* [siˈdeit] *adj.* 镇静的 (keeping a quiet steady attitude; unruffled)

【记】词根记忆: sed (=sid 坐下) + ate → 坐下来的 → 安静的, 镇静的

【反】riotous (*adj.* 骚动的)

sedative* [ˈsedətiv] *adj.* (药物) 镇静的 (tending to calm excitement); *n.* 镇静剂

sedentary* [ˈsedəntəri] *adj.* 久坐的 (requiring much sitting)

【记】词根记忆: sed (坐) + entary → 久坐的

【反】migratory (*adj.* 迁徙的)

sediment* [ˈsedimənt] *n.* 沉淀物, 渣 (the matter that settles to the bottom of a liquid)

【记】词根记忆: sedi (坐) + ment → 坐下去的东西 → 沉淀物

sedulity* [siˈdjuːliti] *n.* 勤奋, 勤勉 (diligence)

【反】lack of industriousness (缺乏勤奋)

sedulous* [ˈsedjuləs] *adj.* 聚精会神的, 勤勉的 (diligent in application or pursuit)

【记】词根记忆: sed (坐) + ulous (多…的) → 坐得多的 → 勤勉的

【反】careless (*adj.* 粗心的)

seedling [ˈsiːdliŋ] *n.* 幼苗 (a young plant grown from seed)

【记】词根记忆: seed (种子) + ling (小) → 小苗, 幼苗

seemly* [ˈsiːmli] *adj.* 得体的, 适宜的 (pleasing by being suitable to an occasion)

【反】indecorous (*adj.* 无礼的); uncouth (*adj.* 笨拙的); ribald (*adj.* 下流的)

seep* [siːp] *v.* (液体等) 渗漏 (to flow or pass slowly; ooze)

【形】peep (*n.* / *v.* 偷看); weep (*v.* 哭泣)

seethe* [siːð] *v.* 沸腾 (boil); 汹涌 (to boil; be in a state of rapid agitated movement)

【记】分拆联想: see (看) + the

【例】see the sea to *seethe* (看大海汹涌)

segment* [ˈsegmənt] *n.* 部分 (bit; fragment)

【记】词根记忆: seg (=sect 部分) + ment → 部分

【派】segmentable (*adj.* 可分割的); segmental (*adj.* 部分的, 片断的)

【反】whole (*n.* / *adj.* 整个[的])

seine* [sein] *n.* 拉网, 大捕鱼网 (a large net)

【记】联想记忆: 在塞纳河 (Seine) 里拉网打鱼 (seine)

SECURE	SECURITIES	SEDATE	SEDATIVE	SEDENTARY
SEDIMENT	SEDULITY	SEDULOUS	SEEDLING	SEEMLY
SEEP	SEETHE	SEGMENT	SEINE	

seismic [ˈsaizmik] *adj.* 地震的(of or caused by an earthquake)
【记】词根记忆：seism(地震)+ic → 地震的
【同】seismograph(*n.* 地震仪)；seismology(*n.* 地震学)

semblance* [ˈsembləns] *n.* 外貌 (outward and specious appearance)；相似(actual or apparent resemblance)
【记】词根记忆：sembl(相像)+ance → 相似
【同】resemble(*v.* 相似)；dissemble(*v.* 掩饰)

seminal* [ˈsiːminl] *adj.* 有创意的(original)
【同】disseminate(*v.* 播种)
【反】hampering further development(阻碍发展)；derivative(*adj.* 派生的；无新意的)

seminary* [ˈseminəri] *n.* 神学院 (an institution for the training of candidates for the priesthood)
【记】词根记忆：semin(种子)+ary → 培养(上帝)种子的地方 → 神学院
【参】seminar(*n.* 研究班)

sensation* [senˈseiʃən] *n.* 知觉(awareness)；轰动(的事)(sth. that causes people to become very excited)
【记】词根记忆：sens(感觉)+ation → 感觉，知觉
【同】sensible(*adj.* 明智的)；sensitive(*adj.* 敏感的)
【反】unnoticed event(未被注意的事件)；anaesthesia(*n.* 无感觉，麻醉)；numb(*adj.* 无知觉的)

sensible* [ˈsensəbl] *adj.* 明智的(reasonable)；可感觉到的(noticeable)

sensitive* [ˈsensitiv] *adj.* 敏感的(strongly or easily influenced by sth.)
【反】numb(*adj.* 麻木的)

sensitivity* [ˌsensiˈtiviti] *n.* 敏感，灵敏性 (the ability to sense sth.)
【反】sensitivity to pain(对疼痛敏感)〈〉analgesia(*n.* 痛感丧失)

sensitization* [ˌsensitaiˈzeiʃən] *n.* 敏化(the action or process of sensitizing)
【记】来自 sensitize(*v.* 使敏感)

sentient* [ˈsenʃənt] *adj.* 有知觉的(conscious of sense impressions)；知悉的(aware)
【记】词根记忆：sent(感觉)+ient → 有感觉的
【反】unconscious(*adj.* 无知觉的)

SEISMIC	SEMBLANCE	SEMINAL	SEMINARY	SENSATION
SENSIBLE	SENSITIVE	SENSITIVITY	SENSITIZATION	SENTIENT

sentiment* [ˈsentimənt] *n.* **多愁善感** (a tender feeling or emotion); **思想感情**
【记】词根记忆：senti（感觉）+ ment → 感情丰富
【派】sentimental (*adj.* 感情上的；多愁善感的)

sentinel* [ˈsentinl] *n.* **哨兵，卫兵** (sentry; lookout)

separate* [ˈsepəreit] *v.* **使分开** (to move apart); [ˈsepərət] *adj.* **不同的** (not the same); **独自的** (not shared with another)
【反】amalgamate (*v.* 合并); compound (*v.* 混合); meld (*v.* 合并); concatenate (*v.* 连接)

septic* [ˈseptik] *adj.* **受感染的，腐败的** (causing infection)
【记】词根记忆：sept（细菌；腐烂）+ ic → 腐败的
【同】antiseptic (*adj.* 杀菌的，防腐的)
【反】free of infection (未受感染的)

sepulchral [siˈpʌlkrəl] *adj.* **坟墓的** (suggestive of burial); **阴森的** (deep and gloomy)
【记】来自 sepulcher (*n.* 坟墓)
【反】merry (*adj.* 快乐的)

sequential* [siˈkwinʃəl] *adj.* **连续的，一连串的** (serial)
【记】词根记忆：sequ（跟随）+ ent + ial → 一个跟一个的
【参】sequence (*n.* 连续)

sequester* [siˈkwestə] *v.* (使) **隐退** (seclude; withdraw); (使) **隔离** (to set apart)
【记】注意不要和 sequestrate (*v.* 扣押) 相混
【反】mingle (*v.* 使混合)

seraphic [seˈræfik] *adj.* **如天使般的，美丽的** (like an angel)
【记】来自 seraph（守卫上帝宝座的六翼天使）+ ic

sere* [siə] *adj.* **干枯的，枯萎的** (being dried and withered)
【记】不要和 sear (*v.* 烧灼) 相混
【反】verdant (*adj.* 翠绿的); lush (*adj.* 青翠的); damp (*adj.* 潮湿的)

And gladly would learn, and gladly teach.
勤于学习的人才能乐于施教。

——英国诗人 乔叟(Chaucer, British poet)

Word List 33

serene* [si'riːn] *adj.* 清澈的；晴朗的；安静的 (completely calm and peaceful)

serial* ['siəriəl] *adj.* 连续的，一系列的(arranged in a series of things)

sermon* ['səːmən] *n.* 布道；说教，训诫

serrated* [se'reitid] *adj.* 呈锯齿状的(having marginal teeth)

【同】serration (*n.* 锯齿状)；serried (*adj.* 密集的)

【反】without notches (无刻痕的)；smooth (*adj.* 平滑的)

serried* ['serid] *adj.* 密集的(crowded or pressed together; compact)

serviceable* ['səːvisəbl] *adj.* 可用的，耐用的(fit for use)

【记】词根记忆：service (服务) + able → 可用的，耐用的

servile* ['səːvail] *adj.* 奴性的，百依百顺的(meanly or cravenly submissive; abject)

【记】词根记忆：serv (服务) + ile → 奴性的

servitude ['səːvitjuːd] *n.* 奴役，劳役 (a condition in which one lacks liberty esp. to determine one's course of action or way of life)

setback ['setbæk] *n.* 挫折(sth. that prevents successful progress)

settle* ['setl] *v.* 安置于 (place)；决定 (to decide on)；栖息 (to come to rest)

【反】roil (*v.* 骚扰；搅浑；激怒)

settled* ['setld] *adj.* 固定的(fixed)

【反】nomadic (*adj.* 游牧的)

sever* ['sevə] *v.* 切断，脱离(divide)

【记】和 severe (*adj.* 严重的) 一起记

【派】severance (*n.* 切断，分离)

severe* [si'viə] *adj.* 严格的(very serious)；凶猛的(extremely violent)

sewer* ['sjuə] *n.* 排水沟，下水道

【记】还有"缝纫者"之义

☐ SERENE	☐ SERIAL	☐ SERMON	☐ SERRATED	☐ SERRIED
☐ SERVICEABLE	☐ SERVILE	☐ SERVITUDE	☐ SETBACK	☐ SETTLE
☐ SETTLED	☐ SEVER	☐ SEVERE	☐ SEWER	

sextant* [ˈsekstənt] *n.* **六分仪**（航海定向仪器）
【记】词根记忆：sex（six 六）+ tant → 六分仪

shackle [ˈʃækl] *n.* **脚镣，枷锁**（a manacle or fetter）
【反】emancipate（*v.* 释放）；loose（*n.* / *v.* 放松，释放）

shale* [ʃeil] *n.* **页岩**（一种由似泥土细粒的沉淀物层组成的易分裂的岩石）（a stratified fissile rock）
【记】可能是 shell（*n.* 贝壳）的变体

sham [ʃæm] *n.* **虚假**（hypocrisy；hoax）；*v.* **伪装**（to feign）
【记】把 shame（*n.* 害臊）的 e 去掉成 sham → 不知害臊地伪装

shambles [ˈʃæmblz] *n.* **凌乱景象，杂乱无章**（complete disorder or ruin；wreck；mess）

shard* [ʃɑːd] *n.*（陶器等）**碎片**（fragment of a brittle substance）
【记】分拆联想：s + hard（硬的）→ 陶瓷碎片死硬死硬的

shattered* [ˈʃætəd] *adj.* **粉碎的；破坏的**（demolished；ruined）
【记】来自 shatter（*v.* 粉碎）

shavings* [ˈʃeiviŋs] *n.* **刨花**（sth. shaved off the surface of wood）
【记】来自 shave（*v.* 刮，刨）+ ings → 刨花

shear* [ʃiə] *v.* **剪**（羊毛），**剪发**（to cut off the hair from）
【记】分拆联想：sh（看作 she）+ ear（耳朵）→ 她剪了个齐耳的短发 → 剪发
【派】shears（*n.* 大剪刀）

sheath [ʃiːθ] *n.*（刀、剑）**鞘，套**（a case for a blade）

sheathe [ʃiːð] *v.* **将**（刀、剑等）**插入鞘**（to insert into or provide with a sheath）
【例】He *sheathed* his dagger.（他把匕首放入刀鞘。）

shed* [ʃed] *v.* **流出**（眼泪等）（to pour forth in drops）；**脱落**（叶子）（to let fall）

sheer [ʃiə] *adj.* **完全的**（complete；utter）；**陡峭的**（very steep）；**极薄的**（extremely thin）

shell* [ʃel] *n.* **贝壳；炮弹；** *v.* **剥去…的壳**（to take out of a natural enclosing cover）

shelter* [ˈʃeltə] *n.* **掩蔽处，掩蔽**（place or condition of being protected, kept safe, etc.）；*v.* **庇护，保护**（to give shelter to sb. / sth.；protect sb. / sth.）

shelve* [ʃelv] *v.* **搁置**（to put off or aside；place on a shelf）
【记】来自 shelf（*n.* 架子）
【例】*shelve* a problem（暂时搁置问题）

sheriff* [ˈʃerif] *n.* **警长，县治安官**（an important official of a shire or county charged primarily with judicial duties）

shield* [ʃiːld] *n.* **盾；** *v.* **掩护，遮挡**（to protect from harm）

shiftiness [ˈʃiftinis] *n.* **奸诈**（a tricky nature）
【记】分拆联想：shift（变化）+ i + ness → 随情况不停变化 → 奸诈

SEXTANT	SHACKLE	SHALE	SHAM	SHAMBLES	SHARD	SHATTERED
SHAVINGS	SHEAR	SHEATH	SHEATHE	SHED	SHEER	SHELL
SHELTER	SHELVE	SHERIFF	SHIELD	SHIFTINESS		

shiftless* [ˈʃiftlis] *adj.* 没有决断力的 (lacking in ambition or incentive); 偷懒的; 无能的 (inefficient)

shingle [ˈʃiŋgl] *n.* 木瓦, 屋顶板; 木质小招牌
【记】single (*adj.* 单个的) 的中间加个 h

shipshape* [ˈʃipʃeip] *adj.* 整洁的, 井然有序的 (trim; tidy)
【记】分拆联想: ship (船) + shape (形状) → 船的形状 → 整洁的

shirk* [ʃəːk] *v.* 逃避, 规避 (to avoid; evade)
【记】和 shirt (*n.* 衬衣) 一起记

shoal* [ʃəul] *n.* 浅滩, 浅水处 (shallow); 一群 (鱼等); *adj.* 水浅的
【记】联想记忆: 形似拼音 shao, 水少的地方 → 浅滩, 浅水处
【反】deep (*adj.* 深的)

shoddy* [ˈʃɔdi] *n.* 劣质的, 冒充好货的 (cheaply imitative)
【例】*shoddy* merchandise (劣质商品)

shoot [ʃuːt] *n.* 嫩芽, 新芽 (new growth from a plant)

shoplift* [ˈʃɔp ˈlift] *v.* 在商店里偷窃货品 (to take goods from a shop without paying)
【派】shoplifter (*n.* 商店扒手)

shopworn [ˈʃɔpwɔːn] *adj.* 在商店中陈列旧了的 (ruined or damaged from being on display in a store)
【反】new (*adj.* 新的)

shoulder* [ˈʃəuldə] *n.* 肩; 路肩 (the edge running on either side of a roadway)

shove* [ʃʌv] *v.* 推挤, 猛推 (to move sth. by using force)
【记】注意不要和 shovel (*n.* 铁锹) 相混

shrewd* [ʃruːd] *adj.* 判断敏捷的, 精明的 (marked by clever discerning awareness)
【记】注意不要和 shrew (*n.* 泼妇) 相混

shriek* [ʃriːk] *v.* 尖叫 (to utter a sharp shrill sound)
【参】shrill (*v.* 尖声叫), 都带有象声词色彩

shrine* [ʃrain] *n.* 神龛; 圣地 (a place in which homage is paid to a saint or deity)
【参】enshrine (*v.* 把…奉为神圣)

shrink* [ʃriŋk] *v.* 收缩, 皱缩 (to become smaller or more compacted)

shroud* [ʃraud] *n.* 寿衣 (burial garment); 遮蔽物; *v.* 覆盖 (to cover for protection)

shrub* [ʃrʌb] *n.* 灌木 (a low bush with several woody stems)
【参】scrub (*n.* 灌木丛)

shrug* [ʃrʌg] *v.* 耸肩 (表示怀疑等) (to raise in the shoulders to express uncertainty)

shuck* [ʃʌk] *n.* (植物的) 壳, 夹 (the outer covering of a nut); 无用之物 (sth. of little value)

SHIFTLESS	SHINGLE	SHIPSHAPE	SHIRK	SHOAL	SHODDY	SHOOT
SHOPLIFT	SHOPWORN	SHOULDER	SHOVE	SHREWD	SHRIEK	SHRINE
SHRINK	SHROUD	SHRUB	SHRUG	SHUCK		

shudder* [ˈʃʌdə] n. / v. 战栗，发抖 (to shake uncontrollably for a moment)
【记】发音记忆："吓得"→吓得肩膀(shoulder)直发抖(shudder)

shun* [ʃʌn] v. 避免，闪避 (to avoid deliberately)
【反】seek actively (积极寻找)

shunt* [ʃʌnt] v. 使（火车）转到另一轨道，转移方向 (to switch a train from one track to another)

sibilant* [ˈsibilənt] adj. 发出咝咝声的 (making a sound like that of "s")
【参】hiss (v. 发出咝咝声)

sibling [ˈsibliŋ] n. 兄弟或姊妹
【记】sib (同胞) + ling (小) → 兄弟或姊妹

sibyl* [ˈsibil] n. 女预言家，女先知 (a female prophet)

sidereal* [saiˈdiəriəl] adj. 恒星的 (of stars or constellations; astral)
【记】词根记忆：sider (星) + eal → 恒星的
【同】consider (v. 考虑)

sideshow* [ˈsaidʃəu] n. 杂耍，穿插表演 (a separate small show at a circus)

sidestep* [ˈsaidstep] v. 横跨一步以躲避 (to take a step to the side to avoid); 回避 (to avoid)
【反】confront directly (直接面对)

siege [siːdʒ] n. 包围，围攻 (a military blockade of a city or fortified place to compel it to surrender)
【参】besiege (v. 围攻)

sift* [sift] v. 筛，过滤 (to separate out by a sieve)
【派】sifter (n. 筛子)

signal* [ˈsignl] n. 信号; v. 发信号; adj. 显著的
【反】unremarkable (adj. 不明显的)

significant* [sigˈnifikənt] adj. 相当数量的 (considerable); 意义重大的 (having an important meaning)
【记】分拆联想：sign (标记) + i + fic (做) + ant → 做了很多标记的 → 相当数量的，意义重大的

signify* [ˈsignifai] v. 表示 (to be a sign of); 有重要性 (to have significance)
【记】词根记忆：sign (信号) + ify → 用信号表示 → 象征

sill* [sil] n. 门槛 (the threshold); 窗台 (windowsill)
【记】联想记忆：silly 去掉 y

silt* [silt] n. 淤泥，淤沙 (loose sedimentary material)

silversmith* [ˈsilvəsmiθ] n. 银匠 (a person who makes things out of silver)

simper* [ˈsimpə] v. 痴笑，傻笑 (to smile in a silly manner)
【记】可能是 simple (蠢的) + laughter (笑) 的缩合

simpleton [ˈsimpltən] n. 笨蛋 (a fool)
【记】simple (简单的) + ton (状态，人) → 简单的人→笨蛋

simulate* [ˈsimjuleit] v. 假装，模仿 (to assume the appearance with the intent to deceive)
【记】词根记忆：simul (相同) + ate → 表面相同 → 模仿

SHUDDER	SHUN	SHUNT	SIBILANT	SIBLING	SIBYL	SIDEREAL
SIDESHOW	SIDESTEP	SIEGE	SIFT	SIGNAL	SIGNIFICANT	SIGNIFY
SILL	SILT	SILVERSMITH	SIMPER	SIMPLETON	SIMULATE	

simultaneous* [ˌsiməlˈteinjəs] *adj.* 同时发生的(exactly coincident)
【记】词根记忆：simult(相同)+aneous→(时间)相同的→同时发生的

sincere* [sinˈsiə] *adj.* 诚实的，正直的 (honest; straightforward); 真挚的，纯净的([of feelings or behaviour] not pretended; genuine)
【记】词根记忆：sin(罪)+cere→把自己的罪过告诉你→诚实的，真挚的

sinecure* [ˈsainikjuə] *n.* 挂名差事，闲职 (an office or position that requires little or no work and that usu. provides an income)
【记】联想记忆：secure (安全的，无虑的)中间加个in→处于无忧无虑的状态→闲职
【反】arduous employment(费力的职业)

sinew* [ˈsinjuː] *n.* 腱，肌肉(tendon); 力量(solid resilient strength)
【反】weakness(*n.* 弱)

singe* [sindʒ] *v.* (轻微地)烧焦，烫焦 (to burn superficially or lightly; scorch)
【记】分拆联想：sing+e→烧焦了还唱

singularity [ˌsiŋgjuˈlæriti] *n.* 独特 (unusual or distinctive manner or behavior; peculiarity); 奇点(天文学上密度无穷大、体积无穷小的点)
【记】singular(独一的，非凡的)+ity

sinuous* [ˈsinjuəs] *adj.* 蜿蜒的，迂回的 (having many curves and twists winding)
【记】词根记忆：sinu(弯曲)+ous→弯曲的→蜿蜒的
【同】insinuate(*v.* 暗指)
【反】direct(*adj.* 直接的)

sip* [sip] *v.* 啜饮(to drink in small quantities)
【参】insipid(*adj.* 乏味的); sipid(*adj.* 味道好的)
【反】swill(*v.* / *n.* 狂饮)

siren [ˈsaiərin] *n.* 汽笛，警报器 (a device for producing a penetrating warning sound)
【记】原指希腊神话中半人半鸟的女海妖，以美妙歌声迷住海员，使船只触礁沉没

skeleton* [ˈskelitən] *n.* 骨架，骨骼(framework of bones supporting an animal or a human body); 提纲(outline to which details are to be added)

sketchy* [ˈsketʃi] *adj.* 概略的，粗略的(lacking thoroughness or detail)
【记】来自sketch(素描)+y

skew* [skjuː] *adj.* 不直的，歪斜的(running obliquely; slanting)

skewer* [ˈskjuə] *n.* (烤肉用的)穿肉扦; *v.* 用扦穿好 (to fasten or pierce with a skewer)
【例】*skewer* the chicken before cooking(烤鸡前把鸡用穿肉扦穿好)

skiff* [skif] *n.* 轻舟，小船(any of various small boats)
【记】联想记忆：轻舟(skiff)已过万重山，绝壁(cliff)

SIMULTANEOUS	SINCERE	SINECURE	SINEW	SINGE
SINGULARITY	SINUOUS	SIP	SIREN	SKELETON
SKETCHY	SKEW	SKEWER	SKIFF	

skillet* [ˈskilit] *n.* 煎锅 (frying pan)
【记】分拆联想：skill (技术) + et → 用好的煎锅能展示烹饪技术

skim* [skim] *v.* 从液体表面撇去 (to remove floating fat or solids from the surface of a liquid); 浏览, 略读 (to read quickly to get the main ideas)

skimp* [skimp] *v.* 节省花费 (to give barely sufficient funds for sth.)
【例】She had to *skimp* to send her son to college. (她不得不靠省吃俭用来供她儿子上大学。)

skinflint* [ˈskinflint] *n.* 吝啬鬼 (miser; niggard)
【记】来自词组：skin a flint (刮石头皮, 爱钱如命)

skirmish* [ˈskəːmiʃ] *n.* 小战, 小争吵 (a minor dispute or contest)
【记】分拆联想：skir (看作 skirt 裙子) + mish (看作 famish 饥饿) → 女人会为了裙子而争吵, 为了穿漂亮的裙子宁可饿肚子

skirt [skəːt] *v.* 环绕, 逃避 (to evade)
【反】seek (*v.* 追求); face (*v.* 面临)

skit* [skit] *n.* 幽默讽刺短剧 (a short humorous acted-out scene)

skyscraper* [ˈskaiskreipə] *n.* 摩天大楼 (a very tall modern city building)

slab* [slæb] *n.* 厚板, 厚块 (a thick plate or slice)
【记】和 stab (*n.* / *v.* 刺, 戳) 一起记
【反】sliver (*n.* 细条)

slack* [slæk] *adj.* 懒散的, 懈怠的 (sluggish; inactive); (绳) 松弛的 (loose); *v.* 松懈, 怠惰
【反】taut (*adj.* 紧张的)

slacken** [ˈslækən] *v.* (使) 松弛, 放松 (to make slack)
【反】tauten (*v.* 绷紧)

slag* [slæg] *n.* 炉渣, 矿渣 (the dross or scoria of a metal)
【形】flag (*n.* 旗帜; *v.* 枯萎)

slake* [sleik] *v.* 解渴, 消渴 (to satisfy; quench)
【记】分拆联想：s + lake → 一湖水 → 解渴

slander* [ˈslɑːndə] *n.* / *v.* 诽谤, 诋毁 (defame)
【记】分拆联想：s + land (地) + er → 把人贬到地上 → 诽谤, 诋毁

slanderous* [ˈslɑːndərəs] *adj.* 诽谤的 (false and defamatory oral statement)

slant [slɑːnt] *v.* 倾斜; *n.* 斜面 (a slanting direction); 看法 (a peculiar or personal point of view)

slate* [sleit] *n.* 石板; 候选人名单 (a list of candidates for nomination or election); *v.* 提名 (designate)
【记】来自 slat (板条) + e → 石板, 古希腊选举时在石板上刻上候选人名单

slaughter [ˈslɔːtə] *n.* / *v.* 屠杀, 屠宰 (killing of many people or animals)

sleigh [slei] *n.* (马拉的) 雪橇 (large vehicle drawn by a horse over snow or ice)

SKILLET	SKIM	SKIMP	SKINFLINT	SKIRMISH	SKIRT	SKIT
SKYSCRAPER	SLAB	SLACK	SLACKEN	SLAG	SLAKE	SLANDER
SLANDEROUS	SLANT	SLATE	SLAUGHTER	SLEIGH		

slew* [sluː] *v.* (使)旋转 (to turn, twist); *n.* 大量 (a large number)
【记】和 slow (*adj.* 慢的)一起记
【反】limited quantity (有限数量); paucity (*n.* 极小量)

slice* [slais] *v.* 切成片 (to cut into pieces); *n.* 薄片

slick* [slik] *adj.* 熟练的 (skillful and effective); 圆滑的 (clever); 光滑的 (smooth and slippery)
【例】The roads were *slick* with wet mud. (道路因泥泞而变得滑溜。)
【反】viscid (*adj.* 黏的)

slight* [slait] *adj.* 微小的 (small in degree); *n.* / *v.* 轻蔑 (to treat rudely without respect)
【反】ponderous (*adj.* 重的); grievous (*adj.* 严重的); prodigious (*adj.* 巨大的); cosset (*n.* / *v.* 宠爱); show respect to (表示敬意)

slippage* [ˈslipidʒ] *n.* 滑动，下降 (slipping)
【记】来自 slip (滑) + p + age

slippery* [ˈslipəri] *adj.* 滑的；狡猾的 (not to be trusted)
【记】来自 slip (*v.* 滑)

slipshod* [ˈslipʃɔd] *adj.* 马虎的，草率的 (not exact or thorough)
【记】组合词：slip (滑) + shod (穿着鞋) → 穿着滑的鞋
【反】punctilious (*adj.* 细心的)

slither* [ˈsliðə] *v.* (蛇)滑动，扭动前进 (to slop or slide like a snake)
【记】分拆联想：slit (裂缝) + her (她) → 她像蛇一样滑进裂缝

sliver* [ˈslivə] *n.* 长条 (a long slender piece); *v.* 裂成细片 (to cut into sliver)
【记】注意不要和 silver (*n.* 银)相混
【反】slab (*n.* 厚板)

sloppy* [ˈslɔpi] *adj.* 邋遢的，不整洁的 (slovenly; careless)
【记】slop (溅出，弄脏) + py → 弄脏的
【反】natty (*adj.* 整洁的)

slot [slɔt] *n.* 狭孔 (a long straight narrow opening)

sloth* [sləuθ] *n.* 懒惰 (indolence); 树懒 (一种动物)
【反】industry (*n.* 勤奋)

slouch* [slautʃ] *n.* 没精打采的样子 (a tired-looking way); *v.* 没精打采地坐(站、走)
【反】stand erect (直立)

slough* [slʌf] *v.* (蛇等)蜕皮 (to cast off one's skin); *n.* (蛇等的)蜕皮
【记】发音记忆："死老" → 蛇蜕皮一次就变老一点
【形】plough (*n.* / *v.* 犁〔地〕); enough (*adj.* 足够的)

sluggard* [ˈslʌgəd] *n.* 懒鬼 (a habitually lazy person)
【记】slug (蛞蝓：一种行动缓慢的虫) + gard

sluice [sluːs] *n.* 水门，水闸 (an artificial passage for water); *v.* 冲洗 (to wash with water)
【例】*sluice* a deck with hoses (用水龙带冲洗甲板)

□ SLEW	□ SLICE	□ SLICK	□ SLIGHT	□ SLIPPAGE	□ SLIPPERY
□ SLIPSHOD	□ SLITHER	□ SLIVER	□ SLOPPY	□ SLOT	□ SLOTH
□ SLOUCH	□ SLOUGH	□ SLUGGARD	□ SLUICE		

slumber* [ˈslʌmbə] *v.* 睡眠，安睡 (to sleep); *n.* 安睡 (a light sleep)
【形】plumber (*n.* 管道工)
【派】slumberous (*adj.* 昏昏欲睡的)

slur* [slə:] *v.* 含糊不清地讲 (to pronounce words in an indistinct way so that they run into each other)
【记】和 blur (*v.* 弄脏，变模糊) 一起记
【反】pronounce clearly (清楚地发音)

slurp* [slə:p] *v.* 大声地啜喝 (to drink with the sound of noisy sucking)

sly [slai] *adj.* 狡猾的，鬼鬼祟祟的 (clever in deceiving)
【反】artless (*adj.* 朴实的)

smarmy [ˈsmɑ:mi] *adj.* 虚情假意的 (revealing or marked by a false earnestness)
【反】earnest (*adj.* 真诚的)

smart* [smɑ:t] *n.* 痛苦 (sharp mental and physical pain); *adj.* 时髦的 (stylish); 聪明的 (quick in thinking)
【反】tatty (*adj.* 破旧的)

smattering [ˈsmætəriŋ] *n.* 略知 (superficial knowledge); 少数 (a small scattered number)
【反】erudition (*n.* 博学)

smear* [smiə] *n.* 油渍，污点 (a spot); *v.* 弄脏，玷污 (to overspread sth. adhesive)

smirk* [smə:k] *v.* 假笑，得意地笑 (to smile in an affected manner)

smooth* [smu:ð] *adj.* 光滑的；平稳的；*v.* 弄平，使光滑 (to make smooth); 消除
【反】corrugated (*adj.* 起皱的); serrated (*adj.* 锯齿状的); spiny (*adj.* 多刺的)

smother* [ˈsmʌðə] *v.* 覆盖 (to cover thickly); (使) 闷死 (to kill through lack of air)
【例】They were *smothered* by the dust after explosion. (他们被爆炸后的尘土憋得透不过气来。)

smudge* [smʌdʒ] *n.* 渍痕 (a blurry spot or streak); *v.* 弄脏 (to smear sth. with dirt, or ink)
【记】分拆联想：s + mud (泥) + ge → 渍痕
【形】drudge (*v.* 做苦工); grudge (*v.* 吝啬，不愿意给); trudge (*v.* 跋涉)

smug* [smʌg] *adj.* 自满的，自命不凡的 (highly satisfied)
【记】分拆联想：s + mug (杯子) → 杯子满了

smuggle* [ˈsmʌgl] *v.* 走私，私运 (to import or export sth. in violation of customs laws)
【反】transport openly (公开运输)
【派】smuggler (*n.* 走私者)

SLUMBER	SLUR	SLURP	SLY	SMARMY
SMART	SMATTERING	SMEAR	SMIRK	SMOOTH
SMOTHER	SMUDGE	SMUG	SMUGGLE	

snare* [snεə] *n.* 罗网，陷阱 (trap; gin)
【参】ensnare (*v.* 使入圈套)

snarl [snɑːl] *n.* / *v.* 纠缠，混乱 (to intertwine; tangle)
【形】gnarl (*n.* 节疤)
【派】snarled (*adj.* 纠缠不清的)
【反】disentangle (*v.* 解脱)

snatch* [snætʃ] *n.* / *v.* 强夺，攫取 (to take or grasp abruptly or hastily without permission)
【记】分拆联想：sna (看作 snap 突然的) + tch (看作 catch 抓) → 突然地抓

sneaking [ˈsniːkiŋ] *adj.* 秘密的，不公开的 (furtive; underhanded)

sneer* [sniə] *v.* 嘲笑，鄙视 (to express scorn or contempt)
【形】queer (*adj.* 奇怪的); steer (*v.* 驾驶，掌舵)

snide* [snaid] *adj.* 讽刺的，含沙射影的 (slyly disparaging; insinuating)
【记】联想记忆：把 n 藏在一边 (side) → 含沙射影的，讽刺的
【形】slide (*v.* 滑动，滑行)

snip* [snip] *v.* 剪断 (to cut with scissors)

snitch* [snitʃ] *v.* 告密 (to tell about the wrongdoings of a friend); 偷 (to steal by taking quickly)
【记】分拆联想：sni (看成 sin 罪行) + tch → 告密和偷盗都是罪行
【形】stitch (*v.* 缝合; *n.* 针脚); switch (*n.* / *v.* 开关)

snobbish* [ˈsnɔbiʃ] *adj.* 势利眼的 (being, characteristic of, or befitting a snob); 假充绅士的

snowdrift* [ˈsnəudrift] *n.* 雪堆 (a bank of drifted snow)
【记】组合词：snow + drift (漂流物，吹积物) → 雪堆

snub* [snʌb] *v.* 冷落，不理睬 (to treat with contempt or neglect)
【反】court (*v.* 献殷勤)

snug* [snʌg] *adj.* 温暖的，舒适的 (warm and comfortable; cozy)
【例】*snug* little room with a fire going (有壁炉的温暖舒适的小房间)

soak* [səuk] *v.* 浸泡，渗透 (to lie immersed in liquid; become saturated by or as if by immersion)
【记】分拆联想：soa (看作 soap 肥皂) + k → 在肥皂水中浸泡
【同】drench (*v.* 湿透); saturate (*v.* 使饱和)

soar* [sɔː] *v.* 高飞，翱翔 (to fly high); 猛增 (to rise rapidly)

sober* [ˈsəubə] *adj.* 清醒的 (sedate or thoughtful); 庄重的 (marked by temperance, moderation, or seriousness)
【反】puckish (*adj.* 淘气的)

sobriety* [sə(u)ˈbraiəti] *n.* 节制，庄重 (moderation; gravity)
【反】sumptuousness (*n.* 华丽)

□ SNARE	□ SNARL	□ SNATCH	□ SNEAKING	□ SNEER	□ SNIDE
□ SNIP	□ SNITCH	□ SNOBBISH	□ SNOWDRIFT	□ SNUB	□ SNUG
□ SOAK	□ SOAR	□ SOBER	□ SOBRIETY		

sock* [sɔk] *v.* 重击，痛打 (to strike forcefully)
【记】sock 作为"短袜"一义大家都熟悉

sod* [sɔd] *n.* 草地，草坪 (a piece of earth with grass and roots growing in it)

sodden* [ˈsɔdn] *adj.* 浸透了的 (soaked through; very wet)
【反】desiccated (*adj.* 干燥的)

soggy* [ˈsɔgi] *adj.* 湿透的 (saturated or heavy with water or moisture)
【例】a *soggy* lawn (湿润的草地)

soil* [sɔil] *n.* / *v.* 弄脏，污损 (to become dirty)
【记】soil 作为"土壤"讲，大家都很熟悉
【例】*soil* one's good name (玷污自己的好名声)

solace* [ˈsɔləs] *n.* 安慰，慰藉 (alleviation of grief or anxiety)
【记】词根记忆：sol (安慰) + ace → 安慰
【参】console (*v.* 安慰)

solder* [ˈsɔldə] *v.* 焊接，焊合 (to bring into firm union)
【记】和 soldier (*n.* 战士) 一起记
【反】breach (*v.* 断裂)

solemn* [ˈsɔləm] *adj.* 严肃的，庄严的 (made with great seriousness)；黑色的
【记】词根记忆：sol (太阳) + emn → 古代把太阳看作是神圣的 → 庄严的

solemnity* [səˈlemniti] *n.* 庄严，肃穆 (formal or ceremonious observance)
【记】solemn (严肃的) + ity
【反】jest (*n.* 笑话)

solicit* [səˈlisit] *v.* 恳求 (to make petition to)；教唆 (to entice into evil)
【记】词根记忆：soli (sole 惟一，全部) + cit (引出) → 引出某人做事 → 教唆，恳求
【派】solicitation (*n.* 恳求；教唆)

solicitous* [səˈlisitəs] *adj.* 热切的 (full of desire; eager)；挂念的 (expressing care or concern)
【反】unconcerned (*adj.* 不关心的)

solicitude* [səˈlisitjuːd] *n.* 关怀，牵挂 (anxious, kind, or eager care)
【反】indifference (*n.* 不关心)

solidarity* [ˌsɔliˈdæriti] *n.* 团结，一致 (unity based on community of interests)
【记】词根记忆：solid (固定的) + arity → 固体状态 → 团结
【同】solidity (*n.* 坚固)；solidify (*v.* 使凝固，巩固)

solidify* [səˈlidifai] *v.* 巩固，(使) 凝固，(使) 团结 (to become solid, hard or firm)
【记】词根记忆：solid (固定的) + ify (使…) → 巩固

solitary* [ˈsɔlitəri] *adj.* 孤独的 (without companions)；*n.* 隐士 (recluse)
【记】词根记忆：solit (单独) + ary → 单独的

SOCK	SOD	SODDEN	SOGGY	SOIL
SOLACE	SOLDER	SOLEMN	SOLEMNITY	SOLICIT
SOLICITOUS	SOLICITUDE	SOLIDARITY	SOLIDIFY	SOLITARY

solitude* [ˈsɔlitjuːd] *n.* 孤独 (the quality or state of being alone or remote from society)

solo* [ˈsəuləu] *adj.* 单独的 (without companion); *n.* 独唱

【反】ensemble (*n.* 合唱)

soluble* [ˈsɔljubl] *adj.* 可溶的 (capable of being dissolved); 可以解决的 (capable of being solved)

【记】词根记忆：solu (松开) + ble → 可溶的

solvent* [ˈsɔlvənt] *adj.* 有偿债能力的 (capable of meeting financial obligations); *n.* 溶剂

【记】来自 solve (*v.* 溶化，解决) + ent

【反】precipitant (*n.* 沉淀剂)

somatic* [səuˈmætik] *adj.* 肉体的 (relating to the body)

【记】词根记忆：somat (躯体) + ic → 躯体的

【参】somatology (*n.* 身体学)

【反】nonphysical (*adj.* 精神上的)

somber* [ˈsɔmbə] *adj.* 忧郁的 (melancholy); 阴暗的 (dark and gloomy)

【反】cherubic (*adj.* 可爱的)

sonata* [səˈnɑːtə] *n.* 奏鸣曲 (an instrumental musical composition)

【记】词根记忆：son (声音) + ata → 奏鸣曲

sonnet* [ˈsɔnit] *n.* 十四行诗 (a 14-line poem)

soot* [sut] *n.* 黑烟灰，油烟 (black powder out of smoke)

soothe* [suːð] *v.* 抚慰 (to comfort or calm); 减轻 (to make less painful)

【反】agitate (*v.* 鼓动); grate (*v.* 使烦躁); vex (*v.* 烦恼)

sop [sɔp] *n.* 泡过的食品；安慰品 (sth. yielded to placate or soothe)

sophism* [ˈsɔfizəm] *n.* 诡辩；诡辩法 (术) (an argument apparently correct in form but actually invalid)

【记】词根记忆：soph (智慧) + ism → 诡辩

【参】philosophy (*n.* 哲学)

sophisticated* [səˈfistikeitid] *adj.* 老于世故的；(仪器) 精密的 (highly complicated)

【记】sophist (诡辩者) + icated → 老于世故的

【反】callow (*adj.* 幼稚的); unsophisticated (*adj.* 不老练的；不世故的)

Genius only means hard-working all one's life.

天才只意味着终身不懈地努力。

——俄国化学家 门捷列夫(Mendeleyev, Russian chemist)

Word List 34

sophistication* [səˌfistiˈkeiʃən] *n.* 诡辩，强词夺理（the use of sophistry; sophistic reasoning）；久经世故，老练，精明（quality of being sophisticated）

sophistry* [ˈsɔfistri] *n.* 诡辩（subtly deceptive reasoning or argumentation）

soporific* [ˌsəupəˈrifik] *adj.* 催眠的（tending to cause sleep）；*n.* 安眠药

【记】词根记忆：sopor（昏睡）+ ific → 睡眠的

【参】soporous（*adj.* 昏睡的）

【反】invigorating（*adj.* 精力充沛的）；stimulant（*n.* 兴奋剂）；provocative（*adj.* 煽动的）

sopping [ˈsɔpiŋ] *adj.* 浑身湿透的（thoroughly soaked）

【记】来自 sop（*v.* 浸泡）

sorcery [ˈsɔːsəri] *n.* 巫术，魔法（the use of evil magical power）

【记】词根记忆：sorc（巫术）+ ery

【同】exorcise（*v.* 用魔法驱邪）

sordid* [ˈsɔːdid] *adj.* 卑鄙的（marked by baseness）；肮脏的（dirty; filthy）

【例】*sordid* motives（卑劣的动机）/ *sordid* narrow streets（肮脏狭窄的街道）

souvenir* [ˈsuːvəniə] *n.* 纪念品（sth. that serves as a remainder; memento）

【记】分拆联想：sou（看作 south）+ venir（来的东西）→ 南方带回来的东西 → 纪念品

sovereign [ˈsɔvrin] *n.* 最高统治者，元首（one that exercises supreme authority）

【记】词根记忆：sove（over 超过）+ reign（统治）

sovereignty [ˈsɔvrinti] *n.* 主权，统治权（supreme power esp. over a body politic）

sow* [sau] *n.* 母猪（an adult female swine）；[səu] *v.* 播种（to plant seed by scattering）

【例】*sow* clover in the field（在田里播种苜蓿）

spackle* [ˈspækl] *n.* 填泥料（用以填塞裂缝和洞穴）

【形】speckle（*n.* 斑点）

SOPHISTICATION	SOPHISTRY	SOPORIFIC	SOPPING	SORCERY
SORDID	SOUVENIR	SOVEREIGN	SOVEREIGNTY	SOW
SPACKLE				

span [spæn] *n.* 跨度；两个界限间的距离（a stretch between two limits）

spank [spæŋk] *v.* 打，拍打（在屁股上）（to strike on the buttocks with the open hands）

【例】She took down the child's pants and *spanked* his bottom.（她脱掉孩子的裤子打他的屁股。）

sparing [ˈspeəriŋ] *adj.* 节俭的（frugal; thrifty）

【记】来自 spare（节约）+ ing；注意不要和 sparring（拳击）相混

spark* [spɑːk] *n.* 火花，火星（a small particle of a burning substance）

sparring* [ˈspɑːriŋ] *n.* 拳击，争斗

sparse* [spɑːs] *adj.* 稀少的，贫乏的（not thickly grown or settled）

【反】rife（*adj.* 普遍的）；copious（*adj.* 丰富的）

spartan [ˈspɑːtən] *adj.* 简朴的（of simplicity or frugality）；刻苦的（strict self-discipline or self-denial）

【记】来自 Spartan（斯巴达），希腊城邦，该地区的人以简朴刻苦的态度处世

【反】sybaritic / voluptuous / luxurious（*adj.* 奢侈的）；indulgent（*adj.* 纵容的）

spat* [spæt] *n.* 口角，小争论（a brief petty quarrel or angry outburst）

【记】不要和 spit（*v.* 吐痰）相混

spate* [speit] *n.* 大批，大量（a large number or amount）；（水）泛滥（flood）

【反】trickling flow（细流）；dearth（*n.* 缺乏）

spatial [ˈspeiʃəl] *adj.* 有关空间的，在空间的（of or connected with space）

spatula* [ˈspætjulə] *n.*（调拌等用的）抹刀（a flat thin implement used esp. for spreading or mixing soft substances）

【记】词根记忆：spat（平）+ ula → 平的刀 → 抹刀

spawn [spɔːn] *n.*（鱼等）卵子（the eggs of aquatic animals）；*v.* 大量生产（to produce young esp. in large numbers）

【例】Bureaucracy *spawns* many rules that complicate our life.（官僚政治孵化了许多使生活复杂的规则。）

spear* [spiə] *n.* 矛；嫩叶（a young shoot, or sprout）；*v.* 刺戳（to thrust with a spear）

specialize [ˈspeʃəlaiz] *v.* 专门研究（to limit to a particular activity or subject）

【记】来自 special（*adj.* 特殊的），speci（种类）+ al →（属于）种类的 → 特殊的

specifics* [spiˈsifiks] *n.* 细小问题，细节（details; particulars）

specimen [ˈspesimən] *n.* 范例，样品，标本（a portion or quantity of material for use in testing, or study）

【记】词根记忆：speci（种类）+ men → 种类的东西 → 样品

【参】species（*n.* 种类）

□ SPAN	□ SPANK	□ SPARING	□ SPARK	□ SPARRING	□ SPARSE
□ SPARTAN	□ SPAT	□ SPATE	□ SPATIAL	□ SPATULA	□ SPAWN
□ SPEAR	□ SPECIALIZE	□ SPECIFICS	□ SPECIMEN		

specious* [ˈspiːʃəs] *adj.* 似是而非的 (having a false look of truth or genuineness); 华而不实的 (having deceptive attraction or allure)
【记】词根记忆: spec (看) + ious → 用来看的 → 华而不实的
【反】valid (*adj.* 正确的); veritable (*adj.* 真实的)

speck [spek] *n.* 斑点 (a small spot from stain or decay); 少量 (a very small amount)
【参】peccadillo (*n.* 小过失)

spectacular [spekˈtækjulə] *adj.* 壮观的, 引人入胜的 (striking; sensational)
【记】来自 spectacle (*n.* 奇观, 壮观), spect (看) + acle (东西) → 看的东西 → 奇观

spectator* [spekˈteitə] *n.* 观众, 观看者

specter [ˈspektə] *n.* 鬼魂, 幽灵 (ghost); 恐惧 (sth. that haunts the mind)
【记】词根记忆: spect (看) + er → 看到而摸不着的东西 → 鬼魂

spectral [ˈspektrəl] *adj.* 幽灵的 (ghostly)

spectrum* [ˈspektrəm] *n.* 光谱; 范围 (a continuous sequence or range)
【记】词根记忆: spectr (看) + um → 看到颜色的范围 → 光谱

speculate [ˈspekjuˌleit] *v.* 沉思, 思索 (to mediate on or ponder); 投机 (to assume a business risk in hope of gain)
【记】词根记忆: spec (看) + ulate (做得多) → 看得多想得也多 → 思索
【派】speculation (*n.* 思索; 推测; 投机)
【反】restrain from the speculation (不思考) 〈〉 conjecture (*n.* / *v.* 推测, 猜想)

speculative* [ˈspekjulətiv] *adj.* 投机的 (risky); 推理的, 思索的 (based on speculation)

spell [spel] *n.* 连续的一段时间 (a continuous period of time)
【记】spell 还有"拼写"、"咒语"等意思
【例】give him a breathing *spell* (给他一点儿喘息的时间)

spendthrift* [ˈspendˌθrift] *adj.* / *n.* 挥金如土的 (人) (wasteful)
【记】组合词: spend (花费) + thrift (节约) → 把节约下来的钱花掉→挥金如土的
【反】miser (*n.* 吝啬鬼)

spike [spaik] *n.* 长钉, 大钉 (a very large nail)
【例】He hammered the *spike* in straight. (他将那枚大钉笔直地敲了进去。)

spin* [spin] *v.* 旋转 (to move round and round); 纺, 纺纱 (to draw out and twist fiber into yarn or thread); *n.* 旋转 (turning or spinning movement)

spindly* [ˈspindli] *adj.* 细长的, 纤弱的 (very long and thin)
【记】来自 spindle (*n.* 纺锤, 形状细长)

spineless [ˈspainlis] *adj.* 没骨气的, 懦弱的 (lacking strength of character)
【记】spine (脊椎, 刺) + less → 无脊椎的 → 没骨气的

SPECIOUS	SPECK	SPECTACULAR	SPECTATOR	SPECTER
SPECTRAL	SPECTRUM	SPECULATE	SPECULATIVE	SPELL
SPENDTHRIFT	SPIKE	SPIN	SPINDLY	SPINELESS

spiny* [ˈspaini] *adj.* **针状的** (slender and pointed like a spine); **多刺的，棘手的** (thorny)
【记】词根记忆：spin（刺）+ y → 多刺的
【同】spinule (*n.* 小刺); spinous (*adj.* 多刺的)
【反】smooth (*adj.* 平滑的)

spire [ˈspaiə] *n.* (教堂) **尖顶** (the upper tapering part; pinnacle)

spiritual* [ˈspiritjuəl] *adj.* **精神的** (of the spirit rather than the body)
【反】corporeal (*adj.* 肉体的)

spite* [spait] *n.* **怨恨，恶意** (petty ill will or hatred)
【记】词组 in spite of 的 spite

spleen* [spliːn] *n.* **怨怒** (feelings of anger)
【反】goodwill (*n.* 友好)

splendor* [ˈsplendə] *n.* **壮丽** (magnificence); **辉煌** (brilliancy)
【反】squalor (*n.* 肮脏; 悲惨)

splice* [splais] *v.* **接合，衔接** (to unite by interweaving the strands)
【记】注意不要和 split (*v.* 分裂) 相混

splint* [splint] *n.* (固定断骨的) **夹板，托板** (material or a device used to protect and immobilize a body part)
【记】splint 和 split（分裂）有关，指裂开的木板 → 夹板

split* [split] *n.* / *v.* **分裂，裂开** (to divide into parts or portions)
【例】*split* the firewood with an axe（用斧子劈开柴火）/ *split* into factions (分裂成多个派别)

splurge [spləːdʒ] *n.* **炫耀，摆阔** (an ostentatious effort, display, or expenditure)
【记】分拆联想：spl（看作 splash 溅水）+ urge → 花钱如泼水 → 挥霍、摆阔

spoil* [spɔil] *v.* **损坏，破坏** (to make sth. useless, valueless; ruin); **溺爱** (to pamper excessively)
【记】分拆联想：sp（看作 spray 喷）+ oil → 机器没有喷油，造成损坏

spoke* [spəuk] *n.* (车轮上) **辐条** (small radiating bars inserted in the hub of a wheel to support the rim)
【记】和 speak 的过去式 spoke 写法一样

spongy* [ˈspʌndʒi] *adj.* **像海绵的** (resembling a sponge); **不坚实的** (not firm or solid)
【记】来自 sponge（海绵）+ y

spontaneity* [ˌspɔntəˈniːiti] *n.* **自然，自发** (the quality or state of being spontaneous)

spontaneous* [spɔnˈteinjəs] *adj.* **自发的** (proceeding from natural feelings); **自然的** (natural)
【记】词根记忆：spont（自然）+ aneous → 自发的
【反】premeditated (*adj.* 预谋的)

SPINY	SPIRE	SPIRITUAL	SPITE	SPLEEN
SPLENDOR	SPLICE	SPLINT	SPLIT	SPLURGE
SPOIL	SPOKE	SPONGY	SPONTANEITY	SPONTANEOUS

spoof [spuːf] *v.* 揶揄，嘲讽 (to deceive; hoax)
【记】联想记忆：找不到证据 (proof)，只好揶揄 (spoof)
【形】spook (*n.* 幽灵); spool (*n.* 卷轴); spoon (*n.* 匙); spoor (*n.* 野兽等的足迹)

sporadic* [spəˈrædik] *adj.* 不定时发生的 (occurring occasionally)
【反】chronic (*adj.* 长期的)

sport* [spɔːt] *v.* 炫耀，卖弄 (to display or wear ostentatiously)
【例】*sport* a roll of money (炫耀一叠钞票)

sprain [sprein] *v.* 扭伤 (to injure by a sudden twist)
【记】分拆联想：sp + rain (雨) → 雨天路滑，扭伤了脚

sprawling [ˈsprɔːliŋ] *adj.* 植物蔓生的；(城市) 无计划地扩展的 (spreading out ungracefully)

sprig [sprig] *n.* 嫩枝，小枝 (a small shoot; twig)
【记】和 spring (春天) 一起记，春天出现嫩枝

sprightly [ˈspraitli] *adj.* 愉快的，活泼的 (marked by a gay lightness and vivacity)
【记】分拆联想：spr (看作 spring) + ightly (看作 brightly 明亮地) → 明快的春天 → 愉快的

sprout [spraut] *v.* 长出，萌芽 (to grow; spring up); *n.* 嫩芽 (a young shoot)
【记】分拆联想：spr (看作 spring) + out (出) → 春天来了，嫩芽长出来了

spruce [spruːs] *n.* 云杉; *adj.* 整洁的 (neat or smart; trim)

spur [spəː] *v.* 刺激，激励；用马刺刺马
【反】deter (*v.* 阻止)

spurious [ˈspjuəriəs] *adj.* 假的 (false)；伪造的 (falsified; forged)
【记】来自 spuria (伪造的作品) + ous
【反】genuine (*adj.* 真正的)

squabble [ˈskwɔbl] *n.* 争吵 (a noisy quarrel, usu. about a trivial matter)

squalid* [ˈskwɔlid] *adj.* 污秽的，肮脏的 (filthy and degraded from neglect or poverty)
【反】pristine (*adj.* 纯洁的)

squall [skwɔːl] *n.* 短暂、突然且猛烈的风暴 (a brief, sudden, violent windstorm)；短暂的骚动 (a brief violent commotion)

squalor* [ˈskwɔlə] *n.* 不洁，污秽 (state of being squalid)

squander* [ˈskwɔndə] *v.* 浪费，挥霍 (to spend extravagantly)
【记】源自方言，因莎士比亚《威尼斯商人》一剧中用此词而广泛流传
【反】husband (*v.* 节俭); conserve (*v.* 保存)

square* [skweə] *v.* 一致，符合 (to be or make sth. consistent with sth; agree with)；结清 (to pay the bill)

SPOOF	SPORADIC	SPORT	SPRAIN	SPRAWLING	SPRIG
SPRIGHTLY	SPROUT	SPRUCE	SPUR	SPURIOUS	SQUABBLE
SQUALID	SQUALL	SQUALOR	SQUANDER	SQUARE	

squash [skwɔʃ] *v.* 压碎，挤压 (to press or crush); *n.* 南瓜
【记】分拆联想：squ (看作 squeeze 挤) + ash (灰) → 挤成灰 → 挤压

squat* [skwɔt] *v.* 蹲下 (to crouch on the ground); *adj.* 矮胖的 (stout)
【反】tall and thin (瘦高的)

squeeze* [skwiːz] *v.* 压，挤 (to press firmly together); *n.* 压榨；紧握

squelch* [skweltʃ] *v.* 压制，镇压 (to completely suppress; quell)
【反】foment (*v.* 煽动)

squint [skwint] *v.* 斜视 (to look or peer with eyes partly closed)

squirrel* [ˈskwirəl] *n.* 松鼠

staccato* [stəˈkɑːtəu] *adj.* (音乐)断音的，不连贯的 (abrupt; disjointed)
【记】分拆联想：st + acca + to，记住中间的 acca，似乎呈断裂状态

stagnant* [ˈstægnənt] *adj.* 停滞的 (not advancing or developing)
【记】词根记忆：stagn (stand 站住) + ant → 停滞的
【反】flowing (*adj.* 流动的)

staid* [steid] *adj.* 稳重的，沉着的 (self-restraint; sober)
【记】分拆联想：sta (看作 stay 坚持) + id (ID 身份) → 坚持自己的身份 → 稳重的
【反】jaunty (*adj.* 活泼的)

stain* [stein] *v.* 玷污 (to taint with guilt or corruption); 染色 (to color by processes)

stake* [steik] *n.* 柱桩 (a pointed piece of wood driven into the ground); 赌注 (sth. staked for gain or loss)
词组：at stake (=at risk 在危急之中)

stale [steil] *adj.* 不新鲜的，陈腐的 (tasteless or unpalatable from age)

stalemate [ˈsteilˌmeit] *n.* 和棋局面 (a drawn contest); 僵局 (deadlock)
【记】和 checkmate (*v.* 将死王棋)一起记
【参】stale (*adj.* 不新鲜的，陈腐的)

stalk* [stɔːk] *v.* 隐伏跟踪 (猎物) (to pursue quarry stealthily)
【记】stalk 作为"茎、秆"之义大家都熟悉

stall* [stɔːl] *v.* 使停止，使延迟 (to stop because there is not enough power)

stalwart* [ˈstɔːlwət] *adj.* 健壮的，坚定的 (of outstanding strength)
【记】分拆联想：stal (support) + wart (worth) → 值得依靠的 → 坚定的
【反】lank (*adj.* 瘦的)

stammer [ˈstæmə] *v.* 口吃，结巴 (to make involuntary stops and repetitions in speaking)

stamp* [stæmp] *n.* / *v.* 跺脚 (to put one's foot down heavily); 在…上盖印 (to print, mark with a design, an official seal, etc.)

SQUASH	SQUAT	SQUEEZE	SQUELCH	SQUINT	SQUIRREL
STACCATO	STAGNANT	STAID	STAIN	STAKE	STALE
STALEMATE	STALK	STALL	STALWART	STAMMER	STAMP

stance [stæns] *n.* 站姿 (posture); 立场 (intellectual or emotional attitude)
【记】词根记忆: stan (站) + ce → 站姿

stanch* [stɑːntʃ] *v.* 制止 (血液), 止住 (to check or stop the flowing of a liquid, esp. blood)
【记】词根记忆: stan (站) + ch → 让 (血液) 站住 → 止住

stanza* [ˈstænzə] *n.* (诗) 节, 段 (a division of a poem consisting of a series of lines)
【记】词根记忆: stan (站住) + za → 诗停止的地方 → 节, 段

staple* [ˈsteipl] *n.* 主要产品 (the chief commodity or production)
【例】the *staples* of British industry (英国工业的主要产品)

starchy [ˈstɑːtʃi] *adj.* 含淀粉的 (containing starch); 刻板的 (marked by stiffness)
【记】词根记忆: starch (淀粉) + y → 含淀粉的

stark* [stɑːk] *adj.* (外表) 僵硬的 (rigid as if in death); 完全的 (utter; sheer)
【记】和 start (*v.* 开始) 一起记
【例】*stark* discipline (严格的纪律); *stark* nonsense (完全的胡说)

startle* [ˈstɑːtl] *v.* 使吃惊 (to give an unexpected slight shock)
【反】lull (*v.* 使平静)

stasis* [ˈsteisis] *n.* 停滞 (motionlessness)
【反】motility (*n.* 运动)

static* [ˈstætik] *adj.* 静态的; 呆板的 (showing little change; stationary)
【反】oscillating (*adj.* 摇摆的)

stationary [ˈsteiʃənəri] *adj.* 静止的, 不动的 (fixed in a station; immobile)
【反】peripatetic (*adj.* 巡游的)

statuary* [ˈstætjuəri] *n.* 雕像 (a collection of statues); 雕塑艺术 (the art of making statues)
【记】来自 statue (雕像) + ary
【参】statuette (*n.* 小雕像)

stature [ˈstætʃə] *n.* 身高, 身材 (nature height in an upright position)
【记】词根记忆: stat (站) + ure (状态) → 站的状态 → 身高

status [ˈsteitəs] *n.* 身份, 地位 (social standing; present condition)
【记】词根记忆: stat (站) + us → 站的位置 → 身份

statute* [ˈstætjuːt] *n.* 法规, 法令 (a law enacted by the legislative branch)
【记】词根记忆: stat (站) + ute → 站着的规矩 → 法规

STANCE	STANCH	STANZA	STAPLE	STARCHY
STARK	STARTLE	STASIS	STATIC	STATIONARY
STATUARY	STATURE	STATUS	STATUTE	

statutory* [ˈstætjut(ə)ri] *adj.* 法定的；受法令所约束的（regulated by statute）

steadfast* [ˈstedˌfəst] *adj.* 忠实的（faithful）；不变的（not moving or movable）

【记】词根记忆：stead（=stand 站）+ fast（稳固的）→ 不变的

【反】capricious（*adj.* 多变的）

stealth* [stelθ] *n.* 秘密的行动（the action of moving or acting secretly）

【记】来自 steal（*v.* 偷）

steep* [stiːp] *v.* 浸泡，浸透（to soak in a liquid）

【记】联想记忆：和 seep（*v.* 渗漏）一起记 → 屋顶渗漏，东西全被浸泡了；此词还有"陡峭的"的意思，大家都不陌生。

【反】parch（*v.* 烘干）

steer [stiə] *v.* 操舵，驾驶（to control the course）；*n.* 公牛，食用牛

【例】*steer* a car through the entrance（把车开进大门）

stellar [ˈstelə] *adj.* 星的，星球的（of or relating to the stars）

【记】词根记忆：stell（星星）+ ar → 星的，星球的

【参】constellation（*n.* 星座）

stem* [stem] *n.*（植物的）茎，叶柄；*v.* 阻止，遏制（水流等）（to stop or dam up）

【例】*stem* a stream with sand（用沙土堵住溪水）

stench [stentʃ] *n.* 臭气，恶臭（stink）

【记】注意不要和 stanch（*v.* 止住）相混

stencil* [ˈstensl] *n.*（用以刻写图案、文字的）模板（an impervious material perforated with lettering or a design）；*v.* 用模板刻写（to produce by stencil）

【记】分拆联想：st（看作 stop）+ encil（看作 pencil 铅笔）→ 停下铅笔 → 用模板刻写

stentorian* [stenˈtɔːriən] *adj.*（指声音）极响亮的（extremely loud）

【记】来自希腊神话特洛伊战争中的传令官 Stentor，其声音极其洪亮

【反】faint（*adj.* 微弱的）

stereotype* [ˈstiəriəutaip] *n.* 固定形式，老套（sth. conforming to a fixed or general pattern）

【记】词根记忆：stereo（立体）+ type（形状）

sterile* [ˈsterail] *adj.* 贫瘠且无植被的（producing little vegetation）；不孕的（incapable of producing offspring）；无细菌的（free from living organisms）

【反】verdant（*adj.* 翠绿的）

sterilize* [ˈsterilaiz] *v.* 使不育；杀菌（to make sterile）

【派】sterilization（*n.* 杀菌）

【反】contaminate（*v.* 污染）

STATUTORY	STEADFAST	STEALTH	STEEP	STEER
STELLAR	STEM	STENCH	STENCIL	STENTORIAN
STEREOTYPE	STERILE	STERILIZE		

stern* [stəːn] *n.* 船尾(the rear end of a boat)
【记】stern 作为"严厉的"一义大家都熟悉
【参】bow(*n.* 船头)

stethoscope* [ˈsteθəskəup] *n.* 听诊器
【记】词根记忆:stetho(胸)+scope(看)→听诊器

stickler* [ˈstiklə] *n.* 坚持细节之人(one who insists on exactness)
【记】来自 stickle(*v.* 坚持己见),stick(坚持)+le
【形】tickle(*v.* 胳肢,逗痒痒)

stiff* [stif] *adj.* 僵直的,呆板的;严厉的 (not easily bent or changed in shape)

stifle* [ˈstaifl] *v.* 感到窒息 (to be unable to breathe comfortably);抑止(to prevent from happening)
【形】trifle(*n.* 琐事);rifle(*n.* 步枪)
【反】foment(*v.* 激起)

stigma* [ˈstigmə] *n.* 耻辱的标志,污点(a mark of shame or discredit)
【形】enigma(*n.* 谜,困惑之事)
【反】mark of esteem(尊敬的标志)

stigmatize* [ˈstigmətaiz] *v.* 污蔑,玷污(to describe opprobrious terms)
【记】stigma(耻辱,诋毁)+tize

stilted [ˈstiltid] *adj.* (文章、谈话)不自然的;夸张的(pompous;stiff)
【记】来自 stilt(高跷)+ed

stimulant* [ˈstimjulənt] *n.* 兴奋剂,刺激物(an agent that produces a temporary increase of the functional activity)
【记】词根记忆:stimul(刺激)+ant→刺激物
【参】stimulate(*v.* 刺激);stimulating(*adj.* 使人兴奋的)
【反】soporific(*n.* 催眠药)

stimulus [ˈstimjuləs] *n.* 刺激物,激励
【记】复数:stimuli
【例】Ambition is a great *stimulus*.(野心是一种巨大的刺激因素。)

sting* [stiŋ] *v.* 刺痛;叮螫(to prick or wound);*n.* 螫刺
【例】A bee *stang* him on the neck.(蜜蜂螫了他的脖子。)

stinginess* [ˈstindʒinis] *n.* 小气
【反】munificence(*n.* 慷慨);generosity(*n.* 慷慨)

stingy* [ˈstindʒi] *adj.* 吝啬的,小气的(not generous or liberal)
【记】sting(刺)+y

stint* [stint] *v.* 吝惜,节省(to restrict a share or allowance)
【反】lavish(*v.* 浪费)

stipple* [ˈstipl] *v.* 点画,点描(to apply paint by repeated small touches)
【记】词根记忆:stip(点)+ple→用点画

stipulate* [ˈstipjuleit] *v.* 要求以…为条件 (to demand an express term in an agreement);约定(to make an agreement)
【记】词根记忆:stip(点)+ulate→点明,约定

STERN	STETHOSCOPE	STICKLER	STIFF	STIFLE	STIGMA
STIGMATIZE	STILTED	STIMULANT	STIMULUS	STING	STINGINESS
STINGY	STINT	STIPPLE	STIPULATE		

stipulation* [ˌstipju'leiʃən] *n.* 规定，约定 (a condition, requirement, or item in a legal instrument)
【反】tacit requirement (心照不宣的要求)

stir* [stəː] *v.* 刺激 (to rouse to activity; to call forth)
【记】stir 本身是词根，有刺激之意

stitch* [stitʃ] *n.* (缝纫时的)一针，一钩；*v.* 缝合 (to make, mend, or decorate with or as if with stitches)
【形】switch (*n.* / *v.* 开关); pitch (*n.* 音调)

stock* [stɔk] *adj.* 普通的，惯用的 (commonly used; standard); *n.* 存货
【记】stock 作为"股票"、"家畜"、"储备"等意思大家比较熟悉
【反】unique (*adj.* 独特的)

stockade* [stɔ'keid] *n.* 栅栏，围栏 (a line of stout posts set firmly to form a defense)
【记】stock (木头) + ade → 木头做成的围栏

stocky* ['stɔki] *adj.* 矮胖的，粗壮的 (compact, sturdy, and relatively thick in build)
【记】stock (树桩) + y → 像树桩一样 → 矮胖的

stodgy* ['stɔdʒi] *adj.* 乏味的 (boring; dull)
【反】exciting (*adj.* 令人激动的)

stoic* ['stəuik] *n.* 坚忍克己之人 (a person firmly restraining response to pain or distress)
【记】来自希腊哲学流派 Stoic (斯多葛派)，主张坚忍克己
【派】stoical (*adj.* 不以苦乐为意的)

stoke* [stəuk] *v.* 给…添加燃料 (to fill with coal or other fuel)
【记】联想记忆：给火炉 (stove) 添加燃料 (stoke)
【形】stake (*n.* 树桩；赌注); token (*n.* 象征；代币)

stolid* ['stɔlid] *adj.* 无动于衷的 (expressing little or no sensibility; unemotional)
【记】solid (*adj.* 结实的) 中间加个 t
【反】excitable (*adj.* 易激动的)

stomach* ['stʌmək] *v.* 容忍 (to bear without overt reaction or resentment)
【反】refuse to tolerate (拒绝忍受)

stonewall* [ˌstəun'wɔːl] *v.* 拖延议事，设置障碍 (to intentionally delay in a discussion or argument)
【反】cooperate fully (完全合作)

stout [staut] *adj.* 肥胖的 (bulky in body); 强壮的 (sturdy; vigorous)
【例】a *stout* wall (坚固的墙); *stout* legs (粗壮的腿)

stowaway* ['stəuəˌwei] *n.* (藏于轮船、飞机中的)偷乘者 (one that stows away)
【记】组合词：stow (装载) + away → (藏于轮船、飞机中的)偷乘者

STIPULATION	STIR	STITCH	STOCK	STOCKADE
STOCKY	STODGY	STOIC	STOKE	STOLID
STOMACH	STONEWALL	STOUT	STOWAWAY	

straightforward* [ˌstreit ˈfɔːwəd] *adj.* 正直的 (honest and open); 易懂的 (not difficult to understand); 直截了当的 (direct)
【反】tortuous (*adj.* 弯曲的); convoluted (*adj.* 错综的); byzantine (*adj.* 错综复杂的); equivocating (*adj.* 含糊其辞的)

strand* [strænd] *n.* 绳线的一股; *v.* 搁浅 (to cause someone or sth. to be held at a location)

stranded [ˈstrændid] *adj.* 搁浅的, 进退两难的 (caught in a difficult situation)

stratagem* [ˈstrætidʒəm] *n.* 谋略, 策略 (a cleverly contrived trick or scheme)
【记】词根记忆: strata (层次) + gem → 有层次的计划 → 谋略
【参】strategic (*adj.* 战略上的)

stratify* [ˈstrætifai] *v.* (使) 层化 (to divide or arrange into classes, castes, or social strata)
【记】词根记忆: strat (层次) + ify → 层化
【反】homogenize (*v.* 使一致)

stratum* [ˈstreitəm] *n.* 地层; 社会阶层
【记】复数: strata

stray* [strei] *v.* 偏离, 迷路 (to wander away); *adj.* 迷了路的 (having strayed or escaped from a proper or intended place); 零落的 (occurring at random or sporadically)

streak* [striːk] *n.* 线条, 条纹 (a line or mark of a different color or texture); *v.* 加线条 (to have a streak)
【例】The marble was *streaked* with green and grey. (大理石有绿色和灰色条纹。)

stream* [striːm] *n.* 小溪; 水流; *v.* 倾注, 涌流 (to flow in or as if in a stream)

stretch* [stretʃ] *v.* 变长 (to become wider or longer); 伸展 (to reach full length or width)

strew [struː] *v.* 撒, 散播 (to spread randomly; scatter)

striate* [ˈstraieit] *v.* 在…加上条纹 (to mark with striation or striae)
【记】联想记忆: stri (想成 strip 条, 带) + ate → 在…加上条纹

striated* [ˈstraieitid] *adj.* 有条纹的 (marked with striations)
【记】striate (在…上划条纹) + d → 有条纹的; stria (条线, 线条)
【派】striation (*n.* 条纹, 线条)

stricture* [ˈstriktʃə] *n.* 严厉谴责 (an adverse criticism); 束缚 (restrictions)
【记】来自 strict (严格的) + ure

stride* [straid] *v.* 大步行走 (to move with or as if with long steps)

strident* [ˈstraidnt] *adj.* 尖声的, 刺耳的 (characterized by harsh sound)
【记】分拆联想: stri (看作 stride 大步走) + dent (凹痕) → 大步走进凹坑传来尖声大叫
【派】stridency (*n.* 尖锐, 刺耳)

STRAIGHTFORWARD	STRAND	STRANDED	STRATAGEM	STRATIFY	STRATUM
STRAY	STREAK	STREAM	STRETCH	STREW	STRIATE
STRIATED	STRICTURE	STRIDE	STRIDENT		

strife [straif] *n.* 纷争，冲突（bitter conflict or dissension）
【记】可能来自 strive（*v.* 努力，奋斗）
【例】a country torn by internal *strife*（被内乱弄得四分五裂的国家）

striking [ˈstraikiŋ] *adj.* 引人注目的，明显的（attracting attention or notice）
【记】来自 strike（打击）+ ing

stringent* [ˈstrindʒənt] *adj.* （规定）严格的，苛刻的（marked by rigor or severity）；缺钱的（marked by money scarcity）
【记】来自 string（线，绳）+ ent → 像用绳限制住的 → 严厉的
【参】astringent（*adj.* 收缩的）
【反】lax（*adj.* 放松的）

strip* [strip] *v.* 剥去（to remove surface matter from）；*n.* 狭长的一片（a long narrow piece）
【例】a *strip* show（脱衣舞）
【反】bedeck（*v.* 装饰，修饰）

strive* [straiv] *v.* 奋斗，努力（to struggle hard；make a great effort）
【记】分拆联想：st（看作 stress）+ rive（看作 drive）→ 奋斗的过程需要压力和动力

The ideals which have lighted my way, and time after time have given me new courage to face life cheerfully have been kindness, beauty and truth.
有些理想曾为我指引过道路，并不断给我新的勇气以欣然面对人生，那些理想就是——真、善、美。
——美国科学家 爱因斯坦(Albert Einstein, American scientist)

Word List 35

stroke* [strəuk] *v.* 抚摸 (to pass the hand over gently); *n.* 击，打 (a hit); 一笔 (a line made by a single movement of a pen or brush)
【形】stoke (*v.* 添加燃料); strike (*v.* 打击)

stroll* [strəul] *v.* 漫步，闲逛 (to walk in an idle manner; ramble)
【记】分拆联想: st (看作 street) + roll (转) → 在大街上转悠 → 闲逛
【形】scroll (*n.* 画卷)

strut* [strʌt] *v.* 趾高气扬地走 (to walk proudly); *n.* 支柱 (support)

stubborn* [ˈstʌbən] *adj.* 固执的 (determined); 难以改变的 (difficult to change)
【记】词根记忆: stub (根) + born (生) → 生根 → 难以改变的

studied* [ˈstʌdid] *adj.* 慎重的 (carefully prepared or considered); 认真习得的 (knowledgeable, learned)

stuffy* [ˈstʌfi] *adj.* (空气) 不新鲜的，(空气等) 闷人的 (oppressive to the breathing)
【记】stuff (填满) + y → 填满的，(空气) 不通气的

stultify [ˈstʌltifai] *v.* 使变得荒谬可笑 (to make stupid); 使无用 (to render useless)
【反】excite (*v.* 使激动)

stunning [ˈstʌniŋ] *adj.* 极富魅力的 (strikingly impressive in beauty or excellence)

stunt* [stʌnt] *v.* 阻碍 (成长) (to hinder the normal growth); *n.* 特技，绝技 (an unusual or difficult feat requiring great skill)

stupor* [ˈstjuːpə] *n.* 昏迷，不省人事 (no sensibility)
【记】词根记忆: stup (呆) + or → 呆住的状态 → 昏迷

sturdy* [ˈstəːdi] *adj.* (身体) 强健的 (strong); 结实的 (firmly built or constituted)
【记】联想记忆: 要想学习 (study) 好，需要身体好 (sturdy)
【反】decrepit (*adj.* 衰老的)

STROKE	STROLL	STRUT	STUBBORN	STUDIED
STUFFY	STULTIFY	STUNNING	STUNT	STUPOR
STURDY				

stutter* [ˈstʌtə] *n.* / *v.* 口吃，结巴 （to speak with involuntary disruption of speech）

stygian* [ˈstidʒiən] *adj.* 阴暗的，阴森森的（gloomy, unpleasantly dark）

【记】来自 Styx（地狱冥河）

stylus [ˈstailəs] *n.* 铁笔（an instrument for writing, marking, or incising）

stymie* [ˈstaimi] *v.* 妨碍，阻挠（to present an obstacle to）

【记】原指高尔夫球中的妨碍球

【反】foster（*v.* 促进）；promote（*v.* 促进）；abet（*v.* 怂恿）

subdue* [səbˈdjuː] *v.* 征服 （to conquer, vanquish）；压制 （to bring under control）；减轻（to reduce the intensity or degree of）

【记】词根记忆：sub（在下面）+ due（duce 引导）→ 引到下面 → 征服

【反】inflame（*v.* 燃烧）；burgeon（*v.* 萌芽，发芽）

subdued* [səbˈdjuːd] *adj.* （光和声）柔和的，缓和的 （lacking in vitality, intensity, or strength）

【反】flamboyant（*adj.* 华丽的）；unruly（*adj.* 蛮横的）

subject* [ˈsʌbdʒikt] *n.* 受支配的人 （one that is placed under authority or control）

【反】potentate（*n.* 当权者）

subjective [sʌbˈdʒektiv] *adj.* 主观的，想像的（influenced by personal feelings and therefore perhaps unfair）

【记】词根记忆：subject（主题）+ ive → 主观的

subjugate* [ˈsʌbdʒugeit] *v.* 征服，镇压（to bring under control and governance）

【记】词根记忆：sub（下面）+ jug（yoke 牛轭）+ ate → 置于牛轭之下 → 征服

【同】conjugal（*adj.* 结婚的，夫妇的）

【反】liberate（*v.* 释放）

sublime* [səˈblaim] *adj.* 崇高的（lofty in thought, expression, or manner）

【记】词根记忆：sub（没有）+ lime（看作 limit 限制）→ 没有限制 → 崇高的

【反】base（*adj.* 卑鄙的）；despicable（*adj.* 可鄙的）；ridiculous（*adj.* 荒谬的）；common（*adj.* 普通的）

subliminal* [sʌbˈliminl] *adj.* 潜意识的 （existing or functioning below the threshold of consciousness）

【记】词根记忆：sub（下面）+ limin（limen 最小限度的神经刺激）+ al → 潜意识的

【反】at a perceptible level（在感觉层次）

submission* [səbˈmiʃən] *n.* 从属，服从 （an act of submitting to the authority or control of another）

【记】词根记忆：sub （下面）+ miss （放）+ ion → 放在下面 → 从属，服从

STUTTER	STYGIAN	STYLUS	STYMIE	SUBDUE
SUBDUED	SUBJECT	SUBJECTIVE	SUBJUGATE	SUBLIME
SUBLIMINAL	SUBMISSION			

submit* [səb'mit] v. 屈服 (to admit defeat); 提交，呈递 (to present or propose to another for review, consideration, or decision)

suborn* [sʌ'bɔːn] v. 收买，贿赂 (to induce secretly to do an unlawful thing)
【记】词根记忆: sub (下面) + orn (装饰) → 在下面给人好处 → 贿赂
【同】ornate (*adj.* 华丽的); ornament (*n.* 装饰)

subpoena* [səb'piːnə] n. (法律) 传票 (a written order requiring a person to appear in court); v. 传讯 (to summon with a writ of subpoena)
【记】词根记忆: sub (下面) + poena (penalty 惩罚) → 在惩罚下 → 传讯

subsequent ['sʌbsikwənt] *adj.* 随后的，后来的 (following, later)
【记】词根记忆: sub (下面) + sequ (跟随) + ent → 继…之后的 → 随后的

subside* [səb'said] v. (建筑物等) 下陷 (to tend downward, descend); (天气等) 平息 (to become quiet or less)
【记】词根记忆: sub (下面) + side (坐) → 坐下去 → 下陷
【例】The earth *subsides*. (地下陷。) The storm *subsided*. (暴风雨平息了。)
【反】promote (*v.* 促进)

subsidiary [səb'sidjəri] *adj.* 辅助的 (furnishing aid or support, auxiliary); 次要的 (of second importance)
【记】词根记忆: sub (下面) + sid (坐) + iary → 坐在下面的 → 辅助的
【例】a *subsidiary* stream (支流); a *subsidiary* payment (补贴费)

subsidy* ['sʌbsidi] *n.* 补助金 (a grant or gift of money)

subsistence [sʌb'sistəns] *n.* 生存，生计 (means of subsisting as of food and shelter necessary to support life); 存在 (existence)
【记】subsist (生存) + ence → 生存，生计

substance* ['sʌbstəns] *n.* 大意；根据；实质 (essential nature); 物质 (particular type of matter)
【记】词根记忆: sub (在…下) + stance (=stand 站立) → 站立在下面的是根据 → 根据

substantial* [səb'stænʃəl] *adj.* 坚固的，结实的 (strongly made); 实质的 (concerning the important part or meaning)
【反】tenuous (*adj.* 脆弱的); vaporous (*adj.* 无实质的)

substantiate* [səbs'tænʃieit] v. 证实，确证 (to establish by proof or competent evidence, verify)
【记】词根记忆: substant (事实; 物质) + iate → 用事实来证明 → 确证
【反】controvert (*v.* 反驳); disapprove (*v.* 不赞成); disprove (*v.* 反驳)

substantive* ['sʌbstəntiv] *adj.* 根本的 (dealing with essentials); 独立存在的 (being a totally independent entity)
【反】trivial (*adj.* 不重要的)

SUBMIT	SUBORN	SUBPOENA	SUBSEQUENT	SUBSIDE
SUBSIDIARY	SUBSIDY	SUBSISTENCE	SUBSTANCE	SUBSTANTIAL
SUBSTANTIATE	SUBSTANTIVE			

substitute* [ˈsʌbstitjuːt] *n.* 代替品 (a person or thing that takes the place or function of another); *v.* 代替 (to replace)
【记】词根记忆：sub (下面) + stitute (站) → 站在下面的 → 代替品

subsume* [sʌbˈsjuːm] *v.* 包含，包容 (to include within)
【记】词根记忆：sub (下面) + sume (拿) → 拿在下面 → 包容
【同】assume (*v.* 假定，设想)；resume (*v.* 恢复，重新开始)

subterfuge [ˈsʌbtəfjuːdʒ] *n.* 诡计，托辞 (a deceptive device or stratagem)
【记】词根记忆：subter (私下) + fuge (逃跑) → 诡计，托辞

subterranean* [ˌsʌbtəˈreiniən] *adj.* 地下的 (being under the surface of the earth)
【记】词根记忆：sub (下面) + terr (地) + anean → 地下的
【同】terrain (*n.* 地形)；terrace (*n.* 梯田)

subtle* [ˈsʌtl] *adj.* 微妙的，精巧的 (delicate)
【反】palpable (*adj.* 明显的)；blatant (*adj.* 炫耀的)

subtract* [səbˈtrækt] *v.* 减去，减掉 (to take away by or as if by deducting)
【记】词根记忆：sub (下面) + tract (拉) → 拉下去 → 减去
【派】subtraction (*n.* 减，减法)

subversive* [sʌbˈvəːsiv] *adj.* 颠覆性的，破坏性的 (devastating)
【记】词根记忆：sub (下面) + vers (转) + ive → 转到下面的 → 颠覆性的

subvert* [səbˈvəːt] *v.* 颠覆，推翻 (to overturn or overthrow from the foundation)
【记】词根记忆：sub (下面) + vert (转) → 在下面转 → 推翻
【派】subversive (*adj.* 颠覆性的，破坏性的)
【反】reinforce (*v.* 加强)

succinct* [səkˈsiŋkt] *adj.* 简明的，简洁的 (marked by compact, precise expression)
【记】词根记忆：suc (下面) + cinct (gird 束起)，原指把下面的衣服束起来方便干活 → 简练的，简洁的
【反】voluble (*adj.* 多话的)

succor [ˈsʌkə] *n.* / *v.* 救助，援助 (aid, help)
【记】词根记忆：suc (下面) + cor (跑) → 跑到下面来 → 救助
【反】aggravate (*v.* 使恶化)

succumb [səˈkʌm] *v.* 屈从 (to yield to superior strength)；因…死亡 (to be brought to an end by the effects of destructive forces)
【记】词根记忆：suc (下面) + cumb (躺) → 躺下去 → 死亡
【同】recumbent (*adj.* 斜躺的)；encumber (*v.* 妨碍)

suffice* [səˈfais] *v.* 足够，(食物) 满足 (to meet or satisfy a need)
【记】词根记忆：suf (下面) + fice (做) → 做出来 → 足够，满足

sufficient* [səˈfiʃənt] *adj.* 足够的 (enough to meet the needs)

suffocate* [ˈsʌfəkeit] *v.* (使) 窒息而死 (to die from being unable to breathe)
【记】词根记忆：suf+foc (喉咙)+ate → 在喉咙下面 → 使窒息而死

SUBSTITUTE	SUBSUME	SUBTERFUGE	SUBTERRANEAN	SUBTLE
SUBTRACT	SUBVERSIVE	SUBVERT	SUCCINCT	SUCCOR
SUCCUMB	SUFFICE	SUFFICIENT	SUFFOCATE	

suffrage [ˈsʌfridʒ] *n.* **选举权，投票权**（the right of voting）
【记】词根记忆：suf＋frage（表示拥护的喧闹声）→ 投票权
【例】grant *suffrage* to women（给妇女以选举权）

suffragist* [ˈsʌfrədʒist] *n.* **参政权扩大论者；妇女政权论者**（one who advocates extension of suffrage esp. for women）
【记】分拆联想：suff＋rag（破布）＋ist → 主张穿破布的人也参政 → 参政权扩大论者

suffuse* [səˈfjuːz] *v.*（色彩等）**弥漫，染遍**（to spread over or through in the manner of fluid or light；flush）
【记】词根记忆：suf＋fuse（流）→ 弥漫，染遍
【同】effusive（*adj.* 流出的，奔放的）

suitcase* [ˈsjuːtkeis] *n.* **手提箱，箱子**（a large container for carrying clothes and possessions）

sulky [ˈsʌlki] *adj.* **生气的**（angry）
【记】词根记忆：sulk（生气）＋y → 生气的

sullen* [ˈsʌlən] *adj.* **忧郁的**（dismal；gloomy）
【例】a *sullen* disposition（抑郁的性格）

sultry [ˈsʌltri] *adj.* **闷热的**（very hot and humid, sweltering）；（人）**风骚的**（capable of exciting strong sexual desire）
【例】*sultry* weather（闷热的天气）；a *sultry*-voiced singer（撩拨春心的歌手）

summarily* [ˈsʌmərəli] *adv.* **概括地**（covering the main points）；**仓促地**（quickly executed）
【反】after long deliberation（经长时间考虑地）

summary* [ˈsʌməri] *n.* **摘要，概要**（an abstract；abridgment）；*adj.* **摘要的，简略的**（converting the main points succinctly）
【记】词根记忆：sum（总和）＋mary → 摘要，概要

summation [sʌˈmeiʃən] *n.* **总结，概要**（a summary）；**总数，合计**（total）
【记】词根记忆：summ（总）＋ation → 总数，总计

summon* [ˈsʌmən] *v.* **召见**（to order officially to come）；**召集**（to tell or request people to come to）
【反】dismiss（*v.* 解散）

sumptuous [ˈsʌmptjuəs] *adj.* **豪华的，奢侈的**（extremely costly, luxurious, or magnificent）
【记】词根记忆：sumpt（拿，取）＋uous →（把钱）拿出去 → 奢侈的
【同】consumption（*n.* 消费）
【反】sober（*adj.* 节制的）

sunder* [ˈsʌndə] *v.* **分裂，分离**（to separate by violence or by intervening time or space）
【记】发音记忆："散的" → 分裂
【参】asunder（*adj.* 分开的）

SUFFRAGE	SUFFRAGIST	SUFFUSE	SUITCASE	SULKY
SULLEN	SULTRY	SUMMARILY	SUMMARY	SUMMATION
SUMMON	SUMPTUOUS	SUNDER		

【反】link（*v.* 连接）；connect（*v.* 连接）；combine（*v.* 结合）；yoke（*v.* 束缚）；bond（*v.* 结合）

superb [sjuːˈpəːb] *adj.* 上乘的，出色的（marked to the highest degree by excellence, brilliance, or competence）

【记】词根记忆：super（超过）+ b → 超群的，出色的

supercilious* [ˌsjuːpəˈsiliəs] *adj.* 目中无人的（coolly or patronizingly haughty）

【记】词根记忆：super（超过）+ cili（眉毛）+ ous → 超过眉毛的 → 高傲的，目中无人的

【反】obsequious（*adj.* 谄媚的）；humble（*adj.* 卑下的）

superficial* [ˌsjuːpəˈfiʃəl] *adj.* 表面的，肤浅的（shallow）

【记】词根记忆：super（在…上面）+ fic（做）+ ial → 在上面做 → 表面的

【反】superficial element（表面的因素）→ pith（*n.* 精髓）；central（*adj.* 核心的）

superficiality* [sjuːpəˌfiʃiˈæliti] *n.* 浅薄（the quality or state of being superficial）

【反】profundity（*n.* 深刻）

superfluity* [ˌsjuːpəˈfluiti] *n.* 多余的量（a larger amount than what is needed）

superfluous* [sjuːˈpəːfluəs] *adj.* 多余的，累赘的（exceeding what is needed）

【记】词根记忆：super（超过）+ flu（流）+ ous → 流得过多 → 多余的

【反】integral（*adj.* 构成整体所必须的）

superimpose* [ˌsjuːpərimˈpəuz] *v.* 加在上面（to place or lay over or above sth.）

【记】词根记忆：super（在…上面）+ impose（强加）→ 加在上面

superintend* [ˌsjuːpərinˈtend] *v.* 监督（to exercise the charge and oversight of）

【记】词根记忆：super（在…上面）+ intend（监督）→ 监督

superiority* [ˌsjuːpiəriˈɔriti] *n.* 优越（感）（the quality or state of being superior）

【记】来自形容词 superior（优越的）

supernova [ˌsjuːpəˈnəuvə] *n.* 超新星（a very large exploding star seen in the sky as a bright mass）

【记】词根记忆：super（超级）+ nova（新星）→ 超新星

supersede* [ˌsjuːpəˈsiːd] *v.* 淘汰，取代（to force out of use as inferior）

【记】词根记忆：super（在…上面）+ sede（坐）→ 坐在别人上面 → 取代

【例】Steam locomotives were *superseded* by diesel.（蒸汽机被柴油机所取代。）

supervise* [ˈsjuːpəvaiz] *v.* 监督，管理（superintend, oversee）

【记】词根记忆：super（在…上面）+ vise（看）→ 在上面看 → 监督

【派】supervision（*n.* 监督，管理）

supine* [sjuːˈpain] *adj.* 仰卧的（lying on the back）；懒散的（mentally or morally slack）

【记】词根记忆：sup（=super 在…上面）+ ine →（肚子）在上面 →

仰卧的

【参】prone（*adj.* 俯卧的）

【反】vigilant（*adj.* 警觉的）

supplant* [sə'plɑːnt] *v.* 排挤，取代（to supersede by force or treachery）

【记】词根记忆：sup（下面）+ plant（种植，培养）→ 在下面培养以取代他人 → 取代

supple* ['sʌpl] *adj.* 伸屈自如的（readily adaptable or responsive to new situations）

【记】可能是 supplicate（*v.* 恳求，求饶）的变体

【派】suppleness（*n.* 柔软）

supplement ['sʌplimənt] *n.* / *v.* 增补，补充（to add or serve as a supplement to; sth. that completes or makes an addition）

【记】词根记忆：supple（=supply 提供）+ ment → 提供补充 → 补充

suppliant ['sʌpliənt] *adj.* 恳求的，哀求的（humbly imploring）；*n.* 恳求者（one who supplicates）

supplicant* ['sʌplikənt] *n.* 乞求者，恳求者（one who supplicates）

supplicate* ['sʌplikeit] *v.* 恳求，乞求（to make a humble entreaty）

【记】词根记忆：sup（下面）+ plic（重叠）+ ate → 双膝跪下 → 乞求

【例】I can't brook to be *supplicated*.（我不能忍受别人向我哀求。）

【反】demand（*n.* / *v.* 苛求）

supplicate

supremacy [sju'preməsi] *n.* 至高无上，霸权（the quality or state of being supreme）

supreme* [sjuː'priːm] *adj.* 至高的（having the highest position）；极度的（highest in degree）

surcharge* ['səːtʃɑːdʒ] *v.* 对…收取额外费用（to make an additional charge）；*n.* 附加费

【记】词根记忆：sur（超过）+ charge（收费）→ 额外的收费 → 附加费

【反】discount（*n.* / *v.* 折扣）

surfeit* ['səːfit] *n.*（食物）过量，过度（an overabundant supply）；*v.* 使过量

【记】词根记忆：sur（过分）+ feit（做）→ 做过了头 → 过量

【反】famish（*v.* 使挨饿）；starve（*v.* 使挨饿）；deprivation（*n.* 缺乏）；insufficient supply（不足的供应）；deficiency（*n.* 不足）

surge [səːdʒ] *v.* 波涛汹涌，波动（to rise and move in waves or billows）

【参】insurgent（*adj.* 叛乱的）

surgeon* ['səːdʒən] *n.* 外科医师（a medical specialist who practises surgery）；军医，船上的医生

SUPPLANT	SUPPLE	SUPPLEMENT	SUPPLIANT	SUPPLICANT
SUPPLICATE	SUPREMACY	SUPREME	SURCHARGE	SURFEIT
SURGE	SURGEON			

surly* [ˈsəːli] *adj.* 脾气暴躁的（bad tempered）；阴沉的（sullen）
【记】联想记忆：sur（=sir 先生）+ ly → 像高高在上的先生一般 → 脾气暴躁的
【例】a *surly* old man（一个脾气暴躁的老人）；*surly* weather（坏天气）

surmise* [ˈsəːmaiz] *n.* / *v.* 推测，猜测（conjecture）
【记】词根记忆：sur（在…下）+ mise（放）→ 放下想法 → 推测

surmount* [səˈmaunt] *v.* 克服，战胜（to prevail over, overcome）
【记】词根记忆：sur （在…下）+ mount （山）→ 将山踩在脚下 → 克服，战胜

surpass* [səːˈpɑːs] *v.* 超过（to go beyond in amount, quality, or degree）
【记】词根记忆：sur（超过）+ pass（通过）→ 在上面通过 → 超越，超过

surplus* [ˈsəːpləs] *adj.* 过剩的 （more than what is needed）；盈余的（the excess of a corporation's net worth）
【记】词根记忆：sur（超过）+ plus（加，多余的）→ 过剩的
【参】nonplus（*n.* 难堪）

surrealism [səˈriəliz（ə）m] *n.* 超现实主义（a modern type of art and literature in which the artist connects unrelated images and objects）
【记】词根记忆：sur（超过）+ realism（现实主义）→ 超现实主义

surrender* [səˈrendə] *v.* 投降 （to give in to the power）；放弃 （to give up possession or control of）；归还（to give back）
【记】词根记忆：sur（在…下）+ render（给予）→ 把（枪）放下来 → 投降
【反】appropriate（*v.* 挪用，侵占）

surreptitious* [ˌsʌrəpˈtiʃəs] *adj.* 鬼鬼祟祟的（acting or doing sth. clandestinely）
【记】词根记忆：sur + rept（爬）+ itious → 在下面爬 → 鬼鬼祟祟的
【反】barefaced（*adj.* 公然的）；aboveboard（*adj.* 光明正大的）

surrogate [ˈsʌrəgit] *n.* 代替品 （one that serves as a substitute）；代理人（one appointed to act in place of another, deputy）
【记】词根记忆：sur + rog（要求）+ ate → 在下面要求 → 代理人
【同】subrogate（*v.* 代替，取代）

surveyor* [səˈveiə] *n.* 测量员 （a person whose job is to survey buildings or land）
【记】survey（测量）+ or → 测量员

survive* [səˈvaiv] *v.* 幸存（to continue to exist or live after）
【记】词根记忆：sur + vive（生命）→ 在（事故）下面活下来 → 幸存
【反】perish（*v.* 死亡）

susceptibility* [səˌseptəˈbiliti] *n.* 易感性（the quality or state of being susceptible）
【反】immunity（*n.* 免疫）

susceptible [səˈseptəbl] *adj.* 易受影响的，脆弱的 （unresistant to some stimulus, influence, or agency）

SURLY	SURMISE	SURMOUNT	SURPASS	SURPLUS
SURREALISM	SURRENDER	SURREPTITIOUS	SURROGATE	SURVEYOR
SURVIVE	SUSCEPTIBILITY	SUSCEPTIBLE		

【记】词根记忆：sus + cept（接受）+ ible → 在下面接受 → 容易接受 → 易受影响的

suspect* [səsˈpekt] *v.* 怀疑（to doubt the truth or value of）；*n.* 嫌疑犯；*adj.* 可疑的（of uncertain truth, quality, legality, etc.）
【记】词根记忆：sus + pect（=spect 看）→ 在下面看一看 → 怀疑

suspend* [səsˈpend] *v.* 暂缓，中止（to stop to be inactive or ineffective for a period of time）；吊，悬（to hang from above）
【记】词根记忆：sus + pend（挂）→ 挂在下面 → 吊，悬
【反】let fall（使下落）；erect（*v.* 树立）；invoke（*v.* 激发）

suspense [səsˈpens] *n.* 悬念（pleasant excitement as to a decision or outcome）；挂念（mental uncertainty; anxiety）
【参】suspension（*n.* 悬挂，暂停）

suspicion* [səsˈpiʃən] *n.* 怀疑，觉察，嫌疑（doubt）
【记】来自 suspect（*v.* 怀疑）

suspicious* [səsˈpiʃəs] *adj.* 怀疑的（expressing or indicative of suspicion）

sustain* [səsˈtein] *v.* 承受（困难）（undergo）；支撑（重量）（to carry or withstand a weight or pressure）
【记】词根记忆：sus + tain（拿住）→ 在下面支撑住 → 支撑（重量）
【例】An unshakable faith *sustained* me.（不可动摇的信念支撑着我。）

sustained* [səsˈteind] *adj.* 持久的，经久不衰的（prolonged）

sustenance* [ˈsʌstinəns] *n.* 食物，粮食（food; provisions）；生计（means of support, maintenance, or subsistence）

suture* [ˈsjuːtʃə] *n.*（伤口的）缝线（a strand or fiber used to sew parts of the living body）；*v.* 缝合（to unite, close, or secure with sutures）
【形】future（*n.* 将来）
【反】incision（*n.* 切开）

svelte [svelt] *adj.*（女人）体态苗条的（slender; lithe）
【反】plump（*adj.* 丰满的）；paunchy and awkward（胖而笨的）

swagger* [ˈswægə] *v.* 大摇大摆地走（to walk with an air of overbearing self-confidence）
【参】waddle（*v.*〔鸭子等〕摇摆着走）

swallow* [ˈswɔləu] *v.* 吞下，咽下；忍受（to accept patiently or without question）
【形】wallow（*v.* 打滚；沉湎于）
【反】disgorge（*v.* 呕吐）

swamp* [swɔmp] *n.* 沼泽（land which is always full of water）；*v.* 使陷入（to cause to have a large amount of problems to deal with）；淹没

sway* [swei] *v.* 摇动，摇摆（to swing from side to side）；影响使改变（to influence someone so that they change their opinion）；*n.* 摇动（swaying movement）
【记】分拆联想：s + way（路）→ 从路这边到路那边 → 摆动

SUSPECT	SUSPEND	SUSPENSE	SUSPICION	SUSPICIOUS
SUSTAIN	SUSTAINED	SUSTENANCE	SUTURE	SVELTE
SWAGGER	SWALLOW	SWAMP	SWAY	

swell* [swel] *v.* 肿胀，增强 (to expand gradually beyond a normal or original limit)
【例】The wind *swelled* into a tempest.(风变成了暴风雪。)

sweltering [ˈsweltəriŋ] *adj.* 酷热的(oppressively hot)
【记】来自 swelter (*v.* 出大汗)
【反】frigid (*adj.* 寒冷的)

swerve* [swəːv] *v.* 突然改变方向(to turn aside abruptly from a straight line or course; deviate)
【记】联想记忆: serve (发球) 中间加 w (where) → swerve 发球突然改变方向后都不知道球到哪儿去了
【反】maintain direction (保持方向)

swift* [swift] *adj.* 迅速的(able to move at great speed); 敏捷的(ready or quick in action)

swill* [swil] *v.* 冲洗(to wash; drench); 痛饮(to guzzle)
【记】分拆联想: sw (看成 swim) + ill → 游泳之后冲个热水澡才不会生病 → 冲洗
【反】sip (*n.* / *v.* 啜饮)

swindle* [ˈswindl] *v.* 诈骗(to obtain money or property by fraud or deceit)
【记】分拆联想: s + wind (风) + le → 四处吹风，搞诈骗 → 诈骗
【形】dwindle (*v.* 减少)

swine* [swain] *n.* 猪(pig)
【记】s + wine (酒) → 喝酒喝多了，就成了胖猪(swine) → 猪

swing* [swiŋ] *v.* 摇摆 (to move backwards and forwards); 旋转 (to move in a smooth curve); *n.* 秋千

swirl* [swəːl] *v.* 旋转 (to move with an eddying motion); *n.* 漩涡 (a whirling motion; eddy)
【记】词根记忆: s + wirl (转) → 旋转
【参】whirl (*n.* / *v.* 旋转)

sybarite [ˈsibərait] *n.* 奢侈逸乐的人(lover of luxury)
【记】来自古希腊锡巴里斯人(Sybaris)，以奢侈著名
【反】ascetic (*n.* 禁欲者)

sybaritic [ˌsibəˈritik] *adj.* 放纵的 (marked by often excessive or effete luxury)
【记】分拆联想: sy (看作 see) + bar (酒吧) + itic → 看着酒吧里放纵的身影 → 放纵的

sycophant* [ˈsikəfənt] *n.* 马屁精(a servile self-seeking flatterer)
【记】词根记忆: syco (无花果) + phant (显现) → 献上无花果 → 拍马屁者，马屁精

syllabus* [ˈsiləbəs] *n.* 教学纲要(a summary outline of a course)
【记】词根记忆: syl (综合) + labus (=label 标签) → 把要做的事放在一起 → 教学纲要

SWELL	SWELTERING	SWERVE	SWIFT	SWILL
SWINDLE	SWINE	SWING	SWIRL	SYBARITE
SYBARITIC	SYCOPHANT	SYLLABUS		

symbiosis [ˌsimbaiˈəusis] *n.* 共生(关系)(the living together in more or less intimate association or closer union of two dissimilar organisms)
【记】词根记忆:sym(共同)+bio(生命)+sis→共生(关系)

symmetry* [ˈsimitri] *n.* 对称;均衡(balanced proportions)
【记】词根记忆:sym(共同)+metry(测量)→两边测量相同→对称
【派】symmetrical(*adj.* 对称的)
【反】disproportion(*n.* 不对称)

symphony* [ˈsimfəni] *n.* 交响乐,交响曲(a usually long and complex sonata for symphony orchestra)
【记】词根记忆:sym(共同)+phon(声音)+y→交响乐

synchronous* [ˈsiŋkrənəs] *adj.* 同时发生的(happening at precisely the same time)
【反】out-of-phase(*adj.* 不同步的);occurring at different times(不同时发生的);noncontemporaneous(*adj.* 不同时代的)

syndrome [ˈsindrəum] *n.* 综合症状(a set of medical symptoms which represent a physical or mental disorder)
【记】词根记忆:syn(共同)+drome(跑)→跑到一起→综合症状

synergic* [siˈnəːdʒik] *adj.* 协同作用的(of combined action or cooperation)
【记】来自synergy(*n.* 协同作用),syn(共同)+erg(能量)+y→共同发挥能量→协同作用
【反】antagonistic(*adj.* 对抗的)

synopsis* [siˈnɔpsis] *n.* 摘要,概要(a condensed statement or outline)
【记】词根记忆:syn(共同)+opsis(看)→放在一起看→摘要
【反】protraction(*n.* 冗长)

synoptic [siˈnɔptik] *adj.* 摘要的(affording a general view of a whole)

synthesis* [ˈsinθisis] *n.* 综合,合成(the combining of separate things or ideas into a complete whole)
【反】analysis(*n.* 分解)

syringe* [ˈsirindʒ] *n.* 注射器(a device used to inject fluids into)

table [ˈteibl] *v.* 搁置,不加考虑(to remove from consideration indefinitely)
【反】consider(*v.* 考虑)

taboo [təˈbuː] *adj.* 讳忌的(banned on grounds of morality);*n.* 禁忌(a prohibition imposed by social custom)
【例】a *taboo* subject(忌讳的话题);violate the *taboo*(违犯禁忌)

tacit* [ˈtæsit] *adj.* 心照不宣的(understood without being put into words; implied)
【记】注意和taciturn(*adj.* 沉默的)区别,tacit指心里明白但口头不说
【反】explicit(*adj.* 明确表达的)

SYMBIOSIS	SYMMETRY	SYMPHONY	SYNCHRONOUS	SYNDROME
SYNERGIC	SYNOPSIS	SYNOPTIC	SYNTHESIS	SYRINGE
TABLE	TABOO	TACIT		

taciturn* [ˈtæsitəːn] *adj.* 沉默寡言的（temperamentally disinclined to talk）

【反】loquacious（*adj.* 多话的）; prolix（*adj.* 冗长的）; voluble（*adj.* 爱说话的）; expansive（*adj.* 豪爽的）

tackiness* [ˈtækinis] *n.* 胶黏性（the quality or state of being tacky）

【记】来自 tacky（*adj.* 发黏的）

tackle* [ˈtækl] *v.* 处理 （to take action in order to deal with）; *n.* 滑车（a mechanism for lifting weights）

【记】联想记忆：想成 hackle （*v.* 用力劈，砍）→ 大刀阔斧地处理问题 → 处理

【例】The question set by the teacher was so difficult that the pupils did not know how to *tackle* it.（老师提的问题太难，以致学生们不知道怎么解决。）

Histories make men wise; poems witty; the mathematics subtle; natural philosophy deep; moral grave; logic and rhetoric able to contend.

历史使人明智；诗词使人灵秀；数学使人周密；自然哲学使人深刻；伦理使人庄重；逻辑修辞学使人善辩。

——英国哲学家 培根（Francis Bacon, British philosopher）

Word List 36

tact* [tækt] *n.* 机智；圆滑 (a keen sense of what to do or say)

tactic* [ˈtæktik] *n.* (达到目的的)手段 (a device for accomplishing an end); 战术 (a method of employing forces in combat)

【记】词根记忆：tact (机智) + ic → 手段

tactile [ˈtæktail] *adj.* 有触觉的 (relating to the sense of touch)

【记】词根记忆：tact (接触) + ile → 有触觉的

【同】contact (*n.* / *v.* 联系); tactometer (*n.* 触觉测量器)

tadpole* [ˈtædpəul] *n.* 蝌蚪 (a larval amphibian)

【记】词根记忆：tad (=toad 蛤蟆) + pole (=head) → 蛤蟆头 → 蝌蚪

taking [ˈteikiŋ] *adj.* 楚楚动人的 (gaining the liking of)

【例】a *taking* smile (摄人魂魄的微笑)

talisman [ˈtælizmən] *n.* 避邪物，护身符 (an object held to act as a charm to avert evil and bring good fortune)

【记】词根记忆：talis (做仪式，驱邪) + man → 避邪物，护身符

tally [ˈtæli] *v.* (使)一致，符合 (to correspond; match)

【记】分拆联想：t + ally (联盟) → 联盟 → 一致

【例】His statement does not *tally* with the facts. (他的陈述与事实不符。)

talon* [ˈtælən] *n.* 猛禽的锐爪 (claw of a bird of prey)

【记】分拆联想：tal (联想为 tall 高) + on (在…上) → 在高空中是猛禽的锐爪 → 猛禽的锐爪

tambourine* [ˌtæmbəˈriːn] *n.* 铃鼓，手鼓 (a small drum played by shaking or striking with the hand)

【记】来自 tambour (*n.* 鼓)，源自 timbre (木材；音质)

tame* [teim] *adj.* 驯服的 (not fierce or wild); 沉闷的 (unexciting and uninteresting)

【反】racy (*adj.* 生动的)

TACT	TACTIC	TACTILE	TADPOLE	TAKING
TALISMAN	TALLY	TALON	TAMBOURINE	TAME

tamp [tæmp] *v.* 捣实，砸实 (to drive in or down by a succession of blows)

【记】可能是象声词"踏"

【例】*tamp* the earth around the base of the seedlings (把树苗根部周围的土砸实)

tamper [ˈtæmpə] *v.* 损害；窜改 (to make changes without authority)

【记】temper (*v.* 锻造，减轻) 的变体

tan [tæn] *v.* 鞣(革) (to convert [hide] into leather)

【派】tanner (*n.* 制革工人)

tangential* [tænˈdʒenʃ(ə)l] *adj.* 切线的 (of the nature of a tangent)；离题的 (divergent; digressive)

【反】tangential point (非要点) 〈〉 gist (*n.* 要点)

tangible* [ˈtændʒəbl] *adj.* 可触摸的 (touchable; palpable)

tangle [ˈtæŋgl] *v.* 缠结 (to become a confused mass of disordered and twisted threads)；*n.* 纷乱 (a confused disordered state)

【参】entangle (*v.* 纠缠，连累)

tango* [ˈtæŋgəu] *n.* 探戈舞 (a ballroom dance of Latin American origin)

tangy [ˈtæŋi] *adj.* 强烈的，扑鼻的 (having a pleasantly sharp flavor)

【反】bland (*adj.* 乏味的)

tantalize [ˈtæntəlaiz] *v.* 挑逗，使干着急 (to tease or torment by a sight of sth. that is desired but cannot be reached)

【记】来自希腊神话人物 Tantalus，因泄露天机被罚立在近下巴深的水中，头上有果树，口渴欲饮时水即流失，腹饥欲食时果子即消失

【反】satiate (*v.* 满足)

【例】 He was *tantalized* by her beauty. (他被她的美貌弄得心荡神驰。)

tantamount [ˈtæntəmaunt] *adj.* 与…相等的 (equivalent in value, significance, or effect)

【记】词根记忆：tant (相等) + amount (数量) → 等量的 → 与…相等的

【反】incommensurate (*adj.* 不相称的)

tantrum [ˈtæntrəm] *n.* 发脾气，发怒 (a fit of bad temper)

【记】发音记忆："太蠢" → 发脾气，发怒

taper [ˈteipə] *n.* 细蜡烛 (very thin candle)；*v.* (长形物体的) 逐渐变细 (to become progressively smaller toward one end)

tapestry* [ˈtæpistri] *n.* 挂毯 (textile used for hangings, curtains, and upholstery)

tardy [ˈtɑːdi] *adj.* 缓慢的，迟缓的 (slow to act; sluggish)

【记】词根记忆：tard (迟缓) + y → 迟缓的

【同】retard (*v.* 阻碍)；tardigrade (*adj.* 缓步的)

TAMP	TAMPER	TAN	TANGENTIAL	TANGIBLE
TANGLE	TANGO	TANGY	TANTALIZE	TANTAMOUNT
TANTRUM	TAPER	TAPESTRY	TARDY	

tare* [teə] *n.* 莠草，杂草
【记】分拆联想：stare（盯着看）去掉 s 成为 tare

tariff* [ˈtærif] *n.* 关税 （a duty imposed by a government on imported goods）

tarnish* [ˈtɑːniʃ] *n.* / *v.* 失去光泽，晦暗 （to dull or destroy the luster of by air, dust, or dirt）
【记】词根记忆：tarn（隐藏）+ ish → 隐藏光泽 → 失去光泽
【形】burnish（*v.* 擦亮）；furnish（*v.* 供给，提供）

tarpaulin [tɑːˈpɔlin] *n.* 防水油布（waterproofed canvas）
【记】发音记忆："它破淋" → 它破了你就淋雨了 → 防水油布

tart* [tɑːt] *adj.* 酸的 （agreeably sharp or acid）；尖酸的（biting; acrimonious）
【例】*tart* apples（酸苹果）；a *tart* disposition（刻薄的本性）

tasty* [ˈteisti] *adj.* 味道好的（having a pleasant noticeable taste）
【反】uninteresting（*adj.* 无趣的）

tatty [ˈtæti] *adj.* 简陋的，不整洁的（shabby or dilapidated）
【反】smart（*adj.* 时髦的）

taut* [tɔːt] *adj.* 绷紧的（having no slack; tightly drawn）
【反】loose（*adj.* 松的）；unfirm（*adj.* 不稳的）；slack（*adj.* 松的）

tauten* [ˈtɔːtn] *v.* 拉紧，绷紧（to make taut）
【反】loosen（*v.* 松开）；slacken（*v.* 减弱）

tawdry [ˈtɔːdri] *adj.* 华而不实的，俗丽的（cheap and showy）

taxing [ˈtæksiŋ] *adj.* 繁重的（burdensome）
【记】来自 tax（*v.* 收税）
【反】light（*adj.* 轻的）

taxonomist [tækˈsɔnəmist] *n.* 分类学家 （a person who studies the system or process of putting things into various classes）
【记】词根记忆：taxo（排列）+ nomi（看作是 nomy 名称）+ st → 按名称排列的人 → 分类学家

tear* [teə] *v.* 撕裂（to pull into pieces by force）

tease* [tiːz] *v.* 逗乐，戏弄（to make fun of）；强求（to obtain by repeated coaxing）；*n.* 揶揄，戏弄，取笑（the act of teasing）

technocrat [ˈteknəkræt] *n.* 技术管理人员 （a technical expert, esp. one exercising managerial authority）
【记】词根记忆：techno（技术）+ crat（统治）→ 统治技术的人 → 技术管理人员

tedious* [ˈtiːdiəs] *adj.* 冗长的，沉闷的 （tiresome because of length or dullness; boring）
【反】entertaining（*adj.* 有趣的）；stimulating（*adj.* 刺激的）

tedium* [ˈtiːdiəm] *n.* 单调乏味（boredom）
【记】联想记忆：媒体（medium）的节目都很乏味（tedium）
【例】the *tedium* of a long journey（长途旅行中的无聊）

TARE	TARIFF	TARNISH	TARPAULIN	TART	TASTY
TATTY	TAUT	TAUTEN	TAWDRY	TAXING	TAXONOMIST
TEAR	TEASE	TECHNOCRAT	TEDIOUS	TEDIUM	

teeter [ˈtiːtə] *v.* 摇摆 (to move unsteadily)
【反】stabilize (*v.* 稳定)

telling [ˈteliŋ] *adj.* 有效的，显著的 (producing a striking effect)
【反】not effective (无效的)

temerity* [tiˈmeriti] *n.* 鲁莽，大胆 (audacity; rashness; recklessness)
【记】词根记忆：temer (轻率) + ity → 鲁莽
【反】circumspection (*n.* 谨慎); pusillanimity (*n.* 胆怯); cautious approach (谨慎靠近)

temp [temp] *v.* 做临时工作 (to do temporary work)

temper* [ˈtempə] *v.* 锤炼 (to toughen); 缓和 (to dilute, or soften); *n.* 脾气 (disposition)
【记】联想记忆：用锤子 (hammer) 锤炼 (temper)
【反】mildness of temper (脾气温和) 〈〉 asperity (*n.* 粗暴)

tempest* [ˈtempist] *n.* 暴风雨 (a violent storm); 骚动 (tumult; uproar)
【记】分拆联想：temp (看作 temper 脾气) + est → 老天爷发脾气 → 暴风雨

tempestuous* [temˈpestjuəs] *adj.* 狂暴的 (turbulent; stormy)
【反】halcyon (*adj.* 宁静的)

tempo* [ˈtempəu] *n.* (动作、生活的) 步调，速度 (rate of motion or activity)
【记】来自 tempor (*n.* 时间)

temporal [ˈtempərəl] *adj.* 时间的 (relating to time); 世俗的 (relating to earthly things)
【记】词根记忆：tempor (时间) + al → 时间的
【例】human institutions and *temporal* events (人类习俗与世事)

temporize [ˈtempəraiz] *v.* 拖延 (to draw out discussions or negotiations so as to gain time); 见风使舵 (to act to suit the time or occasion)
【记】词根记忆：tempor (时间) + ize → 拖延时间

temptation* [tempˈteiʃən] *n.* 诱惑，诱惑物 (sth. tempting)
【记】词根记忆：tempt (诱惑) + ation → 诱惑
【同】attempt (*v.* 企图，尝试)

tenable* [ˈtenəbl] *adj.* 站得住脚的，无懈可击的 (defensible; reasonable)
【记】词根记忆：ten (拿住) + able → 能够拿住的 → 站得住脚的
【反】unjustified (*adj.* 未经证明的); unsound (*adj.* 谬误的)

tenacious [tiˈneiʃəs] *adj.* 坚忍不拔的 (persistent in maintaining or adhering to sth. valued or habitual)
【记】词根记忆：ten (拿住) + acious (有…性质的) → 拿住不放 → 坚忍不拔的

tenacity* [tiˈnæsiti] *n.* 坚持，固执 (the quality or state of being tenacious)
【反】vacillation (*n.* 踌躇)

TEETER	TELLING	TEMERITY	TEMP	TEMPER
TEMPEST	TEMPESTUOUS	TEMPO	TEMPORAL	TEMPORIZE
TEMPTATION	TENABLE	TENACIOUS	TENACITY	

tenant [ˈtenənt] *n.* 房客（one that pays rent to use property owned by another）

tend* [tend] *v.* 照料，看顾（to act as an attendant; serve）

tendentious* [tenˈdenʃəs] *adj.* 有偏见的（marked by a tendency in favor of a particular point of view; biased）
【记】词根记忆：tendent（趋势，倾向）+ ious → 对人有倾向的 → 有偏见的
【参】tendency（*n.* 趋势，倾向）
【反】unbiased（*adj.* 无偏见的）

tender* [ˈtendə] *v.* 提出（希望对方接受的意见等）（to present for acceptance; offer）
【记】tender 作为“温柔的”一义大家都熟悉

tenet [ˈtenit] *n.* 信念，信条（a principle, belief, or doctrine generally held to be true）；教义
【记】词根记忆：ten（握住）+ et →（握住的）信念

tenor [ˈtenə] *n.* 男高音（the highest natural male singing voice）；要点，要旨（purport）
【记】词根记忆：ten（握住）+ or → 握住的东西 → 要点
【例】the *tenor* of a speech（讲话的要点）

tension* [ˈtenʃən] *n.* 紧张，焦虑（nervous anxiety）；张力（the amount of a force stretching sth.）
【记】词根记忆：tens（伸展）+ ion → 伸展出的状态 → 张力
【反】experience fraught with tension（充满紧张的经历）〈〉 idyll（*n.* 田园生活）

tentative [ˈtentətiv] *adj.* 试探性的，尝试性的（not fully worked out or developed）
【记】词根记忆：tent（测试）+ ative → 测试性的 → 试探性的

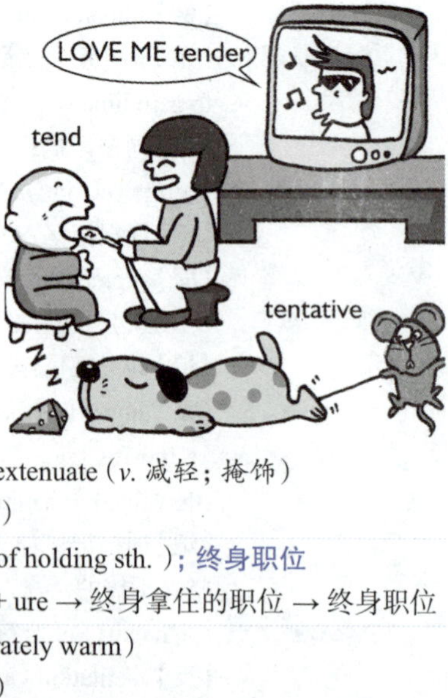

tenuous* [ˈtenjuəs] *adj.* 细薄的，稀薄的（not dense; rare）；空洞的（flimsy; weak）
【记】词根记忆：tenu（薄，细）+ ous → 细薄的
【同】attenuate（*v.* 变细薄）；extenuate（*v.* 减轻；掩饰）
【反】substantial（*adj.* 坚固的）

tenure [ˈtenjuə] *n.* 任期（the term of holding sth.）；终身职位
【记】词根记忆：ten（拿住）+ ure → 终身拿住的职位 → 终身职位

tepid* [ˈtepid] *adj.* 微温的（moderately warm）
【参】lukewarm（*adj.* 微温的）

TENANT	TEND	TENDENTIOUS	TENDER	TENET
TENOR	TENSION	TENTATIVE	TENUOUS	TENURE
TEPID				

组词：tepidarium（*n.* 温水浴间）

【反】feverish（*adj.* 发热的）

terminal* [ˈtəːminl] *adj.* **末端的**（of, or relating to an end）；*n.* **终点站，终端**（an end or extremity of sth.）

【记】词根记忆：termin（终点）+ al → 终点站，终端

terminate* [ˈtəːmineit] *v.* **终止，结束**（to bring to an end；close）

【记】词根记忆：termin（结束）+ ate → 结束

termination* [ˌtəːmiˈneiʃən] *n.* **终点**（end in time or existence）

terminology [ˌtəːmiˈnɔlədʒi] *n.* **术语，术语学**（the technical or special terms）

【记】词根记忆：term（术语）+ in + ology（…学）→ 术语（学）

terminus* [ˈtəːminəs] *n.*（火车、汽车）**终点站**（terminal）

【记】词根记忆：termin（结束）+ us → 结束地 → 终点站

termite* [ˈtəːmait] *n.* **白蚁**

【记】分拆联想：ter + mite（小虫）→ 白蚁

terrace* [ˈterəs] *n.* **一层梯田；阳台**（a colonnaded porch）

【记】词根记忆：terr（地）+ ace → 梯田

terrain [ˈterein] *n.* **地势，地形**（the physical features of a tract of land）

【记】词根记忆：terr（地）+ ain → 地形

terrestrial* [tiˈrestriəl] *adj.* **地球的**（of the earth）；**陆地的**（relating to land）

【记】词根记忆：terr（地）+ estrial → 地球的

【同】territoriality（*n.* 领土权）

【例】*terrestrial* gravitation（地球引力）

terse* [təːs] *adj.* **简洁的，简明的**（concise）

【记】联想记忆：诗歌（verse）力求简洁明了（terse）

【派】terseness（*n.* 简洁）

testament [ˈtestəmənt] *n.* **遗嘱**（an act by which a person determines the disposition of his or her property after death）；**证明**（a tangible proof or tribute）

testator [tesˈteitə] *n.* **立遗嘱的人**（maker of a will）

testify* [ˈtestifai] *v.* **见证，证实**（to bear witness to）

【记】词根记忆：test（验证，目击）+ ify → 见证

testimony* [ˈtestiməni] *n.* **证言，证明**（firsthand authentication of a fact；evidence）

【记】词根记忆：test（见证）+ imony → 证言

testiness* [ˈtestinis] *n.* **易怒**

【反】patience（*n.* 耐心）

testy [ˈtesti] *adj.* **性急的，暴躁的**（easily annoyed；irritable）

【记】分拆联想：test（考试）+ y → 为考试伤脑筋 → 性急的

tether [ˈteðə] *v.* **用绳或链拴住**（牲畜）（to tie an animal with a rope or chain）；*n.*（拴牲畜的）**绳或链**（rope or chain）；**限度，范围**（limit

TERMINAL	TERMINATE	TERMINATION	TERMINOLOGY	TERMINUS	TERMITE
TERRACE	TERRAIN	TERRESTRIAL	TERSE	TESTAMENT	TESTATOR
TESTIFY	TESTIMONY	TESTINESS	TESTY	TETHER	

of one's endurance)

【反】detach (*v.* 分割); loose (*v.* 放松); tear (*v.* 撕破)

texture* [ˈtekstʃə] *n.* 质地 (identifying quality); 结构 (overall structure)

【记】词根记忆: text (编织) + ure → 质地

【同】textile (*n.* 纺织品); pretext (*n.* 借口)

thatch [θætʃ] *v.* 以茅草覆盖 (to cover with thatch); *n.*茅草屋顶; 茅草 (a plant material used as a sheltering cover)

【例】*thatch* huts of a fishing village (渔村茅舍)

thaw [θɔː] *v.* 解冻, 溶化 (to go from a frozen to a liquid state; melt)

【例】The ground has *thawed* out. (大地解冻了。)

thematic [θiːˈmætik] *adj.* 主题的 (having or relating to subjects or a particular subject)

【记】来自 theme (*n.* 主题)

theocracy* [θiˈɔkrəsi] *n.* 神权政治 (government of a state by immediate divine guidance)

【记】词根记忆: theo (神) + cracy (统治) → 神权政治

【参】autocracy (*n.* 独裁统治)

theoretical* [θiəˈretikəl] *adj.* 不切实际的 (existing only in theory); 理论 (上) 的 (relating to or having the character of theory)

【记】来自 theory (*n.* 理论)

therapeutic* [ˌθerəˈpjuːtik] *adj.* 治病的 (of the treatment of diseases)

【记】词根记忆: therap (照看, 治疗) + eutic → 治疗的, 治病的

thermal [ˈθəːməl] *adj.* 热的, 热量的 (pertaining to heat); 温暖的 (warm); *n.* 热气流 (rising current of warm air)

thesis* [ˈθiːsis] *n.* 论题, 论文 (statement of theory put forward and supported by arguments)

thicket* [ˈθikit] *n.* 树丛, 灌木丛 (a dense growth of shrubbery or small trees)

【记】分拆联想: thick (浓厚) + et → 浓厚的灌木 → 灌木丛

thorn* [θɔːn] *n.* 刺 (a small sharp pointed growth on the stem of a plant); 荆棘

【派】thorny (*adj.* 多刺的)

【反】thorny 〈〉 smooth (*adj.* 光滑的)

thread* [θred] *n.* 螺纹 (screw)

threadbare [ˈθredbeə] *adj.* 磨破的 (worn off; shabby); 陈腐的 (exhausted of interest or freshness)

【记】组合词: thread (线) + bare (露出) → 露出线头 → 磨破的

threat* [θret] *n.* 威胁, 恐吓 (expression of intention to inflict evil, injury, or damage); 凶兆 (indication of future danger, trouble)

thrive* [θraiv] *v.* 茁壮成长 (to prosper; flourish)

【反】languish (*v.* 衰弱); wizen (*v.* / *adj.* 凋谢[的])

TEXTURE	THATCH	THAW	THEMATIC	THEOCRACY
THEORETICAL	THERAPEUTIC	THERMAL	THESIS	THICKET
THORN	THREAD	THREADBARE	THREAT	THRIVE

throne* [θrəun] *n.* 宝座（the ceremonial chair of a king, queen or bishop）；王位（the rank of a king or queen）

throng [θrɔŋ] *n.* 一大群（a large number）；*v.* 拥挤（to crowd together）

throwback [ˈθrəubæk] *n.* 返祖现象，复旧（a return to sth. in the past）

thrust* [θrʌst] *v.* 猛力推（to push or drive with force）；刺，戳（to stab; pierce）

thwart* [θwɔːt] *v.* 阻挠，使…受挫（to defeat the hopes of）

【反】facilitate（*v.* 帮助）；abet（*v.* 鼓动）；support（*v.* / *n.* 支持）；aid（*v.* / *n.* 帮助）

tickler [ˈtiklə] *n.* 棘手的问题，难题（a condition that causes uneasiness）

【记】来自 tickle（呵痒）+ er → 让人感到痒的问题 → 难题

ticklish* [ˈtikliʃ] *adj.* 怕痒的（sensitive to being tickled）；易怒的（touchy）

【反】imperturbable（*adj.* 冷静的）

tidy* [ˈtaidi] *adj.* 整齐的，整洁的（neat and orderly）

【反】sloven（*adj.* / *n.* 懒散的[人]）

tiff* [tif] *n.* 吵嘴，怄气（a petty quarrel）

tightfisted [ˈtaitfistid] *adj.* 吝啬的（stingy）

tilt* [tilt] *v.*（使）倾斜（to slant）；*n.* 倾斜；斜坡（a sloping surface）

【形】stilt（*n.* 高跷）

【派】tilted（*adj.* 倾斜的）

timber* [ˈtimbə] *n.* 木材（wood suitable for carpentry）；（人）品质（personal qualification）

timbre* [ˈtimbə] *n.* 音色，音质（the quality given to a sound by its overtones）

【记】联想记忆：做音色（timbre）好的乐器必须用好木材（timber）

【例】The singer's voice had a pleasant *timbre*.（这位歌唱家的音色悦耳。）

timely* [ˈtaimli] *adj.* 适时的，及时的（appropriate or adapted to the times or the occasion）

timid* [ˈtimid] *adj.* 胆怯的（shy; fear）

【记】词根记忆：tim（怕）+ id（…的）→ 胆怯的

【反】audacious（*adj.* 大胆的）

timidity* [tiˈmiditi] *n.* 胆怯

【反】effrontery（*n.* 厚颜无耻）

timorous* [ˈtimərəs] *adj.* 胆小的，胆怯的（of timid disposition; fearful）

【记】词根记忆：tim（胆怯）+ orous → 胆怯的

【同】timid（*adj.* 胆小的）；intimidate（*v.* 恐吓）

【反】intrepid（*adj.* 无畏的）；scrappy（*adj.* 好斗的）

tinder* [ˈtində] *n.* 火绒，火种（sth. that serves to incite or inflame）

tined* [taind] *adj.* 尖端的（of a slender pointed projecting part）

【记】来自 tine（叉尖，尖端）+ d → 尖端的

THRONE	THRONG	THROWBACK	THRUST	THWART	TICKLER	TICKLISH
TIDY	TIFF	TIGHTFISTED	TILT	TIMBER	TIMBRE	TIMELY
TIMID	TIMIDITY	TIMOROUS	TINDER	TINED		

tinker [ˈtiŋkə] *n.* 补锅工人；*v.* 拙劣修补 (to make unskilled efforts at repair)

tint* [tint] *n.* 色泽 (slight degree of a color)；*v.* 给…淡淡地着色 (to give a slight color to)

tirade* [taiˈreid] *n.* 长篇的攻击性讲话 (long and angry speech)
【记】词根记忆：tir (拉) + ade → 拉长的话 → 长篇演说 → 长篇的攻击性讲话
【反】dispassionate speech (心平气和的演说)

tire* [ˈtaiə] *n.* 轮胎 (tyre)；*v.* 疲劳 (to become tired)

tissue* [ˈtisjuː] *n.* 细胞组织 (animal or plant cells)；薄纸，棉纸 (light thin paper)

titanic [taiˈtænik] *adj.* 巨人的，力大无比的 (colossal)
【记】来自希腊神话中的巨神 Titan

titular* [ˈtitjulə] *adj.* 有名无实的，名义上的 (existing in title only)
【记】由 title (*n.* 头衔) 变化而来

toady* [ˈtəudi] *n.* 谄媚者，马屁精 (one who flatters)
【记】分拆联想：toad (癞蛤蟆) + y → 像蛤蟆一样趴在地上的人 → 马屁精

toil* [tɔil] *v.* / *n.* 辛苦，辛勤劳作 (long strenuous fatiguing labor)
【形】foil (*v.* / *n.* 阻挠；金属箔)；coil (*v.* 卷绕)；roil (*v.* 搅拌)

tolerance* [ˈtɔlərəns] *n.* 容许量，公差 (amount by which the size, weight, etc. of a part can vary without causing problem)；容忍，忍受 (willingness or ability to tolerate)
【记】来自 tolerate (*v.* 宽容，容忍)

toll [təul] *n.* 过路 (桥) 费 (money paid for the use of a road, bridge, etc.)；伤亡人数，损失 (loss or damage caused by sth.)；*v.* (缓慢而有规律地) 敲 (to sound with slow measured strokes)

tombstone* [ˈtuːmstəun] *n.* 墓碑，墓石
【记】组合词：tomb (墓) + stone (石头) → 墓石

tongs* [tɔŋz] *n.* 夹子，钳子 (any of numerous grasping devices hinged like scissors)
【记】发音记忆："痛死"，被夹子或钳子夹住痛得要死

tonic* [ˈtɔnik] *n.* 增进健康之物，补品 (an agent that increases body tone)；*adj.* 滋补的 (producing vigor)
【反】enfeeble (*v.* 使衰弱)

tonsorial [tɔnˈsɔːriəl] *adj.* 理发师的，理发的 (of a barber)

TINKER	TINT	TIRADE	TIRE	TISSUE
TITANIC	TITULAR	TOADY	TOIL	TOLERANCE
TOLL	TOMBSTONE	TONGS	TONIC	TONSORIAL

topple* [ˈtɔpl] *v.* **倾覆，推倒**（to overthrow）

【记】分拆联想：top（顶）+ ple → 使顶向下 → 倾覆，推倒

【例】*topple* the feudal monarchy（推翻封建君主制度）

torment* [ˈtɔːment] *n.* **折磨，痛苦**（very great pain in mind or body）

【记】词根记忆：tor（=tort 扭曲）+ ment → 扭的状态 → 折磨

tornado* [tɔːˈneidəu] *n.* **飓风，龙卷风**（a violent windstorm；whirlwind）

【记】词根记忆：torn（转）+ ado → 龙卷风

torpid* [ˈtɔːpid] *adj.* **懒散的，死气沉沉的**（lacking in energy or vigor；dull）

【反】responsive（*adj.* 响应的）

【例】a *torpid* mind（迟钝的头脑）

torpor* [ˈtɔːpə] *n.* **死气沉沉**（extreme sluggishness of function）

【反】extreme excitability（极其激动）；zeal（*n.* 热情）；animation（*n.* 活泼）

torque* [tɔːk] *n.* **转矩**（a force that produces rotation or torsion）；**项圈**

【记】词根记忆：torq（转）+ ue → 转矩 → 造成东西旋转的力量

torrent* [ˈtɔrənt] *n.* **洪流，急流**（a violently rushing stream）

tortuous* [ˈtɔːtjuəs] *adj.* **弯弯曲曲的**（winding）

【记】词根记忆：tort（弯曲）+ uous → 弯曲的

【反】straightforward（*adj.* 笔直的）；direct（*adj.* 直接的）

toss* [tɔs] *v.* **投，掷**（to throw in a careless or aimless way）；**使摇动**（to cause to move from side to side or back and forth）

totalitarian [ˌtəutæliˈteəriən] *adj.* **极权主义的**（authoritarian；dictatorial）

【记】total（全部）+ itarian → 极权主义的

totem* [ˈtəutəm] *n.* **图腾，徽章**

【记】发音记忆："图腾"

totter* [ˈtɔtə] *v.* **摇摇欲坠**（to tremble or rock as if about to fall）；**步履蹒跚**（to stagger；wobble）

【例】The pile of books *tottered* and then fell.（那堆书摇晃了一下之后倒了下来。）

touchy* [ˈtʌtʃi] *adj.* **敏感的，易发脾气的**（acutely sensitive or irritable）

【记】touch（触摸）+ y → 一触即发的 → 易发脾气的

toupee* [ˈtuːpei] *n.* **男用假发**（a wig or section of hair worn to cover a bald spot）

tournament* [ˈtuənəmənt] *n.* **比赛；**（旧时）**骑士比武大会**

【记】分拆联想：tour + name + nt → 比赛时把名字报上来 → 比赛

tourniquet* [ˈtuəniket] *n.* **止血带**（a device to check bleeding or blood flow）

【记】词根记忆：tour（转）+ niquet → 缠绕在伤口上的绑带 → 止血带

tout* [taut] *v.* **招徕顾客；极力赞扬**（to praise or publicize loudly）

【反】denounce（*v.* 谴责）；aspersion（*n.* 中伤）

TOPPLE	TORMENT	TORNADO	TORPID	TORPOR	TORQUE
TORRENT	TORTUOUS	TOSS	TOTALITARIAN	TOTEM	TOTTER
TOUCHY	TOUPEE	TOURNAMENT	TOURNIQUET	TOUT	

toxic* [ˈtɔksik] *adj.* 有毒的，中毒的 (of a poison or toxin)
【记】词根记忆：tox (毒) + ic → 有毒的
【同】detoxify (*v.* 解毒); toxication (*n.* 中毒)
【派】toxicity (*n.* 毒性)
【反】beneficial (*adj.* 有益的)

toxin* [ˈtɔksin] *n.* 毒素，毒质 (a poisonous substance)

toy* [tɔi] *v.* 不认真考虑，玩弄 (to deal with sth. lightly)
【反】think over seriously (认真考虑)

traceable [ˈtreisəbl] *adj.* 可追踪的 (capable of being trailed)
【记】trace (追踪) + able → 可追踪的

track [træk] *n.* 足迹，踪迹；轨道；小道 (a narrow path); *v.* 跟踪 (to follow the tracks or traces of)

tract [trækt] *n.* 传单 (a leaflet of political or religion propaganda); 大片土地 (a large stretch or area of land)

tractability* [ˌtræktəˈbiliti] *n.* 温顺
【反】incorrigibility (*n.* 难于管理); obstinacy (*n.* 倔强)

tractable* [ˈtræktəbl] *adj.* 易于驾驭的，温顺的 (capable of being easily taught or controlled; docile)
【记】词根记忆：tract (拉) + able → 拉得动的 → 温顺的
【参】tractor (*n.* 拖拉机)
【反】headstrong (*adj.* 倔强的); obstinate (*adj.* 固执的); incorrigible (*adj.* 难于管理的); balky (*adj.* 倔强的)

tragedy [ˈtrædʒidi] *n.* 悲剧，惨事，灾难 (terrible event that causes great sadness)

trait* [treit] *n.* 人的显著特性 (a particular quality of a person)

traitor* [ˈtreitə] *n.* 卖国贼，叛徒 (one who betrays another's trust)
【记】来自 traditor (叛教者)
【例】turn *traitor* to one's cause (背叛自己的事业)

trajectory [trəˈdʒektəri] *n.* (抛射物) 弹道轨道 (the curve that a body describes in space)
【记】词根记忆：tra (横) + ject (扔) + ory → 弹道轨道

trample [ˈtræmpl] *v.* 踩坏，践踏 (to tread heavily so as to bruise, crush, or injure)
【记】分拆联想：tr (看作 tree 树) + ample (大量的) → 大量的树被踩坏 → 踩坏，践踏

trance [trɑːns] *n.* 恍惚，昏睡状态 (a sleeplike state)
【例】He didn't answer when I spoke—he seemed to be in a *trance*. (我讲话时他没有回答，他似乎处于恍惚状态之中。)

tranquility [træŋˈkwiliti] *n.* 宁静，安静 (the quality or state of being tranquil)
【记】来自 tranquil (*adj.* 宁静的，安静的)
【反】commotion (*n.* 骚动); ferment (*n.* 骚动); turbulence (*n.* 骚动); pandemonium (*n.* 大混乱)

TOXIC	TOXIN	TOY	TRACEABLE	TRACK
TRACT	TRACTABILITY	TRACTABLE	TRAGEDY	TRAIT
TRAITOR	TRAJECTORY	TRAMPLE	TRANCE	TRANQUILITY

transaction [træn'zækʃən] *n.* **办理，交易** (an exchange or transfer of goods, services, or funds)
【记】词根记忆：trans（交换）+ action（行动）→ 交易
【例】the business *transaction* of a firm（公司的业务）

transcend* [træn'send] *v.* **超越，胜过** (to rise above or go beyond the limit of)
【记】词根记忆：trans（超过）+（s）cend（爬）→ 爬过 → 超越
【派】transcendence（*n.* 超越，卓越）

transcendent [træn'sendənt] *adj.* **超越的，卓越的，出众的** (extremely great; supreme)

transcendental [ˌtrænsen'dentl] *adj.* **超越经验的** (being beyond the limits of all possible experience and knowledge)

transcribe* [træns'kraib] *v.* **抄写，转录** (to make a written copy)
【记】词根记忆：trans（交换）+（s）cribe（写）→ 交换着写 → 抄写
【派】transcription（*n.* 抄写；抄本）

transfer* [træns'fəː] *v.* **转移；传递；调任；转让** (to move sb. / sth. from one place to another)
【记】词根记忆：trans（交换）+ fer（带来）→ 转移

transfigure [træns'figə] *v.* **美化，改观** (to transform outwardly for the better)
【记】词根记忆：trans（改变）+ figure（形象）→ 改观

transgress* [træns'gres] *v.* **冒犯，违背** (to go beyond limits prescribed by; violate)
【记】词根记忆：trans（横向）+ gress（走）→ 横着走 → 冒犯
【派】transgression（*n.* 违反，冒犯）

transgression* [træns'greʃən] *n.* **违法，罪过** (violation of a law)

transience* ['trænziəns] *n.* **短暂** (the quality or state of being transient)
【反】permanence（*n.* 永久）

transient* ['trænziənt] *adj.* **短暂的，转瞬即逝的** (passing quickly into and out of existence; transitory)
【反】lasting（*adj.* 持久的）

transition* [træn'ziʃən] *n.* **过渡时期，转变** (passage from one stage or place to another)
【记】词根记忆：trans（交换）+（s）it（坐）+ ion → 交换坐 → 过渡时期
【例】She is subject to frequent *transitions* from high spirits to depression.（她情绪忽高忽低，变化不定。）
【派】transitional（*adj.* 变迁的，过渡期的）

transitory* ['trænsitəri] *adj.* **短暂的** (transient)
【记】词根记忆：trans（改变）+（s）it（坐）+ ory → 坐一下就改变了 → 短暂的
【反】enduring（*adj.* 持久的）；protracted（*adj.* 拖延的）

TRANSACTION	TRANSCEND	TRANSCENDENT	TRANSCENDENTAL	TRANSCRIBE
TRANSFER	TRANSFIGURE	TRANSGRESS	TRANSGRESSION	TRANSIENCE
TRANSIENT	TRANSITION	TRANSITORY		

translucent [trænzˈljuːsnt] *adj.* (半)**透明的**(allowing light to pass through but not transparent)

【记】词根记忆: trans(穿过) + luc(明亮) + ent → 光线能穿过 → 半透明的

【派】translucence(*n.* 半透明)

The people who get on in this world are the people who get up and look for circumstances they want, and if they cannot find them, they make them.

在这个世界上,取得成功的人是那些努力寻找他们想要机会的人,如果找不到机会,他们就去创造机会。

——英国剧作家 肖伯纳(George Bernard Shaw, British dramatist)

Word List 37

transmit* [trænz'mit] *v.* 传送，传播 (to send or convey from one person or place to another)

【记】词根记忆：trans（横过）+ mit（送）→ 送过去 → 传送

transmute* [trænz'mjuːt] *v.* 变化，变作 (to change or alter)

【记】词根记忆：trans（改变）+ mute（变化）→ 变化

【例】*transmute* water power into electric power（把水能转化为电能）

transparent* [træns'peərənt] *adj.* 透明的 (allowing light to pass through)；直率的 (free from guile)

【记】词根记忆：trans（穿过）+ par（平等，一样）+ ent → 穿过去看形状一样 → 透明的

【派】transparency（*n.* 透明；幻灯片）

【反】opaque（*adj.* 不透明的）；deceitful（*adj.* 欺诈的）；delusive（*adj.* 欺骗的）

transplantation [ˌtrænsplɑːn'teiʃən] *n.* 移植

【记】来自 transplant（*v.* 移植）；trans（转移）+ plant（种）+ ation → 转移种过去 → 移植

transport* [træns'pɔːt] *v.* 运输；*n.* 狂喜 (great joy)

【记】词根记忆：trans（转移）+ port（搬运）→ 搬运转移 → 运输

【派】transportation（*n.* 运输；交通）

transpose* [træns'pəuz] *v.* 变换位置，调换 (to reverse the order or position of)

【记】词根记忆：trans（转移）+ pose（放）→ 变换位置

trapeze* [trə'piːz] *n.* 空中秋千 (a short bar hung high above the ground from two ropes used by gymnasts and acrobats)

TRANSMIT	TRANSMUTE	TRANSPARENT	TRANSPLANTATION	TRANSPORT
TRANSPOSE	TRAPEZE			

traverse* [ˈtrævəːs] *v.* 横穿过，横跨 (to go or travel across or over)
【记】词根记忆：tra（横）+ verse（转）→ 横穿过

travesty* [ˈtrævisti] *v.* / *n.* 歪曲模仿，曲解 (to make a travesty of; a distorted, or grossly inferior imitation)
【记】词根记忆：tra（横）+ vest（穿衣）+ y → 横过来穿衣 → 歪曲
【反】paragon (*n.* 模范，典型)

treacherous* [ˈtretʃərəs] *adj.* 背叛的，叛逆的，奸诈的 (showing great disloyalty and deceit)
【记】词根记忆：treach (=trick 诡计) + erous → 背叛的，奸诈的

treason [ˈtriːzn] *n.* 叛国罪 (violation of allegiance toward one's country or sovereign)
【例】They were convicted of *treason*.（他们被判为叛国罪。）

treatise* [ˈtriːtiz] *n.* 论文 (a long written work dealing systematically with one subject)
【记】分拆联想：treat（对待）+ ise → 对待问题 → 论文

treaty* [ˈtriːti] *n.* 条约 (an agreement made between countries)；协议 (agreement between people)
【记】treat（处理）+ y → 做出处理的文件 → 条约

tremendous [triˈmendəs] *adj.* 惊人的
【记】来自 trem(ble)（颤抖）+ endous → 让人发抖的 → 惊人的

tremor [ˈtremə] *n.* 震动，地震
【记】词根记忆：trem（抖动）+ or → 地震

trenchant* [ˈtrentʃənt] *adj.* 一针见血的 (sharply perceptive; penetrating)
【记】trench（沟）+ ant → 说话像挖沟，入木三分 → 一针见血的
【反】vague (*adj.* 含糊的)；dull (*adj.* 迟钝的)

trend* [trend] *v.* / *n.* 趋势，倾向 (to show a tendency; a prevailing tendency or inclination)

trepidation* [ˌtrepiˈdeiʃən] *n.* 恐惧，惶恐 (timorousness; uncertainty; agitation)
【记】词根记忆：trep（害怕）+ id + ation → 恐惧，惶恐
【同】intrepid (*adj.* 无畏的)

trespass* [ˈtrespəs] *v.* 侵犯，闯入私人领地 (to make an unwarranted or uninvited incursion)
【记】词根记忆：tres（横向）+ pass（经过）→ 横着经过某人的地盘 → 侵犯

tribunal* [traiˈbjuːnl] *n.* 法庭，裁判所 (a court or forum of justice)
【记】来自 tribune (*n.* 古罗马护民官)

tribute* [ˈtribjuːt] *n.* 赞辞 (eulogy)；贡物 (a payment by one ruler or nation to another in acknowledgement of submission)
【记】词根记忆：tribut（给予）+ e → 贡物
【反】denunciation (*n.* 谴责)；aspersion (*n.* 诽谤之词)

TRAVERSE	TRAVESTY	TREACHEROUS	TREASON	TREATISE
TREATY	TREMENDOUS	TREMOR	TRENCHANT	TREND
TREPIDATION	TRESPASS	TRIBUNAL	TRIBUTE	

trickle* [ˈtrikl] *v.* 一滴滴地流 (to flow in a thin gentle stream); *n.* 细流
【反】spate (*n.* 暴雨)

trifle [ˈtraifl] *n.* 微不足道，琐事 (sth. of little value, substance, or importance)
【参】trivia (*n.* 琐事)

trigger [ˈtrigə] *n.* 扳机; *v.* 引发，导致 (to initiate, actuate, or set off)
【例】a stimulus that *triggers* a reflex (引起反射的刺激)

trilogy* [ˈtrilədʒi] *n.* 三部曲 (a group of three related books)
【记】词根记忆：tri (三) + logy (说话；作品) → 三部曲

trim* [trim] *v.* 修剪 (to make neat by cutting or clipping); *adj.* 井井有条的 (in good and neat order)

trinket* [ˈtriŋkit] *n.* 小装饰品 (a small ornament); 不值钱的珠宝 (a small, cheap piece of jewelry)

trio* [ˈtriːəu] *n.* 三重奏，三重唱；三人一组

tripod* [ˈtraipɔd] *n.* 画架，三脚架 (a three-legged support)
【记】词根记忆：tri (三) + pod (脚) → 三脚架

trite* [trait] *adj.* 陈腐的，陈词滥调的 (hackneyed or boring)
【反】original (*adj.* 有新意的); unbanal (*adj.* 不迂腐的)

triumph* [ˈtraiəmf] *v.* / *n.* 凯旋，胜利，欢欣 (to celebrate victory or success exultingly; the joy or exultation of victory or success)
【记】联想记忆：胜利 (triumph) 之后吹喇叭 (trump)

trivial* [ˈtriviəl] *adj.* 琐细的 (commonplace; of little worth)
【派】triviality (*n.* 琐碎；琐事)
【反】substantive (*adj.* 实质的); massive (*adj.* 宏伟的)

trophy* [ˈtrəufi] *n.* 奖品，战利品 (sth. gained or given in victory or conquest)
【形】atrophy (*n.* 萎缩); trophic (*adj.* 营养的)

troupe* [truːp] *n.* 歌唱团，剧团 (a group of theatrical performers)
【记】troop (*n.* 部队) 的变体

trowel* [ˈtrauəl] *n.* 泥刀，小铲子 (any of various hand tools)
【记】联想记忆：一边用泥刀 (trowel) 干活，一边用毛巾 (towel) 擦汗

truancy [ˈtruːənsi] *n.* 逃学，旷课 (act of staying out of school without permission)
【记】来自 truant (*n.* 逃学者)

truce* [truːs] *n.* 停战，休战 (协定) (agreement between enimies to stop fighting for a certain period)
【反】resumed fighting (继续战斗)

truculent* [ˈtrʌkjulənt] *adj.* 残暴的，凶狠的 (feeling or displaying ferocity; cruel)
【记】词根记忆：truc (凶猛) + ulent → 残暴的
【反】gentle (*adj.* 温柔的); pacific (*adj.* 平静的)

□ TRICKLE	□ TRIFLE	□ TRIGGER	□ TRILOGY	□ TRIM	□ TRINKET
□ TRIO	□ TRIPOD	□ TRITE	□ TRIUMPH	□ TRIVIAL	□ TROPHY
□ TROUPE	□ TROWEL	□ TRUANCY	□ TRUCE	□ TRUCULENT	

trudge* [trʌdʒ] *v.* **跋涉** (to walk or march steadily and laboriously)
【形】drudge (*v.* 做苦工); grudge (*v.* 不愿意); smudge (*v.* 污染)

trumpet* [ˈtrʌmpit] *n.* **喇叭，小号** (a brass wind instrument)

truncate* [ˈtrʌŋkeit] *v.* **把(某物)截短，去尾** (to shorten by cutting off)
【记】来自 trunk (*n.* 树干)
【反】prolong (*v.* 延长)

trunk* [trʌŋk] *n.* **树干** (the main stem of a tree); **大衣箱** (a large rigid piece of luggage)

truss [trʌs] *n.* **桁架，支架** (a rigid framework, as if wooden beams or metal bars); **干草的一捆**

trustworthy* [ˈtrʌstˌwəːði] *adj.* **值得信赖的，可靠的** (worthy of trust)
【记】组合词：trust (信赖) + worthy (值得的) → 值得信赖的

tuber* [ˈtjuːbə] *n.* **块茎，球根** (a short fleshy underground stem)
【例】Potatoes are the *tubers* of the potato plant. (土豆是土豆植物的块茎。)

tumult [ˈtjuːmʌlt] *n.* **乱哄哄** (violently noise and chaos)
【反】quiescence (*n.* 静止); quietude (*n.* 平静)

turbulent* [ˈtəːbjulənt] *adj.* **导致动乱的** (causing unrest, violence, or disturbance); **骚乱的** (rambunctious)
【记】词根记忆：turb (搅动) + ulent → 搅得厉害 → 骚乱的
【反】pacific (*adj.* 平静的)

turgid* [ˈtəːdʒid] *adj.* **浮肿的，肿胀的** (swollen; bloated); **浮夸的** (bombastic; pompous)
【记】词根记忆：turg (肿) + id → 肿胀的
【参】turgor (*n.* 肿大)
【反】simple (*adj.* 朴素的)

turmoil [ˈtəːmɔil] *n.* **混乱，骚乱** (extreme confusion)
【记】词根记忆：tur (=turbulent 混乱的) + moil (喧闹) → 混乱

turncoat [ˈtəːnkəut] *n.* **背叛者，变节者** (one who switches to an opposing side or party)

turpitude* [ˈtəːpitjuːd] *n.* **邪恶，卑鄙(行为)** (inherent baseness; depravity)
【记】词根记忆：turp (卑鄙的) + itude → 卑鄙
【反】probity (*n.* 正直); saintly behavior (高尚的行为)

turquoise* [ˈtəːkwɔiz] *n.* **绿松石**; *adj.* **碧绿的** (of a light greenish blue)
【记】turqu (=Turkish 土耳其的) + oise，据说该石产自土耳其

turret* [ˈtʌrit] *n.* **塔楼，角塔** (a little tower)

tusk* [tʌsk] *n.* (象的) **长牙** (an elongated, greatly enlarged tooth)
【记】和 task (*n.* 任务) 一起记

tussle [ˈtʌsl] *v.* / *n.* **扭打，搏斗** (a physical contest or struggle); **争辩** (an intense argument; controversy)
【记】tuss (看作 fuss 忙乱) + le → 为什么忙乱，因为有人扭打搏斗

TRUDGE	TRUMPET	TRUNCATE	TRUNK	TRUSS	TRUSTWORTHY
TUBER	TUMULT	TURBULENT	TURGID	TURMOIL	TURNCOAT
TURPITUDE	TURQUOISE	TURRET	TUSK	TUSSLE	

tutor* [ˈtjuːtə] *n.* 助教 (an assistant lecturer in a college); 监护人 (a person charged with the instruction and guidance of another); *v.* 辅导 (to give instruction to)

tuxedo* [tʌkˈsiːdəu] *n.* 礼服，无尾礼服 (a semiformal evening suit for men)

【记】来自纽约的一家乡间俱乐部 Tuxedo Park，此服饰最先在那里出现

twig* [twig] *n.* 小枝，嫩枝 (a small shoot or branch without its leaves)

twinge [twindʒ] *n.* (生理、心理上的) 剧痛 (a moral or emotional pang)

【记】分拆联想：twin (双胞胎) + ge → 生双胞胎要承受剧痛

【例】a *twinge* of conscience (良心的折磨)

typo [ˈtaipəu] *n.* 排印错误 (a typographical error)

typographical [ˌtaipəˈgræfikəl] *adj.* 印刷上的 (of typography)

【记】来自 typography (*n.* 印刷术)，typo (模式) + graphy (写) → 用模型写 → 印刷术

tyranny* [ˈtirəni] *n.* 暴政，专制统治 (oppressive power exerted by government); 暴行 (a cruel or unjust act)

【派】tyrannical (*adj.* 暴虐的，残暴的)

tyrant [ˈtaiərənt] *n.* 暴君 (a ruler who exercises absolute power oppressively or brutally)

tyro* [ˈtaiərəu] *n.* 新手 (a beginner in learning; novice)

【反】expert (*n.* 专家)

ubiquitous* [juːˈbikwitəs] *adj.* 无所不在的 (existing or being everywhere at the same time)

【记】词根记忆：ubi (=where) + qu (=any) + itous → anywhere → 无所不在的

【反】unique (*adj.* 独特的)

ugly* [ˈʌgli] *adj.* 难看的，可怕的 (unpleasant to look at)

ulcer [ˈʌlsə] *n.* 溃疡；腐烂物 (sth. that festers and corrupts like an open sore)

ultimate [ˈʌltimit] *adj.* 最后的 (being or happening at the end of a process or course of action)

【记】词根记忆：ultim (最后的) + ate (…的) → 最后的

umbrage [ˈʌmbridʒ] *n.* 不快，愤怒 (a feeling of pique, resentment or insult)

【记】词根记忆：umbra (影子) + ge → 心里的影子 → 不快

【同】adumbrate (*v.* 预示)；umbrose (*adj.* 浓荫的)

umpire* [ˈʌmpaiə] *n.* 裁判 (one having authority to decide finally); *v.* 对…进行仲裁 (to supervise or decide as umpire)

【例】*umpire* a dispute (仲裁纠纷)

unaffected* [ˌʌnəˈfektid] *adj.* 自然的，不矫揉造作的 (free from affectation; genuine)

【记】un (不) + affected (做作的) → 不矫揉造作的

□ TUTOR	□ TUXEDO	□ TWIG	□ TWINGE	□ TYPO	□ TYPOGRAPHICAL
□ TYRANNY	□ TYRANT	□ TYRO	□ UBIQUITOUS	□ UGLY	□ ULCER
□ ULTIMATE	□ UMBRAGE	□ UMPIRE	□ UNAFFECTED		

unanimous* [ju(ː)ˈnæniməs] *adj.* 全体意见一致的 (being of one mind)
【记】词根记忆：un (=uni 一个) + anim (生命，精神) + ous → 一种精神的 → 全体意见一致的

unassuming* [ˌʌnəˈsjuːmiŋ] *adj.* 不摆架子的，不造作的 (not arrogant or presuming; modest)
【记】un (不) + assuming (傲慢的) → 不摆架子的

unbecoming* [ˌʌnbiˈkʌmiŋ] *adj.* 不合身的 (not suited to the wearer); 不得体的 (improper)
【记】un (不) + becoming (合适的) → 不得体的

unbend* [ʌnˈbend] *v.* 弄直 (to become straight); 放松 (to behave in a less formal and severe manner)
【记】un (不) + bend (弯曲) → 弄直

uncanny [ʌnˈkæni] *adj.* 神秘的，不可思议的 (weird; supernatural)
【记】un (不) + canny (安静的，谨慎的) → 神秘的
【例】an *uncanny* ability to foresee the future (预见未来的超人本领)

uncommitted* [ˌʌnkəˈmitid] *adj.* 不受约束的，不承担责任的 (not pledged to a particular belief or allegiance)
【记】un (不) + committed (有责任的) → 不承担责任的

unconscionable [ʌnˈkɔnʃənəbl] *adj.* 无节制的，过度的 (excessive; unreasonable)
【记】un (不) + conscionable (有节制的) → 无节制的

unconscious* [ʌnˈkɔnʃəs] *adj.* 不省人事的 (having lost consciousness); 未意识到的 (not knowing about sth.)
【反】sentient (*adj.* 有知觉的)

uncouth [ʌnˈkuːθ] *adj.* 粗野笨拙的 (boorish; clumsy in speech or behavior)
【反】seemly (*adj.* 文雅的；适宜的)

unctuous* [ˈʌŋktjuəs] *adj.* 油质的 (fatty); 油腔滑调的 (oily)
【记】词根记忆：unct (油) + uous → 油质的
【参】unction (*n.* 涂油，油膏)

underbid* [ˌʌndəˈbid] *v.* 要价过低 (to bid too low)
【记】under (不够，低于) + bid (出价) → 要价过低

undercut [ˌʌndəˈkʌt] *v.* 削价与 (竞争者) 抢生意 (to sell goods or services more cheaply than a competitor)
【记】under (在…下面) + cut (砍) → 削价

underdog* [ˈʌndədɔg] *n.* 失败者 (a loser or predicted loser in a struggle or contest), 受压迫者 (a victim of injustice or persecution)

UNANIMOUS	UNASSUMING	UNBECOMING	UNBEND	UNCANNY
UNCOMMITTED	UNCONSCIONABLE	UNCONSCIOUS	UNCOUTH	UNCTUOUS
UNDERBID	UNDERCUT	UNDERDOG		

【记】under（在…下面）+ dog（狗）→ 受压迫者
【反】bully（*n.* 欺凌弱小者）

underestimated [ˌʌndər'estimeitid] *adj.* 低估的
【记】来自 underestimate（*v.* 低估）

undergird* [ˌʌndə'gəːd] *v.* 加强，巩固…的底部 （to strengthen from the bottom）
【记】under（在…下面）+ gird（束缚）→ 在下面绑住 → 巩固…的底部
【反】undermine（*v.* 削弱）

underhanded* [ˌʌndə'hændid] *adj.* 不光明的，卑鄙的 （marked by secrecy and deception; sly）
【记】under + handed → 在下面做手脚 → 不光明的

underling* ['ʌndəliŋ] *n.* 下属，手下（subordinate; inferior）
【记】under + ling（小）→ 下属

underlying [ˌʌndə'laiiŋ] *adj.* 在下面的 （lying beneath or below）；根本的（basic; fundamental）
【记】under + lying（躺着的）→ 在下面的

undermine* [ˌʌndə'main] *v.* 破坏，损坏（to subvert or weaken insidiously）
【记】under + mine（挖）→ 在下面挖 → 破坏
【反】reinforce（*v.* 加强）；bolster（*v.* 支持）；undergird（*v.* 支持）

underplay [ˌʌndə'plei] *v.* 淡化…的重要性（to make sth. appear less important than it really is）；表演（角色）不充分（to underact）
【记】under（不够）+ play（玩）→ 没玩够 → 表演（角色）不充分

underrate* [ˌʌndə'reit] *v.* 低估，轻视 （to have too low an opinion of the quality of）
【记】under（不够）+ rate（估价）→ 低估

underscore* [ˌʌndə'skɔː] *v.* 在…之下画线（to draw a line under a word to show its importance）；强调（to give force to）
【记】under（在…之下）+ score（画线）→ 在…之下画线

understate* [ˌʌndə'steit] *v.* 掩饰地说，轻描淡写地说（to represent as less than is the case）
【记】分拆联想：under + state（说话）→ 在衣服下面说 → 掩饰地说

understated* [ˌʌndə'steitid] *adj.* 不完全陈述的，轻描淡写的（avoiding obvious emphasis or embellishment）
【反】bombastic（*adj.* 夸大的）

understatement* [ˌʌndə'steitmənt] *n.* 轻描淡写的陈述，不充分的陈述
【反】hyperbole（*n.* 夸张）

understudy* [ˌʌndə'stʌdi] *n.* 预备演员，替角；*v.* 充当…的替角 （to act as understudy to）

underutilized [ˌʌndə'juːtilaizd] *adj.* 未充分利用的
【记】under（不够）+ utilize（利用）+ d → 未充分利用的

UNDERESTIMATED	UNDERGIRD	UNDERHANDED	UNDERLING	UNDERLYING
UNDERMINE	UNDERPLAY	UNDERRATE	UNDERSCORE	UNDERSTATE
UNDERSTATED	UNDERSTATEMENT	UNDERSTUDY	UNDERUTILIZED	

underwrite [ˌʌndəˈrait] *v.* 同意负担…的费用 (to support with money and take responsibility for possible failure); 为…保险 (to take responsibility for fulfilling an insurance agreement)

【记】under + write (写) → 在条款下面写 → 同意负担…的费用

undeserved* [ˌʌndiˈzəːvd] *adj.* 不应得的 (not fair or just)

【记】un (不) + deserved (应得的) → 不应得的

undesirable [ˌʌndiˈzaiərəbl] *adj.* 令人不悦的, 讨厌的 (not desirable; unwanted)

【记】un (不) + desirable (可取的) → 不可取的 → 讨厌的

undirected* [ˌʌndiˈrektid] *adj.* 未受指导的 (not planned or guided)

【记】un (不) + direct (指导) + ed → 未受指导的

unearth* [ʌnˈəːθ] *v.* 挖出 (to dig up out of the earth; exhume); 发现 (to bring to light)

【记】un (打开) + earth (地) → 挖出

【反】conceal (*v.* 隐藏)

unearthly* [ʌnˈəːθli] *adj.* 奇异的 (very strange and unnatural)

【记】un + earthly (尘世的, 可能的) → 奇异的

【反】mundane (*adj.* 世俗的)

unenlightened [ˌʌninˈlaitnd] *adj.* 愚昧无知的 (without knowledge or understanding); 不文明的 (uncivilized)

【记】un + enlightened (有知识的, 开明的) → 愚昧无知的

unexceptionable [ˌʌnikˈsepʃənəbl] *adj.* 无可非议的 (incapable of being disapproved of)

【记】un + exceptionable (可反对的) → 无可非议的

unfailing [ʌnˈfeiliŋ] *adj.* 无尽的, 无穷的 (everlasting; inexhaustible)

【例】*unfailing* pleasure (无穷的乐趣); *unfailing* energy (充沛的精力)

unfasten* [ʌnˈfɑːsn] *v.* 解开 (to undo)

【记】un + fasten (扎牢, 扣紧) → 解开

【反】secure (*v.* 固定)

unfeigned* [ʌnˈfeind] *adj.* 真实的; 不作假的 (genuine)

【记】un + feigned (假的) → 真实的

unflappable* [ʌnˈflæpəbl] *adj.* 不惊慌的, 镇定的 (marked by assurance and self-control)

unfold* [ʌnˈfəuld] *v.* 展开, 打开 (to open from a folded position); 逐渐呈现 (to open out gradually)

【记】un + fold (折叠) → 展开, 打开

unfounded* [ʌnˈfaundid] *adj.* 无事实根据的 (groundless; unwarranted)

【记】un + founded (有根据的) → 无事实根据的

ungainly* [ʌnˈgeinli] *adj.* 笨拙的 (lacking in smooth or dexterity; clumsy)

【记】un + gainly (优雅的) → 笨拙的

【反】lissome (*adj.* 敏捷的); adroit (*adj.* 机敏的)

UNDERWRITE	UNDESERVED	UNDESIRABLE	UNDIRECTED	UNEARTH
UNEARTHLY	UNENLIGHTENED	UNEXCEPTIONABLE	UNFAILING	UNFASTEN
UNFEIGNED	UNFLAPPABLE	UNFOLD	UNFOUNDED	UNGAINLY

ungrudging* [ʌnˈɡrʌdʒiŋ] *adj.* 慷慨的 (being without envy or reluctance)
【记】un + grudging (吝啬的) → 慷慨的

unguent* [ˈʌŋɡwənt] *n.* 药膏, 软膏 (a soothing or healing salve; ointment)
【记】词根记忆: ungu (=unct 油) + ent → 药膏, 软膏

unicorn* [ˈjuːnikɔːn] *n.* (传说中的) 独角兽 (a mythical animal with a single horn in the middle of the forehead)
【记】词根记忆: uni (一个) + corn (角) → 独角兽

unidimensional [ˌjuːnidiˈmenʃənl] *adj.* 一方面的; 一维的 (one-dimensional)
【记】词根记忆: uni (一个) + dimensional (空间的) → 一维的

unification* [ˌjuːnifiˈkeiʃən] *n.* 统一, 一致 (the result of unifying)
【记】来自 unify (*v.* 统一)
【反】divergence (*n.* 分歧)

uniform* [ˈjuːnifɔːm] *n.* 制服; *adj.* 相同的, 一致的 (consistent)
【反】variegation (*n.* 杂色; 多样性)

unify* [ˈjuːnifai] *v.* 统一, 使成一体; 使相同 (to make all the same)
【反】partition (*v.* / *n.* 分裂)

unimpassioned* [ˌʌnimˈpæʃənd] *adj.* 没有激情的 (without passion or zeal)
【记】un + impassioned (充满激情的) → 没有激情的

unimpeachable* [ˌʌnimˈpiːtʃəbl] *adj.* 无可指责的, 无可置疑的 (irreproachable; blameless)
【记】un + impeachable (受责备的) → 无可指责的
【反】open to question (易受质疑的)

uninitiated [ˌʌniˈniʃieitid] *adj.* 外行的, 缺乏经验的 (inexperienced)
【记】un + initiate (传授) + d → 外行的

unique* [juːˈniːk] *adj.* 独一无二的, 独特的 (being the only one of this type); 无与伦比的 (being without a like or equal)
【记】词根记忆: uni (单一) + que → 惟一的, 独特的
【反】ubiquitous (*adj.* 普通的); stock (*adj.* 普通的)

univocal [ˌjuːniˈvəukəl] *adj.* 意思明确的, 单一意思的 (having only one meaning)

unjustified [ʌnˈdʒʌstifaid] *adj.* 未被证明为正当的, 无法解释的
【记】un + justified (有正当理由的, 合理的) → 未被证明为正当的

unjustly* [ʌnˈdʒʌstli] *adv.* 不义地, 不法地 (unfairly)
【记】词根记忆: un (不) + just (公平的) + ly → 不义地, 不法地

unkempt [ʌnˈkempt] *adj.* (衣服、头发) 不整洁的 (messy; not combed)
【记】un + kempt (整洁的) → 不整洁的
【反】dapper (*adj.* 整洁的)

unleash* [ʌnˈliːʃ] *v.* 发泄, 释放 (to set feelings and forces free from control)
【记】un + leash (控制, 约束) → 发泄

unmitigated [ʌnˈmitigeitid] *adj.* 未缓和的, 未减轻的 (not lessoned or excused in any way); 全然的
【记】词根记忆: un + mitigate (缓和的) + d → 未缓和的

☐ UNGRUDGING	☐ UNGUENT	☐ UNICORN	☐ UNIDIMENSIONAL	☐ UNIFICATION	☐ UNIFORM
☐ UNIFY	☐ UNIMPASSIONED	☐ UNIMPEACHABLE	☐ UNINITIATED	☐ UNIQUE	☐ UNIVOCAL
☐ UNJUSTIFIED	☐ UNJUSTLY	☐ UNKEMPT	☐ UNLEASH	☐ UNMITIGATED	

unmoved* [ʌn'muːvd] *adj.* 无动于衷的，冷漠的；镇定的

【记】un + moved (感动的) → 无动于衷的

unnoticed* [ʌn'nəutist] *adj.* 不引人注意的

【反】unnoticed event (未被关注的事) → sensation (*n.* 轰动的事件)

unobtrusive* [ˌʌnəb'truːsiv] *adj.* 不引人注目的 (not very noticeable or easily seen)

【记】un + obtrusive (突出的) → 不引人注目的

【反】blatant (*adj.* 显眼的)

unpalatable* [ʌn'pælətəbl] *adj.* 令人讨厌的 (unpleasant)

【记】un + palatable (合意的) → 令人讨厌的

unprecedented [ʌn'presidəntid] *adj.* 前所未有的 (never having happened before)

【记】un + precedent (先例) + ed → 前所未有的

unpremeditated [ˌʌnpri'mediteitid] *adj.* 非预谋的 (not previously and delierately considered or planned)

【记】un + premeditated (预谋的) → 非预谋的

unprepossessing* [ˌʌnpriːpə'zesiŋ] *adj.* 不吸引人的 (unattractive)

【记】un + prepossessing (引人注意的) → 不吸引人的

【反】entrancing (*adj.* 使人入神的); winsome (*adj.* 迷人的)

unpretentious* [ˌʌnpri'tenʃəs] *adj.* 不炫耀的 (not attempting to seem special, important or wealthy)

【记】un + pretentious (自命不凡的) → 不炫耀的

【反】bombastic (*adj.* 夸大的)

unprincipled* [ʌn'prinsəpld] *adj.* 肆无忌惮的；不道德的 (lacking moral principles)

【记】un + principled (有道德原则的) → 不道德的

unproductive* [ˌʌnprə'dʌktiv] *adj.* 徒然的，无成效的 (being ineffective)

unprovoked* [ˌʌnprə'vəukt] *adj.* (生气等) 无缘无故的 (not caused by previous action)

【记】un + provoked (激怒的) → 不知为何激怒的 → 无缘无故的

unqualified* [ʌn'kwɔlifaid] *adj.* 无资格的 (not having suitable qualifications); 无限制的，绝对的 (not limited)

【反】limited (*adj.* 有限制的)

unravel* [ʌn'rævəl] *v.* 解开，拆散 (to resolve the complexity of)

【记】un + ravel (纠缠) → 解开，拆散

unregenerate* [ˌʌnri'dʒenərət] *adj.* 不知悔改的 (making no attempt to change one's bad practices)

【记】un + regenerate (更新的) → 不知悔改的

unregulated* [ʌn'regjuleitid] *adj.* 未受管理的，未受约束的

【记】un + regulat(e) (管制) + ed → 未受管理的

unremitting [ˌʌnri'mitiŋ] *adj.* 不间断的，持续的 (never stopping)

【记】un + remitting (间断的) → 不间断的

UNMOVED	UNNOTICED	UNOBTRUSIVE	UNPALATABLE	UNPRECEDENTED	UNPREMEDITATED
UNPREPOSSESSING	UNPRETENTIOUS	UNPRINCIPLED	UNPRODUCTIVE	UNPROVOKED	UNQUALIFIED
UNRAVEL	UNREGENERATE	UNREGULATED	UNREMITTING		

unrepentant* [ˌʌnriˈpentənt] *adj.* 不悔悟的，不后悔的 (not penitent)
【记】un + repentant (后悔的) → 不后悔的

unrequited [ˌʌnriˈkwaitid] *adj.* 无报答的 (not reciprocated or returned in kind)
【反】remunerative (*adj.* 有报酬的)

unreserved* [ˌʌnriˈzəːvd] *adj.* 无限制的 (without limited); 未被预订的 (not reserved)
【记】un + reserved (保留的) → 未被预订的

unscathed [ʌnˈskeiðd] *adj.* 未受损伤的，未遭伤害的 (wholly unharmed)
【记】un + scathed (损伤的) → 未受损伤的

unscented* [ʌnˈsentid] *adj.* 无气味的 (without scent)
【记】un + scented (有气味的) → 无气味的
【反】redolent (*adj.* 芳香的)

unscrupulous* [ʌnˈskruːpjuləs] *adj.* 肆无忌惮的 (unprincipled)
【记】un + scrupulous (小心的) → 肆无忌惮的

unscrupulousness* [ʌnˈskruːpjuləsnis] *n.* 狂妄，肆无忌惮
【反】probity (*n.* 正直)

unseemly* [ʌnˈsiːmli] *adj.* 不适当的，不宜的 (not according with established standards of good form or taste)
【记】un + seemly (得当的) → 不适当的
【反】decorous (*adj.* 有礼貌的)

unsettle* [ʌnˈsetl] *v.* 使不安宁，搅乱 (to discompose; disorder)
【反】ensconce (*v.* 安置；安顿下来)

unsettling* [ʌnˈsetliŋ] *adj.* 令人不安的，扰乱的 (having the effect of upsetting, disturbing, or discomposing); 使窘困的
【记】来自 unsettle (*v.* 不安)

unsound* [ʌnˈsaund] *adj.* 不结实的，不坚固的；无根据的
【记】un + sound (合理的，可靠的) → 不坚固的

unspoiled* [ʌnˈspɔild] *adj.* 未损坏的；未宠坏的
【记】un + spoil (损坏) + ed → 未损坏的
【反】cosseted (*adj.* 受宠的)

unspotted* [ʌnˈspɔtid] *adj.* 清白的，无污点的 (without spot; flawless)
【反】maculated (*adj.* 有污点的)

unstinting* [ʌnˈstintiŋ] *adj.* 极为慷慨的，大方的 (very generous)
【记】un + stint (吝惜，限制) + ing → 大方的

unsubstantiated* [ˌʌnsəbˈstænʃieitid] *adj.* 未经证实的，无事实根据的 (not being confirmed)
【记】un + substantiate (证实) + d → 未经证实的
【反】verified (*adj.* 证明的)

untapped [ʌnˈtæpt] *adj.* 未开发的，未利用的 (not yet put to use)
【记】un + tap (开发，利用) + ped → 未开发的

UNREPENTANT	UNREQUITED	UNRESERVED	UNSCATHED	UNSCENTED	UNSCRUPULOUS
UNSCRUPULOUSNESS	UNSEEMLY	UNSETTLE	UNSETTLING	UNSOUND	UNSPOILED
UNSPOTTED	UNSTINTING	UNSUBSTANTIATED	UNTAPPED		

unthreatening* [ʌnˈθretəniŋ] *adj.* 不威胁的

【记】un + threatening (威胁的) → 不威胁的

【反】minatory (*adj.* 威胁的)

untimely* [ʌnˈtaimli] *adj.* 过早的 (happening too soon); 不适时的 (not suitable for the occasion)

【记】un + timely (及时的, 适时的) → 不适时的

untold [ʌnˈtəuld] *adj.* 无数的, 数不清的 (too great or numerous to count)

【反】quantifiable (*adj.* 可计量的); calculable (*adj.* 可预测的)

untoward* [ʌnˈtɔːrd] *adj.* 不幸的 (unlucky); (坏事) 没料到的 (unpropitious)

【记】un + toward (向…走) → 向不可预料的方向走 → 没料到的

【反】favorable (*adj.* 有利的); favorable and anticipated (有利且在期望中的); fortunate (*adj.* 幸运的)

untutored [ʌnˈtjuːtəd] *adj.* 未经教育的 (having no formal learning or training)

【反】polished (*adj.* 优雅的)

unwarranted [ʌnˈwɔrəntid] *adj.* 没有根据的 (unwelcome and done without good reason)

【记】un + warranted (有根据的) → 没有根据的

unwieldy* [ʌnˈwiːldi] *adj.* 笨重的, 笨拙的 (not easily managed or used; cumbersome)

【记】un + wieldy (支配的, 控制的) → 不可控制的 → 笨重的

The tragedy of life is not so much what men suffer, but what they miss.

生活的悲剧不在于人们受到多少苦,而在于人们错过了什么。

——英国散文家、历史学家 卡莱尔

(Thomas Carlyle, British essayist and historian)

Word List 38

unwitting* [ʌn'witiŋ] *adj.* 无心的，不经意的 (not intended; inadvertent; unaware)
【记】un + witting (知道的，有意的) → 不经意的

unwonted [ʌn'wəuntid] *adj.* 不寻常的 (unusual)，不习惯的 (unaccustomed)
【反】habit (*n.* 习惯) → unwonted behavior (不寻常的行为); usual (*adj.* 普通的)

unworldly [ʌn'wəːldli] *adj.* 非世俗的 (not swayed by mundane considerations); 精神上的 (spiritual)
【记】词根记忆：un + world (世界，尘世) + ly → 非世俗的

upbraid* [ʌp'breid] *v.* 斥责，责骂 (to criticize severely; scold vehemently)
【记】分拆联想：up (向上) + braid (辫子) → 揪辫子 → 责骂
【反】laud (*v.* 赞美); extol (*v.* 赞扬)

upgrade [ʌp'greid] *v.* 提升，给…升级 (to raise or improve the grade of)
【记】up (向上) + grade (等级) → 升级

upheaval [ʌp'hiːvəl] *n.* 动乱，大变动 (extreme agitation or disorder)
【记】来自 upheave (*v.* 举起；鼓起)，up + heave (举起)→鼓动；举起

uphold* [ʌp'həuld] *v.* 维护，支持 (to give support to)
【记】up (向上) + hold (举) → 举起来 → 支持
【反】abrogate (*v.* 废除)

upright* ['ʌprait] *adj.* 垂直的 (straight up); 正直的 (honest; fair)
【反】uprightness → list (*n.* 倾斜)

uproar* ['ʌprɔː] *n.* 喧闹，骚动 (confused noisy activity)
【记】词根记忆：up + roar (吼叫) → 骚动
【例】The meeting ended in an *uproar*. (会议乱哄哄地结束了。)

uproarious* [ʌp'rɔːriəs] *adj.* 骚动的，喧嚣的 (very noisy or high-spirited); 令人捧腹的 (very funny)

upstage* [ʌp'steidʒ] *adj.* 骄傲的，高傲的 (haughty)
【记】up + stage (舞台) → 在舞台上 → 高高在上的 → 高傲的

□ UNWITTING	□ UNWONTED	□ UNWORLDLY	□ UPBRAID	□ UPGRADE
□ UPHEAVAL	□ UPHOLD	□ UPRIGHT	□ UPROAR	□ UPROARIOUS
□ UPSTAGE				

upswing [ˈʌpswiŋ] *n.* 上升，增长（a marked increase or improvement）
【记】up（向上）+ swing（摆动）→ 向上摆动 → 上升

urgent [ˈəːdʒənt] *adj.* 迫切的，紧急的（needing immediate attention, action or decision）
【记】来自 urge（*v.* 迫切要求）

usurp* [juːˈzəːp] *v.* 篡夺，霸占（to seize and hold in possession by force）
【记】分拆联想：us（看作 use）+ urp（看作 up）→ 用（阴谋）上台 → 篡夺
【形】usury（*n.* 高利贷）
【反】abdicate（*v.* 让位）

usury* [ˈjuːʒuri] *n.* 高利贷（the lending of money at exorbitant interest rates）
【记】词根记忆：us（=use 用）+ ury → 用钱生钱 → 高利贷
【派】usurious（*adj.* 放高利贷的）

utilitarian [ˌjuːtiliˈteəriən] *adj.* 功利的，实利的（exhibiting or preferring mere utility）

utilize* [ˈjuːtilaiz] *v.* 利用，使用（to make use of）
【记】词根记忆：ut（用）+ ilize → 利用

utopia* [juːˈtəupjə] *n.* 理想国，理想的完美境界（an imagined place or state of things in which everything is perfect）
【记】发音记忆："乌托邦" → 理想国

utopian* [juːˈtəupjən] *adj.* 乌托邦式的，梦想的（impossibly ideal; visionary）

utter* [ˈʌtə] *adj.* 完全的（complete）; *v.* 发出声音（to make a sound or produce words）
【反】partial（*adj.* 部分的）

vaccinate* [ˈvæksineit] *v.* 给…接种疫苗（to put vaccine into the body of someone）
【派】vaccination（*n.* 预防注射，种痘）

vaccine* [ˈvæksiːn] *n.* 牛痘苗，疫苗
【记】词根记忆：vacc（牛）+ ine → 牛痘苗

vacillate* [ˈvæsileit] *v.* 游移不定，踌躇（to waver in mind, will or feeling）
【记】词根记忆：vacill（摇摆）+ ate → 游移不定
【反】resolve firmly（果断决定）; stand firm（坚定不移）; equipoise（*v.* / *n.* [使]平衡）

UPSWING	URGENT	USURP	USURY	UTILITARIAN
UTILIZE	UTOPIA	UTOPIAN	UTTER	VACCINATE
VACCINE	VACILLATE			

vacuous* [ˈvækjuəs] *adj.* 发呆的；愚笨的 (marked by lack of ideas or intelligence; stupid)

【派】vacuity (*n.*〔想像力等〕贫乏，无聊)

【反】intelligent (*adj.* 睿智的)

vagary* [ˈveigəri] *n.* 奇想，异想天开 (an erratic, unpredictable, or extravagant manifestation)

【记】词根记忆：vag (游移) + ary → 游移的思想 → 奇想

vagrancy* [ˈveigrənsi] *n.* 游荡，流浪 (the state of being a vagrant)

vagrant [ˈveigrənt] *adj.* 漂泊的；*n.* 流浪汉，无赖 (a person who has no home or regular work)

【记】词根记忆：vag (漫游) + rant → 游民，流浪汉

vague* [veig] *adj.* 模糊的 (not clearly expressed)

【反】lucid (*adj.* 清晰的); well-defined (*adj.* 定义明确的)

vain* [vein] *adj.* 自负的 (full of self-admiration); 徒劳的 (without result)

valediction* [ˌvæliˈdikʃən] *n.* 告别演说 (an address or statement of farewell)

【记】词根记忆：vale (告别) + diction (讲话) → 告别演说

【反】greeting (*n.* 欢迎词)

valedictory [ˌvæliˈdiktəri] *adj.* 告别的，离别的 (used in saying goodbye)

【记】词根记忆：vale (告别) + dict (说) + ory → 告别的

valiant* [ˈvæljənt] *adj.* 勇敢的，英勇的 (courageous)

【反】pusillanimous (*adj.* 胆小的)

validate* [ˈvælideit] *v.* 使…生效 (to make legally valid)

【记】valid (有效) + ate → 使……生效

valorous* [ˈvælərəs] *adj.* 勇敢的 (brave)

【记】val (强大) + orous → 勇敢的

【反】craven (*adj.* 懦弱的)

valve* [vælv] *n.* 活门，阀门

vandalism [ˈvændəliz (ə)m] *n.* (对公物等) 恶意破坏 (willful or malicious destruction or defacement of public or private property)

vandalize [ˈvændlaiz] *v.* 肆意破坏 (to subject to vandalism; damage)

【记】来自日耳曼民族的一支汪达尔人 Vandal，以故意毁坏文物著名

vanilla* [vəˈnilə] *n.* 香草，香子兰 (any of a genus of tropical American climbing orchids)

vanity* [ˈvæniti] *n.* 虚荣，自负 (inflated pride in oneself; conceit)

【记】词根记忆：van (空) + ity → 空虚 → 虚荣

【同】vanish (*v.* 消失)

vanquish* [ˈvæŋkwiʃ] *v.* 征服 (to defeat in a conflict or contest; subdue)

【形】anguish (*n.* 痛苦，苦恼)

vantage [ˈvɑːntidʒ] *n.* 优势，有利地位 (superiority in a contest)

VACUOUS	VAGARY	VAGRANCY	VAGRANT	VAGUE	VAIN
VALEDICTION	VALEDICTORY	VALIANT	VALIDATE	VALOROUS	VALVE
VANDALISM	VANDALIZE	VANILLA	VANITY	VANQUISH	VANTAGE

vapid* [ˈvæpid] *adj.* 索然无味的 (lacking liveliness; flat; dull)
【记】词根记忆: vap (蒸汽) + id → 像蒸汽的 → 乏味的
【同】vaporous (*adj.* 有蒸汽的); vapidity (*n.* 乏味)
【反】bracing (*adj.* 令人鼓舞的); zealous (*adj.* 热情的)

vaporization [ˌveipəraiˈzeiʃən] *n.* 蒸发 (conversion into vapor)
【反】solidification (*n.* 凝固)

vaporize* [ˈveipəraiz] *v.* (使)蒸发 (to convert into vapor)
【记】vapor (蒸汽) + ize (使…) → (使)蒸发

vaporous* [ˈveipərəs] *adj.* 无实质的 (unsubstantial)
【记】来自 vapor (水蒸气) + ous → 像蒸汽一样虚无 → 无实质的

variance* [ˈveəriəns] *n.* 矛盾 (dissension; dispute); 不同 (difference; variation)
【反】congruity (*n.* 一致)

variegate* [ˈveərigeit] *v.* 使…多样化 (to exhibit different colors, esp. as irregular patches or streaks)
【记】词根记忆: vari (变化) + e + gate → 使…多样化

variegation* [ˌveəriəˈgeiʃən] *n.* 杂色, 斑驳 (irregular color marking)
【反】uniform coloration (单色)

varnish* [ˈvɑːniʃ] *n.* 清漆; *v.* 涂上清漆
【记】注意不要和 tarnish (*v.* 使失去光泽) 相混

vascular [ˈvæskjulə] *adj.* 血管的, 脉管的 (of or relating to a channel for the conveyance of a body fluid [as blood])
【记】词根记忆: vascul (血管) + ar → 血管的

vault* [vɔːlt] *n.* 拱顶 (an arched structure); 地窖 (an underground storage compartment)

veer* [viə] *v.* 转向, 改变(话题等) (to change direction or course)
【反】maintain constant (保持恒定)

vehicle* [ˈviːikl] *n.* 交通工具; 传播媒介 (an agent of transmission)
【记】词根记忆: veh (带来) + icle (东西) → 带人的东西 → 交通工具

veil* [veil] *n.* 面纱; 遮蔽物, 掩蔽物; *v.* 以面纱掩盖 (to cover, obscure, or conceal with with a veil)

velocity* [viˈlɔsiti] *n.* 速度 (quickness of motion; speed); 迅速 (rapidity of movement)
【记】词根记忆: veloc (速度) + ity → 速度

venal* [ˈviːnl] *adj.* 惟利是图的, 贪赃枉法的 (characterized by or associated with corrupt bribery)
【派】venality (*n.* 惟利是图)
【反】incorruptible (*adj.* 廉洁的); unsusceptible of bribery (不怀疑受贿的)

vendetta* [venˈdetə] *n.* 世仇, 宿怨 (blood feud)
【记】词根记忆: vend (=vindic 复仇) + etta → 世仇

VAPID	VAPORIZATION	VAPORIZE	VAPOROUS	VARIANCE	VARIEGATE
VARIEGATION	VARNISH	VASCULAR	VAULT	VEER	VEHICLE
VEIL	VELOCITY	VENAL	VENDETTA		

vendor [ˈvendɔː] *n.* 小贩 (one that sells; seller)
【记】来自 vend (出售) + or → 小贩

veneer* [vəˈniə] *n.* (镶于劣质东西上的)镶面板; 外表

venerate* [ˈvenəreit] *v.* 崇敬, 敬仰 (to regard with reverential respect)
【记】词根记忆: vener (尊敬) + ate → 尊敬
【参】venerable (*adj.* 值得敬重的)

vengeance [ˈvendʒəns] *n.* 报仇, 报复 (punishment inflicted in retaliation; retribution)
【记】词根记忆: venge (报复) + ance → 报复
【同】vengeful (*adj.* 报仇心切的); revenge (*v.* 报复)

vengeful* [ˈvendʒful] *adj.* 报复的, 复仇心理的 (showing a fierce desire to punish someone for the harm they have done to oneself)

venial [ˈviːniəl] *adj.* (错误等)轻微的, 可原谅的 (forgivable; pardonable)
【记】词根记忆: ven (=venus 维纳斯) + ial → 出于爱而原谅的 → 可原谅的
【参】venereal (*adj.* 性爱的)

venom* [ˈvenəm] *n.* 毒液 (poisonous matter); 恶毒, 痛恨 (ill will; malevolence)

vent [vent] *v.* 发泄(情绪) (to discharge; expel); 开孔 (to provide with a vent); *n.* 孔, 口 (an opening)

ventilate* [ˈventileit] *v.* 使…通风, 透风 (to cause fresh air to circulate through)
【记】vent (通气口) + ilate → 使…通风

ventriloquist [venˈtriləkwist] *n.* 口技表演者, 会口技的人 (one who uses or is skilled in ventriloquism)
【记】词根记忆: ventri (看作 ventral 腹部的) + loqu (说话) + ist → 腹语表演者 → 口技表演者

veracious* [vəˈreiʃəs] *adj.* 诚实的, 说真话的 (truthful; honest)
【反】mendacious (*adj.* 虚假的)

veracity* [vəˈræsiti] *n.* 真实性 (devotion to the truth); 诚实 (truthfulness)
【记】词根记忆: ver (真实的) + acity → 真实性
【反】prevarication (*n.* 支吾其词)

verbal* [ˈvəːbəl] *adj.* 口头的 (spoken); 与言辞有关的
【记】词根记忆: verb (词语) + al → 与言辞有关的

verbiage* [ˈvəːbiidʒ] *n.* 啰嗦, 冗长 (a profusion of words of little content)
【记】词根记忆: verb (词语) + i + age → 冗长

verbose* [vəːˈbəus] *adj.* 冗长的, 啰嗦的 (containing more words than necessary)
【记】词根记忆: verb (词语) + ose (多…的) → 多词的 → 冗长的
【反】laconic (*adj.* 简洁的)

VENDOR	VENEER	VENERATE	VENGEANCE	VENGEFUL
VENIAL	VENOM	VENT	VENTILATE	VENTRILOQUIST
VERACIOUS	VERACITY	VERBAL	VERBIAGE	VERBOSE

verdant* [ˈvəːdənt] *adj.* 青葱的，翠绿的（green in tint or color）
【记】词根记忆：verd（绿色）+ ant → 翠绿的
【反】sere（*adj.* 干枯的）；sterile（*adj.* 贫瘠的）

verdict* [ˈvəːdikt] *n.* 判决，决定（the finding or decision of a jury）
【记】词根记忆：ver（真实）+ dict（说）→ 认真地说 → 判决

verdigris [ˈvəːdigris] *n.* 铜锈，铜绿（a green or greenish blue poisonous pigment resulting from the action of acetic acid on copper）
【记】词根记忆：verdi（绿色）+ gris（=grey）→ 灰绿色 → 铜绿

verified* [ˈverifaid] *adj.* 检验的，核实的
【反】unsubstantiated（*adj.* 未被证实的）

verify* [ˈverifai] *v.* 证明，证实（to establish the accuracy of）
【记】词根记忆：ver（真实的）+ ify → 证明是真实的 → 证明

verisimilar* [ˌveriˈsimilə] *adj.* 好像真实的（appearing to be true）；可能的（probable）
【记】词根记忆：veri（=ver 真实的）+ similar（好像）→ 好像真实的
【反】implausible（*adj.* 难以置信的）

veritable* [ˈveritəbl] *adj.* 确实的，名副其实的（real and genuine）
【反】specious（*adj.* 似是而非的）

vernacular* [vəˈnækjulə] *n.* 本国语，地方语（dialect）

versatile* [ˈvəːsətail] *adj.* 多才多艺的（having many different kinds of skills）；多用途的（having many different uses）
【记】词根记忆：vers（转）+ atile → 玩得转 → 多才多艺的
【反】unchangeable（*adj.* 不变的）；having limited applications（用途有限的）

verse* [vəːs] *n.* 诗歌（a line of metrical writing, poems）
【记】词根记忆：vers（转）+ e → 诗歌的音节百转千回 → 诗歌
【同】versatility（*n.* 多才多艺）；versant（*adj.* 精通的）

vertex [ˈvəːteks] *n.*（三角形等）顶角；顶点（highest point；summit）
【例】a monument on the *vertex* of the hill（山顶上的一座纪念碑）

vertical [ˈvəːtikəl] *adj.* 垂直的（perpendicular to the plane of the horizon；upright）
【记】来自 vertex（*n.* 顶点），从顶点向下 → 垂直的
【例】a *vertical* cliff（陡直的峭壁）

vertigo* [ˈvəːtigəu] *n.* 眩晕（a dizzy, confused state of mind）
【记】词根记忆：verti（转）+ go（走）→ 转着走 → 眩晕

vertigo

verve* [vəːv] *n.*（艺术作品的）神韵（vivacity）；（人）生机（energy；vitality）

□ VERDANT	□ VERDICT	□ VERDIGRIS	□ VERIFIED	□ VERIFY
□ VERISIMILAR	□ VERITABLE	□ VERNACULAR	□ VERSATILE	□ VERSE
□ VERTEX	□ VERTICAL	□ VERTIGO	□ VERVE	

vessel* [ˈvesl] *n.* 血管；容器（a container）；船只（a watercraft）
【记】注意不要和vassal（*n.* 陪臣，诸侯）相混

vestige* [ˈvestidʒ] *n.* 痕迹，遗迹（the very small slight remains of sth.）

vestigial* [vesˈtidʒiəl] *adj.* 退化的（degraded）
【反】fully developed（发育完全的）

vestment* [ˈvestmənt] *n.*（做礼拜时教士的）法衣，官服（a robe of ceremony or office）
【记】词根记忆：vest（衣服）+ ment → 官服

veteran [ˈvetərən] *n.* 老兵，老手（an old person who has had the experience [in war]）；*adj.* 经验丰富的（experienced）

veterinary [ˈvetərinəri] *adj.* 兽医的
【派】veterinarian（*n.* 兽医）

veto [ˈviːtəu] *n.* 否决；禁止（an authoritative prohibition；interdiction）
【记】注意比较vote（*n.* / *v.* 选举）
【反】consent（*v.* 同意）

vex* [veks] *v.* 恼火（to bring agitation to）
【反】conciliate （*v.* 安慰）；pacify （*v.* 安抚）；appease （*v.* 平息）；soothe（*v.* 平静）；conciliate（*v.* 安抚）；mollify（*v.* 平息）

vexation* [vekˈseiʃən] *n.* 困扰（the act of harassing）；苦恼（irritation）
【记】来自vex（*v.* 烦恼，恼火）

viability* [ˌvaiəˈbiliti] *n.* 生存能力，存活力
【反】inability to live（不能生存）

viable [ˈvaiəbl] *adj.* 可行的 （having a reasonable chance of succeeding）；能活下去的（capable of living）
【记】词根记忆：via（道路）+（a）ble → 有路可走 → 可行的

viaduct [ˈvaiədʌkt] *n.* 高架桥（a long elevated roadway）
【记】词根记忆：via（道路）+ duct（引导）→ 引导道路 → 高架桥
【参】aqueduct（*n.* 引水渠）

vibrancy* [ˈvaibrənsi] *n.* 生机勃勃，活泼（the quality or state of being vibrant）

vibrant* [ˈvaibrənt] *adj.* 振动的；明快的 （bright）；生机勃勃的（pulsating with life）
【记】词根记忆：vibr（振动）+ ant → 振动的
【反】ponderous（*adj.* 沉闷的）

vibrate* [vaiˈbreit] *v.* 颤动，振动 （to shake continuously and very quickly with a fine slight movement）
【派】vibration（*n.* 颤动，振动；感应，共鸣）

vicar* [ˈvikə] *n.* 教区牧师（priest in charge of an area）
【记】分拆联想：vi + car（汽车）→ 开着汽车四处传道的教区牧师 → 教区牧师

vicarious* [vaiˈkeəriəs] *adj.* 替代的，代理的（serving in place of sb. or sth. else）
【记】vicar（牧师）+ ious → 牧师是上帝的代言人 → 代理的

VESSEL	VESTIGE	VESTIGIAL	VESTMENT	VETERAN	VETERINARY
VETO	VEX	VEXATION	VIABILITY	VIABLE	VIADUCT
VIBRANCY	VIBRANT	VIBRATE	VICAR	VICARIOUS	

vicinity [vi'siniti] *n.* 附近 (proximity); 接近 (neighborhood)
【记】词根记忆：vicin (邻近) + ity → 接近
【参】vicinage (*n.* 周围地区)

vicious* ['viʃəs] *adj.* 残酷的，凶猛的 (savage; fierce); 危险的; 恶劣的
【记】来自 vice (*n.* 邪恶)

vicissitudinous [vi,sisi'tjuːdinəs] *adj.* 有变化的，变迁的 (marked by or filled with vicissitudes)
【反】unchanging (*adj.* 无变化的)

victimize ['viktimaiz] *v.* 使受害，迫害 (to cause someone to suffer unfairly)
【记】来自 victim (*n.* 受害者)

vie [vai] *v.* 竞争 (to compete)
【例】These two boys *vied* with each other for the first place. (这两个男孩为得到第一名互相竞争。)

vigilant* ['vidʒilənt] *adj.* 机警的，警惕的 (alertly watchful to avoid danger)
【反】supine (*adj.* 懒散的); oblivious (*adj.* 不在意的); unalert (*adj.* 不警觉的); negligible (*adj.* 可忽略的)

vigorous* ['vigərəs] *adj.* 精力旺盛的，健壮的 (strong, healthy, and full of energy)
【记】vigor (活力) + ous → 精力充沛的

vile* [vail] *adj.* 恶劣的，卑鄙的 (morally despicable or abhorrent)

vilify* ['vilifai] *v.* 辱骂，诽谤 (to utter slanderous and abusive statements)
【记】来自 vile (*adj.* 卑鄙的)
【例】*vilify* sb.'s character (污蔑人格); *vilify* the government (骂政府)

vindicate* ['vindikeit] *v.* 为…平反 (to free from allegation or blame); 证明…正确 (to provide justification or defense for)
【记】词根记忆：vin (=vim 活力) + dic (说) + ate → 使人有活力 → 为…平反
【反】calumniate (*v.* 诽谤); impugn (*v.* 指责)

vindictive* [vin'diktiv] *adj.* 报复性的 (vengeful)

vintner* ['vintnə] *n.* 酒商 (a wine merchant)
【记】词根记忆：vint (酒) + ner → 酒商
【参】vintage (*n.* 酒)

violate* ['vaiəleit] *v.* 违反，触犯 (to disregard or act against)
【派】violation (*n.* 违反)

violet* ['vaiəlit] *adj.* 紫罗兰色的; *n.* 紫罗兰

viral* ['vairəl] *adj.* 病毒性的 (caused by a virus)
【记】来自 virus (*n.* 病毒)

virtual ['vəːtjuəl] *adj.* 实质上的，实际上的 (being such in essence or effect though not formally recognized or admitted)

virtuosity* [,vəːtju'ɔsiti] *n.* 精湛技巧，高超 (great technical skill)
【反】mediocrity (*n.* 平庸)

VICINITY	VICIOUS	VICISSITUDINOUS	VICTIMIZE	VIE	VIGILANT
VIGOROUS	VILE	VILIFY	VINDICATE	VINDICTIVE	VINTNER
VIOLATE	VIOLET	VIRAL	VIRTUAL	VIRTUOSITY	

virtuoso* [ˌvəːtjuˈəuzəu] *n.* 演艺精湛的人 (a person who has great skill at some endeavor)
【记】词根记忆：virtu(好，美德)+oso→好的演员→演艺精湛的人
【反】mediocrity (*n.* 平庸之才)

virtuous* [ˈvəːtjuəs] *adj.* 有美德的 (showing virtue)；自命清高的
【记】来自 virtue (*n.* 美德)
【反】nefarious (*adj.* 邪恶的)

virulent* [ˈvirulənt] *adj.* 剧毒的 (extremely poisonous or venomous)；恶毒的 (full of malice)
【记】vir (=virus 病毒) + ulent (多…的) → 剧毒的
【反】salubrious (*adj.* 有益健康的)

virus* [ˈvaiərəs] *n.* 病毒 (a living thing which causes infectious disease)
【记】发音记忆："娃弱死" → 小孩子身体弱，被病毒感染死掉了 → 病毒

viscid* [ˈvisid] *adj.* 黏性的 (thick and adhesive)
【反】slick (*adj.* 光滑的)

viscous* [ˈviskəs] *adj.* 黏的 (glutinous)
【反】nonviscous (*adj.* 无黏性的)

visionary [ˈviʒənəri] *adj.* 有远见的；幻想的；*n.* 空想家

vista* [ˈvistə] *n.* 远景 (a distant view; prospect)；展望 (an extensive mental view)
【记】词根记忆：vis (看) + ta → 看见它 → 远景

vital* [ˈvaitl] *adj.* 极其重要的；充满活力的 (full of life and force)
【记】词根记忆：vit (活，生命) + al → 充满活力的
【反】moribund (*adj.* 垂死的)

vitalize* [ˈvaitəlaiz] *v.* 激发活力 (to endow with life)
【反】arrest (*v.* 阻碍发展)

vitiate* [ˈviʃieit] *v.* 削弱，损害 (to make faulty or defective; impair)
【记】词根记忆：viti (=vice 恶的) + ate → 损害
【同】vitiable (*adj.* 易堕落的)；vitiosity (*n.* 堕落)
【反】fortify (*v.* 加强)；strengthen (*v.* 巩固)

vitrify [ˈvitrifai] *v.* 使成玻璃 (to convert into glass)

vitriolic [ˌvitriˈɔlik] *adj.* 刻薄的 (virulent of feeling or of speech)
【记】词根记忆：vitri (玻璃，引申为硫酸盐，因为硫酸盐具有玻璃光泽，再引申为刻毒) + olic → 刻薄的

vituperate [viˈtjuːpəreit] *v.* 痛斥，辱骂 (to abuse or censure severely or abusively)
【记】词根记忆：vitu (邪恶) + per (=prepare 准备) + ate → 辱骂
【反】praise (*v.* / *n.* 赞扬)

vituperative* [viˈtjupərətiv] *adj.* 辱骂的 (characterized by verbal abuse)
【反】complimentary (*adj.* 称赞的)

VIRTUOSO	VIRTUOUS	VIRULENT	VIRUS	VISCID
VISCOUS	VISIONARY	VISTA	VITAL	VITALIZE
VITIATE	VITRIFY	VITRIOLIC	VITUPERATE	VITUPERATIVE

vivacious* [vi'veiʃəs] *adj.* 活泼的，快活的 (lively in temper, conduct, or spirit; sprightly)

【记】词根记忆：viv(生命)+acious → 活泼的

【同】vivisection(*n.* 活体解剖); vivarium(*n.* 动植物园)

【反】phlegmatic(*adj.* 冷漠的); languid(*adj.* 疲倦的)

vivid* ['vivid] *adj.* 清晰的，鲜艳的 ([of colour] very strong); 大胆的；活泼的；逼真的(lively)

【记】词根记忆：viv(生命)+id → 生动的

vocalist* ['vəukəlist] *n.* 流行歌手，声乐家(singer)

【记】词根记忆：voc(声音)+alist → 声乐家

vocation [vəu'keiʃən] *n.* 擅长 (particular fitness or ability for a certain kind of work); 工作，职业(a job)

【记】词根记忆：voc(叫喊)+ation → 工作上受到召唤 → 职业

【派】vocational(*adj.* 职业的)

vogue [vəug] *n.* 时髦，时尚(popular acceptation or favor); *adj.* 流行的

【形】vague(*adj.* 模糊不清的)

【例】a growing *vogue* for things made in Japan(日本货的日益风行)

void* [vɔid] *adj.* 空的，缺乏的(empty); *n.* 空隙，空处(empty space); 空虚感(a feeling of want or hollowness)

volatile* ['vɔlətail] *adj.* 反复无常的 (subject to rapid or unexpected change); 挥发性的(readily vaporizable)

【记】词根记忆：volat(飞)+ile → 挥发性的

【同】volant(*adj.* 飞行的；敏捷的)

【反】stable(*adj.* 稳定的); constant(*adj.* 稳定的)

volition* [vəu'liʃən] *n.* 决断力，意志 (the power of choosing or determining; will)

【记】词根记忆：vol(意志)+ition → 意志，决断力

【同】benevolent(*adj.* 好意的); malevolent(*adj.* 恶意的)

【反】inability to choose(不能选择)

volley ['vɔli] *n.* 齐发，群射 (a number of shots fired at the same time); *v.* 齐发，群射 (to be fired altogether); (足球、网球)截击

【参】volleyball(*n.* 排球)

voluble* ['vɔljub(ə)l] *adj.* 健谈的(talkative); 易旋转的(rotating)

【反】laconic(*adj.* 简明的); taciturn (*adj.* 沉默的); succinct (*adj.* 简洁的); reticent(*adj.* 沉默的)

VIVACIOUS	VIVID	VOCALIST	VOCATION	VOGUE
VOID	VOLATILE	VOLITION	VOLLEY	VOLUBLE

voluminous* [vəˈljuːminəs] *adj.* 长篇的 (writing or speaking at great length); 多产的 (numerous)

【记】volum (=volume 容量) + in + ous → 里面有容量的 → 多产的

【反】scanty (*adj.* 缺乏的); scarce (*adj.* 不足的)

voluptuous [vəˈlʌptuəs] *adj.* 撩人的 (suggesting sensual pleasure); 沉溺于酒色的 (abandoned to enjoyments of luxury, pleasure, or sensual gratification)

【记】词根记忆: volupt (享乐, 快感) + uous → 撩人的

【派】voluptuary (*n.* 耽于逸乐的人)

【反】ascetic (*adj.* 禁欲的); spartan (*adj.* 简朴的); self-contained (*adj.* 自制的)

voracious* [vəˈreiʃəs] *adj.* 狼吞虎咽的, 贪婪的 (excessively eager; insatiable)

【记】词根记忆: vor (吃) + acious → 吃得多的, 狼吞虎咽的

【反】lack of appetite (没有胃口的)

voracity [vəˈræsiti] *n.* 贪婪 (the quality or state of being voracious)

votary [ˈvəutəri] *n.* 崇拜者, 热心支持者 (a devoted admirer)

【记】词根记忆: vot (宣誓) + ary → 热心支持者

【同】vote (*v.* 选举); votive (*adj.* 奉献的)

【反】skeptic (*n.* 怀疑论者, 无神论者)

vouch [vautʃ] *v.* 担保, 证明 (to guarantee the reliability of)

【形】touch (*v.* 接触)

【反】refuse to guarantee (拒绝担保)

vulgar* [ˈvʌlgə] *adj.* 无教养的 (morally crude; undeveloped)

【记】词根记忆: vulg (庸俗) + ar → 无教养的

【同】vulgarian (*n.* 庸人); vulgarize (*v.* 庸俗化)

【派】vulgarity (*n.* 粗俗, 低级)

vulnerable* [ˈvʌlnərəb(ə)l] *adj.* 易受攻击的 (capable of being physically wounded; assailable)

【记】词根记忆: vulner (伤) + able → 易受伤的, 易受攻击的

【派】vulnerability (*n.* 易受攻击)

【反】safe (*adj.* 安全的)

vulture* [ˈvʌltʃə(r)] *n.* 秃鹫 (a large ugly tropical bird with an almost featherless head and neck)

【形】culture (*n.* 文化, 文明)

vying [ˈvaiiŋ] *adj.* 竞争的 (contending; competing)

【记】vie (*v.* 竞争) 的现在分词

waddle* [ˈwɔdl] *v.* (鸭子等) 摇摇摆摆地走 (to walk with short steps from side to side)

【记】发音记忆: "歪倒" → 摇摇摆摆地走

□ VOLUMINOUS	□ VOLUPTUOUS	□ VORACIOUS	□ VORACITY	□ VOTARY
□ VOUCH	□ VULGAR	□ VULNERABLE	□ VULTURE	□ VYING
□ WADDLE				

waffle* [ˈwɔfl] *n.* **蛋奶烘饼**; *v.* **胡扯，唠叨**（to talk or write meaninglessly）
【记】waff（流浪汉）+ le → 流浪汉爱胡扯 → 胡扯
【反】speak unequivocally（清楚地说）

waft* [wɑːft] *v.* **飘浮，飘荡**（to move or go lightly by the impulse of wind or waves）
【记】联想记忆：木筏（raft）漂浮（waft）在水中
【形】raft（*n.* 筏，救生船）；haft（*n.* 柄，把手）

wag* [wæg] *v.*（狗尾巴等）**摆动**（to swing to and fro or up and down）；*n.* **诙谐幽默者**（wit; joker）

wage [weidʒ] *v.* **开始，进行**（战争、运动）（to begin and continue a war）

waggish [ˈwægiʃ] *adj.* **诙谐的，滑稽的**（humorous）
【例】a *waggish* remark（俏皮话）

walrus* [ˈwɔːlrəs] *n.* **海象**（a large gregarious marine mammal）

wan [wɔn] *adj.* **虚弱的**（feeble）；**病态的**（sickly pallid）
【例】a *wan* complexion（病容）

wanderlust* [ˈwɔndəlʌst] *n.* **漫游癖，旅游热**（strong longing for or impulse toward wandering）
【记】组合词：wander（漫游）+ lust（欲望）→ 漫游癖

wane [wein] *v.* **减少，衰微**（to decrease in size, extent, or degree; dwindle）
【例】The moon *wanes* after it has become full.（月盈而亏。）

want* [wɔnt] *n.* **缺乏，需要**（a lack or deficiency of sth.）

wardrobe* [ˈwɔːdrəub] *n.* **衣橱**（a room or closet where clothes are kept）；**全部服装**（a collection of wearing apparel）
【记】分拆联想：ward（病房）+ robe（长袍）→ 可能原指病人穿的衣服

warehouse* [ˈweəhaus] *n.* **仓库，货栈**（a large building for storing things）

warmonger* [ˈwɔːmʌŋgə] *n.* **好战者，战争贩子**（one who urges to stir up war）
【记】组合词：war（战争）+ monger（商人，贩子）→ 战争贩子
【反】pacifist（*n.* 和平主义者）；dove（*n.* 和平鸽；温和的人）

Activity is the only road to knowledge.
行动是通往知识的惟一道路。
——英国剧作家 肖伯纳（George Bernard Shaw, British dramatist）

Word List 39

warp* [wɔːp] *v.* / *n.* 翘起，弯曲 （to turn or twist out of or as if out of shape; a twist or curve that has developed in sth. flat or straight）

【记】 发音记忆："卧铺"→卧铺太窄，只有弯曲身体才能睡下→弯曲

【例】The door was *warped* and wouldn't shut.（门翘曲了，关不上。）

warrant* [ˈwɔrənt] *n.* 正当理由 （justification）；许可证 （a commission or document giving authority）

warranted* [ˈwɔrəntid] *adj.* 保证的；凭正当理由的

【反】gratuitous（*adj.* 无理由的）

warranty* [ˈwɔrənti] *n.* 保证；辩解；有正当理由；批准

wary* [ˈweəri] *adj.* 谨慎的，小心翼翼的（looking out for danger）

waste* [weist] *v.* 使身体消瘦，损耗 （to cause sb. / sth. to become weaker and thinner）

wastrel* [ˈweistrəl] *n.* 挥霍无度的人 （one who spends resources foolishly and self-indulgently; profligate）

【记】来自 waste（*v.* 浪费）

【参】wastry（*n.* 挥霍）

watershed [ˈwɔːtəʃed] *n.* 分水岭，转折点（a turning point）

【反】ambiguity （*n.* 模棱两可）

waver* [ˈweivə] *v.* 摇摆，犹豫 （to fluctuate in opinion, allegiance, or direction）

wax* [wæks] *n.* 蜡；*v.* 给…打蜡；盈，增大 （to grow gradually larger after being small）

【反】flag（*v.* 衰弱）；decrease（*v.* 减少）；waste away（减弱）

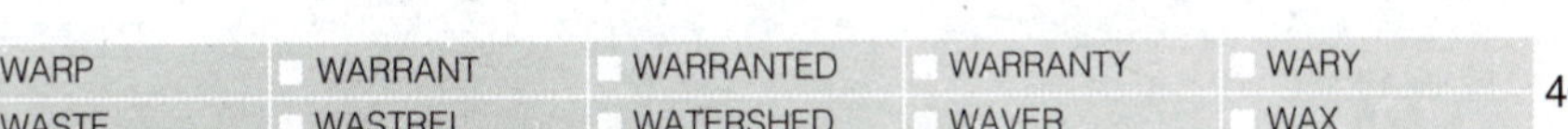

WARP | WARRANT | WARRANTED | WARRANTY | WARY
WASTE | WASTREL | WATERSHED | WAVER | WAX

wean* [wiːn] *v.* (孩子)断奶；戒掉(to free from an unwholesome habit or interest)

【形】lean (*v.* 倾斜；*adj.* 瘦的)；mean (*adj.* 卑鄙的)

wearisome [ˈwiərisʌm] *adj.* 使人感到疲倦或厌倦的(causing one to feel tired or bored)

【记】来自 weary (*v.* 疲倦，厌倦)

weary* [ˈwiəri] *adj.* 疲劳的，令人厌倦的(very tired)；*v.* 厌烦(to make or become weary)

weasel [ˈwiːzl] *n.* 黄鼠狼，鼬；*v.* 逃避(to evade a situation or obligation)

weather* [ˈweðə] *v.* 经受住，平安渡过危难(to endure the effects of weather or other forces)

【例】*weather* a crisis (平安渡过危机)

weed* [wiːd] *n.* 杂草，野草(wild plant growing where it is not wanted)；*v.* 除草(to remove weed)

【记】联想记忆：种子(seed)落地长成一片杂草(weed)

weld* [weld] *v.* 焊接，熔接；结合(to unite or reunite)

【参】solder (*v.* 焊接)

well-groomed* [ˈwelˈgruːmd] *adj.* 非常整洁的 (having a very neat, clean appearance)

【记】well (好) + groom (修饰) + ed → 非常整洁的

welter* [ˈweltə] *n.* 混乱，杂乱无章(a disordered mixture)

【记】联想记忆：像一个大熔炉(melter)一片混乱(welter)

【反】orderly arrangement (安排有序)

wheedle* [ˈ(h)wiːdl] *v.* (用花言巧语)哄骗 (to influence or entice by soft words or flattery)

【形】needle (*n.* 针；针叶)；tweedle (*v.* 鸟鸣)

whet* [(h)wet] *v.* 磨快(to sharpen)；刺激(to excite; stimulate)

【反】blunt (*v.* 弄钝)

whiff [(h)wif] *v.* 轻吹；*n.* 轻风(a slight, gentle gust of air)

whim* [(h)wim] *n.* 多变，怪念头(a sudden idea; fancy)

whimsical* [ˈ(h)wimzikəl] *adj.* 古怪的，异想天开的(exhibiting whims)

whimsy [ˈ(h)wimzi] *n.* 古怪，异想天开(whim; a fanciful creation)

whine* [(h)wain] *v.* 哀号，号哭 (to utter a high pitched plaintive or distressed cry)

whirlpool* [ˈ(h)wəːlpuːl] *n.* 漩涡(a place with circular currents of water in a sea)

whisper* [ˈ(h)wispə] *v.* 耳语，低声说话(to speak softly)

whistle* [ˈ(h)wisl] *n.* 口哨，口哨声；汽笛声；*v.* 吹口哨 (to make a whistle)

【形】bristle (*v.* 毛发竖起；发怒)

WEAN	WEARISOME	WEARY	WEASEL	WEATHER	WEED	WELD
WELL-GROOMED	WELTER	WHEEDLE	WHET	WHIFF	WHIM	WHIMSICAL
WHIMSY	WHINE	WHIRLPOOL	WHISPER	WHISTLE		

whittle* [ˈ(h)witl] *v.* 削（木头）(to pare or cut off chips)；削减 (to reduce; pare)

【记】分拆联想：wh（看作 whet 磨刀）+ ittle（看作 little 小）→ 磨刀把木头削小 → 削（木头）

wholesome* [ˈhəulsəm] *adj.* 促进健康的 (good for the body or likely to produce health)

【记】whole（完整，健康）+ some → 促进健康的

【反】tainted（*adj.* 被污染的）；deleterious（*adj.* 有害的）；insalubrious（*adj.* 有害的）；morbid（*adj.* 病态的）；noxious（*adj.* 有害的）

wick* [wik] *n.* 蜡烛芯；灯芯

【记】联想记忆：和挑（pick）一起记

wicked* [ˈwikid] *adj.* 极坏的 (extremely bad)；淘气的 (playful in a rather troublesome way)

wield* [wiːld] *v.* 支配，掌权 (to have at one's command or disposal)

【参】unwieldy（*adj.* 笨重的）

willful* [ˈwilful] *adj.* 任性的 (perversely self-willed)；故意的 (intentional)

【例】a *willful* murder（蓄意谋杀）

willow [ˈwiləu] *n.* 柳树

【形】pillow（*n.* 枕头）；wallow（*v.* 打滚）

willowy [ˈwiləui] *adj.* 苗条的 (gracefully tall and slender)

wilt [wilt] *v.* 使…凋谢，枯萎 (to lose vigor from lack of water)

【例】The crops *wilted* under the hot sun.（庄稼在烈日下枯萎了。）

wily* [ˈwaili] *adj.* 狡猾的 (full of wiles; crafty)

【记】来自 wile（*n.* 诡计）

【例】a *wily* fraud（狡猾的骗子）

wince [wins] *v.* 避开，畏缩 (to shrink back; flinch)

windbag [ˈwindbæg] *n.* 饶舌之人 (a talkative person)

winding [ˈwaindiŋ] *adj.* 蜿蜒的，迂回的 (having a curved or spiral course or form)

windy [ˈwindi] *adj.* 有风的；长篇累牍的 (verbose)

wink* [wiŋk] *v.* 使眼色 (to close and open one eye quickly as a signal between people)；*n.* 眨眼 (a winking movement of the eye)

winnow* [ˈwinəu] *v.* 把（谷物）的杂质吹掉，扬去 (to remove chaff by a current of air)

【记】和 window（*n.* 窗户）一起记

winsome [ˈwinsəm] *adj.* 媚人的，漂亮的 (generally pleasing and engaging often because of a childlike charm and innocence)

【记】win（赢）+ some → 赢得美誉的 → 漂亮的

【反】unprepossessing（*adj.* 不吸引人的）

WHITTLE	WHOLESOME	WICK	WICKED	WIELD	WILLFUL
WILLOW	WILLOWY	WILT	WILY	WINCE	WINDBAG
WINDING	WINDY	WINK	WINNOW	WINSOME	

wistful* [ˈwistful] *adj.* 惆怅的（thoughtful and rather sad）；渴望的

wit* [wit] *n.* 智力；机智 （the ability to say things which are both clever and amusing at the same time）

withdraw* [wiðˈdrɔː] *v.* 撤退，收回（to take back or away; remove）；隐居
【记】词根记忆：with（反）+ draw（拉）→ 收回
【反】press（*v.* 挤压，推进）

wither* [ˈwiðə] *v.* 枯萎，凋零（to shrivel from loss of bodily moisture）
【记】联想记忆：天气（weather）不好植物就会枯萎（wither）
【反】burgeon（*v.* 发芽）；revive（*v.* 复活）

withhold* [wiðˈhəuld] *v.* 扣留，保留（to keep on purpose）
【反】withhold information （不通报信息）〈〉apprise （*v.* 通知）；grant（*v.* 承认；授予）

withstand [wiðˈstænd] *v.* 顶住 （to oppose successfully）；经受住（to remain unchanged by）
【记】词根记忆：with（反）+ stand（站）→ 反着站 → 顶住

witness* [ˈwitnis] *n.* 目击者（someone who is present when sth. happens）；*v.* 目击

witticism [ˈwitisizəm] *n.* 妙语，俏皮话（a witty remark）
【记】词根记忆：wit（智慧）+ tic + ism → 妙语，俏皮话

wizened [ˈwiznd] *adj.* 干皱的，干巴巴的 （dry as a result of aging or of failing vitality）
【记】来自 wizen（*v.* 起皱）

wobble [ˈwɔbl] *v.* 动摇 （to move with a staggering motion）；犹豫（to hesitate）
【反】stabilize（*v.* 稳定）

woe [wəu] *n.* 悲痛，苦难 （deep suffering from misfortune, affliction, or grief）

woo* [wuː] *v.* 向（女人）求爱（to sue for the affection; court）；争取…的支持（to solicit or entreat with importunity）

worship* [ˈwəːʃip] *v.* / *n.* 崇拜，敬仰 （strong feelings of love, respect, and admiration）

wrangler [ˈrænglə] *n.* 口角者，争论者 （a bickering disputant）；牧马者（cowboy）

wrench* [rentʃ] *v.* 扭，拧（to move with a violent twist）；*n.* 扳钳，扳手
【例】*wrench* a screw off（用力拧下螺钉）

wretched [ˈretʃid] *adj.* 可怜的（[of a person] in a very unhappy or unfortunate state）

wrinkle* [ˈriŋkl] *n.* 皱纹；窍门

wrist* [rist] *n.* 腕，腕关节 （the joint between the hand and the lower part of the arm）

WISTFUL	WIT	WITHDRAW	WITHER	WITHHOLD	WITHSTAND
WITNESS	WITTICISM	WIZENED	WOBBLE	WOE	WOO
WORSHIP	WRANGLER	WRENCH	WRETCHED	WRINKLE	WRIST

writ* [rit] *n.* 命令状，书面命令 (an order in writing)
【记】联想记忆：write 去掉 e

wrought* [rɔːt] *adj.* 做成的，精炼的 (made or done and decorated)
【记】work 的过去式和过去分词

wry* [rai] *adj.* 扭曲的 (twisted or bent to one side)；冷嘲性幽默的 (cleverly and often ironically or grimly humorous)
【反】straight (*adj.* 直接的)；undeviating (*adj.* 不偏离的)

xenophobe* [ˈzenəfəub] *n.* 惧外者 (one unduly fearful of what is foreign)
【记】词根记忆：xeno (外国人) + phobe (恨) → 惧外者

xerophyte [ˈziərəfait] *n.* 旱生植物 (a plant structurally adapted for life and growth with a limited water supply)
【记】词根记忆：xero (干燥) + phyte (植物) → 旱生植物

yacht* [jɔt] *n.* 帆船，游艇 (any of various recreational watercraft)

yarn* [jɑːn] *n.* 纱线 (a continuous strand of twisted threads)
【记】注意不要和 yawn (打呵欠) 相混

yawn [jɔːn] *v.* 打呵欠 (to gape)

yearn* [jəːn] *v.* 盼望，渴望 (to long persistently)
【记】分拆联想：year (年) + n → 一年到头盼望 → 盼望

yeast* [jiːst] *n.* 酵母 (sth. that causes ferment)；兴奋
【记】分拆联想：和 feast (*n.* 盛宴) 一起记→盛宴是令人兴奋的

yielding* [ˈjiːldiŋ] *adj.* 弯曲自如的 (lacking rigidity or stiffness; flexible)；柔顺的

yoke [jəuk] *n.* 牛轭 (a frame of wood that fits around the necks of cows)；*v.* 把…套上轭 (to put a yoke on)
【例】the *yoke* of old habits (旧习惯的羁绊)
【反】sunder (*v.* / *n.* 分离)

yokel* [ˈjəukəl] *n.* 乡巴佬 (a native or gullible inhabitant of a rural area)
【记】分拆联想：yoke (牛轭) + l → 用牛轭耕田的人 → 乡下人，乡巴佬

zealotry* [ˈzelətri] *n.* 狂热行为 (fanatical devotion)
【反】lack of fervor (缺乏热情)

zenith* [ˈzeniθ] *n.* 天顶 (the highest point of the celestial sphere)；极点 (the highest point)
【反】nadir (*n.* 最低点)；lowest point (最低点)

zephyr [ˈzefə] *n.* 和风 (a gentle breeze)；西风 (a breeze from the west)
【记】由希腊神话中西风之神 Zephyr 而来
【例】the flowers, the *zephyrs*, and the warblers of spring (春天的花卉、和风及莺鸣)

zest* [zest] *n.* 刺激性 (an enjoyable exciting quality)；热心，兴趣 (keen enjoyment)
【记】和 test (*n.* 考试) 一起记

zigzag [ˈzigzæg] *n.* / *adj.* 之字形 (的)；*v.* 弯弯曲曲地行进

zone* [zəun] *v.* 分成区 (to divide into or assign to zones)

WRIT	WROUGHT	WRY	XENOPHOBE	XEROPHYTE	YACHT	YARN
YAWN	YEARN	YEAST	YIELDING	YOKE	YOKEL	ZEALOTRY
ZENITH	ZEPHYR	ZEST	ZIGZAG	ZONE		

GRE考试最新词汇 Word List 40

abase [ə'beis] *v.* 降低自己，贬抑，使卑下 (to lower oneself / sb. in dignity; degrade oneself / sb.)

【记】词根记忆：a + base（降低）→ 贬抑

abduct [æb'dʌkt] *v.* 绑架，拐走 (to take [a person] away unlawfully; kidnap)

【记】词根记忆：ab + duct（引导）→ 把人带走 → 绑架

【同】viaduct（*n.* 高架桥）；introduction（*n.* 介绍；引入）

【派】abduction（*n.* 绑架）

abnegation [ˌæbni'geiʃən] *n.* 放弃（renunciation）；自我牺牲（self-sacrifice）

【记】词根记忆：ab + neg（否定）+ ation → 放弃；自我牺牲

aboriginal [ˌæbə'ridʒənəl] *n.* 原始居民，土著（people existing in a place from the earliest days; native）

【记】词根记忆：ab + origin（起源）+ al → 原始居民

【同】originate（*v.* 开始，发源）；originality（*n.* 独创性）

abortive [ə'bɔːtiv] *adj.* 无结果的，失败的（unsuccessful; fruitless）

【记】词根记忆：ab + or（=ori 产生）+ tive → 没有产生 → 无结果的

【同】orient（*n.* 东方；*v.* 确定方向）；disoriented（*adj.* 迷失方向的）

【派】abortion（*n.* 流产；失败）

abound [ə'baund] *v.* 充满（to exist in large numbers）；富于（to have plenty of; teem with）

【记】词根记忆：a + bound（边界）→ 没有边界 → 充满

注意：abundant（*adj.* 富裕的）

【同】boundary（*n.* 边界）；unbounded（*adj.* 无限的）

【例】Wild animals *abound* in this park.（这个公园野生动物很多。）

abrupt [ə'brʌpt] *adj.* 突然的，意外的；唐突的（sudden and unexpected）

【记】词根记忆：ab（离去）+ rupt（断）→ 突然断掉了 → 突然的，意外的

ABASE	ABDUCT	ABNEGATION	ABORIGINAL	ABORTIVE
ABOUND	ABRUPT			

abstinent ['æbstinənt] *adj.* 饮食有度的，有节制的，禁欲的（constraining from indulgence of an appetite or craving or from eating some foods）
【记】词根记忆：abs（不）+ tin（拿住）+ ent → 不再拿住 → 禁欲的
【同】abstentious（*adj.* 有节制的）; self-restrained（*adj.* 自我克制的）; temperate（*adj.* 适度的）

acarpous [ei'kɑːpəs] *adj.* 不结果实的（impotent to bear fruit）

acerbity [ə'səːbiti] *n.* 涩，酸，刻薄（sourness of taste, character, or tone）
【同】acrimony（*n.* 尖刻）; mordancy（*n.* 尖酸）
【记】词根记忆：acerb（酸涩的，刻薄的）+ ity → 涩，酸，刻薄

achromatic [ˌækrəu'mætik] *adj.* 非彩色的，无色的（possessing no hue）
【记】词根记忆：a（无）+ chrom（颜色）+ atic → 非彩色的，无色的

acronym ['ækrənim] *n.* 首字母缩略词（word formed from the initial letters of a group of words）
【记】词根记忆：acro（高）+ nym（名称）→ 把高出小写字母的大写字母放在一起，如 GRE，TOEFL，USA

actuarial [ˌæktju'eəriəl] *adj.*（保险）精算的，保险计算的（calculating; pertaining to insurance statistics）
【记】词根记忆：actua（=actual 精确的；实际的）+ rial → 追求精确的 →（保险）精算的
【派】actuary（*n.* 精算师）

actuate ['æktjueit] *v.* 驱使，激励（to motivate; activate）
【记】词根记忆：act（行动）+ uate（动词后缀）→ 使行动 → 驱使
【例】He is *actuated* not by kindness but by ambition.（他是被雄心而不是仁慈所驱动。）

addle ['ædl] *v.* 使腐坏（to make rotten）; 使混乱（to become muddled or confused）
【记】分拆联想：add（增加）+ le → 事情增加容易混乱 → 使混乱
【派】addled（*adj.* 头脑混乱的）

adduce [ə'djuːs] *v.* 给予（理由）（to give as reason or proof）; 举出（例证）（to cite as an example）
【记】词根记忆：ad + duce（引导）→ 引导出 → 举出
【同】induce（*v.* 引诱）; education（*n.* 教育）

adjudicate [ə'dʒuːdikeit] *v.* 充当裁判（to serve as a judge in a dispute）; 判决（to hear and decide）
【记】词根记忆：ad + jud（判断）+ icate → 进行判断 → 充当裁判
【同】judicious（*adj.* 明智的）; prejudice（*n.* 偏见）
【派】adjudication（*n.* 判决，裁决）

adlib * [æd'lib] *v.* 临时讲话，即兴表演（to speak or act without preparation）
【记】系拉丁语 adlibitum 之缩略，本义为 according to pleasure（随意）

ABSTINENT	ACARPOUS	ACERBITY	ACHROMATIC	ACRONYM
ACTUARIAL	ACTUATE	ADDLE	ADDUCE	ADJUDICATE
ADLIB				

advert [əd'vəːt] *v.* 注意，留意 (to call attention; refer)
【记】词根记忆：ad (一再) + vert (转) → 一再转到这个话题 → 注意，留意
注意：advertising (*n.* 广告)
【同】inadvertent (*adj.* 不注意的，疏忽的)

aeronautics [ˌeərə'nɔːtiks] *n.* 航空学
【记】词根记忆：aero (空气) + naut (航行) + ics → 航空学
【同】astronaut (*n.* 宇航员)

aftermath ['ɑːftəmæθ] *n.* 事件的后果，余波 (an unpleasant result or consequence)
【记】分拆联想：after (后) + math (数学) → 做完数学后一塌糊涂的结果

agape [ə'geip] *adj.* / *adv.* (嘴) 大张着的 (地) (open-mouthed)
【记】词根记忆：a (…的) + gape (张开，张大) → 张开的

aghast [ə'gɑːst] *adj.* 惊骇的，吓呆的 (feeling great horror or dismay; terrified)
【记】分拆联想：a (…的) + ghast (=ghost 鬼) → 像看到鬼似的 → 害怕的，吓呆的

ailment ['eilmənt] *n.* (不严重的) 疾病 (a mild, chronic disease)
【记】词根记忆：ail (小病) + ment→疾病

albino [æl'biːnəu] *n.* 白化病者，白化变种 (person or animal born with no colouring pigment in the skin and hair)

alliterate [ə'litəreit] *v.* 押头韵 (to write or speak alliteratively)
【记】分拆联想：al (看作 all) + liter (文字) + ate → 在所有的文字上押头韵

almond ['ɑːmənd] *n.* 杏树，杏仁
【形】alimony (*n.* 赡养费)

alms [ɑːmz] *n.* 施舍物，救济品 (money or goods given to the poor)
【记】发音记忆："爱母施" → 有爱心的母亲施舍救济物

ambience ['æmbiəns] *n.* 环境，气氛 (environment; atmosphere)
【记】词根记忆：ambi (在…周围) + ence → 环境，气氛
【派】ambient (*adj.* 周围的，四面八方的)

ambrosial [æm'brəuzjəl] *adj.* 芳香的，特别美味的 (extremely pleasing to taste or smell)
【记】ambrosia (美食，神的食物) + l → 芳香的，特别美味的
【同】luscious (*adj.* 甘美的); balmy (*adj.* 芳香的); fragrant (*adj.* 芬芳的); perfumed (*adj.* 芳香的)

ambulatory ['æmbjulətəri] *adj.* (适宜于) 步行的 (of, relating to, or adapted to walking)
【记】词根记忆：ambul (行走) + atory → 步行的

amethyst ['æmiθist] *n.* 紫水晶 (purple or violet precious stone)

ADVERT	AERONAUTICS	AFTERMATH	AGAPE	AGHAST
AILMENT	ALBINO	ALLITERATE	ALMOND	ALMS
AMBIENCE	AMBROSIAL	AMBULATORY	AMETHYST	

amiss [ə'mis] *adv.* 有毛病地，出差错地（in a faulty way）
【记】词根记忆：a + miss（过错）→ 有毛病地，出差错地
【同】faultily（*adv.* 不完美地）；incorrectly（*adv.* 不正确地）；wrongly（*adv.* 错误地）

amoral [ei'mɔrəl] *adj.* 与道德无关的（having no moral standards at all）
【记】词根记忆：a（无）+ moral（道德的）→ 与道德无关的
注意：immoral（*adj.* 不道德的，淫荡的）

amputate ['æmpjuˌteit] *v.* 截肢（to cut off an arm or leg by surgery）
【记】词根记忆：am（看作 arm）+ put（切除）+ ate → 切除胳膊 → 截肢
【同】amputee（*n.* 被截肢者）
【例】The doctors *amputated* the mangled leg.（医生们为那条伤腿做了截肢手术。）

anemic [ə'niːmik] *adj.* 贫血的，患贫血症的（relating to or affected with anemia）
【记】词根记忆：a（无）+ nem（血）+ ic → 贫血的，患贫血症的
【同】bloodless / pallid（*adj.* 苍白的）

anodyne ['ænəudain] *n.* 止痛药（anything that relieves or soothes pain）
【记】词根记忆：an（不）+ odyne（痛）→ 不痛 → 止痛药

antedate ['æntiˌdeit] *v.*（在信、文件上）写上较早日期；早于（to assign to a date prior to that of actual occurrence）
【记】词根记忆：ante（前面）+ date（日期）→ 在现在的日期前面 → 早于

anthropoid ['ænθrəpɔid] *adj.* 像人类的（resembling a human）；*n.* 类人猿
【记】词根记忆：anthrop（人）+ oid（像…一样）→ 像人类的
【同】misanthrope（*n.* 厌世者）；philanthropist（*n.* 博爱家）；anthropology（*n.* 人类学）

aperture ['æpətjuə] *n.* 孔隙，窄的缺口（an opening; hole; gap）
【记】词根记忆：aper（=open 开）+ ture → 开口 → 孔隙

apothegm ['æpəθem] *n.* 格言，警句（compact saying）
【记】发音记忆："爱不释手" → 爱不释手的格言

apotheosis [əˌpɔθi'əusis] *n.* 神化（the act of raising a person to the status of a god; deification）；典范（a glorified ideal）
【记】词根记忆：apo + the（神）+ osis → 离神不远 → 神化
【参】deify（*v.* 神化）
【同】theology（*n.* 神学）；atheism（*n.* 无神论）

AMISS	AMORAL	AMPUTATE	ANEMIC	ANODYNE
ANTEDATE	ANTHROPOID	APERTURE	APOTHEGM	APOTHEOSIS

appendage [ə'pendidʒ] *n.* 附加物 (anything appended; adjunct)
【记】词根记忆：ap + pend (挂上) + age → 挂上的东西 → 附加物
【同】appendix (*n.* 附录); pendulum (*n.* 钟摆)

aquiline ['ækwilain] *adj.* 鹰的，似鹰的 (of, relating to, or resembling an eagle)
【记】词根记忆：aquil (鹰) + ine → 鹰的
【参】aquiline nose (鹰钩鼻)

arachnid [ə'ræknid] *n.* 蜘蛛类节肢动物 (any of the class of animals including spiders, scorpions, sticks and mites)
【记】来自希腊语 arakhn (蜘蛛)

archer ['ɑːtʃə] *n.* (运动或战争中的) 弓箭手，射手
【记】词根记忆：arch (弓) + er → 弓箭手；arch 本身是一个单词，意为"使…形成弓形"

arraign [ə'rein] *v.* 传讯 (to charge in court; indict); 指责 (to accuse)
【记】由 arrange (*v.* 安排) 到 arraign (审讯) → 安排对犯人审讯

artillery [ɑː'tiləri] *n.* 大炮 (weapons for discharging missiles); 炮兵
【记】分拆联想：art + ill + ery → 艺术得病用大炮解决

asinine ['æsinain] *adj.* 愚笨的 (of asses; stupid; silly)
【记】词根记忆：as (=ass 驴子) + in + in + e → 笨得像驴 → 笨的

askance [ə'skæns] *adv.* 侧目而视，瞟 (with a sideways or indirect look)
【记】分拆联想：ask + ance (看作 ounce 盎司，黄金的计量单位) → 问黄金价格 → 斜着眼问 → 瞟
【例】She looks *askance* at the price. (她瞟了一眼价格。)

askew [əs'kjuː] *adj.* 歪斜的 (to one side; awry); *v.* 歪斜，弯曲
【记】a + skew (歪斜的) → 歪斜的
【反】aligned (*adj.* 排列成一行的)

asphyxia [æs'fiksiə] *n.* 窒息 (lack of oxygen or excess of carbon dioxide in the body that results in unconsciousness and often death)
【派】asphyxiate (*v.* 使无法呼吸，窒息而死)

astigmatic [ˌæstig'mætik] *adj.* 散光的，乱视的 (affected with, relating to astigmatism)
【记】词根记忆：a + stigma (污点) + tic → 看不见污点 → 散光的
【同】stigmatize (*v.* 玷污)
【派】astigmatism (*n.* 散光)

atheism ['eiθiizəm] *n.* 无神论，不信神 (the belief that there is no God)
【记】词根记忆：a (无) + the (神) + ism → 无神论
【同】pantheism (*n.* 多神崇拜); theology (*n.* 神学)
【派】atheistic (*adj.* 无神论者的)

atone [ə'təun] *v.* 赎罪，补偿 (to make amends for a wrongdoing)
【记】分拆联想：a + tone (看作 stone 石头) → 女娲用石头补天 → 补偿
【派】atonement (*n.* 赎罪，弥补)

APPENDAGE	AQUILINE	ARACHNID	ARCHER	ARRAIGN
ARTILLERY	ASININE	ASKANCE	ASKEW	ASPHYXIA
ASTIGMATIC	ATHEISM	ATONE		

attire [əˈtaiə] *v.* 穿着 (to dress in fine garments); 装饰; *n.* 好衣服 (rich apparel; finery)
【记】词根记忆: at + tire (梳理) → 梳洗打扮 → 穿着, 装饰

attrition [əˈtriʃən] *n.* 摩擦, 磨损 (the act of wearing or grinding down by friction)
【记】词根记忆: at + trit (摩擦) + ion → 摩擦

auger [ˈɔgə] *n.* 螺丝钻, 钻孔机
【记】和 anger 一起记, 如果钻孔 (auger) 钻你一下, 你会很生气 (anger)

augmentation [ˌɔːgmenˈteiʃən] *n.* 增加 (increase)
【记】augment (增加, 增大) + ation → 增加

aureole [ˈɔːriəl] *n.* 日冕, 光轮 (sun's corona; halo)
【记】来自拉丁文 aureolus (金黄色的)

auricular [ɔːˈrikjulə] *adj.* 耳的 (of the ear)
【记】词根记忆: aur (耳, 听) + icular (形容词后缀) → 耳的
【同】aural (*adj.* 听力的)

automation [ˌɔːtəˈmeiʃən] *n.* 自动装置 (mechanism that imitates actions of humans)
【记】词根记忆: auto (自己) + mat (动) + ion → 自动 → 自动装置

avowal [əˈvauəl] *n.* 声明 (open declaration)
【记】avow (承认) + al → 发布承认的说明 → 声明

avuncular [əˈvʌŋkjulə] *adj.* 伯 (叔) 父的 (of an uncle)
【记】词根记忆: av (女方) + uncul (叔, 伯) + ar → 女方的叔伯 → 伯 (叔) 父的
【参】uncle (*n.* 叔叔)

azure [ˈæʒə] *n.* 天蓝色; *adj.* 蔚蓝的 (sky blue)

bacchanal [ˈbækənl] *n.* (行为放纵的) 狂欢会 (a drunk carouser or party)
【记】来自 Bacchus (巴克斯) 希腊的酒神

backslide [ˈbækslaid] *v.* 故态复萌 (to revert to bad habits)
【记】组合词: back (向后) + slide (滑动) → 往后滑
【例】I managed to keep off cigarettes for two months, but recently I'm afraid I've begun to *backslide*. (我好不容易戒了两个月的烟, 但最近恐怕是又开始抽了。)

backwater [ˈbækwɔːtə(r)] *n.* 死水 (part of a river not reached by the current); 闭塞地区

baffle [ˈbæfl] *v.* 使困惑, 难倒 (to confuse; puzzle; confound)
【记】发音记忆: "拜服了" → 被难倒了, 所以拜服了
【例】The detective was *baffled* by the case. (侦探被这个案子难倒了。)
【派】baffling (*adj.* 令人困惑的)

ATTIRE	ATTRITION	AUGER	AUGMENTATION	AUREOLE
AURICULAR	AUTOMATION	AVOWAL	AVUNCULAR	AZURE
BACCHANAL	BACKSLIDE	BACKWATER	BAFFLE	

balky [ˈbɔːki] *adj.* 停止不前的；倔强的 (refusing to proceed, act, or function as directed or expected)
【记】balk（障碍）+ y → 前面有障碍 → 停止不前的
【同】restive (*adj.* 难控制的)；wrongheaded (*adj.* 固执的)

bamboozle [bæmˈbuːzl] *v.* 欺骗，隐瞒 (to deceive by underhanded methods)
【记】分拆联想：bamboo（竹子）+ zle → 把东西装在竹筒里 → 欺骗，隐瞒
【同】dupe (*v.* 欺骗)；befool (*v.* 愚弄)；gull (*v.* 欺诈)；hoax (*v.* 愚弄)；hoodwink (*v.* 蒙蔽)；trick (*v.* 哄骗)

bandy [ˈbændi] *v.* 来回抛球；轻率谈论 (to discuss in a frivolous manner)

baron [ˈbærən] *n.* 贵族 (lord; nobleman)；巨头 (magnate)
【记】分拆联想：bar（栅栏）+ on → 在栅栏之上的人 → 贵族

barrister [ˈbæristə] *n.* 讼务；律师 (counselor at law or lawyer)
【记】词根记忆：barr（阻挡）+ ister（人）→ 阻挡法官判罪的人 → 律师

bassoon [bəˈsuːn] *n.* 低音管，巴松管
【记】词根记忆：bass（低）+ oon → 低音管；bass 本身是一个单词，意为"低沉的声音"、"低音乐器"，如乐队中弹奏低音提琴的叫"贝斯手"

bather [ˈbeiðə(r)] *n.* 入浴者，浴疗者 (people who are taking a bath or undergoing bath therapy)
【记】bath（沐浴）+ er（人）→ 入浴者

bauble [ˈbɔːbl] *n.* 花哨的小玩意儿；没价值的东西 (a showy but worthless thing; trinket)
【记】发音记忆："泡沫儿" → 泡沫 → 没价值的东西

bawl [bɔːl] *v.* 大叫，大喊 (to shout or call out noisily)
【记】分拆联想：b + awl（尖钻）→ 被尖钻戳到而大喊

beatific [ˌbiːəˈtifik] *adj.* 祝福的，快乐的 (blissful or blessed; delightful)
【记】词根记忆：beat（幸福）+ ific → 祝福的
【参】beatitude (*n.* 至福，十分幸福)

beckon [ˈbekən] *v.* 召唤某人，示意 (to make a gesture to sb. to come nearer or follow)
【记】分拆联想：beck（听人命令）+ on → 召唤某人，示意

bedizen [biˈdaizn] *v.* 把…装饰得艳丽而俗气 (to dress with vulgar finery)
【记】分拆联想：bed（床）+ izen → 把床弄得华丽

bedraggled [biˈdræg(ə)ld] *adj.* (衣服、头发等) 弄湿的；凌

BALKY	BAMBOOZLE	BANDY	BARON	BARRISTER
BASSOON	BATHER	BAUBLE	BAWL	BEATIFIC
BECKON	BEDIZEN	BEDRAGGLED		

乱不堪的（made wet and dirty）

【记】分拆联想：be + draggled（拖湿的；凌乱的）→ 弄湿的；凌乱不堪的

beet [biːt] *n.* 甜菜

【记】也叫 sugar beet 或 beet root

befuddle [biˈfʌdl] *v.* 使迷惑，使为难；使酒醉昏迷（to confuse; to muddle or stupefy with or as if with drink）

【记】be + fuddle（迷糊）→ 使迷惑

beget [biˈget] *v.* 产生，引起（to bring into being; produce）

【记】分拆联想：be + get → 是得到了 → 产生

beguile [biˈgail] *v.* 欺骗，诱骗（to mislead; cheat; deceive）

【记】be + guile（欺诈）→ 欺骗，guile 作为"欺诈"一词本身也是一个常考单词

【派】beguiling（*adj.* 欺骗的；迷人的）

behold [biˈhəuld] *v.* 目睹，看见（to hold in view; look at）

【记】be + hold（拿住）→ 被拿住 → 目睹，看见

【派】beholder（*n.* 目睹者）

beholden [biˈhəuldən] *adj.* 感激某人的；欠人情的（obligated; indebted）

【例】We were much *beholden* to him for his kindness.（我们对他的仁慈十分感激。）

belch [beltʃ] *n.* / *v.* 打嗝；（火山）喷出（to erupt, explode, or detonate violently）

【记】把 beach（沙滩）中的"a"换成"l"就是 belch

belongings [biˈlɔŋiŋz] *n.* 所有物，财产（possessions; property）

bemused [biˈmjuːzd] *adj.* 茫然的，困惑的（confused; preoccupied）

【记】be + muse（沉思）+ d → 进入沉思 → 困惑的

【例】He was totally *bemused* by the traffic system in the city.（他对这个城市的交通系统完全不知所措。）

bereave [biˈriːv] *v.* 丧亲，夺去（to deprive; dispossess）

【记】be + reave（抢夺）→ 抢夺掉 → 夺去；reave 本身是一个单词

【例】He was *bereft* of his beloved wife.（他失去了自己心爱的妻子。注意用法：be bereft of）

berserk [bə(ː)ˈsəːk] *adj.* 狂怒的，疯狂的（frenzied; crazed）

【记】词根记忆：ber（穿）+ serk（看作 shirt 衣服），原指古斯堪的那维亚穿衣打仗的武士，因为胆怯发疯

【例】The *berserk* customer started pulling items off the shelf.（狂怒的顾客把货物拉下货架。）

betoken [biˈtəukən] *v.* 预示，表示（to signify; indicate）

【记】be（使…成为）+ token（记号，标志）→ 使…成为标志 → 预示

【例】Milder weather *betokens* the arrival of spring.（逐渐变暖的天气预示春天的来临。）

BEET	BEFUDDLE	BEGET	BEGUILE	BEHOLD
BEHOLDEN	BELCH	BELONGINGS	BEMUSED	BEREAVE
BERSERK	BETOKEN			

bibulous [ˈbibjuləs] *adj.* 高度吸收的 (highly absorbent); 嗜酒的 (fond of alcoholic beverages)
【记】词根记忆: bibul (喝) + ous → 好喝的, 嗜酒的
【参】bibulosity (*adj.* 酗酒的)

biennial [baiˈeniəl] *adj.* 两年一次的 (every two years)
【记】词根记忆: bi (两个, 双) + enn (年) + ial → 两年一次的
【同】perennial (*adj.* 长期的); millennium (*n.* 一千年)

bilious [ˈbiljəs] *adj.* 胆汁质的; 坏脾气的 (bad-tempered; cross)

billow [ˈbiləu] *n.* 巨浪 (large wave of water); *v.* 翻腾 (to rise or roll like waves)
【记】分拆联想: bil (看作 bill 钞票) + low (下, 低) → 把钞票扔下海 → 中国人用钱等祭祀海神以平息波涛
【参】billowing (*adj.* 如波浪般翻滚的)
【形】bellow (*v.* / *n.* 怒吼, 吼叫)

blackball [ˈblækbɔːl] *v.* 投反对票以阻止 (to vote against); 排挤 (to ostracize)
【记】组合词: black (黑) + ball (投票) → 投反对票以阻止

blackmail [ˈblækmeil] *v.* / *n.* 敲诈, 勒索 (payment extorted by threatening)
【记】组合词: black (黑) + mail (寄信) → 寄黑信 → 敲诈

blare [bleə] *v.* 高声鸣叫 (to sound or utter raucously)
【记】和 bleat (*n.* 牛羊的叫声) 来自同一词源
【例】The radio is *blaring*. Turn it off! (把刺耳的收音机关掉!)

blasé [ˈblɑːzei] *adj.* 厌倦享乐的, 冷漠的 (bored with pleasure or dissipation)
【记】联想记忆: 对责骂 (blame) 已经厌倦 (blasé)
【同】unconcerned (*adj.* 不关心的)

bleachers [ˈbliːtʃəz] *n.* (球场的) 露天座位 (an usu. uncovered stand of tiered planks providing seating for spectators)
【记】bleach (白) + ers → 空白没遮盖的座位 → 露天座位
【形】bleach (*v.* 漂白, 变白); bleak (*adj.* 寒冷的)

bloated [ˈbləutid] *adj.* 肿胀的 (swelled, as with water or air); 傲慢的 (arrogant)
【记】bloat (膨胀) + ed → 肿胀的, 傲慢的

blossom [ˈblɔsəm] *n.* 花 (flower); *v.* (树木) 开花 (to produce blossom)
【例】The cherry trees *blossomed* earlier this year. (樱桃花今年开得早。)

bludgeon [ˈblʌdʒən] *n.* 大头棒 (club; heavy headed weapon); *v.* 用棒打击 (to hit with heavy impact)
【形】dudgeon (*n.* 愤怒); smidgeon (*n.* 少量)

bluff [blʌf] *n.* 虚张声势 (pretense of strength); 悬崖峭壁 (high cliff)
【记】和 buffalo (美洲野牛) 一起记, buffalo bluffs (野牛虚张声势)

BIBULOUS	BIENNIAL	BILIOUS	BILLOW	BLACKBALL
BLACKMAIL	BLARE	BLASÉ	BLEACHERS	BLOATED
BLOSSOM	BLUDGEON	BLUFF		

【例】She threatened to sack me, but it's all a *bluff*. （她威胁要解雇我，那只是虚张声势而已。）

bode [bəud] *v.* 预示 (to be an omen of; presage)

【记】比较：forebode (*v.* 预言)；bodement (*n.* 预示)

【例】These weaknesses in his character *boded* him no good for the future. (他个性上的这些缺点预示他将来一无所成。)

boding [ˈbəudiŋ] *n.* 凶兆，前兆，预感 (an omen, prediction, etc., esp. of coming evil)；*adj.* 凶兆的

【同】ominous (*adj.* 噩兆的)；baleful (*adj.* 有害的)；baneful (*adj.* 有害的)

bohemian [bəuˈhiːmjən] *adj.* / *n.* 放荡不羁的（人）(unconventional)

【记】来自波西米亚人，有流浪的传统

bombardment [bɔmˈbɑːdmənt] *n.* 炮炸，炮轰 (attack [as with missiles or bombs])

【记】来自 bombard (*v.* 炮轰)

bonhomie [ˌbɔnɔˈmiː] *n.* 好性情，温和，和蔼 (good-natured easy friendliness)

【记】分拆联想：bon (好) + homie (看作 home 家) → 好好待在家里 → 好性情，温和

boo [buː] *v.* 作嘘声，嘘（某人），用嘘声表示不满、蔑视或反对 (to deride esp. by uttering boo)

【记】发音记忆："不" → 作嘘声

botch [bɔtʃ] *v.* (笨手笨脚地) 弄坏某事 (to mismanage)

【形】notch (*n.* 凹痕)；patch (*n.* 补丁)；ditch (*n.* 壕沟)；hatch (*n.* 船舱盖；*v.* 孵化)

bottleneck [ˈbɔtlˌnek] *n.* 瓶颈口，[喻] 交通易阻塞的狭口 (narrow or restricted stretch of road which causes traffic or slow down or stop)；妨碍生产流程的一环 (anything that slow down production in a manufacturing process)

bough [bau] *n.* 粗大的树枝或树干 (a tree branch, esp. a large or main branch)

bounteous [ˈbauntiəs] *adj.* 慷慨的 (giving freely and generously; without restraint)；丰富的 (provided in abundance; plentiful)

【记】词根记忆：bount (=bon 好) + eous → 好的 → 慷慨的

【参】bounteous=bountiful (*adj.* 慷慨的)

bovine [ˈbəuvain] *adj.* (似) 牛的 (of an ox)；迟钝的 (slow; stolid)

【记】词根记忆：bov (牛) + ine → 牛的

bowdlerize [ˈbaudləraiz] *v.* 删除，删改 (to expurgate)

【记】来自人名 Thomas Bowdler，他删改出版了莎士比亚的戏剧

bower [ˈbauə(r)] *n.* 凉亭，树阴下凉快之处 (a place enclosed by overhanging boughs of trees; arbor)

【记】联想记忆：bow (弓) + er → 凉亭的顶常是"弓"形的

BODE	BODING	BOHEMIAN	BOMBARDMENT	BONHOMIE
BOO	BOTCH	BOTTLENECK	BOUGH	BOUNTEOUS
BOVINE	BOWDLERIZE	BOWER		

brackish [ˈbrækiʃ] *adj.* (指水)**略咸的** (somewhat saline); **不好吃的** (distasteful)
【记】分拆联想: brack (看作 black) + ish (看作 fish) → 黑色的咸鱼 → 咸的

brattish [ˈbrætiʃ] *adj.* (指小孩)**讨厌的, 宠坏的, 不礼貌的** ([of a child] ill-mannered; annoying)
【记】分拆联想: brat (小孩) + tish → 小孩有时候是有点儿讨厌

brawny [ˈbrɔːni] *adj.* (人)**强壮的** (strong and muscular)
【记】来自 brawn (*n.* 肌肉, 臂力)
注意: brown (*adj.* 棕色的)

bray [brei] *v.* **大声而刺耳地发出** (叫唤或声音) (to emit [an utterance or a sound] loudly and harshly)
【记】联想记忆: 在海湾 (bay) 能听到波浪发出大声的声音 (bray)

breezeway [ˈbriːzwei] *n.* **有屋顶的通路** (a roofed often open passage connecting two buildings or halves of a building)
【记】分拆联想: breeze (微风) + way (马路) → 有屋顶的通路

brim [brim] *n.* (杯)**边, 缘** (the topmost edge of a cup; rim); *v.* **盈满** (to fill to the brim)
【参】rim (*n.* 边, 框); grim (*adj.* 严厉的, 坚定的); trim (*v.* 修剪)
【派】brimful (*adj.* 充满的, 盈满的)

brindled [ˈbrind(ə)ld] *adj.* **有棕色斑纹的** (grayish with streaks or spots)
【记】来自 brindle (*n.* 斑纹, 有斑点的动物)

brocade [brəˈkeid] *n.* **织锦** (fabric woven with a raise pattern of gold or silver threads)
【形】cascade (*n.* 小瀑布); facade (*n.* 表面, 正面)

broil [brɔil] *v.* **烧烤** (to cook by direct heat)
【记】分拆联想: br (看作 bring) + oil (油) → 带来油 → 用油烧烤

brooch [bruːtʃ] *n.* **胸针** (ornamental clasp; pin)
【记】分拆联想: 中间的"oo"像胸前的两块肌肉 → 别在胸前的胸针

browse [brauz] *v.* **吃嫩叶或草** (to nibble at leaves or twigs); **浏览** (to look through a book casually); *n.* **嫩叶; 嫩芽**
【记】分拆联想: brow (眉毛) + se → 吃像眉毛一样的嫩叶
【参】browser (*n.* 吃嫩叶的动物; 计算机浏览器)

If you shed tears when you miss the sun, you also miss the stars.
如果你因错过太阳而流泪, 那么你也将错过群星。
——印度诗人 泰戈尔(Ranbindranath Tagore, Indian poet)

Word List 41

bubble [ˈbʌbl] *v.* 起泡 (to foam; effervesce); *n.* 气泡，水泡 (a tiny ball of air or gas in a liquid)

【记】象声词：指水冒泡的声音

【形】babble (*v.* 喋喋不休); pebble (*n.* 小卵石); puddle (*n.* 小水坑)

buckle [ˈbʌkl] *n.* 皮带扣环; *v.* 扣紧 (to fasten or join with a buckle)

词组：buckle up (扣紧安全带)

buffer [ˈbʌfə] *v.* 缓冲，为…充当缓冲器 (to lessen the effect of a blow or collision)

【记】buff (软皮) + er → 为…充当缓冲器

bugaboo [ˈbʌgəbuː] *n.* 吓人的东西；妖怪 (bugbear; object of baseless terror)

【记】发音记忆："八个婆" → 八个老妖婆 → 妖怪

buggy [ˈbʌgi] *n.* 轻型马车 (a light carriage); 婴儿车 (baby carriage)

【记】分拆联想：bug (臭虫) + gy; 注意 buggy 作为形容词为"多臭虫的"

bullion [ˈbuliən] *n.* 金条，银条 (gold or silver in the form of ingots)

【记】分拆联想：bull (公牛) + (l) ion (狮子) → 卖公牛，狮子得金银 (sell bulls to get bullions)

bumble [ˈbʌmbl] *v.* 说话含糊 (to stumble); 拙劣地做 (to proceed clumsily)

【形】humble (*adj.* 谦虚的); stumble (*v.* 跌倒；结巴地说); bumblebee (*n.* 大黄蜂)

BUBBLE	BUCKLE	BUFFER	BUGABOO	BUGGY
BULLION	BUMBLE			

bump [bʌmp] *v.* 碰撞(to hit or knock against); *n.* 碰撞声(dull sound of a blow)
【例】The passengers felt a violent *bump* as the plane landed.(飞机着陆时乘客感到剧烈的碰撞。)
【参】bumper(*n.* 汽车前后的保险杠); bumpy(*n.* 崎岖的)

burrow [ˈbʌrəu] *v.* 挖掘,钻进,翻寻(to dig a hole; penetrate by means of a burrow); *n.* 地洞
【记】联想记忆:用犁(furrow)来翻寻(burrow)

buxom [ˈbʌksəm] *adj.* 体态丰满的(having a shapely, full bosomed figure)

cachet [ˈkæʃei] *n.* 赞同的标志,优越的标志(distinguishing mark showing the excellence or authenticity of sth.); 印章; 胶囊

cactus [ˈkæktəs] *n.* 仙人掌
【记】复数为 cacti

cadaver [kəˈdeivə] *n.* 尸体(a dead body; corpse)
【记】词根记忆:cad(=fall 倒下)+ aver(看作 over)→ 生命结束倒下的人 → 尸体
【同】decadent(*adj.* 堕落的); cadence(*n.* 节奏)

cadence [ˈkeidəns] *n.* 抑扬顿挫 (rhythmic rise and fall); 节奏,韵律(rhythm)
【记】词根记忆:cad(落下)+ ence → 声音的落下上升

calibre [ˈkælibə] *n.* (枪等)口径;(人或事)品德,才能(quality or ability)

callus [ˈkæləs] *n.* 老茧,胼胝 (a thickening of or a hard thickened area on skin or bark)

canard [kæˈnɑːd] *n.* 谣言,假新闻(a false malicious report)
【记】和 canary 一起记,金丝雀在造谣(canary makes canard)

canker [ˈkæŋkə] *n.* 溃疡病; 祸害(any evil)
【记】发音记忆:"坎坷" → 人间坎坷 → 因为祸害不断
【例】Drug addiction is a dangerous *canker* in society.(吸毒是严重的社会祸害。)

cantata [kænˈtɑːtə] *n.* 清唱剧,大合唱 (a vocal and instrumental piece composed of choruses, solos, and recitatives)
【记】词根记忆:cant(唱)+ ata(表示音乐类作品)→ 大合唱
【参】sonata(*n.* 奏鸣曲)

capacious [kəˈpeiʃəs] *adj.* 容量大的,宽敞的(roomy; spacious)
【记】词根记忆:cap(抓)+ acious → 能抓住东西 → 宽敞的
【反】cramped(*adj.* 狭窄的)

caper [ˈkeipə] *v.* / *n.* 雀跃,欢蹦(a gay, playful jump or leap)
【例】The lambs were *capering* in the fields.(小羊在地里欢蹦。)

capitalize [kəˈpitəlaiz] *v.* 资本化,获利,利用 (to convert into, use as or provide with capital)
【记】capital(资本)+ ize → 资本化

BUMP	BURROW	BUXOM	CACHET	CACTUS
CADAVER	CADENCE	CALIBRE	CALLUS	CANARD
CANKER	CANTATA	CAPACIOUS	CAPER	CAPITALIZE

capitation [ˌkæpiˈteiʃən] *n.* 人头税 (payment per capita)
【记】词根记忆：capit (头) + ation → 按人头收税 → 人头税
【同】capital (*n.* 首都); Capitol (*n.* 美国国会大厦)

capsize [kæpˈsaiz] *v.* 使船翻；倾覆 ([of a boat] to turn over)
【记】分拆联想：cap (帽子) + size (大小) → 像帽子一样小的船容易翻
【例】The boat was *capsized* by rough waves. (小船被大浪掀翻了。)

carat [ˈkærət] *n.* (宝石重量单位) 克拉；(金子) 开
【形】karate (*n.* 空手道); caret (*n.* 加字符号)

careen [kəˈriːn] *v.* (船) 倾斜 (to lean sideways)；使倾斜 (to cause a ship to lean)
【形】career (*n.* 职业)
【例】As the carriage *careened* down the hill, the passengers were thrown roughly from side to side. (客车向山下行驶时，旅客们被弄得东摇西摆。)

carnage [ˈkɑːnidʒ] *n.* 大屠杀，残杀 (bloody and extensive slaughter)
【记】词根记忆：carn (肉) + age → 大屠杀
【同】carnal (*adj.* 肉体的); carnation (*n.* 康乃馨); carnivore (*n.* 食肉动物); carnival (*n.* 狂欢节)

carpentry [ˈkɑːpintri] *n.* 木工工作 (art or work of a carpenter)
【记】分拆联想：car + pen + try → 试着用笔在木头上画汽车 → 木工工作

cascade [kæsˈkeid] *n.* 小瀑布 (a small, steep waterfall)
【记】词根记忆：cas (落下) + cad (落下) + e → 一再落下 → 小瀑布
【同】casual (*adj.* 偶然的); decadent (*adj.* 颓废的)

cautionary [ˈkɔːʃənəri] *adj.* 劝人谨慎的，警戒的 (giving advice or a warning)
【记】caution (小心，谨慎) + ary → 劝人谨慎的，警戒的

cavalcade [ˌkævəlˈkeid] *n.* 骑兵队伍 (a procession of horsemen or carriages)
【记】caval 有“骑马”之义
【参】cavalier (*n.* 骑士，武士); cavalry (*n.* 骑兵部队，装甲部队)

celerity [siˈleriti] *n.* 快速，迅速 (swiftness in acting or moving; speed)
【记】词根记忆：celer (速度) + ity → 迅速
【同】accelerate (*v.* 加速); decelerate (*v.* 减速)

celibate [ˈselibit] *n.* 独身者 (an unmarried person); *adj.* 不结婚的
【记】词根记忆：celib (独身) + ate → 独身者
【派】celibacy (*n.* 独身生活)

cemetery [ˈsemitri] *n.* 坟墓，公墓 (a place for the burial of the dead; graveyard)
【记】词根记忆：cemet (睡) + ery → (死后) 睡的地方 → 坟墓
联想记忆：cement (水泥) → 用水泥造坟墓 (use cement to build cemetery)

CAPITATION	CAPSIZE	CARAT	CAREEN	CARNAGE
CARPENTRY	CASCADE	CAUTIONARY	CAVALCADE	CELERITY
CELIBATE	CEMETERY			

centrifugal [sen'trifjugəl] *adj.* 离心的 (moving or tending to move away from a center)

【记】词根记忆：centri (中心) + fug (逃跑) + al → 逃离中心的 → 离心的

【同】refugee (*n.* 避难者)；fugitive (*n.* 逃犯)；centrifuge (*n.* 离心分离机)

centripetal [sen'tripitl] *adj.* 向心的 (moving or tending to move toward a center)

【记】词根记忆：centri (中心) + pet (追求) + al → 追求中心 → 向心的

【同】petition (*v.* / *n.* 请愿，请求)；competition (*n.* 比赛)

cephalic [se'fælik] *adj.* 头的，头部的 (of the head or skull)

【记】词根记忆：cephal (头) + ic → 头的

【同】bicephalous (*adj.* 双头的)；acephalous (*adj.* 无头的；群龙无首的)

chasten ['tʃeisn] *v.* (通过惩罚而使坏习惯等) 改正 (to punish in order to correct or make better)；磨炼

【记】来自 chaste (纯洁的) + n → 变纯洁 → 改正

checkered ['tʃekəd] *adj.* 盛衰无常的 (with many changes of fortune)

【记】来自 checker (*n.* 棋盘上的方格或棋子)，棋子一会儿就可能被吃掉，所以多变无常

【例】He's had a *checkered* past but is now determined to be successful. (他的过去风雨飘摇，但将来一定会成功。)

chic [ʃi(:)k] *adj.* 漂亮的，时髦的 (cleverly stylish; currently fashionable)

【同】vogue (*adj.* 流行的)

chirp [tʃə:p] *v.* (鸟或虫) 唧唧叫 (to utter in a sharp, shrill tone)

【记】动物的不同叫声：狗—bark (吠)；狼—howl (嚎)；牛、羊—blat (叫)；狮、虎—roar (吼)

chore [tʃɔ:] *n.* 家务琐事 (daily domestic task)；讨厌的工作 (unpleasant task)

chortle ['tʃɔ:tl] *v.* / *n.* 开心地 (的) 笑 (to utter with a gleeful chuckling sound)

【记】各种笑：guffaw (*v.* / *n.* 哄笑)；chuckle (*v.* / *n.* 轻声笑)；grin (*v.* / *n.* 咧嘴笑)；simper (*v.* / *n.* 傻笑)；giggle (*v.* / *n.* 咯咯笑)；smirk (*v.* / *n.* 假笑)

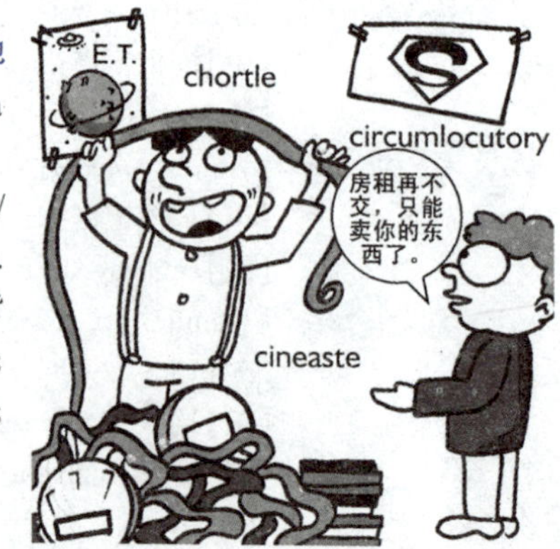

CENTRIFUGAL	CENTRIPETAL	CEPHALIC	CHASTEN	CHECKERED
CHIC	CHIRP	CHORE	CHORTLE	

【例】The audience *chortled* throughout the funny movie.（这部有趣的电影引得观众开怀大笑。）

chunk [tʃʌŋk] *n.* 短厚块状物（a short, thick piece）；大量（a considerable portion）

【派】chunky（*adj.*〔人或动物〕矮胖的）

ciliate [ˈsiliit] *adj.* 有纤毛的（having minute hairs）；有睫毛的

【记】词根记忆：cili（毛）+ ate → 有纤毛的

【同】supercilious（*adj.* 傲慢自大的）

cineaste [ˈsiniæst] *n.* 影迷，热衷于电影的人（movie fan；movie-maker）

【记】可能来自 cinema（*n.* 电影）

circumlocutory [ˌsəːkəmˈlɔkjutəri] *adj.* 委婉曲折的，迂回的（tortuous when explain things）

【记】词根记忆：circum（环绕，周围）+ locu（说话）+ tory → 说话绕圈子 → 迂回的

citation [saiˈteiʃən] *n.* 引证，引用文，传票（an official summons to appear〔as before a court〕）

【记】词根记忆：cit（看作 cite 引用）+ ation → 引用，引证

clairvoyant [kleəˈvɔiənt] *adj.* 透视的，有洞察力的（having power that can see in the mind either future events or things that exist or are happening out of sight）

【记】分拆联想：clair（看作 clear 清楚的）+ voy（看）+ ant → 看得清楚的 → 有洞察力的

clench [klentʃ] *v.* 握紧（to grip tightly）；咬紧（牙关等）（to close the teeth or fist firmly）

【形】clinch（*v.* 钉牢；彻底解决）

cliché [ˈkliːʃei] *adj.* 陈腐的（〔of phrase or idea〕used so often that it has become stale or meaningless）

【记】源自法语

closed-minded [ˈkləuzdˈmaindid] *adj.* 倔强的，顽固的（not easily subdued, remedied, or removed）

【同】obstinate（*adj.* 倔强的）；bullheaded（*adj.* 顽固的）；pigheaded（*adj.* 固执的）；unyielding（*adj.* 不屈的）

closure [ˈkləuʒə] *n.* 关闭（the condition of being closed）；终止（end; conclusion）

cloy [klɔi] *v.*（吃甜食）生腻，吃腻（to surfeit by too much of sth. sweet）

coffer [ˈkɔfə] *n.* 保险柜（a strongbox）

【形】coffin（*n.* 棺材）；coffee（*n.* 咖啡）；scoff（*n.* / *v.* 嘲笑）

cognate [ˈkɔgneit] *adj.* 同词源的（related through the same source）；同类的（having the same nature or quality）

【记】词根记忆：cogn（认识）+ ate → 认识的 → 同类的

【同】cognizance（*n.* 认识；观察）；recognize（*v.* 认出）

CHUNK	CILIATE	CINEASTE	CIRCUMLOCUTORY	CITATION
CLAIRVOYANT	CLENCH	CLICHÉ	CLOSED-MINDED	CLOSURE
CLOY	COFFER	COGNATE		

cognomen [kɔg'nəumen] *n.* （古罗马人的）**姓，名字**（尤指绰号）(a name, esp. a descriptive nickname; surname; the third and usually last name of a citizen of ancient Rome)

【记】词根记忆：cogn（认识）+ omen（名字）→ 认同的名字 → 姓

【同】nominal（*adj.* 名义上的）；nominate（*v.* 提名）

colloquy ['kɔləkwi] *n.* （非正式的）**交谈，会谈**（informal discussion; conversation）

【同】colloquium（*n.* 学术讨论会）

colt [kəult] *n.* **小雄驹**（a young male horse）；**新手**（a youthful or inexperienced person）

【形】bolt（*n.* 门闩）；cult（*n.* 崇拜）；dolt（*n.* 笨蛋）；molt（*v.* 脱毛）

comestible [kə'mestibl] *n.* **食物，食品**（sth. fit to be eaten）；*adj.* **可吃的**（edible）

【记】分拆联想：come（来）+ s + tible（看作 table）→ 来到桌上 → 食品

commiserate [kə'mizəreit] *v.* **同情，怜悯**（to feel or show sorrow or pity for）

【记】词根记忆：com + miser（可怜）+ ate → 可怜，同情

【同】miserable（*adj.* 可怜的）；miser（*n.* 吝啬鬼）

【派】commiseration（*n.* 同情）

complexion [kəm'plekʃən] *n.* **肤色**（the skin colour and texture of the face）；**外表特征**（general character, aspect or appearance）

【记】词根记忆：com + plex（重叠交叉）+ ion → 重叠交叉的外表 → 外表特征

【同】complexity（*n.* 复杂）；duplicity（*n.* 口是心非），plex=plic

complicity [kəm'plisiti] *n.* **合谋，串通**（participation; involvement in a crime）

【记】词根记忆：com + plic（重叠）+ ity → 共同重叠 → 串通

comport [kəm'pɔːt] *v.* **举止**（以一种特殊方式表现）(to behave or conduct in a specified manner)

【记】词根记忆：com + port（带）→ 一个人带有的全部仪态 → 举止

【同】transportation（*n.* 运输）；portable（*adj.* 可携带的）

【派】comportment（*n.* 举止，动作）

compulsory [kəm'pʌlsəri] *adj.* **强制性的，命令性的**（compelling; coercive）

【例】Which subjects are *compulsory* in your school?（在你们学校里哪些课程是必修的？）

concentric [kɔn'sentrik] *adj.* （指数个圆）**有同一中心的**（having a common center）

【记】词根记忆：con + centr（中心）+ ic → 有同一中心的

【同】concentrate（*v.* 集中）；eccentric（*adj.* 古怪的）

concoct [kən'kɔkt] *v.* **调制；捏造**（to make by combining various ingredients; to invent an excuse, explanation or story in order to deceive someone）

COGNOMEN	COLLOQUY	COLT	COMESTIBLE	COMMISERATE
COMPLEXION	COMPLICITY	COMPORT	COMPULSORY	CONCENTRIC
CONCOCT				

【记】词根记忆：con + coct（=cook 烹调）→ 调制
【派】concoction（*n.* 调配［物］；谎言）
【例】John *concocted* an excuse for being late.（约翰捏造了一个迟到的借口。）

condign [kən'dain] *adj.* 罪有应得的；适宜的（［of punishment］severe and well deserved）
【记】词根记忆：con + dign（高贵）→ 惩罚罪行，弘扬高贵
【同】indignant（*adj.* 愤怒的）；indignity（*n.* 侮辱）
【反】undeserved（*adj.* 不应该的）；unmerited（*adj.* 不配的）

condiment ['kɔndimənt] *n.* 调味品，作料（a seasoning or relish for food）
【记】词根记忆：condi（隐藏）+ ment → 隐藏（坏味道）的东西 → 作料
【同】abscond（*v.* 潜逃）；recondite（*adj.* 深奥的）

condole [kən'dəul] *v.* 向…吊慰（to express sympathy；commiserate）
【记】词根记忆：con + dole（痛苦）→ 一起痛苦 → 哀悼
【同】indolence（*n.* 懒惰；不痛）；doleful（*adj.* 悲哀的）
【派】condolence（*n.* 吊唁，哀悼）

condor ['kɔndə] *n.* 秃鹰（type of large vulture）；神鹰

confidant [ˌkɔnfi'dænt] *n.* 心腹朋友，知己，密友（one to whom secrets are entrusted）
【记】词根记忆：con（加强）+ fid（相信）+ ant → 非常信任的人 → 知己，密友

congenital [kən'dʒenitl] *adj.*（病等）先天的，天生的（existing as such at birth；innate）
【记】词根记忆：con + gen（产生）+ ital → 与生俱来的 → 天生的
【同】genital（*adj.* 生殖的）；progenitor（*n.* 祖先）

conjugal ['kɔndʒugəl] *adj.* 婚姻的，夫妻之间的（pertaining to marriage）
【记】词根记忆：con + jug（牛轭）+ al → 同负一个牛轭 → 婚姻的
【同】conjugate（*v.* 结合，配对）；subjugate（*v.* 征服，抑制）

connubial [kə'njuːbjəl] *adj.* 婚姻的，夫妻的（pertaining to marriage）
【记】词根记忆：con + nub（婚姻）+ ial → 婚姻的
【参】nubile（*adj.* 适婚的）

consecrate

慈善事业

consecrate ['kɔnsikreit] *v.* 用作祭祀，献给；使神圣（to dedicate solemnly to a service or goal；to sanctify）
【记】词根记忆：con + secr（神圣）+ ate → 献给神
【同】desecrate（*v.* 亵渎）；sacrifice（*v.* 牺牲）

consonance ['kɔnsənəns] *n.* 一致，调和；和音（harmony or agreement among components）

【记】con（共同）+ son（声音）+ ance → 共同的声音 → 一致
【同】harmony（*n.* 协调）；accord（*n.* 一致）；agreement（*n.* 同意）；concord（*n.* 和谐）

consort [ˈkɔnsɔːt] *v.* 结交，配对（to associate with）；*n.* 配偶（husband or wife）
【记】词根记忆：con（共同）+ sort（类型）→ 同类相聚 → 配偶
【同】assorted（*adj.* 各式各样的）；resort（*n.* 度假胜地，常去地）

conspectus [kənˈspektəs] *n.* 概要，大纲（summary；outline；synopsis）
【记】词根记忆：con + spect（看）+ us → 一起看的东西 → 大纲
【同】inspection（*n.* 视察，细看）；spectacular（*adj.* 壮观的）

constringe [kənˈstrindʒ] *v.* 使收缩，使收敛，压缩（to cause to contract；constrict）
【同】constrict（*v.* 压缩）

contumacy [ˈkɔntjuməsi] *n.* 抗命，不服从（insubordination；disobedience）
【记】词根记忆：con + tum（肿胀；骄傲）+ acy → 骄傲 → 不服从
【同】tumid（*adj.* 肿大的）；tumor（*n.* 肿块）
【派】contumacious（*adj.* 违抗的，不服从的）
【反】contumacious → obedient（*adj.* 顺从的）

contumely [ˈkɔntjumli] *n.* 无礼，傲慢（haughty and contemptuous rudeness）
【记】词根记忆：con + tume（骄傲）+ ly → 傲慢

convene [kənˈviːn] *v.* 集合（to come together；assemble）；召集（to call to meet）
【记】词根记忆：con + vene（来）→ 共同来 → 召集

convoy [kənˈvɔi] *v.* 护航，护送（to escort；accompany）
【记】词根记忆：con + voy（路；看）→ 一路（照看）→ 护送
【同】voyage（*n.* 航程，航行）；voyeur（*n.* 窥视狂）
【形】convey（*v.* 搬运，传达）

cordial [ˈkɔːdiəl] *adj.* 热诚的（warmly friendly；gracious；heartfelt）；*n.* 兴奋剂（a stimulating medicine or drink）
【记】词根记忆：cord（心脏；一致）+ ial → 发自内心的 → 热诚的

cornet [ˈkɔːnit] *n.* 短号（a brass band instrument）；圆锥形蛋卷（a corn-shaped piece of pastry）
【记】可能来自 corn（*n.* 角）
【参】corner（*n.* 拐角）

corny [ˈkɔːni] *adj.* 平淡无奇的；乡巴佬的（unsophisticated；old-fashioned）
【记】corn（角），带角的动物随处可见，所以平淡无奇

corporal [ˈkɔːpərəl] *adj.* 肉体的，身体的（of the body；bodily）
【记】词根记忆：corpor（躯体）+ al → 身体的
【同】incorporation（*n.* 合并；公司）；corporation（*n.* 公司，法人）

CONSORT	CONSPECTUS	CONSTRINGE	CONTUMACY	CONTUMELY
CONVENE	CONVOY	CORDIAL	CORNET	CORNY
CORPORAL				

corpulent [ˈkɔːpjulənt] *adj.* 肥胖的（fat and fleshy; stout; obese）
【记】词根记忆：corp（躯体）+ ulent（多…的）→ 肥胖的
【派】corpulence（*n.* 肥胖，臃肿）

corpus [ˈkɔːpəs] *n.* 全集，全部资料（a complete or comprehensive collection）
【记】词根记忆：corp（躯体）+ us → 全身 → 全集；注意不要和 corpse（*n.* 尸体）相混

coruscate [ˈkɔrəskeit] *v.* 闪亮（to give off flashes of light; glitter; sparkle）
【记】来自拉丁文 coruscate（闪亮）
【参】scintillate（*v.* 闪耀）

cosy（cozy） [ˈkəuzi] *adj.* 温暖而舒适的（warm and comfortable; snug）

counterpoise [ˈkauntəpɔiz] *n.* / *v.* 平均，平衡（to counterbalance; state of being balance; equilibrium）
【记】词根记忆：counter（相反的）+ poise（平衡）→ 相反的两端保持平衡

coven [ˈkʌvən] *n.*（尤指十三个）女巫的集会（an assembly or band of usu. 13 witches）
【记】c + oven（烤箱）→ 女巫的集会也不忘带烤箱

crafty [ˈkrɑːfti] *adj.* 狡诈的（subtly deceitful; sly）；熟练的（proficient）
【记】来自 craft（*n.* 手腕，技巧）

crag [kræg] *n.* 悬崖，峭壁（a steep, rugged rock that rises above others）

credo [ˈkriːdəu] *n.* 信条（creed）
【记】词根记忆：cred（相信，信任）+ o → 信条

crepuscular [kriˈpʌskjulə] *adj.* 朦胧的，微明的（of or like twilight; dim）
【记】来自 crepuscle（*n.* 黄昏或黎明）

crevice [ˈkrevis] *n.* 缺口，裂缝（a narrow opening caused by a crack or split; fissure）
【记】词根记忆：crev（裂缝）+ ice → 裂缝
【同】crevasse（*n.* 隙，裂口）

crinkle [ˈkriŋkl] *v.*（使）变皱（to cause to be full of wrinkles, twists, or ripples）；*n.* 皱纹（a wrinkle, ripple）
【记】从 wrinkle（*n.* 皱纹）变化而来

cripple [ˈkripl] *n.* 跛子；*v.*（使）残废（to make lame; disable）
【记】来自 creep（*n.* 爬行）→ 爬行的人，跛子

croon [kruːn] *v.* 低声歌唱（to sing in a soft manner）

CORPULENT	CORPUS	CORUSCATE	COSY(COZY)	COUNTERPOISE
COVEN	CRAFTY	CRAG	CREDO	CREPUSCULAR
CREVICE	CRINKLE	CRIPPLE	CROON	

【记】分拆联想：cr（看作 cry）+ oon（看作 moon）→ 对着月亮哭泣 → 唱歌

crotchety [ˈkrɔtʃiti] *adj.* 脾气坏的（[of someone old] eccentric; whimsical）
【记】来自 crotchet（小钩）+ y → 带钩的人 → 脾气坏的

crypt [kript] *n.* 地下室，地窖（secret recess or vault）
【记】crypt 作为词根意为"秘密"
【参】cryptogram（*n.* 密码）

cuddle [ˈkʌdl] *n.* / *v.* 搂抱，拥抱（to hold lovingly and gently; embrace and fondle）
【记】注意不要和 puddle（*n.* 水坑）相混
【例】The little girl picked up her pet and *cuddled* it.（小女孩抱起小宠物并把它搂在怀中。）

cuff [kʌf] *n.* 袖口（band or fold at the end of a sleeve）; *v.* 上手铐
【记】大家对于 handcuffs（手铐）一定不陌生

culprit [ˈkʌlprit] *n.* 犯罪者（one who is guilty of a crime）

cumber [ˈkʌmbə] *v.* 拖累，妨碍（to hinder by obstruction or interference; hamper）
【记】词根记忆：cumb（睡）+ er → 睡在（路上）→ 拖累，妨碍
【参】encumber（*v.* 阻碍）
【同】recumbent（*adj.* 斜躺的）

curd [kəːd] *n.* 凝乳（the coagulated part of milk, from which cheese is made）
【记】beancurd（*n.* 豆腐）大家应该很熟悉

curfew [ˈkəːfjuː] *n.* 宵禁（regulation requiring all people to leave the streets at stated times）
【记】发音记忆："可否" → 可否上街 → 不可上街，因为有宵禁

currish [ˈkəːriʃ] *adj.* 下贱的（mean）; 杂种的（mongrel）
【记】词根记忆：cur（野狗）+ rish → 像野狗一样 → 杂种的

cursive [ˈkəːsiv] *adj.* 草书的
【记】词根记忆：curs（跑）+ ive →（写字）像跑一样 → 草书的

curvaceous [kəːˈveiʃəs] *adj.* 婀娜多姿的；曲线的（having a full and shapely figure）
【记】词根记忆：curv（曲线）+ aceous（多…的）→ 曲线的

cygnet [ˈsignit] *n.* 小天鹅（young swan）

cynosure [ˈsinəzjuə] *n.* 注意的焦点（any person or thing that is a center of attention or interest）
【记】来自 Cynosure（小熊星，北极星），引申为人们注意的目标（the cynosure of all eyes）

dalliance [ˈdæliəns] *n.* 虚度光阴；调情（an act of dallying）

damn [dæm] *v.* 严厉地批评，谴责（to criticize severely）; *adj.* 该死的（expressing disapproval, anger, impatience, etc.）
【记】发音记忆："打母" → 殴打母亲应该受到严厉的批评，谴责

CROTCHETY	CRYPT	CUDDLE	CUFF	CULPRIT
CUMBER	CURD	CURFEW	CURRISH	CURSIVE
CURVACEOUS	CYGNET	CYNOSURE	DALLIANCE	DAMN

damper [ˈdæmpə] *n.* 起抑制作用的因素 (a dulling or deadening influence); 节气闸，断音装置

【记】damp (使沮丧，抑制) + er → 抑制因素

dangle [ˈdæŋgl] *v.* 摇摆，悬荡 (to hang loosely so as to swing back and forth); 悬而未定，使(某人的希望或期望)不定地悬着或一直没有解决

【记】发音记忆："荡够" → 悬荡

【参】tantalize (*v.* 逗弄，惹弄)

【例】keep someone *dangling* (吊某人胃口)

dank [dæŋk] *adj.* 阴湿的，阴冷的 (damp; unpleasantly wet)

【记】联想记忆：河岸 (bank) 边上一定阴湿 (dank)

dastard [ˈdæstəd] *n.* 懦夫，胆小的人 (a person who acts treacherously or underhandedly)

【记】分拆联想：dast (看作 last，最后的) + ard → 老是躲在最后的 → 懦夫，胆小的人

【同】coward (*n.* 懦弱的人); craven (*n.* 懦夫); poltroon (*n.* 胆小鬼)

daub [dɔːb] *v.* 涂抹 (to cover or smear with sticky, soft matter); 乱画 (to paint coarsely or unskillfully)

daubster [ˈdɔːbstə] *n.* 拙劣的画家

【记】daub (乱画) + ster (人) → 乱画之人 → 拙劣的画家

daze [deiz] *v.* 使茫然，使眩晕 (to stun as with a blow or shock; benumb)

【例】The blow on the head *dazed* him for a moment. (当头的一击使他眩晕了一阵。)

【参】dazzle (*v.* 使眼花缭乱); dazzling (*adj.* 耀眼的，炫目的)

debar [diˈbɑː] *v.* 阻止 (to bar; forbid; exclude)

【记】de (加强) + bar (阻拦) → 阻止

【例】Convicted criminals are *debarred* from voting in elections. (定罪的罪犯被禁止参加选举投票。)

debility [diˈbiliti] *n.* 衰弱，虚弱 (weakness or feebleness)

【记】词根记忆：de (去掉) + bility (=ability 能力) → 失去能力 → 衰弱

debonair [ˌdebəˈneə] *adj.* 迷人的 (charming); 友好的 (friendly)

【记】分拆联想：deb (看作 debutante，初进社交界的女孩) + on + air → 在空气中的女孩 → 轻盈迷人的

【例】He strolled about, looking very *debonair* in his elegant new suit. (他闲庭信步，穿着高雅的新西装，看上去十分迷人。)

decamp [diˈkæmp] *v.* (士兵) 离营 (to break or leave camp); 匆忙而秘密地离开 (to go away suddenly and secretly)

【记】de (离开) + camp (营地) → 离营

DAMPER	DANGLE	DANK	DASTARD	DAUB
DAUBSTER	DAZE	DEBAR	DEBILITY	DEBONAIR
DECAMP				

decant ［di'kænt］*v.* 轻轻倒出（to pour off gently）

【记】de（离开）+ cant（瓶口）→ 轻轻倒出

decentralize ［diː'sentrəlaiz］*v.* 分散，权力下放（to transfer〔power, authority〕from central government to regional government）

【记】词根记忆：de（离开）+ centr（中心）+ alize → 离开中心 → 分散

Character cannot be developed in ease and quiet. Only through experience of trial and suffering can the soul be strengthened, vision cleared, ambition inspired, and success achieved.

要使性格有所发展并非简单之事，只有通过艰难和困苦的磨炼才能使心灵强化，视野开阔，雄心振奋，从而达到成功的目的。

——美国作家 海伦·凯勒（Helen Keller, American writer）

Word List 42

declassify [diˈklæsifai] *v.* 撤销保密 (to remove documents from secret or restricted classification)

【记】de(去掉)+ classify(分类保存)

declination [ˌdekliˈneiʃən] *n.* 倾斜 (a bending or sloping downward); 衰微 (deterioration; decay)

【记】词根记忆：de + clin(倾斜)+ ation → 倾斜下去

【同】inclination(*n.* 偏好)

decoy [diˈkɔi] *v.* 诱骗 (to lure or bait)

【记】原指猎鸟时以引诱别的鸟(特别是野鸭)集于一地的真鸟或假鸟

decree [diˈkriː] *n.* 命令，法令 (an official order, edict, or decision); *v.* 颁布命令

【记】发音记忆："敌克令"→克服敌人的命令

【例】They have *decreed* an end to all this fighting.(他们命令结束这场战斗。)

defalcate [ˈdiːfælkeit] *v.* 盗用公款 (to embezzle)

【记】词根记忆：de + falc(镰刀)+ ate → 用镰刀割掉 → 贪污掉

【例】He *defalcated* with $10,000 of the company's money.(他挪用了公司一万美元。)

defame [diˈfeim] *v.* 诽谤，中伤 (to malign, slander, or libel)

【记】词根记忆：de + fame(名声)→使名声降低 → 诽谤

【同】famous(*adj.* 著名的)

DECLASSIFY	DECLINATION	DECOY	DECREE	DEFALCATE
DEFAME				

defoliant [diːˈfəuliənt] *n.* 脱叶剂，落叶剂（chemical used on trees and plants to destroy the leaves）

defoliate [diːˈfəulieit] *v.*（使）落叶（to deprive of leaves esp. prematurely）

【记】词根记忆：de（去掉）+ foli（叶）+ ate →（使）落叶

deforest [diˈfɔrist] *v.* 采伐森林，清除树林（to clear of forests）

【记】de（去掉）+ forest（森林）→ 采伐森林

defray [diˈfrei] *v.* 付款（to provide for the payment of）

【记】分拆联想：def（看做 deaf 聋）+ ray（光线）→ 聋人靠着光线 → 有人帮助付款

【例】My father has to *defray* my education.（我父亲得为我支付教育费用。）

defunct [diˈfʌŋkt] *adj.* 死亡的（dead or extinct）

【记】词根记忆：de + funct（功能）→ 无功能的 → 已死亡的

【同】dysfunction（*n.* 功能失调）

delectation [ˌdiːlekˈteiʃən] *n.* 享受，愉快（delight; enjoyment; entertainment）

demarcate [diˈmɑːkeit] *v.* 划分，划界（to mark the limits; to mark the difference between）

【记】词根记忆：de + marc（=mark 标记）+ ate → 做标记 → 划分，划界

【派】demarcation（*n.* 界限，划定界限）

【例】The river was the *demarcation* of the two countries.（这条河流是两个国家的界河。）

demeanour [diˈmiːnə] *n.* 举止，行为（outward behavior, conduct, deportment）

【记】来自动词 demean，古义等于 conduct（*n.* 行为）

demented [diˈmentid] *adj.* 疯狂的（insane）

【记】词根记忆：de（去掉）+ ment（神智）+ ed → 没有理智

【同】mental（*adj.* 精神的）; mentality（*n.* 心智）

demure [diˈmjuə] *adj.* 严肃的，矜持的（reserved; affectedly modest or shy）

【记】词根记忆：de + mure（墙）→ 脸板得像墙一样

denominate [diˈnɔmineit] *v.* 命名，取名（to give a specified name to）

【记】词根记忆：de + nomin（名称）+ ate → 给予名称 → 命名

【同】nominate（*v.* 提名）; nominal（*adj.* 名义上的）

denunciate [diˈnʌnsieit] *v.* 公开指责，公然抨击，谴责（to pronounce esp. publicly to be blameworthy or evil）

【记】词根记忆：de（变坏）+ nunci（讲话，说出）+ ate → 公开指责，公然抨击

【同】criticize（*v.* 批评）; blame（*v.* 责备）; censure（*v.* 责难）; condemn（*v.* 谴责）; denounce（*v.* 公开指责）

deportment [diˈpɔːtmənt] *n.*（尤指少女的）风度，举止（behavior; demeanor; bearing）

DEFOLIANT	DEFOLIATE	DEFOREST	DEFRAY	DEFUNCT
DELECTATION	DEMARCATE	DEMEANOUR	DEMENTED	DEMURE
DENOMINATE	DENUNCIATE	DEPORTMENT		

【记】词根记忆：de + port（拿）+ ment → 拿出姿态 → 举止
【参】comport（*v.* 举动，表现）

deposit [diˈpɔzit] *v.* 存放；使淤积（to let fall [as sediment]）
【记】词根记忆：de + posit（放）→ 存放

depredation [depriˈdeiʃ(ə)n] *n.* 劫掠，蹂躏（act of robbing, plundering）
【记】词根记忆：de + pred（=plunder 掠夺）+ ation → 劫掠
【同】predator（*n.* 食肉动物）

depressant [diˈpresənt] *adj.* 有镇静作用的；*n.* 镇静剂（substance that reduces mental or physical activity）
【记】词根记忆：de（向下）+ press（挤压）+ ant → 把人（激动、躁动的心情）往下压的东西 → 镇静剂

depute [diˈpjuːt] *v.* 派…为代表或代理 （to give authority to someone else as deputy）
【记】词根记忆：de + pute（放）→ 放某人出去 → 派…为代表
【同】repute（*n.* 名声）；dispute（*v.* 反驳）

deputize [ˈdepjutaiz] *v.* 代替某人行事或说话 （to work or appoint as a deputy）
【例】Dr. Mitchell's ill, so I'm *deputizing* for her. （米切尔博士病了，现在由我来代替她的位置。）

derangement [diˈreindʒmənt] *n.* 精神错乱（insanity）
【记】词根记忆：de + range（排列）+ ment → 没有排列 → 精神错乱
【同】arrange（*v.* 安排）；deranged（*adj.* 疯狂的）

desalinize [diːˈsælinaiz] *v.* 除去盐分（to remove salt from seawater）
【记】词根记忆：de + sal（盐）+ inize → 除掉盐分
【参】salty（*adj.* 含盐的）
【派】desalinization（*n.* 脱盐，去盐化）

desideratum [diˌzidəˈreitəm] *n.* 必需品（sth. needed and wanted）
【记】词根记忆：desider （=desire 渴望）+ atum → 渴望的东西 → 必需品

designate [ˈdezigneit] *v.* 指明，指出；任命，指派 （to indicate and set apart for a specific purpose, office, or duty）；*adj.*（官职）已任命但还未就职的（appointed to a job but not yet having officially started it）
【记】design（设计）+ ate

desirous [diˈzaiərəs] *adj.* 渴望的（having or characterized by desire）
【记】注意 desirable（*adj.* 可取的；值得拥有的；性感的）和 desirous 两个单词的意义不同
【例】For this job, it's *desirable* to know something about medicine.（这个工作需要知道一些医学知识。）She has always been *desirous* of fame.（她总是贪求名声。）

desolate [ˈdesəlit] *adj.* 荒凉的，被遗弃的（left alone; solitary; deserted）
【记】词根记忆：de + sol（孤独）+ ate → 变得孤独 → 被遗弃的
【同】solitude（*n.* 孤独）；solo（*n.* 独唱）
【派】desolation（*n.* 遗弃；荒凉，凄凉）

DEPOSIT	DEPREDATION	DEPRESSANT	DEPUTE	DEPUTIZE
DERANGEMENT	DESALINIZE	DESIDERATUM	DESIGNATE	DESIROUS
DESOLATE				

desperado [ˌdespəˈrɑːdəu] *n.* 亡命之徒 (a reckless and desperate outlaw)
【记】来自 despair (绝望) + ado (西班牙语结尾，表示人) → 绝望的人往往会成为亡命之徒

desperado

despoil [disˈpɔil] *v.* 夺取，抢夺 (to rob; plunder; ravage)
【记】词根记忆：de + spoil (夺取，宠坏)
【参】spoliate (*v.* 抢劫)

destitute [ˈdestitjuːt] *adj.* 贫乏的 (being without; lacking)；穷困的 (living in complete poverty)
【记】词根记忆：de + stitute (建立) → 没有建立 → 穷困的
【同】institute (*v.* 创建)；restitute (*v.* 赔偿)

destructible [disˈtrʌktəbl] *adj.* 可破坏的 (capable of being destroyed)
【记】词根记忆：de (坏) + struct (建立) + ible → 把建造的东西弄坏 → 毁坏的
【同】construction (*n.* 建立)；obstruct (*v.* 阻碍)

desuetude [diˈsjuːitjuːd] *n.* 废止，不用 (discontinuance from use or exercise)
【记】词根记忆：de + suet (=suit 适合) + ude → 不再适合 → 废止
【参】suitable (*adj.* 得体的)

detestable [diˈtestəb(ə)l] *adj.* 嫌恶的，可憎的，可厌恶的 (arousing or meriting intense dislike)
【记】detest (厌恶，憎恨) + able → 嫌恶的，可憎的

detonate [ˈdetəuneit] *v.* (使) 爆炸，引爆 (to cause a bomb or dynamite to explode)
【记】词根记忆：de + ton (声音，雷声) + ate → 雷声四散 → (使) 爆炸
【同】monotone (*n.* 单调)
【派】detonation (*n.* 爆炸 [声])

detract * [diˈtrækt] *v.* 减去，贬低 (to diminish the importance, value, or effectiveness of sth.)；转移
【记】词根记忆：de (向下) + tract (拉) → 向下拉 → 贬低，诋毁
【同】belittle (*v.* 轻视)；depreciate (*v.* 轻视)；derogate (*v.* 贬损)；diminish (*v.* 使减少)

devolve [diˈvɔlv] *v.* (指工作、职务) 移交给某人 (to pass power, work to others)
【记】词根记忆：de + volve (转) → 工作转出去 → 移交

diabolic [ˌdaiəˈbɔlik] *adj.* 恶魔 (一样) 的；魔鬼性格的 (of, relating to, or characteristic of the devil)
【记】词根记忆：diabol (恶魔) + ic → 恶魔 (一样) 的，魔鬼性格的
【同】demoniac (*adj.* 魔鬼的)；demonian (*adj.* 魔鬼似的)；devilish (*adj.* 如恶魔般的)

dictator [dik'teitə] *n.* 独裁者(a ruler with absolute power and authority)

dictum ['diktəm] *n.* 格言，声明 (a formal statement of fact, principle or judgement)

dietetics [ˌdaiə'tetiks] *n.* 饮食学，营养学 (the study of the kinds and quantities of food needed for health)

【记】来自 diet(饮食)+etics(学科)

dignitary ['dignitəri] *n.* 显要人物(a person of high rank or position)

【记】词根记忆：dign(高贵)+itary→高贵人物

dilapidation [dilæpi'deiʃ(ə)n] *n.* 破旧，荒废(a dilapidated condition; ruin)

diminuendo [diˌminju'endəu] *n.* (音乐、演奏)渐弱 (a gradual decrease in loudness; decrescendo)

【记】词根记忆：di+minu(变小，减少)+endo(表名词)→(声音)变小→渐弱

【参】crescendo(*n.* 渐强音)

【同】minuet (*n.* 小步舞); minute (*adj.* 微小的); diminutive (*adj.* 小巧的); diminish(*v.* 变小，变少); miniature(*n.* 微型雕塑)

diocesan [dai'ɔsisən] *adj.* 主教管区的 ([of a bishop] having jurisdiction over a diocese)

dipsomania [ˌdipsəu'meiniə] *n.* 嗜酒症 (an abnormal and insatiable craving for alcoholic drink)

【记】词根记忆：dipso(=thirst 渴)+mania(狂热)→对酒渴望→嗜酒狂

disavow [ˌdisə'vau] *v.* 否认，否定，抵赖 (to say one does not know of, is not responsible for, or does not approve of)

【记】dis+avow(承认)→不承认→否认，否定

【同】disclaim (*v.* 放弃); deny (*v.* 否认); disallow (*v.* 不接受); repudiate(*v.* 批判)

disband [dis'bænd] *v.* 解散 (团体) (to break up an association or organization)

【记】dis(离开)+band(团体，乐队)→解散(团体)

disclaimer [dis'kleimə(r)] *n.* 否认，拒绝(statement that disclaims)

【记】disclaim(放弃，弃权，拒绝)+er→否认，拒绝

disembody [ˌdisim'bɔdi] *v.* 使脱离实体，使脱离现实 (to separate from the body or reality)

【记】dis(不)+embody(包含)→不包含→使脱离实体

disfranchise [dis'fræntʃaiz] *v.* 剥夺…的权利 (尤指选举权或公民权)(to deprive of the rights of citizenship)

【记】dis(剥夺)+franchise(选举权，赋予权利)→剥夺…的权利

dishearten [dis'hɑːtən] *v.* 使…灰心(to discourage)

【记】dis(不)+hearten(鼓励，激励)→使…灰心

DICTATOR	DICTUM	DIETETICS	DIGNITARY	DILAPIDATION
DIMINUENDO	DIOCESAN	DIPSOMANIA	DISAVOW	DISBAND
DISCLAIMER	DISEMBODY	DISFRANCHISE	DISHEARTEN	

dishevel [di'ʃevəl] *v.* 使蓬乱，使头发凌乱 (to throw into disorder or disarray)

【记】分拆联想：dish（盘子）+ eve（夏娃）+ l → 夏娃吃饭，舔盘子，搞得头发蓬乱

disheveled [di'ʃevəld] *adj.* （指毛发或衣服）凌乱的 (untidy of hair or clothing)

disintegrate [dis'intigreit] *v.* （使）分裂成小片，（使）瓦解 (to separate into parts or fragments)

【记】词根记忆：dis（不）+ integr（完整）+ ate → 使不完整 →（使）瓦解

【反】integrate（*v.* 整合）；integrity（*n.* 完整，正直）；integral（*adj.* 完整的）

disport [dis'pɔːt] *v.* 玩耍，嬉戏 (to indulge in amusement)

【记】词根记忆：dis（加强）+ port（带）→ 带走（时间）→ 玩耍

【同】comport（*v.* 举动）；deport（*v.* 驱逐）

disquisition [ˌdiskwi'ziʃən] *n.* 长篇演讲，专题论文 (a formal discussion of some subject; discourse or treatise)

【记】词根记忆：dis（分开）+ quisit（寻求，要求）+ ion → 分别寻求 → 专题论文

【同】prerequisite（*n.* 先决条件）；requisite（*adj.* 需要的；*n.* 必需品）

dissection [di'sekʃən] *n.* 解剖，剖析 (the act or process of dissecting)

dissociate [di'səuʃieit] *v.* 分离，游离，分裂 (to separate from association or union with another)

【记】词根记忆：dis（不）+ soci（同伴，引申为社会）+ ate → 不合群的，不入流的 → 分离，游离

distain [dis'tein] *v.* 贬损，伤害名誉 (to dispraise; derogate)

【记】词根记忆：dis（不）+ tain（拿住）→ 不再拿住好好珍惜 → 贬损，伤害名誉

distal ['distəl] *adj.* 远离中心的，（神经）末梢的 (situated away from the point of attachment or origin or a central point esp. of the body)

【记】与 distant（*adj.* 遥远的）一起记

distention [dis'tenʃən] *n.* 膨胀 (the act of distending or the state of being distended esp. unduly or abnormally)

【记】distent（膨胀的）+ ion → 膨胀

distrait [dis'trei] *adj.* 心不在焉的 (absent-minded; distracted)

【记】由 distract（*v.* 转移注意力）变化而来

ditch [ditʃ] *n.* 沟，沟渠，壕沟 (narrow channel dug at the edge of a field, road, etc., esp. to hold or carry off water)

【记】分拆联想：dit（看做 dig 挖）+ ch → 挖沟，沟渠

divagate ['daivəgeit] *v.* 离题 (to stray from the subject)；飘泊 (to wander about)

□ DISHEVEL	□ DISHEVELED	□ DISINTEGRATE	□ DISPORT	□ DISQUISITION
□ DISSECTION	□ DISSOCIATE	□ DISTAIN	□ DISTAL	□ DISTENTION
□ DISTRAIT	□ DITCH	□ DIVAGATE		

【记】词根记忆：di（离开）+ vag（走）+ ate → 走开 → 离题；漂泊
【同】vagabond（*adj.* 流浪的）；vagary（*n.* 奇想）

dock [dɔk] *v.* 剪短（to shorten the tail by cutting）；扣除…的一部分工资（to deduct apart from wages）
【记】和 lock（锁）一起记，把扣除的工资（docked wage）锁起来
【例】Bob's pay was *docked* for being late.（鲍勃因为迟到被扣掉了一部分工资。）

doggo [ˈdɔgəu] *adv.* [俚]（一动不动地）隐藏着（movelessly）
【记】分拆联想：dog（狗）+ go → 像狗一样（一动不动地）隐藏着

dotage [ˈdəutidʒ] *n.* 老年糊涂（senility）；溺爱（foolish or excessive affection）
【记】来自 dote（*v.* 溺爱）

double-cross [ˈdʌblˈkrɔs] *v.* 欺骗，出卖（to betray or swindle by an action contray to an agreed upon course）

dowdy [ˈdaudi] *adj.* 不整洁的，过旧的（not neat or stylish; shabby）

dowry [ˈdauəri] *n.* 嫁妆，妆奁（money or property brought by a bride to her husband at marriage; toilet case used by women in ancient China）

doze [dəuz] *v.* 瞌睡，假寐（to fall into a light sleep）
【记】分拆联想：do（做）+ ze（音似：则）→ 不做事则小睡，打盹

dribble [ˈdribl] *v.*（液体）往下滴、淌（to flow in drops or unsteady stream）
【记】可能来自 drip（*v.* 滴下），注意不要和 scribble（*v.* 乱涂乱写）相混

drollery [ˈdrəuləri] *n.* 笑谈，滑稽（quaint or wry humor）

ductile [ˈdʌktail] *adj.* 易拉长的，易变形的（capable of being stretched, drawn, or hammered）；可塑的（easily molded; pliable）
【记】词根记忆：duct（引导）+ ile → 易引导的 → 易变形的
【同】induction（*n.* 就职，入伍）；abduction（*n.* 诱拐）

dulcet [ˈdʌlsit] *adj.* 美妙的（soothing or pleasant to hear; melodious）
【记】词根记忆：dulc（=sweet 甜）+ et → 声音甜的
【同】dulcify（*v.* 把…弄甜；使愉快）；dulcimer（*n.* 洋琴）
【反】cacophonous（*adj.* 刺耳的）

dullard [ˈdʌləd] *n.* 愚人，笨蛋（a stupid or unimaginative person）
【记】dull（迟钝的）+ ard → 愚人，笨蛋

dumbfound [dʌmˈfaund] *v.* 使…惊讶发愣（to astonish）
【记】组合词：dumb（哑）+ found（被发现）→ 惊讶得说不出话来

DOCK	DOGGO	DOTAGE	DOUBLE-CROSS	DOWDY
DOWRY	DOZE	DRIBBLE	DROLLERY	DUCTILE
DULCET	DULLARD	DUMBFOUND		

【例】We were completely *dumbfounded* by her rudeness. （我们完全惊愕于她的粗鲁。）

dunce [dʌns] *n.* 笨人 (a dull, ignorant person)
【记】来自 13 世纪哲学家 John Duns，他的思想被认为很愚蠢；注意不要和 dune (*n.* 沙丘) 相混

eaglet [ˈiːglit] *n.* 小鹰 (a young eagle)
【记】来自 eagle (鹰) + et (小)

earthshaking [ˈəːθʃeikiŋ] *adj.* 极其重大或重要的 (very important)
【记】组合词：earth + shaking

ecdysis [ˈekdisis] *n.* (动物) 蜕皮；换羽毛 (the shedding of an outer layer of skin or integument)
【记】由该单词组成另一单词：ecdysiast (*n.* 脱衣舞舞女)

éclat [ˈeiklɑː] *n.* 辉煌成就 (a notable success)
【记】发音记忆："一克拉的" (钻石) → 钻石级的 → 辉煌成就

eclogue [ˈeklɔg] *n.* 田园诗，牧歌 (a short, usu. pastoral poem)
【记】来自诗人维吉尔的诗歌集"Eclogue"，可能来自 ec (环境) + logue (说话) → 关于环境的话 → 田园诗
【参】ecology (*n.* 生态学)

ecumenical [ˌiːkju(ː)ˈmenikəl] *adj.* 世界范围的 (of worldwide scope or applicability; universal)
【记】发音记忆："一口闷" → 把世界一口闷下 → 世界范围的
【反】diocesan (*adj.* 主教管区的，小范围的；*n.* 主教)

edict [ˈiːdikt] *n.* 法令 (an official public proclamation or order)；命令 (any command or order)
【记】词根记忆：e + dict (说) → 说出 → 命令；注意不要和 addict (*v.* 使上瘾，沉溺) 相混

eerie [ˈiəri] *adj.* 可怕的，阴森恐怖的 (weird; causing fear)

effeminate [iˈfeminit] *adj.* 缺乏勇气的，柔弱的 (having the qualities generally attributed to women)
【记】词根记忆：ef + femin (女) + ate → 露出女人气 → 柔弱的
【同】feminism (*n.* 女权主义)

effigy [ˈefidʒi] *n.* 模拟像 (a portrait statue of a person)
【记】词根记忆：ef + fig (形状) + y → 照形状造出的 → 模拟像
【同】figment (*n.* 虚构)；figure (*n.* 形体)

egoism [ˈiːgəuiz(ə)m] *n.* 利己主义 (a doctrine that self-interest is the valid end)
【记】词根记忆：ego (自我) + ism → 自私自利 → 利己主义

ejaculate [iˈdʒækjuleit] *v.* 突然叫出或说出 (to utter suddenly and vehemently)；射出 (to eject from a living body; discharge)
【记】词根记忆：e + jacul (喷射) + ate → 喷发 → 突然说出
【同】jaculate (*v.* 把…向前扔)

DUNCE	EAGLET	EARTHSHAKING	ECDYSIS	ÉCLAT
ECLOGUE	ECUMENICAL	EDICT	EERIE	EFFEMINATE
EFFIGY	EGOISM	EJACULATE		

electorate [iˈlektərət] *n.* 选民，选区；有选举权者 (all the qualified electors considered as a group)
【记】elector（选民）+ ate → 选民，选区

elixir [iˈliksə] *n.* 万灵药，长生不老药 (cure-all; panacea)
【记】源自阿拉伯人卖药时的喊叫：“阿里可舍”，大约意思是：这个药好啊

emasculate [iˈmæskjuleit] *v.* 削弱 (to weaken)；阉割 (to castrate)；*adj.* 柔弱的
【记】词根记忆：e（不）+ mascul（男人）+ ate → 不让做男人 → 阉割
【同】masculine (*adj.* 男子气概的)

embankment [imˈbæŋkmənt] *n.* 堤岸，路基 (a raised structure to hold back water)
【记】em（使…）+ bank（岸）+ ment → 堤岸

embitter [imˈbitə] *v.* 使痛苦，使难受 (to make bitter)
【记】em + bitter（苦）→ 使痛苦

emblazon [imˈbleizən] *v.* 以纹章或其他方式装饰 (to ornament richly [a shield or flag])

embodiment [imˈbɔdimənt] *n.* 化身，体现 (one that embodies sth.)

embroil [imˈbrɔil] *v.* 牵连，卷入纠纷 (to involve in conflict or difficulties)
【记】词根记忆：em + broil（争吵）→ 进入争吵 → 牵连

embryonic [ˌembriˈɔnik] *adj.* 胚胎的；萌芽期的 (incipient; rudimentary)
【记】来自 embryo (*n.* 胚胎)，em + bryo（变大）→（种子）变大

emerald [ˈemərəld] *n.* 翡翠 (green gemstones)；*adj.* 翠绿色的 (brightly or richly green)

emolument [iˈmɔljumənt] *n.* 报酬，薪水 (remuneration)
【记】词根记忆：e + molu（碾碎）+ ment，原指磨坊主加工粮食后所得的钱
【参】molar (*n.* 磨牙，臼牙)

empyrean [ˌempaiˈri(ː)ən] *n.* 天空，天神居处 (firmament; the highest heaven)
【记】词根记忆：em + pyr（火）+ ean → 进入火中（太阳的地方）→ 天空
【同】pyre (*n.* 火葬柴堆)；pyrogenic (*adj.* 发热的)

encipher [inˈsaifə] *v.* 译成密码 (to convert a message into cipher)
【记】词根记忆：en（进入）+ cipher（密码）
【参】decipher (*v.* 破译)

encyclopedic [enˌsaikləuˈpiːdik] *adj.* 广博的，知识渊博的
【记】词根记忆：en + cyclo（圆圈）+ ped（儿童教育）+ ic → 受遍教育 → 知识渊博的
【同】pediatrics (*n.* 儿科)

endue [inˈdjuː] (with) *v.* 赋予（才能）(to provide; endow)
【例】He prayed to God to *endue* him with the spirit of holiness.（他向上帝祈祷给予他神圣的精神。）

ELECTORATE	ELIXIR	EMASCULATE	EMBANKMENT	EMBITTER
EMBLAZON	EMBODIMENT	EMBROIL	EMBRYONIC	EMERALD
EMOLUMENT	EMPYREAN	ENCIPHER	ENCYCLOPEDIC	ENDUE

engrossment [inˈgrəusmənt] *n.* **正式誊写的文件**（document written in large letters or in formal legal style）；**专注**（the state of being absorbed）
【记】engross（用大字体书写）+ ment → 正式誊写的文件，专注

ennoble [iˈnəubl] *v.* **授予爵位，使高贵**（to make noble）
【记】en + noble（贵族；高贵的）→ 授予爵位，使高贵

enshrine [inˈʃrain] *v.* **奉为神圣**（to preserve or cherish as sacred）
【记】en（进入）+ shrine（圣地）

enslave [inˈsleiv] *v.* **奴役**（to reduce to or as if to slavery）
【记】en + slave（奴隶）→ 使成为奴隶 → 奴役

ensnare [inˈsneə] *v.* **诱入陷阱，进入罗网**（to take in a snare；catch；trap）
【记】en（进入）+ snare（罗网，陷阱）

enthrall [inˈθrɔːl] *v.* **迷惑，迷住**（to hold spellbound；charm）
【记】en（使）+ thrall（奴隶）→ 成为（爱的）奴隶 → 迷住
【参】thrall（*n.* 奴隶）

entourage [ˌɔntuˈrɑːʒ] *n.* **随从**（group of attendants； retinue）；**环境**（surroundings）
【记】分拆联想：en + tour（旅行）+ age（年龄）→ 上了年龄旅行必须有随从

entrench [inˈtrentʃ] *v.* **挖壕沟；确立**（to establish firmly）
【记】en（使）+ trench（壕沟）→ 挖壕沟

entwine [inˈtwain] *v.* **使缠绕，交织**（to twine, weave, or twist together）
【记】en（使）+ twine（缠绕）

environs [ˈenvirənz] *n.* **郊外，郊区**（suburbs or outskirts）
【记】environment（环境）的前半部 environ 即是郊区；en + viron（圆）+ s → 进入圆 → 城市周围 → 郊区

envisage [inˈvizidʒ] *v.* **正视**（to face；confront）；**想像**（to visualize；imagine）
【记】词根记忆：en + vis（看）+ age → 进入看的状态 → 正视
【同】envision（*v.* 想像，展望）

epicurean [ˌepikjuəˈri(ː)ən] *adj.* **好享乐的；享乐主义的**（of, relating to, or suited to an epicure）
【记】来自希腊哲学家 Epicurus（依壁鸠鲁），主张享乐生活

episode [ˈepisəud] *n.* **一段情节**（one event in a chain of events）

equestrian [iˈkwestriən] *n.* **骑师**（rider on horseback）；*adj.* **骑马的**（of horse riding）
【记】词根记忆：equ（古意：马）+ estrian（人）
【参】equine（*adj.* 马的）

ENGROSSMENT	ENNOBLE	ENSHRINE	ENSLAVE	ENSNARE
ENTHRALL	ENTOURAGE	ENTRENCH	ENTWINE	ENVIRONS
ENVISAGE	EPICUREAN	EPISODE	EQUESTRIAN	

escort [is'kɔːt] *v.* 护送 (to accompany to protect or show honor or courtesy); *n.* 护送者

【记】分拆联想：e + scor (看做 score 得分) + t → 得到好分数，一路护送你上大学

estrange [is'treindʒ] *v.* 使疏远 (to alienate the affections)

【记】e + strange (陌生) → 使…陌生 → 疏远

estuary ['estjuəri] *n.* 河口，三角湾 (an inlet or arm of the sea)

【记】分拆联想：est (看做 east 东) + uary (看做 February 二月) → 二月春水向东流，流到河口不回头

eugenic [juː'dʒenik] *adj.* 优生(学)的 (relating to, or improved by eugenics)

【记】词根记忆：eu (优，好) + gen (产生) + ic → 优生的

【同】euphoria (*n.* 兴高采烈，欣快症)

even-tempered* ['iːvən'tempəd] *adj.* 性情平和的 (placid; calm); 不易生气的 (not easily angered or excited)

everlasting [ˌevə'lɑːstiŋ] *adj.* 永恒的，持久的，无止境的，耐用的 (lasting a long time)

【记】ever + lasting

eviscerate [i'visəreit] *v.* 取出肠及内脏 (to remove the viscera from; disembowel)

【记】词根记忆：e + viscer (内脏) + ate → 取出内脏

【参】viscera (*n.* 内脏；内容)

exceptionable [ik'sepʃənəbl] *adj.* 引起反感的 (open to objection)

excerpt ['eksəːpt] *n.* 摘录，选录，节录 (passage, extract from a book, film, piece of music etc.)

【记】[参]except (*prep.* 除了…之外); expert (*n.* 专家)

exchequer [iks'tʃekə] *n.* 国库 (treasury); 财源 (money in one's possession; funds)

【记】词根记忆：ex + chequer (看做 cheque 支票) → 把钱拿出来(存入)国库

excogitate [eks'kɔdʒiteit] *v.* 认真想出 (to think out carefully and fully)

【记】ex + cogitate (思考) → 认真想出

【参】cogitate (*v.* 思考)

excruciate [iks'kruːʃieit] *v.* 施酷刑，拷问，折磨 (to subject to intense mental distress)

【记】分拆联想：ex (出) + cruci (看做 cruel 残忍的) + ate → 出去实施酷刑是很残忍的

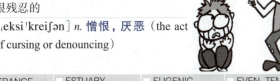

execration [ˌeksi'kreiʃən] *n.* 憎恨，厌恶 (the act of cursing or denouncing)

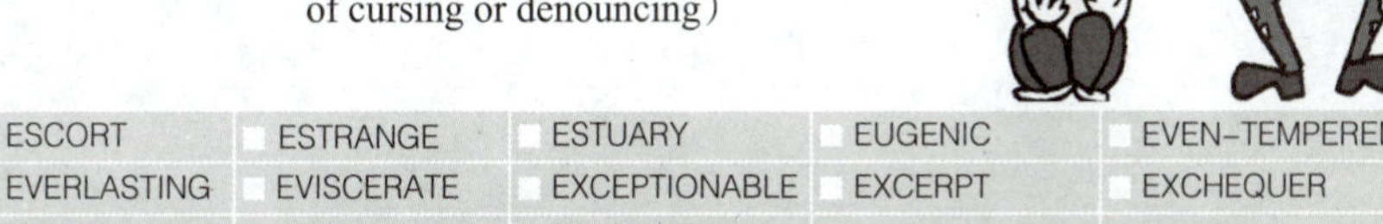

ESCORT	ESTRANGE	ESTUARY	EUGENIC	EVEN-TEMPERED
EVERLASTING	EVISCERATE	EXCEPTIONABLE	EXCERPT	EXCHEQUER
EXCOGITATE	EXCRUCIATE	EXECRATION		

exhume [eks'hjuːm] *v.* 掘出，发掘(to dig out of the earth)

【记】词根记忆：ex + hume(地) → 从地下挖出 → 挖出

【同】humility(*n.* 谦卑)；humus(*n.* 腐殖质)

exiguous [eg'zigjuəs] *adj.* 太少的，不足的(scanty; small; meager)

【形】contiguous(*adj.* 比邻的)；ambiguous(*adj.* 模棱两可的)

expatiate [eks'peiʃieit] *v.* 细说，详述(to speak or write in detail)

【记】词根记忆：ex + pat(=space 地方) + iate → 占地方 → 详细讲或写

expatriate [eks'pætrieit] *v.* 驱逐出国 (to banish; exile)；脱离国籍(to withdraw from residence in one's native country)

【记】词根记忆：ex + patri(父亲，引申为国家) + ate → 驱逐出国

【同】patriotism(*n.* 爱国主义)；patricide(*n.* 杀父)

expiation [ˌekspi'eiʃən] *n.* 赎罪，补偿(the act of making atonement)

【记】来自 expiate(*v.* 赎罪，补偿)

Only those who have the patience to do simple things perfectly ever acquire the skill to do difficult things easily.

只有有耐心圆满完成简单工作的人，才能够轻而易举地完成困难的事。

——德国剧作家、诗人 席勒(Friedrich Schiller, German dramatist and poet)

Word List 43

explicable [ˈeksplikəbl] *adj.* 可解释的 (capable of being explained; explainable)

【记】词根记忆：ex + plic （重叠；复杂）+ able → 能从复杂中出来 → 可解释的

【同】implicit (*adj.* 含蓄的)；explicit (*adj.* 明白的)

expropriate [eks ˈprəuprieit] *v.* 充公；没收 (to deprive of ownership; dispossess)

【记】词根记忆：ex + propr (拥有) + iate → 不再拥有 → 没收

【同】property (*n.* 财产)；appropriate (*v.* 挪用)

expulsion [iks ˈpʌlʃən] *n.* 驱逐，开除 (the act of expelling)

【记】词根记忆：ex + puls (推) + ion → 推出去 → 驱逐，开除

【同】repulsion (*n.* 厌恶，排斥)；pulse (*n.* 脉搏)

extradite [ˈekstrədait] *v.* 引渡回国，拿获归案

【记】词根记忆：ex + tradit (传递) + e → 传递出去 → 引渡

【同】tradition (*n.* 传统)

extrinsic [eks ˈtrinsik] *adj.* 外来的，外在的，外部的 (not forming part of or belonging to a thing; foreign)

【反】intrinsic (*adj.* 内部的)

extrude [eks ˈtruːd] *v.* 挤出，逐出 (to force or push out; thrust out)；突出 (to protrude)

【记】词根记忆：ex + trude (伸) → 伸出 → 挤出

【同】intrude (*v.* 侵入)；protrude (*v.* 突出)

exultant [ig'zʌltənt] *adj.* 非常高兴的，欢跃的 (filled with or expressing great joy or triumph)

【记】exult（欢腾，喜悦）+ ant → 非常高兴的，欢跃的

fabulous ['fæbjuləs] *adj.* 难以置信的 (incredible; astounding)；寓言里的 (imaginary; fictitious)

【记】词根记忆：fab（=fable 寓言）+ ulous → 寓言里的 → 难相信的

facsimile [fæk'siməli] *n.* 复制本，摹本 (exact reproduction or copy)

【记】词根记忆：fac（做）+ simile（相同）→ 做出相同的东西 → 复制本

factitious [fæk'tiʃəs] *adj.* 人为的，不真实的 (not natural; forced or artificial)

【记】词根记忆：fact（做）+ itious → 做出来的 → 人为的

fag [fæg] *v.* 苦干 (to work hard)；*n.* 苦工 (a menial worker; drudge)

【记】词根记忆：fag（=fact 做）

fail-safe [feil'seif] *n.* 自动防故障装置 (a device or measure that makes sth. fail-safe)

fainthearted [ˌfeint'hɑːtid] *adj.* 懦弱的，无精神的；胆小的 (lacking courage or resolution)

fake [feik] *v.* 伪造 (to make seem real by any sort of deception or tampering)；佯装 (to practice deception by simulating)

【记】fake 作名词，指冒牌的人或物，He was a fake.（他是个冒牌的家伙。）作形容词，意为伪造的，如 fake money（假钞）

falsify ['fɔːlsifai] *v.* 篡改 (to alter a record, etc. fraudulently)；说谎 (to tell falsehoods; lie)

【记】词根记忆：fals（假）+ ify → 造假 → 篡改

fanfare ['fænfeə] *n.* 夸耀性游行 (noisy or showy display)；嘹亮的喇叭声 (a loud flourish of trumpets)

【记】分拆联想：fan（迷）+ fare（车船费）→ 对坐车入迷，听嘹亮喇叭声

fantasia [fæn'teizjə] *n.* 幻想曲；组合乐曲 (a medley of familiar tunes)

【记】来自 fantasy（*n.* 幻想，怪念头）

【参】fantastic（*adj.* 幻想的，奇异的）

farrow ['færəu] *v.*（母猪）生产 (to give birth to a litter of pigs)；*n.* 一窝小猪 (a litter of pigs)

【记】不要和 fallow（*adj.* 休耕的）相混

fascia ['fæʃiə] *n.* 饰带 (a flat strip; band; fillet)；（商店上挂的）招牌 (a board over a shop front)

【记】词根记忆：fasci（一束）+ a → 一束带子 → 饰带

【同】fascine（*n.* 柴捆）；fasciated（*adj.* 用带捆住的）

fascinate ['fæsineit] *v.* 迷惑，迷住 (to charm; captivate; attract)

【记】词根记忆：fascin（捆住）+ ate → 捆住 → 迷住

EXULTANT	FABULOUS	FACSIMILE	FACTITIOUS	FAG
FAIL-SAFE	FAINTHEARTED	FAKE	FALSIFY	FANFARE
FANTASIA	FARROW	FASCIA	FASCINATE	

fealty [ˈfiːəlti] *n.* 效忠（duty and loyalty; allegiance）
【记】发音记忆："肺而铁"→掏心掏肺的铁哥们

febrile [ˈfiːbrail] *adj.* 发烧的，热病的（of fever; feverish）
【记】词根记忆：febr（热）+ ile → 发热的
【参】febrifugal（*adj.* 解热的）

feisty [ˈfaisti] *adj.* 活跃的（being frisky and exuberant）；易怒的（being touchy and quarrelsome）

felicitate [fiˈlisiteit] *v.* 祝贺，庆祝（to wish happiness to; congratulate）
【记】词根记忆：felic（幸福）+ itate → 使…幸福 → 祝贺
【同】felicific（*adj.* 导致快乐的）；felicitous（*adj.*［话语等］适当的，得体的）；felicity（*n.* 幸福；适当的措辞）

feline [ˈfiːlain] *adj.* 猫科的（of, relating to, or affecting cats or the cat family）

fencing [ˈfensiŋ] *n.* 剑术，击剑法（the art or sport of fighting with a foil）
【记】来自 fence（*n.* 篱笆；击剑术）
【参】defence（*n.* 保卫）；fencer（*n.* 剑客，击剑者）

ferocious [fəˈrəuʃəs] *adj.* 凶猛的，残暴的（fierce; savage; violently cruel）
【记】词根记忆：feroc（凶猛）+ ious → 凶猛的

ferry [ˈferi] *n.* 渡船，渡口；*v.* 运送（to convey from one place to another）
【记】词根记忆：fer（带）+ ry → 带来带去 → 运送
【同】floriferous（*adj.* 有花的）；differ（*v.* 不同）

festal [ˈfestl] *adj.* 节日的（of a festival）；欢乐的（joyous; festive）
【记】fest（联欢会）+ al → 节日的
【参】festival（*n.* 节日）

fetish [ˈfetiʃ] *n.*（崇拜的）神物，偶像（any object believed by superstitious people to have magical power）

fiend * [fiːnd] *n.* 恶魔（an inhumanly wicked or cruel person）；魔鬼（devil）
【记】和 friend（朋友）一起记（a friend is not a fiend）

filament [ˈfiləmənt] *n.* 灯丝（the fine metal wire in a light bulb）；细丝（a very slender thread or fiber）
【记】词根记忆：fila（丝）+ ment → 灯丝，细丝
【同】filar（*adj.* 丝的）；filigree（*n.* 金银细工）

filch [filtʃ] *v.* 偷（不贵重的东西）（to pilfer; steal）
【记】注意不要和 filth（*n.* 肮脏）相混；to filch is a filthy deed（偷东西是肮脏的行为）

filial [ˈfiljəl] *adj.* 子女的（of a son or daughter）
【记】词根记忆：fil（儿子）+ ial → 儿子的 → 子女的
【同】affiliation（*n.* 联系）

FEALTY	FEBRILE	FEISTY	FELICITATE	FELINE
FENCING	FEROCIOUS	FERRY	FESTAL	FETISH
FIEND	FILAMENT	FILCH	FILIAL	

fillet [ˈfilit] *n.* 束发带；鱼肉片（a boneless, lean piece of meat or fish）

【记】词根记忆：fill（=fili 丝，线）+ et → 丝线状的东西 → 束发带

finable [ˈfainəbl] *adj.* 应罚款的（liable to a fine）

【记】来自 fine（罚款）+ able

finery [ˈfainəri] *n.* 华丽、优雅的服装或装饰（beautiful clothes for a special occasion）

firebrand [ˈfaiəbrænd] *n.* 燃烧的木块（piece of burning wood）；引起（社会或政治的）动乱的人（a person who stirs up trouble）

【记】组合词：fire（火）+ brand（打火印）→ 被打过火印的人 → 引起动乱者

fishery [ˈfiʃəri] *n.* 渔场（a place for catching fish or taking other sea animals）；渔业

【记】fish（鱼）+ ery（=ary 场地）→ 渔场

【参】aviary（*n.* 养鸟场）；apiary（*n.* 养蜂场）

fissile [ˈfisail] *adj.* 易分裂的（capable of being split；fissionable）

【记】词根记忆：fiss（分裂）+ ile（易…的）→ 易分裂的

【同】fissure（*n.* 裂缝）；fissiparous（*adj.* 有分裂倾向的）

fitful [ˈfitful] *adj.* 一阵阵的；不安的（restless）

【记】词根记忆：fit（一阵）+ ful → 一阵阵的

flabby [ˈflæbi] *adj.*（肌肉）松软的（limp and soft；flaccid）；意志薄弱的（lacking force；weak）

【记】［参］flaggy（*adj.* 枯萎的）；floppy（*adj.* 松软的）

flagellate [ˈflædʒeleit] *v.* 鞭打，鞭笞（to whip；flog）

【记】词根记忆：flagel（鞭）+ late → 鞭打

【同】flagellant（*n.* 鞭笞者）；flagellum（*n.* 鞭子；鞭毛）

flair [fleə] *n.* 天赋，本领，才华（a natural talent or ability）

【记】和 fair（公正的，美丽的）一起记

flannel [ˈflænl] *n.* 法兰绒（一种布）（a type of soft loosely woven woolen cloth）

flatulence [ˈflætjuləns] *n.* 肠胃气胀（the quality or state of being flatulent）

【记】词根记忆：flat（气）+ ulence（多…的）→ 多气的 → 肠胃气胀

【同】flatus（*n.* 气息）；inflate（*v.* 充气）

flavoring [ˈfleivəriŋ] *n.* 香料，调味品（spice；seasoning；flavor）

【记】来自 flavor（*n.* 味道）

flay [flei] *v.* 剥皮（to strip off the skin or hide）；诈取（to rob；pillage）；严厉指责（to criticize or scold mercilessly）

【记】和 fray（*v.* 吵架，冲突）一起记，fray 中的“r”像“嘴巴”，所以可作“吵架”，flay 中的“l”像一把弯刀，可看做“剥皮”

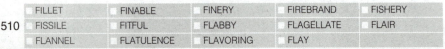

FILLET	FINABLE	FINERY	FIREBRAND	FISHERY
FISSILE	FITFUL	FLABBY	FLAGELLATE	FLAIR
FLANNEL	FLATULENCE	FLAVORING	FLAY	

fleck [flek] *n.* 斑点 (a spot or small patch); 微粒 (a small piece; particle; flake)

【记】和 freckle (*n.* 雀斑, 小斑点) 一起记

fleece [fliːs] *n.* 生羊皮, 羊毛 (the wool covering a sheep; wool); *v.* 骗取 (to strip of money or property by fraud or extortion)

【记】分拆联想: flee (*v.* 逃跑) + ce → 骗完钱就跑

fleet [fliːt] *adj.* 快速的 (fast); *v.* 消磨, 疾驰 (to pass or run light and quickly); 飞逝, 掠过 (to fly swiftly)

【记】和 flee (*v.* 逃跑) 一起记

flick [flik] *v.* / *n.* 轻打, 轻弹 (a light, quick stroke, as with a whip)

flicker [ˈflikə] *v.* 闪烁, 摇曳 (to burn or shine unsteadily)

【记】和 flick (*v.* 轻弹) 一起记

floppy [ˈflɔpi] *adj.* 松软的 (soft and flexible); 衰弱的 (flabby; flaccid)

【记】flop (翅膀的扑动) + py → 松软的

florescence [flɔːˈresns] *n.* 繁花时期 (condition or period of flowering)

【记】词根记忆: flor (花) + escence (时期)

flunk [flʌŋk] *v.* 考试不及格 (to fail in schoolwork)

fodder [ˈfɔdə] *n.* 草料 (coarse food for cattle, horses, or sheep)

【记】词根记忆: fod (=food 食物) + der → 动物的食物 → 草料

fondle [ˈfɔnd(ə)l] *v.* 抚弄, 抚摸 (to stroke or handle in a tender and loving way; caress)

【记】来自 fond (喜爱的) + le → 爱抚

【参】fondness (*n.* 爱好)

foothold [ˈfuthəuld] *n.* 立足点, 根据地 (a position usable as a base for further advance)

footle [ˈfuːtl] *v.* 胡闹 (to act or talk foolishly); 浪费 (时间) (to waste [time])

【记】分拆联想: foot + le → 脚 → 走来走去, 浪费时间

fop [fɔp] *n.* (喜好精致服装的) 花花公子 (dandy)

foray [ˈfɔrei] *n.* / *v.* 突袭, 偷袭 (to raid for spoils; plunder; pillage)

【记】分拆联想: fo (看做 for) + ray (光线) → 为了光明, 偷袭敌人

forebear [ˈfɔːbeə] *n.* 祖宗, 祖先 (a person from whom one is descended)

foreclose [fɔːˈkləuz] *v.* 排除 (to shut out; exclude); 取消抵押品的赎回权 (to extinguish the right to redeem a mortgage by foreclosure)

【记】词根记忆: fore (出去) + close (关闭)

【例】The bank *foreclosed* on our house because we couldn't make the payment. (因为我们付不起钱, 银行取消了我们对房子的赎回权。)

forensic [fəˈrensik] *adj.* 法庭的, 辩论的 (of public debate or formal argumentation)

【记】来自 forum (罗马用于公开讨论的广场, 讨论会)

□ FLECK	□ FLEECE	□ FLEET	□ FLICK	□ FLICKER	□ FLOPPY
□ FLORESCENCE	□ FLUNK	□ FODDER	□ FONDLE	□ FOOTHOLD	□ FOOTLE
□ FOP	□ FORAY	□ FOREBEAR	□ FORECLOSE	□ FORENSIC	

foreword [ˈfɔːwəːd] *n.* 前言，序（prefatory comments）

forfeiture [ˈfɔːfitʃə] *n.*（名誉等）丧失（the act of forfeiting）

forlorn [fəˈlɔːn] *adj.* 孤独的（abandoned or deserted）；凄凉的（wretched; miserable）

【记】词根记忆：for（出去）+ lorn（被弃的）→ 抛弃 → 孤独的

【参】lornness（*n.* 抛弃，孤独）

formative [ˈfɔːmətiv] *adj.* 形成的，影响发展的（helping to shape, develop, or mold）

【记】form（形成）+ ative → 形成的

forswear [fɔːˈsweə] *v.* 誓绝，放弃（to renounce on oath）

【记】词根记忆：for（出去）+ swear（发誓）→ 发誓抛弃 → 誓绝

【参】abjure（*v.* 绝誓）

fort [fɔːt] *n.* 要塞，城堡（a fortified place）

【记】fort 作为词根意为"坚强"

【参】forte（*n.* 特长）；fortify（*v.* 增强）

fractional [ˈfrækʃənl] *adj.* 微小的，极小的（very small; unimportant）

fraternal [frəˈtəːnl] *adj.* 兄弟的；友善的（brotherly）

【记】fratern（兄弟）+ al → 兄弟的

【参】fratricide（*n.* 残杀兄弟，自相残杀）

fraternity [frəˈtəːniti] *n.* 同类人（a group of people with the same beliefs, interests, work, etc.）；友爱（fraternal relationship or spirit）

fray [frei] *n.* 吵架，打斗（a noisy quarrel or fight）；*v.* 磨破（to become worn, ragged or raveled by rubbing）

【记】和 flay（*v.* 剥皮）一起记

freak [friːk] *n.* 怪物，奇事（an odd or unusual happening）；*adj.* 反常的（having the character of a freak）

【记】和 break（*v.* 断裂）一起记

fretwork [ˈfretwəːk] *n.* 格子细工（在木头上雕出各种图案、格子的工艺）（work ornamented with decorative carving or interlacing lines）

【记】组合词：fret（建筑上的回纹饰）+ work

frisk [frisk] *v.* / *n.* 欢跃；娱乐（a lively, playful movement）

【记】分拆联想：f（看做 for）+ risk（冒险）→ 冒险是为了娱乐

fritter [ˈfritə] *v.*（在无意义上的小事上）愚蠢地浪费（时间和金钱）（to waste time or money on unimportant things）；切碎（to cut into bits）

frolic [ˈfrɔlik] *v.* / *n.* 嬉戏（a lively party or game）；雀跃（gaiety; fun）

【例】The young lambs were *frolicking* in the field.（小羊羔在田地里欢蹦。）

frolicsome [ˈfrɔliksəm] *adj.* 快活的，欢乐的（full of gaiety or high spirits）

frowzy [ˈfrauzi] *adj.* 不整洁的，污秽的（dirty and untidy; slovenly; unkempt）

【记】和 frown（*v.* 皱眉）一起记，看到 frowzy 就 frown

【反】dapper（*adj.* 整洁的）

FOREWORD	FORFEITURE	FORLORN	FORMATIVE	FORSWEAR	FORT
FRACTIONAL	FRATERNAL	FRATERNITY	FRAY	FREAK	FRETWORK
FRISK	FRITTER	FROLIC	FROLICSOME	FROWZY	

fructify [ˈfrʌktifai] *v.* 结果实 (to bear fruit); 成功 (become fruitful)
【记】词根记忆: fruct (=fruit 果实) + ify → 结果实

funereal [fju (ː) ˈniəriəl] *adj.* 适于葬礼的 (suitable for a funeral); 忧郁的 (sad; solemn)
【记】来自 funeral (*n.* 葬礼)

furbish [ˈfəːbiʃ] *v.* 磨光, 刷新 (to brighten by rubbing or scouring; polish)
【记】注意不要和 furnish (*v.* 装饰; 提供) 相混

fury [ˈfjuəri] *n.* 狂怒, 狂暴, 激烈 (intense, disordered rage); 狂怒的人 (one who resembles an avenging spirit); (希腊神话) 复仇女神 (the Furies goddesses in Greek mythology)

fustian [ˈfʌstiən] *n.* 空洞的话, 无意义的高调 (bombast; rant)
【记】发音记忆: "发诗兴" → 诗兴大发, 讲无意义的空话

gab [gæb] *n.* 饶舌, 爱说话 (idle talk); *v.* 空谈, 瞎扯 (to chatter); 闲逛, 游荡

gabble [ˈgæbl] *v.* 急促而不清楚地说 (to talk rapidly and incoherently)
【记】来自 gab (*v.* 闲聊, 唠叨), 不要和 gobble (*v.* 贪婪地大口吃) 相混

gaiety [ˈgeiəti] *n.* 欢乐, 快活 (cheerfulness)
【记】来自 gay (*adj.* 欢乐的)
【参】gaily (*adv.* 欢乐地)

gale [geil] *n.* 狂风 (a strong wind); 一阵 (笑声) (a loud outburst)
【记】和 gate (大门) 一起记, 一阵狂风 (gale) 吹倒了门 (gate)

gallop [ˈgæləp] *v.* / *n.* (马) 飞奔 (the fastest gait of a horse); 疾驰 (any fast pace)
【记】和 gallon (加仑) 一起记
【参】法国的古名称为 Gallo (*n.* 高卢)

gallows [ˈgæləuz] *n.* 绞刑架, 绞台 (an upright frame with a crossbeam and a rope for hanging condemned persons)
【记】分拆联想: gall (胆汁) + (l) ow (低下) + s → 让人胆小 → 绞刑架

gamut [ˈgæmət] *n.* 全音阶 (any complete musical scale); (一领域的) 全部知识

gander [ˈgændə] *n.* 雄鹅; 笨人; *v.* 闲逛
【记】和 gender (*n.* 性别) 一起记, 连性别 (gender) 都分不清的笨人 (gander)

FRUCTIFY	FUNEREAL	FURBISH	FURY	FUSTIAN
GAB	GABBLE	GAIETY	GALE	GALLOP
GALLOWS	GAMUT	GANDER		

gangling [ˈɡæŋɡliŋ] *adj.* 瘦长难看的（tall, thin and awkward-looking）
【记】谐音记忆："杠铃"，长得像杠铃一样瘦长难看的

gangly [ˈɡæŋɡli] *adj.* 身材瘦长的（tall, thin and awkward-looking）

gangrene [ˈɡæŋɡriːn] *n.* 坏疽（decay of body tissue caused by insufficient blood supply）
【记】分拆联想：gang（帮派）+ rene（看做 green 绿）→ 一帮发绿的人 → 坏人 → 坏疽

garland [ˈɡɑːlənd] *n.* （作为胜利标志的）花环，奖品（a wreath or woven chain of flowers as a symbol of victory）
【记】分拆联想：gar（花）+ land（地）→ 花环

garret [ˈɡærit] *n.* 阁楼，顶楼小室（the room just below the roof of a house；attic）

gastric [ˈɡæstrik] *adj.* 胃的，胃部的（of, in, or near the stomach）
【记】词根记忆：gastr（胃）+ ic → 胃的
【同】gastrology（*n.* 胃病学）

gastritis [ɡæsˈtraitis] *n.* 胃炎（inflammation of the stomach）
【记】词根记忆：gastr（胃）+ itis（炎症）

gastronomy [ɡæsˈtrɔnəmi] *n.* 美食法（the art or science of good eating）
【记】词根记忆：gastr（胃）+ onomy（学科）

gauche [ɡəuʃ] *adj.* 笨拙的，不会社交的（lacking grace；awkward；tactless）
【记】来源于法语，意为"左的"，引申为"笨拙的"
【反】polished（*adj.* 优雅的）

gaunt [ɡɔːnt] *adj.* 憔悴的，瘦削的（thin and bony；hollowed-eyed and haggard）
【记】和 taunt（*v.* 嘲弄）一起记，因被嘲弄（taunt），所以憔悴（gaunt）

genuflect [ˈdʒenju(ː)flekt] *v.* 曲膝半跪（以示敬意）（to bend the knee, as in reverence or worship）；屈从（to act in a submissive or servile way）
【记】词根记忆：genu（膝）+ flect（弯曲）→ 膝弯曲 → 跪下

gestate [ˈdʒesteit] *v.* 怀孕，孕育（to carry in the uterus during pregnancy）
【记】词根记忆：gest（=carry 带有）+ ate → 有了 → 怀孕
【同】digestion（*n.* 消化）；ingest（*v.* 吞咽）

gesticulate [dʒesˈtikjuleit] *v.* 做手势表达（to make or use gestures）
【记】来自 gesture（*n.* 手势，行为）

ghastly [ˈɡɑːstli] *adj.* 可怕的，惊人的（terrifyingly horrible to the senses），惨白的
【记】ghast（死人般的，可怕的）+ ly → 可怖的，惨白的

girdle [ˈɡəːdl] *n.* 腰带（a belt or sash for the waist）；转绕物；*v.* 环绕（to encircle）
【记】gird（束腰）+ le → 束腰物 → 腰带

GANGLING	GANGLY	GANGRENE	GARLAND	GARRET
GASTRIC	GASTRITIS	GASTRONOMY	GAUCHE	GAUNT
GENUFLECT	GESTATE	GESTICULATE	GHASTLY	GIRDLE

glamorous [ˈglæmərəs] *adj.* 迷人的，富有魅力的（full of glamour; fascinating; alluring）

【记】来自苏格兰语 glamour（魔法），因作家司各特常用 cast the glamour（施魔法）这一习语而成为人所共知的单词

gleam [gliːm] *n.* 亮光，闪光（a flash or beam of light）; *v.* 使闪光（to flash）

【记】和 glean（*v.* 拾谷物；收集）一起记

glee [gliː] *n.* 欢喜，高兴（lively joy; gaiety; merriment）

【记】和 flee（*v.* 逃跑）一起记，因 flee 而 glee

glimpse [glimps] *n.* / *v.* 瞥见，看一眼（to look quickly; glance）

【记】分拆联想：glim（灯光）+ pse → 像灯光一闪 → 瞥见

glitter [ˈglitə] *v.* 闪烁，闪耀（to shine brightly）; *n.* 灿烂的光华（sparkling light）; 诱惑力，魅力（attractiveness）

gloaming [ˈgləumiŋ] *n.* 黄昏，薄暮（evening dust; twilight）

glorify [ˈglɔːrifai] *v.* 吹捧，美化（to make ordinary or bad appear better）

【记】词根记忆：glor（光荣）+ ify → 使光荣 → 美化

【同】inglorious（*adj.* 可耻的）; vainglory（*n.* 虚荣心）

【派】glorification（*n.* 美化，颂扬）

gloss-over [glɔs ˈəuvə] *v.* 潦草地或敷衍地处理某事

【反】scrutinize（*v.* 细察）

gnat [næt] *n.* 对小事斤斤计较，琐事

【记】可能来自 gnaw（*v.* 啃，咬）一词

gnawing [ˈnɔːiŋ] *adj.* 痛苦的，折磨人的（excruciating）

gnome [nəum] *n.* 地下宝藏的守护神，地精；格言（a wise, pithy saying; maxim）

gnomic [ˈnəumik] *adj.* 格言的，精辟的（wise and pithy; full of aphorisms）

goggle [ˈgɔgl] *n.* 护目镜; *v.* 睁眼看（to stare with wide and bulging eyes）

【形】giggle（*v.* 咯咯笑）; gaggle（*n.* 鹅群）

gorgeous [ˈgɔːdʒəs] *adj.* 美丽的；极好的（brilliantly showy; splendid）

【记】分拆联想：gorge（峡谷）+ ous → 峡谷是美丽的

gormandize [ˈgɔːməndaiz] *v.* 拼命吃，贪吃（to eat or devour like a glutton）

【记】来自 gourmand（*n.* 贪吃的人）

gosling [ˈgɔzliŋ] *n.* 小鹅（a young goose）; 年轻无知的人（a young or inexperienced person）

【记】来自 goose（鹅）+ ling（小东西）→ 小鹅

【参】underling（*n.* 下属）; hireling（*n.* 受雇用者）

GLAMOROUS	GLEAM	GLEE	GLIMPSE	GLITTER	GLOAMING
GLORIFY	GLOSS-OVER	GNAT	GNAWING	GNOME	GNOMIC
GOGGLE	GORGEOUS	GORMANDIZE	GOSLING		

governance [ˈgʌvənəns] *n.* 统治，支配（power of government）
【记】词根记忆：govern（统治）+ ance → 统治
【同】governor（*n.* 州长）；government（*n.* 政府）

granary [ˈgrænəri] *n.* 谷仓，粮仓（a building for storing threshed grain）
【记】词根记忆：gran（=grain 谷物）+ ary（场所）→ 谷仓

granule [ˈgrænjuːl] *n.* 小粒，微粒（a small grain）
【记】词根记忆：gran（=grain 颗粒）+ ule

gratis [ˈgreitis] *adj.* 不付款的，免费的（free; without charge）

greenhorn [ˈgriːnhɔːn] *n.* 初学者（beginner; novice）；容易受骗的人（dupe）
【记】组合词：green（绿色）+ horn（角），原指初生牛犊等动物

gridiron [ˈgridˌaiən] *n.* 烤架（grill）；橄榄球场（a football field）
【记】组合词：grid（烤架）+ iron（铁）

grotesque [grəuˈtesk] *adj.* （外形或方式）怪诞的，古怪的（bizarre; fantastic）
【记】来自 grotto（岩洞）+ picturesque（图画的），原意为"岩洞里的图画"→（绘画、雕刻等）怪诞的

growl [graul] *v.* （动物）咆哮，吼叫（to make a low, rumbling, menacing sound）
【记】分拆联想：gr + owl（猫头鹰）→ 猫头鹰叫 → 咆哮，吼叫

grudge [grʌdʒ] *v.* 吝啬（to give with reluctance）；不满（to feel resentful about sth.）
【形】budge（*v.* 移动；让步）；drudge（*v.* 做苦工）；smudge（*v.* 弄脏）；trudge（*v.* 跋涉）

gruesome [ˈgruːsəm] *adj.* 令人毛骨悚然的，恶心的（causing horror or disgust; grisly）
【记】来自 grue（可怕）+ some（…的）→ 可怕的

gruff [grʌf] *adj.* （指人、声音）粗野的（rough; hoarse）

grumpy [ˈgrʌmpi] *adj.* 脾气暴躁的（grouchy; peevish）
【记】来自 grump（*v.* / *n.* 发脾气，生气）

gulch [gʌltʃ] *n.* 深谷，峡谷（a steep walled valley; narrow ravine）
【记】可能是 gulf（海湾，深渊）的变体

gull [gʌl] *n.* 海鸥；易上当的人；*v.* 欺骗（to cheat or trick）
【派】gulled（*adj.* 被骗的）

gusto [ˈgʌstəu] *n.* 爱好（tasting; liking）；兴致勃勃（keen enjoyment）

gutless [ˈgʌtlis] *adj.* 没有勇气的，懦怯的（lacking courage）
【记】gut（肠胃，勇气）+ less → 没有勇气的

guttle [ˈgʌtl] *v.* 狼吞虎咽（to quaff）
【记】是 guzzle（*v.* 狂饮）的变体

gynaecocracy [ˌdʒainiˈkɔkrəsi] *n.* 妇女当政（government by women）
【记】词根记忆：gynaeco（女人）+ cracy（统治）
【同】gynaecoid（*adj.* 女性的）；gynephobia（*n.* 恐女症）

GOVERNANCE	GRANARY	GRANULE	GRATIS	GREENHORN	GRIDIRON
GROTESQUE	GROWL	GRUDGE	GRUESOME	GRUFF	GRUMPY
GULCH	GULL	GUSTO	GUTLESS	GUTTLE	GYNAECOCRACY

habitable [ˈhæbitəbl] *adj.* 可居住的 (capable of being lived in; suitable for habitation)
【参】inhabit (*v.* 居住)
【同】inhabitable (*adj.* 适于居住的); lodgeable (*adj.* 适合居住的); occupiable (*adj.* 适于居住的); tenantable (*adj.* 可居住的)

haft [hɑːft] *n.* 柄，把柄 (a handle or hilt of a knife)
【参】shaft (*n.* 矛柄)

haggard [ˈhæɡəd] *adj.* 憔悴的，消瘦的 (gaunt; drawn)
【记】可能来自 hag (巫婆) + gard → 像巫婆一样 → 形容枯槁的

haggle [ˈhæɡl] *v.* 讨价还价 (to argue about price; bargain)
【形】gaggle (*n.* 鹅群); waggle (*v.* 尾巴来回摆动)

hamstring [ˈhæmstriŋ] *v.* 切断腿筋使成跛腿，使残废 (to cripple by cutting the leg tendons)
【记】分拆联想：ham (火腿) + string (线) → 将火腿用线缠上 → 使残废

hardbitten [ˈhɑːdˌbitən] *adj.* 不屈的，顽强的 (stubborn; tough; dogged)
【记】组合词：hard (硬) + bitten (咬) → 硬得咬不动 → 顽强的
【参】hardball (*n.* 强硬手段); hardboard (*n.* 硬纸板)

hardihood [ˈhɑːdihud] *n.* 大胆，鲁莽 (boldness; fortitude)
【记】来自 hardy (*adj.* 强壮的；艰苦的；勇敢的)

hassle [ˈhæsl] *n.* 激烈的辩论 (a heated argument)
【记】可能是 haste (急忙) + tussle (争论；扭打) 的混合词

hatchet [ˈhætʃit] *n.* 短柄小斧
【记】分拆联想：hatch (船舱盖) + et → 用短柄斧头撬开船舱盖

hawker [ˈhɔːkə] *n.* 沿街叫卖之小贩 (a peddler or huckster)

hawser [ˈhɔːzə] *n.* 粗绳，大钢索 (a large rope used for towing or mooring a ship)
【记】发音记忆："好色" → 因为好色所以用粗绳捆住

hearsay [ˈhiəsei] *n.* 谣传，道听途说 (rumor; gossip)
【记】组合词：hear (听到) + say (说) → 道听途说

heave [hiːv] *v.* 用力举 (to raise or lift with an effort)
【记】联想记忆：heaven (天堂) 去掉n → 想把天堂举起，却掉了个n

hedgehog [ˈhedʒhɔɡ] *n.* 刺猬
【记】组合词：hedge (树篱) + hog (猪)

HABITABLE	HAFT	HAGGARD	HAGGLE	HAMSTRING
HARDBITTEN	HARDIHOOD	HASSLE	HATCHET	HAWKER
HAWSER	HEARSAY	HEAVE	HEDGEHOG	

Word List 44

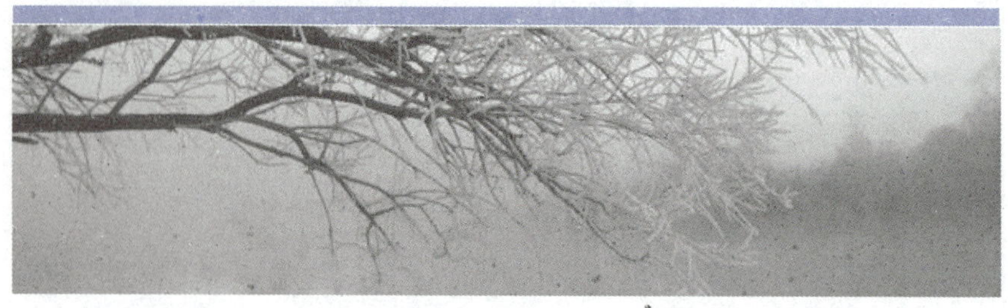

hedonic [hiː'dɔnik] *adj.* 享乐的 (of, relating to, or characterized by pleasure); *n.* 享乐主义学说 (hedonism)

【记】来自希腊语 hedon (快乐) + ic → 享乐的

hedonism ['hiːdənizəm] *n.* 享乐主义；享乐 (the self-indulgent pursuit of pleasure)

【同】hedonist (*n.* 享乐主义者)

heliotrope ['heljətrəup] *n.* 向阳植物

【记】词根记忆：helio (太阳) + trope (转) → 转向太阳的植物

【同】heliosis (*n.* 中暑); heliocentric (*adj.* 以太阳为中心的)

helm [helm] *n.* 舵，驾驶盘 (the wheel by which a ship or boat is steered)

【记】分拆联想：h (看做 he) + elm (榆树) → 他把榆树做舵

helot ['helət] *n.* 奴隶 (any serf or slave); 受人轻视之人

【记】来自 Helot (希洛人)，古斯巴达国的奴隶

helve [helv] *n.* 斧柄 (the handle of an ax or hatchet)

【例】Throw the *helve* after the hatchet. (败局已定再孤注一掷。)

henpecked ['henpekt] *adj.* 顺从妻子的，惧内的 (subjecting [one's husband] to persistent nagging and domination)

【记】hen (母鸡) + peck (啄) + ed → 母鸡啄公鸡 → 惧内的

henpecked

老婆大人饶命!

hepatitis [ˌhepə'taitis] *n.* 肝炎 (inflammation of the liver)

【记】词根记忆：hepat (肝) + itis (炎症) → 肝炎

【参】hepatic (*adj.* 肝的)

herald ['herəld] *n.* 传令官；预示；先驱 (forerunner)

herdsman ['həːdzmən] *n.* 牧人 (a person who keeps or tends a herd)

【记】组合词：herds (畜群) + man (人) → 牧人

heyday [ˈheidei] *n.* 全盛时期，青春期 (the time of greatest health, vigor, or prosperity)
【记】组合词：hey (惊喜声) + day → 惊喜的日子 → 黄金时代

hilt [hilt] *n.* (剑或刀之) 柄 (the handle of a sword)
【参】haft (*n.* 柄); shaft (*n.* 矛柄)

hinterland [ˈhintəlænd] *n.* 内地 (an inland region); 穷乡僻壤 (back country)
【记】词根记忆：hinter (=hinder 后面的) + land (土地)

hippopotamus [ˌhipəˈpɔtəməs] *n.* 河马
【记】词根记忆：hippo (马) + potam (河流) + us → 河马
【同】hippocampus (*n.* 海马); potamic (*adj.* 河流的)

hoarse [hɔːs] *adj.* 嘶哑的，粗哑的 (sounding rough and husky)
【记】horse (马) 中间加一个 a

hobble [ˈhɔbl] *v.* 蹒跚 (to go unsteadily); 跛行 (to walk lamely; limp)
【记】和 hobby (*n.* 癖好) 一起记
【形】babble (*v.* 胡言乱语); nibble (*v.* 细咬); gobble (*v.* 狼吞虎咽)

holocaust [ˈhɔləkɔːst] *n.* 大屠杀，浩劫 (great or total destruction of life)
【记】词根记忆：holo (全部) + caust (烧) → 全部烧掉 → 大屠杀
【同】caustic (*adj.* 腐蚀性的); cauterize (*v.* 烧灼)

holograph [ˈhɔləugrɑːf] *n.* 亲笔信 (a document written wholly in the handwriting of the person whose signature it bears)
【记】词根记忆：holo (全部) + graph (写) → 全部是自己写的 → 亲笔信

homely [ˈhəumli] *adj.* 朴素的 (simple and unpretentious); 不漂亮的 (plain or unattractive)
【记】home (家) + ly → 家庭用的 → 朴素的

homily [ˈhɔmili] *n.* 说教，训诫 (a lecture or discourse on or of a moral theme)
【记】hom (看做 human 人) + ily → 一群人在一起听说教、训诫
【参】homely (*adj.* 家常的；不好看的)

homograph [ˈhɔməugrɑːf] *n.* 同形异义字 (one of two or more words spelled alike but different in meaning or derivation or pronunciation)
【记】词根记忆：homo (相同) + graph (写) → 写起来相同但意义不同的词

horology [hɔˈrɔlədʒi] *n.* 测时法，钟表制造术 (the science or art of measuring time or making timepieces)
【记】词根记忆：hor (=hour 时间) + ology → 测时法

horrendous [hɔˈrendəs] *adj.* 可怕的，令人恐惧的 (horrible; frightful)
【记】词根记忆：horr (可怕) + endous → 可怕的
【同】horrible (*adj.* 骇人听闻的); horrify (*v.* 使恐惧)

howler [ˈhaulə] *n.* 嚎叫的人或动物；滑稽可笑的错误 (a ludicrous blunder)
【记】来自 howl (嚎叫) + er

HEYDAY	HILT	HINTERLAND	HIPPOPOTAMUS	HOARSE
HOBBLE	HOLOCAUST	HOLOGRAPH	HOMELY	HOMILY
HOMOGRAPH	HOROLOGY	HORRENDOUS	HOWLER	

hubbub [ˈhʌbʌb] *n.* 嘈杂，喧哗（uproar; tumult; noise）
【记】象声词：hub + bub（劈啪声）

huddle [ˈhʌdl] *v.* 挤成一堆 （to crowd or nestle close together）; *n.* 一堆人（杂物）
【形】puddle（*n.* 水坑）; cuddle（*v.* 拥抱）; muddle（*v.* 混合）

hunk [hʌŋk] *n.* 大块（食物）（a large piece; chunk）
【形】junk（*n.* 垃圾）

hut [hʌt] *n.* 简陋的房子，棚（crude dwelling; shack）

hygiene [ˈhaidʒiːn] *n.* 卫生学 （the science of health and its maintenance）; 卫生
【记】来自希腊神话中的健康女神 Hygeia
【参】hygeian（*adj.* 健康的，卫生的）

hypodermic [ˌhaipəuˈdəːmik] *adj.* 皮下注射的（injected under the skin）
【记】词根记忆：hypo（在…下面）+ derm（皮）+ ic → 皮下（注射）的
【同】epidermis（*n.* 表皮）

icing [ˈaisiŋ] *n.* 糖衣，糖霜（a sweet flavored usu. creamy mixture used to coat baked goods）
【记】指糕饼上的糖衣，也叫 frosting

idol [ˈaidl] *n.* 神像（an image of god for worship）; 偶像（one that is adored）

idolatrize [aiˈdɔlətraiz] *v.* 奉为偶像，盲目崇拜 （to admires intensely and often blindly）
【记】来自 idol（偶像）

idolize [ˈaidəlaiz] *v.* 将…当作偶像崇拜（to treat as an idol）; 极度喜爱或仰慕（to admire very much）

illegible [iˈledʒəbl] *adj.* 难读的，难认的（very difficult to read）
【记】词根记忆：il（不）+ leg（读）+ ible → 不能读的 → 难读的
【同】legend（*n.* 传奇；图例）; dialect（*n.* 方言），注意词根 lect=leg

illiberal [iˈlibərəl] *adj.* 气量狭窄的（intolerant; bigoted）
【记】词根记忆：il（不）+ liberal（大方的）→ 不大方的 → 气量狭窄的

illustrious [iˈlʌstriəs] *adj.* 著名的，显赫的（very distinguished; outstanding）
【记】词根记忆：il（进入）+ lust（光泽）+ r + ious → 进入有光彩的人之中 → 著名的

imbecile [ˈimbisail] *n.* 心智能力极低的人（a very foolish or stupid person）
【派】imbecility（*n.* 低能，愚蠢）

immortal [iˈmɔːtl] *adj.* 不朽的（deathless），流芳百世的
【记】词根记忆：im（不）+ mort（死）+ al → 不死的 → 不朽的
【同】postmortem（*adj.* 死后发生的）; mortify（*v.* 使屈辱）

impend [imˈpend] *v.* 进行威胁（to menace）; 即将发生（to be about to occur）
【记】词根记忆：im + pend（悬）→ 一颗心悬着，为了即将发生的事

HUBBUB	HUDDLE	HUNK	HUT	HYGIENE	HYPODERMIC
ICING	IDOL	IDOLATRIZE	IDOLIZE	ILLEGIBLE	ILLIBERAL
ILLUSTRIOUS	IMBECILE	IMMORTAL	IMPEND		

imperil [im'peril] *v.* 使陷于危险中，危及(to put in peril; endanger)
【记】im(进入)+peril(危险)

imprecation [impri'keiʃ(ə)n] *n.* 祈求，诅咒(oath or curse)
【记】来自 imprecate(*v.* 祈求，诅咒)

imputation [ˌimpju(ː)'teiʃən] *n.* 归咎，归罪(an attribution of fault or crime; accusation)
【记】词根记忆：im(进入)+put(计算)+ation→计算别人→归罪
【同】computer(*n.* 计算机)

impute [im'pjuːt] *v.* 归咎于(to charge with fault; attribute)
【记】词根记忆：im(进入)+pute(认为)→认为某人有罪→归咎于
【例】The police *impute* the rise in crime to the greater freedom enjoyed by young people.(警察把犯罪率上升归咎于青年人享有的巨大自由。)

incertitude [in'səːtitjuːd] *n.* 疑惑，不确定(uncertainty)
【记】词根记忆：in(不)+cert(确定)+itude(状态)→不确定状态→疑惑
【同】certify(*v.* 证明); certain(*adj.* 无疑的)

incisor [in'saizə] *n.* 门牙(any of the four anterior teeth)
【记】来自动词 incise, in(进入)+cise(切)→将首先进来的东西切断→门牙

incongruent [in'kɔŋgruənt] *adj.* 不协调的，不和谐的，不合适的(not congruent)
【记】in(不)+congruent(协调的，合适的)→不协调的，不合适的

incorporeal [ˌinkɔː'pɔːriəl] *adj.* 无实体的，非物质的，灵魂的(without a body or material form)
【记】词根记忆：in(无)+corpor(身体)+eal→无实体的

incrustation [ˌinkrʌs'teiʃən] *n.* 硬壳，外层(hard coating or crust)
【记】词根记忆：in(进入)+crust(壳)+ation

indite [in'dait] *v.* 写，赋(诗文)(to write; compose)
【记】词根记忆：in+dit(=dict 说，写)+e→写东西

inebriate [i'niːbrieit] *v.* 使…醉(to intoxicate); *n.* 酒鬼，酒徒(a drunkard)
【记】词根记忆：in(使)+ebri(醉)+ate→使…醉
【同】inebriety(*n.* 酗酒); inebriant(*adj.* 令人陶醉的)

□ IMPERIL	□ IMPRECATION	□ IMPUTATION	□ IMPUTE	□ INCERTITUDE
□ INCISOR	□ INCONGRUENT	□ INCORPOREAL	□ INCRUSTATION	□ INDITE
□ INEBRIATE				

ineffaceable [ˌiniˈfeisəbl] *adj.* 抹不掉的(indelible)

【记】词根记忆:in(不)+efface(抹掉)+able

ineligible [inˈelidʒəbl] *adj.* 没有资格的(not legally or morally qualified)

【记】词根记忆:in(无)+eligible(有资格的)→没有资格的

inexpedient [ˌiniksˈpiːdiənt] *adj.* 不适当的,不明智的(inadvisable; unwise)

【记】词根记忆:in(不)+expedient(得当的)

inexpiable [inˈekspiəbl] *adj.* 不能补偿的 (incapable of being expiated or atoned)

【记】词根记忆:in(不)+expiable(可抵偿的)→不能补偿的;来自 expiate(*v.* 补偿)

infatuate [inˈfætjueit] *v.* 使迷恋(to inspire with a foolish or extravagant love or admiration);使糊涂(to cause to deprive of sound judgment)

【记】词根记忆:in(使)+fatu(愚蠢)+ate→迷恋使人变得愚蠢

infatuated [inˈfætjueitid] *adj.* 迷恋(人)的(completely carried away by foolish or shallow love or affection)

【同】fatuous(*adj.* 愚蠢的)

infernal [inˈfəːnl] *adj.* 地狱的(of hell);可恶的(hateful; outrageous)

【记】词根记忆:infern(低)+al→低的地方→地狱的

【同】inferior(*adj.* 低下的)

infliction [inˈflikʃən] *n.* (强加于人身的)痛苦,刑罚 (sth. inflicted as punishment)

informer [inˈfɔːmə] *n.* 告发者,告密者(a person who secretly accuses)

【记】词根记忆:inform(通知)+er→通知的人→告发者,告密者

【参】information(*n.* 信息)

ingress [ˈingres] *n.* 进入(the act of entering)

【记】词根记忆:in(进去)+gress(走)→走进去

insane [inˌsein] *adj.* 疯狂的(deranged; demented; mad)

【记】词根记忆:in(不)+sane(清醒的)→头脑不清醒的

insanity [inˈsæniti] *n.* 疯狂(derangement);愚昧(great folly)

inscription [inˈskripʃən] *n.* 铭刻;题字(a brief or informal dedication in a book)

【记】词根记忆:in(进入)+script(写,刻)+ion→刻写进去→铭刻

【同】describe(*v.* 描绘);conscription(*n.* 征兵)

insolate [ˈinsəuleit] *v.* 使暴晒(to expose to the rays of the sun)

【记】词根记忆:in(使)+sol(太阳)+ate→让太阳晒→暴晒

【参】solar(*adj.* 太阳的)

【同】solarium(*n.* 日光浴室)

insouciance [inˈsuːsjəns] *n.* 漠不关心,漫不经心(lighthearted unconcern)

【记】词根记忆:in(不)+souci(担心)+ance→不担心→漠不关心

INEFFACEABLE	INELIGIBLE	INEXPEDIENT	INEXPIABLE	INFATUATE
INFATUATED	INFERNAL	INFLICTION	INFORMER	INGRESS
INSANE	INSANITY	INSCRIPTION	INSOLATE	INSOUCIANCE

installment [inˈstɔːlmənt] *n.* 分期付款；安装（installation）
【记】词根记忆：in（不）+stall（停止）+ment → 不停地（给钱）→ 分期付款

insuperable [inˈsjuːpərəbl] *adj.* 难以克服的（impossible to overcome）
【记】词根记忆：in（不）+super（超越）+able → 不可超越的
【同】supernatural（*adj.* 超自然的）

interdisciplinary [ˌintə(ː)ˈdisiplinəri] *adj.* 跨学科的（covering more than one area of study）
【记】inter（在中间）+disciplinary（学科的）

interlace [ˌintə(ː)ˈleis] *v.* 编织（to weave together）；交错（to connect intricately）
【记】inter（在中间）+lace（花边）→ 在中间织花 → 交织

interlocutor [ˌintə(ː)ˈlɔkjutə] *n.* 对话者，谈话者（a person taking part in a conversation or dialogue）
【记】词根记忆：inter（相互）+locut（说话）+or → 对话者
【同】elocution（*n.* 雄辩的演讲）；locution（*n.* 措辞，用语）

interlope [ˌintə(ː)ˈləup] *v.*（为图私利）干涉他人之事（to encroach on the rights [as in trade] of others）；闯入（to intrude）
【记】词根记忆：inter（中间）+lope（跑）→ 跑到中间 → 闯入

interloper [ˈintələupə] *n.* 闯入者（intruder; one who interferes）

interstice [inˈtəːstis] *n.* 细裂缝，空隙（a small or narrow space; crevice）
【记】词根记忆：inter（在中间）+stice（=stance 站）→ 站在二者之间 → 空隙，间隙

interweave [ˌintə(ː)ˈwiːv] *v.* 交织，编结（to weave together; interlace）
【记】词根记忆：inter（在中间）+weave（编织）

intestate [inˈtesteit] *adj.* 未留遗嘱的（having made no will）
【记】词根记忆：in（无）+testate（留有遗嘱的）

intestine [inˈtestin] *n.* 肠；*adj.* 内部的（internal）
【记】词根记忆：in（内）+test（外壳）+ine → 在外壳之内 → 内脏
【参】test（*n.* 虫的介壳）

intumescence [ˌintju(ː)ˈmesns] *n.* 肿大，肿胀（the process of swelling up or enlarging）
【记】词根记忆：in（使）+tum（肿大）+escence（状态，时期）→ 肿大（状态）
【同】tumid（*adj.* 肿大的）；tumulus（*n.* 古坟）

investiture [inˈvestitʃə] *n.*（宗教）任职仪式，授权仪式（the act of establishing in office or ratifying）
【记】词根记忆：in（进入）+vest（衣服）+iture → 穿上官服 → 授权
注意：investment（*n.* 投资）

invigilate [inˈvidʒileit] *v.* 监考（to monitor students taking an exam）
【记】词根记忆：in（使）+vigil（察看）+ate → 监视，监考
【同】vigilant（*adj.* 警觉的）

INSTALLMENT	INSUPERABLE	INTERDISCIPLINARY	INTERLACE	INTERLOCUTOR
INTERLOPE	INTERLOPER	INTERSTICE	INTERWEAVE	INTESTATE
INTESTINE	INTUMESCENCE	INVESTITURE	INVIGILATE	

invoice [ˈinvɔis] *n.* **发票，发货清单** (bill); *v.* **给开发票** (to send an invoice for or to)
【记】分拆联想：in + voice (声音) → 大声把人叫进来开发票

iridescence [ˌiriˈdesəns] *n.* **彩虹色** (colors of rainbow)
【记】词根记忆：irid (iris 虹光) + escence → 彩虹色

irradiate [iˈreidieit] *v.* **使明亮，生辉** (to shine; light up)
【记】ir (使) + radiate (发热，生光) → 使发光 → 使明亮

iterate [ˈitəreit] *v.* **重做，反复重申** (to do or utter repeatedly)
【记】词根记忆：iter (=again 再) + ate → 再来一次 → 重做
【同】iterant (*adj.* 重复的)

jamboree [ˌdʒæmbəˈriː] *n.* **快乐、喧闹的集会** (a boisterous party or noisy revel)
【记】可能来自 jam (拥挤) + boree (喧闹声)

jape (at) [dʒeip] *v.* **开玩笑或讽刺** (to joke or quip)
【记】分拆联想：j + ape (猿) → 把人当猴耍 → 开玩笑，嘲弄
【反】revere (*v.* 尊敬)

jesting [ˈdʒestiŋ] *adj.* **滑稽的** (ridiculous); **爱开玩笑的**

jitters [ˈdʒitəs] *n.* **紧张不安** (a nervous, worried feeling)
【参】litter (*v.* / *n.* 乱扔，垃圾); glitter (*v.* 闪光)
【派】jittery (*adj.* 紧张不安的，心神不宁的); jitter (*v.* 紧张不安，战战兢兢)

jolly [ˈdʒɔli] *adj.* **欢乐的，快乐的** (merry; gay; convivial)
【参】jollity (*n.* 快乐，欢乐)

jubilant [ˈdʒuːbilənt] *adj.* **喜悦的，欢呼的** (elated; exultant)
【记】词根记忆：jubil (大叫) + ant → 高兴得大叫的
【派】jubilation (*n.* 喜悦，欢呼)
【反】dolorous (*adj.* 忧伤的)

juncture [ˈdʒʌŋktʃə] *n.* **危机关头** (a critical point); **结合处** (joining point)

jurisprudence [ˌdʒuərisˈpruːdəns] *n.* **法律学，法学** (the science of law)
【记】词根记忆：juris (法律) + prudence (谨慎；知识)
【参】jurist (*n.* 法学家); jury (*n.* 陪审团)

kaleidoscopic [kəˌlaidəˈskɔpik] *adj.* **千变万化的** (changing constantly)
【记】来自 kaleidoscope (*n.* 万花筒); kaleido=beautiful

kiosk [ˈkiːɔsk] *n.* **售货亭** (newsstand); **电话亭** (booth)
【记】来自土耳其语 kosk

knoll [nəul] *n.* **小山，小圆丘** (a hillock; mound)
【记】与 knot (*n.* 结) 有关，可能是 knot 的变体

laceration [ˌlæsəˈreiʃən] *n.* **撕裂；裂口** (jagged tear or wound)

lackey [ˈlæki] *n.* **卑躬屈膝者，走卒** (a follower; a footman)
【记】分拆联想：lack (缺) + ey (看做 obey 顺从) → 缺少骨气，顺从别人 → 走卒

INVOICE	IRIDESCENCE	IRRADIATE	ITERATE	JAMBOREE	JAPE(AT)
JESTING	JITTERS	JOLLY	JUBILANT	JUNCTURE	JURISPRUDENCE
KALEIDOSCOPIC	KIOSK	KNOLL	LACERATION	LACKEY	

laggard [ˈlægəd] *adj.* 缓慢的(slow or late);落后的(falling behind);*n.* 落后者(one that lags or lingers)

【记】lag(落后)+ gard → 落后的,落后者

【参】sluggard(*n.* 懒人)

lamentable [ˈlæməntəbl] *adj.* 令人惋惜的,悔恨的(expressing grief)

【记】lament(悔恨,悲叹)+ able → 令人惋惜的,悔恨的

【同】dolesome (*adj.* 悲哀的); dolorous (*adj.* 忧伤的); mournful (*adj.* 悲哀的); plaintive(*adj.* 悲哀的)

laminate [ˈlæmineit] *v.* 切成薄板(片)(to form or press into a thin sheet or layer)

【记】词根记忆:lamin(薄片)+ ate

【同】laminable(*adj.* 能打制成薄片的); lamina(*n.* 薄片)

lapidary [ˈlæpidəri] *n.* 宝石工,宝石专家 (a cutter, polisher, or engraver of precious stones)

【记】词根记忆:lapid(石头)+ ary

【同】dilapidated(*adj.* 破旧的)

latch [lætʃ] *n.* 门闩;*v.* 用门闩闩牢

layman [ˈleimən] *n.* 普通信徒 (有别于神职人员);门外汉 (who is not expert in some field)

【记】[参]laity(*n.* 俗信徒;门外汉)

layover [ˈleiəuvə] *n.* 旅途中的短暂停留(short stop on a journey)

【记】来自 lay over([旅途中]稍做停留)

lean [liːn] *v.* 倾斜(to incline);斜靠;*adj.* 瘦骨嶙峋的(thin)

leash [liːʃ] *n.* (系狗的)绳子(restraining rope fastened to the collar of an animal esp. dog)

【记】分拆联想:l(看做一根绳子)+ eash(看做 each)→ 每条狗都用绳子拴着

leeward [ˈliːwəd] *adj.* 顺风的(in the direction toward which the wind blows)

【记】lee(下风的)+ ward → 向下风走 → 顺风的

leeway [ˈliːwei] *n.* (可供活动的)余地(room to move; margin)

【例】This itinerary leaves us plenty of *leeway*.(这一旅行安排留给我们很多活动余地。)

legible [ˈledʒəbl] *adj.* 易读的(capable of being read easily)

【记】词根记忆:leg(读)+ ible → 可读的

lesion [ˈliːʒən] *n.* 伤口(an injury);损害(damage)

【记】来自 lese(冒犯,损害)+ ion

LAGGARD	LAMENTABLE	LAMINATE	LAPIDARY	LATCH
LAYMAN	LAYOVER	LEAN	LEASH	LEEWARD
LEEWAY	LEGIBLE	LESION		

lexical [ˈleksikəl] *adj.* 词汇的（of a vocabulary）；词典的
【记】词根记忆：lex（词汇）+ ical → 词汇的
【同】dyslexia（*n.* 阅读障碍）

lexicon [ˈleksikən] *n.* 词典（a dictionary, esp. of an ancient language）

libelous [ˈlaibələs] *adj.* 诽谤的（publishing libels）

libido [liˈbaidəu] *n.* 性欲（the sexual urge or instinct）；生命力
【记】皆译为"里比多"，弗洛伊德用语，指性本能后的一种潜在力量

licit [ˈlisit] *adj.* 不禁止的，合法的（permitted; lawful; legal）
【记】〔参〕illicit（*adj.* 违法的）

ligature [ˈligətʃuə] *n.* 绑缚之物（尤指系住血管以免失血的线）
【记】词根记忆：lig（捆绑）+ ature → 捆绑物
【同】ligament（*n.* 韧带）

limbo [ˈlimbəu] *n.* 不稳定，中间状态（any intermediate, indeterminate state or condition）
【记】原指地狱的边境

lineal [ˈliniəl] *adj.* 直系的，嫡系的（in the direct line of descent from an ancestor）

lineaments [ˈliniəmənts] *n.*（面部等的）特征（features esp. of the face）；轮廓（outline）
【记】line（线条）+ a + ments → 面部的线条

lingual [ˈliŋgwəl] *adj.* 舌的（of the tongue）；语言的（of language）
【参】linguist（*n.* 语言学家）

littoral [ˈlitərəl] *adj.* 海岸的（of, relating to, or situated on or near a shore of the sea）；*n.* 海滨，沿海地区（a coastal region）
【记】分拆联想：litt（看做 little）+ oral（嘴的）→ 海岸边走着樱桃小嘴的女孩

livid [ˈlivid] *adj.*（伤）青灰色的（black-and-blue）；（脸色）苍白的（pale）；狂怒的（furious）
【参】vivid（*adj.* 生动的）

loam [ləum] *n.* 沃土（a rich soil）
【形】roam（*v.* 漫游）；foam（*n.* 泡沫）

locust [ˈləukəst] *n.* 蝗虫；贪吃的人
【记】词根记忆：loc（地方）+ ust → 从一个地方吃到另一个地方 → 蝗虫

locution [ləuˈkjuːʃən] *n.* 语言风格（a particular style of speech）；惯用语
【记】词根记忆：locu（说话）+ tion
【参】circumlocution（*n.* 累赘的表述）

loft [lɔft] *n.* 阁楼，顶楼（an attic or space like attic）

logjam [ˈlɔgdʒæm] *n.* 浮木阻塞；阻塞状态；僵局（a deadlock or impasse）
【记】组合词：log（木头）+ jam（拥挤）→ 浮木阻塞

LEXICAL	LEXICON	LIBELOUS	LIBIDO	LICIT	LIGATURE
LIMBO	LINEAL	LINEAMENTS	LINGUAL	LITTORAL	LIVID
LOAM	LOCUST	LOCUTION	LOFT	LOGJAM	

loiter [ˈlɔitə] *v.* 游荡 (to linger); 徘徊 (to travel or move slowly and indolently)
【参】liter (*n.* 公升)

lore [lɔː] *n.* 知识 (knowledge); 传说 (a particular body of knowledge or tradition)
【参】folklore (*n.* 民间传说)
【例】the *lore* of herbs (草药知识)

lout [laut] *n.* 粗人 (a clumsy, stupid fellow; boor)
【记】可能来自 loot (*v.* 掠夺)
【形】tout (*v.* 吹捧); pout (*v.* 噘嘴, 生气)
【同】loutish (*adj.* 粗鲁的)

lowbred [ˌləuˈbred] *adj.* 粗野的, 鲁莽的 (ill-mannered; vulgar; crude)
【记】组合词: low (低下) + bred (=breed 养育) → 教养低下 → 粗野的
【参】purebred (*adj.* 纯种的)

lubricious [ljuːˈbriʃəs] *adj.* 光滑的 (slippery; smooth); 好色的 (lewd)
【记】来自词根 lubric (光滑) + ious

lucre [ˈluːkə] *n.* [贬] 钱, 利益 (money or profits)

lucubrate [ˈljuːkju(ː)breit] *v.* 刻苦攻读, 埋头苦干 (to work, study, or write laboriously)
【记】词根记忆: luc (灯光) + ubrate → 在灯光下工作 → 刻苦攻读
【同】luculent (*adj.* 清楚的, 易懂的)

lure [ljuə] *n.* 诱惑力 (the power of attracting); *v.* 引诱 (to inveigle; entice)
【参】allure (*v.* 引诱)

luscious [ˈlʌʃəs] *adj.* 美味的 (delicious); 肉感的 (voluptuous)
【记】可能是 lush (鲜美多汁的) + delicious (美味的) 二词的缩略变体

lusty [ˈlʌsti] *adj.* 精力充沛的 (full of vigor)

lynch [lintʃ] *v.* 私刑处死 (to murder as by hanging without lawful trial)
【记】和 lunch (午饭) 一起记: to give lunch and then lynch (吃完午饭然后处死)

mackintosh [ˈmækintɔʃ] *n.* 雨衣 (raincoat); 防水胶布
【记】来自人名, Mackintosh 是防水胶布发明者

maculate [ˈmækjuleit] *adj.* 有斑点的 (marked with spots)
【记】词根记忆: macul (斑点) + ate → 有斑点的

maestro [mɑːˈestrəu] *n.* 艺术大师 (a master in any art); 音乐大师
【记】意大利语, 等于 master

magniloquent [mægˈniləkwənt] *adj.* 夸张的 (characterized by a high-flown often bombastic style or manner)
【记】词根记忆: magni (大) + loqu (话) + ent → 说大话 → 夸张的
【同】eloquent (*adj.* 雄辩的); soliloquy (*n.* 独白)

LOITER	LORE	LOUT	LOWBRED	LUBRICIOUS
LUCRE	LUCUBRATE	LURE	LUSCIOUS	LUSTY
LYNCH	MACKINTOSH	MACULATE	MAESTRO	MAGNILOQUENT

maim [meim] *v.* 使残废(to cripple; mangle)

【记】和 main(主要的)一起记

makeshift [ˈmeikʃift] *n.* / *adj.* 代用品(的);权宜之计(的)(a substitute; temporary expedient)

【记】组合词:make(做)+ shift(转移,改变)

malediction [ˌmæliˈdikʃən] *n.* 诅咒(curse, execration)

【记】词根记忆:male(坏)+ dict(说)+ ion → 说坏话 → 诅咒

【参】benediction(*n.* 祝福)

malefactor [ˈmælifæktə] *n.* 罪犯,作恶者(criminal, evildoer)

【记】词根记忆:male(恶)+ fact(做)+ or → 作恶者

maleficent [məˈlefisnt] *adj.* 有害的,犯罪的(doing evil)

【记】词根记忆:male(坏)+ fic(做)+ ent → 做坏事的

【形】beneficent(*adj.* 仁慈的);munificent(*adj.* 慷慨的)

malice [ˈmælis] *n.* 恶意,怨恨(desire to do mischief; spite)

【例】Bob felt a lot of *malice* toward his sloppy roommate.(鲍勃对他邋遢的室友充满了怨恨。)

malignant [məˈlignənt] *adj.* 恶毒的,充满恨意的(very malevolent or malicious)

mallet [ˈmælit] *n.* 木槌,大头锤(a kind of hammer)

malodor [mæˈləudə] *n.* 恶臭(an offensive odor)

【记】词根记忆:mal(坏)+ odor(气味)→ 恶臭

manacle [ˈmænəkl] *n.* 手铐

【记】词根记忆:man(手)+ acle(东西)→ 带在手上的东西 → 手铐

maneuver [məˈnuːvə] *v.* / *n.*(军队)调遣(a planned and controlled movement of troops);策略,操纵(stratagem; artifice; scheme)

【记】词根记忆:man(手)+euver(工作)→ 用手来做 → 操纵,调动

【派】maneuverable(*adj.* 可移动的,可操纵的)

mangy [ˈmeindʒi] *adj.*(兽)患疥癣的(affected with or resulting from mange);污秽的(having many worn or bare spots)

【同】shabby(*adj.* 破旧的);scruffy(*adj.* 肮脏的)

maraud [məˈrɔːd] *v.* 抢劫,掠夺(to rove in search of plunder; pillage)

【记】分拆联想:mara(野兔)+ ud(看做 under)→ 野兔在下面吃东西 → 掠夺,抢劫

□ MAIM	□ MAKESHIFT	□ MALEDICTION	□ MALEFACTOR	□ MALEFICENT
□ MALICE	□ MALIGNANT	□ MALLET	□ MALODOR	□ MANACLE
□ MANEUVER	□ MANGY	□ MARAUD		

Word List 45

mariner ［ˈmærinə］*n.* 水手，海员（sailor; seaman）

marrow ［ˈmærəu］*n.* 骨髓；精华（the innermost and choicest part; pith）

【形】narrow（*adj.* 狭窄的）；harrow（*v.* 耙地；使苦恼）

matador ［ˈmætədɔː］*n.* 斗牛士（a bull fighter）

【记】来自西班牙语 matar（杀）

matriarchy ［ˈmeitriɑːki］*n.* 母权制，妇女统治（domination by women）

【记】词根记忆：matr（母）+ i + archy（统治）

【同】matron（*n.* 妻子，主妇）

matriculate ［məˈtrikjuleit］*v.* 录取（to enroll in college or graduate school）

【记】词根记忆：matr（母亲）+ iculate → 进入母校 → 录取

【同】matriculation（*n.* 录取入学）

maxim* ［ˈmæksim］*n.* 格言，普遍真理 （a concisely expressed principle or rule of conduct）

【记】maxim 作为词根是"大、高"的意思，如：maximal（*adj.* 最大的）；maximum（*n.* 最大量）

mayhem ［ˈmeihem］*n.* 严重伤害罪 （the intentional mutilation of another's body）

【记】分拆联想：may（五月）+ hem（边缘）→ 在五月把人弄到边缘 → 伤害别人

medicate ［ˈmedikeit］*v.* 用药医治，加入药物（to treat with medicine）

【记】来自 medicine（*n.* 药）

megalomania ［ˈmegələuˈmeinjə］*n.* 自大狂（a highly exaggerated concept of one's own importance）

【记】词根记忆：megalo（大）+ mania（狂热）→ 自大狂

【参】kleptomania（*n.* 盗窃狂）

megalomania
我们只做2亿大的工程

MARINER	MARROW	MATADOR	MATRIARCHY	MATRICULATE
MAXIM	MAYHEM	MEDICATE	MEGALOMANIA	

memento [meˈmentəu] *n.* 纪念品(souvenir)

【记】mement(时刻)+o→记住那一时刻→纪念品

menial [ˈmiːnjəl] *adj.* 仆人的，卑微的(of servants; humble); *n.* 家仆(a domestic servant)

【例】the *menial* work concerned in doing housework(料理家务的琐碎工作)

mermaid [ˈməːmeid] *n.* 美人鱼

【记】mer(=mari 海洋)+maid(少女)→美人鱼

mesmerism [ˈmezmərizəm] *n.* 催眠术，催眠状态 (hypnotic induction held to involve animal magnetism)

【记】来自奥地利医生 Mesmer，始创催眠术

mesmerize [ˈmezməraiz] *v.* 对…催眠(to hypnotize); 迷住(to fascinate)

metallurgy [meˈtælədʒi] *n.* 冶金(the science and technology of metals)

【记】metal(金属)+l+urg(工作)+y→有关金属的工作→冶金

【派】metallurgical(*adj.* 冶金学的，冶金的)

miasma [miˈæzmə] *n.* 瘴气 (unhealthy mist rising from the ground); 不健康的环境或影响(unhealthy environment or influence)

【记】mi(音似迷)+as+ma(音似妈)→迷得找不到妈了→瘴气

midget [ˈmidʒit] *n.* 侏儒(an extremely small person; dwarf)

【记】分拆联想：mid(中间)+get(到达)→到达中间状态→没长高→侏儒；注意 dget 结尾的单词，如：gadget (小工具); budget(预算)

mien [miːn] *n.* 风采，态度(air; bearing; demeanor)

【记】发音记忆："迷你"→迷人的风采

militant [ˈmilitənt] *adj.* 好战的，好暴力的(aggressive, and often combative)

【记】词根记忆：milit(军事，打斗)+ant→好战的

【同】military(*adj.* 军事的); militate(*v.* 产生影响或作用)

millennium [miˈleniəm] *n.* 一千年；(未来的)太平盛世 (a period of great happiness or human perfection)

【记】词根记忆：mill(一千)+enn(年)+ium→一千年

miraculous [miˈrækjuləs] *adj.* 奇迹的，不可思议的 (of the nature of a miracle; supernatural)

【记】词根记忆：mir(惊奇)+aculous→神奇的

【反】ordinary(*adj.* 平常的)

【同】supernatural (*adj.* 超自然的); numinous (*adj.* 超自然的); preternatural(*adj.* 超自然的)

miscellany [miˈseləni] *n.* 混合物(a collection of various items or parts)

【记】词根记忆：misc(混合)+ellany→混合物

【同】promiscuous(*adj.* 杂乱的，乱交的)

【派】miscellaneous(*adj.* 各种各样的)

MEMENTO	MENIAL	MERMAID	MESMERISM	MESMERIZE
METALLURGY	MIASMA	MIDGET	MIEN	MILITANT
MILLENNIUM	MIRACULOUS	MISCELLANY		

missive [ˈmisiv] *n.* 信件;(尤指)公函(letter; written statement)

mistimed [ˌmisˈtaimd] *adj.* 不合时机的(saying or doing sth. at a wrong time)

【记】mis(错误)+ time(时间)+ d → 时间不当的

mistral [ˈmistrəl] *n.* 寒冷干燥的强风(cold, dry wind)

【记】分拆联想:mist(雾)+ ral → 雾中来风 → 寒冷的风

molest [məuˈlest] *v.* 骚扰,干扰(to bother or annoy)

【记】词根记忆:mol(磨)+ est → 磨擦 → 骚扰

monastery [ˈmɔnəstri] *n.* 男修道院,僧院 (a place of residence occupied by a community of monks)

【记】词根记忆:mon(=mono 单个)+ aster(星星)+ y → 孤星 → 孤独者所住之处 → 寺院

monograph [ˈmɔnəugrɑːf] *n.* 专题论文(a learned treatise on a particular subject)

【记】词根记忆:mono(单个)+ graph(写)→ 为一个主题而写 → 专题论文

monopolize [məˈnɔpəlaiz] *v.* 垄断,独占 (to assume complete possession or control of)

【记】词根记忆:mono(单一)+ poli(国家)+ ze → 由一个人控制国家 → 垄断,独占

monotone [ˈmɔnəutəun] *adj.* 单调的 (without changing the pitch of the voice or the shade of colour)

【记】词根记忆:mono(单一)+ tone(声音)→ 单调的

【近】dull(*adj.* 无趣的)

monstrous [ˈmɔnstrəs] *adj.* 巨大的 (huge; immense); 可怕的 (frightful or hideous in appearance)

【记】来自 monster(*n.* 妖怪)

【参】demonstrate(*v.* 证明,示范)

moody [ˈmuːdi] *adj.* 喜怒无常的,脾气坏的(given to changeable moods; gloomy)

【派】moodiness(*n.* 不高兴,愤怒)

moor [muə] *n.* 旷野地,荒野(open uncultivated land); *v.* 使(船)停泊(to hold a ship in place)

【记】和 moon(月亮)一起记:a moon over the moor(笼罩在旷野上的月光)

mope [məup] *v.* 抑郁不乐,生闷气(to be gloomy and dispirited) *n.* 忧郁的人(a person given to gloomy or dejected moods); 情绪低落(low spirits)

【记】和 mop(拖把)一起记:要用拖把(mop)拖地,所以生闷气(mope)

MISSIVE	MISTIMED	MISTRAL	MOLEST	MONASTERY
MONOGRAPH	MONOPOLIZE	MONOTONE	MONSTROUS	MOODY
MOOR	MOPE			

morass [məˈræs] *n.* **沼泽地**(marsh); **困境**(entanglement); *v.* **陷入困境**
【记】分拆联想: mor (看做 more) + ass (驴子) → 很多驴子在周围 → 陷入困境

moron [ˈmɔːrɔn] *n.* **极蠢之人, 低能儿** (a very foolish or stupid person)
【记】发音记忆:"木聋" → 又木又聋 → 笨人
【派】moronic (*adj.* 痴愚的)

motile [ˈməutail] *adj.* **能动的, 有自动力的** (exhibiting or capable of movement)
【记】词根记忆: mot (移动) + ile → 能动的, 有自动力的

mottle [ˈmɔtl] *v.* **使成杂色** (to mark with spots or blotches of different color or shades of color as if stained)

mountebank [ˈmauntibæŋk] *n.* **江湖郎中, 骗子** (any charlatan, or quack)
【记】词根记忆: mount (登高) + e + bank (=bench 椅子) → 登上椅子叫卖 → 江湖郎中

muddle [ˈmʌdl] *n.* **混乱, 迷惑** (a confused or disordered state; mess)
【记】词根记忆: mud (泥浆)+dle→混入泥浆→混乱
【形】meddle (*v.* 干预); middle (*adj.* 中间的)

muddy [ˈmʌdi] *adj.* **多泥的** (full of or covered with mud); **浑浊的, 不纯的** (lacking in clarity or brightness)
【记】词根记忆: mud (泥, 泥泞) + dy → 多泥的

muggy [ˈmʌgi] *adj.* (天气) **闷热而潮湿的** (oppressively humid and damp)

mulct [mʌlkt] *n.* **罚金** (fine); *v.* **处以罚金** (to penalize by fining); **诈取, 诈骗** (to defraud a person of sth.; swindle)

multifarious [ˌmʌltiˈfeəriəs] *adj.* **多种的, 各式各样的** (numerous and varied)
【记】词根记忆: multi (多) + fari (=fact 做) + ous → 做的样子多 → 多种的

multitude [ˈmʌltitjuːd] *n.* **多数** (numerousness); **大众, 平民** (populace; crowd)
【记】词根记忆: multi (多) + tude → 多的状态 → 多数; 大众

muniments [ˈmjuːnimənts] *n.* **契据, 房契**
【记】词根记忆: muni (礼物; 加强) + ments → 加强买卖关系的东西 → 契据

musty [ˈmʌsti] *adj.* **发霉的, 有霉臭的** (stale in odor or taste; spoiled by age)
【记】分拆联想: must (一定) + y → 一定发霉了 → 发霉的

MORASS	MORON	MOTILE	MOTTLE	MOUNTEBANK
MUDDLE	MUDDY	MUGGY	MULCT	MULTIFARIOUS
MULTITUDE	MUNIMENTS	MUSTY		

mutilate [ˈmjuːtileit] *v.* 残害(to injure or disfigure);切断(肢体)
【记】词根记忆:mutil(砍掉)+ate→残害
【参】maim(*v.* 伤残)

mutinous [ˈmjuːtinəs] *adj.* 叛变的(engaged in revolt);反抗的(rebellious)

mutton [ˈmʌtn] *n.* 羊肉
【参】beef(*n.* 牛肉);pork(*n.* 猪肉);venison(*n.* 鹿肉)

muzzy [ˈmʌzi] *adj.* 头脑糊涂的(muddled; mentally hazy)

naivety [nɑːˈiːvti] *n.* 天真,纯朴,幼稚(unaffected simplicity)
【记】来自naive(天真的),源自native(自然的),也写成naivete
【反】naive(*adj.* 天真的)〈〉worldly(*adj.* 善于处事的;世间的)

nasal [ˈneizəl] *adj.* 鼻的(pertaining to the nose);有鼻音的
【记】词根记忆:nas(鼻)+al→鼻子的
【派】nasalize(*v.* 鼻音化)

natation [neiˈteiʃən] *n.* 游泳,游泳术(swimming)
【记】词根记忆:nat(天生)+ation→原指动物的天然游泳能力→游泳

naysayer [ˈneiˌseiə] *n.* 怀疑者,否定者 (one who denies or is skeptical or cynical about sth.)
【记】naysay(怀疑,拒绝)+er→怀疑者,否定者

necessitous [niˈsesitəs] *adj.* 贫困的(needy, indigent);急需的(urgent)
【记】词根记忆:necessit(需要)+ous→急需的
【同】necessary(*adj.* 必需的);necessity(*n.* 必需品)

necropolis [neˈkrɔpəlis] *n.* 大墓地,公墓(a cemetery)
【记】词根记忆:necro(死亡)+polis(城市)→死亡之城→公墓
【同】metropolis(*n.* 大都市)

nectar [ˈnektə] *n.* 琼浆玉液 (drink of the gods);花蜜 (sweet liquid collected by bees)

nemesis [niˈmisis] *n.* 报应,天罚(an agent or act of retribution)
【记】来自希腊神话中的复仇女神Nemesis

neonate [ˈniːəneit] *n.* 初生儿(a new born child)
【记】词根记忆:neo(新)+nat(出生)+e→初生儿

nephritis [neˈfraitis] *n.* 肾炎(inflammation of the kidneys)
【记】词根记忆:nephr(肾)+itis(炎症)→肾炎
【参】nephrolith(*n.* 肾结石)

nestle [ˈnesl] *v.* 舒适地安顿(to settle snugly);依偎(to press affectionately)
【记】词根记忆:nest(鸟窝)+le→像鸟一样安顿→舒适地安顿
【例】She *nestled* her head against his shoulder. (她把头依偎在他的肩上。)

nestling [ˈnesliŋ] *n.* 尚未离巢的小鸟(a bird too young to leave the nest)
【记】词根记忆:nest(鸟窝)+ling(小东西)→待在鸟窝里的小东西

MUTILATE	MUTINOUS	MUTTON	MUZZY	NAIVETY	NASAL
NATATION	NAYSAYER	NECESSITOUS	NECROPOLIS	NECTAR	NEMESIS
NEONATE	NEPHRITIS	NESTLE	NESTLING		

nethermost [ˈneðəməust] *adj.* 最低的，最下方的（lowest; the farthest down）
【记】组合词：nether（下面的）+ most → 最下面的

niggard [ˈnigəd] *n.* 吝啬鬼（an extremely stingy person）
【记】词根记忆：nig（小，小气）+ gard → 小气之人
【同】sluggard（*n.* 懒鬼）

niggling [ˈnigliŋ] *adj.* 琐碎的（petty; trivial）
【记】词根记忆：nig（小）+ gling → 在小事上费力→琐碎的

nihilism [ˈnaiilizəm] *n.* 虚无主义（生存无意义）；民粹主义（消灭一切旧体系建立新制度）
【记】词根记忆：nihil（无）+ ism → 虚无主义
【同】annihilate（*v.* 消灭）；nihil（*n.* 无，虚无）

nimble [ˈnimbl] *adj.* 敏捷的，灵活的（moving quickly and lightly）
【记】来自 nim（*v.* 偷窃）；偷窃（nim）需要手脚灵活（nimble）

nippers [ˈnipəz] *n.* 钳子，镊子
【记】来自 nip（*v.* 夹住，咬住）
【同】nipple（*n.* 乳头）

nipping [ˈnipiŋ] *adj.* 尖酸的（sarcastic）；刺骨的（sharp biting）
【记】词根记忆：nip（咬）+ ping → 咬人的 → 尖酸的
【例】a *nipping* wind / remarks（刺骨的风 / 尖刻的话）

nonesuch [ˈnʌnsʌtʃ] *n.* 无匹敌的人（a person unrivalled or unequaled）
【记】组合词：none + such → 没有这种人→ 无匹敌的人

nonpareil [ˈnɔnpərəl] *adj.* / *n.* 无匹敌的（人）（unequaled; unrivaled; peerless）
【记】词根记忆：non（没有）+ par（平等）+ eil → 无匹敌的人

noose [nuːs] *n.* 绳套，绞索（刑）（a loop formed in a rope）
【记】和 noon（中午）一起记，中间的“oo”像绳套

notability [ˌnəutəˈbiliti] *n.* 著名，显著（the quality of being notable）
【记】来自 notable（著名的）+ ility → 著名，显著

nude* [njuːd] *adj.* 赤裸的（naked; bare）；*n.* 裸体者（a nude person）
【派】nudity（*n.* 裸露）

numerology [ˌnjuːməˈrɔlədʒi] *n.* 数字命理学（通过数字算命）（the study of the occult significance of numbers）
【记】词根记忆：numer（数字）+ ology（学）→ 根据数字算命的科学 → 数字命理学

numinous [ˈnjuːminəs] *adj.* 庄严的，神圣的（supernatural; divine）
【记】词根记忆：numin（=numen 守护神）+ ous → 守护神的 → 庄严的

numismatic [ˌnjuːmizˈmætik] *adj.* 钱币学的（of or relating the study of coins）
【记】词根记忆：numisma（钱币）+ tic → 钱币的

nuptial [ˈnʌpʃəl] *adj.* 婚姻的，婚礼的（of marriage or a wedding）
【记】词根记忆：nupt（=nub 结婚）+ ial → 婚姻的

NETHERMOST	NIGGARD	NIGGLING	NIHILISM	NIMBLE	NIPPERS
NIPPING	NONESUCH	NONPAREIL	NOOSE	NOTABILITY	NUDE
NUMEROLOGY	NUMINOUS	NUMISMATIC	NUPTIAL		

nymph [nimf] *n.* **年轻女神；少女**（a young woman; maiden）
【记】来自罗马神话，指居于山林水泽的仙女

oar [ɔː] *n.* **桨**；*v.* **划**（船）（to row）
【例】*oar* a boat forward（把船划向前）

oatmeal [ˈəutmiːl] *n.* **燕麦片**（crushed oats used for making porridge）

obelisk [ˈɔbilisk] *n.* **方尖碑**（tall column tapering and ending in a pyramid）
【记】美国的华盛顿纪念碑就是方尖碑；obe + lisk（看做 list 列出）→方尖碑上列出重大事件或人名

oblation [əuˈbleiʃən] *n.* **宗教的供品，祭品**（an offering of sacrifice）
【记】词根记忆：ob（表强调）+lat（放）+ion→放上去的东西→祭品

observance [əbˈzəːvəns] *n.* **遵守，奉行**（法律、习俗）
【记】词根记忆：ob（表强调）+ serv（=serve 做，服务）+ ance → 必须服务 → 遵守
【参】observation（*n.* 观察），observatory（*n.* 天文台）

obtrude [əbˈtruːd] *v.* **突出**（to thrust out）；**强加**（to force or impose）
【记】词根记忆：ob（向外）+ trud（伸出）+ e → 向外伸 → 突出
【同】obtrusive（*adj.* 突出的，〔难看〕显眼的）

occidental [ɔksiˈdəntəl] *n.* / *adj.* **西方**（的）
【记】词根记忆：oc（下）+ cid（落）+ ental → 太阳落下的（地方）→ 西方（的）
【参】oriental（*adj.* 东方的）

ocular * [ˈɔkjulə] *adj.* **眼睛的**（of the eye）；**视觉的**（based on what has been seen）
【记】词根记忆：ocul（眼）+ ar → 眼睛的
【派】oculist（*n.* 眼科医生）

oddment [ˈɔdmənts] *n.* **残余物，零头**（remnants）
【记】词根记忆：odd（零碎的，剩余的）+ ments → 零头

odoriferous [ˌəudəˈrifərəs] *adj.* **有气味的**（giving off an odor）
【记】词根记忆：odor（气味）+ i + fer（带有）+ ous → 带有香味的

olfactory [ɔlˈfæktəri] *adj.* **嗅觉的**（of the sense of smell）
【记】词根记忆：ol（=smell 味）+ fact（做）+ ory → 做出味道来 → 嗅觉的

oligarch [ˈɔligɑːk] *n.* **寡头政治执政者**（member of a form of government in which a small group of people hold all the power）
【记】词根记忆：olig（少数）+ arch（统治者）→ 寡头政治执政者

omnivorous [ɔmˈnivərəs] *adj.* **杂食的**（eating both meat and vegetables or plants）；**兴趣杂的**（taking in everything indiscriminately）
【记】词根记忆：omni（全）+ vor（吃）+ ous → 全部吃的→杂食的

onslaught [ˈɔnslɔːt] *n.* **猛攻，猛袭**（a fierce attack）
【记】词根记忆：on + slaught（打击）→ 猛攻，猛袭
【同】slaughter（*v.* 屠宰）

NYMPH	OAR	OATMEAL	OBELISK	OBLATION
OBSERVANCE	OBTRUDE	OCCIDENTAL	OCULAR	ODDMENT
ODORIFEROUS	OLFACTORY	OLIGARCH	OMNIVOROUS	ONSLAUGHT

onus [ˈəunəs] *n.* 义务，负担 (a difficult, unpleasant task)
【记】分拆联想：on + us → 在我们身上的“责任”→义务

ooze [uːz] *v.* 慢慢地流，渗出 (to leak out slowly)；(勇气)逐渐消失

opiate [ˈəupiit] *n.* 安眠药，鸦片制剂 (any medicine containing opium)
【记】来自 opium (*n.* 鸦片)

optimization [ˌɔptimaiˈzeiʃən] *n.* 最优化 (an act, process, or methodology of making sth. as fully perfect, functional, or effective as possible)
【记】来自 optimize (*v.* 使最优化)，optim (最好) + ize → 使最优化

opus [ˈəupəs] *n.* 巨著；(尤指)音乐作品 (work esp. musical composition)

oracular [ɔˈrækjulə] *adj.* 神谕的 (of an oracle)；意义模糊的 (obscure; enigmatic)

orifice [ˈɔrifis] *n.* 小开口，小孔 (a mouth or aperture; small opening)
【记】词根记忆：or (=ora 嘴) + ifice → 小嘴 → 小孔

orotund [ˈɔ(ː)rəutʌnd] *adj.* (声音)洪亮的 ([of sound] strong and deep; resonant)；夸张的 (bombastic or pompous)
【记】词根记忆：oro (嘴) + tund (=round 圆的) → 把嘴张圆了(说) → 洪亮的

otiose [ˈəuʃiəus] *adj.* 不必要的，多余的 (useless, superfluous)
【记】词根记忆：oti (=leisure 空余) + ose → 空余的 → 多余的
【同】negotiation (*n.* 谈判)

outfox [autˈfɔks] *v.* 以机智胜过 (to outwit; outsmart)
【记】组合词：out (出) + fox (狐狸) → 胜过狐狸→以机智胜过
【参】outwit (*v.* 智胜)

oversight [ˈəuvəsait] *n.* 疏忽，失察，勘漏 (unintentional failure to notice sth.)
【记】组合词：over (在…上) + sight (视线) → 在视线上 → 疏忽

overweening [ˌəuvəˈwiːniŋ] *adj.* 自负的，过于自信的 (arrogant; excessively proud)
【记】组合词：over (过分) + ween (想像) + ing → 过分想像自己的伟大→自负的

palaver [pəˈlɑːvə] *v.* / *n.* 空谈 (idle chatter)；奉承 (flattery; cajolery)
【记】可能来自 palace (宫殿) + aver (承认，说话) → 宫殿里的话 → 空谈

paling [ˈpeiliŋ] *n.* 篱笆，木栅栏 (a fence made of pales)

pamper [ˈpæmpə] *v.* 纵容，过分关怀 (to treat with excess or extreme care)
【形】hamper (*v.* 妨碍；*n.* 大篮子)；tamper (*v.* 损害，窜改)；camper (*n.* 露营者)

pane [pein] *n.* 窗格玻璃 (a single sheet of glass in a frame of a window)

panoramic [ˌpænəˈræmik] *adj.* 全景的，全貌的，概论的 (wide like a panorama)
【记】词根记忆：pan (全部) + ora (嘴) + mic → 综述的，概论的

ONUS	OOZE	OPIATE	OPTIMIZATION	OPUS	ORACULAR
ORIFICE	OROTUND	OTIOSE	OUTFOX	OVERSIGHT	OVERWEENING
PALAVER	PALING	PAMPER	PANE	PANORAMIC	

pantechnicon [pæn'teknikən] *n.* **家具仓库，家具搬运车** (a furniture van)
【记】词根记忆：pan (全部) + tech (科技) + nicon → 全部采用科技手段 → 家具仓库，家具搬运车

pantheon ['pænθiən] *n.* **万神殿** (a temple dedicated to all the gods)
【记】词根记忆：pan (全部) + the (神) + on → 众神之地 → 万神殿
【同】theology (*n.* 神学)

paralyze ['pærəlaiz] *v.* **使瘫痪** (to affect with paralysis)；**使无效** (to make ineffective)
【记】词根记忆：para (旁边) + lyze (分开) → 身体的一边分开了 → 瘫痪
【派】paralysis (*n.* 瘫痪，中风)

parley ['pɑːli] *n.* **和谈** (a conference with an enemy)；**会谈** (a conference for discussion of points in dispute)；*v.* **和谈，会谈** (to speak with another)
【记】词根记忆：parl (讲话) + ey → 和谈
【同】parlance (*n.* 说法，用语)；parliament (*n.* 议会，国会)

parlous ['pɑːləs] *adj.* **靠不住的，危险的** (full of danger; hazardous)
【记】perilous (*adj.* 危险的) 变体

parochial [pə'rəukiəl] *adj.* **教区的** (of or relating to a church parish)；**地方性的，狭小的** (restricted to a small area or scope; narrow)
【记】可能来自 parish (*n.* 教区)

parturition [ˌpɑːtjuə'riʃən] *n.* **生产，分娩** (the action or process of giving birth to offspring)
【记】词根记忆：partur (分娩) + ition → 分娩
【同】parturient (*adj.* 临产的)

pastor ['pɑːstə] *n.* **牧师** (a clergyman serving a local parish)；**牧人** (herdsman)
【记】来自 pasture (*n.* 牧草，牧场)，把人比作羊，牧师自然成了牧羊人
【参】pastoral (*adj.* 田园生活的；宁静的)

pathetic [pə'θetik] *adj.* **引起怜悯的；令人难过的** (marked by sorrow or melancholy)
【记】词根记忆：path (感情) + etic → 有感情的 → 引起怜悯的
【同】apathetic (*adj.* 冷漠的)；antipathy (*n.* 反感)

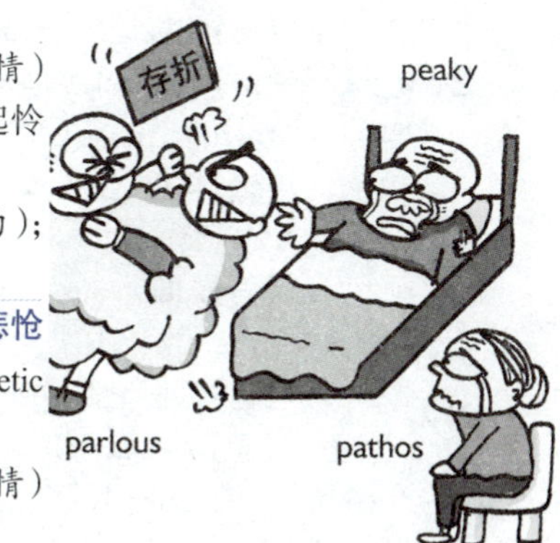

pathos* ['peiθɔs] *n.* **感伤，哀婉，悲怆** (an emotion of sympathetic pity)
【记】词根记忆：path (感情) + os → 感情状态 → 哀婉

pawn [pɔːn] *n.* / *v.* 典当，抵押 (to deposit in pledge); *n.* 被利用的小人物
【参】pawnbroker (*n.* 典当商，当铺老板)

peaky [ˈpiːki] *adj.* 消瘦的，虚弱的 (thin; weak)

peculate [ˈpekjuleit] *v.* 挪用（公款）(to embezzle)
【记】词根记忆：pecu (原意为牛，引申为钱财) + late (放) → 把公有钱财放回家里 → 挪用
【同】peculium (*n.* 私有财产)

pecuniary [piˈkjuːnjəri] *adj.* 金钱的 (monetary; financial)
【记】词根记忆：pecuni (钱财) + ary
【例】*pecuniary* considerations (金钱方面的考虑)

peddle [ˈpedl] *v.* 兜售 (to travel about selling wares)
【形】coddle (*v.* 溺爱); meddle (*v.* 管闲事)
【派】peddler (*n.* 小贩)

peek [piːk] *v.* 偷看 (to look furtively; glance)

peep [piːp] *n.* / *v.* 瞥见，偷看 (to look cautiously or slyly); 初现 (to show slightly)
【记】联想记忆：偷看就是偷看，颠倒过来 (peep → peep) 还是偷看

peery [ˈpiəri] *adj.* 窥视的；好奇的 (curious); 怀疑的 (suspicious)
【记】peer (窥视) + y → 窥视的；好奇的

pelt [pelt] *v.* 扔 (to hurl, throw); *n.* 毛皮
【形】belt (*n.* 皮带); melt (*v.* 溶化)

pendent* [ˈpendənt] *adj.* 吊着的，悬挂的 (overhanging)
【记】词根记忆：pend (挂) + ent → 挂着的，吊着的

penetration [peniˈtreiʃən] *n.* 穿透；洞察力 (the ability to discern deeply and acutely)

pension* [ˈpenʃən] *n.* 养老金，退休金 (a fixed sum paid regularly to a person following retirement from service)
【记】词根记忆：pens (挂，引申为钱) + ion → 养老金

pensive* [ˈpensiv] *adj.* 沉思的 (reflective; meditative); 愁眉苦脸的 (suggestive of sad thoughtfulness)
【记】词根记忆：pens (挂) + ive → 挂在心上 → 沉思的

penumbra [piˈnʌmbrə] *n.* 半明半暗之处 (a space of partial illumination); 边缘部分 (fringe)
【记】词根记忆：pen (接近) + umbra (影子) → 接近影子 → 明暗交界处
【同】adumbrate (*v.* 预示); umbrella (*n.* 雨伞)

peptic* [ˈpeptik] *adj.* 产生胃酶的，助消化的 (prompting digestion)
【记】词根记忆：pept (消化) + ic→助消化的
【同】peptogen (*n.* 助消化物质)

percolate [ˈpəːkəleit] *v.* 过滤出 (to cause to pass through a permeable substance); 渗透 (to penetrate; seep)

PAWN	PEAKY	PECULATE	PECUNIARY	PEDDLE	PEEK
PEEP	PEERY	PELT	PENDENT	PENETRATION	PENSION
PENSIVE	PENUMBRA	PEPTIC	PERCOLATE		

【记】词根记忆：per（贯穿）+ col（l）ate（过滤）→ 过滤过去 → 过滤出

【参】colander（*n.* 过滤器）

percussion* ［pəːˈkʌʃən］ *n.* 敲击乐器 （beating and striking of a musical instrument）

【记】词根记忆：per（全部）+ cuss（震动）+ ion → 敲击乐器

【同】discussion（*n.* 讨论）；repercussion（*n.* 反响）

perigee ［ˈperidʒiː］ *n.* 近地点（the point nearest the earth's center in the orbit of the moon or a satellite）

【记】词根记忆：peri（周围）+ gee（=geo 地）→ 周围之地 → 近地点

【反】apogee（*n.* 远地点）

periphrastic ［ˌperiˈfræstik］ *adj.* 迂回的，冗赘的（of, relating to, or characterized by periphrasis）

【记】词根记忆：peri（周围）+ phras（=phrase 句子，词语）+ tic → 绕圈子说话 → 迂回的

perishable ［ˈperiʃəbl］ *adj.* 易腐败的（likely to decay or go bad quickly）；*n.* 易腐败的东西（stuff subject to decay）

persnickety ［pə(ː)ˈsnikiti］ *adj.* 势利的（of a snob）；挑剔的（fussy；fastidious）

personage ［ˈpəːsənidʒ］ *n.* 名人（a person of rank or distinction）；（戏剧）角色（a dramatic, fictional character）

【记】person（人）+ age → 名人

perverse ［pə(ː)ˈvəːs］ *adj.* 不合适的，刚愎自用的，故意作对的（obstinate in opposing；wrongheaded）

【记】词根记忆：per（始终）+ verse（转）→ 始终和别人反着转 → 故意作对的

【同】adversary（*n.* 对手）；reverse（*v.* 颠倒，倒退）

【派】perversity（*n.* 刚愎，悖理行为）

pervert ［pəˈvəːt］ *v.* 使堕落（to corrupt；debase）；误用（to divert to a wrong purpose；misuse）；歪曲（to interpret incorrectly）

【记】词根记忆：per（全部）+ vert（转）→ 全部转到（邪路上）→ 使堕落

A novel is a mirror walking along a main road.

一部小说犹如一面在大街上走的镜子。

——法国作家 司汤达(Stendhal, French writer)

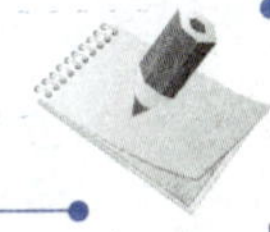

Word List 46

pesky [ˈpeski] *adj.* 讨厌的，烦人的 (troublesome; vexatious)

pettish [ˈpetiʃ] *adj.* 易怒的，使性子的 (fretful; peevish)

【记】来自 pet (不高兴) + tish → 不高兴的，易怒的

【参】petulant (*adj.* 性急的，暴躁的)

pharisaic [ˌfæriˈseiik] *adj.* 伪善的，伪装虔诚的 (marked by hypercritical censorious self-righteousness)

【记】来自公元前后犹太教的一派法利赛人 (Pharisee)，以形式上遵守教义的伪善作风而闻名

phial [ˈfaiəl] *n.* 小瓶 (药水瓶) (vial)

philology [fiˈlɔlədʒi] *n.* 语文学，文学语言学

【记】词根记忆：phil (爱) + ology (学科) → 文学主要是描写爱情和感情的 → 文学语言学

phobia [ˈfəubjə] *n.* 恐惧症 (an exaggerated illogical fear)

【记】词根记忆：phob (恐惧) + ia (病)

【同】xenophobe (*n.* 排外)

phony * [ˈfəuni] *adj.* 假的，伪造的 (not genuine or real)

【参】cacophony (*n.* 刺耳的声音); euphony (*n.* 悦耳的声音)

piazza [piˈætsə] *n.* 阳台 (veranda; porch); 广场 (an open square)

【记】来自意大利语，意为 marketplace (*n.* 市场)

piebald [ˈpaibɔːld] *adj.* 花斑的，斑驳的 (of different colors; esp. spotted or blotched with black and white)

【记】分拆联想：pie (馅饼) + bald (光秃的) → 花斑的，斑驳的

piecemeal [ˈpiːsmiːl] *adj.* 一件一件的，零碎的 (done, or made piece by piece or in a fragmentary way)

pier * [piə] *n.* 桥墩 (an intermediate support); 码头

pilfer [ˈpilfə] *v.* 偷窃 (to steal in small quantities)

【记】可能来自 pelf (钱财) + er → 拿人钱财 → 偷窃

PESKY	PETTISH	PHARISAIC	PHIAL	PHILOLOGY
PHOBIA	PHONY	PIAZZA	PIEBALD	PIECEMEAL
PIER	PILFER			

pillage [ˈpilidʒ] *v. / n.* 抢劫，掠夺（looting; plundering; ravage）
【记】来自 pill（抢劫）+ age

pincers [ˈpinsəz] *n.* 钳子，镊子
【记】由 pinch（*v.* 捏，掐）变化而来

piscatorial [piskəˈtɔːriəl] *adj.* 捕鱼的，渔民的（dependent on fishing; also piscatory）
【记】来自 piscator（捕鱼人）+ ial → 捕鱼的
【参】pisciculture（*n.* 鱼类养殖）

pitiless [ˈpitilis] *adj.* 无情的，冷酷的，无怜悯心的（devoid of pity）

pivot [ˈpivət] *n.* 枢轴，中心；*v.* 旋转（to turn on as if on a pivot）

plank [plæŋk] *n.* 厚木板（a heavy thick board）；要点（a principal item）

plaza [ˈplɑːzə] *n.* 广场（a public square）；集市（shopping center）
【记】来自 place（*n.* 地方）

plebeian [pliˈbi（ː）ən] *n.* 平民；*adj.* 平民的（of the common people）
【记】plebe（古罗马平民）+ ian → 平民的

plenary [ˈpliːnəri] *adj.* 全权的（[of power] complete）；全体出席的（fully attended by all qualified members）
【记】词根记忆：plen（满）+ ary→全体出席的

plentitude [ˈplentitjuːd] *n.* 充分（the quality or state of being full）
【记】词根记忆：plen（充满）+ titude → 充分

pleonastic [ˌpliːəuˈnæstik] *adj.* 啰嗦的（using more words than necessary）
【记】词根记忆：pleon（太多）+ astic → 太多的话 → 啰嗦的

pliers [ˈplaiəz] *n.* 钳子（a small pincers）
【记】词根记忆：pli（=ply 弯曲）+ ers → 使东西弯曲的工具 → 钳子

plump [plʌmp] *adj.* 颇胖的，丰满的（having a full rounded pleasing form）
【记】注意不要和 plumb（*v.* 深入了解）相混
【反】svelte（*adj.* 苗条的）

poach [pəutʃ] *v.* 偷猎，窃取（to catch without permission on sb. else's property）

poltroon [pɔlˈtruːn] *n.* 懦夫（a spiritless coward; craven）
【记】词根记忆：poltr（=colt 小马）+ oon → 原指小马受惊 → 懦夫

polyandry [ˈpɔliændri] *n.* 一妻多夫制（the state or practice of having more than one husband）
【记】词根记忆：poly（多）+ andry（男人）→ 多个男人
【参】polygamy（*n.* 一夫多妻制，多配偶制）；androphobia（*n.* 恐男症）

polyglot [ˈpɔliglɔt] *adj. / n.* 通晓多种语言的（人）（multilingual）
【记】词根记忆：poly（多）+ glot（声门，语言）→ 多语言的（人）

polymath [ˈpɔlimæθ] *n.* 知识广博者（a person of encyclopedic learning）
【记】词根记忆：poly（多）+ math（学习，数学）→ 学得多 → 知识广博者

PILLAGE	PINCERS	PISCATORIAL	PITILESS	PIVOT	PLANK
PLAZA	PLEBEIAN	PLENARY	PLENTITUDE	PLEONASTIC	PLIERS
PLUMP	POACH	POLTROON	POLYANDRY	POLYGLOT	POLYMATH

pony [ˈpəuni] *n.* **小型马** (a small horse)
【参】colt (*n.* 小马); pony 指体形小的马, colt 指刚生出不久的马

porcine [ˈpɔːsain] *adj.* **猪的, 似猪的** (suggesting swine)
【记】词根记忆: porc (猪) + ine → 猪的
【参】porcupine (*n.* 豪猪); pork (*n.* 猪肉)

porridge [ˈpɔridʒ] *n.* **麦片粥** (soft food made by boiling oatmeal)

portable [ˈpɔːtəbl] *adj.* **轻便的, 手提式的** (capable of being carried)
【记】词根记忆: port (拿) + able → 可以拿的 → 轻便的
【同】portage (*n.* 搬运费); transport (*v.* 运输)

portend [pɔːˈtend] *v.* **预兆, 预示** (to give an omen; bode)
【记】分拆联想: port (港口) + end (尽头) → 港口到了尽头, 预示海洋来临→ 预示

positiveness [ˈpɔzitivnis] *n.* **肯定, 确信**

posterior [pɔsˈtiəriə] *adj.* (在时间、次序上) **较后的** (later in time; subsequent)
【记】词根记忆: post (后) + erior → 后面的→ 较后的
【参】posterity (*n.* 子孙, 后代)

postscript [ˈpəustskript] *n.* **附言, 后记** (a note or series of notes appended to a completed letter, article, or book)
【记】词根记忆: post (后面的) + script (写) → 在后面写的东西 → 附言

potboiler [ˈpɔtbɔilə (r)] *n.* **粗制滥造的文艺作品** (a literary or artistic work of poor quality, produced quickly for profit)
【记】来自 potboil (*v.* 为混饭吃而粗制滥造), pot (壶) + boil (煮)

prance [prɑːns] *v.* **昂首阔步** (to move about proudly and confidently)
【记】把 France (法国) 的 F 换成 p, 法国人常常昂首阔步地摆出一副骄傲神态

prefigure [priːˈfigə] *v.* **预示** (to show, suggest, or announce by an antecedent type); **预想** (to foresee)
【记】词根记忆: pre (提前) + figure (形象) → 提前想好形象
【派】prefiguration (*n.* 预兆, 预示)

prehensile [priˈhensail] *adj.* **能抓东西的, 能缠绕东西的** (capable of grasping or holding)
【记】词根记忆: prehens (=prehend 抓住) + ile (能…的)→ 能抓东西的
【同】apprehension (*n.* 理解; 恐惧)

preponderant* [priˈpɔndərənt] *adj.* **以重胜的, 优势的, 压倒性的** (having superior weight, force, or influence)
【记】pre (预先) + ponder (重量) + ant → 重量超过前面的 → 压倒性的

prepossessing* [ˌpriːpəˈzesiŋ] *adj.* (个性等) **给人好感的** (tending to create a favorable impression; attractive)

PONY	PORCINE	PORRIDGE	PORTABLE	PORTEND
POSITIVENESS	POSTERIOR	POSTSCRIPT	POTBOILER	PRANCE
PREFIGURE	PREHENSILE	PREPONDERANT	PREPOSSESSING	

【记】词根记忆：pre（预先）+ possess（拥有）+ ing → 预先就领会他人的情感 → 给人好感的

presentiment [priˈzentimənt] *n.* 预感，预觉（a feeling that sth. will or is about to happen）

【记】词根记忆：pre（预先）+ sent（感觉）+ iment → 预感，预觉

presumable [priˈzjuːməb(ə)l] *adj.* 可能的，可假定的（acceptable as an assumption）

【记】词根记忆：pre（提前）+ sume（=sum 结论）+able（能）→能提前作结论的→可假定的

pretence [priˈtens] *n.* 虚伪（mere ostentation）；借口（pretext）

【记】词根记忆：pre（预先）+ tence（=tend 倾向）→ 预先装出的倾向 → 虚伪

prevision [pri(ː)ˈviʒən] *n.* 先见，预感（foresight；prescience）

【记】词根记忆：pre（预先）+ vis（看）+ ion → 预先看到

prick* [prik] *n.* 小刺；刺痛（sharp feeling of remorse, regret, or sorrow）；*v.* 刺伤（to prick sth.）；戳穿（to pierce with a sharp point）

prickle [ˈprikl] *n.*（动物或者植物上的）刺，棘（a sharp pointed emergence arising from the epidermis or bark of）；*v.* 刺痛 （to cause or feel a stinging sensation）

【记】prick（刺）+ le

prig [prig] *n.* 自命不凡者，道学先生（self-righteous person）

prissy [ˈprisi] *adj.* 谨小慎微的，神经质的，为小事挂虑的（annoyingly precise and fussy）

【记】priss（娇气的女孩）+ y → 神经质的

procreate [ˈprəukrieit] *v.* 生育（to beget and bring forth offspring；propagate）

【记】词根记忆：pro（向前）+ create（创造）→ 不断创造 → 生育儿女

procrustean [prəuˈkrʌstiən] *adj.* 强求一致的（marked by arbitrary often ruthless disregard of individual differences or special circumstances）

【记】源自 Procrustes，希腊神话中的巨人，抓到人后，缚之床榻，体长者截下肢，体短者拔之使与床齐长

progenitor [prəˈdʒenitə] *n.* 祖先，始祖 （an ancestor in the direct line；forefather）

【记】词根记忆：pro（前）+ genit（产生）+ or → 生在前面的人 → 祖先

【参】progeniture（*n.* 生殖，后代）；progeny（*n.* 后代，子女）

prognosticate [prəgˈnɔstikeit] *v.* 预测，预示（to foretell from signs or symptoms；predict）

【记】词根记忆：pro（提前）+ gnostic（知道）+ ate → 预测

【同】diagnostic（*adj.* 诊断的）；agnostic（*n.* 不可知论者）

proofread [ˈpruːfriːd] *v.* 校对（to read and mark corrections in [as a proof]）

【记】组合词：proof（校对）+ read（读）→ 校对

PRESENTIMENT	PRESUMABLE	PRETENCE	PREVISION	PRICK
PRICKLE	PRIG	PRISSY	PROCREATE	PROCRUSTEAN
PROGENITOR	PROGNOSTICATE	PROOFREAD		

prorogue [prəˈrəug] *v.* 休会 (to suspend a legislative session); 延期 (to postpone; adjourn)
【记】词根记忆: pro (前面) + rogue (问) → 在前面通知下次开会(的日期) → 休会

protrude [prəˈtruːd] *v.* 突出, 伸出 (to jut out)
【记】词根记忆: pro (向前) + trude (伸出) → 向前伸 → 伸出
【同】intrude (*v.* 闯入); extrude (*v.* 伸出)
【派】protrusive (*adj.* 伸出来的, 突出的)

proverbially [prəˈvəːbiəli] *adv.* 无人不知地 (commonly spoken of)
【记】来自 proverb (*n.* 谚语), "谚语"大家都熟悉, 所以有"无人不知"的意思

psalm [sɑːm] *n.* 赞美诗, 圣诗 (a sacred song or poem used in worship)
【记】主要指圣经中的赞美诗 (Book of Psalms)

puberty [ˈpjuːbə(ː)ti] *n.* 青春期
【记】词根记忆: puber (成熟) + ty → 即将进入成熟 → 青春期
【同】pubescent (*adj.* 到达青春期的)

puffery [ˈpʌfəri] *n.* 极力称赞, 夸大的广告, 吹捧 (exaggerated commendation esp. for promotional purposes)
【记】puff (吹嘘) + ery → 极力称赞, 吹捧

pullulate [ˈpʌljuleit] *v.* 繁殖 (to breed or produce freely); 剧增 (to teem)
【记】词根记忆: pullul (小动物) + ate → 生小动物 → 繁殖
【参】pullus (*n.* 幼鸟, 雏鸟)

pulpit [ˈpulpit] *n.* 讲坛 (raised platform used in preaching)

pulsate [pʌlˈseit] *v.* 有规律地振动 (to throb or move rhythmically; vibrate)
【记】来自 pulse (*n.* 脉搏) 一词

pulsation [pʌlˈseiʃən] *n.* 脉动, 跳动, 有节奏的鼓动 (single beat or throb; heartbeat)

pummel [ˈpʌm(ə)l] *v.* (用拳) 接连地打, 打击 (to pound; beat)

purblind [ˈpəːblaind] *adj.* 愚钝的 (obtuse); 视力不佳的 (partly blind)
【记】pur (=pure 纯粹的) + blind; 古意为"全瞎的", 后来变为"半瞎的"

purport [ˈpəːpɔːt] *n.* 意义, 涵义 (meaning conveyed, implied; gist)
【记】词根记忆: pur (附近) + port (带) → 带到附近 → 要点, 意义; 注意不要和 purpose (*n.* 目的) 相混

purse [pəːs] *v.* 缩拢或撅起 (to pucker; contract); *n.* 钱包 (wallet)

putative [ˈpjuːtətiv] *adj.* 公认的, 普遍认为的 (commonly accepted or supposed)
【记】词根记忆: put (认为) + ative→公认的
【同】repute (*v.* 认为; *n.* 名誉)

PROROGUE	PROTRUDE	PROVERBIALLY	PSALM	PUBERTY
PUFFERY	PULLULATE	PULPIT	PULSATE	PULSATION
PUMMEL	PURBLIND	PURPORT	PURSE	PUTATIVE

putrefy [ˈpjuːtrifai] *v.* 使腐烂（to make putrid）
【记】词根记忆：putr（腐烂）+ efy → 使腐烂；注意不要和 petrify（*v.* 石化）相混
【派】putrefaction（*n.* 腐坏，腐败）

putrid [ˈpjuːtrid] *adj.* 腐臭的（rotten）
【例】The vultures descended toward the *putrid* flesh.（秃鹫向着腐臭的肉俯冲而去。）

pygmy [ˈpigmi] *n.* 矮人，侏儒（a short insignificant person；dwarf）
【记】来自 Pygmy（俾格米人），一种矮小人种

pyromania [ˌpairəuˈmeiniə] *n.* 纵火狂（an irresistible impulse to start fires）
【记】词根记忆：pyro（火）+ mania（狂）→纵火狂
【同】pyrogenic（*adj.* 高热所产生的）；apyrous（*adj.* 不易燃的）

quadrangle [ˈkwɔdræŋgl] *n.* 四边形（quadrilateral）
【记】词根记忆：quadr（四）+ angle（角）→四角形→四边形

quadruped [ˈkwɔdruped] *n.* 四足兽（four-footed animal）
【记】词根记忆：quadr（四）+ u + ped（足）

quagmire [ˈkwægmaiə] *n.* 沼泽地（soft miry land）；困境（predicament）
【记】组合词：quag（沼泽）+ mire（泥潭）→困境

qualm* [kwaːm] *n.* 疑惧（a sudden access of disturbing emotion）；紧张不安（a feeling of uneasiness）

queasy [ˈkwiːzi] *adj.* 令人恶心的（experiencing nausea；nauseated）；充满疑虑的

queer [kwiə] *adj.* 奇怪的，疯狂的（eccentric；unconventional）
【记】和 queen（女王）一起记

query [ˈkwiəri] *n.* / *v.* 质问，疑问，询问（to question；inquiry；doubt）

quintessence [kwinˈtesns] *n.* 完美的榜样（the most typical example or representative）；精华（the essence of a thing in its purest and most concentrated form）
【记】来自 quint（五）+ essence（精华）→ 原指组成世界的五大精华物质

quip [kwip] *adj.* 俏皮话，妙语（taunt；clever sarcastic remark）

racketeer [ˌrækiˈtiə] *n.* 敲诈者，获取不正当钱财的人（one who obtains money by an illegal enterprise usu. involving intimidation）
【记】racket（骗局）+ eer → 敲诈者

raillery [ˈreiləri] *n.* 善意的嘲弄（good-natured ridicule；banter）
【记】rail（指责）+ lery

rapscallion [ræpˈskæljən] *n.* 流氓，恶棍（rascal；rogue）
【记】分拆联想：rap（抓取，抢）+ scallion（葱）→ 连葱都要抢的人 → 流氓，恶棍

rasp [raːsp] *v.* 发出刺耳的声音（to make a harsh noise）

ratify [ˈrætifai] *v.* 批准（协定等）（to approve formally；confirm）

PUTREFY	PUTRID	PYGMY	PYROMANIA	QUADRANGLE	QUADRUPED
QUAGMIRE	QUALM	QUEASY	QUEER	QUERY	QUINTESSENCE
QUIP	RACKETEER	RAILLERY	RAPSCALLION	RASP	RATIFY

ravish* [ˈræviʃ] *v.* 迷住 (to overcome with emotion); 强夺 (to take away by force)

【记】来自 rave (赞扬) + ish → 赞扬，迷住；注意不要和 lavish (*v.* 浪费) 相混

【派】ravishment (*n.* 狂喜，陶醉)

rebarbative* [riˈbɑːbətiv] *adj.* 令人讨厌的，冒犯人的 (repellent; irritating)

【记】词根记忆：re (相对) + barb (钩子) + ative → 钩子对着别人 → 冒犯人的

reckon [ˈrekən] *v.* 推断，估计 (to count; calculate); 猜想，设想 (to think; suppose)

【例】We have to *reckon* with many problems. (我们必须考虑到许多问题。)

recline [riˈklain] *v.* 斜倚，躺卧 (to lie down)

【记】词根记忆：re (回) + cline (倾斜，斜坡) → 斜回去 → 斜靠

reconnoiter [ˌrekəˈnɔitə] *v.* 侦察，勘察 (to make reconnaissance of)

【记】re + connoiter (观察，源自法语) → 侦察

reedy [ˈriːdi] *adj.* 长满芦苇的 (abounding in or covered with reeds); (声音) 高而尖的 ([of voices, sounds] high and scratchy)

【记】reed (芦苇) + y → 长满芦苇的

regal [ˈriːgəl] *adj.* 帝王的 (of a king); 华丽的 (splendid)

【记】词根记忆：reg (统治) + al；注意不要和 regale (*v.* 款待) 相混

【派】regality (*n.* 君权，王位)

regent [ˈriːdʒənt] *n.* 摄政者 (代国王统治者) (one who governs for the sovereign)

【记】词根记忆：reg (统治) + ent

regiment [ˈredʒimənt] *n.* (军队) 团 (a military unit); *v.* 严格控制 (to organize rigidly to control)

reincarnate [riːˈinkɑːneit] *v.* 使化身，转生 (to incarnate again)

【记】re (重新) + incarnate (化身) → 精神重新进入肉体 → 转生

rejoin [ˌriːˈdʒɔin] *v.* 回答，答辩 (to say sharply or critically in response)

【记】词根记忆：re (重新) + join (加入) → 重新加入讨论 → 答辩

rejoinder [riˈdʒɔində] *n.* 回答 (an answer to a reply)

remission [riˈmiʃən] *n.* 宽恕，赦免 (the act or process of remitting)

【记】词根记忆：re (重新) + miss (放) + ion → 放掉 → 宽恕

【参】remissible (*adj.* 可被赦免的)

RAVISH	REBARBATIVE	RECKON	RECLINE	RECONNOITER
REEDY	REGAL	REGENT	REGIMENT	REINCARNATE
REJOIN	REJOINDER	REMISSION		

remit [riˈmit] *v.* 免除 (to refrain from inflicting); 宽恕 (to release from the guilt or penalty of); 汇款 (to send money)

remittance [riˈmitəns] *n.* 汇款 (transmittal of money, as to a distant place)

remittent [riˈmitənt] *adj.* (病)间歇性的，忽好忽坏的 (marked by alternating periods of abatement and increase of symptoms)

【记】词根记忆：re(再)+mitt(放)+ent → 过一段时间就放出一次 → 间歇性的

remonstrance [riˈmɔnstrəns] *n.* 抗议，抱怨 (an earnest presentation of reasons for opposition or grievance)

【记】词根记忆：re(重新)+monstr(显现)+ance → 显现对别人的不满 → 抗议，抱怨

remonstrate [riˈmɔnstreit] *v.* 抗议 (to earnestly present and urge reasons in opposition); 规劝 (to expostulate)

【参】monster (*n.* 怪物)

remunerate [riˈmjuːnəreit] *v.* 报酬，补偿 (to pay or compensate a person for; reward)

【记】词根记忆：re(重新)+muner(礼物)+ate → 回报人礼物 → 报酬

【派】remuneration (*n.* 报酬)

renascent [riˈnæsnt] *adj.* 再生的，复活的 (reborn after being forgoten)

rendition [renˈdiʃən] *n.* 表演，扮演；演奏，演唱 (the act or result of rendering)

renunciate [riˈnʌnsieit] *v.* 放弃 (to give up; abandon)

repent* [riˈpent] *v.* 懊悔，后悔 (to feel regret or contrition)

【记】词根记忆：re(重新)+pent(后悔) → 懊悔

【同】penitence (*n.* 后悔，忏悔)

【派】repentance (*n.* 悔恨); repentant (*adj.* 感到悔恨的)

replica* [ˈreplikə] *n.* 复制品 (a copy in exact details)

【记】词根记忆：re(重新)+plic(重叠)+a→复制品

reportage [ˌrepɔːˈtɑːdʒ] *n.* 报道，报道的消息，报告文学 (the act or process of reporting news)

【记】report(报道)+age → 报道，报道的消息

repository [riˈpɔzitəri] *n.* 贮藏室，仓库 (depository)

【记】词根记忆：re(反复)+pos(放)+itory → 放东西的地方 → 仓库

rescript [ˈriːskript] *n.* 公告，法令 (an authoritative order; decree); 重抄 (the act of rewriting)

【记】词根记忆：re(重新)+script(写) → 重抄

reshuffle [ˌriːˈʃʌfl] *v.* 再洗牌 (to shuffle cards again); 改组 (to reorganize usu. by the redistribution of existing elements)

【记】词根记忆：re(重新)+shuffle(洗牌)

REMIT	REMITTANCE	REMITTENT	REMONSTRANCE	REMONSTRATE
REMUNERATE	RENASCENT	RENDITION	RENUNCIATE	REPENT
REPLICA	REPORTAGE	REPOSITORY	RESCRIPT	RESHUFFLE

restorative [riˈstɔːrətiv] *adj.* 恢复健康的(having power to restore)
【记】词根记忆：re(重新)+stor(=store 储存)+ative→重新储存能量→恢复健康的

resurge [riˈsəːdʒ] *v.* 复活(to rise again into life)
【派】resurgence(*n.* 复兴，再起)

retention [riˈtenʃən] *n.* 保留，保持(the act of keeping in possession or use)
【记】词根记忆：re(重新)+tent(拿住)+ion→重新拿住→保留

retentive [riˈtentiv] *adj.* 有记忆力的(capable of keeping the memory of)
【例】a *retentive* mind(记忆力强的脑子)

reticulation [riˌtikjuˈleiʃ(ə)n] *n.* 网目，网状(network)
【记】词根记忆：reticul(网)+ation→网状
【同】reticular(*adj.* 网状的); reticule(*n.* 网兜)

retrenchment [riˈtrentʃmənt] *n.* 节省，削减(reduction, esp. a cutting of expenses)
【记】retrench(紧缩，节省)+ment→节省，削减

retroactive [ˌretrəuˈæktiv] *adj.* 溯及既往的，有追溯效力的(effective from a certain date in the past)
【例】The new law was made *retroactive* to lst January. (新法的追溯效力到1月1日。)

reversion [riˈvəːʃən] *n.* 返回(原状、旧习惯)(an act of returning); 逆转(an act of turning the opposite way)
【记】词根记忆：re(回)+vers(转)+ion→转回去，返回

revulsion [riˈvʌlʃən] *n.* 厌恶，憎恶(a sense of utter distaste); 剧烈反应(a sudden or strong reaction)

rhapsody [ˈræpsədi] *n.* 赞美之词(extravagant praise); 狂想曲
【记】词根记忆：rhapso(缝)+(o)dy(颂歌)→把颂歌连接起来→赞美之词

riffle [ˈrifl] *n.* 涟漪(a small wave or succession of small waves)

riffraff [ˈrifræf] *n.* [贬] 乌合之众，群氓(ill-behaved people of the lowest social class; the rabble)
【记】组合词：riff(即兴重复段)+raff(乱七八糟的一大堆)→乌合之众

rigmarole [ˈrigmərəul] *n.* 冗长的废话(confused or meaningless talk)

rinse [rins] *v.* 以清水冲洗，漂洗(to cleanse by clear water)

rip [rip] *v.* 撕裂，撕破(to tear or split apart or open)

roister [ˈrɔistə] *v.* 喝酒喧哗(to engage in boisterous merrymaking)

rollicking [ˈrɔlikiŋ] *adj.* 欢闹的(noisy and jolly)
【记】分拆联想：rol(卷)+lick(舔)+ing→把好吃的东西卷起来舔

rosy [ˈrəuzi] *adj.* 玫瑰色的；美好的；乐观的(characterized by or tending to promote optimism); 健康的(having a pinkish usu. healthy-looking complexion)

RESTORATIVE	RESURGE	RETENTION	RETENTIVE	RETICULATION	RETRENCHMENT
RETROACTIVE	REVERSION	REVULSION	RHAPSODY	RIFFLE	RIFFRAFF
RIGMAROLE	RINSE	RIP	ROISTER	ROLLICKING	ROSY

rote [rəut] *n.* 死记硬背(a fixed, mechanical way of doing sth.)

【记】词根记忆: rot(转)+e→摇头晃脑地背→死记硬背

rotund [rəu'tʌnd] *adj.* (人)圆胖的;(声音)洪亮的(round; plump or stout)

【记】词根记忆: rot(转, 圆)+und→圆乎乎的→圆胖的

roundabout ['raundəbaut] *adj.* 绕远道的, 转弯抹角的(indirect; circuitous)

【记】组合词: round+about

rout [raut] *n.* 大败, 溃败(an overwhelming defeat)

【记】联想记忆: route(道路)去掉e→成功的道路上一失误就会溃败

rove [rəuv] *v.* 流浪, 漂泊(to wander about; roam)

【例】*rove* over sea and land (漂泊于大海和陆地); *rove* the moors (流浪荒野)

rowdy ['raudi] *adj.* 吵闹的; 粗暴的(rough; quarrelsome)

【记】词根记忆: row(吵闹)+dy→吵闹的; 注意row还有"一排(座位)"和"划船"等意思

rubble ['rʌbl] *n.* (一堆)碎石, 瓦砾(rough and loose fragments of rock, or debris from buildings)

【形】bubble(*n.* 泡沫)

ruck [rʌk] *n.* 皱褶(crease; wrinkle); 普通群众(the multitude or mass)

rucksack ['rʌksæk] *n.* (旅行等的)背包(a kind of knapsack)

【记】词根记忆: ruck(=back 背)+sack(包)

ruddy ['rʌdi] *adj.* (脸色)红润的, 红色的(having a healthy red color)

【形】muddy(*adj.* 泥泞的); buddy(*n.* 好朋友)

rumble ['rʌmbl] *v.* 发出低沉的隆隆声音(to make a low heavy rolling sound)

【形】mumble(*v.* 低声说话); humble(*adj.* 谦卑的)

ruminate ['ruːmineit] *v.* 反刍; 深思(to turn sth. over in the mind; meditate)

【例】The owner *ruminated* about giving the workers a raise. (老板思考着要给工人提高工资。)

rustle ['rʌs(ə)l] *v.* (使某物)发出轻而爽的声音(to make slight sounds like silk moving or being rubbed together)

【记】可能来自rush(匆忙)+hustle(快做)

【参】hustle and bustle(熙熙攘攘)

rustler ['rʌslə] *n.* 偷牛(马)贼(a person who steals cattle, horses, etc.)

【记】词根记忆: rustle(沙沙声; 急忙)+r→急忙把牛赶走→偷牛贼

saccharine ['sækərain] *adj.* (态度)娇媚的; (说话声)娇滴滴的(overly or sickishly sweet)

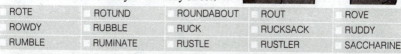

ROTE	ROTUND	ROUNDABOUT	ROUT	ROVE
ROWDY	RUBBLE	RUCK	RUCKSACK	RUDDY
RUMBLE	RUMINATE	RUSTLE	RUSTLER	SACCHARINE

【记】词根记忆：sacchar（糖）+ ine →（说话）像糖一样甜腻的 →（说话声）娇滴滴的

sack ［sæk］*n.* 粗布袋（a bag of coarse cloth）；*v.* 掠夺（to plunder or loot）

【例】Nazi armies *sacked* Europe's art galleries.（纳粹军队洗劫了欧洲的艺术博物馆。）

sacrament ［ˈsækrəmənt］*n.* 圣礼，圣事（any of certain rites instituted by Jesus）

【记】词根记忆：sacra（神圣）+ ment→圣礼

【同】sacrarium（*n.* 教堂内殿，圣堂）；sacrifice（*n.* 献祭，牺牲）；sacred（*adj.* 神圣的，庄严的）；sacrilege（*n.* 亵渎）

sadistic ［səˈdistik］*adj.* 施虐狂的（inclined to cruelty），性施虐狂的

【记】来自法国伯爵 Sade，是性虐待狂

safe* ［seif］*n.* 保险柜（a place or receptacle to keep articles〔as valuables〕safe）；冷藏室，饭橱

saga ［ˈsɑːgə］*n.* 英雄故事，长篇小说（any long story of adventure or heroic deeds）

【记】注意不要和 sage（*adj.*智慧的）相混

saliferous ［səˈlifərəs］*adj.* 含盐的，产盐的（producing or containing salt）

【记】词根记忆：sali（盐）+ fer（带有）+ ous → 含盐的

【同】saline（*adj.* 盐的）；desalinzation（*n.* 脱盐）

The important thing in life is to have a great aim, and the determination to attain it.

人生重要的事情就是确定一个伟大的目标，并决心实现它。

——德国诗人、戏剧家 歌德（Johan Goethe, German poet and dramatist）

Word List 47

sanatorium [ˌsænəˈtɔːriəm] *n.* **疗养院，休养所**（sanitarium; a quiet resort）
【记】词根记忆：sanat（治疗）+ orium（地方）→疗养院
【同】sanatory（*adj.* 有益健康的）

sangfroid [ˈsɔːŋˈfrwɑː] *n.* **沉着，临危不惧**（cool self-possession or composure）
【记】来自法语，原意为 cold blood；sang（血）+ froid（冷）

sanitary [ˈsænitəri] *adj.* **卫生的，清洁的**（in a clean, healthy condition; hygienic）
【记】词根记忆：sanit（=sanat 健康）+ ary →健康的，卫生的
【同】sanitizer（*n.* 消毒剂）；sanitation（*n.*［公共］卫生）

sapling [ˈsæpliŋ] *n.* **树苗**（a young tree）；**年轻人**（a young person）
【记】词根记忆：sap（树液）+ ling（小）→小树，树苗

sardonic [sɑːˈdɔnik] *adj.* **嘲笑的**（disdainfully sneering, ironic, or sarcastic）
【记】来自 sardinian plant（撒丁岛植物），据说吃后让人狂笑而死

satanic [səˈtænik] *adj.* **穷凶极恶的**（like Satan; devilish; infernal）
【记】来自 Satan（撒旦，与上帝作对的魔鬼）

sated [ˈseitid] *adj.* **厌腻的**（cloying with overabundance）
【记】sat + ed →老坐在那里使人厌腻→厌腻的

sated

scab [skæb] *n.* **创口上所结的疤、痂**（a crust that forms over a sore or wound）
【形】scad（*n.* 许多）；scar（*n.* 伤痕）

scabrous [ˈskeibrəs] *adj.* **粗糙的**（rough with small points or knobs; scabby）
【记】scab（疤）+ rous →有疤的，粗糙的

scads* [skædz] *n.* **大量，巨额**（a very large number or amount）
【记】注意不要和 scab（*n.* 痂，疤）相混
【反】paucity（*n.* 少量）

scald [skɔːld] *v.* 烫，用沸水消毒（to burn with hot liquid or steam）；*n.* 烫伤（an injury caused by scalding）

【例】He *scalded* his tongue on the hot coffee.（他喝热咖啡烫伤了舌头。）

scamper [ˈskæmpə] *v.* 奔跑，快跑（to run nimbly and playfully about）

【记】分拆联想：s（音似：死）+ camper（露营者）→ 露营者死（跑）→ 快跑

scan [skæn] *v.* 细查，细看（to examine by point-by-point observation or checking）；浏览，扫描（to glance from point to point of often hastily）；分析韵律（to read or mark so as to show metrical structure）

【记】谐音记忆：s（音似：死）+ can（音似：看）→ 死看，一直看 → 细看

scar [skɑː] *n.* 伤痕，伤疤（a mark remaining on the skin from a wound）

scare [skeə] *n.* / *v.* 惊吓，受惊，威吓（to frighten esp. suddenly）

【记】分拆联想：s + care（照顾）→ 照顾不好，受到惊吓

【同】frighten（*v.* 使惊吓）；affright（*v.* 惊吓）；alarm（*v.* 恐吓）；awe（*v.* 敬畏）

scarp [skɑːp] *n.* 悬崖，陡坡（steep slope；escarpment）

【记】分拆联想：scar（看做 scare 惊恐）+ p（看做 place 地方）→ 让人惊恐的地方 → 悬崖

scathe [skeið] *n.* / *v.* 损害；烧伤，烧焦（to do harm to；scorch；sear）；严厉批评（to excoriate）

sceptical [ˈskeptikəl] *adj.* 怀疑的，不相信的（of an attitude of doubt）

【记】通常写作 skeptical，scept（怀疑）+ ical

【同】sceptism（*n.* 怀疑主义）；sceptic（*n.* 怀疑者）

scintillate [ˈsintileit] *v.* 闪烁；（谈吐）流露机智（to emit sparks；to sparkle）

【记】词根记忆：scintill（火花）+ ate → 闪火花，闪烁

【同】scintilla（*n.* 火星）；scintillating（*adj.* 才华横溢的）

scission [ˈsiʒən] *n.* 切断，分离，分裂（a division or split in a group or union：schism）

【记】词根记忆：sciss（分开，分裂）+ ion → 分开，分裂

【反】unification（*n.* 统一）

scooter [ˈskuːtə] *n.* 滑行车，踏板车

scorching [ˈskɔːtʃiŋ] *adj.* 酷热的

【例】The slight haze presages another *scorching* day.（薄雾预示着明天又是酷热的一天。）

scour [ˈskauə] *v.* 擦洗，擦亮（to rub hard with a rough material for cleansing）；四处搜索（to go through or range over in a search）

SCALD	SCAMPER	SCAN	SCAR	SCARE
SCARP	SCATHE	SCEPTICAL	SCINTILLATE	SCISSION
SCOOTER	SCORCHING	SCOUR		

【例】They *scoured* the grounds for the missing keys.（他们四处搜寻丢失的钥匙。）

scramble [ˈskræmbl] *v.* 攀登 (to move or climb hastily); 争夺 (to struggle eagerly for possession of sth.)

【记】分拆联想：scr（看做 scale 攀登）+ amble（行走）→攀登

【例】*scramble* up the ladder（爬上梯子）

scrape [skreip] *v.* 刮擦，擦掉 (to remove from a surface by repeated strokes of an edged instrument)

【例】*scrape* the mud from one's boots（擦掉靴子上的泥）

screed [skriːd] *n.* 冗长的演说，长篇大论的文章（a lengthy discourse）

【记】可能来自 speech（*n.* 讲话）和 creed（*n.* 信条）的缩合

scrumptious [ˈskrʌmpʃəs] *adj.*（食物）很可口的（delightful; delicious）

【记】可能来自 scrump (*v.* 偷苹果)，偷来的苹果最好吃，所以 scrumptious 有"可口"的意思

scud [skʌd] *v.* 疾行，疾驶（to move or run swiftly）

【例】The boat *scudded* before the strong west wind.（船顶着猛烈的西风疾驶。）

scutter [ˈskʌtə] *v.* 疾走（to move in or as if in a brisk pace）

scuttle [ˈskʌtl] *n.* 舷窗，舱口盖（hatchway of a ship）

seafaring [ˈsiːfeəriŋ] *adj.* 航海的，跟航海有关的（of or relating to the use of the sea for travel or transportation）

【记】来自 seafarer（*n.* 水手，海员），sea（海）+ fare（过日子）+ r → 靠海生活的人

seclude [siˈkluːd] *v.* 和别人隔离（to isolate; shut off）

【记】词根记忆：se（分开）+ clude（关闭）→ 分开关闭 → 隔绝，隐居

【派】secluded（*adj.* 隐遁的，隔绝的）; seclusion（*n.* 隐遁，隔离）

sect [sekt] *n.*（宗教等）派系（a dissenting or schismatic religious body）

sedition [siˈdiʃən] *n.* 煽动叛乱（incitement of rebellion or resistance）

【记】词根记忆：sed（=se 分开）+ it（走）+ ion → 分开走 → 煽动叛乱

【同】itinerate（*v.* 巡回）

seditious [siˈdiʃəs] *adj.* 煽动性的（tending towards sedition）

self-abasement [ˌselfəˈbeismənt] *n.* 自卑，自谦 (degradation or humiliation of oneself, esp. because of feelings of guilt or inferiority)

【反】self-assertion（*n.* 自信）

self-absorbed [ˌselfəbˈsɔːbd] *adj.* 自恋的 (absorbed in one's own thoughts, activities, or interests)

self-assertion [ˌselfəˈsəːʃən] *n.* 坚持己见，自信 (the act of asserting oneself or one's own rights, claims, or opinions)

【记】其他 self 组词：self-consuming (*adj.* 自耗的)，self-contained (*adj.* 自制的)，self-content（*adj.* 自满的）

SCRAMBLE	SCRAPE	SCREED	SCRUMPTIOUS	SCUD
SCUTTER	SCUTTLE	SEAFARING	SECLUDE	SECT
SEDITION	SEDITIOUS	SELF-ABASEMENT	SELF-ABSORBED	SELF-ASSERTION

senile [ˈsiːnail] *adj.* 年老的 (of old age)
【记】词根记忆：sen (老) + ile → 年老的
【参】senior (*adj.* 年老的)

sensitize [ˈsensitaiz] *v.* 使某人或某事物敏感 (to make sb. / sth. sensitive)
【记】词根记忆：sens (感觉) + itize → 使某事物或某人敏感

sensual [ˈsensjuəl] *adj.* 肉欲的，淫荡的 (carnal)
【记】词根记忆：sens (感觉) + ual→肉欲的

sententious [senˈtenʃəs] *adj.* 好说教的 (abounding in excessive moralizing); 简要的 (terse; pithy)
【记】来自 sentence (句子) + tious → 一句话说完 → 简要的

sentry [ˈsentri] *n.* 哨兵，步哨 (a soldier standing guard)
【记】词根记忆：sent (感觉) + ry → 感觉灵敏的人 → 哨兵

sequacious [siˈkweiʃəs] *adj.* 盲从的 (intellectually servile)
【记】词根记忆：sequ (跟随) + acious (多…)→盲从的

sequela [siˈkwiːlə] *n.* 后继者 (sth. that happens as a result of a previous event); 后遗症 (an aftereffect of disease, condition, or injury)
【记】词根记忆：sequ (后继) + ela → 后继者，后遗症

sequestrate [siˈkwestreit] *v.* 扣押，没收 (to place property in custody)

serenade [ˌseriˈneid] *n.* 夜曲 (a complimentary vocal or instrumental performance)
【记】词根记忆：seren (安静) + ade → 夜曲
【同】serene (*adj.* 安详的，宁静的)

serendipity [ˌserənˈdipiti] *n.* 善于发掘新奇事物的天赋 (the ability to find valuable or agreeable things)
【记】出自 18 世纪英国作家 Horace (荷拉斯) 的童话故事 The Three Princes of Serendip，书中主人公具有随处发现珍宝的本领
【派】serendipitous (*adj.* 偶然发现的)

serendipity
地下有珠宝！

serfdom [ˈsəːfdəm] *n.* 农奴身份，农奴境遇 (conditions of a serf's life)
【记】serf (农奴) + dom → 农奴身份，农奴境遇

sermonize [ˈsəːmənaiz] *v.* 说教，讲道 (to compose or deliver a sermon)
【记】sermon (布道) + ize→说教，讲道
【参】homiletics (*n.* 布道学)

serpentine [ˈsəːpəntain] *adj.* 似蛇般绕曲的，蜿蜒的 (winding or turning one way or another)
【记】serpent (蛇) + ine → 像蛇一样的

serpentine

shabby [ˈʃæbi] *adj.* 破烂的 (dilapidated); 卑鄙的 (despicable; contemptible)
【例】a *shabby* armchair (破旧的扶手椅)

SENILE	SENSITIZE	SENSUAL	SENTENTIOUS	SENTRY
SEQUACIOUS	SEQUELA	SEQUESTRATE	SERENADE	SERENDIPITY
SERFDOM	SERMONIZE	SERPENTINE	SHABBY	

shack [ʃæk] *n.* 简陋的小屋，棚屋（hut; shanty）
【记】shackle（*n.* 镣铐）去掉 le 便成 shack

shanty [ˈʃænti] *n.* 简陋的小木屋（a small crudely built dwelling or shelter）
【参】shack（*n.* 小木屋）

shawl [ʃɔːl] *n.*（妇女用）披肩（a covering for the head or shoulders）

sheaf [ʃiːf] *n.* 一捆，一束（a bundle）
【例】She stands after a *sheaf* of lilies.（她站在一束百合花后面。）

sheen [ʃiːn] *n.* 光辉，光泽（a bright or shining condition）
【例】The moon laid a brilliant *sheen* across the water.（月亮在水面上洒下粼粼波光。）

shibboleth [ˈʃibəleθ] *n.* 陈旧语句（truism; platitude）
【记】此词源自《圣经》，用于区别逃亡的厄弗雷姆人，若不会发音，而读作 siboleth，必是厄弗雷姆人，即被拿住杀死；谐音："稀巴烂诗"

shimmer [ˈʃimə] *v.* 闪烁，微微发亮（to shine with a soft tremulous light; glimmer）
【记】分拆联想：shi（看做 she）+ mmer（看做 summer）→ 她站在夏天的夜空下看星星闪烁发光

shipwright [ˈʃiprait] *n.* 造船者（a carpenter skilled in ship construction）
【记】组合词：ship（船）+ wright（建造人，制作者）→ 造船者
【参】cartwright（*n.* 造车匠）

showy [ˈʃəui] *adj.* 俗艳的（gaudy）；炫耀的（flashy）

shred [ˈʃred] *n.* 碎片，破布（a long narrow strip cut or torn off）；些许（small amount of sth.）；*v.* 撕碎（to cut off）

shrivel [ˈʃrivl] *v.*（使）枯萎（to draw into wrinkles esp. with a loss of moisture）

shuffle [ˈʃʌfl] *v.* 拖步走；支吾（to act or speak in an evasive manner）；洗牌
【参】reshuffle（*n.* / *v.* 重新改组）

shuttle [ˈʃʌtl] *v.*（使）穿梭移动，往返运送（to cause to move or travel back and forth frequently）

sidesplitting [ˈsaidsplitiŋ] *adj.* 令人捧腹大笑的（extremely funny）
【记】组合词：side（旁边）+ split（分开）+ ting →（笑得）浑身散架

sidle [ˈsaidl] *v.*（偷偷地）侧身而行（to go one side foremost in a furtive advance）
【记】来自 side（旁边）+ le → 用侧面走→侧身而行

signatory [ˈsignətəri] *n.* 签署者，签署国（any of the signers of an agreement）

signature [ˈsignitʃə] *n.* 签名，签字（person's name written by himself）
【记】sign（符号）+ ature → 做记号 → 签名，签字

simian [ˈsimiən] *adj.* 猿的，猴的（resembling apes）；*n.* 猴，类人猿（monkey, ape）

SHACK	SHANTY	SHAWL	SHEAF	SHEEN	SHIBBOLETH
SHIMMER	SHIPWRIGHT	SHOWY	SHRED	SHRIVEL	SHUFFLE
SHUTTLE	SIDESPLITTING	SIDLE	SIGNATORY	SIGNATURE	SIMIAN

【记】来自 simi （=simil 相似的）+ an → 和人类相似的动物 → 猿，猴

simile ['simili] *n.* 明喻（[use of] comparison of one thing with another）

【记】词根记忆：simil （相类似的）+ e → 把相类似的事物做比较 → 明喻

sinister ['sinistə] *adj.* 不吉祥的（presaging ill fortune）；险恶的（singularly evil）

【记】词根记忆：sinist （左边的）+ er，罗马占卜时，视左侧出现的征兆为不吉祥

【同】sinistral（*adj.* 左边的）；sinistrorse（*adj.* 左旋的）

sizzler ['sizlə] *n.* 炎热天气，大热天（scorcher）

【记】象声词：sizzle （烤得嗞嗞作声）+ r → 被太阳烤得嗞嗞响 → 大热天

skein [skein] *n.* 一束（线或纱）（a loosely coiled length of yarn or thread）

【例】a *skein* of wool（一束毛线）

skittish ['skitiʃ] *adj.* 轻浮的，轻佻的（capricious；frivolous；not serious）

skullduggery [skʌl'dʌgəri] *n.* 舞弊（underhanded or unscrupulous behavior）

【记】分拆联想：skull（头颅，脑袋）+ dug（挖）+ gery → 挖脑袋 → 想方设法作假→舞弊

skunk [skʌŋk] *n.* 臭鼬，黄鼠狼；*v.* 欺骗（to cheat）

skyrocket ['skaiˌrɔkit] *v.* 陡升，猛涨（to shoot up abruptly）

【记】组合词：sky + rocket（火箭）

slapdash ['slæpdæʃ] *adv.* / *adj.* 马虎地（的）（haphazard；slipshod）

【记】组合词：slap（拍打）+ dash（溅）→ 拍打把水溅出来 → 马虎地（的）

slaver* ['sleivə] *v.* 流口水（to drool）；奉承（to fawn）；*n.* 口水（saliva）

slay [slei] *v.* 杀，残杀（to kill violently or in great numbers）

【记】和 stay（*v.* 停留）一起记

sleazy ['sliːzi] *adj.* 邋遢的；格调低下的 （shabby and dirty；flimsy；insubstantial）

【例】They took me to a *sleazy* back street hotel.（他们把我带到一个邋遢的小街旅馆。）

sledge [sledʒ] *n.* 雪橇（large sled drawn by work animals）

【参】sleigh（*n.* [马拉的] 雪橇）

sledgehammer ['sledʒˌhæmə] *n.* 长柄大锤 （a large heavy hammer that is wielded with both hands）

【记】组合词：sledge（雪橇）+ hammer（锤子）→ 柄长得像雪橇一样的锤子

sleight [slait] *n.* 巧妙手法，巧计；灵巧（dexterity；skill）

【记】分拆联想：sl（看做 sly 狡猾）+ eight → 八面玲珑 → 巧计

sling [sliŋ] *v.* 投掷，扔（to cast）；*n.* 吊腕带，吊索

SIMILE	SINISTER	SIZZLER	SKEIN	SKITTISH	SKULLDUGGERY
SKUNK	SKYROCKET	SLAPDASH	SLAVER	SLAY	SLEAZY
SLEDGE	SLEDGEHAMMER	SLEIGHT	SLING		

slit [slit] *v.* 撕裂 (to sever); *n.* 裂缝 (a long narrow cut or opening)
【参】split (*v.* / *n.* 分裂); slice (*v.* 切开)

slobber [ˈslɔbə] *n.* 口水 (saliva drooled from the mouth); *v.* 流口水；粗俗地表示

sloven [ˈslʌvən] *n.* 不修边幅的人 (one habitually negligent of neatness or cleanliness)

slue [sluː] *v.* (使)旋转 (to rotate; slew)
【记】slew (旋转) 的变体

slump [slʌmp] *v.* 猛然落下 (to fall or sink suddenly); 暴跌
【例】Circulation *slumped* and the magazine closed. (发行额遽然下降，杂志停办。)

smirch [sməːtʃ] *v.* 玷污 (to make dirty, stained, or discolored); *n.* 污点
【形】birch (*n.* 桦树); smirk (*n.* / *v.* 假笑，得意地笑)

snappish [ˈsnæpiʃ] *adj.* 脾气暴躁的 (arising from annoyance or irascibility)
【记】snap (劈啪声，折断) + pish→脾气暴躁的

snappy [ˈsnæpi] *adj.* 精力充沛的 (marked by vigor or liveliness); 潇洒的 (stylish, smart)

snicker [ˈsnikə] *v.* / *n.* 窃笑，暗笑 (suppressed laugh)

snob* [snɔb] *n.* 势利小人

snuggle [ˈsnʌgl] *v.* 挨近，依偎 (to draw close for comfort or in affection)
【记】snug (温暖的) + gle
【参】nestle (*v.* 依偎)

sociable [ˈsəuʃəbl] *adj.* 好交际的，友好的，合群的 (fond of the company of other people; friendly)
【记】词根记忆：soci (结交) + able → 好交际的

sojourn [ˈsɔdʒəːn] *v.* / *n.* 逗留；寄居 (a temporary stay)
【记】分拆联想：so + journ (=journey 旅行) → 旅行到此 → 逗留

somnolent [ˈsɔmnələnt] *adj.* 思睡的 (drowsy); 催眠的 (likely to induce sleep)
【记】词根记忆：somn (睡) + olent → 多睡的，思睡的
【同】insomnia (*n.* 失眠症)

sonorous [səˈnɔrəs] *adj.* (声音)洪亮的 (full or loud in sound)
【记】词根记忆：son (声音) + orous → 声音洪亮的
【同】sonority (*n.* 响亮，洪亮)

souse [saus] *v.* 浸在水中，使湿透 (to immerse; drench; saturate)
【例】He *soused* my head and ears into a pail of water. (他把我的整个头浸在一桶水中。)

SLIT	SLOBBER	SLOVEN	SLUE	SLUMP	SMIRCH
SNAPPISH	SNAPPY	SNICKER	SNOB	SNUGGLE	SOCIABLE
SOJOURN	SOMNOLENT	SONOROUS	SOUSE		

spacious [ˈspeiʃəs] *adj.* 广阔的，宽敞的（vast or ample in extent）
【记】词根记忆：spac（=space 地方）+ ious（多…的）；注意不要和 specious（*adj.* 似是而非的）相混

spangle [ˈspæŋgl] *n.*（缝在衣服上的）金属片；*v.* 闪光（to glitter, sparkle）
【例】Her evening dress was covered with *spangles*.（她的晚礼服上到处都装饰着亮晶晶的金属片。）

spasmodic [spæzˈmɔdik] *adj.* 痉挛的（of a spasm）；间歇性的（intermittent）
【例】His interest in painting is *spasmodic*.（他对绘画的兴趣是一阵一阵的。）

speleology [ˌspiliˈɔlədʒi] *n.* 洞窟学（the scientific study or exploration of caves）
【记】词根记忆：spele（洞穴）+ ology（学科）→ 洞窟学
【同】spelaean（*adj.* 洞穴的；穴居的）；spelunker（*n.* 洞穴探索者）

splashy [ˈsplæʃi] *adj.* 溅水的；炫耀显眼的（making or likely to make splashes; exhibiting ostentatious display）
【记】来自 splash（溅水；显著地展示）+ y

spool [spuːl] *n.*（缠录音带等的）卷盘（轴）
【例】We need an hour long *spool* to record the speech.（我们需要一个小时的录音带来录演讲。）

spoor [spuə] *n.*（野兽的）足迹，臭迹（a trail, a scent, or droppings of a wild animal）

spout [spaut] *v.* 喷出（to eject in a stream）；滔滔不绝地讲（to speak readily）
【记】分拆联想：sp（看做 speak）+ out（出）→ 滔滔不绝讲出来

sprawl [sprɔːl] *v.* 伸展手脚而卧（to lie or sit with arms and legs spread out）
【形】scrawl（*v.* 潦草地写）；crawl（*v.* 爬）
【派】sprawling（*adj.* 蔓生的）

sprint [sprint] *v.* 短距离全速奔跑（to run at top speed for a short distance）
【记】分拆联想：s + print（印刷）→ 像印刷一样快

spunk [spʌŋk] *n.* 勇气，胆量（mettle; pluck）
【例】She got her *spunk* up and left the country.（她鼓起勇气，离开了这个国家。）

spurn [spəːn] *n.* 拒绝，摈弃（disdainful rejection）
【记】分拆联想：spur（刺激）+ n（看做 no）→ 不再刺激，不再鼓励 → 拒绝，摈弃

squeamish [ˈskwiːmiʃ] *adj.* 易受惊的，易恶心的（easily shocked or sickened）

stab [stæb] *v.* 刺伤，戳（to thrust with a pointed weapon）
【例】*stab* a person with a dagger（用匕首刺伤人）

stagger [ˈstægə] *v.* 蹒跚，摇晃（to move on unsteadily）

stagy [ˈsteidʒi] *adj.* 不自然的，演戏一般的（marked by pretense or artificiality）
【记】词根记忆：stag（=stage 舞台）+ y→演戏一般的

SPACIOUS	SPANGLE	SPASMODIC	SPELEOLOGY	SPLASHY	SPOOL
SPOOR	SPOUT	SPRAWL	SPRINT	SPUNK	SPURN
SQUEAMISH	STAB	STAGGER	STAGY		

standstill [ˈstændstil] *n.* **处于停顿状态，中止**（condition of no movement）
【记】组合词：stand（站立）+ still（静止的）→ 站着不动 → 处于停顿状态

star-crossed [ˈstɑːˈkrɔst] *adj.* **时运不济的**（ill-fated）

stash [stæʃ] *v.* **藏匿，隐藏**（to store in a secret place for future use）
【记】分拆联想：st（看做 stay）+ ash（灰）→ 放在灰里 → 藏匿

steeple [ˈstiːpl] *n.* **尖塔，尖阁**（a tall structure having a small spire）
【记】steep（陡峭的）+ le→尖塔

stoop [stuːp] *v.* **俯身**（to bend the body）；**降低身份**（to descend from a superior rank）
【例】Don't *stoop* to argue with him.（别降低身份和他争吵。）

stouthearted [ˌstautˈhɑːtid] *adj.* **刚毅的，大胆的**（brave or resolute）
【记】组合词：stout（勇敢的，坚决的）+ heart（心）+ ed → 刚毅的，大胆的
【参】warmhearted（*adj.* 热心肠的）

straggle [ˈstrægl] *v.* **迷路**（to stray）；**落伍**（to drop behind）；**蔓延**（to grow or spread in a messy way）
【记】联想记忆：迷路（straggle）了所以在苦苦挣扎（struggle）

strangulation [ˌstræŋgjuˈleiʃn] *n.* **扼杀，勒死**（the action or process of strangling or strangulating）
【记】来自 strangle（扼杀，抑制）+ ulation；把 strangle 和 strange（*adj.* 陌生的）一起记

studio [ˈstjuːdiəu] *n.* **工作室，画室，演播室**（the working place of a painter, sculptor, or photographer）

stun [stʌn] *v.* **使晕倒，使惊吓，打晕**（to make senseless, groggy, or dizzy by or as if by a blow）
【记】发音记忆：发音像猛击声"当" → 把人打晕，使晕倒

stupefy [ˈstjuːpifai] *v.*（使）**茫然，吓呆**（to astonish; astound）
【记】词根记忆：stup（笨，呆）+ efy → 吓呆
【同】stupid（*adj.* 愚笨的）；stupor（*n.* 昏迷）

stupendous [stju(ː)ˈpendəs] *adj.* **巨大的，大得惊人的**（of amazing size or greatness; tremendous）
【记】词根记忆：stup（吃惊）+ endous → 惊人的
【例】a *stupendous* achievement（惊人的成就）

sublimate [ˈsʌblimeit] *v.*（使）**升华，净化**（to sublime）
【记】来自 sublime（*v.* 崇高）+ ate

STANDSTILL	STAR-CROSSED	STASH	STEEPLE	STOOP
STOUTHEARTED	STRAGGLE	STRANGULATION	STUDIO	STUN
STUPEFY	STUPENDOUS	SUBLIMATE		

subscribe [səb'skraib] *v.* 捐助（to give sth. in accordance with a promise）；订购（to enter one's name for a publication or service）
【记】词根记忆：sub（下面）+ scribe（写）→ 签署，写下订单 → 订购
【例】*subscribe* a large sum to the flood relief fund（捐一大笔钱给抗洪救灾基金会）；*subscribe* a journal（订刊物）

subsist [səb'sist] *v.* 生存下去（to exist）；继续存在，维持生活
【记】词根记忆：sub（下面）+ sist（站）→ 站下去，活下去
【派】subsistence（*n.* 生存，生计）
【参】existence（*n.* 存在）；livelihood（*n.* 生计）

substratum [ˌsʌb'strɑːtəm] *n.* 基础；地基（an underlying support；foundation）
【记】词根记忆：sub（下面）+ stratum（层次）→ 下面一层 → 基础

subvention [səb'venʃən] *n.* 补助金，津贴（the provision of assistance or financial support）
【记】词根记忆：sub（下面）+ vent（来）+ ion → 底层援助 → 补助金

sully ['sʌli] *v.* 玷污，污染（to make soiled or tarnished；defile）
【例】*sully* sb.'s reputation（玷污某人的名声）

sundry ['sʌndri] *adj.* 各式各样，各种的（miscellaneous；various）
【记】组合词：sun（太阳）+ dry（干）→ 太阳晒干各种东西→各式各样的

superannuated [ˌsjuːpə'rænjueitid] *adj.* 老迈的（incapable or disqualified for active duty by advanced age）
【记】词根记忆：super（超过）+ annu（年）+ ated→老迈的

superlative [sjuː'pəːlətiv] *adj.* 最佳的（surpassing all others；supreme）
【记】词根记忆：super（在…上面）+ lat（放）+ ive → 放在别的上面 → 最好的，最佳的

superstition [ˌsjuːpə'stiʃən] *n.* 迷信，盲目恐惧
【记】词根记忆：super（超过）+ stit（站）+ ion → 超越人理智的东西 → 迷信

If you want to understand today, you have to search yesterday.
想要懂得今天，就必须研究昨天。
——美国女作家 赛珍珠（Pearl Buck, American female writer）

Word List 48

surveillance [sə:ˈveiləns] *n.* 监视，盯梢（close observation of a person）

【例】The police have been keeping her under *surveillance*.（警察一直监视着她。）

swank [swæŋk] *v.* 夸耀，炫耀（to show；swagger, boast）

【记】分拆联想：swan（天鹅）+ k → 像天鹅一样炫耀

swarm [swɔ:m] *n.*（蜜蜂）一群；一群（人）（a great number of animate or inanimate things；throng）

【例】a *swarm* of insects（一群昆虫）；*swarms* of sightseers（一群观光者）

swarthy [ˈswɔ:ði] *adj.*（皮肤等）黝黑的（of a dark color, complexion or cast）

【例】*swarthy* complexion（黝黑的肤色）

swear [sweə] *v.* 诅咒（to use profane or obscene language）

swipe [swaip] *n.* / *v.* 猛击（to hit with a sweeping motion）

【记】分拆联想：s + wipe（擦）→ 死擦猛打→猛击

symposium [simˈpəuziəm] *n.* 专题讨论会（small conference for discussion of a particular subject）

【记】词根记忆：sym（共同）+ pos（放）+ ium → 把问题放在一起讨论 → 研讨会

tack [tæk] *n.* 大头钉，图钉 （a small short sharp pointed nail having a broad flat head）

【形】tact（*n.* 机智）；hack（*v.* 砍）；rack（*n.* 行李架）

tarry [ˈtɑ:ri] *v.* 徘徊；耽搁（to linger；delay in starting or going；dawdle）

【例】*tarry* a while at this charming country inn （在这个迷人的乡村酒店逗留一会儿）

tattered [ˈtætəd] *adj.* 衣衫褴褛的 （wearing ragged clothes）；破旧的（dilapidated）

【记】tatter（破布条）+ ed→衣衫褴褛的

□ SURVEILLANCE	□ SWANK	□ SWARM	□ SWARTHY	□ SWEAR
□ SWIPE	□ SYMPOSIUM	□ TACK	□ TARRY	□ TATTERED

tautological [ˌtɔːtəˈlɔdʒikəl] *adj.* 用语重复的 (containing needless repetition of an idea; redundant)
【记】词根记忆：tauto (同一) + log (话语) + ical → 相同的话语 → 冗赘的

teem [tiːm] *v.* 充满 (to abound); 到处都是 (to be present in large quantity); 下倾盆大雨
【例】This river *teems* with fish. (河中满是鱼。) It was *teeming* down and we all got soaked up. (雨倾盆而下，我们浑身都湿透了。)

teem

teetotal[*] [tiːˈtəutl] *adj.* 滴酒不沾的 (completely abstinent from alcoholic drinks)
【记】来自英国戒酒运动拥护者 Turner 在 1833 年戒酒演讲中的 total 一词的口吃谐音 teetotal

tendinous [ˈtendinəs] *adj.* 腱的 (consisting of tendons)
【记】来自 tendo (*n.* 腱)

tensile [ˈtensail] *adj.* 张力的，可伸展的 (capable of being stretched)

thespian [ˈθespiən] *adj.* 戏剧的，演戏的 (relating to drama; dramatic)
【记】来自古希腊悲剧创始者 Thespis (泰斯庇斯)

thorny [ˈθɔːni] *adj.* 多刺的 (full of thorns); 痛苦的，困难的 (full of difficulties or controversial points)
【记】thorn (刺) + y → 多刺的

thrall [ˈθrɔːl] *n.* 奴隶，农奴 (a servant slave; bondman)
【记】注意 thrall 构词，如：enthrall (*v.* 迷住，吸引住)

thrash [θræʃ] *v.* 鞭打 (to beat soundly with a stick or whip)
【记】分拆联想：th + rash (急躁的) → 因急躁而鞭打别人

thresh [θreʃ] *v.* 打谷，脱粒 (to beat cereal plants with a machine or flail to separate the grains from the straw)

thrifty [ˈθrifti] *adj.* 节省的 (marked by economy and good management)
【记】来自 thrift (*n.* 节约)

throes [θrəuz] *n.* 剧痛 (pang; violent anguish)

throttle [ˈθrɔtl] *v.* 掐脖子 (to choke); 扼杀 (to suppress); *n.* 节流阀 (a valve for regulating the supply of a fluid to an engine)
【记】词根记忆：throt (=throat 喉) + tle → 掐脖子

timeworn [ˈtaimwɔːn] *adj.* 陈旧的，老朽的 (hackneyed, stale)
【记】组合词：time (时间) + worn (陈旧的) → 老朽的

tinge [tindʒ] *v.* 染色 (to apply a trace of color to); 使带气息 (to affect or modify with a slight odor or taste)
【反】tinged (*adj.* 染色的) 〈〉 colorless (*adj.* 无色的)

TAUTOLOGICAL	TEEM	TEETOTAL	TENDINOUS	TENSILE
THESPIAN	THORNY	THRALL	THRASH	THRESH
THRIFTY	THROES	THROTTLE	TIMEWORN	TINGE

tipple [ˈtipl] *v.* 酗酒 (to drink alcoholic beverages frequently); *n.* 烈酒 (alcoholic drink)

【例】He started *tippling* when his wife left him. (老婆离开他后，他开始酗酒。)

topsy-turvy [ˌtɔpsiˈtəːvi] *adj.* 颠倒的，相反的 (with the top or head downward); 乱七八糟的，混乱的 (in utter confusion or disorder)

torpedo [tɔːˈpiːdəu] *n.* 鱼雷 (underwater explosive apparatus)

torrid* [ˈtɔrid] *adj.* 酷热的 (hot)

【记】词根记忆：torr (热) + id → 酷热的

torso [ˈtɔːsəu] *n.* (人体的) 躯干 (the human trunk); 躯干像

torture [ˈtɔːtʃə] *n.* 酷刑，折磨 (the infliction of intense pain to punish, coerce); *v.* 对…施以苦刑 (to cause intense suffering to; torment)

【记】词根记忆：tort (扭) + ure → 扭打，折磨

【例】put sb. to *torture* (拷问某人)

touching [ˈtʌtʃiŋ] *adj.* 引起同情的 (causing a feeling of pity or sympathy)

touchstone [ˈtʌtʃstəun] *n.* 试金石 (stone used to test the fineness of gold alloys); 检验标准 (criterion; standard)

tousle [ˈtauz(ə)l] *v.* 弄乱 (头发) (to dishevel; rumple)

【记】来自 touse (吵闹，弄乱) + le

traduce [trəˈdjuːs] *v.* 中伤，诽谤 (to slander or defame)

【记】词根记忆：tra (=trans 横) + duce (引导) → 往歪里引导 → 诽谤

trammel [ˈtræməl] *v.* / *n.* 束缚，妨碍 (to enmesh, prevent or impede); *n.* 鱼网

tramp [træmp] *v.* 重步走，长途跋涉 (to walk, tread, or step heavily)

【例】I have *tramped* all day. (我长途跋涉了一整天。)

transfuse [trænsˈfjuːz] *v.* 输血 (to transfer blood into a vein of a person); 充满 (to permeate)

【记】词根记忆：trans (通过) + fuse (流) → 流到另一边 → 输血

trawl [trɔːl] *n.* 拖网; *v.* 用拖网捕鱼 (to fish with a trawl); 搜罗

【例】As a result of a nationwide *trawl*, twenty actors were enlisted. (经在全国范围内搜罗，终于招募了 20 名演员。)

treachery [ˈtretʃəri] *n.* 阴险; 背叛 (violation of allegiance; treason)

【记】词根记忆：treach (=trick 诡计) + ery→阴险; 背叛

tread* [tred] *v.* 踩踏 (to put one's foot when walking); *n.* 步履; 车轮胎面

treasurer [ˈtreʒərə] *n.* 司库，财务员，出纳员 (an officer entrusted with the receipt, care, and disbursement of funds)

【记】来自 treasure (*n.* 财宝，珍品)

trek [trek] *v.* 艰苦跋涉 (to make one's way arduously)

【例】We *trekked* for five days along the banks of the Yellow River. (我们沿着黄河跋涉了五天。)

TIPPLE	TOPSY-TURVY	TORPEDO	TORRID	TORSO	TORTURE
TOUCHING	TOUCHSTONE	TOUSLE	TRADUCE	TRAMMEL	TRAMP
TRANSFUSE	TRAWL	TREACHERY	TREAD	TREASURER	TREK

tremulous [ˈtremjuləs] *adj.* 颤动的，不安的（quivering and timid）
【例】the *tremulous* flutter of young leaves（嫩叶的颤动）

trench [trentʃ] *n.* 沟，壕沟（a long cut in the ground; ditch）
【记】注意构词：entrenched（*adj.* 牢固的，确立的）

tresses [ˈtresiz] *n.*［复］女人的长发（the long unbounded hair of a woman）
【例】A hat covered her golden *tresses*.（一顶帽子盖住了她的一头金发。）

tribulation [ˌtribjuˈleiʃən] *n.* 苦难，灾难（distress or suffering from oppression or persecution）
【记】词根记忆：tribul（给予）+ ation → 上天给予的（惩罚）→ 灾难

tributary [ˈtribjutəri] *n.* / *adj.* 支流（的）（[of] a stream feeding a larger stream）；进贡（的）（a ruler or state that pays tribute to conqueror）

trickery [ˈtrikəri] *n.* 欺骗，诡计（deception; cheating）
【记】来自 trick（*n.* 诡计）

trident [ˈtraidənt] *n.* 三叉戟；三叉鱼叉（three-pronged spear）

trivia* [ˈtrivjə] *n.* 琐事，无价值之物（trivial facts or details）
【记】词根记忆：tri（三）+ via（路）→ 三条路 → 同时做三件小事

truant [ˈtruːənt] *adj.* 逃避责任的（shirking responsibility）；*n.* 逃学者，逃避者（one who shirks duty）
【反】dutiful（*adj.* 尽职尽责的）

truism [ˈtruːizm] *n.* 自明之理，真理（an undoubted or self-evident truth）
【记】词根记忆：tru（=truth 真理）+ ism → 真理

trumpery [ˈtrʌmpəri] *adj.* 中看不中用的（showy but of little value）
【记】来自 trump（牌戏中的王牌）+ ery

tumid [ˈtjuːmid] *adj.* 肿起的，肿胀的（swollen; enlarged）
【记】词根记忆：tum（肿）+ id → 肿的
【同】tumor（*n.* 肿块）；tumefacient（*adj.* 引起肿胀的）

tundra [ˈtʌndrə] *n.* 冻原，苔原（rolling treeless plain in Siberia and arctic North America）

tutelage [ˈtjuːtilidʒ] *n.* 监护，指导（an act or process of serving as guardian or protector）
【记】词根记忆：tut（教导，监督）+ el + age → 监护
【同】tutor（*n.* 家庭教师，导师）；tutee（*n.* 受辅导者）

twaddle [ˈtwɔdl] *n.* 胡说八道，瞎扯（silly idle talk; drivel）
【记】分拆联想：t（看做 talk）+ waddle（蹒跚而行）→ 一边讲话一边摇摆着走路 → 瞎扯

trickery
卖宝石！
100元
truant
学校
tutelage
老师

TREMULOUS	TRENCH	TRESSES	TRIBULATION	TRIBUTARY
TRICKERY	TRIDENT	TRIVIA	TRUANT	TRUISM
TRUMPERY	TUMID	TUNDRA	TUTELAGE	TWADDLE

tycoon [taiˈkuːn] *n.* 有钱有势的企业家，大亨 (a businessman of exceptional wealth and power; magnate)
【记】发音记忆："太酷"→有钱的大亨当然很酷

typhoon [taiˈfuːn] *n.* 台风(tropical hurricane or cyclone)

ulcerate [ˈʌlsəreit] *v.* 溃烂，生恶疮(to affect with an ulcer)
【记】词根记忆：ulcer(溃疡)+ate→溃烂

ulterior [ʌlˈtiəriə] *adj.* 较晚的，较远的 (more distant; further)；不可告人的(beyond what is obvious)
【记】词根记忆：ult(高，远)+erior→较远的
【参】superior(*adj.* 高级的)；inferior(*adj.* 自卑的，下等的)

ultramundane [ˌʌltrəˈmʌndein] *adj.* 超俗的，世界之外的
【记】词根记忆：ultra(超出，极端)+mundane(世俗的)→超俗的

unbidden [ˌʌnˈbidn] *adj.* 未经邀请的(unasked; uninvited)
【记】un(不)+bidden(被邀请的)→未经邀请的

unbridled [ˌʌnˈbraidld] *adj.* 放纵的(violent; uncontrolled)
【例】His *unbridled* tongue has often got him into trouble. (他口无遮拦，经常惹麻烦。)

uncooperative [ˌʌnkəuˈɔpərətiv] *adj.* 不愿合作的 (not willing to cooperate with others)
【记】un(不)+cooperative(合作的)→不愿合作的

undisputable [ˌʌndisˈpjuːtəbl] *adj.* 无可争辩的，毫无疑问的(not questioned or doubted about)
【记】un(不)+disputable(真假可疑的)→无可争辩的

undulate [ˈʌndjuleit] *v.* 波动，起伏(to form or move in waves; fluctuate)
【记】词根记忆：undu(波浪)+late(看做lake湖)→湖里的波浪在波动、起伏

unexceptional [ˌʌnikˈsepʃənl] *adj.* 非例外的，普通的，平凡的 (not out of the ordinary)
【记】un(不)+exceptional(例外的，异常的)→非例外的，普通的

unilateral [ˌjuːniˈlætərəl] *adj.* 单方面的(one sided; affecting only one side)

unison [ˈjuːnisn] *n.* 齐奏，齐唱；一致的或协调的行动(complete accord)

upfront [ˈʌpfrʌnt] *adj.* 坦率的 (very direct and making no attempt to hide one's meaning)
【记】up(向上)+front(前面)→把所有都表现出来→坦率的

upstart [ˈʌpstɑːt] *n.* 突然升官的人 (one that has risen suddenly)，暴发户(parvenu)
【记】up+start(开始)→开始向上→突然升官的人
【例】an *upstart* family(暴发户)

upsurge [ʌpˈsəːdʒ] *n.* (情绪)高涨(a rapid or sudden rise)
【记】组合词：up+surge(浪潮)→浪潮向上→高涨

TYCOON	TYPHOON	ULCERATE	ULTERIOR	ULTRAMUNDANE	UNBIDDEN
UNBRIDLED	UNCOOPERATIVE	UNDISPUTABLE	UNDULATE	UNEXCEPTIONAL	UNILATERAL
UNISON	UPFRONT	UPSTART	UPSURGE		

uptight [ˈʌpˈtait] *adj.* 焦虑不安的 (being tight; nervous; uneasy)
【记】组合词：up + tight（紧的）→ 心情紧张的

urchin [ˈəːtʃin] *n.* 顽童 (mischievous child); 〔动物〕海胆

ursine [ˈəːsain] *adj.* 熊的，像熊的 (of or relating to a bear)
【记】词根记忆：urs（熊）+ ine → 熊的
【参】Ursa Major（大熊星座）

utensil [juː(ː)ˈtensl] *n.* 工具，（厨房）用具 (an implement, instrument, or vessel used in a household kitchen)
【记】词根记忆：ut（用）+ ensil → 用品 → 工具

uxorious [ʌkˈsɔːriəs] *adj.* 宠爱妻子的 (excessively fond of or submissive to a wife)
【记】词根记忆：uxor（妻子）+ ious → 爱妻子的
【同】uxoricide (*n.* 杀妻); uxorial (*adj.* 妻子的)

vagabond [ˈvægəbənd] *n.* 浪荡子，流浪者 (tramp); *adj.* 流浪的
【记】词根记忆：vag（走，流浪）+ a + bond → 流浪者
【同】vague (*adj.* 含糊的); vagrant (*n.* 流浪者)

valetudinarian [ˌvælitjuːdiˈneəriən] *n.* 体弱的人，过分担心生病的人
【记】词根记忆：valetud（健康状态）+ inarian（担心的人）→ 担心健康的人→体弱的人

valor* [ˈvælə] *n.* 勇武，英勇 (bravery, esp. in war)
【记】词根记忆：val（强壮的）+ or → 勇武，英勇

vampire [ˈvæmpaiə] *n.* 吸血鬼 (one who lives by preying on others)
【记】词根记忆：vamp（勾引男子的女人）+ ire → 勾引以便吸血 → 吸血鬼

vanguard [ˈvængɑːd] *n.* 前卫 (the troops moving at the head of an army)
【记】组合词：van（前部）+ guard（卫士）→ 前卫

vegetate [ˈvedʒiteit] *v.* 像植物般生活；无所事事 (to lead a passive existence without exertion of body or mind)
【记】词根记忆：veget（植物）+ ate → 像植物般无所事事
【同】vegetable (*n.* 蔬菜)

ventral [ˈventrəl] *adj.* 腹部的 (abdominal)

verbatim [vəːˈbeitim] *adj.* 逐字的，照字面的 (being in or following exact words; word-for-word)
【记】词根记忆：verb（词语）+ atim → 逐字的

verge [vəːdʒ] *n.* 边缘 (border; edge; rim)

vermin [ˈvəːmin] *n.* 害虫，寄生虫 (small common harmful or objectionable animals)
【记】词根记忆：verm（蠕虫）+ in → 害虫

UPTIGHT	URCHIN	URSINE	UTENSIL	UXORIOUS
VAGABOND	VALETUDINARIAN	VALOR	VAMPIRE	VANGUARD
VEGETATE	VENTRAL	VERBATIM	VERGE	VERMIN

【同】vermicide（*n.* 杀肠虫药）；vermiculate（*adj.* 蠕虫状的；错综复杂的）

vernal [ˈvəːnl] *adj.* 春季的，春季似的（fresh or new like the spring）

【例】The *vernal* radiance of her smile captivated us all.（她春天般的微笑把我们全都迷住了。）

versemonger [ˌvəːsˈmʌŋgə] *n.* 拙劣诗人，打油诗人

【记】verse（诗，诗句）+ monger（商人，贩子）

vesture [ˈvestʃə] *n.* 衣服（a covering garment）；覆盖物

【记】词根记忆：vest（衣服）+ ure → 衣服

【参】vestiture（*n.* 服装）

viand [ˈvaiənd] *n.* [-s] 食品，食物（provisions; food）

【记】词根记忆：vi（=viv. 活）+ and→ 让人活下去的东西 → 食品

vicissitude [viˈsisitjuːd] *n.* 变化，变迁，荣枯，盛衰（natural change or mutation visible in nature or in human affairs）

villainous [ˈvilənəs] *adj.* 邪恶的，恶毒的（having the character of a villain）

【记】来自 villain（恶棍）+ ous → 邪恶的

vim [vim] *n.* 精力，活力（energy or vigor）

vindication [ˌvindiˈkeiʃən] *n.* 洗冤（justification against denial or censure; defense）；证实

vinegared [ˈvinigəd] *adj.* 酸的；尖刻的（sour-tempered）

【记】来自 vinegar（醋）+ ed → 酸的

virago [viˈrɑːgəu] *n.* 泼妇，好骂人或好支配人的女人（a loud overbearing woman）

virile [ˈvirail] *adj.* 有男子气的；雄健的（masculine）

【记】词根记忆：vir（力量）+ ile → 有力量的 → 有男子气的

【例】a new and *virile* leadership（强有力的新领导）

visage [ˈvizidʒ] *n.* 脸，面貌（the face, countenance, or appearance）

【记】词根记忆：vis（看）+ age → 面容

visceral [ˈvisərəl] *adj.* 内心深处的（felt in or as if in the viscera）；内脏的（splanchnic）

【记】词根记忆：vis（看）+ ceral → 看不到的 → 深处的

vitreous [ˈvitriəs] *adj.* 玻璃的，玻璃状的（pertaining to or resembling glass）

vomit [ˈvɔmit] *n.* 呕吐（act of disgorging the contents of the stomach through the mouth）；呕吐物（the disgorged matter）；催吐剂（emetic）

【记】分拆联想：v + o（形似：嘴）+ mit（发送）→ 张嘴发送 → 呕吐

vulpine [ˈvʌlpain] *adj.* 狐狸般的，狡猾的（foxy; crafty）

【记】词根记忆：vulp（狐狸）+ ine → 狐狸般狡猾的

VERNAL	VERSEMONGER	VESTURE	VIAND	VICISSITUDE	VILLAINOUS
VIM	VINDICATION	VINEGARED	VIRAGO	VIRILE	VISAGE
VISCERAL	VITREOUS	VOMIT	VULPINE		

wade [weid] *v.* 涉水 (to step in water); 跋涉 (to make one's way arduously)
【形】fade (*v.* 褪色); jade (*n.* 碧玉)

wail [weil] *v.* 哀号，痛哭 (to express sorrow audibly; lament)
【例】The wind *wailed* in the trees. (风在林中呼啸。)

waive [weiv] *v.* 放弃 (to relinquish voluntarily); 推迟考虑 (to postpone)

wallop [ˈwɔləp] *n.* / *v.* 重击，猛打 (to hit with force)
【记】分拆联想：wall (墙) + op → 对着墙猛打→重击

wallow [ˈwɔləu] *n.* / *v.* (猪等) 在泥水中打滚 (to roll about in mud); 沉溺于 (to take unrestrained pleasure)
【记】分拆联想：wal (看做 wall 墙) + low (低的) → 在墙底下打滚

wangle [ˈwæŋgl] *v.* 用巧计或花言巧语获得某事物 (to achieve by cleverness or trick)

wanton [ˈwɔntən] *adj.* 无节制的，放纵的 (being without check or limitation); 顽皮的 (mischievous)
【记】发音记忆："顽童"
【例】*wanton* imagination (漫无边际的想像)

warble [ˈwɔːbl] *v.* (尤指鸟) 叫出柔和的颤音 ([of a bird] to sing; babble)

warden [ˈwɔːdn] *n.* 看守人 (guardian); 管理员 (keeper)
【记】和 garden (*n.* 花园) 一起记

waspish [ˈwɔspiʃ] *adj.* 易怒的 (snappish; petulant); 尖刻的
【记】来自 wasp (胡蜂) + ish → 胡蜂经不得骚扰 → 易怒的

waylay [weiˈlei] *v.* 埋伏，伏击 (to lie in wait for and attack from ambush)

weird [wiəd] *adj.* 古怪的 (odd); 荒唐的 (fantastic)
【例】a *weird* idea (怪念头)

welsh [welʃ] *v.* 赖债不还 (to avoid payment); 失信 (to break one's word)
【记】和威尔士人 (Welsh) 的拼写一样

whelm* [(h)welm] *v.* 用…覆盖，淹没 (to cover or engulf completely)
【记】发音记忆："帷幕"

whelp [(h)welp] *n.* 犬科的幼兽 (young wolf or dog)

whit [(h)wit] *n.* 一点儿，少量 (the smallest part imaginable; bit)
【记】和 whet (*v.* 磨快) 一起记

wig* [wig] *n.* 假发 (an artificial covering to conceal baldness)
【记】注意不要和 wag (*n.* 小丑) 相混

wiggle [ˈwigl] *v.* 扭动，蠕动 (to move to and fro with quick jerky or shaking motions)
【记】分拆联想：wig (假发) + gle (看做 giggle 傻笑) → 戴着假发扭动身子傻笑 → 扭动

windfall [ˈwindfɔːl] *n.* 风吹落的果实 (fallen fruit); 意外的好运 (unexpected lucky event)

WADE	WAIL	WAIVE	WALLOP	WALLOW	WANGLE	WANTON
WARBLE	WARDEN	WASPISH	WAYLAY	WEIRD	WELSH	WHELM
WHELP	WHIT	WIG	WIGGLE	WINDFALL		

winkle [ˈwiŋkl] *v.* 缓慢而费力地把某人弄出 (to get sb. out slowly and with difficulty)

wiretap [ˈwaiətæp] *n.* 窃听 (the act of tapping a telephone or telegraph wire in order to get information)

witch [witʃ] *n.* 巫婆，女巫 (sorceress)

wizardry [ˈwizədri] *n.* 魔术 (sorcery; magic); 熟练 (adroitness)

wizen [ˈwizn] *adj.* 凋谢的，枯萎的 (that is wizened)

wont [wəunt] *n.* 习惯，习俗 (a person's habit or custom; habitual procedure)

【参】unwonted (*adj.* 不习惯的)

woodcut* [ˈwudkʌt] *n.* 木刻，木版画

【记】组合词：wood (木头) + cut (切) → 木刻

wraith [reiθ] *n.* 幽灵 (ghost; specter); 骨瘦如柴的人

【记】注意不要和 wrath (*n.* 愤怒) 相混

wrangle [ˈræŋgl] *v.* 争吵，吵架 (to dispute angrily or peevishly; bicker)

wrath [rɔːθ] *n.* 愤怒，大怒 (strong vengeful anger or indignation)

【例】His *wrath* burst into flame. (他怒火喷发。)

wreak [riːk] *v.* 发泄怒火 (express anger), 报仇 (to inflict vengeance upon)

wreathe [riːð] *v.* 盘绕 (to coil about sth.); 把…做成花环 (to shape into a wreath)

【记】wreath (花环) + e → 把…做成花环

wreckage [ˈrekidʒ] *n.* 残骸 (broken and disordered parts or material from sth. wrecked)

【记】wreck (失事，遇难) + age

xenophobia [ˌzenəˈfəubiə] *n.* 仇外，排外 (fear and hatred of strangers or foreigners)

【记】词根记忆：xeno (外国人) + phob (恨) + ia → 排外

【参】xenomania (*n.* 媚外)

yaw [jɔː] *v.* (船、飞机等) 偏航 (to deviate erratically from a course)

【记】yawn (打呵欠) 去掉 n，联想：因为打呵欠所以偏航

yeoman [ˈjəumən] *n.* 自耕农 (a person who owns and cultivates a small farm); 乡下人

【记】由 young man 变化而来

zesty* [ˈzesti] *adj.* 热望的 (having or characterized by keen enjoyment)

【记】zest (热情，热心) + y → 热望的

【反】vapid (*adj.* 索然乏味的); bland (*adj.* 温和的)

WINKLE	WIRETAP	WITCH	WIZARDRY	WIZEN	WONT
WOODCUT	WRAITH	WRANGLE	WRATH	WREAK	WREATHE
WRECKAGE	XENOPHOBIA	YAW	YEOMAN	ZESTY	

04年6月后最新词汇　Word List 49

access [ˈækses] *v.* 得到；使用(freedom or ability to obtain；make use of)

annex [ˈæneks] *n.* 附件(supplement；appendix)

asphalt [ˈæsfælt] *n.* 沥青(an asphaltic composition often used for pavements)

barbarian [bɑːˈbeəriən] *n.* 野蛮人(one who is barbarous)；*adj.* 粗鲁的(lacking refinement or learning；impolite)

bar code 条形码(a code designed to label objects, containing their information)

behoove [biˈhuːv] *v.* 应该，有必要(to be necessary)；适宜(to be proper；to be fit)

bewitching [biˈwitʃiŋ] *adj.* 迷人的(fascinating or attractive)

bumpkinly [ˈbʌmpkinli] *adj.* 乡巴佬的(an awkward and unsophisticated rustic)

cell [sel] *n.* 单人牢房(a single room in a prison)

chaperone [ˈʃæpərəun] *n.* (陪少女上交际场所的)女伴(an old woman accompanying young unmarried women in public)

coat [kəut] *v.* 涂抹(to cover with a layer)

columnist [ˈkɔləmnist] *n.* 专栏作家(one who writes a column)

dab [dæb] *v.* 轻拍(to strike or touch lightly；pat)；轻轻地涂抹(to daub lightly)

dashing [ˈdæʃiŋ] *adj.* 时髦的(marked by smartness)；活跃的(vigorous)

dike [daik] *n.* 堤防(levee；a raised causeway)

dissect [diˈsekt] *v.* 仔细分析，剖析(to analyze and interpret minutely)

employ [imˈplɔi] *v.* 使用(to make use of)

epistolary [iˈpistələri] *adj.* 书信体的(written in the form of letters)

evildoer [ˈiːvilduːə(r)] *n.* 坏人，坏蛋(one who does evil)

fair-minded [ˈfeəˈmaindid] *adj.* 公平的，公正的(just or unprejudiced)

fetching [ˈfetʃiŋ] *adj.* 动人的，迷人的(attractive；pleasing)

fibrous [ˈfaibrəs] *adj.* 纤维的(consisting of fibers)

foreordain [ˌfɔːrəːˈdein] *v.* 预先注定(to predestine)

foreordain

gag [gæg] *n.* 恶作剧,开玩笑,插科打诨(prank; trick)

granulate [ˈgrænjuleit] *v.* 使成颗粒状(to form grains or granules)

hardihood [ˈhɑːdihud] *n.* 大胆(resolute courage and fortitude);鲁莽(temerity)

heavy-handed [ˈheviˈhændid] *adj.* 笨拙的(clumsy)

jettison [ˈdʒetisən] *n.* 抛弃(action of throwing)

ladle [ˈleidl] *n.* 杓子,长柄杓(a deep-bowled long-handled spoon)

lance [lɑːns; læns] *v.* 切开(to pierce; to cut)

leverage [ˈliːvəridʒ]/[ˈlevəridʒ] *n.* 杠杆作用(the action of a lever);力量上的优势(the mechanical advantage; power)

liken [ˈlaikən] *v.* 把…比作(to compare)

madcap [ˈmædkæp] *adj.* 轻率的 (imprudent);狂妄的 (to marked by capriciousness or recklessness)

marbled [ˈmɑːbld] *adj.* 有大理石花纹样的 (having markings or coloration suggestive of marble);肥瘦混合的(having a mix of fat and lean)

mastermind [ˈmɑːstəmaind]/[ˈmæstəmaind] *n.* 策划,设计者 (one who supplies the intelligence)

memorandum [ˌmeməˈrændəm] *n.* 备忘录(an informal written reminder)

nicety [ˈnaisəti] *n.* 精确(precision; accuracy);细微的差别(subtlety)

observant [əbˈzəːvənt] *adj.* 注意的,当心的(watchful; mindful)

pat [pæt] *adj.* 合适的(exactly suited to a purpose or occasion)

photorespiration [ˌfəutəuˌrespiˈreiʃən] *n.* 光呼吸作用 (a light-dependent process in plants)

privy [ˈprivi] *adj.* 个人的(private or individual);秘密参与的(secret)

proscenium [prəuˈsiːniəm] *n.* 舞台(stage)

radical [ˈrædikəl] *adj.* 激进的(extreme)

rascal [ˈrɑːskəl; ˈræskəl] *n.* 流氓(a mean or unprincipled person);不诚实的人(a dishonest person)

rosy [ˈrəuzi] *adj.* 乐观的,有希望的(optimistic)

scratch [skrætʃ] *v.* 乱涂乱画(to scribble or to scrawl)

screen [skriːn] *v.* 筛选,系统地测试以决定是否适合(to separate or to sift out)

scrimp [skrimp] *v.* 节省或精打细算(to be frugal or stingy)

simpleton [ˈsimpltən] *n.* 笨蛋,傻瓜(a person lacking in common sense)

slink [sliŋk] *v.* 潜逃(to go or move stealthily or furtively)

snarl [snɑːl] *v.* 咆哮，怒骂 (to growl)

spike [spaik] *v.* 钉牢 (to fasten with spikes); 扣球 (to throw down sharply)

spoilsport [ˈspɔilspɔːt] *n.* 破坏他人兴致的人 (one who spoils the pleasure of others)

staunch [stɔːntʃ] *adj.* 坚定的 (steadfast; faithful)

steward [ˈstjuəd] *n.* (轮船、飞机等)乘务员 (an employee attending passengers on a ship or airplane); 管家 (one who manages domestic concerns)

traipse [treips] *v.* 漫步，闲逛 (to walk without apparent plan; to wander)

tureen [təˈriːn] *n.* 有盖的汤碗 (a deep and usually covered bowl)

untrammeled [ˌʌnˈtræməld] *adj.* 自由自在的 (free; not limited)

verisimilitude [ˌverisiˈmilitjuːd] *n.* 逼真 (the quality or state of being verisimilar)

weather [ˈweðə] *v.* 经受住风雨 (to withstand the effects of weather)

windfall [ˈwindfɔːl] *n.* 意料之外的好运或收入 (an unexpected gain or advantage)

willy-nilly [ˈwiliˈnili] *adj.* 不可避免的 (without choice); 乱糟糟的 (in a haphazard manner)

winning [ˈwiniŋ] *adj.* 动人的 (tending to please or delight)

wrest [rest] *v.* 用猛烈的拉、扭的动作取得 (to gain or move by violent twisting movements); 夺取 (to gain)

I have nothing to offer but blood, toil, tears and sweat.

我能奉献的没有其他，只有热血、辛劳、眼泪与汗水。

——英国政治家 丘吉尔(Winston Churchill, British politician)

GRE考试预测词汇 Word List 50

animadvert [ˌænimædˈvəːt] *v.* 苛责，非难 (to remark or comment critically usu. with strong disapproval or censure)

arrant [ˈærənt] *adj.* 完全的，彻底的 (thoroughgoing)；极坏的，臭名昭著的 (being notoriously without moderation)

assoil [əˈsɔil] *v.* 赦免，释放；补偿；赎 (to absolve; pardon; acquit; expiate)

befoul [biˈfaul] *v.* 弄脏，污蔑中伤 (to make foul as with dirt or waste)

besot [biˈsɔt] *v.* 使沉醉，使糊涂 (to make dull or stupid, esp. to muddle with drunkness)

bide [baid] *v.* 等待，逗留 (to wait for; to continue in a place)

blather [ˈblæðə] *v.* 胡说八道 (to talk foolishly at length)

bleary [ˈbliəri] *adj.* 视线模糊的，朦胧的；精疲力竭的 (dull or dimmed esp. from fatigue or sleep; poorly outlined or defined; tired to the point of exhaustion)

bonny [ˈbɔni] *adj.* 健美的，漂亮的 (attractive, fair)

bouncing [ˈbaunsiŋ] *adj.* 精力充沛的；健康的；活泼的 (lively, animated; enjoying good health; robust)

brew [bruː] *v.* 酿酒 (to brew beer or ale)；招致 (to bring about)；酝酿，即将来临 (to be in the process of forming)

buffet [ˈbʌfit] *v.* 用手打；连续打击；搏斗 (to strike sharply esp. with the hand; to strike repeatedly)

bulldoze [ˈbuldəuz] *v.* 用推土机推平 (to move or level off by pushing with a bulldozer)；威胁，恐吓 (to coerce or restrain by threats; bully)

bullish [ˈbuliʃ] *adj.* 股票行情看涨的 (hopeful of rising prices, as in a stock market))；乐观的，自信的 (optimistic about sth.'s or someone's prospects)

bullyrag [ˈbuliræg] *v.* 恐吓，威胁 (to intimidate by bullying; to vex by teasing)

bustle [ˈbʌsl] *v.* 奔忙，忙碌 (to be busily astir); *n.* 喧闹，熙熙攘攘 (noisy, energetic, and often obtrusive activity)

canorous [kəˈnɔːrəs] *adj.* 音调优美的，响亮的 (pleasant sounding; melodious)

chaffing [ˈtʃɑːfiŋ] *adj.* 玩笑的，嘲弄的 (of, relating to jest, banter)

champ [tʃæmp] *v.* 咀嚼 (变体 chump) (to make biting or gnashing movements)

cheeky [ˈtʃiːki] *adj.* 无礼的，厚颜无耻的 (insolently bold; impudent)

chipper [ˈtʃipə] *adj.* 充满活力的，愉快的 (sprightly)

chubby [ˈtʃʌbi] *adj.* 丰满的，圆滚滚的 (plump)

chuck [tʃʌk] *v.* 扔或抛，抛弃 (to discard)，解雇 (to dismiss); 辞职 (to give up one's job)

clamber [ˈklæmbə] *v.* 爬上，攀登 (to climb awkwardly)

clammy [ˈklæmi] *adj.* 冷而粘湿的 (being damp, soft, sticky, and usu. cool)

con [kɔn] *n.* 反对 (an argument or evidence in opposition); *v.* 欺骗 (to swindle)

countrified [ˈkʌntrifaid] *adj.* 土气的，粗俗的 (rural)

crackpot [ˈkrækpɔt] *n.* 狂想者，癫狂的人 (one given to eccentric or lunatic notions)

crib [krib] *v.* 抄袭，剽窃 (to steal, plagiarize)

crimp [krimp] *v.* 压褶，使(头发)卷曲 (to cause to become wavy, bent, or pinched); 阻碍，束缚 (to be an inhibiting or restraining influence on)

cull [kʌl] *v.* 挑选，精选 (to select from a group); *n.* 挑剩下的次品 (sth. rejected esp. as being inferior or worthless)

dash [dæʃ] *v.* 破坏 (to ruin); 使受挫 (to depress); 使羞愧 (to make ashamed)

deluxe [diˈlʌks] *adj.* 豪华的，华丽的 (notably luxurious, elegant, or expensive)

desist [diˈzist] *v.* 停止 (to cease to proceed or act)

dicker [ˈdikə] *v.* 讨价还价 (to bargain)

dillydally [ˈdilidæli] *v.* 磨蹭，浪费时间 (to waste time by loitering or delaying)

dither [ˈdiðə] *n.* / *v.* 慌张，犹豫不决 (to act nervously or indecisively)

divers [ˈdaivəz] *adj.* 多样的，各种各样的（various）

dowse [dauz] *v.* 探寻水源或矿藏（to find (as water) by dowsing）

draggy [ˈdræɡi] *adj.* 单调而无生气的（dull）

drawn [drɔːn] *adj.* 憔悴的（showing the effects of tension, pain, or illness）

drip [drip] *v.*（使）滴下（to let fall in drops）

drool [druːl] *v.* 流口水；胡说（to drivel; to talk nonsense）

drub [drʌb] *v.* 重击（to beat severely）；严责（to berate）；彻底击败（to defeat decisively）

edgy [ˈedʒi] *adj.* 急躁的，易激动的（irritable）；锋利的（sharp）

elysian [iˈliziən] *adj.* 乐土的；像天空的；幸福的（of or relating to Elysium）

encomiastic [enˌkəumiˈæstik] *adj.* 赞颂的；阿谀的（of or relating to eulogy）

epideictic [ˌepiˈdaiktik] *adj.* 夸耀的（pretentious）

fancied [ˈfænsid] *adj.* 空想的，虚构的（of or relating to fancy）

fatidic [fəˈtidik] *adj.* 预言的（of or relating to prophecy）

finagle [fiˈneigl] *v.* 骗取，骗得（to obtain by trickery）

flatulent [ˈflætjulənt] *adj.* 自负的，浮夸的（pompously overblow；bloated）

flighty [ˈflaiti] *adj.* 轻浮的（lacking stability or steadiness）；反复无常的（capricious）

flimflam [ˈflimflæm] *n.* 欺骗（deception）；胡言乱语（deceptive nonsense）

flossy [ˈflɔsi] *adj.* 华丽的；时髦的（stylish or glamorous esp. at first impression）；丝绵的，柔软的（of, relating to, or having the characteristics of floss）

flummox [ˈflʌməks] *v.* 使混乱（to confuse）；背诵出错；失败

folksy [ˈfəuksi] *adj.* 有民间风味的；亲切的，友好的（friendly）

freestanding [ˈfriːstændiŋ] *adj.* 独立的（independent）；不依靠支撑物的（standing alone or on its own foundation free of support or attachment）

frumpy [ˈfrʌmpi] *adj.* 邋遢的（dowdy）；老式的，过时的（outdated）

fuddle [ˈfʌdl] *v.* 灌醉（to make drunk）；使迷糊（to make confused）

funky [ˈfʌnki] *adj.* 有霉臭味的（having an offensive odor）

gabby [ˈɡæbi] *adj.* 饶舌的（talkative）

gawky [ˈɡɔːki] *adj.* 迟钝的，笨拙的（awkward）

goof [ɡuːf] *v.* 犯错误（to make a usu. foolish or careless mistake）；消磨时间（to spend time idly or foolishly）

gracile [ˈɡræsail] *adj.* 细弱的，纤细优美的（slender, graceful）

gravitate [ˈɡræviteit] *v.* 被强烈地吸引（to be drawn or attracted esp. by natural inclination）

hanker [ˈhæŋkə] *v.* 渴望，追求（to have a strong or persistent desire）

hazy [ˈheizi] *adj.* 朦胧的，不清楚的（made dim or cloudy by or as if by haze）

heady [ˈhedi] *adj.* 任性的(willful)；鲁莽的(impetuous)

huffish [ˈhʌfiʃ] *adj.* 不高兴的，傲慢的(peevish; sulky)

huffy [ˈhʌfi] *adj.* 愤怒的，怨恨的(irritated or annoyed; indignant)

hunker [ˈhʌŋkə] *v.* 蹲下 (to squat close to the ground)；顽固地坚持(to holdstubbornly to a position)

hurtle [ˈhəːtl] *v.* 急飞(hurl, fling)

interlard [ˌintə(ː)ˈlɑːd] *v.* 使混杂，混入(to vary by intermixture)；点缀(to intersperse)

jab [dʒæb] *v.* 猛刺(to make quick or abrupt thrusts with a sharp object)

josh [dʒɔʃ] *v.* 戏弄，(无恶意地)戏耍 (to tease good-naturedly)

jostle [ˈdʒɔsl] *v.* 推挤(to push and shove)；挤开通路(to make one's way by pushing)

jounce [dʒauns] *v.* 颠簸地移动(to move in an up-and-down manner)

jumpy [ˈdʒʌmpi] *adj.* 紧张不安的，心惊肉跳的(on edge; nervous)

lard [lɑːd] *v.* 使丰富，使充满(to make rich with or as if with fat)

leach [liːtʃ] *v.* 过滤(to draw out or remove as if by percolation)

lymphatic [limˈfætik] *adj.* 无力的 (lacking in physical or mental energy)；迟缓的

matte [mæt] *adj.* 无光泽的(=mat)(lacking or deprived of luster or gloss)

maunder [ˈmɔːndə] *v.* 胡扯 (to speak indistinctly or disconnectedly)；游荡(to wander slowly and idly)

mealy [ˈmiːli] *adj.* 粉状的(soft, dry, and friable)；肤色不健康的，苍白的(pallid, pale)

muck [mʌk] *n.* 堆肥，淤泥(soft moist farmyard manure)；*v.* 施肥(to dress [as soil] with muck)；捣乱(to intefere, meddle)

mull [mʌl] *v.* 思考，思索(to consider at length)；*n.* 混乱(disorder)

munch [mʌntʃ] *v.* 出声咀嚼(to eat with a chewing action)

musky [ˈmʌski] *adj.* 麝香的(having an odor of or resembling musk)

nifty [ˈnifti] *adj.* 漂亮的；妙的(very good; very attractive)

nippy [ˈnipi] *adj.* 寒冷刺骨的(chilly, chilling)，刺鼻的(pungent)

obsessive [əbˈsesiv] *adj.* 强迫性的；分神的(tending to cause obsession)

oleaginous [ˌəuliˈædʒinəs] *adj.* 油腻的(having the properties of oil)；圆滑的，满口恭维的(marked by an offensively ingratiating manner)

ornery [ˈɔːnəri] *adj.* 顽固的，爱争吵的(having an irritable disposition)

pavid [ˈpævid] *adj.* 害怕的，胆小的（exhibiting or experiencing fear; timid）

peachy [ˈpiːtʃi] *adj.* 极好的，漂亮的（unusually fine）

peckish [ˈpekiʃ] *adj.* 饿的（hungry）；急躁的（crotchety）

pelagic [piˈlædʒik] *adj.* 远洋的，海水的（of, relating to, or living or occurring in the open sea）

pendulous [ˈpendjuləs] *adj.* 下垂的（inclined or hanging downward）

perk [pəːk] *v.* 恢复，振作（to gain in vigor or cheerfulness esp. after a period of weakness or depression）；打扮（to make smart or spruce in appearance）；竖起（to stick up）

picayunish [ˌpikəˈjuːniʃ] *adj.* 微不足道的；不值钱的（of little value）

piteous [ˈpitiəs] *adj.* 可怜的（of a kind to move to pity or compassion）

pop [pɔp] *v.* 发出砰的一声（to make or burst with a sharp sound）；突然出现（to go, come, or appear suddenly）

pound [paund] *v.* 强烈打击（to strike heavily or repeatedly）；*v.* 心砰砰跳；费力地移动（to move along heavily or persistently）

prong [prɔŋ] *v.* 刺，戳，贯穿（to stab, pierce, or break up with a pronged device）

pudgy [ˈpʌdʒi] *adj.* 短而胖的（being short and plump）；胖嘟嘟的（being short and fat）

pushy [ˈpuʃi] *adj.* 过于积极的，冒进的（aggressive often to an objectionable degree）

putter [ˈputə] *v.* 闲荡（to move or act aimlessly or idly）；*n.* 置放者（one that puts）

quasi [ˈkwɑːzi(ː)] *adj.* 貌似的，类似的，准的（having some resemblance usu. by possession of certain attributes）

quicksilver [ˈkwiksilvə] *adj.* 水银的；易变的（mercurial; unpredictable）；*v.* 涂上水银（to wipe azoth）

quondam [ˈkwɔndæm] *adj.* 原来的，以前的（former）

rack [ræk] *v.* 使痛苦，使受折磨（to cause great physical or mental suffering to）

ramp [ræmp] *v.* 稳定增长（up）或下降（down）（to increase or decrease esp. at a constant rate）；*n.* 坡道，斜坡（a sloping way）

raptorial [ræpˈtɔːriəl] *adj.* 食肉的；凶猛的（meat-eating; fierce）

ravening [ˈrævniŋ] *adj.* 狼吞虎咽的（to devour greedily）

recusant [ˈrekjuzənt] *adj.* 不服从规章的（人）（one who refuses to accept or obey established authority）

retch [riːtʃ] *v.* 作呕，恶心（vomit）

ritzy [ˈritsi] *adj.* 时髦的（fashionable, posh），势利的（snobbish）

sag [sæg] *v.* 松弛，下垂（to lose firmness, resiliency, or vigor）

sanitize ['sænitaiz] *v.* 使…清洁（to make clean）

satiny ['sætini] *adj.* 光滑的，柔细的（having or resembling the soft usu. lustrous smoothness of satin）

saucy ['sɔːsi] *adj.* 无礼的（rude and impudent）；调皮的（impertinent in an entertaining way）；漂亮的（pretty）

scamp [skæmp] *v.* 草率地做（to perform or deal with in a hasty manner）；*n.* 恶棍，流氓（rascal, rogue）

scraggly ['skrægli] *adj.* 参差不齐的（irregular in form or growth）；蓬乱的（rough）

scruffy ['skrʌfi] *adj.* 肮脏的，不洁的（unkempt, slovenly, shaggy）

shamble ['ʃæmbl] *v.* 蹒跚而行，踉跄而行（to walk awkwardly with dragging feet）

shilly-shally ['ʃliʃæli] *v.* 犹豫不决（to show hesitation or lack of decisiveness）；虚度时光（to fiddle）

simonize ['saimənaiz] *v.* 给…上蜡，把…擦亮（to polish with or as if with wax）

slog [slɔg] *v.* 猛击（to hit hard）；苦干（to work hard and steadily）

slosh [slɔʃ] *v.* 溅，泼（to splash about in liquid）；*n.* 雪泥（slush）

slug [slʌg] *v.* 猛击，拳击（to strike heavily with or as if with the fist or a bat）

smite [smait] *v.* 重打，猛击，折磨（to attack or afflict suddenly and injuriously）

smut [smʌt] *n.* 污迹（matter that soils or blackens）；*v.* 弄脏，污（to stain or taint with smut）

snipe [snaip] *v.* 狙击（to shoot at exposed individuals from a usu. concealed point of vantage）

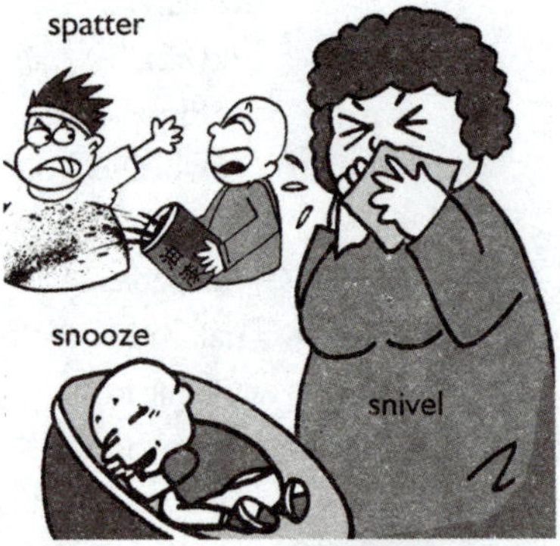

snivel ['snivl] *v.* 流鼻涕（to snuff mucus up the nose audibly）；*n.* 啜泣（an act or instance of sniveling）

snooze [snuːz] *v.* 打盹儿，打瞌睡（to take a nap）

soigne [swɑː'njei] *adj.* 时髦的，优雅的（elegantly maintained or designed）

soulful ['səulfəl] *adj.* 充满热情的，深情的（full of or expressing feeling or emotion）

sour ['sauə] *adj.* 酸的（having the acid taste or smell of or as if of fermentation）

spatter [ˈspætə] *v.* 喷洒（to splash with or as if with a liquid）

spew [spjuː] *v.* 呕吐 （to vomit）；大量喷出 （to come forth in a flood or gush）

sportive [ˈspɔːtiv] *adj.* 嬉戏的，欢闹的（playful）

squab [skwɔb] *adj.* 刚孵出的，羽毛未丰的（a fledgling bird）

squirt [skwəːt] *v.* 喷，射（to spurt）

stampede [stæmˈpiːd] *v.* 惊跑，逃窜（to cause to run away in headlong panic）

stately [ˈsteitli] *adj.* 庄严的；宏伟的 （marked by lofty or imposing dignity）

staunch [stɔːntʃ] *adj.* 坚定的；忠诚的（steadfast in loyalty or principle）

sticky [ˈstiki] *adj.* 湿热的（humid）；闷热的（muggy）

straiten [ˈstreitn] *v.* 使陷入困难 （to subject to distress, privation, or deficiency）；使变窄（to make strait or narrow）

stricken [ˈstrikən] *adj.* 被（疾病等）折磨的（afflicted or overwhelmed by or as if by disease, misfortune, or sorrow）；被击中的 （hit or wounded by or as if by a missile）

swathe [sweið] *v.* 包，绑，裹（to bind, wrap, or swaddle with or as if with a bandage）

swig [swig] *v.* 痛饮（to drink in long drafts）

swoop [swuːp] *v.* 猛扑，突然袭击（to move with a sweep）

tatter [ˈtætə] *v.* 撕碎 （to make ragged）；*n.* 碎片 （a part torn and left hanging）

tattle [ˈtætl] *v.* 闲聊（to chatter）；泄露秘密（to tell secrets）

thump [θʌmp] *v.* 重击，捶击（to pound）

tony [ˈtəuni] *adj.* 高贵的，豪华的 （marked by an aristocratic or high-toned manner or style）

troll [trəul] *v.* 钓鱼（to fish for by trolling）；兴高采烈地唱（to sing in a jovial manner）

trounce [trauns] *v.* 痛击，彻底地打败（to thrash or punish severely）

tumble [ˈtʌmbl] *v.* 突然跌倒（to fall suddenly and helplessly）；突然下跌，倒塌（to fall into ruin）

tweak [twiːk] *v.* 扭，拧，揪 （to pinch and pull with a sudden jerk and twist）；调节，微调（to make usu. small adjustments in or to）

unbosom [ˌʌnˈbuzəm] *v.* 倾诉，吐露心事 （to disclose the thoughts or feelings of）

velvety [ˈvelviti] *adj.* 柔软光滑的 （having the character of velvet as in being soft, smooth），爽口的（smooth to the taste）

verboten [vəˈbəutən] *adj.* 被禁止的，严禁的（prohibited by dictate）

versant [ˈvəːsənt] *adj.* 专心从事的 （conversant）；*n.* 斜坡 （the slope of a side of a mountain or mountain range）

vest [vest] *v.* 授权，授予，赋予 (to grant or endow with a particular authority, right, or property)

vintage [ˈvintidʒ] *adj.* 经典的；最好的 (of old, recognized, and enduring interest, importance, or quality)

wacky [ˈwæki] *adj.* (行为等)古怪的，愚蠢的 (absurdly or amusingly eccentric or irrational)

wend [wend] *v.* 行，走(to proceed on)

wheeze [wiːz] *v.* 喘息，发出呼哧呼哧的声音 (to make a sound resembling that of wheezing)

whimper [ˈwimpə] *v.* 哭哭啼啼，抽泣 (to make a low whining plaintive or broken sound)

wigwag [ˈwigwæg] *v.* 摇动，摇摆 (to move back and forth steadily or rhythmatically)

wile [wail] *n.* 诡计(a trick or stratagem intended to ensnare or deceive)；花言巧语(sweet words)

wispy [ˈwispi] *adj.* 纤细的，脆弱的(sth. frail, slight, or fleeting)

wroth [rəuθ] *adj.* 激怒的，非常愤怒的(intensely angry)

yank [jæŋk] *v.* 拽；拔；猛拔 (to pull or extract with a quick vigorous movement)

yen [jen] *v.* 上瘾，渴望(to have an intense desire)

yowl [jaul] *v.* 嚎叫，恸哭 (to utter a loud long cry of grief, pain, or distress)

yummy [ˈjʌmi] *adj.* 美味的，可口的 (highly attractive or pleasing, esp. delicious)

zany [ˈzeini] *adj.* 荒唐可笑的；像小丑的 (fantastically or absurdly ludicrous)；*n.* 小丑，丑角 (one who acts the buffoon to amuse others)

zoom [zuːm] *v.* 急速上升(to increase sharply)

Hew out of the mountain of despair a stone of hope and you can make your life a splendid one.

追求卓越，挑战极限，从绝望中寻找希望，人生终将辉煌。

——新东方校训

亲爱的读者，祝贺你完成了本书的学习！GRE考试被戏称为世界上最变态的考试，GRE词汇也被认为是上帝都需要背的词汇。现在，你已经光荣地完成了这项艰巨的任务。在此，让我们以本书作者的经典语录，祝愿你在接下来的学习和工作中再接再厉，梦想成真！

- 绝望是大山，希望是石头，但是只要你能砍下一块希望的石头，你就有了希望。
- 忍受孤独是成功者的必经之路；忍受失败是重新振作的力量源泉；忍受屈辱是成就大业的必然前提。忍受能力，在某种意义上构成了你背后的巨大动力，也是你成功的必然要素。
- 会做事的人，必须具备以下三个做事特点：一是愿意从小事做起，知道做小事是成大事的必经之路；二是心中要有目标，知道把所做的小事积累起来最终的结果是什么；三是要有一种精神，能够为了将来的目标自始至终把小事做好。
- 金字塔如果拆开了，只不过是一堆散乱的石头；日子如果过得没有目标，就只是几段散乱的岁月。但如果把一种力量凝聚到每一日，去实现一个梦想，散乱的日子就集成了生命的永恒。
- 做人最大的乐趣在于通过奋斗去获得我们想要的东西，所以有缺点就意味着我们可以进一步去完善，有缺乏之处意味着我们可以进一步去努力。
- 为什么你不要自傲和自卑？你可以说自己是最好的，但不能说自己是全校最好的、全北京最好的、全国最好的、全世界最好的，所以你不必自傲；同样，你可以说自己是全班最差的，但你能证明自己是全校最差的吗？能证明自己是全国最差的吗？所以不必自卑。
- 每一条河流都有自己不同的生命曲线，但是每一条河流都有自己的梦想——那就是奔向大海。我们的生命，有的时候会是泥沙。你可能慢慢地就会像泥沙一样，沉淀下去了。一旦你沉淀下去了，也许你不用再为了前进而努力了，但是你却永远见不到阳光了。所以我建议大家，不管你现在的生命是怎么样的，一定要有水的精神。像水一样不断地积蓄自己的力量，不断地冲破障碍。当你发现时机不到的时候，把自己的厚度给积累起来，当有一天时机来临的时候，你就能够奔腾入海，成就自己的生命。
- 你说我是猪，不对，其实我连猪都不如。很多人失去了快乐，是因为他太敏感了。别人一句话、一个评论就使自己生气一个月。这是非常无聊的。严重了就成了马家爵，因为别人不请自己吃饭就郁闷地要杀人。
- 人的生活方式有两种。第一种方式是像草一样活着，你尽管活着，每年都在生长，但你毕竟是一棵草，你吸收雨露阳光，但是长不大。人们可以踩过你，但是人们不会因为你的痛苦而产生痛苦；人们不会因为你被踩了，而来怜悯你，因为人们本身就没有看到你。所以我们每一个人，都应该像树一样成长，即使我们现在什么都不是，但是只要你有树的种子，即使你被踩到泥土中间，你依然能够吸收泥土的养分，自己成长起来。当你长成参天大树以后，遥远的地方，人们就能看到你；走近你，你能给人一片绿色。活着是美丽的风景，死了依然是栋梁之才，活着死了都有用，这就是我们每一个同学做人的标准和成长的标准。

《17 天搞定 GRE 单词》

杨鹏　编著

◎ 针对最新版《GRE 词汇精选》制定记忆时间表

◎ 帮助考生走出背单词误区，17 天速成 GRE 词汇

◎ “混字表”收录两千余易混词汇，帮助考生夯实词汇基础

定价：10 元　开本：32 开　页码：144 页

《GRE 类比/反义词》

宋昊　编著

◎ 国内破解 GRE 类比 / 反义词的第一书

◎ 题型概述、题目练习、中文释义、题目解释、难词剖析助您掌握 GRE 基本词汇群

定价：48 元　开本：16 开　页码：456 页

《GRE 数学高分快速突破》

陈向东　编著

◎ 数学考点详尽归纳，最新试题模拟

◎ 数学术语、解题窍门全面总结

◎ 分项思维密集训练

定价：28 元　开本：16 开　页码：276 页

《GRE 句子填空 15 天速战速决》

柏之菁　连盟　白荻　编著

◎ 收录 300 道最新 GRE 填空题

◎ 举例剖析各类题型的解题原则

◎ 15 天突破 GRE 句子填空

定价：29 元　开本：16 开　页码：256 页

《GRE 作文大讲堂——方法、素材、题目剖析》

韦晓亮　编著

◎ 全面性：全面讲解 GRE 写作两大部分

◎ 文化性：提供大量论证分析的英文表达及论据

◎ 指导性：汇集新东方 GRE 考试培训项目数年的教学精华

◎ 针对性：本书针对中国考生写作中的弱点，全面提升考生的写作实力

定价：48 元　开本：16 开　页码：492 页

《GRE 官方题库范文精讲》

(美)Mark Alan Stewart　编著

◎ 提供 200 多道 GRE 作文真题及其范文
◎ 精讲其中的近 100 篇，
◎ 分析、总结了 Issue 和 Argument 高分写作技巧

定价：48 元　开本：16 开　页码：404 页

《手把手教你 GRE 作文》

包凡一、David Barrutia　编著

◎ 精选 GRE 作文话题，荟萃写作专家指导，手把手教你攻克英语书面表达
◎ “学生习作”和专家“语言修改”双色对照排列，设计新颖

定价：28 元　开本：16 开　页码：204 页

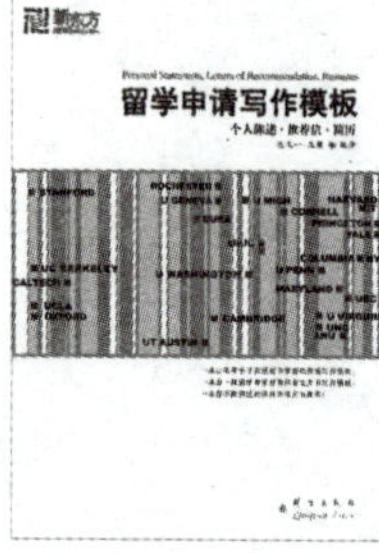

《留学申请写作模板：个人陈述、推荐信、简历》

包凡一、王薇　编著

◎ 一本让莘莘学子实现留学梦想的权威写作指南！
◎ 一本由一线留学专家推荐的专业文书写作模板！
◎ 一本你不能错过的经典申请文书集萃！

定价：42 元　开本：16 开　页码：336 页

《留美申请白皮书》

许轶、曾舒煜　编著

◎ 收集国内和美国名校超过 60 位各专业精英的真实案例、成功经验以及权威指导
◎ 系统地将经济学、统计学、营销学理论运用到申请领域

定价：35 元　开本：16 开　页码：280 页

《美国签证口语指南》

邱政政　编著

◎ 以面试口语问答分析签证成败之因
◎ 知己知彼，了解美国签证官思维表达方式
◎ 案例实录与分析助您吸取前人的经验与教训

定价：25 元　开本：32 开　页码：176 页

《永不言败》 俞敏洪 著

这本书里的俞敏洪，不仅是一位站在中国民办教育行业前沿的领军人物，也不仅是新东方团队的领导者和新东方神话的缔造者，他更是一位睿智的长者、一位辛勤的教师、一位慈祥的父亲、一位千百万学子心中可敬可爱的朋友。他会为你指出《生命的北斗星》，引导你突破《局限》，避开《习惯的陷阱》，最终走出人生的沙漠……

定价：18 元　开本：16 开　页码：200 页

《生命如一泓清水》 俞敏洪 著

全书分为四部分：生命如一泓清水、家的感觉、新东方的日子、在路上——新东方梦想之旅日记。除了畅谈生活、工作中的深彻感悟，全书首次记录了作者家庭成员之间、以及与父母、妻儿间的真挚感情。此外，本书第四部分以日记的形式详尽地记录了新东方梦想之旅的全过程。

定价：22 元　开本：16 开　页码：336 页

《挺立在孤独、失败与屈辱的废墟上》 俞敏洪 著

本书为俞敏洪演讲录。全书展示了作者在建立和管理新东方的过程中在诸多方面的深刻思考，如新东方精神的实质、新东方的使命与信念、优秀管理者的素质等等。此外，书中有较大篇幅是俞敏洪站在师长的立场，针对当代中国大学生所面临的一系列问题如求学、就业等，给大学生提出建议，并指导他们如何拥有良好的心态并合理规划人生。

定价：25 元　开本：16 开　页码：228 页

《我的哈佛日记》 张杨 著

一个出生在 80 年代的年轻人，带着梦想独立地自我规划，走进了中国和世界上的顶级学府。这本书既沉淀了他生活中最真实的感受，也记录了他通过激烈的考验和出国申请的竞争，靠自己的努力蜕变成一个年轻的“国际中国人”的独特历程。

定价：25 元　开本：32 开　页码：304 页

《美国名校毕业演说集萃》 许轶 编

本书收录了美国著名大学的毕业演说。这些站在美国顶级名校毕业典礼讲台上的演说者们，来自政界、商界、学术界、娱乐界……他们在这里“齐聚一堂”，侃侃而谈，以他们的视角、经历和感悟来传道、授业、解惑。

定价：20 元　开本：32 开　页码：224 页

读者反馈表

尊敬的读者：

您好！非常感谢您对**新东方大愚图书**的信赖与支持，希望您抽出宝贵的时间填写这份反馈表，以便帮助我们改进工作，今后能为您提供更优秀的图书。谢谢！

为了答谢您对我们的支持，我们每月将对反馈的信息进行随机抽奖活动，届时将有 20 名幸运读者可免费获赠**《新东方英语》**期刊一份。我们会定期在新东方图书网 www.dogwood.com.cn 公布获奖者名单并及时寄出奖品，敬请关注！

来信请寄：

北京市海淀区海淀中街 6 号新东方大厦 750 室　北京新东方大愚文化传播有限公司

图书部收

邮编：100080　　E-mail：club@dogwood.com.cn

姓名：________ 年龄：________ 职业：________ 教育背景：________

邮编：________ 通讯地址：________________

联系电话：________________ E-mail：________________

您所购买的书籍的名称是：________________

1. 您是通过何种渠道得知本书的（可多选）：
   □书店 □新东方网站 □大愚网站 □朋友推荐 □老师推荐 □其他________
2. 您是从何处购买到此书的？ □书店 □邮购 □图书销售网站 □其他________
3. 影响您购买此书的原因（可多选）：
   □封面设计 □书评广告 □正文内容 □图书价格 □新东方品牌 □新东方名师 □其他______
4. 您对本书的封面设计满意程度：
   □很满意 □比较满意 □一般 □不满意 改进建议________________
5. 您对本书的印刷质量满意程度：
   □很满意 □比较满意 □一般 □不满意 □很不满意 改进建议________________
6. 您认为本书的内文在哪些方面还需改进？ □结构编排 □难易程度 □内容丰富性 □内文版式
7. 本书最令您满意的地方：□内文 □封面 □价格 □纸张
8. 您对本书的推荐率：□没有 □1 人 □1－3 人 □3－5 人 □5 人以上
9. 您更希望我们为您提供哪些方面的英语类图书？
   □四六级类 □考研类 □雅思考试类 □GRE、GMAT 类 □NEW SAT 类 □实用商务类
   □休闲欣赏类 □初高中英语类 □其他________________
   您目前最希望我们为您出版的图书名称是：________________
10. 您在学习英语过程中最需要哪些方面的帮助？（可多选）
    □词汇 □听力 □口语 □阅读 □写作 □翻译 □其他
11. 您最喜欢的英语图书品牌：________________理由如下（可多选）
    □版式漂亮 □内容实用 □难度适宜 □价格适中 □对考试有帮助 □其他________________
12. 看到“新东方”三个字，您首先想到什么？________________
13. 您的其他意见和建议（可另附页）：________________
14. 填表时间：______ 年 ______ 月 ____ 日